La Croix de feu

Partie 2

Diana Gabaldon

La Croix de feu

Partie 2

Traduit de l'américain
par Philippe Safavi

www.quebecloisirs.com

UNE ÉDITION DU CLUB QUÉBEC LOISIRS INC.

Dépôt légal — Bibliothèque nationale du Québec, 2003
ISBN 2-89430-583-4
(publié précédemment sous ISBN 2-7648-0009-6)

Imprimé au Canada

Les Tambours de l'automne

TOME 4

Résumé

En 1767, Claire et Jamie se sont exilés au Nouveau Monde pour fuir l'oppression de la Couronne anglaise. Après un bref arrêt à Charleston, ils décident de monter plus au nord, dans la vallée du Cape Fear, où ils savent que plusieurs Highlanders se sont réfugiés. Puis, en juin, Jamie décide de rejoindre River Run, plantation dont son oncle, Hector Cameron, est le propriétaire. Quand il l'atteindra, il apprendra que son oncle est mort. Jocasta, la veuve de Cameron, offre à Jamie de devenir le régisseur de ses terres, mais ce dernier préfère sa liberté. Il choisira plutôt d'implanter une nouvelle communauté à Fraser's Ridge, avec Claire et plusieurs compagnons. Alors qu'ils se rendent là-bas, ils sont attaqués par Stephen Bonnet, un pirate à qui Jamie avait sauvé la vie.

Quant à Brianna, la fille de Claire, elle est restée dans le confort du XXe siècle. Elle vit en 1969, à Boston, où elle étudie et entretient une relation amoureuse avec Roger Wakefield, dont la véritable identité est Roger MacKenzie. Les amoureux découvriront dans des archives qu'un incendie survenu en 1776 est à l'origine de la mort de Claire et Jamie. Il n'en faut pas plus pour que Brianna traverse à son tour le cercle des pierres afin d'aller les sauver. Elle sera bientôt imitée par Roger.

Pendant que Brianna tente de retrouver sa mère, elle fait la rencontre du pirate Stephen Bonnet. Un tragique événement survient alors, qui va bouleverser sa vie...

Je dédie ce livre à ma sœur, Theresa Gabaldon,
à qui j'ai raconté mes premières histoires.

J'ai traversé la guerre et j'y ai beaucoup perdu.

Je sais ce qui mérite qu'on se batte et ce qui ne le vaut pas.

L'honneur et le courage sont inscrits dans nos os. Les raisons pour lesquelles un homme tue sont parfois les mêmes que celles pour lesquelles il est prêt à mourir.

Voici pourquoi, Ô mon frère, la femme a des hanches larges. Son bassin osseux abrite un homme et son enfant. La vie d'un homme jaillit de ses os et c'est dans son sang que son honneur prendra un nom.

Rien que pour l'amour, je serais prêt à marcher à nouveau dans le feu.

CINQUIÈME PARTIE

Plutôt mariée que brûlée vive

39

Dans le bosquet de Cupidon

– Tu crois qu'ils coucheront dans le même lit?

Jamie n'avait pas parlé fort, mais sans pour autant baisser le ton de sa voix. Heureusement, nous nous tenions à l'autre bout de la terrasse, trop loin pour que la maîtresse de maison puisse nous entendre. Néanmoins, plusieurs têtes s'étaient tournées vers nous.

Ninian Bell Hamilton nous dévisageait fixement. J'adressai mon plus beau sourire au vieil Écossais et le saluai brièvement avec mon éventail fermé tout en envoyant un coup de coude dans les côtes de Jamie.

– Un neveu respectueux et bien élevé ne pose pas ce genre de question sur sa tante! sifflai-je entre mes dents.

Prudent, Jamie s'écarta hors de ma portée en arquant les sourcils, l'air surpris :

– Quel rapport avec le respect? Ils sont sur le point d'être mariés et ont tous deux largement dépassé l'âge légal.

Ninian avait du mal à contenir son hilarité. J'ignorais l'âge exact de Duncan Innes, mais je lui donnais dans les cinquante-cinq ans. Quant à Jocasta, la tante de Jamie, elle en avait au moins dix de plus.

Je l'apercevais par-dessus les têtes des convives, à l'autre bout de la terrasse, acceptant gracieusement les vœux des amis et des voisins. Grande et drapée dans une robe rouille, elle se tenait entre deux immenses vasques en pierre d'où jaillissaient des bouquets de gerbes d'or séchées. Ulysse, son fidèle majordome noir, était posté juste derrière elle, raide et digne dans sa perruque poudrée et sa livrée verte. Véritable reine de la plantation de River Run, Jocasta était couronnée d'un élégant bonnet en dentelle blanche qui mettait en valeur ses traits fiers de MacKenzie et ses pommettes saillantes. Je me dressai sur la pointe des pieds, cherchant des yeux son prince consort.

Légèrement plus petit que Jocasta, Duncan aurait dû, malgré tout, être visible. Plus tôt dans la matinée, je l'avais aperçu vêtu de ses habits d'apparat de Highlander, resplendissant dans ses couleurs écarlates, quoique terriblement mal à l'aise. Je tordis le cou à droite et à gauche, posant une main sur l'épaule de Jamie pour conserver mon équilibre. Il me retint par le coude.

– Que cherches-tu, *Sassenach*?

– Duncan. Ne devrait-il pas être près de ta tante?

À voir Jocasta ainsi, personne ne pouvait deviner qu'elle était aveugle. En réalité, les grandes vasques de chaque côté lui permettaient de se repérer dans l'espace, pendant qu'Ulysse lui chuchotait à l'oreille le nom des invités qui approchaient. Je la vis lever légèrement sa main gauche, ne rencontrer que le vide et la rabaisser. Son expression ne changea pas. Elle hocha la tête avec un sourire, puis répondit au juge Henderson qui lui parlait.

Ninian haussa le menton et les sourcils, essayant de regarder avec discrétion par-dessus les têtes sans se hisser sur la pointe des pieds. Puis, l'air taquin, il suggéra :

– Le promis aurait-il pris la poudre d'escampette avant sa nuit de noces? J'avoue qu'à sa place, je me sentirais aussi un peu nerveux. Votre tante est une belle femme, Fraser, mais, si elle le voulait, elle pourrait geler les roubignoles de l'empereur du Japon d'un seul regard.

Jamie esquissa un sourire.

– Duncan a sans doute été pris d'un besoin pressant, dit-il. Je ne sais pas ce qu'il a, mais il s'est déjà rendu aux cabinets d'aisances quatre fois ce matin.

Cela m'étonna. Duncan souffrait de constipation chronique. Je lui avais d'ailleurs apporté un sac de feuilles de séné et de racines de caféier, m'attirant les remarques acerbes de Jamie sur ma conception d'un cadeau de mariage. Le futur marié devait être encore plus nerveux que je ne l'imaginais.

Répondant à Hamilton qui venait de lui murmurer une remarque à l'oreille, Jamie déclara :

– Cela ne devrait pas surprendre ma tante, étant donné qu'elle a déjà eu trois maris avant lui. En revanche, c'est le premier mariage de Duncan. C'est toujours un choc pour un homme. Je me souviens de ma première nuit de noces comme si c'était hier!

Il m'adressa un petit sourire en coin qui me fit monter le rouge aux joues. Je m'en souvenais aussi très clairement. J'ouvris mon éventail d'un coup sec et agitai l'arc de dentelle ivoire devant mon visage.

– Vous ne trouvez pas qu'il fait un peu chaud?

– Vraiment? dit Jamie d'un air narquois. Je n'avais pas remarqué.

– Duncan, lui oui, observa Ninian. La dernière fois que je l'ai vu, il suait comme du boudin cuit à la vapeur.

En vérité, il faisait plutôt frisquet malgré les grandes baignoires en fonte remplies de braises et placées aux quatre coins de la terrasse. Un agréable parfum de fumée de pommier s'en dégageait. Le printemps venait de faire son apparition. Les pelouses étaient vertes, tout comme les arbres qui bordaient la rivière, mais l'air matinal conservait son mordant hivernal. Dans les montagnes, l'hiver prenait encore son temps. En chemin vers River Run, nous avions eu de la neige jusqu'à Greensboro, même si, ça et là, les jonquilles et les crocus tentaient courageusement de percer.

Néanmoins, en ce jour de mars, le soleil était de la partie. La maison, la terrasse, les pelouses et le parc grouillaient d'invités parés de leurs plus beaux atours, formant des nuées de papillons égarés dans la mauvaise saison. Pour la bonne société de Cape Fear, le mariage de Jocasta serait clairement l'événement mondain de l'année. Il devait y avoir près de deux cents personnes, certaines venues d'aussi loin qu'Halifax et Edenton.

Ninian glissa quelques paroles en gaélique à l'oreille de Jamie, tout en me regardant de biais. Jamie lui répondit avec un mot d'esprit très élégant mais singulièrement cru, me souriant comme si de rien n'était pendant que le vieil Écossais pouffait de rire.

En fait, je commençais à bien me débrouiller en gaélique, mais à certains moments, il valait mieux pour moi ne pas comprendre. Je cachai mon amusement derrière mon éventail. Certes, manier cet accessoire avec grâce nécessitait un peu d'entraînement, mais il s'avérait un outil très utile en société pour quelqu'un doté, comme moi, d'un livre ouvert à la place du visage. Cependant, même les éventails avaient leurs limites.

Je me détournai de la conversation, qui semblait bien partie pour dégénérer, et scrutai les convives à la recherche du futur marié. Duncan n'était peut-être pas uniquement mort de trac mais vraiment malade. Le cas échéant, il pouvait avoir besoin de mes services.

Voyant la camériste de Jocasta passer devant moi au pas de course, les bras chargés de nappes, je l'appelai :

– Phaedre ! Avez-vous vu monsieur Innes, ce matin ?

Elle s'arrêta pile en entendant son nom, puis agita son impeccable coiffe.

– Non, m'dame Claire, pas depuis le petit-déjeuner.

– Comment allait-il ? A-t-il bien mangé ?

À River Run, ce premier repas de la journée s'étalait sur plusieurs heures, les invités logés sur place se servant eux-mêmes sur la desserte selon leur bon plaisir. Fort probablement, les intestins de Duncan étaient plus perturbés par la nervosité que par un empoisonnement alimentaire, toutefois, ce matin, j'avais repéré une saucisse plutôt douteuse.

Phaedre, qui aimait bien Duncan, fronça son front tout lisse.

– Non, m'dame, il n'a rien avalé. La cuisinière a essayé de le séduire avec des œufs mollets, mais il n'en a pas voulu. Il n'avait pas l'air dans son assiette, mais il s'est quand même servi une tasse de punch au rhum.

C'était très bon signe!

– Voilà qui devrait l'avoir remis d'aplomb, observa Ninian qui avait suivi notre conversation. Ne vous inquiétez donc pas, madame Fraser. Duncan s'en sortira bien.

Phaedre nous fit une petite révérence et repartit vers les tables que l'on était en train de dresser sous les arbres, son tablier amidonné claquant au vent. Une délicieuse odeur de porc grillé flottait dans l'air et des nuages de fumée fleurant bon le noyer blanc s'élevaient des feux allumés près de la forge. Au-dessus tournaient lentement sur des broches des cuisseaux de chevreuil, des carcasses de moutons et des dizaines de volailles. En dépit de mon corset trop serré, mon estomac gargouilla d'impatience.

Ni Jamie ni Ninian ne semblèrent l'entendre, mais je m'écartai un peu, m'orientant vers la pelouse qui s'étendait de la terrasse jusqu'aux pontons sur la rivière. Je n'étais pas convaincue des vertus du rhum, surtout dans un estomac vide. Certes, Duncan ne serait pas le premier fiancé à se présenter devant l'autel dans un état d'ébriété avancée, mais quand même…

Éclatante dans une robe couleur ciel de printemps, Brianna se tenait près de l'une des statues en marbre du parc, Jemmy en équilibre sur une hanche, en grande conversation avec l'avocat Gérald Forbes. Elle aussi possédait un éventail, mais son rejeton l'avait accaparé et rongeait consciencieusement sa monture en ivoire d'un air concentré.

Naturellement, Brianna avait moins besoin que moi de cacher ses émotions, car elle avait hérité de Jamie la faculté de dissimuler ses pensées derrière un masque aimable et indéchiffrable. Elle le portait en ce moment même, ce qui me donna une petite idée de son opinion sur maître Forbes. Mais où était donc passé Roger? Je l'avais aperçu près d'elle quelques instants plus tôt.

Me retournant pour demander à Jamie ce qu'il pensait de cette épidémie de maris volatilisés, je m'aperçus de sa propre disparition. Ninian Hamilton s'étant détourné pour discuter avec un autre invité, l'espace à côté de moi était désormais occupé par deux esclaves en route vers le buffet et chancelant sous le poids d'une nouvelle dame-jeanne d'eau-de-vie de vin. Je m'écartai précipitamment et partis à la recherche de Jamie.

Il s'était évanoui dans la foule, tel un coq de bruyère sur la lande. Je pivotai lentement sur place pour examiner la terrasse et le parc. Aucun signe de lui parmi les convives. Mettant ma main en visière pour me protéger du soleil brillant du matin, je scrutai la pelouse.

Jamie ne pouvait pourtant rester invisible. Highlander géant avec du sang de Viking coulant dans les veines, il dépassait d'une tête la plupart des hommes, et sa chevelure reflétait le soleil comme du bronze poli. Pour couronner le tout, en l'honneur du mariage de Jocasta, il s'était mis sur son trente et un : drapé dans un plaid en tartan rouge vif et noir retenu à la taille par une grosse ceinture de cuir, il portait sa belle veste et son gilet gris ainsi que des chaussettes hautes avec des losanges noirs et rouges, les vêtements les plus criards à avoir jamais paré des mollets d'Écossais. Il se détachait du lot comme une tache de sang sur un drap blanc.

Je ne vis pas Jamie, mais je reconnus un visage familier. Descendant de la terrasse, je me frayai un passage entre les grappes d'invités.

– Monsieur MacLennan!

En entendant son nom, il pivota, l'air surpris, puis un sourire cordial illumina son visage maigre.

– Madame Fraser!

– Comme je suis contente de vous voir ! Comment allez-vous ?

Il avait l'air en bien meilleur état que lors de notre dernière rencontre. Il était propre, vêtu d'un costume sombre bien taillé, coiffé d'un chapeau neuf. Toutefois, il avait toujours les joues creuses et cette ombre au fond du regard, même quand il souriait.

– Oh… euh… je vais plutôt bien, madame. Plutôt bien.

– Vous n'êtes pas… Où demeurez-vous, ces jours-ci ?

Dit ainsi, cela me paraissait moins brutal que de lui demander : « Comme se fait-il que vous ne soyez pas en prison ? » N'étant point sot, il me répondit comme si j'avais posé les deux questions à la fois.

– Votre mari a eu la bonté d'écrire à monsieur Ninian, qui est ici.

Il m'indiqua la silhouette frêle de Ninian Bell Hamilton qui, apparemment, était engagé au beau milieu d'une discussion animée.

– … Il lui a parlé de mes ennuis. Monsieur Ninian est un grand ami de la Régulation, voyez-vous, ainsi que, bizarrement, du juge Henderson.

Il secoua la tête d'un air perplexe, s'interrogeant encore sur la manière dont Jamie avait manœuvré.

– Je ne saurais vous expliquer comment il s'y est pris, mais monsieur Ninian est venu me chercher en prison et m'a amené chez lui. J'habite là, pour le moment. C'est très généreux… vraiment très généreux de sa part.

Sa sincérité était évidente, pourtant il avait l'air ailleurs. Puis il se tut soudain. Il me dévisageait toujours, mais son regard était vide. Je cherchai quelque chose à dire, espérant le ramener au temps présent, quand un appel de Ninian le sortit de sa transe, m'épargnant cet effort. Abel MacLennan s'excusa poliment et partit rejoindre son bienfaiteur pour apporter sa contribution au débat.

Je me promenai sur la pelouse, saluant des visages connus par-dessus mon éventail. J'étais ravie d'avoir retrouvé Abel et de le savoir sain et sauf, mais quelque chose en lui me pinçait le cœur. On sentait que peu lui importait où se trouvait son corps, son cœur gisait pour toujours dans la tombe de sa femme.

Pourquoi Ninian l'avait-il amené avec lui à River Run? Cette cérémonie de mariage ne pouvait que lui rappeler la sienne. Cela produisait toujours le même effet sur tout le monde.

Le soleil était à présent assez haut pour réchauffer l'air, mais je frissonnais malgré tout. La douleur de MacLennan me rappelait la période de ma vie après Culloden, quand, de retour dans mon époque, je croyais Jamie mort. Je ne connaissais que trop ce vide dans le cœur, cette impression de traverser les jours comme une somnambule et de passer les nuits les yeux grands ouverts, sans jamais trouver le repos, immergée dans un profond néant qui n'avait rien de paisible.

La voix de Jocasta appelant Ulysse s'éleva de la terrasse. Elle avait perdu trois maris et s'apprêtait à en prendre un quatrième. Elle avait beau être aveugle, son regard était loin d'être morne. Cela voulait-il dire qu'elle n'avait profondément aimé aucun de ses précédents maris? Ou simplement qu'elle était d'une force exceptionnelle, capable de surmonter ses deuils, encore et encore?

J'y étais parvenue une fois, pour Brianna. Mais Jocasta n'avait pas d'enfants, du moins aujourd'hui. En avait-elle eu un autrefois et choisi de vivre pour lui, étouffant ainsi la douleur de son cœur brisé?

Je me ressaisis, m'extirpant de ces pensées mélancoliques. Après tout, la journée était magnifique et nous étions tous ici pour nous réjouir. Les cornouillers étaient en fleur. En pleine saison des amours, les merles bleus et les cardinaux paradaient, en formant des confettis de couleur vive dans la verdure des arbres et sautillant de branche en branche, ivres de luxure.

– Mais bien sûr qu'ils l'ont déjà fait! s'exclama une femme sur un ton expert. Voyons donc! Ils vivent sous le même toit depuis des mois!

– Oui, évidemment, répondit un de ses compagnons, d'un ton peu convaincu. Pourtant, à les voir, on ne le dirait pas. C'est tout juste s'ils s'adressent un regard ! Enfin... je veux dire... naturellement, elle ne le voit pas, mais tout de même...

Les oiseaux n'étaient donc pas les seuls à penser à ça ! Toute l'assemblée semblait soudain connaître les effets d'une brutale montée de sève. Sur la terrasse, des groupes de jeunes femmes gloussaient et caquetaient, tandis que les hommes passaient et repassaient devant elles avec une nonchalance étudiée, se pavanant comme des paons dans leurs habits d'apparat. Je ne serais pas surprise de voir cette fête déboucher sur plusieurs fiançailles, sans parler de quelques grossesses. Parmi les effluves capiteux des fleurs de printemps et les odeurs de barbecue flottait un air de concupiscence.

Mon humeur mélancolique était passée, mais j'avais plus que jamais envie de retrouver Jamie. Je descendis d'un côté de la pelouse, puis remontai de l'autre. Toujours aucun signe de lui, là pas plus qu'entre la grande demeure et l'embarcadère où les esclaves en livrée continuaient d'accueillir les retardataires arrivant par bateau. Parmi ceux que l'on attendait encore se trouvait le curé censé célébrer la messe de mariage.

Le père LeClerc était un jésuite de la Nouvelle-Orléans en route pour une mission près de Québec, mais détourné du droit chemin par une généreuse donation de Jocasta à la Société de Jésus. L'argent n'achetait peut-être pas le bonheur, mais il facilitait indubitablement la vie.

Je jetai un coup d'œil dans la direction opposée et m'arrêtai net. Ronnie Campbell croisa mon champ de vision et me salua. Je lui fis un signe avec mon éventail, mais j'étais trop distraite pour lui parler. N'ayant pas trouvé Jamie, je venais sans nul doute d'apercevoir une des raisons de sa disparition. Farquard Campbell, le père de Ronnie, remontait de l'embarcadère en compagnie de deux hommes, l'un portant les couleurs fauve et rouge de l'armée de Sa Majesté, l'autre en uniforme de la marine royale, le lieutenant Wolff.

La vue de ce dernier me fit éprouver une impression désagréable. Je ne le portais pas vraiment dans mon cœur. À vrai dire, le lieutenant Wolff n'était guère apprécié par tous ceux qui le côtoyaient.

Son invitation avait été sans doute inévitable : la marine royale était le premier acheteur de la production de bois, de goudron et de térébenthine de River Run, et Wolff, l'officier chargé de l'approvisionnement. Il se pouvait également que Jocasta l'ait invité pour des raisons personnelles. Le lieutenant avait autrefois demandé sa main. Non pas, comme elle l'avait fait crûment observer, parce qu'il la désirait, mais plutôt pour mettre la main sur la plantation.

Oui, je devinais qu'en ce jour, elle savourait la présence du lieutenant. En revanche, Duncan, moins porté sur les vengeances et les manipulations en tout genre, l'apprécierait sans doute moins.

Farquard Campbell me repéra et mit le cap droit sur moi, entraînant les forces armées dans son sillage. Je redressai mon éventail et exécutai un rapide échauffement de mes muscles faciaux pour les préparer à une conversation courtoise. Toutefois, à mon grand soulagement, le lieutenant aperçut un serviteur traversant la terrasse avec un plateau chargé de verres et vira brusquement de bord, alléché par la vue de rafraîchissements alcoolisés.

L'autre officier le regarda s'éloigner, mais, docile, il suivit Farquard. Je l'étudiai pendant qu'il approchait. Non, je ne l'avais jamais vu auparavant. Depuis le départ du dernier régiment de Highlanders à l'automne, l'apparition d'une redingote militaire rouge était inhabituelle dans la colonie. Qui pouvait-il bien être?

Figeant mes traits dans ce que j'espérais être un sourire aimable, j'effectuai une révérence formelle, en étalant mes jupes brodées de manière splendide.

– Monsieur Campbell.

Discrète, je regardai derrière lui, mais le lieutenant Wolff s'était fort heureusement volatilisé à la recherche de substance alcoolique.

– Madame Fraser, mes hommages, dit Farquard accomplissant une gracieuse courbette.

Âgé et d'aspect desséché, Campbell était toujours aussi sobrement vêtu d'un costume noir en drap fin. Un ajout de dentelle au col était sa seule concession en ces temps de festivités. Il regarda en arrière de moi et fronça les sourcils.

– J'avais vu... j'avais *cru* voir votre mari. Il n'est pas avec vous ?

– Non, il est... euh... parti.

Avec délicatesse, je pointai mon éventail dans la direction des cabinets d'aisances, séparés esthétiquement de la maison principale par une certaine distance et un écran de pins blancs.

– Ah, oui. Je vois.

Campbell s'éclaircit la gorge et s'écarta pour me présenter l'homme qui l'accompagnait.

– Madame Fraser, voici le major Donald MacDonald.

Approchant de la quarantaine, le major MacDonald était un bel homme au nez aquilin. Il avait le teint tanné et le port altier d'un militaire de carrière, et son agréable sourire contrastait avec ses yeux perçants, du même bleu pâle que la robe de Brianna. Il s'inclina élégamment.

– Votre serviteur, madame. Puis-je me permettre de vous dire que cette couleur vous va à ravir ?

Je me détendis légèrement.

– Oui, vous le pouvez.

– Le major vient d'arriver à Cross Creek. Je l'ai assuré qu'il n'aurait jamais une meilleure occasion de rencontrer ses compatriotes et de se familiariser avec son nouvel environnement.

Farquard balaya d'un geste la terrasse, sur laquelle évoluait effectivement tout le Bottin mondain de Cape Fear.

– En effet, convint le major. Je n'avais pas entendu citer autant de patronymes écossais depuis mon départ d'Édimbourg. Monsieur Campbell m'a appris que votre époux était le neveu de madame Cameron, ou devrais-je plutôt l'appeler madame Innes?

– Oui. Vous avez déjà rencontré madame... euh... Innes?

Je jetai un œil vers la terrasse. Toujours pas de Duncan, pas plus que de Roger ou de Jamie. Bon sang! Où étaient-ils donc tous passés? Tenaient-ils une conférence au sommet dans les latrines?

– Non, mais j'ai hâte de lui présenter mes hommages. Feu monsieur Cameron était une relation de mon père, Robert MacDonald de Stornoway.

Il baissa respectueusement sa perruque en direction du mausolée en marbre blanc dressé d'un côté du parc et qui abritait la dépouille d'Hector Cameron, puis il reprit :

– Votre mari ne serait-il pas apparenté aux Fraser de Lovat, par hasard?

Gémissant intérieurement, je reconnus le début du tissage d'une toile d'araignée à l'écossaise. Quand un Écossais rencontrait un compatriote, ils commençaient invariablement par démêler leurs écheveaux généalogiques jusqu'à avoir isolé suffisamment de liens de parenté et de relations pour reconstituer un réseau utile. Pour ma part, j'avais tendance à m'empêtrer dans les fils gluants des familles et des clans, finissant comme une grosse mouche juteuse prise au piège dans la trame, à la merci de mon interrogateur.

Pendant des années, Jamie avait survécu aux intrigues politiques françaises et écossaises grâce à ses connaissances, glissant en équilibre précaire sur ces toiles d'araignée secrètes, évitant les pièges poisseux de la loyauté et de la trahison qui en avaient perdu tant d'autres. Je me concentrai donc de toutes mes forces, déterminée à situer ce MacDonald-ci parmi les milliers d'autres portant le même nom.

MacDonald de Keppoch, MacDonald des Îles, MacDonald de Clanranald, MacDonald de Sleat. Combien de sortes de MacDonald pouvait-il bien y avoir? Un ou deux auraient dû suffire largement pour répondre à toutes les demandes.

MacDonald des Îles, naturellement! La famille du major venait de l'île de Harris. Pendant l'interrogatoire, je gardais l'œil ouvert sur tout ce qui se passait autour de nous, mais Jamie restait sagement planqué.

Farquard Campbell, qui s'y entendait, lui aussi, en matière de généalogie, semblait s'amuser de ce ping-pong verbal, ses yeux noirs allant et venant entre le major et moi. Toutefois, son divertissement se transforma en surprise à la fin de mon analyse plutôt brouillonne de la lignée paternelle de Jamie, analyse qui contrastait avec le catéchisme du major, expert en la matière.

– Comment? Votre mari est le petit-fils de Simon Lovat, le vieux renard? s'étonna-t-il.

– Euh… oui, dis-je un peu mal à l'aise. Je pensais que vous le saviez.

On aurait dit qu'il venait d'avaler une prune à l'eau-de-vie, se rendant compte, mais trop tard, qu'elle avait encore son noyau. Il savait déjà que Jamie était un ancien jacobite gracié, mais Jocasta ne lui avait apparemment jamais parlé de sa parenté avec le vieux renard, exécuté pour haute trahison après son rôle dans le Soulèvement du prétendant Stuart. Lors de cette période plutôt chaotique, la plupart des Campbell s'étaient battus du côté de la Couronne.

Ne prêtant pas attention à la perplexité de Campbell, MacDonald plissa le front, l'air concentré.

– J'ai eu l'honneur de rencontrer l'actuel lord Lovat. Son titre lui a été restitué, je présume?

Se tournant vers Campbell, il expliqua :

– Il s'agit de Simon le jeune, qui a levé un régiment pour combattre les Français en… 58? Non, 57. Oui, c'est cela. Un brillant soldat, excellent combattant. Il serait donc… le neveu de votre mari? Non, son oncle.

– Son demi-oncle, rectifiai-je.

Simon le vieux avait été marié trois fois et n'avait jamais caché ses liaisons extraconjugales, dont le père de Jamie avait été l'un des fruits. Toutefois, je n'avais sans doute pas besoin d'entrer dans ce genre de détails.

Le visage fin de MacDonald s'éclaircit, et il hocha la tête, satisfait d'être parvenu à remettre tous les noms à leur place. Pour sa part, Farquard sembla se détendre en apprenant que la réputation de la famille était en bonne voie de réhabilitation.

– Un papiste, naturellement, ajouta soudain MacDonald. Mais excellent soldat quand même.

– En parlant de soldats, saviez-vous que..., l'interrompit Campbell.

Mon énorme soupir de soulagement fit crisser les lacets de mon corset, tandis que Campbell entraînait doucement le major dans une analyse détaillée d'un haut fait militaire passé. Au passage, j'appris que le major n'était plus en service actif, mais, comme beaucoup de ses confrères, à la retraite forcée, avec une solde diminuée de moitié. À moins et jusqu'à ce que la Couronne ait de nouveau besoin de ses services, il était libre d'errer dans les colonies à la recherche d'un emploi. La paix n'était pas tendre avec les professionnels de la guerre.

« Attends un peu », pensai-je avec un frisson prémonitoire. D'ici quatre ans – peut-être moins – le major se retrouverait pleinement occupé.

Surprenant un éclat de tartan du coin de l'œil, je fis volte-face, mais ce n'était ni Jamie ni Duncan. Un pan du mystère était néanmoins levé, car il s'agissait de Roger, superbe dans son kilt. Ses yeux s'illuminèrent en apercevant Brianna et il accéléra le pas. Elle se tourna dans sa direction, comme si elle avait senti sa présence, et son visage s'irradia en retour.

Une fois à ses côtés, sans même remarquer l'homme avec qui elle était en train de parler, il l'enlaça et l'embrassa sur la bouche. Puis il s'écarta, tendit les bras vers Jemmy et déposa un autre baiser sur la petite tête rousse.

Les délaissant, je revins à la conversation avec mes compagnons, me rendant compte un peu tard que Farquard Campbell parlait depuis un moment sans que j'aie la moindre idée du sujet. Remarquant mon air perplexe, il esquissa un sourire narquois.

– Si vous voulez bien m'excuser, madame Fraser, je dois aller parler à un ami que je viens d'apercevoir. Je laisse le major en votre excellente compagnie.

Avec courtoisie, il effleura le bord de son chapeau et s'éloigna vers la maison, peut-être dans l'intention de retrouver le lieutenant Wolff avant qu'il n'ait empoché l'argenterie.

Abandonné là avec moi, le major chercha un instant un sujet de conversation approprié, puis il se rabattit sur la question d'usage entre nouvelles connaissances.

– Votre époux et vous-même êtes dans les colonies depuis longtemps ?

– Non, environ trois ans, répondis-je prudemment. Nous vivons au sein d'une petite communauté dans l'arrière-pays.

J'agitai mon éventail en direction de l'ouest avant d'ajouter :

– Un endroit baptisé Fraser's Ridge.

– Ah oui, j'en ai déjà entendu parler.

Un muscle tressaillit à la commissure de ses lèvres et je me demandai avec un certain malaise ce qu'il avait, au juste, entendu dire. L'existence de la distillerie de Jamie était un secret de Polichinelle parmi les colons écossais de Cape Fear. D'ailleurs, plusieurs tonneaux de whisky brut étaient clairement visibles près des écuries, cadeau de mariage de Jamie à sa tante et à Duncan. J'espérais néanmoins que ce secret n'avait pas été galvaudé au point qu'un officier tout juste arrivé dans la colonie n'en ait déjà entendu parler.

– Dites-moi, madame Fraser…

Il hésita, puis il se lança :

– Rencontrez-vous beaucoup de mouvements factieux dans votre partie de la colonie?

– Factieux? Oh, euh... non, pas beaucoup.

Méfiante, j'observai le mausolée en marbre blanc d'Hector Cameron devant lequel le costume gris de quaker de Hermon Husband formait une tache sombre. Les «mouvements factieux» désignaient les activités d'hommes tels que Husband et James Hunter... des Régulateurs.

En décembre dernier, les milices du gouverneur avaient étouffé des manifestations violentes, mais la Régulation continuait à mijoter sous un couvercle bien fermé.

À cause de ses pamphlets, Husband avait été arrêté et emprisonné quelque temps en février, mais l'expérience ne semblait avoir calmé ni ses intentions ni son langage. La marmite pouvait déborder d'une minute à l'autre.

– Je suis ravi de l'entendre, madame. Recevez-vous souvent des nouvelles, isolés comme vous l'êtes?

– Pas beaucoup, à vrai dire. C'est une belle journée, ne trouvez-vous pas? Nous avons eu tellement de chance avec le temps, cette année. Vous n'avez pas éprouvé trop de problèmes en venant de Charleston? Si tôt dans la saison, avec la boue...

Pendant que nous discutions, il m'examinait ouvertement, notant la coupe et la qualité de ma robe, les perles autour de mon cou et à mes oreilles (empruntées à Jocasta) et les bagues à mes doigts. Je connaissais bien ce regard. Il n'avait rien de lubrique. Il évaluait simplement mon rang social, ainsi que le degré de prospérité et d'influence de mon mari.

Je ne me vexais pas outre mesure, d'autant plus que j'en faisais autant. Bien éduqué, il venait d'une famille honorable. Cela se comprenait à son grade, mais se voyait aussi à la lourde chevalière en or à son doigt. Toutefois, il n'avait pas de fortune personnelle. Son uniforme était élimé et ses bottes très usées – quoique impeccablement cirées.

Son léger accent écossais se teintait d'une faible intonation gutturale à la française, signe d'un long séjour sur le Continent, probablement dans l'armée. Fraîchement débarqué dans les colonies, ses traits étaient encore tirés par une maladie récente et le blanc de ses yeux avait cette vague nuance jaunâtre propre aux nouveaux arrivants. En effet, affaiblis par la traversée, ces derniers contractaient toutes les infections possibles, du paludisme à la dengue, dès qu'ils se retrouvaient exposés aux microbes qui régnaient en maître dans les villes portuaires.

– Dites-moi, madame Fraser…, reprit le major.

– Monsieur, vous n'insultez pas seulement moi, mais tous les hommes d'honneur ici présents !

La voix plutôt haut perchée de Ninian Bell Hamilton venait de s'élever au-dessus du brouhaha des conversations. Toutes les têtes se tournèrent vers la pelouse.

Ninian faisait face à un certain Robert Barlow, personnage que l'on m'avait présenté un peu plus tôt dans la matinée. Je me souvenais vaguement que c'était un quelconque marchand. D'Edenton ? À moins qu'il ne soit de New Bern. Cet homme trapu avait l'air de quelqu'un n'ayant pas l'habitude d'être contredit. Il toisait ouvertement Hamilton avec une moue sarcastique.

– Des « Régulateurs », vous dites ? Moi, j'appelle ça des délinquants, des agitateurs ! Vous voudriez faire passer cette racaille pour des hommes d'honneur, laissez-moi rire !

– Je ne cherche nullement à les faire passer pour tels, monsieur, je l'affirme et le défendrais sur mon honneur !

Le vieux monsieur se dressa de toute sa hauteur, sa main cherchant la garde de son épée. Heureusement, il n'en portait pas, tout comme les autres gentlemen présents, compte tenu du caractère festif de la réunion.

J'ignorais si cette absence d'armes influait sur l'arrogance de Barlow, mais celui-ci éclata d'un rire méprisant, puis tourna le dos à Hamilton. Fou de rage, le vieil

Écossais en profita pour lui flanquer son pied dans le derrière.

Pris par surprise et déséquilibré, Barlow bascula en avant, atterrissant à quatre pattes, les pans de sa redingote sur la tête. Indépendamment de leurs opinions politiques, tous les témoins de la scène pouffèrent de rire. Encouragé, Ninian bomba le torse comme un coq nain et contourna son adversaire à terre pour l'affronter.

J'aurais pu lui dire que c'était une erreur tactique, mais, d'un autre côté, j'avais l'avantage de voir le visage de Barlow, à savoir mortifié, les yeux exorbités et cramoisi de fureur. Il se redressa précipitamment et, en rugissant, se rua sur le petit homme en le culbutant en arrière.

Les deux hommes roulèrent dans l'herbe sous les huées d'encouragement des spectateurs. Les convives rassemblés sur la terrasse et dans le jardin accoururent pour voir ce qui se passait. Abel MacLennan joua des coudes dans la foule, fermement résolu à voler au secours de son protecteur. Richard Caswell voulut le retenir par le bras. Abel se dégagea brutalement, le projetant en avant. James Hunter profita de l'occasion pour lui faire un croche-pied et Caswell tomba à genoux dans l'herbe, abasourdi. Son fils George poussa un cri outré et envoya un coup de poing dans les reins d'Hunter. Celui-ci fit volte-face et le gifla à toute volée.

Plusieurs femmes poussèrent des cris, vociférations qui n'étaient pas que des piaillements d'effroi. Une ou deux parmi elles soutenaient de manière ouverte l'ardeur de Ninian Campbell, qui venait provisoirement de prendre le dessus sur son adversaire. À califourchon sur son torse, il tentait de l'étrangler, mais sans grand succès en raison du cou de taureau et de l'épaisse cravate de Barlow.

Désespérée, je cherchai de l'aide autour de moi. Bon sang ! Mais que faisaient Jamie, Roger et Duncan ?

George Caswell était tombé à la renverse, stupéfait, tenant son nez qui saignait sur sa chemise. DeWayne

Buchanan, l'un des gendres d'Hamilton, se fraya un chemin dans l'assistance d'un pas résolu, mais j'ignorais s'il comptait éloigner son beau-père de Barlow ou l'aider à se battre.

– Et merde ! soupirai-je. Tenez-moi ça !

Je fourrai mon éventail entre les mains du major MacDonald, remontai mes jupes et m'apprêtai à me lancer dans la mêlée, me demandant à qui donner un coup de pied en premier et où pour être le plus efficace possible.

– Voulez-vous que je les arrête ?

Trouvant apparemment le spectacle à son goût, le major paraissait déçu mais résigné à l'idée d'y mettre un terme. Quelque peu décontenancée, je hochai la tête. Il dégaina son pistolet, le pointa vers le ciel et tira.

La détonation fut assez puissante pour faire taire tout le monde quelques instants. Les combattants se figèrent. Profitant de cette brève accalmie, Hermon Husband fit son entrée en scène, saluant les combattants avec de cordiales courbettes.

– Ami Ninian, ami Buchanan, permettez-moi…

Il saisit le vieil Écossais sous les aisselles et le mit debout, dégageant ainsi Barlow. Puis, d'un regard autoritaire, il avertit James Hunter, qui, tout en grognant de manière audible, recula de quelques pas.

Mme Caswell junior, femme de raison, avait déjà évacué son mari hors du champ de bataille et lui appliquait un mouchoir sur le nez. DeWayne Buchanan et Abel MacLennan avaient chacun pris Ninian Hamilton par un bras et l'entraînaient vers la maison en s'efforçant, avec tact, de montrer leur difficulté à le retenir. En fait, aussi bien l'un que l'autre aurait pu facilement le soulever de terre et le porter.

Richard Caswell s'était relevé tout seul et, bien qu'ayant l'air très offensé, il ne semblait pas sur le point de frapper qui que ce soit. Scandalisé, il époussetait les brins d'herbes sur sa veste, pinçant les lèvres et grimaçant.

– Votre éventail, madame Fraser?

M'extirpant de mes réflexions concernant le bilan des hostilités, je pris l'objet en question des mains du major MacDonald. Il avait l'air plutôt content de lui. Je le dévisageai avec un certain respect.

– Merci, major. Dites-moi, vous promenez-vous toujours avec un pistolet chargé?

– Un oubli, madame. Quoique fortuit. Je me suis rendu à Cross Creek hier et, rentrant seul à la plantation de monsieur Farquard Campbell après la tombée de la nuit, j'ai jugé plus prudent d'être armé pour faire la route.

Puis, d'un geste du menton, il désigna quelqu'un derrière moi.

– Si je puis me permettre, madame Fraser, qui est cet individu mal rasé? Il ne paye pas de mine, mais ne manque pas de cran. Pensez-vous qu'il cherche encore à se battre?

Me retournant, j'aperçus Hermon Husband nez contre nez avec Barlow, son chapeau noir et rond en arrière sur le crâne, sa barbe de trois jours hérissée de colère, le menton pugnace. Barlow lui tenait tête, le visage pourpre, les bras croisés sur la poitrine, l'écoutant d'un air hargneux.

Sur un ton vaguement réprobateur, j'expliquai :

– C'est Hermon Husband, un quaker. Il ne recourt jamais à la violence, hormis dans ses paroles.

Pour ce qui était des paroles, il n'en était jamais à court. Barlow essayait vainement d'en placer une, mais le flot qui s'écoulait de la bouche d'Husband était ininterrompu. Il débitait ses arguments avec une telle ferveur qu'il en postillonnait.

– ... une monstrueuse erreur judiciaire! Ces shérifs – du moins est-ce ainsi qu'ils se font appeler – n'ont été nommés par aucune autorité légale, seulement par eux-mêmes, dans le seul but de s'enrichir par la corruption au mépris des droits élémentaires...

Barlow laissa retomber ses bras et recula d'un pas en espérant endiguer ce déluge verbal. Puis, profitant d'un bref instant pendant lequel Husband reprenait son souffle, il agita un doigt menaçant en avant.

– Vous évoquez la justice, monsieur? Quels rapports ces émeutes et ce vandalisme ont-ils avec la justice? En justifiant la réparation des torts qui vous ont été faits par le saccage des biens d'autrui...

– Loin de moi cette idée! Mais l'indigent doit-il toujours être sacrifié au profit de l'homme sans scrupule? Sa détresse ne mérite-t-elle aucune considération? Laissez-moi vous dire, monsieur : Dieu sera sans merci pour les oppresseurs des pauvres et...

– Mais quel est l'objet exact de leur dispute? me demanda MacDonald, intrigué. La religion?

Voyant qu'Husband s'en était mêlé et constatant qu'il n'y aurait pas d'autres pugilats, les convives se dispersaient, s'éloignant vers les tables du buffet et les braseros sur la terrasse. Hunter et quelques autres Régulateurs restèrent pour soutenir moralement Husband, mais la plupart des invités étaient des planteurs et des marchands. Si, en théorie, ils étaient peut-être d'accord avec Barlow, beaucoup ne voulaient pas gâcher une trop rare occasion de faire la fête en débattant avec le quaker des droits des contribuables dans le besoin.

Je n'avais pas franchement envie non plus de détailler la rhétorique de la Régulation, mais je fis cependant de mon mieux pour en dresser un bref tableau au major.

– ... et donc, conclus-je, le gouverneur Tryon s'est senti obligé de lever une milice pour mater les émeutiers, mais les Régulateurs ont fait marche arrière. Ce qui ne veut pas dire qu'ils aient abandonné leurs revendications, loin de là.

Husband n'avait pas non plus abandonné sa dispute – il ne capitulait jamais –, mais Barlow était enfin parvenu à se retirer du débat et reprenait ses esprits sous les ormes, devant la table des rafraîchissements, entouré d'amis compatissants qui lançaient de temps en temps des regards outrés vers le quaker.

– Je vois, fit MacDonald, captivé. Farquard Campbell m'avait effectivement parlé de ce mouvement séditieux. Vous dites que le gouverneur a levé une milice contre lui et pourrait être amené à recommencer? Savez-vous qui commande ses troupes?

– Hmm… il me semble que le général Waddell, Hugh Waddell, est à la tête de plusieurs compagnies. Mais c'est le gouverneur, un ancien soldat lui-même, qui commande le tout.

– Vraiment?

MacDonald semblait de plus en plus fasciné. Il n'avait pas rengainé son pistolet, dont il caressait la crosse d'un air songeur.

– Campbell m'a dit aussi que votre mari détenait une vaste parcelle de terre dans l'arrière-pays. Est-il un intime du gouverneur?

– «Intime» est un peu exagéré. Disons plutôt qu'ils se connaissent, en effet.

La tournure de cette conversation me mettait mal à l'aise. À strictement parler, il était illégal pour un catholique de détenir des concessions de terres royales dans les colonies. J'ignorais si le major en était conscient, mais il ne pouvait lui avoir échapper que Jamie était catholique, compte tenu du reste de sa famille.

– Pensez-vous que votre mari accepterait de me recommander?

Une lueur intéressée brillait au fond de ses yeux bleu pâle. Je compris enfin où il voulait en venir.

Un militaire de carrière sans guerre à se mettre sous la dent était doublement désavantagé, tant du point de vue du travail que des revenus. La Régulation n'était peut-être qu'une tempête dans un verre d'eau, mais elle offrait quelques perspectives de manœuvres guerrières. Après tout, Tryon n'avait pas de troupes régulières. Il serait éventuellement prêt à accueillir – et à rémunérer – un officier expérimenté s'il fallait de nouveau mobiliser une milice.

Je jetai un coup d'œil circonspect vers la pelouse. Husband et ses amis s'étaient placés en retrait et débattaient au pied de l'une des nouvelles statues de Jocasta. S'il fallait donner un sens à la bagarre récente, c'était que la Régulation restait un sujet brûlant d'actualité.

Je ne voyais aucune raison pour laquelle Jamie refuserait d'écrire une lettre le recommandant auprès de Tryon. En outre, je pouvais bien faire un geste pour remercier le major de nous avoir évité une bagarre généralisée.

– Cela devrait pouvoir se faire, répondis-je avec prudence. Vous devriez en parler directement avec mon mari, mais je serais heureuse d'intercéder en votre faveur.

– Vous aurez alors toute ma gratitude, madame.

Il rengaina son pistolet et s'inclina avec respect au-dessus de ma main. En se redressant, il aperçut quelque chose derrière moi.

– Je crains de devoir prendre congé, madame, mais j'espère avoir très prochainement l'honneur de faire la connaissance de votre mari.

Le major partit lestement vers la terrasse. Me retournant, je vis Hermon Husband approcher à grands pas, Hunter et quelques autres hommes sur ses talons.

– Madame Fraser, auriez-vous la bonté de présenter tous mes vœux de bonheur et mes regrets à madame Innes? déclara-t-il sans préambule. Je dois partir.

– Oh, si tôt?

J'hésitai. D'un côté, j'aurais voulu l'inciter à rester. De l'autre, sa présence risquait de provoquer encore du grabuge. Depuis l'échauffourée, les amis de Barlow ne le quittaient pas des yeux.

Il dut lire dans mes pensées, car il hocha la tête sobrement. Le feu du débat avait quitté ses joues et ses traits avaient retrouvé leur grisaille habituelle.

– Cela vaut mieux. Jocasta Cameron a toujours été une bonne amie pour moi et ce serait mal la remercier que de semer la discorde le jour de ses noces. Néanmoins, je ne peux, en mon âme et conscience, écouter sans réagir des opinions aussi pernicieuses que celles énoncées ici.

Il regarda le groupe de Barlow avec mépris, sentiment qui lui fut retourné au centuple. Puis, leur tournant le dos, il ajouta :

– En outre, des affaires urgentes nous appellent ailleurs.

Il hésita, se demandant visiblement s'il devait m'en dire plus, puis décida que non.

– Vous le lui direz, n'est-ce pas? insista-t-il.

– Oui, bien sûr, monsieur Husband. Je suis navrée.

Il esquissa un faible sourire teinté de mélancolie et secoua la tête sans rien ajouter. Tandis qu'il s'éloignait avec ses compagnons, James Hunter s'approcha de moi et me glissa à l'oreille :

– Les Régulateurs se rassemblent de nouveau. Il y a un grand campement près de Salisbury. Vous devriez peut-être le signaler à votre époux.

Il effleura le bord de son chapeau en guise de salut et, sans attendre ma réponse, s'éloigna à son tour, son manteau noir se fondant dans la foule comme un moineau disparaissant dans une volière remplie de paons.

* * *

De ma place au bord de la terrasse, je pouvais voir l'ensemble des invités. Ils déferlaient sans cesse entre la maison et la rivière, formant ici et là des courants tournoyants faciles à repérer pour un œil avisé.

Jocasta constituait le cœur du principal tourbillon des mondanités, mais des remous plus petits décrivaient des volutes menaçantes autour de Ninian Bell Hamilton et de Richard Caswell. Un autre courant continu formait des méandres dans l'assistance, déposant des résidus de conversation sur son passage, un riche limon de commérages fertiles. D'après les bribes que je surprenais ici et là, la vie sexuelle putative de nos hôtes était le sujet prédominant, suivi de près par la politique.

Toujours aucun signe de Jamie ni de Duncan. En revanche, le major avait réapparu. Il s'arrêta net, un verre de cidre à la main. Il venait d'apercevoir Brianna. J'observai la scène en souriant.

Brianna coupait en général le souffle des hommes, mais pas toujours par admiration. Elle avait hérité d'un certain nombre des traits de son père : ses yeux bleus en amande, sa chevelure flamboyante, son long nez droit, sa bouche large et ferme, autant de vestiges d'ancêtres vikings. Outre ces attributs frappants, elle avait aussi hérité de sa haute taille. À une époque où une femme dépassait rarement un mètre cinquante-deux, Brianna détonnait avec son mètre quatre-vingt. De quoi interloquer souvent les gens.

C'était le cas de MacDonald, qui en avait oublié son cidre. Roger le remarqua. Il sourit au major et le salua d'un signe de tête, tout en se rapprochant instinctivement de Brianna comme pour lui signifier : « Pas touche, elle est à moi ! »

Plus tard, observant le major en pleine conversation, je remarquai à quel point il paraissait pâle et frêle à côté de Roger, qui était presque aussi grand que Jamie. Il avait les épaules larges et le teint olivâtre, avec des cheveux aussi noirs et brillants que le plumage d'un corbeau au soleil, peut-être l'héritage d'un lointain envahisseur espagnol. Je devais reconnaître qu'aucune ressemblance n'était encore notable entre lui et le petit Jemmy, aussi roux qu'un chandelier en cuivre à peine sorti de la forge. J'aperçus un éclat blanc lorsqu'il se mit à sourire. Quant au major, il souriait la bouche fermée, comme la plupart des gens dans la trentaine qui cachent ainsi leurs dents manquantes et leurs chicots noirâtres. Dans ce cas, peut-être était-ce dû au stress inhérent au métier de soldat, ou alors simplement à une mauvaise nutrition. Venir d'une bonne famille ne garantissait pas qu'un enfant mangeait correctement.

Je passai la langue sur mes propres dents, testant le tranchant de mes incisives. Elles étaient saines et bien droites et, compte tenu de l'état actuel de la dentisterie, je faisais tout mon possible pour qu'elles le restent.

– Mais… si ce n'est pas madame Fraser !

La voix aigrelette me sortit de mes pensées et je découvris Phillip Wylie à mes côtés.

– À quoi étiez-vous donc en train de penser, ma douce amie ?

Il prit ma main et, cachant sa dentition pourtant relativement présentable derrière un sourire entendu, déclara en abaissant la voix :

– Vous aviez l'air délicieusement… sauvage !

Je retirai ma main avec vivacité, en répliquant sur un ton acerbe :

– Je ne suis pas votre « douce amie ». Parlant de sauvagerie, je m'étonne que personne ne vous ait encore mordu l'arrière-train.

– Je ne désespère pas que cela arrive, m'assura-t-il avec un pétillement au fond des yeux.

Il s'inclina, parvenant par la même occasion à reprendre ma main.

– Me ferez-vous l'honneur de m'accorder une danse, madame Fraser ?

– Non. Lâchez ma main.

Il obtempéra, mais pas avant d'avoir planté un baiser sur le bout de mes doigts. Je me retins de les essuyer sur ma jupe et le repoussai d'une tape de mon éventail.

– Laissez-moi, maintenant. Allez jouer ailleurs. Ouste ! Du vent !

Phillip Wylie était un coquet et un libertin. Je l'avais déjà rencontré à deux occasions et, chaque fois, il avait été égal à lui-même : culottes en satin, bas de soie et tous les accessoires qui allaient avec : perruque et visage poudrés, petite mouche noire en forme de croissant collée sous un œil.

Cette fois, il s'était surpassé : la perruque était mauve, le gilet de satin brodé de… – je clignai des yeux pour m'assurer que j'avais bien vu – … oui, de lions et de licornes en fils d'or et d'argent. Ses culottes étaient si moulantes qu'on avait dû les coudre sur lui. Le croissant avait cédé la place à une étoile collée à la commissure des lèvres. En somme, M. Wylie était devenu un vrai chou à la crème, avec une cerise sur le sommet.

– Oh, mais je n'ai nullement l'intention de vous abandonner, ma douce amie ! Je vous ai cherchée partout.

J'examinai sa veste en velours rose avec des boutonnières brodées de pivoines écarlates et des manchettes en soie lilas qui dégoulinaient au moins sur quinze centimètres.

– Il semblerait que vous ayez fini par me trouver. Mais je ne m'étonne pas de la difficulté de vos recherches. Vous deviez être aveuglé par l'éclat de votre propre gilet.

À ses côtés, Lloyd Stanhope, un ami aussi prospère que lui mais vêtu bien plus sobrement, éclata de rire. Wylie ne lui prêta pas attention, me faisant une nouvelle courbette.

– Que voulez-vous, ma chère amie, Dame Fortune a été généreuse avec moi cette année. Le commerce avec l'Angleterre se porte à merveille – que tous les dieux en soient loués ! – et j'y ai plus que ma part. Vous devriez m'accompagner voir…

Je fus sauvée par l'apparition soudaine d'Adlai Osborn, un autre riche marchand prospère basé quelque part le long de la côte, qui tapota l'épaule de Wylie. Profitant de cette diversion, j'ouvris mon éventail et me faufilai entre les convives.

Un instant livrée à moi-même, je descendis de la terrasse avec nonchalance et me promenai dans le jardin. Je cherchais toujours Jamie ou Duncan, mais j'en profitai aussi pour examiner les dernières acquisitions de Jocasta qui suscitaient de nombreux débats parmi les invités. Il s'agissait de deux statues en marbre blanc, chacune placée au centre des deux pelouses.

Celle située près de moi était la représentation grandeur nature d'un guerrier grec, un Spartiate sans doute, puisque le sculpteur avait fait l'économie du moindre vêtement, laissant comme seuls accessoires au monsieur un robuste casque à plumes et une épée à la main. Un grand bouclier placé stratégiquement à ses pieds palliait les insuffisances les plus élémentaires de sa garde-robe.

Sur l'autre pelouse se dressait sa contrepartie sous les traits d'une Diane chasseresse, drapée dans une tunique sommaire. Ses seins et ses fesses de marbre attiraient les regards en biais des messieurs, mais ces attributs faisaient moins sensation que ceux de son compagnon. Je cachai mon sourire derrière mon éventail en voyant M. et Mme Sherston passer devant la statue sans même lui jeter un coup d'œil. En levant le nez et en affichant des airs blasés, ils signifiaient à l'entourage que ce genre d'œuvre d'art existait partout en Europe et que seuls les ploucs des Colonies, dépourvus d'expérience et de culture, pouvaient s'émerveiller d'un tel *spectacle**, mon cher.

Inspectant la statue de plus près, je découvris qu'il ne s'agissait pas d'un quelconque grec anonyme mais de Persée. Ce que j'avais pris pour une pierre posée près du bouclier était en fait la tête de Méduse, la moitié de ses serpents se dressant, stupéfaits et scandalisés.

La beauté des reptiles offrait une excuse aux dames pour s'approcher davantage. Certaines audacieuses pinçaient les lèvres d'un air connaisseur et s'exclamaient, admiratives, devant le rendu de chaque écaille. De temps à autre, l'une d'elle laissait son regard remonter une fraction de seconde, avant de se ressaisir et de se replonger dans la contemplation de la Gorgone, les joues rouges, sans nul doute en raison de l'air frisquet et du vin chaud.

Mon attention fut détournée du spectacle de Persée par une coupe fumante du breuvage en question, placée sous mon nez par Lloyd Stanhope.

---

* En français dans le texte. *(N.D.T.)*

– Buvez-en un peu, chère madame. Vous ne voudriez pas attraper froid.

Cela ne risquait pas, car la température avait monté au fil de la journée. J'acceptai malgré tout la coupe, envoûtée par le parfum de cannelle et de miel qui s'en dégageait.

De l'autre côté de la statue, un groupe de gentlemen vantait les mérites du tabac de Virginie en le comparant aux plants d'indigo, tandis qu'à l'arrière du héros, trois jeunes filles regardaient avec coquetterie et en pouffant de rire les parties charnues du guerrier.

– ... unique! disait Phillip Wylie.

Les flux et les reflux de la conversation l'avaient de nouveau fait dériver dans mon voisinage.

– ... Absolument unique! On les appelle les perles noires. Je parie que vous n'avez jamais rien vu de tel.

Il pivota sur lui-même et, m'apercevant, m'effleura le coude.

– Madame Fraser, il me semble me souvenir que vous avez passé un certain temps en France. Peut-être en avez-vous déjà vues?

Il me fallut quelques instants pour reconstituer le fil de leur conversation.

– Des perles noires? Euh... oui, quelques-unes. Je me souviens que l'archevêque de Rouen avait un petit page maure qui en portait une énorme dans la narine.

La mâchoire de Stanhope s'ouvrit grand. Wylie me dévisagea une fraction de seconde avec stupéfaction, puis il partit d'un éclat de rire si retentissant qu'il interrompit net les lobbyistes du tabac et les trois adolescentes gloussantes. Tous se tournèrent vers nous.

– Vraiment, madame Fraser, vous me ferez mourir de rire!

Hilare, il sortit un mouchoir en dentelle et se tamponna délicatement le coin des yeux pour éviter que ses larmes ne fassent couler sa poudre de riz. Puis, il me prit par le bras et me propulsa hors de la cohue avec une adresse inattendue.

– Comme ça, madame Fraser, vous ne savez toujours pas de quoi ont l'air mes trésors ? Je dois absolument vous les montrer.

Avec habileté, il me guida entre les groupes, puis au-delà de la maison, où un sentier dallé conduisait aux écuries. Une autre foule, principalement des hommes, était agglutinée autour du paddock, où l'un des palefreniers de Jocasta éparpillait du foin pour plusieurs chevaux.

J'en comptais cinq : deux juments, deux poulains de deux ans et un étalon. Tous noirs comme jais, avec des robes qui brillaient dans le soleil printanier en dépit des vestiges cotonneux de leurs poils d'hiver. Je n'étais pas experte en anatomie équine, mais je ne pouvais qu'admirer leurs poitrails puissants, leurs hauts garrots et les muscles sculpturaux qui leur donnaient une élégance singulière et très séduisante. Cependant, au-delà de leur silhouette et de leur robe, leur crinière était la caractéristique la plus frappante.

Constituée d'une imposante masse de longs crins soyeux comme des cheveux de femme, elle volait au moindre mouvement, en harmonie avec la chute gracieuse de leur queue généreusement fournie. En outre, leurs fanons formaient de délicates plumes noires qui retombaient sur leurs sabots à chaque pas et s'agitaient comme des graines d'asclépiades ballottées par le vent. Comparés aux chevaux utilisés en général comme montures, bêtes de somme ou de halage, ces animaux paraissaient presque magiques. À en juger par les commentaires émerveillés des spectateurs, ils semblaient sortis tout droit du pays des fées plutôt que de la plantation de Phillip Wylie à Edenton. Incapable de détacher les yeux de ces splendides créatures, je demandai à ce dernier sans le regarder :

– Ils sont à vous ?

– Oui. Ce sont des chevaux frisons.

Son affectation habituelle était étouffée par une fierté justifiée.

– C'est une des races les plus anciennes. Leur arbre généalogique s'étend sur des siècles.

Il se pencha par-dessus la balustrade, puis tendit une main, la paume vers le ciel, et agita les doigts vers les chevaux pour les inviter à s'approcher.

– Je les élève depuis plusieurs années. Madame Cameron m'a demandé d'amener ceux-ci. Elle envisage d'acheter une de mes juments et a pensé qu'un ou deux de ses voisins pourraient également être intéressés. Quant à Lucas…

Reconnaissant son maître, l'étalon s'était approché et, avec grâce, se laissait gratter le front.

– … il n'est pas à vendre.

Les deux juments étant pleines, Lucas, le géniteur, était ici pour fournir la preuve de sa paternité. Je soupçonnai aussi son propriétaire de vouloir faire de l'esbroufe. Ses « perles noires » suscitaient une grande curiosité et plusieurs éleveurs des environs contemplaient le pur-sang, rongés par la jalousie. Phillip Wylie se pavanait comme un coq de bruyère.

Brusquement, la voix de Jamie retentit dans mon oreille.

– Ah, te voilà, *Sassenach !* Je te cherchais.

Je me retournai, et sa vue me réchauffa la poitrine.

– Ah oui ? Et toi, où étais-tu passé ?

Mon ton accusateur ne sembla guère l'émouvoir.

– Oh ! par-ci par-là. Quel animal magnifique, monsieur Wylie !

Il le salua d'un bref signe de tête, puis, me prenant le bras, il m'entraîna vers la maison avant que Wylie n'ait fini de répondre :

– Vous êtes trop aimable…

– Qu'est-ce que tu fabriquais ici avec ce freluquet ? me demanda-t-il, dès que nous nous fûmes éloignés.

À notre passage devant les cuisines extérieures, sortit une procession de domestiques portant des plateaux de mets fumants recouverts de serviettes blanches. Je posai une main sur mon ventre pour étouffer les borborygmes déclenchés par cette vision appétissante.

– J'admirais ses chevaux, répondis-je. Et toi?

Il me guida autour d'une flaque d'eau.

– Je cherchais Duncan. J'ai regardé partout, dans les latrines, la forge, les écuries, les cuisines. J'ai pris un cheval et je suis allé jusqu'aux granges où ils font sécher le tabac. Aucune trace de lui.

– Le lieutenant Wolff l'a peut-être assassiné. Crime passionnel, jalousie de rival…

Il s'arrêta pile, l'air consterné.

– Wolff? Ce rat est ici?

– En chair et en os.

Je lui indiquai la pelouse de la pointe de mon éventail. Wolff avait pris place près de la table des rafraîchissements, sa silhouette courte et trapue reconnaissable entre toutes dans son uniforme bleu et blanc de la marine.

– C'est ta tante qui l'a invité?

– Sûrement, dit-il, résigné. Elle n'a pas résisté au plaisir de lui mettre le nez dans ses propres excréments.

– C'est bien mon avis aussi. Cela dit, il n'est là que depuis une demi-heure et s'il continue à écluser à ce rythme, il sera ivre mort avant même le début de la cérémonie.

Jamie fit une grimace méprisante à l'endroit du lieutenant qui tenait une bouteille à la main.

– Bah! Qu'il se cuite si ça lui chante. Le principal, c'est qu'il n'ouvre la bouche que pour y verser à boire. Mais où donc Duncan est-il parti se cacher?

– Il s'est peut-être jeté à l'eau? répliquai-je en plaisantant.

Je jetai néanmoins un coup d'œil vers la rivière. Une barque s'apprêtait à accoster. Le rameur se tenait à la proue pour lancer la corde d'amarrage à l'esclave qui attendait sur le ponton.

– Regarde! Ce ne serait pas le prêtre, enfin?

C'était bien lui. Le petit bonhomme grassouillet, la soutane noire retroussée au-dessus de mollets velus, essayait de grimper tant bien que mal sur l'embarcadère, poussé aux fesses par le rameur. Ulysse arrivait déjà au pas de course pour accueillir l'homme d'église.

– Tant mieux, dit Jamie satisfait. On a le curé et la mariée. Deux sur trois, c'est déjà un progrès. Attends, *Sassenach*, tes cheveux se sont détachés.

Il suivit le tracé d'une boucle dans mon dos et je fis docilement glisser mon châle plus bas sur mes épaules. Avec une dextérité due à une longue pratique, il remit la boucle en place dans ma coiffure, puis déposa un baiser dans ma nuque, me faisant frissonner. Lui non plus n'était pas insensible aux vibrations de l'air printanier.

– Je suppose qu'il faut que je continue à chercher Duncan, dit-il avec une pointe de regret dans la voix.

Ses doigts s'attardèrent dans mon dos, son pouce caressant avec douceur les fossettes de mes vertèbres.

– Cela dit, une fois que je l'aurais retrouvé… on pourrait peut-être dénicher un petit coin tranquille dans les parages.

Au mot « tranquille », je m'adossai contre lui en regardant lascivement vers la berge où un groupe de saules pleureurs abritait un banc en pierre. On ne pouvait espérer endroit plus calme ni romantique, surtout après la tombée du soir. Les branches de saules étaient couvertes de bourgeons verts, mais, derrière ce rideau de verdure, j'entrevis un éclat rouge vif.

– Le voilà ! m'exclamai-je. Oh, pardon !

En me redressant abruptement, j'avais écrasé avec force l'orteil de Jamie.

– Ce n'est pas grave, me rassura-t-il

Suivant la direction de mon regard, il se redressa à son tour avec détermination.

– Je vais le chercher, annonça-t-il. Remonte à la maison, *Sassenach*, et surveille ma tante et le curé. Ne les laisse pas t'échapper avant que le mariage ne soit prononcé.

* * *

Jamie traversa le parc en direction des saules pleureurs, répondant d'un air distrait aux salutations des amis et des connaissances sur son passage. En vérité, son esprit était plus accaparé par sa femme que par les noces imminentes.

Il était conscient de sa chance d'avoir une épouse aussi belle. Même dans sa robe de tous les jours en grosse toile, pataugeant jusqu'aux genoux dans la boue de son jardin ou maculée du sang de ses patients, les courbes de son visage le faisaient toujours autant frémir et ses yeux couleur whisky l'enivraient d'un seul regard. Et puis sa masse de cheveux éternellement rebelles l'amusait.

Souriant tout seul à cette évocation, il se rendit compte qu'il était un peu ivre. L'alcool coulait partout à flots et, déjà, plusieurs hommes s'appuyaient contre le mausolée d'Hector, le regard vitreux et la mâchoire molle. Il y en avait même un qui pissait contre un arbre. Avant la nuit, un ivrogne ronflerait sous chaque buisson.

Seigneur! La pensée de ces corps étendus sous les buissons évoqua en lui une vision totalement indécente de Claire, les quatre fers en l'air, riant aux éclats, ses seins s'échappant de sa robe, les feuilles mortes et les herbes sèches autour d'elle de la même couleur que ses jupes retroussées et que les petits poils frisés de sa... Il refoula aussitôt cette image, saluant cordialement la vieille Mme Alderdyce, la mère du juge.

– Mes hommages, madame.

– Bonjour, jeune homme. Amusez-vous bien.

La vieille dame inclina la tête avec dignité et poursuivit son chemin, s'appuyant sur le bras de sa compagne, une jeune femme stoïque qui esquissa un faible sourire en réponse au salut de Jamie.

– Monsieur Jamie?

Une des servantes venait d'apparaître à ses côtés, avec un plateau rempli de coupes. Il en prit une, la remercia en souriant et en vida la moitié d'un trait.

Ce fut plus fort que lui. Il se retourna pour admirer Claire, mais n'entr'aperçut que le sommet de son crâne se faufilant dans la foule, sur la terrasse. Bien entendu, elle s'obstinait à ne pas porter un bonnet convenable, préférant s'épingler sur la tête une coquetterie toute en dentelles et en rubans, piquée de cynorhodons. Réprimant une envie de rire, il se laissa de nouveau captiver par les saules, un immense sourire aux lèvres.

Ce devait être sa nouvelle robe qui le mettait dans cet état. Depuis des mois, il ne l'avait pas vue habillée ainsi, en grande dame, sa taille fine prise dans la soie, ses seins blancs, ronds et doux débordant de son décolleté comme des poires d'hiver mûries à point. Elle était une autre femme, à la fois intimement familière et néanmoins d'une étrangeté excitante.

Ses doigts le démangèrent au souvenir de la longue mèche rebelle retombant en spirales dans son dos, du contact de sa nuque, de la courbe ronde et chaude de sa croupe à travers sa jupe, se pressant contre sa cuisse. Avec tout ce monde autour d'eux, il n'avait pu la posséder depuis plus d'une semaine, et ce manque se faisait cruellement sentir.

Depuis qu'elle lui avait montré ses spermatozoïdes, il avait la sensation désagréable d'un dangereux surpeuplement dans ses bourses, un fourmillement surtout perceptible dans ce genre de situation. Il savait très bien qu'il n'y avait aucun danger de rupture ou d'explosion, mais il ne pouvait s'empêcher de penser aux bousculades qui avaient lieu dans son entrejambe.

Être emprisonné dans une foule grouillante sans aucune issue de secours correspondait à sa propre vision de l'enfer. Aussi, il s'arrêta un instant derrière l'écran de saules pour rassurer ses chers petits d'une légère pression de la main, espérant ainsi calmer l'émeute pendant un bout de temps.

Il s'assurerait que Duncan soit bien marié, puis le laisserait se débrouiller tout seul. À la nuit tombée, s'il ne trouvait rien de mieux, un simple buisson ferait l'affaire. Il écarta une brassée de branches de saule et baissa la tête pour se glisser en dessous.

– Duncan..., commença-t-il.

Il s'interrompit, interdit. Le flot de ses pensées charnelles s'évanouit comme de l'eau aspirée dans un drain. La veste rouge vif n'était pas celle de Duncan Innes, mais celle d'un inconnu qui, aussi surpris que lui, fit volte-face. Un inconnu portant l'uniforme de l'armée de Sa Majesté.

* * *

L'air perplexe du militaire s'effaça presque aussi vite que celui de Jamie. Ce devait être MacDonald, l'officier dont lui avait parlé Farquard Campbell – celui qui percevait seulement la moitié de son solde. Selon toute vraisemblance, Farquard l'avait aussi décrit à MacDonald, car celui-ci semblait l'avoir identifié.

MacDonald tenait une coupe de punch. Il la vida calmement, puis la déposa sur le banc de pierre, s'essuyant les lèvres sur le dos de sa main.

– Colonel Fraser, je présume?

– Enchanté, major MacDonald.

Jamie esquissa un bref salut de la tête, à la fois poli et méfiant.

Le major s'inclina respectueusement.

– Colonel, puis-je prendre un bref moment de votre temps? En privé?

Il regarda par-dessus l'épaule de Jamie. Derrière eux, sur la berge, de très jeunes femmes poursuivies par de très jeunes hommes couraient en riant et en poussant des petits cris excités.

Remarquant, avec un certain cynisme, l'utilisation de son rang de milicien, Jamie acquiesça et posa à son tour sa coupe à moitié vide sur le banc. Puis, intrigué, il lui montra la maison d'un signe du menton. Le major hocha la tête et le suivit hors de leur abri de saules. Non loin d'eux, un froufroutement leur indiqua que la jeunesse avait aussitôt réinvesti la cachette de verdure et le banc. Jamie leur souhaita mentalement bonne chance, notant au passage l'emplacement pour y revenir éventuellement plus tard, à la nuit tombée.

La journée était fraîche mais ensoleillée et pas trop venteuse. Trouvant l'atmosphère civilisée de la maison trop confinée, bon nombre de convives, surtout des hommes, formaient des petits groupes sur la terrasse ou se promenaient en discutant dans les allées du jardin, où la fumée de leur pipe ne dérangeait personne. Estimant qu'à cet endroit on risquait moins de les interrompre, Jamie conduisit MacDonald sur le sentier en briques qui menait aux écuries.

Tout en contournant la maison pour qu'ils soient hors de portée des oreilles indiscrètes, le major s'efforçait d'entretenir la conversation.

– Avez-vous vu les frisons de Wylie? demanda-t-il.

– Oui. L'étalon est une belle bête, n'est-ce pas?

Le regard de Jamie se tourna machinalement vers le paddock. Tranquille, le pur-sang broutait les herbes près de l'abreuvoir, pendant que les deux juments se tenaient tête-bêche devant la grange, leurs dos larges luisant dans la pâle lueur du soleil.

Le major plissa des yeux vers l'enclos.

– Oui, sans doute, convint-il. Il paraît robuste et a un bon poitrail, mais tous ces crins… on ne pourrait pas en faire une bonne monture de cavalerie, à moins de le raser ou de le coiffer…

Jamie se retint de lui demander s'il aimait aussi les femmes rasées. L'image de la boucle rebelle retombant sur la nuque blanche de Claire était toujours aussi vive dans son esprit. Peut-être que les écuries conviendraient mieux… Il mit cette idée de côté pour la réexaminer plus tard.

– Vous vouliez me parler de quelque chose qui vous préoccupe, major? demanda-t-il plus abruptement qu'il ne l'aurait voulu.

– Ce n'est pas tant moi que cela préoccupe, répondit MacDonald avec calme. J'ai cru comprendre que vous cherchez des informations sur un certain Stephen Bonnet. Ai-je été bien informé ?

Le nom frappa Jamie en pleine poitrine. Il lui fallut quelques instants pour retrouver son souffle. Inconsciemment, sa main se referma sur la poignée de son coutelas.

– Je… euh, en effet. Vous savez où il se trouve ?

– Malheureusement pas.

Voyant sa déception, il se hâta d'ajouter :

– Mais je sais où il s'est trouvé. Si je comprends bien, ce Stephen est un vilain garçon ?

– Vous pouvez le dire. Il a commis plusieurs meurtres, m'a volé et a violé ma fille.

Le sourire jovial du major s'effaça aussitôt.

– Ah, je vois, dit-il doucement.

Il leva une main, comme pour toucher le bras de Jamie, puis la laissa retomber. Il avança de quelques pas, le front soucieux.

– Je suis navré, je ne savais pas. Maintenant, je comprends mieux…

Il se tut, ralentissant le pas tandis qu'ils approchaient de l'enclos.

– J'imagine que vous avez l'intention de me dire ce que vous savez de cet homme ? l'encouragea poliment Jamie.

MacDonald releva les yeux et se rendit compte que, quelles que soient ses intentions, son interlocuteur était déterminé à lui soutirer tout ce qu'il savait, que ce soit par la conversation ou par des méthodes plus directes.

– Je ne l'ai jamais rencontré personnellement, dit-il. Ce que je sais, je l'ai appris au cours d'une réception mondaine à New Bern, le mois dernier, lors d'un tournoi de whist organisé par Davis Howell, riche armateur et membre du Conseil royal du gouverneur.

Les convives, triés sur le volet, avaient commencé par un délicieux dîner avant de s'installer autour des tables de jeux. La soirée avait généreusement été arrosée de punch et de cognac.

À mesure que l'heure tournait et que l'air se remplissait de la fumée lourde des cigarillos, la conversation se fit plus libre. On échangea plusieurs plaisanteries concernant l'amélioration récente de la fortune d'un certain M. Butler, railleries accompagnées de spéculations à demi voilées, quant à l'origine douteuse de ses nouvelles richesses. Ne cachant pas sa jalousie, un monsieur déclara : « C'est facile de s'en mettre plein les poches quand on a un Stephen Bonnet sous la main ! » Son voisin, dont la discrétion ne s'était pas encore totalement dissoute dans le rhum, le fit aussitôt taire d'un coup de coude dans les côtes.

– Ce monsieur Butler faisait-il partie des convives ? demanda Jamie.

Ce nom ne lui disait rien, mais si Butler fréquentait des membres du Conseil royal… Au sein de la colonie, les cercles du pouvoir étant très restreints, il s'y trouverait bien quelqu'un connu de sa tante ou de Farquard Campbell.

– Non, il n'était pas à la soirée.

Ils avaient rejoint le paddock. MacDonald posa ses bras croisés sur la balustrade, contemplant l'étalon.

– Je crois qu'il habite à Edenton, ajouta-t-il.

Tout comme Phillip Wylie. Lucas, l'étalon, s'approcha d'eux, curieux, et agita ses naseaux. Jamie tendit machinalement la main et, le cheval se montrant aimable, il caressa sa noire mâchoire. En dépit de la grande beauté du frison, il le remarqua à peine, ses pensées se bousculant dans sa tête.

Edenton se trouvait sur le détroit d'Albemarle, facilement accessible par bateau. Bonnet avait donc dû reprendre son premier métier de marin, ainsi que ses activités annexes de piraterie et de contrebande.

– Pourquoi avez-vous qualifié Bonnet de « vilain garçon » tout à l'heure ? demanda soudain Jamie.

MacDonald se tourna vers lui.

– Vous aimez jouer au whist, colonel ? C'est un jeu que je vous recommande. Il présente certains avantages sur les échecs en ce sens qu'il permet de découvrir ce que votre adversaire a dans la tête et, avantage encore plus grand, de pouvoir se jouer contre plusieurs personnes à la fois. Enfin, on peut en vivre, ce qui est rarement le cas des échecs.

– Merci, je connais ce jeu, répondit sèchement Jamie.

MacDonald était un officier avec peu de ressources, sans mission officielle ni régiment. Pour des hommes dans sa situation, il n'était pas rare de chercher à améliorer un maigre ordinaire en vendant des bribes d'information. Pour le moment, la question d'argent n'avait pas été évoquée, mais cela ne voulait pas dire qu'il n'y aurait pas, tôt ou tard, un prix à payer. Jamie hocha brièvement la tête pour montrer qu'il avait compris et MacDonald acquiesça à son tour, satisfait. Il dirait ce qu'il avait à dire, en temps voulu.

– Comme vous pouvez vous en douter, colonel, j'ai été intrigué par ce Bonnet. S'il était vraiment cette poule aux œufs d'or dont ils parlaient, quelle sorte d'œufs pondait-il donc?

Toutefois, les partenaires de jeu de MacDonald avaient retrouvé leur prudence. Il n'avait rien appris d'autre sur le mystérieux Bonnet, hormis l'effet produit sur les personnes qu'il rencontrait.

– Savez-vous que, parfois, on en apprend plus par les non-dits ou par la manière de le dire que par les vraies paroles?

Sans attendre la réponse de Jamie, il poursuivit :

– Nous étions huit à jouer. Trois avançaient librement leurs hypothèses qui démontraient clairement qu'ils n'en savaient pas plus que moi sur ce Stephen Bonnet. Deux autres paraissaient soit ne rien savoir, soit s'en soucier comme d'une guigne. Mais les deux derniers sont devenus soudain très silencieux. Comme ceux qui n'osent pas prononcer le nom du diable de peur de le faire apparaître.

MacDonald s'interrompit un instant pour dévisager Jamie, puis, intrigué, lui demanda :

– Vous l'avez déjà rencontré en personne?

– Oui. Qui étaient ces deux derniers messieurs?

– Walter Priestly et Hosea Wright, répondit promptement le major. Tous deux des amis du gouverneur.

– Des marchands?

– Entre autres choses. Tous deux possèdent des entrepôts, Wright à Edenton et Plymouth, Priestly à Charleston, Savannah, Wilmington et Edenton. Priestly a également des intérêts commerciaux à Boston, mais j'ignore de quelle nature. Oh! ... et Wright est aussi banquier.

Jamie acquiesça, ses poings convulsivement fermés et dissimulés sous les pans de sa veste.

– Il me semble avoir déjà entendu parler de ce M. Wright, dit-il. Phillip Wylie a fait allusion à un homme de ce nom possédant une plantation près de la sienne.

MacDonald le confirma d'un hochement de tête. Le bout de son nez était devenu rouge et de petits vaisseaux sanguins éclatés striaient ses joues, souvenirs d'années de campagne.

– Oui, il doit s'agir du domaine de Four Chimneys.

Embarrassé, il regarda Jamie.

– Vous avez l'intention de le tuer?

– Bien sûr que non, répondit Jamie avec calme. Un homme avec des relations si haut placées?

– Hmm. En effet.

Ils marchèrent un moment côte à côte sans parler, chacun plongé dans ses propres calculs, chacun conscient de ceux de l'autre.

Cette information sur les relations de Bonnet était une arme à double tranchant. D'une part, elle faciliterait les recherches pour le retrouver. De l'autre, ces amis au bras long risquaient de créer des problèmes quand viendrait le moment de le supprimer. Ce qui, toutefois, n'arrêterait en rien Jamie, et MacDonald l'avait déjà très bien compris. Mais il lui faudrait calculer savamment son coup.

MacDonald lui-même représentait une autre complication. Les associés en affaires de Bonnet seraient intéressés d'apprendre qu'un homme s'apprêtait à détruire leur mine d'or et prendraient certainement des mesures pour l'en empêcher. Ils paieraient probablement au prix fort une information sur la menace qui planait sur leur source de profit, perspective alléchante qui n'échapperait pas au major.

Dans l'immédiat, il n'y avait aucun moyen de faire taire MacDonald. Jamie n'avait pas l'argent pour le soudoyer et quand bien même, ce n'était pas une solution : un homme acheté une fois était toujours à vendre.

Il observa le major qui soutint son regard en souriant à peine, avant de détourner la tête. Non, l'intimidation ne servirait à rien, même s'il avait eu en tête de menacer un homme qui venait de lui rendre un service. Que faire, alors? Il pouvait difficilement l'assommer pour l'empêcher de vendre la mèche à Wright, Priestly ou Butler.

S'il ne pouvait ni acheter son silence ni recourir à la force, il lui restait encore le chantage. Mais cela présentait d'autres difficultés, la principale étant qu'il ne savait encore rien de ce MacDonald. Cependant, un homme comme lui avait forcément des faiblesses, il suffisait de les trouver... De combien de temps disposait-il au juste?

Cette pensée en entraîna une autre.

– Comment avez-vous su que je m'intéressais à Stephen Bonnet? demanda-t-il brusquement.

Arraché à ses réflexions, MacDonald remit son chapeau et sa perruque d'aplomb, puis haussa les épaules.

– Je l'ai appris d'une bonne demi-douzaine de sources différentes, des tavernes aux cours de magistrats. Votre intérêt pour ce monsieur est bien connu, mais pas vos motivations.

Jamie émit un grognement sourd. Décidément, tous les progrès de son enquête étaient susceptibles de lui nuire. En lançant son filet aussi loin, il avait fait bonne pêche, certes, mais il avait également provoqué des remous susceptibles de faire fuir son poisson. Si toute la côte savait qu'il recherchait Bonnet, Bonnet devait, lui aussi, le savoir.

C'était peut-être grave, ou peut-être pas. Brianna n'avait pas caché qu'elle souhaitait qu'il abandonne Bonnet à son propre destin. Elle avait tort, bien sûr, mais il avait préféré ne pas en discuter avec elle, se contentant de l'écouter en faisant mine de comprendre. Elle n'avait pas besoin de savoir quoi que ce soit tant que l'autre n'était pas encore mort. Mais si elle venait à apprendre ce que son père mijotait… Il commençait à peine à envisager différentes possibilités quand le major reprit la parole.

– Votre fille… C'est bien Mme MacKenzie, n'est-ce pas ?

– Et alors ?

Son ton froid fit tiquer MacDonald, qui poursuivit néanmoins :

– Rien, assurément. C'est juste que… j'ai eu l'occasion de discuter avec elle et je l'ai trouvée… charmante. L'idée que…

Il s'interrompit pour s'éclaircir la gorge, puis il cessa de marcher et se tourna vers Jamie en annonçant :

– J'ai une fille, moi aussi.

– Ah oui ?

Jamie n'avait pas entendu dire que le major était marié. Il ne l'était sans doute pas.

– Elle est en Écosse ?

– En Angleterre. Sa mère est Anglaise.

Les traits tannés du major se rembrunirent, mais ses yeux bleu pâle, de la couleur du ciel derrière lui, restèrent fixés sur ceux de Jamie.

Celui-ci sentit la tension dans son dos se relâcher et il étira ses épaules. MacDonald esquissa un hochement de tête à peine perceptible, puis les deux hommes tournèrent les talons et reprirent leur marche vers la maison, discutant du prix de l'indigo, des dernières nouvelles du Massachusetts et du temps d'une clémence surprenante pour la saison.

– J'ai parlé avec votre épouse tout à l'heure, observa MacDonald. Une femme charmante et fort aimable. Vous êtes un homme très chanceux, monsieur Fraser.

– J'en suis convaincu.

Le soldat toussota dans le creux de sa main avant de poursuivre :

– Mme Fraser a eu la bonté de suggérer que vous accepteriez éventuellement de m'écrire une lettre de recommandation pour Son Excellence le gouverneur. Compte tenu de la récente menace de conflit, elle a pensé que mon expérience pourrait être utile à… enfin, vous voyez ce que je veux dire ?

Jamie voyait parfaitement. S'il doutait vraiment de la suggestion de Claire, il était soulagé que le prix demandé soit si bas.

– Ce sera fait au plus tôt, assura-t-il. Venez me trouver cette après-midi après la cérémonie, elle sera prête.

MacDonald inclina la tête, reconnaissant.

Lorsqu'ils atteignirent l'allée qui menait aux fosses d'aisances, MacDonald prit congé et s'éloigna en le saluant de la main, croisant Duncan Innes qui arrivait dans l'autre sens. Il avait les traits tirés et l'air hagard d'un homme dont les viscères étaient ligaturées avec des nœuds marins.

– Tu vas bien, Duncan ? demanda Jamie, inquiet.

En dépit de la fraîcheur de l'air, un fin voile de transpiration luisait sur son front, et ses joues étaient blêmes. S'il avait attrapé une saleté quelconque, Jamie souhaita qu'elle ne soit pas contagieuse.

– Non, répondit Duncan. Non, non, je… *Mac Dubh*, il faut que je te parle.

– Oui, bien sûr, *a charaid*.

Alarmé par son aspect, il lui prit le bras pour le soutenir.

– Tu veux que j'aille chercher ma femme ? demanda-t-il. Tu as besoin d'un petit verre ?

À en juger par son haleine, il ne l'avait pas attendu. Il ne semblait pas s'en porter mieux pour autant. Peut-être que les moules du dîner de la veille…

Innes fit non de la tête. Il déglutit et grimaça comme s'il avait quelque chose de coincé dans la gorge. Il souffla par les narines, puis il redressa les épaules, prenant son courage à deux mains.

– Non, *Mac Dubh,* c'est de toi dont j'ai besoin. Il faut que tu me conseilles, si tu veux bien.

– Bien sûr.

La curiosité l'emportant sur son inquiétude, Jamie lâcha le bras de Duncan.

– Qu'est-ce qui t'arrive, mon ami ?

– C'est à propos de… de la nuit de noces. Je… c'est-à-dire que… j'ai…

Il s'arrêta net en apercevant quelqu'un qui approchait dans l'allée et se dirigeait vers les cabinets.

– Par ici, dit Jamie.

Il prit la direction du jardin potager abrité derrière des murs en brique. La nuit de noces ? pensait-il, à la fois rassuré et perplexe. Duncan n'avait jamais été marié et, au cours de leurs années d'enfermement à Ardsmuir, Jamie ne l'avait jamais entendu parler des femmes, comme le faisaient la plupart des autres détenus. À l'époque, il avait pensé que son extrême pudeur l'en empêchait, mais… peut-être que… Mais non ! Duncan avait plus de cinquante ans, une occasion ou une autre s'était forcément présentée un jour.

Cela ne laissait que deux possibilités : la pédérastie ou la chaude-pisse. Or, chose certaine, Duncan n'était pas porté sur les hommes. La maladie vénérienne était plutôt gênante, mais Claire pourrait la soigner. Il fallait seulement espérer que ce n'était pas le « mal français », la syphilis étant une véritable plaie.

Il entraîna son vieil ami un peu plus loin, un carré d'oignons leur servant de cachette.

– Nous serons tranquilles ici, *a charaid*. Parle. Qu'est-ce qui te tracasse ?

40

Le secret de Duncan

Le père LeClerc ne parlait pas un mot d'anglais à l'exception d'un joyeux *Tally-ho*[1] *!* qui lui servait aussi bien de salut, d'exclamation de surprise ou d'interjection approbative. Jocasta étant allée faire sa toilette, Ulysse me présenta le prêtre, que j'escortai dans le grand salon. Je lui servis un rafraîchissement et le fis asseoir auprès des Sherston. Ces derniers, protestants, étaient plutôt effarés de se trouver face à un jésuite, mais, dans leur empressement à montrer à tous qu'ils parlaient français, ils étaient prêts à fermer les yeux sur la profession honteuse du prêtre.

M'essuyant mentalement le front après cette délicate gymnastique sociale, je présentai mes excuses et ressortis sur la terrasse pour vérifier si Jamie était parvenu à mettre la main sur Duncan. Je ne vis ni l'un ni l'autre, mais croisai Brianna qui revenait du jardin avec Jemmy.

– Comment va mon petit chéri ? demandai-je.

Il était agité, battant des pieds et se léchant les lèvres comme quelqu'un assis devant un banquet après une traversée du Sahara.

– Hmm… On dirait que tu as faim !

– Gaaaah ! fit-il.

Jugeant sans doute cette explication insuffisante, il répéta plusieurs fois la syllabe, de plus en plus fort, tout en sautillant pour accentuer ses propos.

---

1. L'équivalant de « Taïaut » en français. *(N.D.T.)*

– Lui, il a faim et moi, je suis sur le point d'exploser, déclara Brianna. Je vais aller le nourrir. Jocasta m'a permis d'utiliser sa chambre.

– Parfait. Elle vient justement de monter se reposer un peu et se changer. Maintenant que le curé est arrivé, on a fixé la cérémonie à seize heures.

Je venais d'entendre le carillon du vestibule sonner midi. J'espérais que Jamie avait pu localiser Duncan. Il vaudrait peut-être mieux l'enfermer quelque part pour éviter qu'il ne s'évanouisse de nouveau dans la nature.

Brianna donna son poing à mâcher à son rejeton affamé, étouffant ses cris, puis me demanda :

– Tu connais les Sherston?

– Oui, répondis-je, inquiète. Pourquoi, qu'est-ce qu'ils ont fait?

Elle me regarda, surprise.

– Rien de mal, ils m'ont commandé un portrait de Mme Sherston. Apparemment, Jocasta leur a chanté mes louanges et leur a montré certaines des huiles que j'avais réalisées pendant mon séjour ici, au printemps dernier. Du coup, ils veulent un tableau.

– Vraiment? C'est fantastique!

– Oui, enfin, surtout s'ils ont de quoi le payer. À ton avis?

Je reconnus là l'esprit pratique de ma fille, mais c'était une bonne question : les beaux habits et les relations ne reflétaient pas toujours la fortune réelle d'une personne et je ne savais pas grand-chose sur cette famille. Ils n'étaient pas de Cross Creek mais d'Hillsborough.

– Ils sont assez vulgaires et terriblement snobs, mais je pense qu'ils sont raisonnablement riches. Je crois qu'ils possèdent une brasserie. Mais tu ferais mieux de demander à Jocasta, elle sait tout.

– «Assez vulgaires», répéta Brianna en me singeant. Je me demande qui est la plus snob!

– Je ne suis pas snob! me défendis-je, très digne. Je suis simplement observatrice et je sais discerner les subtilités sociales. Au lieu de te moquer de moi, tu ne pourrais me dire où sont ton père et Duncan?

– Duncan, je ne sais pas, mais papa est là-bas derrière ces arbres avec M. Campbell.

Je suivis des yeux la direction de son doigt et distinguai les cheveux clairs et le tartan cramoisi de Jamie à l'autre bout de la pelouse. En revanche, aucune trace de la veste écarlate de Duncan.

– Mais où peut-il bien être? soupirai-je.

– Il est peut-être tombé dans la fosse d'aisances, suggéra Brianna.

Elle baissa des yeux exaspérés vers son fils qui émettait désormais des gémissements plaintifs d'inanition imminente.

Là-dessus, elle s'engouffra dans la maison. Je rajustai mon châle autour de mes épaules et descendis la pelouse pour rejoindre Jamie. En passant devant les tables où l'on dressait un buffet campagnard, je saisis au vol un biscuit et une tranche de jambon, me constituant un en-cas pour calmer ma propre faim.

Le fond de l'air était encore frais, mais le soleil haut dans le ciel me réchauffait le visage. Ce fut presque un soulagement de rejoindre les hommes dans le taillis de chênes, au fond du jardin. Les branches couvertes de feuilles pointaient comme des doigts de bébé. Que m'avait dit Nayawenne au sujet des chênes, déjà? Ah oui! Il fallait semer le maïs quand les feuilles de chêne atteignaient la taille d'une oreille d'écureuil.

Les esclaves de River Run pouvaient s'apprêter à commencer les semailles. En revanche, plusieurs semaines seraient nécessaires avant que les feuilles de chêne n'apparaissent à Fraser's Ridge.

Jamie venait apparemment de dire quelque chose d'hilarant, car Campbell, tout en me saluant d'un signe de tête, émit ce couinement grave qui, chez lui, passait pour un rire.

– Je vous laisse donc régler vos affaires, déclara-t-il à Jamie une fois ressaisi. Prévenez-moi si vous avez besoin de renfort.

Il mit une main en visière et scruta la terrasse :

– Tiens, le fils prodigue regagne ses pénates. Que préférez-vous, des shillings ou des bouteilles de cognac?

Je me tournai juste à temps pour apercevoir Duncan qui traversait en effet la terrasse, souriant timidement et saluant au passage les convives qui le félicitaient. Devant mon air perplexe, M. Campbell déclara avec un sourire en coin :

– J'ai fait un pari avec votre mari.

– Cinq contre un pour Duncan, expliqua Jamie. Je veux dire, qu'il passe la nuit dans le lit de ma tante.

– Dites-moi que je rêve! m'exclamai-je. N'y a-t-il donc aucun autre sujet de conversation ici? Vous êtes tous des obsédés sexuels.

Campbell se mit à rire, puis, distrait par les appels pressants de l'un de ses petits-fils, se détourna.

– Ne me dis pas que tu ne te poses pas la même question, me glissa Jamie.

– Figure-toi que non. Je n'ai pas besoin de me la poser, car je connais déjà la réponse.

– Je n'en doute pas. Tes propres pensées lubriques sont aussi flagrantes que des moustaches sur le museau d'un chat.

– Qu'est-ce que tu veux dire par là?

Juste au cas où il aurait raison, j'ouvris mon éventail et couvris le bas de mon visage. Je le dévisageai par-dessus le bord en dentelle, papillotant innocemment.

Il émit un bruit cynique, puis, après avoir jeté un bref coup d'œil à la ronde, me chuchota :

– Tu as ta tête des soirs où tu meurs d'envie que je te culbute dans notre lit, je me trompe?

Son souffle chaud caressait mon lobe. Je lançai un regard aimable à M. Campbell, qui nous examinait avec intérêt par-dessus le crâne de son petit-fils, puis me hissai sur la pointe des pieds et, toujours cachée derrière mon éventail, murmurai à mon tour dans l'oreille de Jamie. Puis, je me remis d'aplomb et souris gracieusement, m'éventant avec délicatesse.

Jamie parut un peu choqué mais clairement ravi. Il regarda M. Campbell qui, par chance, venait d'être entraîné dans une autre conversation. Il se frotta le nez et me dévisagea d'un air méditatif, ses yeux bleu nuit s'attardant sur l'échancrure dentelée de ma nouvelle robe. Avec nonchalance, j'agitai l'éventail devant mon décolleté.

– Euh… on pourrait…, hésita-t-il.

Il scruta le paysage autour de lui, cherchant différents endroits où s'isoler, puis ses yeux redescendirent vers la naissance de ma gorge, attirés comme un aimant.

– N'y compte pas, le prévins-je.

Je souris, saluai d'un signe de tête les vieilles demoiselles MacNeil qui passaient d'un pas lent derrière lui, puis repris à voix basse :

– Les moindres recoins de cette maison sont remplis de monde, tout comme les granges, les écuries et les dépendances. Si tu envisageais un rendez-vous galant sous un des buissons qui bordent la rivière, laisse tomber. Cette robe a coûté une petite fortune.

Une fortune en whisky illégal, certes, mais une fortune quand même.

– Oui, oui, je sais…

Ses yeux se promenèrent sur ma personne, des boucles désordonnées de ma coiffure à la pointe de mes nouveaux souliers en cuir. Le corselet et le bas de ma robe en soie ambre étaient brodés de feuilles mordorées. Je devais moi-même reconnaître qu'elle m'allait comme un gant.

– Elle en valait la peine, murmura-t-il.

Il se pencha vers moi et m'embrassa sur le front. Une brise fraîche agita les branches de chêne au-dessus de nos têtes et je me rapprochai de lui pour profiter de sa chaleur.

Entre le long voyage depuis Fraser's Ridge et la promiscuité de la maison bondée de convives venus pour le mariage, nous n'avions pas partagé un lit depuis plus d'une semaine.

Ce n'était pas tant nos ébats amoureux qui me manquaient – même si je n'aurais certainement pas dit non si l'occasion s'était présentée –, que le contact de son corps contre le mien, de pouvoir étendre mon bras dans le noir et poser ma main sur le long renflement de sa cuisse, de rouler vers lui le matin et de sentir la courbe ferme et lisse de ses fesses contre mon ventre, de presser ma joue contre son dos et de sentir l'odeur de sa peau en m'endormant.

Je frottai brièvement mon front contre les plis de sa chemise et inhalai avec envie le mélange d'amidon et d'odeur mâle en marmonnant :

– Crotte ! Tu sais, si ta tante et Duncan n'ont pas besoin du grand lit, on pourrait peut-être…

– Ah ! ah ! J'avais donc raison. Toi aussi, cette question t'intéresse !

– Pas du tout ! me défendis-je. Et puis, en quoi ça te regarde ?

– En rien, mais on est venu quatre fois depuis ce matin pour me demander si je pense qu'ils vont le faire ou s'ils l'ont déjà fait. Ce qui, au fond, est plutôt flatteur pour ma tante, non ?

Le fait était. L'idée que Jocasta, malgré sa soixantaine bien tassée, partage sa couche avec un homme n'avait rien d'incongru. J'avais rencontré bon nombre de femmes qui, dès la ménopause, avaient abandonné avec soulagement tous rapports sexuels. Jocasta n'en faisait pas partie. Parallèlement…

– Ils ne l'ont pas encore fait, déclarai-je. Phaedre me l'a confié hier.

– Je sais. Duncan vient de me le confirmer, lui aussi.

Il fronça un peu les sourcils. Je suivis son regard vers la terrasse, où la tache rouge vif du tartan de Duncan apparaissait entre les deux grandes vasques en pierre.

– Ah oui ? dis-je surprise.

Un soupçon m'envahit soudain.
– Tu ne lui as pas demandé, n'est-ce pas?
Il me lança un regard réprobateur.
– Bien sûr que non! Pour qui me prends-tu, *Sassenach*?
– Pour un Écossais. Vous ne pensez tous qu'à ça. Du moins, c'est ce qui semblerait à vous entendre aujourd'hui.
Je jetai un œil noir vers Farquard Campbell, mais il m'avait tourné le dos, pris dans une autre conversation.
Jamie me dévisagea d'un air songeur, en se grattant la mâchoire.
– On ne pense qu'à quoi?
– Tu sais très bien ce que je veux dire.
– Pour ça, oui. Je me demandais simplement... c'est une insulte ou un compliment?
J'ouvris la bouche, puis la refermai, lui renvoyant son regard rêveur.
– « Si la chaussure sied à ton pied, enfile-la », déclarai-je.
Il éclata de rire, faisant se retourner plusieurs personnes autour de nous. Me prenant par le bras, il m'entraîna plus loin sur la pelouse, à l'ombre d'un groupe d'ormes. Puis, s'assurant que personne ne pouvait nous entendre, il reprit :
– J'ai un service à te demander, *Sassenach*. Tu peux t'arranger pour parler à ma tante un moment seule à seule?
– Dans cette maison de fous?
Je regardai vers la terrasse où un essaim d'invités s'était abattu sur Duncan comme des abeilles sur un pied de lavande.
– Hmm... Je pourrais éventuellement la coincer dans sa chambre avant qu'elle ne redescende pour la cérémonie. Elle est montée se reposer.
Pour ma part, je n'aurais pas craché sur une occasion de m'allonger un moment, moi aussi. J'avais les jambes endolories d'être restée debout pendant des heures et mes nouveaux souliers me serraient un peu trop.
– Ça devrait faire l'affaire.

Aimable, il salua une connaissance qui passait par là, puis tourna le dos pour être sûr de ne pas être interrompu.

– De quoi s'agit-il? demandai-je.

Il paraissait soudain à la fois amusé et soucieux.

– C'est à propos de Duncan. Il a un petit problème dont il n'ose lui parler.

– Laisse-moi deviner. Il a déjà été marié. Il croyait sa première femme morte, mais il vient de la voir devant le buffet en train de s'empiffrer de friands.

– Euh… pas tout à fait. Ce n'est pas aussi grave. D'ailleurs, il se fait sans doute du souci pour rien. Mais il est préoccupé et ne trouve pas le courage de s'adresser directement à Jocasta. Elle l'impressionne un peu.

Duncan était un homme timide et modeste. Ancien pêcheur entraîné malgré lui dans les combats du Soulèvement jacobite, il avait été capturé à Culloden, puis avait passé plusieurs années en prison. Là, une simple blessure infectée avait dégénéré en septicémie et lui avait coûté un bras. Cela lui avait valu d'être libéré au lieu d'être déporté comme ses camarades, son infirmité le rendant inapte au dur labeur et invendable comme ouvrier sous contrat. Je ne me demandais même pas qui avait eu l'idée de ce mariage. Une telle ascension sociale ne lui serait jamais venue à l'esprit.

– Je m'en étais rendu compte. Mais qu'est-ce qui l'inquiète donc tant?

– Eh bien… Tu ne t'es jamais demandé pourquoi il ne s'est jamais marié auparavant?

– Non. J'ai simplement pensé qu'entre le Soulèvement et la prison, il… Oh zut! Ce ne serait pas que… tu veux dire que… il préfère les hommes?

– Mais non! s'indigna-t-il. Tu crois que je permettrais à ma tante d'épouser un sodomite? Seigneur!

Il regarda autour de nous pour s'assurer que personne n'avait entendu une telle calomnie, puis m'entraîna à l'abri derrière les arbres, au cas où.

– Tu ne le saurais pas forcément, dis-je, amusée.

– Oh que si ! Viens par ici.

Il souleva une branche et me laissa passer, une main dans le creux de mes reins. Le taillis était assez dense pour nous protéger des regards. Nous nous arrêtâmes dans un petit espace dégagé entre les troncs.

– Ce n'est pas ça, reprit-il. Tu as vraiment un esprit scabreux, *Sassenach* ! Non, je t'assure que ça n'a rien à voir. C'est juste que… il ne peut pas.

Il haussa les épaules, l'air profondément mal à l'aise.

– Il ne peut pas quoi ? Ah, tu veux dire qu'il est impuissant ?

– Oui. Il a été fiancé quand il était jeune, mais il a eu un terrible accident. Une carriole l'a renversé et le cheval lui a broyé les bourses.

Il fit un geste vers son entrejambe, comme s'il s'apprêtait à la palper pour se rassurer, mais il se retint de justesse.

– Il s'est rétabli, mais… n'étant plus capable d'accomplir son devoir conjugal, il a libéré sa jeune promise et elle en a épousé un autre.

– Le pauvre ! dis-je, sincèrement attristée. Décidément, ce pauvre Duncan n'a vraiment pas de veine.

– D'un autre côté, il est encore en vie, observa Jamie, philosophe. Tout le monde ne peut pas en dire autant. Et puis…

D'un geste, il montra la plantation autour de nous.

– … sa situation actuelle n'est pas vraiment malheureuse, si on fait abstraction de cette petite difficulté.

Je réfléchis, envisageant les différentes possibilités médicales. Si l'accident avait entraîné d'importantes lésions vasculaires, je ne pouvais pas faire grand-chose. Je n'étais pas du tout équipée pour pratiquer de la chirurgie reconstructive. En revanche, s'il s'agissait d'un trouble obstructif mineur, peut-être que…

– Tu dis que ça lui est arrivé quand il était tout jeune ? Ce n'est guère prometteur, après tout ce temps, mais j'y jetterai un coup d'œil pour voir si…

Il me dévisagea, interloqué.

– Un coup d'œil? Ce malheureux blêmit quand tu t'enquiers de la santé de ses entrailles! Il a failli mourir de honte tout à l'heure en me racontant son problème et tu veux aller tripoter son outil? Rien qu'en y pensant, tu vas lui flanquer une apoplexie, *Sassenach*!

– Comment veux-tu que je fasse, alors? Je ne peux tout de même pas le soigner à coup de sortilèges!

– Bien sûr que non, s'impatienta-t-il. Je ne veux pas que tu fasses quoi que ce soit à Duncan, uniquement que tu parles à ma tante.

– Quoi, tu veux dire qu'elle n'est pas au courant? Ils sont fiancés depuis des mois! Ils vivent ensemble depuis bien plus longtemps que ça!

– Oui, mais…

Comme chaque fois qu'il était gêné ou mal à l'aise, Jamie s'ébroua, comme si sa chemise était trop petite.

– Vois-tu… quand ils ont commencé à parler de se marier, Duncan n'imaginait pas qu'il serait question de… mmphm.

– Mmphm? répétai-je en arquant un sourcil. Le mariage n'implique-t-il pas généralement une vague possibilité de mmphm?

– Eh bien, il pensait que ma tante voulait l'épouser pour une question pratique et non pour sa beauté virile. Une fois maître de River Run, il pourra exécuter davantage de tâches qu'en tant que régisseur du domaine. Mais même ainsi, il n'aurait jamais accepté si elle n'avait pas insisté autant.

– En aucun cas, il n'a songé à faire allusion à ce… petit empêchement?

– Si, mais ma tante n'a pas laissé entendre qu'elle concevait leur union autrement que comme un arrangement commercial. Elle n'a jamais parlé de lit. Il était trop timide pour aborder la question et celle-ci ne s'est de toute manière pas posée.

– Mais si je comprends bien, à présent, c'est le cas? Que s'est-il passé? Ta tante a-t-elle glissé une main sous son kilt en faisant une remarque grivoise sur leur nuit de noces?

– Il ne m'a rien dit à ce sujet, rétorqua-t-il, agacé. Mais, en entendant tous les commentaires des convives ce matin, il a commencé à se demander si elle n'attendait pas de lui que… tu sais bien.

Il haussa les épaules, avant de conclure :

– Il ne savait plus quoi faire et il a paniqué à force d'écouter tout le monde.

Je me frottai les lèvres d'un doigt, songeuse.

– Je vois. Le pauvre Duncan! Pas étonnant qu'il soit si angoissé.

Jamie se redressa avec l'air satisfait de quelqu'un qui vient de s'enlever une grosse épine du pied.

– Donc, si tu veux bien en toucher deux mots à Jocasta et lui expliquer…

– Moi? Tu veux que ce soit moi qui le lui dise?

– Eh bien… oui. Je ne pense pas que ça la gênera beaucoup. Après tout, à son âge, je suppose que…

Je lâchai un juron.

– Son âge? La dernière fois que j'ai vu ton grand-père Simon, il était encore bien gaillard malgré ses soixante-dix ans passés.

– Ma tante est une femme, des fois que tu ne l'aurais pas encore remarqué.

– Parce que tu crois que ça fait une différence?

– Oui, pas toi?

– Oh que si, une sacrée différence!

Je m'adossai à un tronc d'arbre, croisai les bras sur ma poitrine et lui lançai un regard lascif.

– Quand j'aurai cent un ans et que tu en auras quatre-vingt-seize, je t'inviterai dans mon lit et nous verrons bien lequel des deux est encore à la hauteur de la situation. Hmmm?

Une lueur sournoise traversa ses yeux bleus.

– J'ai bien envie de te faire une petite démonstration, ici, tout de suite, *Sassenach*. Paiement comptant. Hmmm?

– Tu mériterais que je te prenne au mot. Néanmoins…

J'observai la maison à travers l'écran d'arbres. Les nouvelles feuilles ne suffisaient pas à nous camoufler. Alors que je tournai le dos à la grande bâtisse, les mains de Jamie glissèrent sur la courbe de mes hanches.

Les moments qui suivirent furent quelque peu confus, seules subsistent des impressions, celles d'un froissement de tissu, de l'odeur âcre de jeunes herbes écrasées et du bruissement sec de brindilles de chênes sous nos pieds.

Quelques instants plus tard, j'ouvris brusquement les yeux.

– Ne t'arrête pas! Pas maintenant!

Il s'écarta d'un pas et remis son kilt en place. Son visage était rougi par l'effort et les volants de son jabot agités par sa respiration haletante. Il m'adressa un sourire malicieux et s'essuya le front du revers de la main.

– Tu auras la suite le jour de mon quatre-vingt-seizième anniversaire, d'accord?

– Tu ne vivras jamais aussi vieux! Reviens ici tout de suite!

– Ça veut dire que tu acceptes de parler à ma tante?

– C'est du chantage!

Je fouillai frénétiquement dans les plis de son kilt, le menaçant :

– Je te jure que tu me le paieras! Je t'aurai!

– Pour ça, tu m'auras, c'est sûr!

Il glissa un bras autour de ma taille et me souleva de terre, pivotant sur ses talons de sorte que, cette fois, c'était lui qui tournait le dos à la maison, me cachant ainsi avec son corps. Ses longs doigts retroussèrent adroitement ma jupe, mes deux jupons, puis, plus habilement encore, s'introduisirent entre mes cuisses nues.

– Chut…, fit-il à mon oreille. On va t'entendre.

Avec délicatesse, il prit le lobe de mon oreille entre ses dents et se mit à l'ouvrage avec l'ardeur d'un vrai travailleur, sans plus se soucier de mes protestations intermittentes, quoique, avouons-le, plutôt faiblardes.

J'étais plus que prête pour lui. Il savait ce qu'il faisait. Il ne lui fallut pas longtemps. J'enfonçai mes doigts dans la chair de son bras, aussi dur qu'une barre de fer en travers de mon ventre. Je cambrai les reins l'espace d'un instant d'éternité vertigineuse, avant de m'affaisser contre lui, gigotant comme un ver transpercé par un hameçon. Il marmonna et lâcha mon oreille.

Une brise fraîche s'était levée et agitait les plis de mes jupes sur mes jambes. Dans l'air printanier flottait une odeur de fumée et de nourriture, portant avec elle le brouhaha des voix et des éclats de rire. J'entendais vaguement ces bruits, amortis par les battements plus sonores de mon propre cœur.

En me libérant, Jamie observa soudain :

– Maintenant que j'y pense, Duncan a encore une main valide.

Il m'aida à retrouver mon équilibre en me tenant par le coude et ajouta :

– Tu pourrais en parler à ma tante, si tu penses que ça peut les aider.

41

Les charmes de la musique

Roger MacKenzie se fraya un chemin dans la foule, saluant des visages familiers, ici et là, mais avançant cependant d'un pas résolu pour décourager toute tentative de conversation. Il n'était pas d'humeur bavarde.

Brianna était partie nourrir le petit et, si elle lui manquait déjà, il était aussi bien qu'elle soit hors de vue pour le moment. Il n'appréciait pas du tout le genre de regards qu'elle attirait. Ceux qui fixaient ouvertement son visage étaient admiratifs mais respectueux. En revanche, il avait surpris cette petite fripouille de Forbes en train de reluquer son arrière-train avec la même expression que celle des hommes lorgnant la déesse de marbre sur la pelouse.

En même temps, il était très fier d'elle. Elle était renversante dans sa nouvelle robe et il ressentait une agréable sensation de propriété chaque fois qu'il la regardait. Toutefois, son plaisir était nuancé par l'impression dérangeante qu'elle paraissait parfaitement à sa place ici, maîtresse de tout ce… de ce…

Une autre servante passa au petit trot devant lui, ses jupes remontées par-dessus un bras, une panière remplie de pains frais en équilibre sur le crâne, une autre coincée contre sa hanche. Combien d'esclaves Jocasta avait-elle donc ?

Naturellement, cela suffisait à écarter toute possibilité que Brianna hérite un jour de River Run. Elle ne pouvait admettre l'idée de posséder des êtres humains. Jamais. Pas plus que lui. Cela dit, il était réconfortant de se dire qu'il n'était seul, lui et son orgueil, à se mettre entre Brianna et l'héritage qui lui revenait de droit.

En percevant la douce complainte d'un violon dans la maison, ses oreilles se dressèrent. Évidemment, on avait prévu de la musique pour la fête. Avec un peu de chance, on chanterait aussi quelques chansons qu'il n'avait encore jamais entendues.

Il traversa la terrasse en direction du hall. Il n'avait pas son calepin sur lui, mais Ulysse pourrait sans doute lui fournir de quoi écrire. Il salua Mme Farquard Campbell, qui ressemblait à un abat-jour en soie rose particulièrement hideux mais cher. Il s'effaça pour la laisser entrer dans la maison, se mordant l'intérieur de la joue quand sa jupe volumineuse se coinça dans la porte qui faisait, pourtant, au moins un mètre de large. Elle dut manœuvrer de biais et entra en marchant en crabe dans le vestibule. Roger la suivit à une distance respectueuse.

Le violon s'était tu, mais il entendait un orchestre qui accordait ses instruments. Cette cacophonie venait du petit salon, dont les doubles portes resteraient grandes ouvertes plus tard afin de permettre aux danseurs d'évoluer dans le hall. Pour le moment, seule une poignée de convives occupait la pièce.

Il passa devant Ulysse, qui montait la garde près de la grande cheminée, le tison à la main, pendant que deux servantes préparaient une gigantesque cuve de punch au rhum. Le majordome balaya machinalement la porte du regard, enregistrant la présence et l'identité de Roger, puis il surveilla de nouveau le travail des jeunes femmes.

Les musiciens étaient regroupés au fond du salon, d'où ils jetaient de temps à autre des coups d'œil assoiffés vers la cuve de punch. Roger s'arrêta près du violoniste et demanda en souriant :

– Qu'allez-vous nous jouer de beau aujourd'hui? *La brebis à la corne tordue* peut-être, ou *Shawn Bwee*?

– Oh la la! Rien d'aussi sophistiqué, mon bon monsieur!

Le chef du petit ensemble, un Irlandais ressemblant à un criquet et dont le dos voûté contrastait avec la lueur alerte qui brillait dans ses yeux, fit un geste gentiment moqueur vers son assortiment bigarré de musiciens.

– Ils ne savent jouer que des gigues et des quadrilles écossais. Vous savez, les gens d'ici sont là pour danser et n'en demandent pas plus. On n'est pas dans les salons chics de Dublin, ni même à Edenton. Un bon violoniste suffit pour leur donner le rythme.

– C'est-à-dire vous, je présume?

Roger montra du menton l'étui à violon craquelé prudemment posé sur une étagère, là où personne ne risquait de marcher ou de s'asseoir dessus.

– C'est-à-dire moi, en effet. Seamus Hanlon, votre obligé, monsieur.

Roger inclina la tête.

– Roger MacKenzie de Fraser's Ridge, pour vous servir.

S'amusant de ces formules de politesse désuètes, il serra brièvement la main de Hanlon, veillant à ne pas écraser les doigts tordus et les articulations enflées par l'arthrite. Hanlon le remarqua et fit une grimace d'excuse.

– Bah! Elles iront mieux avec un peu de lubrifiant.

Il fléchit les doigts d'une main, puis haussa les épaules avant de poursuivre :

– Mais vous-même, monsieur, j'ai senti des cales au bout de vos doigts. Vous n'êtes sans doute pas violoniste, mais ne joueriez-vous pas d'un instrument à cordes?

– Uniquement à l'occasion, pour divertir mes amis, mais je ne suis pas un musicien professionnel comme vous autres, messieurs, répondit Roger en saluant poliment les membres de l'ensemble.

Maintenant entièrement déployé, l'orchestre comptait un violoncelle ayant connu des jours meilleurs, deux violes, une trompette, une flûte et quelque chose qui avait dû commencer son existence comme cor de chasse, mais qui semblait avoir été enrichi depuis de plusieurs tubes arrondis pointant dans différentes directions.

Hanlon examinait discrètement Roger, évaluant la capacité de ses poumons.

– Écoutez-moi cette voix ! Je parierais que vous êtes aussi chanteur, monsieur Mackenzie !

Un bruit sourd et une vibration douloureuse empêchèrent Roger de répondre. Faisant volte-face, il vit le violoncelliste se gonfler au-dessus de son instrument à la manière d'une poule sur son poussin pour lui éviter d'autres dégâts. Un invité venait vraisemblablement de lui donner un coup de pied en passant.

– Faites attention, maladroit ! s'écria le musicien.

– Qui, moi ?

Le balourd en question, un homme trapu en uniforme de la marine royale, le dévisagea d'un œil noir.

– Tu oses… tu oses me parler… sur ce… ton ?

Son visage était d'un rouge malsain et il oscillait légèrement. À trois mètres, Roger sentait les vapeurs d'alcool qu'il exhalait.

L'officier pointa un doigt menaçant vers le violoncelliste et parut sur le point de dire quelque chose. Un bout de langue rose pointa entre ses dents, mais aucun son ne sortit. Ses bajoues violacées frémirent, puis il capitula, pivota sur les talons et repartit dans le sens inverse, évitant de justesse un laquais chargé de verres avant d'aller percuter le chambranle de la porte, en route vers le couloir.

Seamus réprimanda le violoncelliste :

– Prenez garde, monsieur O'Reilly. Si nous étions sur la côte, vous auriez déjà une bande de marins prêts à vous étriper par représailles dès la porte franchie. D'ailleurs, je ne serais pas étonné que celui-ci vous attende au tournant avec un épissoir ou un instrument du genre.

O'Reilly cracha de dépit sur le parquet.

– Je le connais, dit-il avec mépris. Il s'appelle Wolff. Ce n'est qu'un gredin, et un gredin sans le sou par-dessus le marché! Il est rond comme une barrique. D'ici une heure, il ne se souviendra même plus de moi.

Méditatif, Hanlon contempla la porte que le lieutenant venait enfin de parvenir à franchir.

– Peut-être, admit-il. Mais je le connais aussi et je soupçonne son esprit d'être plus vif que son comportement ne le laisse supposer.

Il resta là un moment, tapotant son archet contre sa paume d'un air absent, puis se tourna vers Roger.

– Fraser's Ridge, vous dites? Vous ne seriez pas un parent de Mme Cameron… ou plutôt de Mme Innes?

– Je suis marié à la fille de Jamie Fraser, expliqua Roger.

Il avait constaté que cette description était la plus efficace, la plupart des gens sachant qui était son beau-père. En outre, cela évitait d'autres questions sur ses propres liens familiaux.

– Ah! fit Seamus, impressionné.

De son côté, le violoncelliste n'avait toujours pas digéré l'incident avec l'officier. Il caressait affectueusement son instrument, les yeux toujours fixés sur la porte.

– Qu'est-ce qu'il fait ici, ce vautour, d'ailleurs? demanda-t-il. Tout le monde sait qu'il voulait épouser Mme Cameron et s'approprier River Run. Il ne manque pas de culot aujourd'hui en pointant sa face de rat!

– Il voulait peut-être montrer qu'il n'est pas rancunier, suggéra Roger. Un geste civil, en somme. Le meilleur a gagné et tout et tout…

Les musiciens émirent un concert de ricanements cyniques.

– Peut-être, déclara le flûtiste, mais si vous êtes un ami de Duncan Innes, vous devriez le prévenir de surveiller ses arrières pendant la danse.

– Il a raison, convint Seamus Hanlon. Allez le mettre en garde, jeune homme. Mais revenez nous voir.

Il agita un doigt crochu en direction d'un laquais et prit un verre sur le plateau que celui-ci lui tendit. Il le leva à la santé de Roger, ajoutant avec un sourire :

– Vous aurez bien un nouvel air ou deux à m'apprendre, non ?

42

Protégé des fées

Enfoncée dans une bergère en cuir devant la cheminée, Brianna allaitait Jemmy tout en observant sa grand-tante s'apprêter pour ses noces.

Plongeant le peigne en argent dans un petit pot de brillantine, Phaedre demanda :

– Qu'en pensez-vous, alors ? Vous préférez le tout relevé, avec des mèches recourbées en couronne sur le sommet ?

Son ton était chargé d'espoir mais méfiant. Elle désapprouvait ouvertement le refus de sa maîtresse de porter une perruque et, si on l'avait laissée faire, elle se serait efforcée de recréer avec les propres cheveux de Jocasta l'effet de pièce montée très en vogue cette saison.

Celle-ci renversa la tête en arrière, les yeux fermés, goûtant les rayons du soleil sur son visage. Une belle lumière de printemps filtrait par la fenêtre, faisant étinceler le peigne en argent. Par contraste, les mains noires de l'esclave formaient des ombres sombres dans le nuage de cheveux blancs.

– Allons donc, mon enfant ! Nous ne sommes pas à Édimbourg, encore moins à Londres.

– Peut-être, mais on n'est pas chez les sauvages des Caraïbes ni dans l'arrière-pays, répliqua Phaedre. C'est vous la maîtresse ici. Et c'est votre mariage. Tout le monde aura les yeux rivés sur vous. Voulez-vous me faire honte en vous exhibant les cheveux détachés sur vos épaules, comme une squaw? On croira que je n'y connais rien!

– Oh, juste ciel! s'exclama Jocasta mi-amusée, mi-irritée. Coiffe-moi simplement. Les cheveux en arrière, retenus par des peignes. Tu n'as qu'à demander à ma nièce. Elle te laissera peut-être tester tes talents sur elle.

Phaedre regarda Brianna, mais celle-ci secoua la tête avec un sourire. Elle n'avait mis un bonnet bordé de dentelles que pour se conformer aux usages, mais elle n'était pas disposée à se faire tripoter la chevelure. L'esclave soupira et reprit ses tentatives pour convaincre Jocasta. Brianna ferma les yeux, oubliant les chamailleries affectueuses qui se fondaient dans les bruits ambiants. Un faisceau de lumière tombait par le vantail de la fenêtre et réchauffait ses pieds. Le feu craquelait à ses côtés, l'enveloppant dans une douce chaleur, comme celle procurée par son châle en laine drapé autour de ses épaules et de Jemmy.

Au-delà des voix de Jocasta et de Phaedre, elle entendait la rumeur des conversations à l'étage en dessous. Toutes les pièces grouillaient désormais d'invités. Certains, logés dans des plantations voisines, étaient venus à cheval, mais ils étaient si nombreux à passer la nuit à River Run que toutes les chambres étaient pleines à craquer. Ils dormaient à cinq ou six par lit, ou sur des paillasses étendues sous des tentes, près de l'embarcadère.

Elle contempla avec envie le grand lit à baldaquin de Jocasta. Entre les besoins du voyage, Jemmy et la promiscuité de River Run, Roger et elle n'avaient pas dormi ensemble depuis plus d'une semaine. Cela risquait peu de leur arriver avant leur retour à Fraser's Ridge.

Le fait de dormir ensemble ne lui manquait pas tant que ça, même si cela aurait été agréable. Mais la pression de la bouche du bébé sur son mamelon éveillait en elle d'autres types de pulsions qui n'avaient rien de maternel. Pour les satisfaire, Roger et elle devaient disposer d'un minimum d'intimité. La veille au soir, il y avait eu un début prometteur dans l'office, mais une fille de cuisine venue chercher du fromage les avaient interrompus. Peut-être pourraient-ils faire une autre tentative dans les écuries? Elle étira ses jambes, recroquevilla ses orteils et se demanda où dormaient les palefreniers.

– D'accord, je porterai le collier en brillants, mais c'est bien pour te faire plaisir, *a nighean*.

La voix de Jocasta l'arracha de sa vision envoûtante : un box tapissé de foin et le corps nu de Roger à demi visible dans la pénombre.

Elle releva les yeux vers sa tante assise sur la banquette, devant la fenêtre. Elle paraissait ailleurs, comme si elle écoutait un son lointain et étouffé, perceptible par elle seule. Peut-être le bourdonnement des voix au rez-de-chaussée?

Ce bruit lui rappelait les ruches de sa mère en été. En collant l'oreille contre leur structure, on percevait un grondement sourd, signe d'une activité intense mais joyeuse. L'essaim sous leurs pieds produisait des conversations plutôt que du miel, mais l'intention était la même : faire des provisions de souvenirs pour les longs jours d'isolement moroses et sans nectar.

– Ça ira comme ça. Assez!

Jocasta écarta la main de Phaedre et se leva. D'un geste, elle chassa sa camériste hors de la chambre, puis elle se tint un moment immobile, pianotant avec nervosité sur la coiffeuse, réfléchissant apparemment à ce qui lui restait à faire. Elle plissa le front, puis elle se passa un doigt entre les sourcils.

– Vous avez mal à la tête, ma tante?

Brianna avait parlé à voix basse pour ne pas déranger Jemmy, presque endormi. Jocasta laissa retomber sa main et se tourna vers sa nièce avec un sourire forcé.

– Ce n'est rien. Chaque fois que le vent tourne, ma pauvre tête tourne avec lui.

Malgré ses paroles, Brianna pouvait voir des petites rides de douleur aux coins de ses yeux.

– Jemmy a presque fini. Ensuite, j'irai chercher maman. Elle pourra vous préparer une tisane, qu'en dites-vous ?

– Ce n'est pas la peine, *a muirninn*. Ma migraine n'est pas si méchante que ça.

Jocasta se massa quand même les tempes, veillant à ne pas abîmer sa coiffure.

Les lèvres de Jemmy s'entrouvrirent avec un petit « pop ! » laiteux et sa tête retomba en arrière, dévoilant sa minuscule oreille rouge et fripée. L'intérieur du coude de Brianna était chaud et poisseux de transpiration, la nuque du bébé s'y étant reposé pendant qu'il tétait. Elle souleva le bébé endormi, soupirant de soulagement quand l'air frais caressa sa peau nue. Jemmy lâcha un rot étouffé et un filet de lait glissa sur son menton. Il s'effondra lourdement contre l'épaule de sa mère, comme un ballon de baudruche à moitié rempli d'eau.

Au bruit de digestion, les yeux aveugles de Jocasta s'étaient tournés vers eux.

– Monsieur est repu ? demanda-t-elle avec un sourire.

– Encore une goutte et il éclatait, confirma Brianna.

Elle lui tapota le dos par sécurité, mais il n'émit qu'un faible soupir chargé de sommeil. Elle se leva, essuya le lait, puis déposa Jemmy sur le ventre dans son berceau de fortune : un des tiroirs du chiffonnier en acajou de Jocasta posé sur le sol et rembourré de cousins et de plaids.

Brianna reposa son châle sur le dossier du fauteuil et frissonna en raison du courant d'air qui filtrait sous une fenêtre. Ne voulant pas abîmer sa nouvelle robe, elle avait allaité Jemmy en chemise et en bas. Ses bras nus avaient la chair de poule.

Jocasta bougea la tête en entendant le bois de la grande armoire craquer. Sa nièce l'avait ouverte pour en sortir ses deux jupons en lin et sa robe en laine bleu pâle qu'elle lissa avec satisfaction. Elle avait elle-même tissé l'étoffe et dessiné le patron. Mme Bug avait filé la laine, sa mère l'avait teinte avec un mélange d'indigo et de saxifrage. Quant à Marsali, elle l'avait aidée à la coudre.

– Veux-tu que je rappelle Phaedre pour qu'elle t'aide à t'habiller?

– Non, merci, ma tante. Je peux me débrouiller toute seule. En revanche, j'aurais besoin de vous pour me lacer, si vous voulez bien?

Elle ne recourait au service des esclaves que pour le strict nécessaire. Les jupons ne posaient aucun problème : elle les étalait sur le sol, se plaçait au centre, puis elle les remontait l'un après l'autre et serrait les coulisses autour de sa taille. Par contre, le corset se nouait par-derrière, tout comme la robe.

À cette idée, Jocasta parut prise de court un instant, puis elle se ressaisit et acquiesça. Elle se tourna vers la cheminée en fronçant les sourcils.

– Je suppose que je le peux. Le petit n'est pas trop près du feu? Une étincelle pourrait sauter.

Brianna se trémoussa pour se faufiler dans le corset, faisant entrer ses seins dans les bonnets garnis de festons, puis enfila la robe par-dessus.

– Non, ma tante, il ne risque rien.

Elle avait glissé de fines baleines sur les côtés et sur le devant du corselet. Elle pivota de droite à gauche, admirant l'effet dans le miroir sur pied de sa tante. Apercevant le reflet de Jocasta dans la glace, l'air toujours soucieux, elle leva les yeux au ciel, puis elle se pencha et éloigna encore un peu le tiroir de l'âtre, juste au cas où.

– Merci de te plier aux lubies d'une vieille folle, déclara Jocasta sur un ton caustique.

– Je vous en prie, répondit Brianna.

Elle posa une main sur l'épaule de sa grand-tante, sa façon à elle de s'excuser. Jocasta posa la sienne par-dessus et la serra doucement.

– Ne crois surtout pas que je te prends pour une mauvaise mère, mais quand on a vécu aussi longtemps que moi, on devient très prudent. J'ai vu des bébés victimes d'accidents atroces et je me tuerais plutôt que de voir un malheur s'abattre sur mon petit ange.

Elle vint se placer derrière Brianna et glissa une main le long de son dos, cherchant les lacets. Puis, elle effleura sa taille un instant.

– Je vois que tu as retrouvé ta silhouette. Qu'est-ce? Des broderies? De quelle couleur?

– Bleu indigo foncé. C'est une guirlande de vigne en fleurs réalisée en coton épais. Elle se détache sur le fond bleu pâle de la robe.

Elle prit l'une des mains de Jocasta et guida le bout de ses doigts sur les motifs qui bordaient chaque baleine du corselet, du col festonné jusqu'à la coupe en V de la ceinture. Cette forme en pointe sur le devant mettait en valeur la taille fine de Brianna.

Celle-ci rentra le ventre et retint sa respiration, tandis que les lacets se resserraient. S'observant dans le miroir, elle aperçut le petit crâne duveteux et rond comme un melon de son fils endormi dans son tiroir. La vie de sa grand-tante l'intriguait. Jocasta avait eu des enfants, du moins Jamie le pensait, mais elle n'en parlait jamais. Brianna hésitait à l'interroger. Peut-être étaient-ils morts en bas âge? C'était si fréquent! Son cœur se serra à cette idée.

Dans le miroir, le visage de sa tante se recomposa, prenant une expression forcée de joie.

– Ne t'en fais pas, ma petite. Ton fils est destiné à de grandes choses. Il ne lui arrivera rien, j'en suis sûre.

Elle fit demi-tour, la soie verte de sa robe de chambre bruissant sur ses jupons, laissant une fois de plus Brianna sidérée par la capacité de sa tante à deviner les pensées des autres, sans même voir leur visage.

– Phaedre! appela Jocasta. Phaedre! Apporte-moi mon coffret noir.

La caméariste n'était jamais bien loin. Quelques instants plus tard, elle apparut avec l'objet en question. Jocasta le posa sur son secrétaire et s'assit devant.

Tapissée d'un cuir élimé, la vieille boîte noire ne portait aucun autre ornement qu'un moraillon en argent. Brianna savait que Jocasta conservait ses plus beaux bijoux dans un coffret en cèdre nettement plus luxueux, doublé de velours à l'intérieur. Que pouvait donc contenir celui-ci?

Lorsque sa grand-tante souleva le couvercle, Brianna s'approcha. À l'intérieur se trouvait un court cylindre en bois tourné, de l'épaisseur d'un doigt, sur lequel étaient enfilées trois bagues : un anneau d'or incrusté d'une aigue-marine, une émeraude en cabochon et trois diamants entourés de pierres plus petites qui réfléchissaient la lumière et projetaient des arcs-en-ciel dansant sur les murs et les poutres.

– Quelle belle bague! s'exclama Brianna malgré elle.

– Celle en diamants? Que veux-tu, Hector Cameron était un homme riche.

Jocasta effleura les pierres d'un air absent, puis ses doigts nus trièrent adroitement un tas de babioles posées dans la boîte, à côté des bagues. Elle en extirpa un petit objet terne qu'elle tendit à Brianna. Il s'agissait d'une broche en fer blanc ajouré, assez ternie, en forme de cœur.

– C'est un talisman *deasil*, *a muirninn*, expliqua Jocasta d'un air satisfait. Pique-le dans les vêtements du petit, dans le dos.

Brianna regarda le bébé endormi.

– Un talisman? Mais pour quoi faire?

– Contre les fées. Laisse-le tout le temps accroché dans sa robe – n'oublie pas, toujours à l'arrière – et aucune créature venue du monde des Anciens ne pourra lui nuire.

Le ton détaché de la vieille dame lui donna la chair de poule.

– Ta mère aurait dû te le dire, poursuivit Jocasta avec un froncement de sourcils réprobateur. Étant *Sassenach*, je suppose qu'elle ne savait pas. Quant à ton père, il n'y a sans doute pas pensé. Les hommes n'y pensent jamais. C'est la mission des femmes de protéger les bébés contre ce genre de choses.

Elle se pencha vers le panier de petit bois et fouilla parmi les débris. Elle se redressa avec une longue brindille de sapin portant encore son écorce.

– Prends ça, ordonna-t-elle à Brianna. Allume-le dans l'âtre, puis fais trois fois le tour de Jemmy. Mais toujours d'est en ouest !

Mystifiée, Brianna prit la brindille et la plongea dans les flammes. Puis, tenant sa minuscule torche assez loin du berceau de fortune et de sa robe, elle fit ce que sa grand-tante lui demandait. Cette dernière tapait du pied en rythme sur le parquet, en récitant entre ses dents.

Elle parlait en gaélique, mais assez lentement pour que Brianna puisse comprendre.

À toi la sagesse du serpent,
À toi la sagesse du corbeau,
À toi la sagesse de l'aigle valeureux.

À toi la voix du cygne,
À toi la voix du miel,
À toi la voix du fils des étoiles.

À toi la protection divine contre les fées,
À toi la protection divine contre la flèche des elfes,
À toi la protection divine contre le chien rouge.

À toi la manne des mers,
À toi la manne des terres,
À toi la manne de Notre Saint-Père.

Que chacun de tes jours soit heureux,
Qu'il ne t'arrive jamais aucun mal,
Que ta vie soit comblée, remplie de joies.

Jocasta s'arrêta un instant, plissant à peine le front, comme si elle tendait l'oreille pour guetter une réponse du pays des fées. Apparemment satisfaite, elle pointa un doigt vers l'âtre.

– Jette ta brindille dans le feu pour que le petit ne soit jamais brûlé.

Brianna obéit, fascinée de découvrir que rien de tout cela ne lui paraissait ridicule. C'était étrange mais satisfaisant de penser qu'elle protégeait Jemmy du mal, même contre des fées en lesquelles elle ne croyait pas. Du moins jusqu'à ce jour.

Un filet de musique s'éleva du rez-de-chaussée. L'aigu d'un violon, puis une voix, grave et chaude. Elle n'entendait pas les paroles, mais reconnaissait la chanson.

Jocasta inclina la tête sur le côté, écoutant, un sourire aux lèvres.

– Il a une belle voix, ton homme.

Brianna, attentive elle aussi, suivait le phrasé familier montant et descendant de *Mon amour est en Amérique*. « Quand je chante, c'est toujours pour toi », avait-il dit. À ce souvenir, elle sentit un faible picotement dans ses seins, pourtant vidés de leur lait.

– Vous avez l'ouïe fine, ma tante.

– Tu es heureuse dans ton ménage ? demanda Jocasta à brûle-pourpoint. Te trouves-tu bien assortie avec ce jeune homme ?

– Euh… oui, répondit Brianna, déconcertée. Oui, parfaitement.

– Tant mieux, ma petite.

Elle garda la tête penchée sur le côté, pensive, puis répéta dans un souffle :

– Tant mieux.

Prise d'une impulsion soudaine, Brianna posa la main sur le poignet de la vieille dame.

– Et vous, ma tante, êtes-vous… satisfaite ?

Le terme « heureuse » semblait mal approprié, compte tenu de cette rangée de bagues dans le coffret. « Bien assortie » non plus. Brianna se souvint de Duncan, la veille, qui broyait du noir dans un coin du salon, timide et ne répondant que par oui ou par non chaque fois qu'on s'adressait à lui, à l'exception de Jamie. Puis, de ce futur marié, ce matin, transpirant et nerveux…

– « Satisfaite » ? demanda Jocasta, perplexe. Ah, tu veux dire « de me marier » ?

Au soulagement de Brianna, elle se mit à rire et ses traits se détendirent.

– Oh, oui, très ! Tu imagines, voilà cinquante ans que je n'avais pas changé de nom !

La vieille dame se tourna vers la fenêtre et posa une main à plat sur la vitre.

– Il fait beau dehors, ma chérie. Enfile donc ta cape et sors un peu prendre l'air. Un peu de compagnie te fera du bien.

Elle avait raison. Au loin, la rivière scintillait derrière un entrelacs de branches vertes. La pièce, qui lui avait paru si douillette un peu plus tôt, lui sembla soudain sentir le renfermé.

– Vous avez raison, je vais faire un tour. Voulez-vous que j'appelle Phaedre pour qu'elle surveille le bébé ?

Jocasta la congédia d'un geste de la main.

– Ouste ! Dehors, ma chérie. Je m'occupe du petit. Je ne compte pas descendre avant un moment.

– Merci, ma tante.

Elle déposa un baiser sur la joue de la vieille dame et se dirigea vers la porte. Puis, après un regard discret vers sa tante, elle revint près de la cheminée et, sans faire de bruit, poussa le tiroir encore un peu plus loin du feu.

* * *

Dehors, l'odeur d'herbe fraîche et de fumée de barbecue lui donna envie de sautiller sur les allées en brique, son sang vibrant dans ses veines. Des bribes de musique et la voix de Roger lui parvenaient de la maison. Un tour rapide pour se rafraîchir les idées, puis elle rentrerait. D'ici là, il aurait peut-être fini de chanter et ils pourraient éventuellement…

– Brianna!

Le chuchotement venait de l'autre côté du mur du potager. Surprise, elle fit volte-face et découvrit la tête de son père dépassant prudemment du coin du jardin, comme un escargot roux. Il lui fit signe de le suivre d'un geste du menton puis disparut.

Elle regarda en arrière pour s'assurer que personne ne l'observait, puis, se glissant dans le potager, se retrouva face à un plan de carottes. Jamie était accroupi devant l'une des servantes noires, allongée sur le dos dans un tas de fumier, avec son bonnet sur le visage.

– Qu'est-ce que…, commença-t-elle.

Puis, parmi les odeurs d'herbe et de fumier chauffé par le soleil, une vapeur d'alcool lui chatouilla les narines. Elle se baissa à côté de son père, sa jupe se gonflant comme un parachute.

– C'est de ma faute, expliqua-t-il. Du moins, en partie. J'ai laissé une coupe à moitié pleine sous les saules. Elle a dû la trouver.

D'un geste, il montra l'allée en brique où gisait l'une des coupes à punch de Jocasta, une goutte poisseuse de liquide encore suspendue à son bord.

Brianna se pencha au-dessus du bonnet froissé qui frémissait à chaque ronflement sonore. L'odeur de rhum prédominait, en effet, mais elle détecta aussi un parfum âcre de bière et celui, plus doux, de cognac. Apparemment, l'esclave avait sifflé tous les fonds de verre à mesure qu'elle les ramassait pour les ramener à la plonge.

Prudente, elle souleva un volant d'un doigt. Elle reconnut Betty, l'une des servantes plus âgées, les lèvres entrouvertes, dans un état de stupeur avinée.

– Oui, ce n'était pas sa première coupe à moitié pleine, confirma Jamie. Elle doit être ronde comme une barrique. Je me demande comment elle a fait pour se traîner jusqu'ici.

Brianna observa le jardin potager, en fronçant les sourcils. Il se trouvait non loin des cuisines extérieures, mais à trois cents mètres au moins du bâtiment principal, séparé par une haie de rhododendrons et plusieurs massifs de fleurs. Elle se tapota les lèvres du bout de l'index, perplexe.

– Pas seulement comment, mais aussi pourquoi?

À son ton mystérieux, Jamie releva les yeux vers elle.

– Comment ça?

Elle se redressa et, d'un signe de la tête, désigna la femme endormie.

– Pourquoi est-elle venue jusqu'ici? Tout porte à croire qu'elle sirote en douce depuis ce matin. Elle ne peut pas s'être précipitée jusqu'ici chaque fois qu'elle tombait sur un verre encore plein, les gens l'auraient remarquée. Et pourquoi se donner autant de mal? Elle pouvait boire les fonds de verre en toute discrétion sans attirer l'attention. À sa place, j'aurais fini ta coupe tranquillement sous les saules.

Son père parut amusé.

– Oui, en effet. Mais il restait peut-être beaucoup d'alcool, et elle voulait le boire calmement pour en profiter.

– Peut-être. Mais il y a plein d'autres endroits où se cacher, plus près de la rivière.

Elle ramassa la coupe renversée.

– Qu'est-ce que tu buvais sous les saules? Du punch?

– Non, du cognac.

– Dans ce cas, ce n'est pas ton verre qui lui a porté le coup de grâce.

Elle brandit la coupe, l'inclinant à la lumière pour lui montrer le dépôt sombre dans le fond. En plus du rhum, du sucre et du beurre habituels, le punch de Jocasta contenait des groseilles séchées. La décoction était réchauffée avec un tison ardent et agrémentée d'épices. Outre une couleur brun foncé, cela provoquait une épaisse sédimentation qui se déposait au fond des verres. Elle se composait des particules de suie provenant du bois brûlé et des résidus de fruits calcinés.

Jamie prit la coupe, approcha son nez, inspira profondément, puis frotta un doigt dans le fond du verre et le glissa dans sa bouche. Ses traits se décomposèrent.

– Qu'y a-t-il? demanda-t-elle.

Il fit courir sa langue de droite à gauche comme pour nettoyer ses lèvres.

– C'est bien du rhum, déclara-t-il. Avec du laudanum, je crois.

– Du laudanum? Tu en es sûr?

– Non..., avoua-t-il. Mais il n'y a pas que de la groseille là-dedans, j'en mettrais ma main à couper.

Il lui tendit la coupe qu'elle huma furieusement. Elle ne discernait pas grand-chose en dehors de l'odeur caramélisée du punch. Peut-être une nuance plus acide, quelque chose d'huileux et d'aromatique... mais elle n'en était pas sûre.

– Je te crois sur parole, répondit-elle finalement.

Elle jeta un œil vers l'esclave endormie.

– Tu veux que j'aille chercher maman?

Jamie s'accroupit de nouveau devant la servante et l'examina avec attention. Il souleva son poignet mou, le palpa, écouta sa respiration, puis secoua la tête.

– Je n'arrive pas à savoir si elle est droguée ou simplement ivre. En tout cas, je ne crois pas qu'elle soit mourante.

– Qu'est-ce qu'on fait d'elle? On ne peut pas la laisser ainsi.

– Non, bien sûr.

Il se pencha en avant, prit délicatement la femme dans ses bras et la souleva. Elle perdit un soulier, que Brianna ramassa.

– Tu sais où elle dort? lui demanda Jamie.

Il manœuvra sa charge entre deux plants de concombres grimpants.

– Elle est affectée aux travaux domestiques. Elle doit être logée au grenier.

Il secoua la tête pour déloger une mèche rousse prise dans sa bouche, puis annonça :

– On va contourner les écuries pour pouvoir monter par l'escalier de service sans se faire voir. Passe devant et fais-moi signe quand la voie est libre.

Elle glissa la chaussure et la coupe sous sa cape, puis avança rapidement sur l'allée étroite qui menait du potager aux cuisines et aux dépendances. Elle regarda de gauche à droite d'un air dégagé. Il y avait quelques personnes en vue, notamment près du paddock, mais suffisamment loin. Toutes lui tournaient le dos, fascinées par les frisons noirs de M. Wylie.

Au moment de se retourner pour faire signe à son père, elle aperçut M. Wylie lui-même, escortant une dame dans l'écurie. Elle distingua un éclat de soie dorée… mais oui, c'était sa mère ! Le visage pâle de Claire obliqua un instant vers elle, mais Wylie ayant attiré son attention, elle ne remarqua pas sa fille.

Brianna hésita. Elle ne pouvait appeler sa mère sans se faire remarquer. Au moins, elle savait désormais où la trouver. Elle pourrait revenir la chercher plus tard, une fois Betty en sécurité dans son lit.

* * *

Après quelques ratés et plusieurs frayeurs, ils parvinrent à monter Betty dans le long dortoir sous les toits qu'elle partageait avec d'autres servantes. Hors d'haleine, Jamie la laissa tomber lourdement dans un des lits étroits, puis essuya son front moite sur sa manche. Fronçant son long nez, il épousseta ensuite les fragments de fumier accrochés aux pans de sa veste.

– La voilà hors de danger, grogna-t-il. Il suffit maintenant de prévenir une autre esclave qu'elle est malade et personne ne viendra la déranger.

Brianna s'approcha de lui et déposa un baiser sur sa joue.

– Merci, papa. Ce que tu as fait est très gentil.

Malgré son air résigné, il ne semblait pas mécontent.

– Oui, je sais. Mes vieux os sont remplis de miel. Tu as encore sa chaussure?

Il prit le soulier et le plaça avec soin à côté de l'autre, au pied du lit. Puis, il rabattit une couverture en laine grège sur les jambes habillées d'épais bas blanc sale.

Brianna vérifia une dernière fois l'état de santé de Betty. Selon elle, tout semblait normal. Elle ronflait, toujours imbibée, mais la régularité de ses inspirations était rassurante. Tandis qu'ils revenaient à pas de loup vers l'escalier de service, elle tendit à son père la coupe en argent.

– Tiens. Savais-tu que c'était une des coupes de Duncan?

Surpris, il arqua les sourcils.

– Non. Qu'est-ce que tu entends pas « coupe de Duncan »?

– Jocasta lui a offert un service de six coupes en argent en cadeau de noces. Elle me les a montrées hier. Regarde!

Elle tourna la coupe dans sa main, lui montrant le monogramme gravé. « I » pour « Innes », avec un petit poisson aux écailles finement dessinées, nageant autour de l'initiale.

Voyant son père intrigué, elle lui demanda :

– Ça change quelque chose?

– Peut-être.

Il sortit un mouchoir en batiste et, avec précaution, en enveloppa la coupe, avant de la glisser dans la poche de sa veste.

– Je vais aller me renseigner, déclara-t-il. En attendant, tu pourrais aller chercher Roger?

– Bien sûr, mais pourquoi?

– Je viens seulement de me rendre compte que si Betty est tombée comme une mouche après avoir avalé le fond de la coupe, la personne qui y a bu avant elle doit être dans le même état. S'il y avait une drogue dans le punch, elle était forcément destinée à quelqu'un, non? Roger et toi pourriez fouiller discrètement le parc pour voir si vous n'y trouvez pas quelqu'un d'autre.

Dans la précipitation pour ramener Betty dans son lit, elle n'avait pas encore eu le temps d'analyser les événements sous cet angle.

– D'accord. Mais il me faut d'abord trouver Phaedre ou Ulysse pour les prévenir que Betty est malade.

– Quand tu parleras à Phaedre, pense à lui demander si, outre le fait d'avoir une bonne descente, Betty ne serait pas aussi une mangeuse d'opium.

Il marqua une pause avant d'ajouter, dubitatif :

– Même si ça me paraît peu probable.

– À moi aussi.

Cela dit, elle voyait où il voulait en venir. Si le punch n'avait pas été empoisonné, Betty avait pu prendre le laudanum volontairement. C'était possible, Jocasta en conservait dans l'office. D'un autre côté, si elle en absorbait intentionnellement, était-ce pour planer ou pour mettre fin à ses jours?

Songeuse, elle fixait le dos de son père qui attendait en haut des marches, tendant l'oreille pour s'assurer, avant de descendre, que personne n'arrivait. Certes, on pouvait facilement comprendre la volonté de se suicider pour échapper à la misère de l'esclavage. Mais, Brianna devait reconnaître que les esclaves domestiques de Jocasta vivaient raisonnablement bien, mieux que bon nombre d'individus libres – noirs et blancs – qu'elle avait rencontrés à Wilmington ou à Cross Creek.

Les quartiers des domestiques étaient propres, leurs lits durs mais confortables. On leur donnait régulièrement des vêtements décents, y compris des chaussures et des bas, et plus de nourriture qu'ils ne pouvaient en consommer. Quant aux problèmes affectifs pouvant conduire un être au suicide, ils n'étaient pas l'apanage des esclaves.

Il était plus probable que Betty soit pocharde, prête à avaler n'importe quel liquide, même vaguement alcoolisé. L'odeur de ses vêtements semblait le confirmer. Mais, dans ce cas, pourquoi courir un risque en volant du laudanum en pleine fête de noces, alors que toutes sortes d'alcools coulaient à flots?

Malgré elle, elle était forcée d'en arriver à la même conclusion que son père un peu plus tôt. Betty avait avalé le laudanum – s'il s'agissait bien de cela – accidentellement. Mais, dans ce cas... dans la coupe de qui avait-elle bu?

Jamie se retourna vers elle, pinçant les lèvres pour lui indiquer de ne pas faire de bruit, puis il lui fit signe que la voie était libre. Elle le suivit rapidement sur le palier, puis soupira de soulagement quand ils se retrouvèrent dans l'allée, sans s'être fait remarquer.

– Dis, que faisais-tu là-bas, papa? demanda-t-elle.

Il la dévisagea sans comprendre.

– Dans le potager, précisa-t-elle. Comment es-tu tombé sur Betty?

– Ah!

Il lui prit le bras et ils s'éloignèrent de la maison, marchant d'un pas nonchalant vers le paddock, comme deux invités innocents partis admirer les chevaux.

– Je revenais du bois où ta mère et moi venions d'avoir une petite conversation, quand, coupant à travers le potager, j'ai aperçu cette pauvre femme étalée sur son tas de merde.

– À ton avis, elle est allée s'allonger exprès dans le potager ou tu l'as trouvée là, par pur hasard?

– Je n'en sais rien, mais j'irai lui parler dès qu'elle sera en état de me répondre. Tu sais où je pourrais trouver ta mère?

– Oui, elle est avec Phillip Wylie. Je crois les avoir vus se diriger vers les écuries.

Elle réprima un sourire en remarquant que les narines de son père avaient légèrement frémi en entendant prononcer ce nom.

– Je vais la chercher, déclara-t-il. En attendant, essaie de trouver Phaedre, et Brianna…

S'apprêtant déjà à partir, elle se retourna vers lui, surprise.

– Il vaut mieux que Phaedre ne dise rien si on l'interroge au sujet de Betty et, le cas échéant, demande-lui de prévenir l'un de nous.

Il se redressa et s'éclaircit la gorge.

– Ensuite, mets-toi en quête de ton mari. Et Brianna… Brianna, veille bien à ce que personne ne sache ce que tu trafiques, d'accord?

Elle acquiesça. Puis, il tourna les talons et s'éloigna vers les écuries, les doigts de sa main droite tapotant nerveusement sa veste, comme s'il était profondément absorbé dans ses pensées.

Un courant d'air frisquet s'engouffra sous ses jupes en les gonflant et la fit frissonner. Elle avait parfaitement compris à quoi son père avait fait allusion.

Si ce n'était ni un suicide ni un accident, ce pouvait être une tentative de meurtre. Mais qui était visé?

43

La délurée

Après notre petit intermède dans le bosquet, Jamie me donna un dernier baiser d'encouragement, avant de s'enfoncer dans le sous-bois à la recherche de Ninian Bell Hamilton. Il voulait tenter de savoir ce que mijotaient les Régulateurs dans le camp dont Hunter avait parlé. Je le suivis, non sans avoir attendu quelques minutes, histoire de sauver les apparences, puis m'arrêtai à la lisière du bois pour m'assurer que j'étais présentable.

Je ressentais un bien-être vaguement étourdissant et j'avais chaud, mais, en soi, cela n'avait rien de compromettant. Pas plus que de sortir tout à coup de derrière les arbres : hommes et femmes y allaient régulièrement se soulager pour éviter de se rendre aux cabinets d'aisances, bondés et malodorants. En revanche, surgir d'un taillis les joues rouges, haletante, avec des feuilles dans les cheveux et des taches de sève sur ma robe ne manquerait pas de provoquer des chuchotements derrière les éventails.

Des herbes et une carcasse desséchée de cigale étaient prises dans mes jupes. Je les secouai avec un frisson de dégoût. J'ôtai des pétales de cornouiller de mes épaules, puis remis un peu d'ordre dans ma coiffure, délogeant d'autres parcelles de feuilles qui tombèrent à terre en virevoltant comme des fragments de papier d'Arménie.

Juste au moment de quitter le bois, il me vint à l'esprit de vérifier l'arrière de ma robe, au cas où s'y trouveraient des taches et d'autres bouts d'écorce. Alors que j'avançais en me contorsionnant pour évaluer les dégâts, je percutai Phillip Wylie de plein fouet.

Il me retint de justesse par l'épaule pour m'empêcher de tomber à la renverse.

– Madame Fraser ! Vous vous sentez bien, chère amie ?

– Oui, oui, très bien. Je vous prie de m'excuser.

Cette fois, j'avais légitimement les joues en feu. Je reculai d'un pas, me remettant d'aplomb. Pourquoi devais-je toujours tomber sur lui ? Cette peste me suivait-elle ?

– Mais, je vous en prie ! s'exclama-t-il. Cette collision est entièrement de ma faute. Je suis d'une maladresse impardonnable ! Puis-je vous offrir quelque chose pour vous remettre de vos émotions, ma chère ? Un verre de cidre ? de vin ? de punch ? Un alcool de pomme ? Une crème fouettée au cognac ? Non, suis-je sot, un cognac, tout simplement ! Oui, oui, laissez-moi vous en apporter un verre pour vous rétablir !

– Non, je ne veux rien, merci.

Je ne pouvais m'empêcher de rire de ses simagrées. Il me sourit en retour, se trouvant manifestement très spirituel.

– Dans ce cas, puisque vous allez bien, vous devez absolument m'accompagner, chère amie. Si, si, j'insiste !

Malgré mes protestations, il coinça ma main sous son bras et m'entraîna d'un pas décidé vers les écuries.

– Cela ne prendra qu'un instant, m'assura-t-il. J'attends depuis ce matin de vous montrer ma surprise. Vous en resterez sans voix, je vous en donne ma parole !

Je capitulai, résignée. Il paraissait plus simple d'aller voir ses foutus chevaux que de tenter de lui résister. En outre, j'aurais tout le temps de parler à Jocasta avant la cérémonie. Cette fois, nous contournâmes le paddock où Lucas et ses compagnons se soumettaient avec tolérance à l'inspection de deux intrépides gentlemen, qui, pour les observer de plus près, avaient escaladé la clôture.

– Pour un étalon, il a vraiment bon caractère, commentai-je en passant.

Surtout comparé au tempérament irascible de Gideon. Jamie n'ayant pas encore eu le temps de le castrer, il avait mordu presque tout le monde, hommes et bêtes, au cours du trajet depuis Fraser's Ridge.

– C'est une caractéristique de la race, expliqua Wylie. Ces chevaux sont les plus aimables qui soient, mais leur bonne disposition n'entame en rien leur intelligence, je vous l'assure. Par ici, madame Fraser.

Il poussa la porte de l'écurie principale. Après la lumière crue du soleil, nous nous retrouvâmes plongés dans l'obscurité. Il faisait si sombre que je trébuchai contre une tomette qui dépassait du sol. M. Wylie me rattrapa, au moment où je partais la tête la première, en poussant un cri.

– Vous vous êtes fait mal, madame Fraser? s'inquiéta-t-il en m'aidant à me redresser.

– Non, ça va.

En fait, je m'étais écrasé un orteil et tordu la cheville. Mes nouveaux souliers avec leurs talons en maroquin étaient ravissants, mais je ne m'y étais pas encore habituée.

– Donnez-moi juste quelques instants pour m'accoutumer à la pénombre, demandai-je.

Obligeant, il posa ma main dans le creux de son bras et la tint solidement pour me faire un appui.

– Reposez-vous sur moi, dit-il simplement.

Ce que je fis. Nous restâmes silencieux un moment, mon pied blessé relevé, tel celui d'un flamand rose, attendant que mon orteil cesse de m'élancer. Étonnamment, M. Wylie, sans doute gagné par l'atmosphère paisible, m'épargna ses manières et ses mots d'esprit.

D'habitude, les écuries sont des endroits paisibles, les chevaux et les hommes qui s'occupent d'eux étant généralement des créatures tranquilles. Toutefois, dans celle-ci régnait une atmosphère différente, à la fois silencieuse et lourde. J'entendais des ébrouements, des piétinements et les bruits de contentement d'un cheval mâchant du foin dans sa mangeoire.

Me tenant près de Phillip Wylie, je sentais son parfum, mais même les fragrances luxueuses de musc et de bergamote étaient neutralisées par les odeurs de paille, de blé frais, de brique et de bois. Mais je percevais autre chose… de vagues effluves d'éléments vitaux : des excréments, du sang et du lait, indices primordiaux de maternité.

– On se croirait dans un ventre, vous ne trouvez pas? dis-je doucement. Il fait si chaud et si sombre. On entend presque un battement de cœur.

Wylie rit sans faire de bruit.

– C'est le mien, avoua-t-il.

Sa main, qu'il avait posée brièvement sur son gilet, formait une tache noire sur le satin pâle.

Même une fois les yeux accoutumés à l'obscurité, la salle restait obscure. La silhouette élancée d'un chat d'écurie glissa non loin. J'oscillai sur place, puis reposai mon pied blessé par terre. Il ne supportait pas encore mon poids, mais je pouvais au moins me tenir debout.

– Pouvez-vous vous passer de moi un instant? demanda Wylie.

Sans attendre ma réponse, il s'écarta et alla allumer une lanterne posée sur un tabouret. J'entendis le cliquetis d'une pierre à feu, puis la mèche s'embrasa et un doux halo de lumière dorée se répandit autour de nous. Reprenant mon bras de sa main libre, il me guida vers le fond de la salle.

Les chevaux étaient dans la dernière logette. Phillip haussa sa lanterne et se tourna vers moi avec un grand sourire. La lumière glissa sur le poil, le faisant luire et ondoyer comme le clair de lune sur la mer. La jument nous observait de ses grands yeux brillants.

– Oh! murmurai-je, qu'elle est belle!

Puis, un peu plus fort :

– Oh!

Elle venait de bouger et son petit sortit la tête d'entre ses pattes. Il avait des membres longs et des articulations noueuses, sa croupe et ses épaules rondes reproduisant la perfection musculaire de sa mère. Il avait les mêmes grands yeux doux bordés de longs, longs cils, mais sa robe, au lieu d'être noir moiré, était brun-roux, avec un poil duveteux comme celui d'un lapin et une absurde queue en plumeau.

La mère avait une somptueuse crinière généreuse, identique à celle des chevaux que j'avais admirés plus tôt dans le paddock. En revanche, le poulain portait une ridicule crête de poils drus, d'un peu plus de deux centimètres de haut, dressée comme une brosse à dents.

Aveuglé par la lumière, il cligna des yeux, puis plongea se réfugier sous sa mère. Quelques instants plus tard, des naseaux apparurent, s'agitant prudemment. Un grand œil suivit, puis le museau disparut, pour réapparaître presque instantanément. Cette fois-ci, il s'aventura un peu plus loin.

– Oh, le coquin ! m'extasiai-je.

Wylie se mit à rire, puis déclara d'une voix remplie de fierté :

– Je ne vous le fais pas dire ! Ne sont-ils pas magnifiques ?

– Oui, quoique je ne sois pas certaine que le mot convienne. « Magnifique » me semble plus approprié pour un étalon ou une monture de cavalerie. Ces chevaux-ci sont si… si mignons !

Il s'exclama, amusé :

– « Mignons ? »

– Oui, répondis-je en riant. Charmants, sympathiques, adorables.

– Tout cela à la fois, convint-il. Et beaux par-dessus le marché !

– Exactement.

Soudain, je ressentis comme un vague malaise.

– Oui, oui, ils sont très beaux, répétai-je.

Il se tenait très près de moi. Je m'écartai d'un pas et détournai les yeux en faisant mine de vouloir observer encore les chevaux. Le poulain frottait son museau contre le ventre gonflé de sa mère, sa petite queue frétillant d'excitation.

– Comment s'appellent-ils? demandai-je.

Wylie s'approcha de la barre de la logette et suspendit la lanterne à un crochet dans le mur, tout en s'arrangeant pour que son bras effleure ma manche.

– La jument s'appelle Tessa. Vous avez vu le père, c'est Lucas. Quant au poulain, puisque c'est une femelle...

Il saisit ma main et la souleva en souriant.

– ... je pensais la baptiser La Belle Claire.

L'espace d'un instant, je restai sans voix, sidérée par l'expression qui se lisait très clairement sur le visage de Phillip Wylie.

– Pardon? demandai-je enfin.

J'avais dû mal entendre. Je tentai de libérer ma main, mais j'avais hésité une seconde de trop et ses doigts se refermèrent sur les miens. Il n'avait tout de même pas l'intention de...

Si.

– Charmante, dit-il doucement en se rapprochant encore. Sympathique, adorable et... belle.

Il m'embrassa.

J'étais trop interloquée pour réagir immédiatement. Ses lèvres étaient douces, son baiser bref et chaste. Cela ne fît guère une grande différence, car seul le geste comptait.

– Monsieur Wylie!

Je reculai précipitamment d'un pas, mais me cognai le dos contre la rambarde.

– Madame Fraser, dit-il avec délicatesse, en avançant d'un pas. Ma douce.

– Je ne suis pas votre...

Il m'embrassa de nouveau. Cette fois, son baiser n'avait plus rien de chaste. Toujours sous le choc mais non pétrifiée, je le repoussai avec brutalité. Il vacilla et lâcha ma main, mais il se rétablit de suite. M'attrapant le bras, il glissa son autre main dans mon dos.

– Coquine ! susurra-t-il.

Il approcha son visage du mien. Je lui décochai un coup de pied mais avec le membre blessé, ce qui se traduisit par une attaque minable. Il tiqua à peine.

Sentant sa main descendre sur mes fesses, je me débattis de mon mieux. En même temps, j'étais très consciente de la présence de nombreuses personnes autour des écuries. La dernière des choses à faire était d'attirer l'attention.

– Arrêtez ! sifflai-je entre mes dents. Arrêtez ça tout de suite !

– Vous me rendez fou ! rétorqua-t-il.

Il me serra contre lui et entreprit d'introduire sa langue dans mon oreille. Qu'il soit fou, je n'en doutais pas, mais je déclinais absolument toute responsabilité dans sa folie. Je me cambrai le plus possible en arrière – très peu, compte tenu de la rambarde dans mon dos –, m'efforçant de glisser mes mains entre nous. Remise du choc initial, je réfléchissais avec une clarté étonnante. Je ne pouvais pas lui envoyer mon genou dans les parties, car il avait avancé une de ses jambes entre les miennes. En revanche, je pouvais essayer de lui attraper le cou et de comprimer sa carotide, ce qui le ferait tomber comme une pierre.

Je parvins à lui saisir le cou, mais sa foutue cravate me gênait. Mes doigts tentèrent de la dénouer, mais il fit un écart et les retint.

– Je vous en prie, dit-il. Je veux…

– Je me fiche de ce que vous voulez ! Lâchez-moi tout de suite ! Vous n'êtes qu'un… qu'un…

Je cherchai désespérément le terme approprié.

– … qu'un chiot en rut !

À ma surprise, il s'arrêta net. Il ne pouvait pâlir, étant donné l'épaisse couche de poudre de riz qui recouvrait son visage – j'en avais plein les lèvres –, mais sa bouche se crispa et il me regarda avec une expression… plutôt peinée.

– Est-ce vraiment ce que vous pensez de moi ? demanda-t-il.

– Oui, tout à fait! Que croyez-vous? Vous avez perdu la tête! Comment osez-vous vous comporter d'une manière aussi... dégoûtante? Qu'est-ce qui vous a pris?

– Dégoûtante?

Ma description de ses avances le désarçonna.

– Mais je... c'est-à-dire que... je pensais que vous... je veux dire, que vous n'étiez pas hostile à...

– Je ne vois vraiment pas comment vous en êtes arrivé à une telle conclusion! Je ne vous ai jamais donné la moindre indication dans ce sens.

Du moins, intentionnellement. Je me sentis soudain très mal à l'aise en me rendant compte que ma perception de mon propre comportement n'était peut-être pas la même que celle qu'en avait Phillip Wylie.

Son visage changea encore, transformé par la colère.

– Vraiment? Permettez-moi d'en douter, madame!

Je lui avais déjà dit que j'avais l'âge d'être sa mère. Il ne m'était jamais venu à l'esprit qu'il ait pu ne pas me croire.

– «Pas la moindre indication», dites-vous? Bien au contraire, madame, vous m'avez donné toutes les occasions d'espérer, et ce, dès notre première rencontre.

– Comment? m'écriai-je d'une voix rendue aiguë par l'incrédulité. Je n'ai jamais échangé avec vous que quelques conversations polies. Si vous appelez ça du flirt, mon petit...

– Ne m'appelez pas ainsi!

Ah, ah! Il était donc conscient de la différence d'âge. Sans doute n'en avait-il tout simplement pas mesuré l'ampleur. Je compris alors que dans le monde de Phillip Wylie, les prémisses amoureuses prenaient surtout la forme d'un badinage. Que diable avais-je bien pu lui dire?

Je me souvenais vaguement d'avoir discuté avec lui et son ami Stanhope de la nouvelle taxe sur le droit de timbre. Oui, c'était cela, nous avions parlé d'impôts, de chevaux... Cela suffisait-il à faire naître un tel malentendu?

– … « Tes yeux sont deux étangs dans un jardin délicieux », récita-t-il d'un ton acerbe. Vous ne vous souvenez donc pas de cette soirée où je vous récitais ces vers ? Le *Chant de Salomon* n'est-il à vos yeux qu'une conversation polie ?

– Seigneur ! soupirai-je.

Un début de culpabilité commença à prendre forme. En effet, nous avions eu un tel échange lors d'un dîner chez Jocasta, deux ou trois ans plus tôt. Comment pouvait-il encore s'en souvenir ? Le *Chant de Salomon* était un poème raisonnablement grisant. Peut-être que la seule allusion…

Je me ressaisis et redressai la tête.

– C'est ridicule ! déclarai-je. Vous me taquiniez, et je vous avais simplement rendu la pareille. À présent, veuillez m'excuser, mais je dois…

– Vous m'avez accompagné jusqu'ici. Seule !

Déterminé, il fit de nouveau un pas en avant. Il était en train de se convaincre qu'il avait encore sa chance, ce morveux !

– Monsieur Wylie, dis-je avec fermeté, en me glissant en biais pour lui échapper. Je suis sincèrement désolée de votre méprise, mais je suis mariée, très heureuse dans mon ménage, et je n'ai pas le moindre intérêt sentimental pour votre personne. Maintenant, si vous voulez bien m'excuser…

Je parvins à le contourner et me précipitai hors de l'écurie, aussi vite que mes souliers me le permettaient. Toutefois, il ne tenta pas de me suivre et j'atteignis la porte indemne, mon cœur battant à tout rompre.

Comme des invités déambulaient près du paddock, je partis dans la direction opposée avant qu'on m'ait remarquée. Une fois hors de vue, j'entrepris un bref inventaire de ma tenue, m'assurant de ne pas être trop échevelée. J'ignorais si on m'avait aperçue entrer dans les écuries avec Wylie, mais je priai que personne ne m'ait surprise en ressortir dare-dare.

Avec une épingle, je remis en place une mèche qui s'était échappée de ma coiffure et fis tomber quelques brins de paille de ma robe. Heureusement, je ne l'avais pas déchirée. En un tour de main, je fus de nouveau décente.

– Tout va bien, *Sassenach*?

Je bondis comme un saumon pris dans un filet. Je fis volte-face, l'adrénaline irradiant ma poitrine comme une décharge électrique, et découvris Jamie à mes côtés, qui m'observait les sourcils froncés.

– Qu'étais-tu en train de faire, *Sassenach*?

Mon cœur encore affolé, je m'étouffais. Je parvins néanmoins à articuler quelques mots sur un ton que j'espérai dégagé.

– Rien. C'est-à-dire... pas grand-chose. J'admirais les chevaux. La jument... Elle a mis bas, figure-toi.

– Je sais.

Il me regardait bizarrement.

– Tu as retrouvé Ninian? Qu'est-ce qu'il a dit?

Je me tâtonnai l'arrière du crâne, remettant de l'ordre dans ma coiffure, et profitai de l'occasion pour me détourner légèrement, évitant ainsi de croiser le regard de Jamie.

– Que c'était vrai... même si je n'en doutais pas. Il y a plus d'un millier d'hommes qui campent près de Salisbury. D'après lui, il en arrive d'autres tous les jours. Ce vieux grincheux s'en réjouit!

Il plissa le front. Ses deux doigts raides de la main droite qui tapotaient sa cuisse me révélèrent son inquiétude.

À juste titre. Sans parler de la menace de conflit elle-même, un autre problème surgissait : le printemps était là. Seul le fait que River Run soit au pied des montagnes nous avait permis de venir au mariage. Ici, les bois étaient déjà verts et les crocus orange et violet avaient percé la terre depuis belle lurette. Les hauteurs, elles, étaient encore recouvertes de neige. À Fraser's Ridge, les branches des arbres étaient parsemées de bourgeons enflés. D'ici plus ou moins deux semaines, ceux-ci allaient éclore, donnant le coup d'envoi aux semences de printemps.

Certes, Jamie avait paré à toute éventualité en engageant le vieux Arch Bug, mais il y avait des limites à ce que ce dernier pouvait faire sans aide. Quant aux métayers et aux propriétaires terriens des environs... si la milice était de nouveau mobilisée, leurs femmes se retrouveraient livrées à elles-mêmes en pleine saison des semailles.

– Les hommes de ce camp de Régulateurs... ils ont abandonné leurs terres? demandai-je.

Salisbury se trouvait aussi au pied de la montagne. Il était impensable que des fermiers, aussi furieux soient-ils, aient quitté leurs champs à cette époque de l'année pour aller protester contre le gouvernement.

– Ils les ont laissées ou les ont perdues, répondit Jamie.

Son visage se rembrunit.

– Tu as parlé avec ma tante?

– Ah... non, répondis-je en me sentant coupable. Pas encore. J'y allais justement... Voulais-tu me dire autre chose?

Il émit un sifflement semblable à celui d'une bouilloire électrique atteignant le point d'ébullition, signe chez lui d'une impatience rare.

– Zut, je l'avais presque oubliée! Une des esclaves a été empoisonnée... Enfin, je crois.

Je laissai retomber mes mains et me tournai vers lui, stupéfaite.

– Quoi? Qui? Comment? Pourquoi tu ne m'as rien dit?

– Je suis en train de te le dire, non? Ne t'inquiète pas, *Sassenach*, sa vie n'est pas en danger. Elle n'est qu'ivre morte.

Agacé, il haussa les épaules, avant de reprendre :

– Le seul problème, c'est qu'elle n'était pas la victime visée. J'ai envoyé Roger et Brianna inspecter les environs. Puisqu'ils ne sont pas encore revenus m'annoncer la mort de quelqu'un, ce n'était peut-être rien.

– Peut-être?

Je me frottai l'arête du nez, détournée de mes préoccupations par cette nouvelle affaire.

– Le fait est que l'alcool est un poison, même si personne ne semble s'en soucier par ici. Néanmoins, il y a une différence entre être soûle et avoir été délibérément empoisonnée. Que veux-tu dire par…

– *Sassenach*? m'interrompit-il.

– Quoi?

– Qu'est-ce que tu fichais dans l'écurie, nom de Dieu!

Je le dévisageai, interloquée. Son visage était devenu de plus en plus rouge à mesure que nous parlions, mais j'avais cru que seules la frustration et l'inquiétude engendrées par les révélations de Ninian et de ses amis régulateurs en étaient responsables. La dangereuse lueur bleutée au fond de son regard m'indiqua qu'un élément plus personnel entrait, sans doute, en ligne de compte dans sa réaction. J'inclinai la tête sur le côté, l'examinant avec méfiance.

– Qu'entends-tu par «ce que je fichais»?

Il ne répondit pas, mais il pinça les lèvres et tendit l'index vers un point près de ma bouche. Il le toucha très délicatement, puis il me montra le bout de son doigt. Un petit objet noir y était posé : le faux grain de beauté en forme d'étoile de Phillip Wylie.

– Oh, ça! Euh…

Mes oreilles se mirent à bourdonner. La tête me tourna et de minuscules points blancs se mirent à danser devant mes yeux.

– Oui, ça! Bon sang, Claire! Je m'échine entre les bêtises de Duncan et les plaisanteries de Ninian et… À propos, pourquoi ne m'as-tu pas dit que tu t'étais bagarrée avec Barlow?

Je m'efforçai de retrouver mon calme.

– «Bagarrée» est un bien grand mot. Et puis le major MacDonald est intervenu, puisque «tu» étais introuvable. À ce sujet, il voulait te parler de…

– Je sais ce qu'il me veut ! coupa-t-il. J'en ai par-dessus la tête des majors, des Régulateurs, des servantes alcooliques ! En plus de cela, je te surprends à bécoter ce muscadin !

Mon sang bouillit dans mes veines et me brûla les yeux. Je serrai les poings, réprimant mon envie de le gifler.

– On ne se bécotait pas, tu le sais très bien ! Ce crétin essayait simplement de me faire du gringue, sans plus.

– Du gringue ? Tu veux dire qu'il t'a baisée ? J'avais vu juste !

– Mais ça va pas, non ?

– Ah oui ? Tu lui as réclamé sa mouche en guise de porte-bonheur, alors ?

Il agita la minuscule tache noire sous mon nez. Avec brutalité, je repoussai sa main, me souvenant trop tard que, dans sa bouche, « baiser » n'était pas forcément synonyme de forniquer.

Je crispai les mâchoires.

– Je veux dire qu'il m'a embrassée, sans doute une mauvaise plaisanterie de sa part. J'ai l'âge d'être sa mère !

– Dis plutôt sa grand-mère ! Si tu ne voulais pas qu'il t'embrasse, il te suffisait de ne pas l'encourager !

Sa muflerie me laissa bouche bée. Je me sentais doublement insultée.

– L'encourager ? Pauvre crétin ! Tu sais pertinemment que je n'ai rien fait de la sorte !

– Ta propre fille t'a aperçue, entrant dans l'écurie seule avec lui ! Tu n'as donc aucune dignité ? Avec tout ce que j'ai déjà sur les bras, il faut en plus que j'aille chercher ce mufle pour le confondre ?

J'eus un petit scrupule en pensant à Brianna, mais un plus gros en imaginant Jamie en train de provoquer Wylie en duel. Il ne portait pas son épée, mais il l'avait mise dans ses bagages. Je chassai énergiquement ces deux pensées de ma tête.

– Ma fille n'est ni une sotte ni une commère mal intentionnée, dis-je en me drapant dans une immense dignité.

Si elle me voit admirer un cheval, elle pensera que je suis en train d'admirer un cheval, rien de plus. Pourquoi croirait-elle autre chose?

Il expira bruyamment entre ses lèvres pincées, me jetant un regard assassin.

– En effet, pourquoi? Peut-être parce que tout le monde t'a vue flirter avec lui de manière éhontée sur la pelouse. Parce que tout le monde a remarqué qu'il te suivait partout, comme un chien derrière une chienne en chaleur?

Il dut voir mon expression se transformer dangereusement, car il toussota dans le creux de sa main, le débit de ses remontrances se précipita :

– Plusieurs personnes ont jugé bon de m'en informer. Tu crois que ça me fait plaisir d'être la risée de tous, *Sassenach*?

– Espèce de... de...

La fureur m'étouffa. J'avais une envie folle de le frapper, mais j'apercevais déjà quelques têtes tournées vers nous avec grand intérêt.

– «Une chienne en chaleur»? sifflai-je entre mes dents. Comment oses-tu, sale... sale... con!

Il eut la décence de paraître un peu décontenancé, tout en continuant de fulminer :

– Bon, d'accord... Ce n'était peut-être pas le terme le plus approprié, mais tu ne peux nier l'avoir suivi de ton plein gré, *Sassenach*! Comme si je n'avais pas assez de soucis! Il faut que ma propre femme... Si tu étais allée trouver ma tante ainsi que je te l'avais demandé, rien de tout cela ne serait arrivé. Te rends-tu seulement compte de ce que tu as fait?

J'avais changé d'avis. Finalement, un duel était peut-être une bonne idée. Avec un peu de chance, Jamie et Phillip Wylie s'entre-tueraient rapidement, publiquement, dans un bain de sang. Après tout, je me fichais pas mal de savoir qui nous observait. Je plongeai vers lui, tentant très sérieusement de le castrer, mais il agrippa mes poignets juste à temps.

– Bon Dieu, *Sassenach* ! On nous regarde !

Je tentai de libérer mes mains, haletant :

– Je... m'en... contrefous... ! S'ils veulent du spectacle, je vais leur en offrir !

Bien que je n'aie pas quitté son visage des yeux, j'étais consciente de la formation d'un petit attroupement sur la pelouse. Lui aussi. Il rapprocha ses sourcils un instant, puis, soudain, il prit sa décision :

– Soit ! Qu'ils regardent !

Il m'attrapa par la taille, m'écrasa contre lui et m'embrassa à pleine bouche. Incapable de lui échapper, je cessai de me débattre, me raidissant de fureur. J'entendais des rires et des cris d'encouragement au loin. Ninian Hamilton lança une boutade en gaélique, plaisanterie que j'eus la chance de ne pas comprendre.

Il détacha enfin ses lèvres, me serrant toujours fort contre lui, puis baissa très lentement la tête, pressant sa tempe contre la mienne. Sa joue était fraîche et ferme. Son corps était ferme, lui aussi, mais loin d'être frais. Sa chaleur traversait au moins six couches de vêtements avant de brûler ma peau : chemise, gilet, veste, robe, corset et chemise. Que ce soit à cause de la colère, de l'excitation ou des deux, il était chargé à bloc et en feu. Enfin, il déclara dans un souffle qui chatouilla mon oreille :

– Pardon. Je n'aurais pas dû t'insulter. Sincèrement. Une fois que je l'aurais tué, désires-tu que je me trucide aussi ?

Je me détendis un peu. Mon bassin était toujours fermement pressé contre lui et, à travers les couches de tissu, l'effet produit était rassurant.

– Ça peut sans doute attendre un peu, déclarai-je.

Toutes ces émotions m'avaient étourdie et j'inspirai profondément pour me ressaisir. Puis je m'écartai, reculant devant la puanteur que dégageaient ses vêtements. Si je n'avais pas été aussi énervée, j'aurais remarqué plus tôt que les odeurs nauséabondes qui flottaient autour de moi depuis un bon moment émanaient de lui.

Je reniflai sa veste.

– D'où sors-tu ? Tu empestes ! On dirait…

– Du fumier, finit-il sur un ton résigné. Oui, je sais.

– C'est ça. Du fumier et… du punch.

Il n'en avait pas bu lui-même, car je n'avais pas senti le goût du rhum sur ses lèvres, uniquement celui du cognac.

– … Et quelque chose d'autre, poursuivis-je. Quelque chose d'affreux, comme de la vieille transpiration et…

– Des navets bouillis, dit-il de plus en plus las. Oui, c'est l'odeur de la servante dont je te parlais, *Sassenach*. Betty.

Il coinça ma main dans le creux de son bras et après une grande révérence destinée aux spectateurs – qui nous ovationnèrent, les ordures ! – il m'entraîna vers la maison. Il regarda le soleil, avant de reprendre :

– Ce serait bien que tu puisses l'interroger, mais il se fait tard. Il vaudrait mieux que tu montes d'abord parler avec ma tante. Le mariage doit avoir lieu à seize heures.

J'étais encore bouleversée par notre scène, mais j'avais du pain sur la planche.

– D'accord, dis-je. Je monte voir Jocasta, ensuite j'irai examiner Betty. Quant à Phillip Wylie…

– Quant à Phillip Wylie, m'interrompit-il, n'y pense plus, *Sassenach*.

Une lueur résolue s'alluma dans son regard.

– Je m'occuperai de lui plus tard, ajouta-t-il.

44

Parties intimes

Je quittai Jamie dans le petit salon et gravis l'escalier en direction de la chambre de Jocasta, saluant distraitement sur mon chemin les amis et les têtes connues. J'étais décontenancée, agacée et, en même temps, amusée malgré moi. Je n'avais pas consacré beaucoup de temps à méditer sur le mystère du pénis depuis mes seize ans environ, et voilà que j'en avais trois sur les bras.

Me retrouvant seule dans le couloir, j'ouvris mon éventail, contemplant, songeuse, le minuscule miroir rond qui formait un lac au milieu du paysage bucolique peint sur l'objet. Censé contribuer à l'intrigue plutôt qu'à se mirer, il ne reflétait que des fragments de mon visage, à savoir un œil et un sourcil arqué qui me fixèrent d'un air interrogateur.

C'était un œil assez joli, je devais le reconnaître. Certes, il était bordé de quelques rides, mais il était élégamment formé, ourlé avec grâce d'une paupière fine et équipé de longs cils incurvés couleur sable qui mettaient en valeur la pupille noire et contrastaient avec l'ambre émaillé d'or de l'iris.

Pour apercevoir ma bouche, je déplaçai à peine l'éventail. Des lèvres pleines, légèrement enflées et brillantes, comme si on venait de les embrasser avec sauvagerie et qu'elles n'avaient pas trouvé cela désagréable du tout.

Je refermai l'éventail d'un claquement sec.

Quelles qu'aient été les motivations cachées de Phillip Wylie, j'avais au moins eu la preuve irréfutable qu'il me trouvait à son goût, grand-mère ou pas. Mais il valait sans doute mieux que je ne mentionne pas ce détail à Jamie. Même si Wylie était un jeune homme très agaçant, après mûre réflexion, je ne tenais pas à le voir éviscéré sur la pelouse devant la maison.

Toutefois, dans l'existence, la maturité se charge de modifier ses propres priorités. En dépit des implications personnelles de ces membres virils en états divers de turgescence, pour le moment, c'était le plus flasque des trois qui m'intéressait. Mes doigts me démangeaient de mettre la main sur les parties intimes de Duncan Innes. Au sens figuré, cela s'entend.

En dehors de la castration pure et simple, il n'y avait pas trente-six types de traumatismes capables de provoquer une impuissance mécanique. Compte tenu de la situation primitive de la chirurgie, il se pouvait que le médecin ayant traité la blessure initiale – si elle avait été traitée – ait tout bonnement retiré les deux testicules. Mais si c'était le cas, Duncan ne l'aurait-il pas dit?

Peut-être pas. Duncan était d'une timidité et d'une pudeur extrêmes. Or, même un extraverti aurait hésité à confier ce genre de mésaventure à un ami intime. Toutefois, aurait-il pu cacher cette infirmité dans la promiscuité d'une prison? Tout en réfléchissant, je pianotais sur la surface marquetée d'un guéridon placé près de la porte de la chambre de Jocasta.

Un homme pouvait tout à fait passer plusieurs années sans prendre de bain. J'en connaissais quelques-uns dont c'était certainement le cas. D'un autre côté, les prisonniers d'Ardsmuir avaient été contraints aux travaux forcés, coupant la tourbe ou travaillant dans les carrières. Ils avaient sans doute eu accès à de l'eau et devaient se laver régulièrement, ne serait-ce que pour soulager les démangeaisons dues à la vermine. Néanmoins, on pouvait se laver sans se mettre tout nu.

Je soupçonnai Duncan d'être encore plus ou moins entier. Fort probablement, son impuissance était d'origine psychologique. Après tout, se faire piétiner les roupettes avait de quoi vous ébranler un homme. Si, ensuite, il avait eu une première expérience sexuelle désastreuse, cela avait pu suffire à le convaincre qu'il était définitivement hors service.

J'hésitai avant de frapper, mais pas trop longtemps. L'expérience m'avait appris que, lorsqu'il s'agissait de donner une mauvaise nouvelle à quelqu'un – et Dieu sait que j'avais de l'expérience dans ce domaine! –, il était inutile d'y aller par quatre chemins. L'éloquence n'était d'aucun recours et aller droit au but n'empêchait pas de compatir.

Je toquai à la porte, et Jocasta m'invita à entrer.

Le père LeClerc était assis dans un coin, derrière une table, très affairé devant un vaste assortiment de mets divers et variés et deux bouteilles de vin, dont une vide. En me voyant entrer, il m'adressa un large sourire graisseux, qui semblait faire tout le tour de sa figure. Il brandit une cuisse de dinde dans ma direction.

– *Tally-ho*, madame! *Tally-ho! Tally-ho!*

Je le saluai bien bas. Il n'y avait aucun moyen de le faire partir de là ni aucun endroit où emmener Jocasta. Phaedre était dans le cabinet de toilette, s'affairant avec ses brosses à habits. Mais étant donné le vocabulaire anglais restreint du jésuite, il n'était sans doute pas indispensable de nous isoler.

Je posai doucement une main sur le coude de Jocasta et lui suggérai de prendre place sur la banquette sous la fenêtre, car j'avais quelque chose d'important à lui dire. Surprise, elle hocha la tête, puis, après une courbette d'excuses en direction du prêtre – qui ne s'en rendit pas compte, occupé comme il l'était à ronger un morceau de cartilage récalcitrant –, vint s'asseoir à mes côtés. Elle lissa ses jupes sur ses genoux puis demanda :

– Alors, ma nièce, de quoi s'agit-il?

Je pris une grande inspiration.

– Eh bien… il s'agit de Duncan, voyez-vous…

Elle prit d'abord un air ébahi, mais à mesure que je parlais, une autre expression pointa sous ses traits.

Elle paraissait songeuse, ses yeux aveugles fixant un point juste au-dessus de mon épaule droite. Elle était préoccupée mais non désemparée. De fait, son attitude changeait, passant de la surprise au comportement de quelqu'un découvrant enfin l'explication d'un mystère troublant et qui se trouve à la fois soulagé et satisfait de savoir enfin.

Duncan et elle vivaient en effet sous le même toit depuis plus d'un an et étaient fiancés depuis des mois. En public, il se comportait toujours avec elle avec respect, voire déférence. Plein d'attentions, il ne manifestait jamais de tendresse ou de possessivité. Pour l'époque, cela n'avait rien d'inhabituel, car, si certains messieurs étaient démonstratifs avec leur épouse en public, la plupart ne l'étaient pas. Mais, probablement, Duncan n'avait pas fait ces gestes en privé non plus, alors qu'elle les avait attendus.

Elle avait été belle, avait encore une allure folle et, aveugle ou non, était habituée à susciter l'admiration des hommes. Je l'avais vue flirter avec art avec Andrew MacNeill, Ninian Bell Hamilton, Richard Caswell… même avec Farquard Campbell. Peut-être avait-elle été surprise, voire déconcertée, de ne provoquer aucune démonstration d'intérêt physique chez son fiancé.

À présent, elle savait pourquoi.

– Seigneur, mon pauvre Duncan! soupira-t-elle. Avoir connu pareille souffrance, l'avoir surmontée, s'être fait une raison, puis, tout à coup, la voir resurgir pour le tourmenter de nouveau. Le passé ne peut-il donc pas nous laisser profiter de notre paix si chèrement acquise?

Elle cligna des yeux et je fus à la fois surprise et émue de constater qu'ils brillaient de larmes.

Une ombre s'avança soudain sur elle. Relevant les yeux, je vis le père LeClerc debout devant nous, compatissant dans sa soutane noire, et nous surplombant comme un nuage d'orage.

– Y a-t-il un problème? me demanda-t-il en français. Monsieur Duncan a eu un accident?

Jocasta ne parlait pas français à part *Comment ça va* ?,* mais, au ton de la voix, elle comprit le sens de la question et reconnut le nom de Duncan. Une main sur mon genou, elle me demanda avec insistance :

– Ne lui dites rien.

– Non, non, la rassurai-je.

Relevant les yeux vers le curé, j'agitai un doigt, expliquant en français :

– *Non, ce n'est rien*.*

Il fronça les sourcils, indécis, puis jetant un œil en direction de Jocasta, déclara de but en blanc :

– Un problème dans le lit nuptial, c'est bien ça?

Devant mon air ahuri, il esquissa un geste discret vers le bas de son habit.

– J'ai entendu le mot «scrotum», madame, et je me suis douté que vous ne parliez pas d'animaux.

Je me rendis compte, mais un peu tard, que s'il ne parlait pas l'anglais, le saint homme connaissait très bien son latin.

– *Merde* !* jurai-je entre mes dents.

Jocasta, qui avait brusquement relevé la tête au mot «scrotum», tressaillit et se tourna vers moi. Je lui tapotai la main pour la rassurer, tout en me demandant quoi faire. Le père LeClerc nous examinait avec curiosité, mais ses grands yeux marron étaient pleins de bonté.

– Je crains qu'il n'ait plus ou moins deviné ce dont il s'agissait, déclarai-je, navrée. Il vaudrait peut-être mieux que je lui explique.

---

* En français dans le texte. *(N.D.T.)*

Elle se mordit la lèvre supérieure mais ne broncha pas, si bien que je résumai la situation en français. Le prêtre haussa les sourcils, puis serra machinalement les perles en bois du rosaire attaché à sa ceinture.

– *« Merde », comme vous dites, madame. Quelle tragédie* !*

Il se signa brièvement, essuya sa barbe graisseuse sur sa manche, puis il s'assit à côté de Jocasta. Sur un ton poli mais ferme, il m'ordonna :

– Demandez à madame quel est son souhait.

– Son souhait ?

– *Oui**. Souhaite-t-elle toujours épouser *Monsieur** Duncan ? Car, voyez-vous, madame, selon les lois de notre Sainte-Mère l'Église, un mariage non consommé n'est pas valide. Sachant ce que je sais, je ne devrais même pas consacrer leur union. Toutefois…

Il hésita, se pinçant les lèvres tout en regardant Jocasta.

– … Toutefois, l'objet de cette loi est d'assurer que, dans la mesure où notre Seigneur le désire, le mariage soit fructueux. Dans le cas présent, je doute qu'Il souhaite une telle éventualité. Donc, voyez-vous…

Il leva les paumes vers le ciel.

Je traduisis sa question à Jocasta, qui, pendant ce temps, avait fixé le prêtre comme si elle espérait deviner le sens de ses paroles par la seule force de sa volonté. Une fois au courant, son visage devint neutre. Elle s'enfonça dans la banquette et revêtit le masque MacKenzie, cette expression impassible typique derrière laquelle se déroulait une intense activité cérébrale.

J'étais plutôt mal à l'aise, et pas seulement pour Duncan. Il ne m'était pas venu à l'idée que cette révélation pourrait empêcher leur union. Jamie voulait protéger sa tante et mettre son ami à l'abri. Le mariage avait semblé la réponse idéale. Il serait profondément déçu si tout était annulé si près du but.

---

* En français dans le texte. *(N.D.T.)*

Au bout d'un moment, Jocasta se redressa avec un grand soupir.

– C'est bien ma veine d'avoir dégoté un jésuite! dit-elle. Ceux-là, ils sauraient convaincre le pape de leur vendre son caleçon, sans parler de faire dire au Seigneur tout ce qui les arrange! Dites-lui que je désire quand même me marier.

Je transmis ce souhait au père LeClerc qui examina Jocasta avec attention, fronçant les sourcils. Ma tante fit de même sans s'en rendre compte, en attendant une réponse.

Il s'éclaircit la gorge, puis il parla sans cesser de la regarder, mais en s'adressant à moi :

– S'il vous plaît, madame, dites-lui ceci. S'il est vrai que la procréation est à la base de cette loi de l'Église, ce n'est pas la seule question à considérer. Car l'hymen, le vrai lien sacré entre un homme et une femme, cette... union des corps, est important. Ce n'est pas en vain que le rite le mentionne expressément : « Vous ne formerez qu'un seul corps. » Il se passe beaucoup de choses entre deux êtres qui partagent leur lit et trouvent la joie dans leur plaisir réciproque. Le mariage n'est pas que ça, mais cela en fait partie intégrante.

Il parlait avec un grand sérieux. Ma surprise devait être flagrante, car il sourit en détournant à peine le regard.

– Je n'ai pas toujours été prêtre, madame. J'ai été marié autrefois. Je sais de quoi je parle, tout comme je sais ce que signifie renoncer pour toujours à la chair.

Il se tourna en faisant cliqueter ses perles en bois. Je hochai la tête, puis traduisis ces paroles à Jocasta. Cette fois, elle ne prit pas le temps de réfléchir. Sa décision était arrêtée.

– Dites-lui que je le remercie de ses conseils. Moi aussi, j'ai déjà été mariée, plus d'une fois. Avec son aide, j'entends bien me remarier. Aujourd'hui.

Je traduisis, mais il avait déjà compris rien qu'en la voyant se redresser avec détermination et au ton de sa voix.

Il resta un moment silencieux, frottant son chapelet, puis acquiesça.

– *Bien, madame**, déclara-t-il.

Il se pencha vers elle et lui serra doucement la main d'un air encourageant.

– *Tally-ho*, madame!

---

* En français dans le texte. *(N.D.T.)*

45

Encore un saigneur...?

«Et une chose de faite!» pensai-je en grimpant les escaliers qui montaient au grenier. Le point suivant à l'ordre du jour : Betty, l'esclave. Avait-elle vraiment été droguée? Jamie l'avait découverte dans le potager, il y a plus de deux heures, mais, si elle avait été dans un état très avancé, comme Jamie l'avait décrit, je pourrais peut-être encore discerner des symptômes. J'entendis le carillon étouffé d'une pendule quelques étages plus bas. Un, deux, trois. Plus qu'une heure avant la cérémonie. Cela dit, si Betty nécessitait plus de soins que prévu, elle pourrait être retardée encore un peu.

Les catholiques étant très mal vus dans la colonie, Jocasta ne voulait pas offenser ses invités en les obligeant à assister à une cérémonie papiste. Le mariage lui-même serait donc célébré dans l'intimité de son boudoir, puis les mariés descendraient le grand escalier bras dessus, bras dessous pour rejoindre leurs amis. Ces derniers pourraient alors faire comme si le père LeClerc n'était qu'un invité parmi tant d'autres, portant une tenue un peu excentrique.

En approchant du grenier, j'entendis des bruits sourds de conversation. La porte du dortoir des servantes était entrouverte. Je la poussai et trouvai Ulysse au pied d'un lit étroit, les bras croisés, ressemblant à un ange vengeur sculpté dans l'ébène. Il considérait visiblement ce malheureux incident comme une faute grave de la part de

Betty. Un petit homme bien mis, en redingote et haute perruque, se tenait à ses côtés, un objet à la main.

Avant que je n'aie eu le temps de réagir, il le pressa contre le bras inerte de l'esclave. Il y eut un crissement sec, puis il écarta son instrument, laissant un rectangle de sang rouge gonfler sur la peau sombre. Les lignes s'épanouirent, se fondirent les unes dans les autres, puis gouttèrent dans un bac à saignée placé sous son coude.

Le saigneur se tourna vers Ulysse et lui montra son outil avec fierté en lui expliquant :

– Un scarificateur. Il constitue un véritable progrès par rapport aux instruments rudimentaires tels que les scalpels. Je me suis procuré celui-ci à Philadelphie.

Le majordome inclina poliment la tête, soit pour accepter l'invitation d'examiner l'objet, soit pour saluer sa provenance.

– Je suis sûr que Mme Cameron vous sera très reconnaissante d'avoir bien voulu monter ici, docteur Fentiman.

Fentiman! Ainsi donc, je voyais pour la première fois la sommité médicale de Cross Creek. Je m'éclaircis la gorge et Ulysse releva la tête, le regard alerte.

– Madame Fraser! dit-il avec une courbette. Le Dr Fentiman vient juste de…

– Madame Fraser?

Le Dr Fentiman s'était retourné brusquement et m'examinait avec le même intérêt suspicieux. Apparemment, il avait lui aussi entendu parler de moi. Toutefois, les bonnes manières prenant rapidement le dessus, il me salua, une main sur son gilet en satin.

– Mes hommages, madame.

Il chancela légèrement en se redressant. Son haleine empestait le gin, et je remarquai des veines couperosées sur son nez et ses joues.

– Enchantée.

Je lui tendis la main pour qu'il la baise. Il parut surpris, puis plongea en avant, faisant un élégant moulinet avec le bras. Je regardai par-dessus sa perruque poudrée, essayant de percer la pénombre du grenier.

Betty aurait pu être morte depuis une semaine à en juger par son teint de cendres, mais le peu de lumière disponible était filtré par d'épaisses toiles huilées et clouées aux minuscules lucarnes. Ulysse, lui-même, avait l'air d'un vieux morceau de charbon refroidi.

Le sang de l'esclave commençait déjà à coaguler. C'était bon signe, mais je me demandais sur combien de personnes Fentiman avait expérimenté son horrible instrument depuis qu'il en avait fait l'acquisition. Sa mallette était ouverte près du lit et, d'après ce que j'y voyais, tout portait à croire qu'il ne nettoyait jamais son matériel après usage. Se redressant, il me déclara sans lâcher ma main, sans doute pour ne pas perdre l'équilibre :

– Votre bonté vous fait honneur, madame Fraser, mais ce n'était vraiment pas la peine de vous déranger. Je connais Mme Cameron de longue date et je la tiens en haute estime. Soigner son esclave ne m'ennuie nullement.

Il me sourit avec affabilité, clignant des yeux pour tenter d'éclaircir sa vision.

J'entendais la respiration de la servante, profonde et stertoreuse, mais régulière. Mes doigts me démangeaient de prendre son pouls. J'inspirai profondément, de la manière la plus discrète possible. Par-dessus l'âcreté de la perruque du Dr Fentiman, manifestement traitée contre les poux à la poudre d'ortie et d'hysope, et sa forte odeur de tabac et de vieille transpiration, je percevais les effluves métalliques de l'hémoglobine fraîche et la puanteur des croûtes de sang décomposé provenant de l'intérieur de la trousse. En effet, le Dr Fentiman ne rinçait jamais ses lames.

Par-dessus ces odeurs, je sentais bien les miasmes d'alcool dont Jamie et Brianna m'avaient parlé, mais je ne pouvais faire la distinction entre ceux de Betty et ceux dégagés par Fentiman. Pour détecter un soupçon de laudanum dans ce mélange, je devais m'approcher, et vite, avant que les essences aromatiques volatiles ne s'évaporent complètement.

Je pris mon ton le plus hypocrite pour répondre :

– Vous êtes vraiment trop bon, docteur. Je suis sûre que la tante de mon mari vous sera infiniment reconnaissante. Mais un gentilhomme de votre qualité est certainement attendu par des instances bien plus importantes. Ulysse et moi pouvons nous occuper de cette malheureuse. Vos amis vous réclament.

« Surtout ceux avides de vous soutirer quelques livres aux cartes, ajoutai-je en pensée. Ils devraient en profiter pendant que vous êtes rond comme une queue de pelle. »

À ma surprise, le médecin ne succomba pas un instant à mes flatteries. Libérant ma main, il me sourit avec une hypocrisie qui n'avait d'égale que la mienne.

– Mais pas du tout, ma chère madame ! Je vous assure qu'il est bien inutile de gaspiller votre talent ici. Ce n'est, j'en ai peur, qu'un simple cas d'abus de boisson. J'ai administré un puisant émétique. Dès qu'il agira, on pourra laisser cette servante seule, sans aucun risque. Retournez donc à vos plaisirs, ma chère. Ce serait dommage d'abîmer une si belle robe, je vous l'assure.

Alors que je m'apprêtais à protester, un bruit étranglé nous parvint du lit. Le Dr Fentiman se retourna de manière brusque et sortit promptement un pot de chambre de sous le lit.

En dépit de son propre manque de lucidité, il était indéniablement attentif aux besoins de sa patiente. Pour ma part, j'aurais hésité à prescrire un émétique à un malade comateux, mais je devais reconnaître que, dans le cas d'un empoisonnement éventuel, même avec un poison aussi répandu que l'alcool, ce n'était pas déraisonnable. En outre, si le Dr Fentiman avait détecté la même chose que Jamie…

L'esclave avait eu le ventre plein, ce qui n'avait rien d'étonnant, compte tenu des montagnes de nourriture préparées pour les festivités. En ralentissant l'absorption d'alcool – ou de quoi que ce soit d'autre – dans sa circulation sanguine, les aliments lui avaient peut-être sauvé la vie. Son vomi empestait le mélange de rhum et de cognac, mais, parmi les autres odeurs, je crus reconnaître un vague relent d'opium, sucré et légèrement écœurant.

– Quel genre d'émétique avez-vous utilisé ?

Je me penchai au-dessus de Betty et soulevai une de ses paupières. L'iris, brun et vitreux comme une bille en agate, fixait le plafond. La pupille avait rétréci à la dimension d'une tête d'épingle. Oui, de l'opium, indubitablement.

– Madame Fraser !

Le Dr Fentiman me fusilla du regard, sa perruque pendant de guingois sur son crâne.

– Je vous en prie, cessez ces interférences ! Je suis fort occupé et n'ai pas de temps à consacrer à vos caprices ! Vous, monsieur, raccompagnez cette dame !

Il agita une main vers Ulysse, puis il fit demi-tour vers le lit tout en remettant sa perruque en place.

– Mais de quel droit vous… Espèce de…

Je ravalai l'épithète qui m'était venue à l'esprit. Ulysse fit un pas hésitant vers moi. Il n'osait pas m'entraîner de force, mais il était clair qu'il obéirait aux ordres du médecin avant les miens.

Tremblante de rage, je tournai les talons et quittai le grenier.

Jamie m'attendait au pied de l'escalier. Quand il vit mon visage, il me prit par le bras et m'entraîna rapidement dans la cour.

– Quel… quel…

Aucun mot ne semblait apte à apaiser mon indignation.

– Ver de terre scélérat ? proposa-t-il. Goujat.

– Parfaitement ! Non, mais, tu l'as entendu ? Quel toupet ! Ce charcutier outrecuidant, cette sale petite… vomissure ! « Pas de temps à consacrer à mes caprices » ? Comment ose-t-il ?

Jamie émit un son guttural, solidaire devant ma révolte. Puis il posa une main sur la poignée de son coutelas.

– Veux-tu que j'aille lui ouvrir le ventre? Je peux te l'étriper ou simplement lui aplatir la figure. À toi de choisir.

Aussi attirante que soit sa proposition, je fus forcée de la décliner. Je tentai, non sans mal, d'étouffer ma fureur.

– Euh… non. Je ne pense pas que ce soit une bonne idée.

Cela me rappela soudain une conversation récente à propos de Phillip Wylie. Apparemment, à Jamie aussi. Il retroussa le coin de ses lèvres d'un air pincé.

– Merde, lâchai-je.

– Comme tu dis, convint-il. J'ai comme l'impression que ce n'est pas encore aujourd'hui qu'on me laissera trucider quelqu'un, pas vrai?

– Tu en as tant envie que ça?

– Oui, et toi aussi, *Sassenach*, à en juger par ton visage.

Je pouvais difficilement le contredire. Rien ne m'aurait fait plus plaisir que d'arracher les yeux du Dr Fentiman avec une cuillère émoussée. Je me passai une main sur le visage et pris une profonde inspiration, remettant un semblant d'ordre dans mes esprits.

D'un geste du menton, Jamie me montra la maison.

– Penses-tu qu'il risque de l'achever?

– Pas dans l'immédiat.

Les saignées et les purges étaient des pratiques très contestables et éventuellement dangereuses, mais, sur le coup, non fatales.

– Au fait, tu avais probablement raison au sujet du laudanum.

Songeur, Jamie hocha la tête, se pinçant les lèvres.

– Dans ce cas, il faut absolument interroger Betty dès qu'elle sera en état d'aligner deux mots cohérents. Fentiman est-il du genre à veiller au chevet d'une esclave malade?

Je pris le temps de réfléchir avant de répondre :

– Non. Il faisait de son mieux pour la soigner, mais, autant que j'ai pu en juger, elle ne court pas un grand danger. Il faudrait la surveiller, mais uniquement pour lui éviter de s'étouffer en vomissant pendant dans son sommeil. Je doute qu'il reste s'en occuper lui-même, même s'il est conscient du danger.

Il resta immobile un instant, la brise soulevant des mèches de cheveux sur le sommet de son crâne, puis il déclara :

– Bien. J'ai envoyé Brianna et Roger fouiner dans les environs à la recherche d'un invité ronflant un coin. Je vais faire de même dans le quartier des esclaves. Pourrais-tu guetter le départ de Fentiman, puis remonter en douce dans le grenier pour parler à Betty dès son réveil?

Je l'aurais fait, de toute manière, ne serait-ce que pour m'assurer du rétablissement de la servante.

– D'accord, répondis-je, mais ne tarde pas trop à revenir. Ils sont presque prêts pour la cérémonie.

Nous restâmes plantés là un moment à nous regarder sans rien dire. Puis, coinçant une de mes mèches rebelles derrière mon oreille, il me dit doucement :

– Ne t'en fais pas, *Sassenach.* Ce médecin est un imbécile. N'y pense plus.

Je lui caressai le bras, reconnaissante pour sa tentative de réconfort et souhaitant pouvoir, moi aussi, le soulager et atténuer ses sentiments meurtris.

– Je suis désolée pour Phillip Wylie.

Aussitôt, et malgré mes bonnes intentions, je m'aperçus que ce rappel des événements n'avait pas eu l'effet escompté.

Sa voix resta douce, mais elle n'avait plus rien de rassurant. La courbe douce de ses lèvres se raidit et il recula légèrement, ses épaules contractées.

– Ne t'en fais pas pour lui non plus, *Sassenach.* Je m'occuperai de ce Wylie en temps voulu.

– Mais…

Je n'insistai pas. De toute évidence, rien de ce que je pourrais faire ou dire n'arrangerait la situation en cet instant précis. Dès lors où Jamie estimait que son honneur avait été bafoué – ce qui était apparemment le cas –, Wylie devrait rendre des comptes. Point.

– Je n'ai jamais rencontré une telle tête de cochon!

Il s'inclina.

– Merci.

– Ce n'était pas un compliment!

– Mais si.

Après une autre courbette, il pivota sur un talon et s'éloigna accomplir sa mission.

46

Le mercure

Au grand soulagement de Jamie, le mariage se déroula sans autre heurt. La cérémonie, célébrée en français, eut lieu dans le petit salon de Jocasta, au premier étage. N'y assistèrent que le couple à marier, le prêtre, Claire et lui en tant que témoins, Brianna et son jeune époux. Jemmy y avait pris part aussi, mais il comptait pour du beurre, car il avait dormi pendant tout le service.

Pâle, Duncan était resté maître de lui. Quant à la tante de Jamie, elle avait prononcé ses vœux d'une voix ferme, sans l'ombre d'une hésitation. Brianna, elle-même mariée depuis peu et donc encore sous le coup de l'émotion, en avait eu les yeux brillants de larmes, serrant fort le bras de son homme, tandis que celui-ci la contemplait d'un air attendri. Bien qu'il connaisse la nature de cette union singulière, Jamie avait été, lui aussi, ému par le sacrement. Au moment où le petit jésuite bedonnant avait prononcé la bénédiction, il avait porté la main de Claire à ses lèvres et l'avait effleurée d'un baiser.

Une fois la cérémonie conclue et les contrats signés, tout le monde était descendu rejoindre les invités pour un somptueux banquet de noces. Sur la terrasse, les longues flammes des torchères dansaient au-dessus des tables qui croulaient sous l'abondance, signe particulier de River Run.

Il prit un verre de vin sur l'une des dessertes, puis alla s'adosser à un mur, sentant la tension de la journée quitter peu à peu sa colonne vertébrale. Une bonne chose de faite !

Betty était toujours dans le cirage, mais hors de danger pour le moment. Personne d'autre n'ayant été retrouvé empoisonné, elle s'était probablement rendue malade toute seule. Le vieux Ninian et Barlow étaient tous les deux dans un état proche de celui de l'esclave, donc hors d'état de se faire du mal ou de nuire à quiconque. Quant à Husband et ses Régulateurs, quoi qu'ils mijotent, cela se passait au loin. Jamie se sentait agréablement frivole, dégagé de ses responsabilités et prêt à se consacrer à la fête.

D'un geste machinal, il leva son verre pour répondre au salut de Caswell et de Hunter qui passaient par là, tous deux plongés dans une conversation passionnée. N'ayant aucune envie de se lancer dans un débat politique, il se leva et s'éloigna en jouant des coudes dans la foule, en direction du buffet des rafraîchissements.

Ce dont il avait vraiment envie, c'était de sa femme. Il était encore tôt, mais le soir tombait déjà et une atmosphère d'insouciance festive régnait dans la maison et sur la terrasse. Il faisait frais et, le bon vin aidant, il se souvenait de Claire, du contact de sa peau chaude sous sa jupe, plus tôt dans le bosquet, douce et succulente comme une pêche fendue en deux dans le creux de sa main, mûrie au soleil et bien juteuse.

Il la désirait ardemment.

Elle était là-bas. À l'autre bout de la terrasse, la lueur des torches faisait briller ses cheveux relevés au-dessus de ce ridicule carré de dentelle. Son désir le tenaillait. Dès qu'il l'aurait coincée, seule, il lui ôterait ses épingles une à une et remonterait sa chevelure sur le sommet de sa tête pour le simple plaisir de la voir retomber librement dans son dos.

Un verre à la main, elle riait des paroles de Lloyd Stanhope. Le vin avait à peine rougi son teint. À cette vision, un agréable frisson d'anticipation parcourut Jamie.

Faire l'amour avec elle était tantôt tendre, tantôt une épreuve de force, mais la prendre quand elle était un peu grise était toujours un délice particulier.

Ivre, elle faisait moins attention à lui qu'à l'accoutumée. S'abandonnant entièrement à son propre plaisir, elle lui ratissait le dos de ses ongles, le mordait, le suppliait de continuer. Il aimait cette sensation de pouvoir. Il ne dépendait que de lui de la rejoindre dans le même élan de pulsion bestiale ou de se retenir, le plus longtemps possible, afin de la soumettre à tous ses caprices.

Tranquille, il sirotait son vin, savourant le plaisir rare d'un bon cru, tout en l'observant avec concupiscence. Elle était entourée d'hommes, avec lesquels elle semblait se livrer à une joute de mots d'esprit. Quelques verres de vin suffisaient à lui délier la langue et à l'inspirer. D'autres encore et le feu de ses joues se convertirait en un véritable brasier. Il était encore tôt, la vraie fête n'avait pas encore commencé.

Elle croisa brièvement son regard et lui sourit. Il glissa deux doigts dans sa coupe et caressa son bord arrondi comme s'il s'agissait d'un sein. Elle le vit et comprit. Avec coquetterie, elle papillonna des yeux dans sa direction, puis se tourna de nouveau vers ses interlocuteurs, les joues encore un peu plus rouges.

Le délicieux paradoxe de la faire boire était de la voir cesser de se protéger, s'ouvrant complètement à lui, le considérant comme l'agent unique de ses sensations. Il pouvait la titiller et la caresser, ou la pétrir comme de la pâte à pain, la conduisant progressivement vers un état d'inertie, haletante et écartelée sous lui, entièrement à sa merci.

Elle utilisait son éventail à bon escient, écarquillant les yeux au-dessus de son rebord, feignant d'être choquée par un mot de ce sodomite de Forbes. Il fit glisser le bout de sa langue contre l'intérieur de sa lèvre inférieure. De la pitié ? Non, il ne ferait pas de quartier.

Sa décision prise, il se concentrait sur la manière pratique de trouver un coin assez isolé pour mettre son plan à exécution, lorsque George Lyon l'accosta, l'air mielleux et imbu de lui-même. On le lui avait déjà présenté, mais il ne savait pas grand-chose sur lui.

– Monsieur Fraser, un mot!

– À votre service, monsieur.

Il se tourna sur le côté pour reposer son verre, en profitant pour rajuster discrètement les plis de son kilt. Heureusement qu'il ne portait pas des culottes moulantes en satin comme ce godelureau de Wylie. Elles étaient tout bonnement indécentes, sans parler de l'inconfort! Dans une telle tenue, à moins d'être un eunuque – ce qui ne semblait pas être le cas de Wylie en dépit de sa poudre de riz et de ses mouches en taffetas –, un homme en compagnie galante s'exposait à une lente émasculation. En revanche, un plaid retenu à la taille par une ceinture permettait de camoufler une multitude de péchés : un coutelas, un pistolet, tout comme un garde-à-vous occasionnel.

– Faisons quelques pas, monsieur Lyon, proposa-t-il.

Si cet homme voulait s'entretenir d'un sujet privé – cela en avait tout l'air –, il valait mieux ne pas rester sur la terrasse où ils risquaient d'être interrompus sans arrêt. Ils se dirigèrent donc d'un pas lent vers les marches, échangeant des banalités et des amabilités avec les invités qu'ils croisaient. Arrivés dans la cour, ils hésitèrent un instant.

– Le paddock, peut-être?

Sans attendre la réponse de Lyon, Jamie prit la direction des écuries, à une certaine distance de là. De toute manière, il voulait revoir les frisons. Tandis qu'ils approchaient du clocheton dominant les bâtiments, Lyon se mit à parler sur un ton aimable :

– J'ai beaucoup entendu parler de vous, monsieur Fraser.

– Vraiment, monsieur? J'espère que, dans le lot des révélations, certains auront quand même eu de bonnes paroles à mon sujet.

Jamie avait lui aussi entendu parler de Lyon : un négociant en tout ce qui était à vendre ou à acheter, sans doute pas trop regardant sur l'origine des marchandises. Le bruit courait qu'il traitait des affaires moins tangibles que le fer et le papier, mais ce n'était qu'un bruit.

Lyon éclata de rire, dévoilant une rangée de dents assez régulières mais très noircies par le tabac.

– En dehors de la légère souillure de votre parenté – on peut difficilement vous le reprocher, mais peut-on empêcher les gens de jaser –, je n'ai entendu que les louanges les plus éclatantes, tant sur votre personnalité que sur vos accomplissements.

A Dhia. Du chantage et de la flatterie dès la première phrase. Se pouvait-il que la Caroline du Nord fut arriérée à un point tel qu'elle soit indigne d'attirer des intrigants plus subtils? Jamie sourit poliment et attendit de connaître les intentions de ce gredin.

Pour le moment, il ne désirait pas grand-chose : connaître la force du régiment milicien de Fraser et le nom de ses hommes. Intéressant... Lyon n'était donc pas du côté du gouverneur, sinon, il disposerait déjà de ces informations. Dans ce cas, qui l'envoyait? Ce ne pouvait être les Régulateurs. Le seul d'entre eux à avoir un peu d'argent était le vieux Ninian Bell Hamilton et s'il avait voulu savoir quoi que ce soit, il serait venu le demander lui-même. Un des riches planteurs de la côte, peut-être? La plupart des aristocrates ne s'intéressaient à la colonie que pour des raisons financières.

Ce qui conduisit Jamie à tirer une conclusion logique : le supérieur de Lyon pensait qu'il y avait quelque chose à perdre ou à gagner dans une potentielle désaffection de la colonie. De qui donc pouvait-il s'agir?

– Chisholm, McGillivray, Lindsay..., répétait Lyon, songeur. Ainsi, la majorité de vos hommes sont des Highlanders. Sont-ils eux-mêmes des fils de colons ou d'anciens soldats comme vous?

Jamie se pencha pour laisser un des chiens des écuries renifler sa main.

– Je suppose que, une fois soldat, on le reste toute sa vie, déclara-t-il. Le fait d'être sous les armes vous marque à vie. D'ailleurs, j'ai entendu dire un jour que les vieux soldats ne meurent jamais, ils s'effacent, tout simplement.

Lyon rit de manière exagérée, observant qu'il s'agissait là d'un beau trait d'esprit. Était-ce de lui ? Sans attendre sa réponse, il poursuivit, avançant de façon formelle sur un terrain familier.

– Je suis ravi de vous entendre exprimer un tel sentiment, monsieur Fraser. Sa Majesté a toujours compté sur la robustesse des Highlanders et sur leur aptitude au combat. Vous-même ou vos voisins avez peut-être servi dans le régiment de votre cousin ? Les Fraser du 68e régiment se sont hautement distingués lors du récent conflit. J'ose avancer que l'art de la guerre coule dans le sang de votre famille, non ?

Simple coup d'épée dans l'eau de sa part. Simon Fraser le jeune n'était pas son cousin, mais son demi-oncle, fils de son grand-père. Dans un effort pour expier la trahison du vieux renard et tenter de récupérer les biens et les terres de la famille, Simon le jeune avait conduit deux régiments pendant la guerre de Sept Ans, conflit que Brianna s'obstinait à appeler la « guerre franco-indienne », comme si la couronne d'Angleterre n'avait rien eu à y voir.

Lyon lui demanda si lui aussi avait tenté de prouver sa loyauté à Sa Majesté en prenant la tête d'un régiment. Jamie avait du mal à croire qu'on puisse être aussi maladroit.

– Non, je regrette. Je n'ai pas eu l'occasion, répondit-il. Une indisposition due à une campagne précédente, voyez-vous.

Il ne précisa pas la nature de l'indisposition en question, à savoir qu'après le soulèvement, Sa Majesté l'avait emprisonné pendant plusieurs années. Si Lyon n'en avait pas déjà connaissance, inutile de le lui dire.

Parvenus au paddock, ils s'accoudèrent confortablement à la clôture. On n'avait pas encore rentré les frisons pour la nuit. Les grands chevaux noirs se déplaçaient comme des ombres, leur robe luisant à la lueur des torches.

Jamie interrompit la dissertation de Lyon sur les méfaits des factions, pour observer les chevaux, envoûté :

– Quelles étranges créatures, ne trouvez-vous pas ?

Sa fascination n'était pas uniquement due à leurs longues crinières soyeuses qui ondoyaient au premier mouvement de tête, ni à leur robe de jais ni à la cambrure prononcée de leur cou, plus épais et musclé que celui des pur-sang de Jocasta. Leur corps était massif et puissant, mais jamais il n'avait vu de chevaux aussi gracieux, habiles et légers, à l'esprit aussi joueur et si intelligents.

Lyon oublia un instant ses questions indiscrètes et les admira à son tour.

– Oui, c'est une race très ancienne. J'avais déjà vu des frisons en Hollande.

– En Hollande ? Vous semblez avoir beaucoup voyagé.

– Pas tant que ça. Mais j'y ai séjourné, il y a quelques années. J'ai eu la chance de rencontrer là, par hasard, un de vos parents, un marchand de vin du nom de Jared Fraser.

Jamie sursauta, puis ressentit une vague de plaisir le parcourir à l'évocation de son cousin.

– Vraiment ? Effectivement, Jared est le cousin de mon père. J'espère que vous l'avez trouvé en bonne santé.

– Excellente.

Lyon se rapprocha et Jamie comprit qu'ils en arrivaient enfin au but de cette conversation. Il but le fond de son verre et le posa, prêt à l'entendre.

– J'ai cru comprendre que... un certain talent pour l'alcool était, dans votre famille, un trait de ressemblance, monsieur Fraser.

Il rit, même s'il n'y avait pas de quoi.

– Un goût, certainement, mais je ne sais si on peut parler de talent.

– Ah non ? Vous êtes trop modeste. La qualité de votre whisky est bien connue.

– Vous me flattez, monsieur.

Se doutant de ce qui allait suivre, il se concentra. Ce ne serait pas la première fois qu'on lui proposerait de s'associer : lui comme fournisseur d'alcool et les autres s'occupant de le distribuer, que ce soit à Cross Creek, Wilmington et même jusqu'à Charleston. Lyon, lui, voyait plus grand.

Le meilleur whisky, une fois vieilli, serait acheminé par la côte jusqu'à Boston et Philadelphie. Quant au whisky brut, il pouvait franchir la Ligne du Traité et être échangé dans les villages cherokees contre des fourrures et des peaux tannées. Lyon avait des associés qui pourraient…

En total désaccord, Jamie, qui, jusque-là, l'avait écouté, l'interrompit :

– Je vous sais gré de votre confiance, monsieur, mais je crains que ma production soit nettement insuffisante pour alimenter vos projets. Je fabrique du whisky pour l'usage personnel de ma famille, plus quelques tonneaux qui me servent de monnaie d'échange pour des produits locaux, sans plus.

Lyon grogna de façon aimable.

– Compte tenu de votre talent et de votre expérience, je suis sûr que vous pourriez accroître votre rendement, monsieur Fraser. Si c'est une question d'équipement… il nous est toujours possible de trouver un arrangement. Je peux en parler à des gentilshommes qui seront ravis de s'associer à notre entreprise et…

– Je crains que non, monsieur. Si vous voulez bien m'excuser.

Il le salua d'une courbette et tourna abruptement les talons, repartant vers la terrasse et abandonnant Lyon dans l'obscurité.

Il devait se renseigner sur ce type auprès de Farquard Campbell, il fallait le surveiller. Il n'était pas contre la contrebande, mais il voulait à tout prix éviter de se faire prendre. Or, peu d'opérations étaient aussi risquées que l'activité à grande échelle proposée par Lyon. Il s'y retrouverait impliqué jusqu'au cou sans avoir le moindre contrôle sur les aspects les plus dangereux de l'affaire.

Certes, la perspective de gagner de l'argent était alléchante, mais pas au point de l'aveugler et de lui faire oublier le danger. S'il voulait se lancer dans ce genre de trafic, il le ferait seul, ou avec l'aide de Fergus et de Roger, voire même du vieil Arch Bug et de Joe Wemyss, mais personne d'autre. Il était nettement plus sûr de rester petit et discret… Cela dit, maintenant que Lyon en avait parlé, ce projet méritait sans doute réflexion. Fergus n'avait rien d'un fermier. Cette occupation serait davantage dans ses cordes. Le Français connaissait bien le métier pour l'avoir déjà exercé quand ils vivaient à Édimbourg.

Tranquille, il revint vers la terrasse, tout en se concentrant sur le sujet, mais la vue de sa femme chassa aussitôt de son esprit toute pensée liée au whisky.

Ayant quitté Stanhope et ses acolytes, Claire se tenait près du buffet et examinait les mets exposés en fronçant les sourcils, indécise devant tant de choix.

Il vit Gérald Forbes la contempler d'un œil spéculatif et s'avança, comme par réflexe, pour s'interposer entre sa femme et lui. En imaginant les yeux de l'avocat dans son dos, il sourit en pensée. « Bas les pattes, paltoquet ! » ricana-t-il intérieurement.

– Tu n'arrives pas à te décider, *Sassenach* ?

Il tendit la main et lui prit sa coupe vide, profitant de l'occasion pour se rapprocher d'elle. Il perçut sa chaleur à travers sa robe.

Elle rit et s'appuya sur son bras. Elle sentait vaguement la poudre de riz, la chair chaude et les fruits d'églantier piqués dans ses cheveux.

– Je n'ai pas si faim que ça. Je comptais simplement les confitures et les gelées. Il y en a trente-sept sortes différentes, si je ne me suis pas trompée.

Il regarda la table, sur laquelle se trouvait, en effet, un assortiment étourdissant de plats en argent, de coupes en porcelaine et de plateaux en bois remplis de victuailles. Il y avait là de quoi nourrir tout un village des Highlands pendant plus d'un mois. Lui non plus n'avait pas faim, du moins pas de puddings ni de canapés.

– Ça ne m'étonne pas d'Ulysse. Il défend fièrement la réputation de ma tante, qui est d'une hospitalité légendaire.

– Elle ne craint rien de ce côté là, l'assura-t-elle. Tu as vu les barbecues ? Il y a au moins trois bœufs entiers qui tournent sur les broches, sans parler d'une douzaine de cochons. Je n'ai même pas essayé de compter les poulets et les canards. Es-tu sûr qu'il s'agit uniquement d'hospitalité ou ta tante tient-elle à montrer à quel point River Run est prospère grâce à la bonne gestion de Duncan ?

– C'est une possibilité, admit-il.

Toutefois, il doutait que Jocasta soit si attentionnée et désintéressée. Selon lui, le luxe déballé pour la fête visait sans doute davantage à en mettre plein la vue à Farquard Campbell, afin d'éclipser sa réception donnée en décembre dernier à Green River, à l'occasion de son récent remariage.

Parlant de mariage…

Il déposa le verre vide sur le plateau d'un domestique qui passait par là et en prit un plein.

– Tiens, *Sassenach,* dit-il en le lui plaçant dans les mains.

– Oh, je ne sais pas si…

Il ne la laissa pas finir. Il attrapa un autre verre et le leva à sa santé. Elle sourit, ses yeux projetant des éclats d'ambre.

– À la beauté ! trinqua-t-il.

* * *

Une sensation agréable de fluidité s'empara de mon corps, comme si mon ventre et mes membres étaient remplis de mercure. Le vin, même délicieux, n'était pas en cause. C'était plutôt le relâchement de la tension, après toutes les angoisses et les conflits de la journée.

La cérémonie avait été calme et tendre et, si la suite des réjouissances promettait d'être nettement plus bruyante – j'avais entendu plusieurs jeunes hommes préparer divers canulars grivois pour la fin de la soirée –, ce n'était plus mon problème. Mon intention était de profiter du succulent dîner qu'on nous avait préparé, de boire peut-être encore un verre ou deux de cet excellent vin… puis de retrouver Jamie pour explorer le potentiel romantique de ce banc en pierre sous les saules.

Jamie était apparu prématurément dans mon programme, dans la mesure où je n'avais pas encore dîné, mais je ne m'objectais pas à revoir mes priorités. Après tout, il y aurait plein de restes.

La lumière des torches donnait à ses cheveux et à ses sourcils la couleur du cuivre. La brise du soir faisait claquer les nappes, allongeait les flammes des bougies, telles des langues de feu, et soulevait les mèches de son catogan en les rabattant sur son visage. Il porta un nouveau toast en souriant :

– À la beauté !

Puis il but sans me quitter des yeux.

Le mercure glissa, se répandant dans mes hanches et se déversant à l'arrière de mes jambes.

– À… euh… l'intimité ! répondis-je.

Me sentant intrépide, d'une main je détachai ma coiffe en dentelle. À moitié détachés, mes cheveux retombèrent en cascade dans mon dos et j'entendis quelqu'un s'exclamer derrière moi, choqué.

Le visage de Jamie se vida de toute expression, ses yeux restant rivés sur moi comme ceux d'un faucon sur un lièvre. À mon tour, je levai mon verre, soutenant son regard, et je bus à petites gorgées. Le parfum du vin emplit l'intérieur de ma tête, tandis que l'alcool réchauffait mon corps. Jamie me prit la coupe des mains, ses doigts froids et durs posés sur les miens.

Puis, une voix s'éleva de l'autre côté de la porte-fenêtre, derrière lui.

– Monsieur Fraser.

Nous sursautâmes tous les deux et mon verre s'écrasa sur le sol en se brisant. Jamie fit volte-face, sa main gauche posée par réflexe sur la poignée de son coutelas. Puis il se détendit en voyant la silhouette se détacher devant la lumière. Il recula d'un pas, la bouche tordue en une grimace narquoise.

Phillip Wylie sortit sur la terrasse. Son teint rouge transparaissait sous la poudre, formant des taches sur ses pommettes.

– Mon ami Stanhope propose d'organiser une table ou deux de whist, ce soir. Vous joindrez-vous à nous?

Jamie le dévisagea d'un regard froid et je vis les deux doigts infirmes de sa main droite tressaillir légèrement. Une veine palpitait sur le côté de son cou, mais sa voix était calme.

– Au whist?

– Oui.

Wylie sourit d'un air aimable, évitant soigneusement de regarder dans ma direction.

– Je me suis laissé dire que vous étiez fin joueur.

Il pinça les lèvres avant de poursuivre :

– Évidemment, nous plaçons les enjeux assez hauts. Peut-être estimez-vous ne pas…

– J'en serais ravi, l'interrompit Jamie.

Son ton ne laissait planer aucun doute sur le fait que la seule chose qui l'aurait vraiment ravi aurait été de lui faire ravaler toutes ses dents.

Les dents en question luisirent brièvement.

– Ah! Splendide. Je… m'en réjouis d'avance.

– À votre service, monsieur.

Jamie le salua d'un signe de tête, fit claquer ses talons, pivota, puis me saisit le coude et traversa la terrasse dans l'autre direction, m'entraînant dans son sillage.

Je le suivis tant bien que mal, en silence, en attendant d'être loin de toute oreille indiscrète. Le mercure était remonté en flèche dans mes membres inférieurs, allant et venant le long de ma colonne vertébrale, et je me sentais dangereusement instable.

– Tu as perdu la tête? m'écriai-je enfin. Des enjeux élevés, au whist?

Jamie était effectivement un excellent joueur. C'était aussi un tricheur aguerri. Toutefois, il était difficile, voire impossible, de tricher au whist, et Phillip Wylie avait la réputation d'être excellent joueur lui aussi, tout comme Stanhope. En dehors de ces détails, restait le fait que Jamie n'avait absolument pas les moyens de miser de l'argent, enjeux élevés ou pas.

Il fit volte-face, l'air mauvais.

– Tu crois que je vais laisser ce petit gandin piétiner mon honneur et m'insulter en public?

– Je suis sûre qu'il n'a pas voulu…

Je ne poursuivis pas. Il était clair que Wylie n'avait pas cherché à l'insulter directement, mais il lui avait néanmoins lancé un défi, ce qui, pour un Écossais, revenait au même.

– Mais tu n'as pas besoin de répondre!

J'aurais eu plus de chance en discutant avec le mur en brique du jardin potager.

– Oh que si! dit-il en se raidissant. J'ai ma fierté.

Exaspérée, je me passai une main sur le visage.

– Oui, et Phillip Wylie en est pleinement conscient! On ne t'a jamais dit que l'orgueil mal placé était un signe de déchéance?

– Je n'ai aucune intention de déchoir, m'assura-t-il avec dignité. Donne-moi ta bague en or.

J'en restai abasourdie.

– Pardon?

Mes doigts se refermèrent inconsciemment sur mon annulaire droit et sur l'alliance lisse de Franck.

Il me dévisageait avec attention. Les torches de la terrasse éclairaient un seul côté de son visage, accentuant l'opiniâtreté de ses traits saillants et faisant luire son œil d'un bleu ardent.

– J'ai besoin d'une mise, dit-il calmement.

– Tu peux toujours courir!

Je me détournai, me retrouvant face au jardin. On y avait allumé des flambeaux, et les fesses en marbre de Persée brillaient dans la pénombre.

– Je ne la perdrai pas, annonça Jamie derrière moi.

Il posa une main sur mon épaule.

– Ou… si je la perds, je la récupérerai, d'une manière ou d'une autre. Je sais à quel point tu y tiens.

J'écartai mon épaule de sous sa main et fis quelques pas de côté. Mon cœur battait à tout rompre. Mon visage était moite et brûlant, comme si j'étais sur le point de tourner de l'œil.

Il ne dit plus rien, ne bougea pas d'un pouce. Il se contenta d'attendre.

– Celle en or? demandai-je enfin. Pas celle en argent?

Non, pas «sa» bague, pas «son» symbole de propriété.

– Celle en or a plus de valeur…

Après une brève hésitation, il ajouta :

– Sur le plan financier.

– Je sais.

Je me retournai vers lui.

La lueur des flammes vacillait dans le vent et projetait des ombres mouvantes qui m'empêchaient de voir son visage.

– Je voulais dire : pourquoi ne pas prendre les deux?

Mes doigts étaient glacés et trempés de sueur. L'alliance en or glissa facilement. Celle en argent était plus serrée, mais je parvins à lui faire franchir l'articulation. Je pris sa main et y laissai tomber les deux anneaux.

Puis, faisant volte-face, je m'éloignai.

47

Les joutes de Vénus

Roger traversa le petit salon et sortit sur la terrasse, jouant des coudes dans la foule qui s'agglutinait autour des buffets. Il était en nage, et l'air de la nuit rafraîchit son visage. Il s'arrêta dans un recoin sombre au bout de la terrasse, puis il déboutonna discrètement son gilet et son col pour s'éventer.

Les lueurs des torches en pin qui bordaient la terrasse et les allées en briques oscillaient dans le vent, projetant des ombres folles sur la masse des noceurs dont les membres et des visages surgissaient et disparaissaient dans une succession étourdissante. Les flammes faisaient briller l'argent et le cristal, ici, un morceau de dentelle dorée ou une boucle de chaussure en métal, là, des boucles d'oreilles ou des boutons de veste. De loin, l'assemblée ressemblait à des lucioles clignotant dans une mer sombre de tissus bruissants. Brianna ne portait rien de brillant, mais compte tenu de sa taille, elle aurait dû être facile à repérer.

Il ne l'avait qu'entr'aperçue tout au long de la journée. Elle avait passé son temps à tenir compagnie à sa tante, à s'occuper de Jemmy, à papoter avec des dizaines de personnes qu'elle avait connues lors de son dernier séjour à River Run. Il ne lui en voulait pas pour autant. À Fraser's Ridge, elle avait très peu d'occasions de combler son goût pour les mondanités, et il était ravi de la voir s'amuser.

Lui-même n'était pas en manque. Trop chanter lui avait irrité agréablement la gorge. Seamus Hanlon lui avait appris trois nouvelles chansons, qu'il avait consciencieusement mémorisées. Finissant par capituler, il avait salué le public, laissant l'orchestre continuer à jouer, l'esprit embué par l'effort, la chaleur et l'alcool.

La voilà ! Il venait d'entrevoir l'éclat de sa chevelure, tandis qu'elle franchissait les portes du grand hall, se retournant pour parler avec la dame derrière elle.

En se redressant, elle l'aperçut à son tour et son visage s'illumina. La poitrine de Roger se réchauffa encore un peu sous son gilet reboutonné.

– Te voilà ! Je t'ai à peine vu de la journée. En revanche, je t'ai entendu, de temps en temps.

D'un signe de tête, elle indiqua les portes ouvertes du salon.

– Ah oui ? Je t'ai paru comment ? demanda-t-il sur un ton détaché.

Elle sourit et, de son éventail replié, lui donna une petite tape sur le torse avec un air de coquette accomplie.

– Oh, madame MacKenzie ! singea-t-elle en prenant une voix nasale haut perchée. Votre mari possède une voix tout simplement divine ! Si j'avais votre chance, je passerais des heures à l'écouter !

Il rit en reconnaissant Mlle Martin, la jeune dame de compagnie de la vieille Mlle Bledsoe. Elle était restée à l'écouter toute l'après-midi, poussant de grands soupirs en battant des cils.

– Tu sais que tu es bon, reprit Brianna, avec sa voix normale. Tu n'as pas besoin que je te le répète.

– Peut-être pas, admit-il. Mais ça ne signifie pas que je n'aime pas te l'entendre dire.

– Vraiment ? L'adulation des foules ne te suffit plus ?

Elle se moquait de lui, les triangles de ses yeux brillant d'une lueur amusée.

Ne sachant pas quoi répondre, il se mit à rire et lui prit la main.

– Tu veux danser?

Du menton, il lui montra l'autre bout de la terrasse où les portes-fenêtres du salon déversaient le refrain joyeux de *Duke of Perth*. Puis se tournant dans l'autre direction, vers les buffets :

– ... ou manger?

– Ni l'un ni l'autre. J'ai surtout envie de m'échapper d'ici un moment, je ne peux plus respirer.

Une goutte de transpiration coula le long de son cou, projetant dans la lumière des torches un reflet rouge, avant qu'elle ne l'essuie du bout des doigts.

– Parfait.

Il posa sa main dans le creux de son bras et, se tournant vers la bordure de plantes de la terrasse, ajouta :

– Je connais exactement l'endroit qu'il te faut.

– Très bien. Oh, attends! Je vais quand même prendre un petit quelque chose à grignoter.

D'un geste de la main, elle arrêta un esclave qui arrivait des cuisines. Du plateau couvert se dégageait un fumet appétissant.

– Qu'y a-t-il là-dedans, Tommy? Je peux en avoir?

– Vous pouvez avoir tout ce que vous voulez, mademoiselle Brianna.

Il souleva son napperon, dévoilant un assortiment de canapés. Elle les huma d'un air béat.

– Je les veux tous!

Elle prit le plateau des mains du garçon, qui se mit à rire. Roger en profita pour lui chuchoter quelques paroles à l'oreille. L'esclave acquiesça, disparut et revint quelques minutes plus tard avec une bouteille de vin débouchée et deux verres. Roger s'en empara, puis Brianna et lui descendirent l'allée qui menait à l'embarcadère, partageant les dernières nouvelles entre deux bouchées de tourte au pigeon.

– Tu n'as pas trouvé d'invités évanouis dans les buissons? demanda-t-elle la bouche pleine de vol-au-vent.

Elle déglutit, puis reprit plus distinctement :

– Je veux dire, quand papa t'a demandé d'aller faire un tour, cet après-midi.

Il émit un grognement désabusé tout en sélectionnant une saucisse posée sur une rondelle de potiron séché.

– Tu connais la différence entre un mariage écossais et un enterrement écossais?

– Non.

– L'enterrement compte un ivrogne de moins.

Elle éclata de rire et prit un œuf dur enrobé de chair à saucisse.

Roger la dirigea adroitement vers la gauche de l'embarcadère où se trouvaient les saules.

– Non, sérieusement, reprit-il. Tu verras certainement quelques pieds sortir des buissons ce soir, mais plus tôt dans la journée, je n'ai rien vu.

– Pour ma part, j'ai discuté avec les esclaves. Aucun ne manque à l'appel et tous sont sobres. Plusieurs femmes m'ont avoué que Betty avait tendance à lever le coude lors des fêtes.

– C'est le moins qu'on puisse dire. D'après ce que m'a raconté ton père, j'ai cru comprendre qu'elle était plus qu'ivre.

Devant eux, dans l'allée, bondit une petite forme sombre. Une grenouille, sans doute. Ses sœurs coassaient à pleine gorge dans le bosquet.

– Maman est passée voir Betty plus tard. Elle l'a trouvée un peu en meilleur état, en dépit de l'insistance du Dr Fentiman à la saigner.

Brianna frissonna et, d'une main, resserra son châle autour de ses épaules, en poursuivant :

– Ce docteur me fiche la frousse. On dirait un farfadet ou quelque autre créature maléfique. Je n'ai jamais serré une main aussi poisseuse. Je ne te parle pas de la puanteur qu'il dégage!

– Je n'ai pas encore eu le plaisir de lui être présenté, dit Roger, amusé. Viens, c'est par là.

Il écarta le lourd voile de branches de saule, veillant à ne pas déranger un éventuel couple d'amoureux qui les aurait prit de vitesse sur le banc de pierre. Personne. Ils étaient tous dans la maison, buvant, dansant, mangeant et préparant une sérénade pour les jeunes mariés. « Mieux vaut qu'ils s'en prennent à Jocasta et à Duncan qu'à nous ! » pensa-t-il en se remémorant certaines des suggestions lubriques entendues un peu plus tôt. En d'autres temps, il aurait aimé assister à un charivari et en retracer les racines dans les coutumes françaises et écossaises, mais pas ce soir !

Tout devint subitement calme sous les saules. Le brouhaha de la maison était noyé dans le bruit de l'eau et le concert monotone des grenouilles. Dans le noir, Brianna chercha le banc à tâtons pour y déposer son plateau.

Roger ferma les yeux et compta jusqu'à trente. Quand il les rouvrit, il distingua, dans la faible lueur qui filtrait entre les branches, la silhouette de sa femme et la ligne horizontale du banc. Il posa les coupes et versa le vin, le goulot de la bouteille cliquetant sur le rebord.

Il plaça alors un verre dans la main de Brianna, puis il leva le sien en portant un toast :

– À la beauté !

– À l'intimité ! répondit-elle.

Elle but une gorgée puis s'extasia :

– Mmm… que c'est bon ! Je n'avais pas bu de vin depuis… un an ? Non, presque deux. Pas depuis la naissance de Jemmy. De fait, pas depuis…

Elle se tut soudain, puis reprit, plus lentement :

– … pas depuis notre première lune de miel. À Wilmington. Tu t'en souviens ?

– Et comment !

Il posa une main sur sa joue, suivant doucement le contour de son visage avec son pouce. Il n'y avait rien d'étonnant, vu les circonstances, qu'il se rappelle cette fameuse nuit. Elle avait commencé sous les branches tombantes d'un énorme marronnier d'Inde qui les avaient abrités du bruit et de la lumière d'une taverne voisine. Ce soir, comme un écho étrange et émouvant, ils étaient seuls dans le noir, près de la rivière, baignant dans les odeurs de la végétation, le raffut des rainettes en pleine saison des amours remplaçant le vacarme de la taverne.

Cette nuit-là, en revanche, la chaleur humide avait ramolli la chair. Ici, l'air frais donnait envie de se blottir contre un corps chaud. À la place de l'odeur moisie de la litière sur le sol ou de la boue, les parfums des jeunes pousses du printemps et de l'eau courante les enveloppaient.

– Tu crois qu'ils dormiront ensemble ce soir ? demanda Brianna.

Elle semblait essoufflée. Peut-être était-ce le vin.

– Qui donc ? Oh ! tu veux parler de Jocasta et de Duncan ? Qu'est-ce qui les en empêcherait ? Ils sont mari et femme désormais.

Il vida sa coupe et la reposa, le verre tintant contre la pierre. Elle ne résista pas quand il lui prit la sienne et la déposa à son tour.

– C'était une belle cérémonie, non ? demanda-t-elle. Calme mais si touchante.

– Oui, très belle.

Il l'embrassa et la serra contre lui. Avec ses doigts, il sentait les lacets à l'arrière de sa robe, qui s'entrecroisaient sous son châle.

– Mmm... tu sens bon, chuchota-t-elle.

– Oui, la saucisse et le vin ! Toi aussi, d'ailleurs.

Sa main glissa sous le châle, cherchant à tâtons l'extrémité d'un lacet, quelque part près de la chute des reins. Brianna se pressa contre lui, lui facilitant la tâche.

– Tu crois qu'on aura encore envie de faire l'amour quand on aura leur âge ? murmura-t-elle.

Il découvrit enfin le petit nœud qui fermait le lacet.

– Moi, oui. Toi, je l'espère. Je ne voudrais pas être obligé de le faire tout seul.

Elle pouffa de rire, puis elle prit une grande inspiration, son dos se bombant soudain quand le lacet se desserra. Malheureusement, il y avait encore un corset dessous. Cette fois, Roger s'y prit à deux mains. Elle cambra les reins pour l'aider, ses seins remontant alors juste sous son menton. Du coup, retirant une main de son dos, Roger se concentra sur ce nouveau développement.

– Je n'ai pas mon... je veux dire que... je n'ai pas apporté...

Elle s'écarta, prise de doute.

– Mais tu as pris tes graines aujourd'hui, non? demanda-t-il.

Certains jours, il aurait échangé n'importe quoi contre une bonne vieille capote en latex.

– Oui, répondit-elle d'un ton peu convaincu.

Il serra les dents, la pressant un peu plus fort contre lui comme s'il craignait qu'elle lui échappe. Il enfouit son nez dans son cou, baisant cette courbe affolante qui descendait jusqu'au début de l'épaule.

– Ce n'est pas grave, chuchota-t-il à son tour. Nous n'avons pas besoin de... Je ne... laisse-moi seulement...

Une fois son carré de soie ôté, son décolleté était plongeant à souhait. Le dos de la robe étant dénoué, il sentit bientôt ses seins lourds et doux dans sa main. Le mamelon large et rouge formait une cerise contre sa paume. Il se pencha, comme par réflexe, pour le porter à sa bouche.

Elle se raidit, puis se détendit en poussant un étrange soupir. Il sentit un goût sucré et chaud sur sa langue, suivi d'une pulsation, puis d'un jet de... Il l'avala machinalement, choqué. Choqué, et terriblement excité. Il n'avait pas pensé, pas voulu... Mais elle pressa sa tête contre son sein et le maintint en place.

Enhardi, il téta de plus belle. La renversant doucement en arrière, il la fit s'asseoir sur le banc, tandis qu'il s'agenouillait devant elle. Il venait d'avoir une idée, inspiré par le commentaire cuisant qu'il avait lu un jour dans son journal intime.

– Ne t'inquiète pas, lui susurra-t-il. Nous ne risquerons rien. Laisse-moi faire ça… rien que pour toi.

Elle hésita, puis le laissa glisser ses mains sous sa jupe, caressant le galbe soyeux d'un mollet, puis remontant vers la cuisse nue, avant de suivre la courbe aplatie de ses fesses, fraîches sur la pierre froide. L'une des nouvelles chansons de Seamus avait décrit les exploits d'un gentilhomme « lors des joutes de Vénus ». Les paroles s'écoulaient dans son esprit comme le gargouillis d'un ruisseau. Il était résolu à sortir vainqueur de cette joute-ci.

Brianna ne pouvait peut-être pas décrire les sensations, mais il ferait tout pour qu'elle les ressente. Elle frémit entre ses mains, et il lui écarta encore un peu plus les cuisses.

– Mademoiselle Brianna?

Ils firent tous les deux un bond convulsif. Roger retira ses doigts comme s'il venait de se brûler. Il sentait le sang palpiter dans ses oreilles… et dans ses bourses.

– Oui, qu'est-ce que c'est? C'est toi, Phaedre? Que se passe-t-il, c'est Jemmy?

Roger était assis sur ses talons, essayant de reprendre son souffle, étourdi. Il surprit l'éclat pâle d'un sein au-dessus de lui, pendant qu'elle se relevait et se tournait vers la voix, remettant précipitamment son carré en place, puis rabattant son châle par-dessus sa robe délacée.

– Oui, m'dame.

La voix de Phaedre venait du saule le plus proche de la maison. D'elle, on ne voyait que son bonnet blanc semblant flotter dans l'obscurité.

– Le pauvre petit s'est réveillé en pleurant. Il n'a voulu avaler ni bouillie ni lait. Puis il s'est mis à tousser. Sa toux ne nous disait rien qui vaille, alors Teresa a voulu envoyer chercher le Dr Fentiman, mais j'ai dit…

– Fentiman!

Brianna disparut dans un bruissement furieux de branches. Il l'entendit courir sur la terre molle en direction de la maison, Phaedre sur ses talons.

Il se releva et attendit un instant, les doigts sur les boutons de sa braguette. La tentation était forte, il n'en aurait que pour une minute, sans doute même moins, vu son état. Mais non. Brianna aurait peut-être besoin de lui pour repousser Fentiman. L'idée du médecin utilisant ses instruments de torture sur la chair tendre de Jemmy suffit à le faire partir au pas de course à son tour. Les joutes de Vénus devraient attendre.

* * *

Il trouva Brianna et Jemmy dans le boudoir de Jocasta, au centre d'un petit attroupement de femmes, qui semblèrent toutes surprises, voire scandalisées, de le voir apparaître. Ne prêtant pas garde aux sourcils dressés et aux murmures de désapprobation, il se fraya un chemin entre les jupes jusqu'à Brianna.

Le petit n'avait effectivement pas l'air dans son assiette. Roger sentit la peur lui nouer le ventre. Comment cela pouvait-il arriver si vite? Il l'avait vu à peine quelques heures plus tôt, tout rose, recroquevillé dans son berceau improvisé, puis, avant cela, participant à la fête en faisant son raffut habituel. À présent, il était affalé contre l'épaule de Brianna, le teint rouge et les yeux fiévreux, gémissant à peine, un filet de morve transparente lui coulant du nez.

Avec délicatesse, il toucha sa joue du dos de la main. Bon sang qu'il était chaud!

– Comment va-t-il?

– Mal, répondit Brianna froidement.

Comme pour le confirmer, Jemmy se mit à tousser, émettant un bruit affreux, sonore mais humide, comme un phoque s'étranglant avec un poisson. Le sang monta aussitôt dans ses joues déjà rouges et ses yeux ronds sortirent de leur orbite, tandis qu'il s'efforçait d'inspirer un peu d'air entre deux quintes.

– Merde! lâcha Roger. Qu'est-ce qu'on fait?

– De l'eau froide, répondit sur un ton autoritaire l'une des femmes qui se tenait à ses côtés. Plongez-le dans un bain d'eau glacée et faites-lui en boire.

– Mais enfin, Mary! Tu veux le tuer?

Une autre jeune femme tendit une main et tapota le dos tremblant du nourrisson, expliquant à Brianna :

– C'est le croup. Tous les miens l'ont eu. Ce qui lui faut, c'est de l'ail coupé en fines lamelles, chauffé puis appliqué sur la plante des pieds. Parfois, ça marche.

– Et si ça ne marche pas? déclara une autre, sceptique.

Piquée, la première prit un air pincé. Une amie vint à sa rescousse :

– Le croup a emporté deux des petits de Johanna Richards. Ils sont partis comme ça! dit-elle en faisant claquer ses doigts.

Le son fit sursauter Brianna, comme si l'un de ses propres os venait de craquer.

Une des femmes agita un index menaçant vers Phaedre, qui était plaquée contre le mur, les yeux fixés sur Jemmy.

– Pourquoi tergiverser quand nous avons un médecin sous la main? Que fais-tu encore là, ma fille? Je croyais t'avoir demandé d'aller chercher le Dr Fentiman!

Avant que l'esclave n'ait eu le temps de réagir, Brianna redressa vivement la tête.

– Non! Pas lui. Il n'en est pas question!

Elle lança un regard assassin aux femmes assemblées autour d'elle, puis se tourna vers Roger.

– Va chercher maman. Je t'en prie. Fais vite!

Il tourna les talons et joua des coudes entre les dames, sa peur momentanément étouffée par l'action. Où Claire pouvait-elle être? «À l'aide! implora-t-il. Aidez-moi à la localiser rapidement, aidez-le à guérir!» Il dirigeait sa prière incohérente vers qui pourrait l'entendre, Dieu, le révérend, Mme Graham, sainte Bride, Claire elle-même… Peu lui importait, pourvu qu'elle soit exaucée.

En dévalant le grand escalier qui donnait dans le hall, il se trouva nez à nez avec Claire qui se précipitait vers lui. Quelqu'un l'avait déjà prévenue. Elle lui jeta un bref coup d'œil et, avec un geste du menton, lui demanda :

– Jemmy?

Hors d'haleine, il hocha simplement la tête. Elle grimpa quatre à quatre les marches jusqu'au premier, sous les yeux ébahis de toutes les personnes présentes dans le hall.

Il la rattrapa sur le palier, juste à temps pour lui ouvrir la porte et pour recevoir le regard de gratitude non mérité de Brianna.

Il se tint à l'écart, reprenant son souffle en observant la scène. Dès que Claire entra dans la pièce, l'atmosphère d'angoisse proche de la panique se dissipa aussitôt. Les femmes paraissaient encore inquiètes, mais elles lui laissèrent la place sans hésiter, s'écartant respectueusement en échangeant des messes basses. Claire se dirigea droit vers Jemmy et Brianna, ne voyant rien d'autre.

Elle tourna la tête du nourrisson sur le côté, palpant délicatement son cou et l'arrière de ses oreilles, tout en murmurant :

– Qu'est-ce qu'il t'arrive, mon chou? Tu es patraque? Mon pauvre! Ne t'inquiète pas, grand-mère est là, tout ira bien... Il est dans cet état depuis combien de temps? Il a bu quelque chose? Oui, mon chéri, tout va bien... Ça lui fait mal quand il déglutit?

Elle alternait les paroles de réconfort adressées au bébé et les questions à Brianna et à Phaedre, mais toutes prononcées sur le même ton calme et rassurant. Pendant ce temps, ses doigts appuyaient ici et là, explorant et réconfortant l'enfant. Roger en percevait les effets apaisants sur lui-même. Il inspira profondément, et la tension dans sa cage thoracique se dissipa un peu.

Claire saisit une feuille de l'épais papier à lettres de Jocasta sur le secrétaire, la roula en cylindre et écouta avec attention le dos et la poitrine de Jemmy qui continuait à tousser comme un phoque. Roger remarqua vaguement qu'elle avait les cheveux dénoués. Elle devait les écarter pour pouvoir ausculter le malade.

Une des femmes présentes proposa timidement son diagnostic en forme de demi-question. Claire répondit d'un air distrait :

– Oui, bien sûr qu'il s'agit du croup. Mais ça n'explique que la toux et les difficultés respiratoires. Le croup peut se présenter seul, ou comme symptôme avant-coureur d'un tas d'autres maladies.

– Telles que ?

Brianna serrait fermement Jemmy contre elle, le visage aussi blafard que les articulations de ses doigts.

– Euh…

Claire écoutait attentivement Jemmy qui avait cessé de tousser et gisait contre l'épaule de sa mère, épuisé, respirant comme une locomotive à vapeur.

– … Le coryza, c'est-à-dire un rhume banal, la grippe, l'asthme, la diphtérie…

Croisant le regard de sa fille, elle ajouta précipitamment :

– Mais ce n'est pas ça.

– Tu en es sûre ?

Claire se redressa et reposa son stéthoscope improvisé, en répondant avec fermeté :

– Oui. Ça ne ressemble pas du tout à une diphtérie. En outre, il n'y en a pas dans la région, sinon j'en aurais entendu parler. Sans oublier qu'étant encore nourri au sein, il est immunisé…

Elle s'interrompit soudain, prenant conscience du cercle des curieuses qui s'était formé autour d'elle. Elle se pencha de nouveau et s'éclaircit la gorge, comme pour encourager Jemmy à en faire autant. Il poussa un petit gémissement et toussa. Roger souffrit, comme si une pierre bloquait son propre larynx.

– Ce n'est rien de grave, annonça-t-elle enfin. Toutefois, il faut l'isoler sous une tente. Descendons-le dans la cuisine. Phaedre, vous voulez bien nous apporter quelques vieilles couvertures, s'il vous plaît?

Elle se dirigea vers la porte, faisant s'écarter les femmes sur son passage, comme un troupeau de poules.

Sans se poser de questions, Roger tendit les bras vers le bébé et, après une seconde d'hésitation, Brianna le lui donna. Jemmy ne broncha pas, se laissant porter comme une masse, son inertie et sa mollesse formant un terrible contraste avec son énergie habituelle. La chaleur de sa joue brûlante traversa la chemise de Roger qui descendait l'escalier, Brianna à ses côtés.

La cuisine se trouvait dans le sous-sol de la maison. Roger eut alors une brève vision. Il empruntait le chemin vers les ténèbres profondes, tel Orphée en route vers les enfers, Eurydice sur ses talons. Au lieu d'une lyre magique, il portait un enfant brûlant comme un charbon ardent et toussant comme si ses poumons étaient sur le point d'exploser. S'il ne regardait pas en arrière, peut-être que le petit guérirait.

Claire posa une main sur le front du garçonnet, évaluant sa température.

– Un peu d'eau fraîche ne lui ferait pas de mal. Tu ne nous ferais pas une otite, mon bonhomme?

Elle souffla doucement dans une de ses oreilles, puis dans l'autre. Il cligna des yeux, toussa, puis frotta une main potelée contre son visage, mais ne broncha pas. Les esclaves s'affairaient dans un coin de la pièce, apportant de l'eau bouillante, accrochant les couvertures à une poutre pour préparer la tente selon ses instructions.

Claire prit le bébé des bras de Roger pour le baigner. Les mains vides, il se retrouva planté là, cherchant désespérément quelque chose à faire, n'importe quoi, jusqu'à ce que Brianna lui prenne la main et la serre avec nervosité, ses ongles s'enfonçant dans sa chair.

– Il ira bien, chuchota-t-elle. Tout ira bien.

À son tour, il étreignit sa main sans rien dire.

Lorsque la tente fut prête, Brianna s'y engouffra, se retournant pour prendre Jemmy qui pleurait, n'ayant pas du tout apprécié l'eau froide. Claire avait envoyé une esclave chercher son coffret de médecine. Elle en sortit une fiole contenant une huile jaune pâle et un flacon de cristaux blanc sale.

Avant qu'elle n'ait eu le temps de s'en servir, Joshua, l'un des valets d'écurie, arriva en courant en s'écriant hors d'haleine :

– Madame Claire ! Madame Claire !

Certains des messieurs avaient tiré quelques salves d'honneur avec leur pistolet pour fêter l'heureux événement et l'un d'eux avait été victime d'un accident, dont Joshua ignorait la nature exacte. Avec son accent écossais d'Aberdeen qui contrastait si bizarrement avec son visage noir, il expliqua :

– Il n'est pas trop abîmé, m'dame, mais il saigne comme un goret, et le Dr Fentiman… eh bien… il n'est plus vraiment aussi frais qu'on l'aurait souhaité. Vous voulez bien venir, m'dame ?

– Oui, bien sûr.

En un clin d'œil, elle fourra la fiole et le flacon dans les mains de Roger.

– Il faut que j'y aille. Tiens. Mets-en un peu dans l'eau chaude, puis fais-lui inspirer la vapeur jusqu'à ce qu'il cesse de tousser.

Elle referma son coffret, qu'elle tendit à Joshua pour qu'il le porte, puis fila vers l'escalier avant que Roger n'ait eu le temps de dire ouf.

Des volutes de vapeur s'échappaient de l'ouverture de la tente. Avant d'entrer, il ôta sa veste et son gilet qu'il laissa tomber en tas sur le sol, puis il se pencha et pénétra dans l'obscurité, fiole et flacon en main.

Brianna était assise sur un tabouret, Jemmy sur ses genoux, une grande bassine d'eau fumante à ses pieds. Un faisceau de lumière provenant de l'âtre éclaira momentanément son visage. Avant que le pan de couverture ne se rabatte derrière lui, Roger lui sourit, s'efforçant de paraître rassurant.

– Où est maman ? Elle est partie ?

– Oui, il y a eu une urgence, mais tout ira bien. Elle m'a donné le produit à mettre dans la bassine et a dit de garder le petit ici, jusqu'à ce que sa toux cesse.

Il s'assit sur le sol près de la bassine. Il faisait sombre mais pas tout à fait noir. Lorsque ses yeux se furent accoutumés à l'obscurité, il distingua assez clairement autour de lui. Brianna était soucieuse, mais moins terrifiée que plus tôt dans le boudoir. Lui aussi se sentait mieux. Au moins, il savait quoi faire, et Claire n'avait pas paru trop inquiète à l'idée de laisser son petit-fils. Apparemment, elle ne craignait plus qu'il s'étouffe.

La fiole contenait de l'essence de sapin, dégageant un parfum âcre de résine. Ne sachant pas quelle quantité mettre, il en versa une dose généreuse dans l'eau chaude. Puis il déboucha le flacon, et une odeur piquante de camphre s'éleva, tel un génie hors de sa lampe. À la place des cristaux, il aperçut des grumeaux de résine séchée, granuleuse et légèrement poisseuse. Il en mit un peu dans le creux de sa paume, puis retourna celle-ci au-dessus de l'eau, tout se demandant pourquoi ce geste instinctif lui paraissait si familier.

– Ah, je sais ! dit-il soudain.

– Quoi ?

Il agita une main autour de lui dans le sanctuaire douillet qui se remplissait rapidement de vapeur acide.

– Ça y est ! Je me souviens d'être dans mon lit, avec une couverture au-dessus de ma tête. Ma mère avait versé quelque chose dans l'eau bouillante qui avait exactement cette odeur. C'est de là que me vient cette impression de déjà-vu.

Cette idée sembla la rassurer.

– Tu veux dire que tu as eu le croup, toi aussi, quand tu étais petit ?

– Je suppose que oui, mais je ne m'en souviens pas, je reconnais juste cette odeur.

Cette fois, le nuage de condensation avait envahi la tente. Roger inspira profondément pour se remplir les poumons, puis il tapota la cuisse de Brianna.

– Ne t'inquiète pas. Ces inhalations lui feront du bien.

Jemmy ne tarda pas à tousser de plus belle en émettant d'autres bruits de phoque, mais ses crises paraissaient moins alarmantes. Peut-être était-ce l'obscurité, l'odeur ou simplement le vacarme rassurant des casseroles hors de la tente, mais la situation semblait moins dramatique. Il entendit Brianna respirer fortement, puis pousser un long soupir, son corps de décontractant pendant qu'elle tapotait le dos de son fils.

Ils restèrent ainsi en silence un moment, écoutant le bébé tousser, siffler, inspirer, tousser, puis reprendre son souffle avec un léger hoquet. Réconforté par la proximité de ses parents, il avait cessé de gémir.

Roger ayant laissé tomber le bouchon en liège du flacon, il tâtonna, finit par le retrouver, puis le remit en place.

Cherchant un sujet de conversation pour briser le silence, il déclara :

– Je me demande ce que ta mère a bien pu faire de ses alliances.

Elle écarta de son visage une mèche échappée de son chignon.

– Qu'est-ce qui te fait dire ça?

– Elle ne les portait pas quand elle m'a donné ses remèdes.

Il indiqua le flacon de camphre, posé près du mur pour qu'on ne le renverse pas. Il avait un souvenir clair des longs doigts blancs et nus de Claire. Cela l'avait frappé, car il n'avait jamais vu ses mains sans ses bagues.

– Tu en es sûr? Elle ne les enlève jamais, sauf pour faire quelque chose de vraiment dégoûtant. La dernière fois, c'était quand Jemmy avait fait tomber sa choupette dans le pot de chambre.

Une choupette pouvait désigner n'importe quel petit objet, mais, en l'occurrence, ils appelaient ainsi l'anneau métallique – normalement censé passer dans les naseaux du bétail – que Jemmy aimait sucer. Il ne dormait jamais sans son joujou favori.

Jemmy releva la tête, les yeux mi-clos. Sa respiration était toujours laborieuse, mais il s'intéressait désormais à autre chose qu'à son propre inconfort.

– Chou-chou? Chou-chou?

– Oups! Je n'aurais pas dû prononcer ce mot!

Brianna le balança doucement sur son genou, tout en fredonnant une chanson pour le distraire.

– *Là-haut sur la montagne, l'était un vieux chalet. Murs blancs, toit de bardeaux, devant la porte un vieux bouleau…*

L'intimité sombre de la tente rappelait quelque chose à Roger. Il se rendit compte qu'elle dégageait la même atmosphère de paix et de protection que le banc sous les saules, sauf qu'il y faisait nettement plus chaud. Le lin de sa chemise pendait lourdement sur ses épaules et il sentait la sueur couler dans son dos sous sa queue de cheval. Il poussa le genou de Brianna.

– Hé! Tu ne veux pas monter à l'étage enlever ta nouvelle robe? Tu vas l'abîmer si tu restes trop longtemps dans cette chaleur.

Elle hésita, se mordant la lèvre.

– C'est que… Non, ce n'est pas grave, tant pis.

Il se releva, se voûtant sous le toit de laine, et lui prit Jemmy des bras.

– Vas-y, dit-il fermement. Tu pourras en profiter pour lui ramener sa chou… Sa tu-sais-quoi. Ne t'inquiète pas, la vapeur commence à faire de l'effet. Il se rétablira en un rien de temps.

Il lui fallut insister encore un peu, avant qu'elle ne consente. Puis, il s'assit à son tour sur le tabouret, Jemmy confortablement installé dans le creux de son bras. La pression du siège en bois lui rappela une certaine congestion résiduelle due à l'épisode sous les saules, et il dut changer de position.

– Entre toi et moi, cela ne provoque pas de dégâts durables, marmonna-t-il à Jemmy. Demande à n'importe quelle fille, elle te le confirmera.

Jemmy remua et prononça quelque chose d'inintelligible qui débutait par « chou... », puis toussa de nouveau mais brièvement cette fois. Roger posa une main sur son crâne rond et doux. Effectivement, il semblait moins chaud, même si c'était difficile à dire dans cette fournaise. Avec sa manche, il essuya la transpiration qui dégoulinait sur son visage.

Une voix de grenouille près de son torse demanda :

– Chou-chou?

– Oui, bientôt. Chut.

– Chou-chou! Chou-chou!

– Chut.

– Chou...

– *Là-haut sur la montagne, croula le vieux chalet...*

– Chou...

Roger haussa abruptement la voix, surprenant tout le monde sous la tente ainsi qu'à l'extérieur, dans la cuisine, et provoquant le silence.

– *LA NEIGE ET LES ROCHERS S'ÉTAIENT UNIS POUR L'ARRACHER!*

Puis, il s'éclaircit la gorge et reprit sur un ton de berceuse :

– *Là-haut sur la montagne, quand Jean vint au chalet, pleura de tout son cœur sur les débris de son bonheur... Là-haut sur la montagne, quand Jean vint au chalet.*

Le chant était efficace. Les paupières de Jemmy s'abaissaient peu à peu. Il mit son pouce dans sa bouche et essaya de le téter, mais ne pouvant respirer par la bouche, il faillit s'étouffer. Roger lui écarta doucement la main et le petit poing, poisseux et minuscule, mais d'une force rassurante, se referma sur un de ses doigts.

– *Là-haut sur la montagne, l'est un nouveau chalet. Car Jean d'un cœur vaillant, l'a rebâti plus beau qu'avant...*

Les paupières battirent encore un peu, puis capitulèrent et se refermèrent. Le bébé poussa un soupir et devint complètement mou, la chaleur se dégageant de sa peau par vagues. D'infimes perles tremblaient au bout de ses cils : larmes, sueur, vapeur, ou les trois à la fois.

– *Là-haut sur la montagne, l'est un nouveau chalet...*

Roger s'épongea de nouveau le visage et déposa un baiser sur le duvet soyeux et humide.

« Merci », pensa-t-il avec une gratitude sincère, s'adressant à tous ceux inscrits sur la liste, en commençant par Dieu.

– *Là-haut sur la montagne...*

48

Le visiteur de la nuit

Après avoir vérifié une dernière fois l'état de tous mes patients, je montai enfin me coucher. Il était déjà très tard.

En s'amusant à tirer des coups de feu au bord de la rivière, Ronnie Campbell avait tout simplement oublié de pointer son arme vers le ciel, touchant DeWayne Buchanan dans le haut du bras. Heureusement, la blessure était superficielle et, pour le moment, après un nettoyage de la plaie et l'administration d'une dose généreuse de whisky fournie par le coupable rongé de remords, elle n'était pas trop douloureuse.

Rastus, un des esclaves de Farquard Campbell, s'était grièvement brûlé la main en retirant des volailles grillées de leurs broches. Je n'avais rien pu faire d'autre que de lui plonger la main dans un seau d'eau froide, de la lui bander avec un linge propre et de lui prescrire du gin, par voie orale. Plusieurs jeunes hommes sérieusement éméchés présentaient toutes sortes de contusions, d'écorchures et quelques dents manquantes à la suite de désaccords liés à des parties de dés. Six cas d'indigestion, traités au thé à la menthe, étaient en bonne voie de rémission. Betty dormait toujours, mais elle semblait être passée de l'hébétude éthylique à un profond sommeil naturel, bercée par des ronflements sonores. Jemmy dormait lui aussi, sa fièvre étant tombée.

Le gros de la fête était désormais passé. Il restait encore quelques joueurs irréductibles dans un des petits salons, fixant les cartes de leurs yeux rouges, sous un nuage de fumée de tabac. En me dirigeant vers le grand escalier, je jetai un œil dans les autres pièces du rez-de-chaussée. Au fond de la salle à manger, quelques messieurs discutaient politique à mi-voix devant des verres de cognac vides. Jamie n'était pas parmi eux.

En apercevant ma tête s'avancer dans l'entrebâillement de la porte, un laquais en livrée tombant de sommeil se redressa précipitamment et me demanda si je désirais quelque chose à boire ou à manger. Je le remerciai. Je n'avais pas eu le temps d'avaler grand-chose au cours de la soirée, mais j'étais trop épuisée pour avoir faim.

Je m'arrêtai sur le premier palier et regardai dans le couloir vers les appartements de Jocasta. Le calme régnait, le charivari et le chahut étaient terminés. Un gros trou, probablement causé par le choc d'un corps lourd, altérait les lambris, et des coups de feu tirés en l'air avaient laissé des traces de brûlures au plafond.

Toujours en livrée et en perruque, Ulysse montait la garde, assis sur un tabouret près de la porte, piquant du nez, ses bras croisés sur sa poitrine. Au-dessus de lui, une chandelle crachotait ses dernières flammes dans une applique. Dans la lueur vacillante, je distinguais ses yeux fermés et son front plissé. Il était voûté et ses lèvres remuaient, comme en plein cauchemar. Je voulus le réveiller, mais au moment où je faisais un pas vers lui, son expression changea. Il s'étira, se réveillant à moitié, puis il se rendormit aussitôt, le visage détendu. Un instant plus tard, la chandelle mourait.

Je tendis l'oreille. Hormis la respiration d'Ulysse, je n'entendis aucun bruit dans l'obscurité. Personne ne saurait jamais si Duncan et Jocasta se murmuraient des mots doux ou s'ils se taisaient, allongés côte à côte sous leur baldaquin, chacun dans son monde. Par la pensée, je leur adressai tous mes vœux de bonheur, puis je me traînai à l'étage supérieur, les genoux raides et le dos endolori. Que n'aurais-je donné pour retrouver mon propre lit… et la compagnie de mon mari !

Par la fenêtre du second palier, j'entendis des rires lointains, ponctués d'un tir occasionnel qui se répercuta dans l'air de la nuit. Les hommes les plus jeunes et les plus excités, accompagnés de quelques aînés qui auraient mieux fait d'aller dormir, étaient descendus sur l'embarcadère avec une douzaine de bouteilles de whisky et de cognac pour, soi-disant, tirer sur les grenouilles.

Les dames, elles, étaient toutes couchées. Aucun son ne troublait le second étage, excepté le ronronnement étouffé des ronflements. Par contraste avec le couloir frais, il régnait dans la chambre une chaleur étouffante. Pourtant, le feu de cheminée n'était plus qu'un lit de braises rougeoyantes, projetant une faible lueur rouge sur le sol.

Les invités dans la maison étant très nombreux, seul le couple nuptial avait droit à son intimité. Tous les autres devaient s'entasser pêle-mêle dans les diverses pièces. Là où je dormais se trouvaient deux grands lits à baldaquin et un lit gigogne. Le sol était jonché de paillasses. Chaque lit croulait de femmes en chemise, alignées comme des sardines en travers du matelas, dégageant une chaleur humide de serre d'orchidées.

L'air était chargé d'un mélange entêtant de transpiration rance, de barbecue, d'oignons frits, de parfums français, d'haleines avinées et de gousses de vanille. Osant à peine respirer, j'ôtai ma robe et mes souliers le plus vite possible, espérant ne pas être en nage avant de m'être déshabillée. J'étais encore excitée par les événements de la journée, mais l'épuisement alourdissait mes membres. Ce fut avec un profond soulagement que je traversai la chambre sur la pointe des pieds et m'allongeai à mon endroit habituel, près de l'un des grands lits.

Mon esprit bouillonnait, faisant toutes sortes de spéculations, et malgré l'effet hypnotique de tous ces gens endormis autour de moi, je restai allongée, les membres raides et douloureux, contemplant la silhouette de mes orteils nus, qui se détachait sur les dernières lueurs de l'âtre.

Au matin, lorsque Betty se réveillerait enfin, nous apprendrions à qui appartenait la coupe et, peut-être, ce qu'elle avait contenu. J'espérais que Jemmy dormirait confortablement lui aussi, mais la personne qui accaparait le plus mon esprit, bien sûr, c'était Jamie.

Je ne l'avais pas aperçu parmi les joueurs de cartes ni parmi les hommes qui discutaient impôts et tabac dans la salle à manger.

Je n'avais pas vu non plus Phillip Wylie au rez-de-chaussée. Il pouvait être avec les fêtards sur l'embarcadère. Ces jeunes hommes riches cherchant à tromper l'ennui dans la boisson et le chahut, indifférents au froid et au danger, riant et se pourchassant dans la nuit illuminés par les éclairs de leurs tirs, faisaient partie de son monde.

Ce n'était ni la clique ni le style de Jamie, mais l'idée qu'il puisse être parmi eux me donna froid dans le dos.

« Il ne ferait rien d'aussi stupide », m'assurai-je. Je roulai sur le côté, recroquevillant les genoux contre moi, dans mon espace minuscule. D'un autre côté, sa conception de ce qui constituait un geste stupide était différente de la mienne.

La plupart des hommes étaient logés dans les dépendances ou dans les salons du rez-de-chaussée. En passant, j'avais remarqué plusieurs dormeurs anonymes emmitouflés dans leurs capes devant les cheminées. Je n'étais pas allée les inspecter de près, mais Jamie figurait sûrement parmi eux. Sa journée avait été aussi longue que la mienne.

Toutefois, indépendamment des circonstances, aller se coucher sans me souhaiter bonne nuit ne lui ressemblait pas. Il m'en voulait sans doute encore un peu. En dépit de notre conversation prometteuse interrompue sur la terrasse, nous n'avions pas encore fait complètement la paix. Le défi de ce maudit Phillip Wylie avait ravivé la flamme de la discorde. Je serrai les poings, mes pouces touchant la peau calleuse, là où, d'habitude, se trouvaient mes alliances. Satanés Écossais!

Près de moi, percevant ma nervosité, Jemima Hatfield remua et marmonna dans son sommeil. Je me remis doucement sur le côté, fixant le pied de lit devant mon nez.

Oui, il était certainement encore fâché à cause des avances de Phillip Wylie. Moi aussi, ou, du moins, je l'aurais été si ma fatigue n'avait pas été aussi grande. Ce mufle… Je bâillai, manquant de me disloquer la mâchoire. Pour le moment, ça ne valait pas la peine de s'énerver…

Mais, fâché ou pas, Jamie n'était pas du genre à m'éviter. Au contraire, d'ordinaire, il aurait cherché la confrontation ou provoqué une dispute. Je n'avais pas souvenir qu'il ait déjà laissé le soleil se coucher sur une colère, du moins une colère me concernant.

J'étais d'autant plus soucieuse. Que mijotait-il? Le fait de m'angoisser à son sujet me mettait hors de moi, mais je préférais encore être en colère plutôt que de m'inquiéter.

Néanmoins, après cette journée harassante, à mesure que le temps passait et que les détonations des fusils, au loin, s'espaçaient de plus en plus, la torpeur m'envahit, émoussant mes peurs et éparpillant mes pensées comme du sable dans le vent. Bercée par la respiration lente des femmes autour de moi, je perdis peu à peu prise avec la réalité.

J'aurais pu m'attendre à des cauchemars remplis de violence et de terreur, mais mon inconscient en avait eu plus que son lot. Il préféra revenir sur d'autres événements de la journée. Peut-être était-ce la chaleur dans la chambre ou la proximité des corps endormis, mais je fis des rêves imagés et érotiques, les courants de l'excitation sexuelle me ramenant de temps à autre vers les rives de l'éveil, avant de m'entraîner de nouveau dans les profondeurs.

Mes songes étaient peuplés de frisons noirs à la robe luisante qui galopaient à mes côtés, leurs longues crinières claquant au vent. J'étais une jument blanche. Le sol défilait sous mes sabots dans un flou de verdure, jusqu'à ce que je m'arrête et me retourne, attendant le chef, un étalon au poitrail large qui s'avança vers moi, son souffle chaud et humide contre mon cou, ses dents blanches se refermant sur ma nuque...

– Je suis le roi d'Irlande..., déclara-t-il.

Je me réveillai doucement, me trémoussant des pieds à la tête, et découvris quelqu'un en train de me caresser la voûte plantaire.

Encore habitée par les images charnelles de mon rêve, je ne m'alarmai pas outre mesure. J'étais confusément soulagée de découvrir que j'avais des pieds et non des sabots. Mes orteils se recroquevillèrent, mes pieds s'arquèrent. Un pouce suivit lentement les contours charnus de ma plante, longea la crête de la haute voûte, puis remonta dans le creux, juste sous l'articulation de la cheville, parvenant à stimuler tout un plexus de sensations. Puis, dans un sursaut, je revins tout à fait dans la réalité.

Mon «chatouilleur» dut sentir que je m'étais réveillée, car sa main me quitta momentanément. Puis elle revint, cette fois plus fermement, une grande paume chaude s'enroulant autour de mon pied, son pouce effectuant un massage ferme mais voluptueux à la naissance de mes orteils.

Cette fois, j'étais totalement consciente et plutôt perplexe, mais toujours pas effrayée. J'agitai brièvement mon pied, comme pour chasser une mouche, mais la main répondit par une légère pression. Puis sa sœur saisit mon gros orteil.

Ce petit cochon est allé au marché, ce petit cochon est resté à la maison... les paroles de la comptine s'égrenaient dans ma tête aussi clairement que si on les avait prononcées à voix haute, pendant que les doigts pinçaient chacun de mes orteils un par un, puis couraient le long de ma voûte plantaire.

Et ce petit cochon a couru jusque chez lui en criant oui, oui, oui ! Je tressaillis, un fou rire montant dans ma gorge.

Je redressai la tête, mais la main s'empara de nouveau de mon membre. Le feu s'était complètement éteint, plongeant la chambre dans le noir le plus total. Même avec mes yeux accoutumés à l'obscurité, je ne distinguais rien d'autre qu'une silhouette voûtée, une forme qui se déplaçait comme du mercure, ses contours apparaissant puis disparaissant sur un fond de velours.

La main monta avec délicatesse vers mon mollet. Je me tortillai violemment et la femme endormie à côté de moi se releva en faisant « Hein ? », puis sa tête retomba.

Mon rire contenu faisait trembler les muscles de mon ventre. L'homme dut percevoir la légère vibration. Après une douce pression sur mon petit orteil, il caressa ma voûte, me faisant écarter tous les doigts. Puis sa main se referma sur mon talon. Le pouce caressa ma cheville, s'arrêta, interrogateur. Je ne bougeai pas.

Ses doigts devenaient plus chauds. Je les sentis suivre le galbe de mon mollet et se réfugier dans le creux de douceur derrière mon genou. Là, ils pianotèrent un instant sur la peau sensible, me faisant frissonner. Ils ralentirent et s'arrêtèrent, se posant sur l'artère où mon pouls battait violemment.

Je l'entendis soupirer quand il changea de position. Puis sa main se posa sur la courbe de ma cuisse et remonta lentement. L'autre suivit, écartant doucement mais inexorablement mes cuisses.

Les battements de mon cœur résonnaient dans mes oreilles. Mes seins durs et gonflés étiraient la fine mousseline de ma chemise. Je pris une grande inspiration, et mes narines se remplirent d'une odeur… de poudre de riz.

Mon sang se glaça et je cessai de respirer. Il ne m'était pas venu un seul instant à l'esprit qu'il eût pu s'agir de quelqu'un d'autre que Jamie.

Immobile, je me concentrai sur les mains occupées à faire un geste subtil et plutôt indicible. Elles étaient grandes. Leurs articulations pressaient l'intérieur de mes cuisses. Phillip Wylie avait, lui aussi, de grandes mains. Je l'avais vu prendre une poignée de grains d'avoine et la tendre à Lucas. L'étalon avait enfoui ses grands naseaux noirs dans sa paume en coupe.

Des cals. Les mains baladeuses étaient lisses et calleuses. Mais celles de Wylie aussi. Tout dandy qu'il était, il n'en était pas moins un cavalier, avec des paumes tannées et dures, comme celles de Jamie.

Ce ne pouvait être que Jamie, m'assurai-je en redressant la tête de quelques centimètres. Je scrutai les ténèbres. Les dix petits cochons… bien sûr que c'était lui ! Puis l'une des mains faisant quelque chose de très inattendu, je sursautai. Mon coude percuta les côtes de la femme près de moi. Elle se redressa brusquement en s'exclamant. Les mains se rétractèrent aussitôt, pinçant mes chevilles dans un adieu précipité.

J'entendis le bruissement rapide d'un corps rampant sur le tapis. Puis, il y eut un bref éclat de lumière et un courant d'air frais lorsque la porte du couloir s'ouvrit et se referma presque instantanément.

À mes côtés, Jemima, hébétée, demanda vaguement :

– Quoi ? Qui est-ce ?

Ne recevant aucune réponse, elle parla dans sa barbe, se retourna et se rendormit rapidement.

Pas moi.

49

In vino veritas

Je restai éveillée un long moment, écoutant les ronflements paisibles et les soupirs de mes compagnes de lit ainsi que les battements frénétiques de mon cœur. Chaque nerf de mon corps semblait avoir transpercé ma peau et, lorsque Jemima Hatfield roula contre moi dans son sommeil, je lui donnai involontairement un violent coup de coude dans les côtes. Elle grogna avant de replonger dans une mer de sommeil collectif.

Pour ma part, ma conscience continuait d'être ballottée en surface, refusant obstinément de sombrer. Je n'arrivais pas à déterminer ce que je ressentais. D'un côté, je devais bien reconnaître que j'étais excitée, malgré moi, mais excitée quand même. Mon visiteur nocturne, qui qu'il soit, connaissait bien le corps de la femme.

Ce détail faisait pencher la balance en faveur de Jamie. Toutefois, j'ignorais à quel point Wylie était expérimenté dans les arts de l'amour. J'avais éconduit ses avances trop tôt dans les écuries pour qu'il ait vraiment la possibilité de me dévoiler ses talents.

Mon « chatouilleur » de minuit n'avait utilisé aucune caresse attribuable, sans l'ombre d'un doute, au répertoire de Jamie. Si seulement il y avait mis la bouche… Je me rétractai devant cette idée comme un cheval ruant. Jemima grogna de nouveau, tandis que je me tordais sur place, la peau hérissée par les images évoquées.

J'ignorais si je me sentais amusée, choquée, séduite ou violée. En revanche, j'étais sûre d'être très en colère. Cette conviction me fournit un point d'ancrage pour résister au tourbillon des émotions qui m'agitaient. Mais ne sachant pas trop à qui en vouloir, et sans cible précise sur laquelle me décharger, ma fureur destructrice partait dans tous les sens, renversant tout sur son passage en faisant des victimes.

– Aïe ! gémit Jemima.

À son ton de voix, cette fois, elle était bien réveillée. Apparemment, je ne serais pas la seule à porter les marques de ma colère.

– Mmmm ? fis-je en feignant d'être endormie.

La culpabilité était en partie responsable de mon état d'esprit. Si j'étais sûre que l'auteur des caresses avait été Jamie, pourquoi étais-je si furieuse ?

Le pire, c'était de n'avoir aucun moyen de découvrir la vérité. Je pouvais difficilement demander à Jamie si c'était bien lui qui s'était glissé dans le noir pour me tripoter. Dans le cas contraire, sa première réaction aurait été de se ruer sur Phillip Wylie pour l'étrangler à mains nues.

J'avais l'impression que de minuscules anguilles couraient sous ma peau. Je m'étirai le plus possible, contractant puis relâchant muscle après muscle. Peine perdue, je ne tenais plus en place.

Capitulant, je me glissai hors du lit et me dirigeai sur la pointe des pieds vers la porte, enjambant mes camarades de chambrée qui dormaient paisiblement sous les couvertures, comme des rangées de saucisses parfumées. J'ouvris très doucement la porte et jetai un œil vers l'extérieur. Il était soit très tard, soit très tôt. Au bout du couloir, la haute fenêtre donnait sur un ciel gris souris dans lequel brillaient encore quelques étoiles, de minuscules têtes d'épingles sur le satin anthracite de l'aube.

Après la moiteur dégagée par les dormeuses, la fraîcheur du couloir était un vrai soulagement. Ma peau me picotait.

Je suffoquais de chaleur et d'énervement. Ayant besoin d'air, je me dirigeai à pas de loup vers l'escalier de service, dans l'intention de faire un tour dans le jardin.

Je m'arrêtai net en haut des marches. En bas, un homme se tenait debout, sa haute silhouette noire se détachant devant les portes-fenêtres. Je ne pensais pas avoir fait du bruit, mais il se retourna brusquement, le visage levé vers moi. Même dans la pénombre, je reconnus immédiatement Jamie.

Il portait encore ses vêtements de la veille : veste, gilet, chemise à jabot et kilt. Cependant, le col de sa chemise était ouvert, son gilet et sa veste déboutonnés et de travers. Sa gorge formait une tache sombre sous le lin blanc de sa chemise. Il venait de passer les mains dans ses cheveux dénoués.

– Descends, dit-il doucement.

J'hésitai, puis regardai derrière moi dans le couloir. Un concert de ronflements très féminins émanait de la chambre. Deux esclaves dormaient sur le parquet, roulés en chien de fusil sous des couvertures. Ni l'un ni l'autre ne bougèrent.

Je me retournai. Jamie ne dit plus rien mais leva deux doigts, me faisant signe de le rejoindre. Une odeur de fumée et de whisky remplissait la cage d'escalier.

Le sang frémissait dans mes veines… et ailleurs. Mon visage était brûlant, la transpiration collait mes cheveux contre mes tempes et ma nuque. Du vent frais pénétra sous ma chemise, effleurant la moiteur à la naissance de mes fesses et le voile d'humidité là où mes cuisses frottaient l'une contre l'autre.

Je descendis lentement, avec prudence, m'efforçant de ne pas faire craquer les marches sous mes pieds nus. Plus tard, il me vint à l'esprit que mes précautions étaient idiotes et inutiles. Les esclaves grimpaient cet escalier quatre à quatre et le dévalaient des centaines de fois par jour. Malgré tout, je ressentais le besoin d'être la plus silencieuse possible. La maison dormait et la lumière grise semblait aussi fragile que du verre fumé. Un bruit soudain, un mouvement trop brusque, et quelque chose pouvait exploser sous mes pas, comme une ampoule électrique qui éclate.

Jamie gardait les yeux rivés sur moi, tels des triangles noirs dans l'ombre plus pâle de son visage. Son regard avait une intensité féroce, comme s'il comptait me traîner au pied des escaliers par la seule force de sa volonté.

Je m'arrêtai sur l'avant-dernière marche. Dieu merci, ses vêtements n'étaient pas tachés de sang!

Ce n'était pas la première fois que je le voyais ivre. Pas étonnant qu'il n'ait pas cherché à grimper l'escalier pour venir à ma rencontre. Il paraissait très soûl, mais il y avait autre chose. Il se tenait fermement planté sur ses jambes, les pieds écartés. Seule la manière délibérée dont il remuait la tête trahissait son état.

– Que…, chuchotai-je.

– Viens ici, m'interrompit-il.

Il parlait à voix basse, sur un ton rauque chargé de sommeil et de whisky.

Il ne me laissa pas le temps de répondre ni même d'acquiescer. Il me prit par le bras et m'attira à lui, me soulevant de la dernière marche, m'écrasant contre lui et m'embrassant goulûment. Ce baiser était déconcertant, comme si, connaissant trop bien ma bouche, Jamie était déterminé à me donner du plaisir de force, indépendamment de mes désirs.

Ses cheveux sentaient le tabac, le feu de cheminée et la cire d'abeille fondue. Sa bouche avait un tel goût de whisky que ma tête tourna légèrement, comme si l'alcool dans son sang se diffusait directement dans le mien par tous les pores de notre peau. Mais il me transmettait bien plus… En moi suintait un désir incontrôlable, aussi aveugle que dangereux.

Je voulus le repousser, avant de me rendre compte que je n'en avais pas vraiment envie. De toute manière, cela n'aurait rien changé. Il n'avait aucune intention d'arrêter.

Il plaqua sa paume large et chaude contre ma nuque. Elle me fit penser aux dents d'un étalon se refermant sur l'encolure de la jument lors de la saillie. J'en frissonnai jusqu'au bout des orteils. Son pouce pressa accidentellement mon artère jugulaire. Un voile noir couvrit ma vue et mes genoux faiblirent. Conscient de mon malaise, il desserra son étreinte et m'allongea sur les marches. Puis, il pesa de tout son poids sur moi, ses mains se promenant sur mon corps.

Ne portant rien sous la fine mousseline de ma chemise, j'étais pratiquement nue.

L'arête dure d'une marche me rentrait dans le dos. Soudain, je compris qu'il s'apprêtait à me prendre là, dans l'escalier, sans se soucier de qui pouvait nous voir. Je parvins à libérer ma bouche quelques instants pour haleter dans son oreille :

– Attends, pas ici !

Ces mots le firent revenir provisoirement à la réalité. Il redressa la tête, clignant des yeux comme s'il se réveillait d'un rêve. Il accepta et se leva, me hissant debout dans un même mouvement.

Les manteaux des servantes étaient suspendus près de la porte. Il en décrocha un et m'en enveloppa les épaules. Puis, il me souleva de terre et sortit de la maison, croisant une femme de chambre, une cruche à la main, qui nous fixa d'un air éberlué.

Il ne me reposa qu'une fois dans l'allée en briques à l'extérieur, les pierres froides me glaçant la plante des pieds. Ensuite, toujours enlacés, nous nous avançâmes à travers un paysage d'ombres, dans la lumière grise de l'aube, l'air frisquet piquant la peau, nos corps s'entrechoquant, volant presque, nos vêtements battant autour de nous, en route vers une destination inconnue, mais que je devinais vaguement.

Les écuries. Il poussa la porte du pied et m'entraîna avec lui dans les ténèbres chaudes, me plaquant contre un mur.

– Si je ne te prends pas tout de suite, j'en mourrai! haleta-t-il.

Sa bouche s'écrasa de nouveau contre la mienne, son visage rafraîchi par l'air froid du petit matin, son souffle se condensant dans le mien.

Il s'écarta brusquement et je chancelai, me retenant aux briques brutes derrière moi pour ne pas tomber en avant.

– Donne-moi tes mains, dit-il.

– Quoi?

– Tes mains. Donne-les-moi.

Perplexe, je les tendis, et il prit la gauche. Dans la faible lueur qui filtrait par l'entrebâillement de la porte, je vis luire mon alliance en or. Puis, il s'empara de ma main droite et glissa à mon doigt l'anneau en argent encore imprégné de la chaleur de son corps. Il porta ma main à ses lèvres et la mordit.

Ensuite, il caressa mon sein, et un courant froid glissa entre mes cuisses. La surface rugueuse de la brique qui piquait mes fesses me fit pousser un petit cri. Il plaqua sa main sur ma bouche, puis il se pressa contre moi, me clouant contre le mur. Il ôta sa main et la remplaça par ses lèvres, sa langue s'enfonçant en moi. J'accompagnai ses grognements de désir par un gémissement sourd qui montait des profondeurs de mon bas-ventre.

Il retroussa ma chemise au-dessus de mes hanches, et mes fesses nues battirent en rythme contre la pierre brute. Je ne ressentais pourtant aucune douleur. Je m'agrippai à ses épaules et tins bon.

Sa main se glissa entre nous, ses doigts écartant fébrilement les derniers morceaux de tissu qui nous séparaient. Puis j'écrasai mon bassin contre lui, l'invitant. Son souffle chaud caressa mon oreille.

– Baisse les yeux, murmura-t-il. Regarde! Je veux que tu me voies te prendre. Regarde, bon sang!

Sa main pressa ma nuque, me forçant à courber la tête pour apercevoir, dans la pénombre, la réalité crue de ma pénétration.

Je cambrai les reins et me laissai posséder, mordant la couture de sa veste pour m'empêcher de crier. Sa bouche se referma sur mon cou et s'y accrocha, tandis qu'il se vidait convulsivement en moi.

* * *

Nous étions enlacés dans la paille, observant la lueur du jour se glisser dans l'écurie et avancer sur les tomettes. Les battements de mon cœur résonnaient toujours aussi fort dans mes oreilles, le sang picotant mes tempes, mes cuisses et mes doigts. Pourtant, je me sentais irréelle, détachée de mon propre corps, comme si ces sensations appartenaient à une autre, et légèrement choquée.

La joue posée contre son torse, je levai les yeux. Je distinguai sa peau encore rougie par l'effort, là où son col était ouvert, sous sa toison de petits poils frisés qui semblaient noirs dans la pénombre. Une veine palpitait dans le creux de sa gorge, à quelques centimètres de ma main. J'avais envie de la toucher, pour vibrer en même temps que lui, mais, étrangement, je n'osais pas, comme si ce geste me paraissait soudain trop intime. Pensée tout à fait ridicule, compte tenu de ce que nous venions de faire l'un à l'autre et l'un avec l'autre.

J'avançai mon index, effleurant la cicatrice triangulaire qui formait un nœud pâle sur la peau cuivrée de sa gorge.

Le rythme de sa respiration s'altéra un peu, mais il ne bougea pas. Il avait son bras sous moi, sa main posée sur le creux de mes reins. Une expiration, deux, trois… puis il pressa faiblement avec un doigt sur ma colonne vertébrale.

Nous restâmes silencieux, respirant sans bruit, nous concentrant tous deux sur notre lien délicat. Ayant retrouvé la raison, nous étions vaguement embarrassés par nos ébats.

Des bruits de voix qui approchaient des écuries nous extirpèrent soudain de notre torpeur. Je me redressai d'un bond, enfilai ma chemise à toute vitesse et secouai les brins de paille dans mes cheveux. Jamie roula sur le côté et se mit à genoux, me tournant le dos et rentrant hâtivement les pans de sa chemise dans ses culottes.

Les voix au-dehors s'interrompirent, et nous figeâmes. Il y eut un bref silence, puis des pas battant en retraite avec tact. Je soupirai, libérant l'air coincé dans ma poitrine depuis quelques instants, et sentis mon cœur reprendre un rythme plus normal. La salle résonnait des piétinements et des ébrouements des chevaux. Eux aussi avaient entendu les bruits du matin. Ils commençaient à avoir faim.

– Alors, comme ça, tu as gagné, dis-je à Jamie qui me tournait toujours le dos.

Ma voix me paraissait étrange, comme si je n'avais pas parlé depuis longtemps.

– Je te l'avais promis, non? chuchota-t-il.

Il gardait la tête baissée, remettant en place les plis de son plaid.

Je me levai, un peu étourdie, et m'adossai au mur pour ne pas perdre l'équilibre, tout en faisant tomber le sable et la paille sur mes pieds. Le contact rugueux de la pierre contre mon dos raviva des souvenirs, et je m'écartai, prenant appui sur mes mains, pour affronter les sensations qui remontaient en moi.

Jamie se retourna.

– Ça va, *Sassenach*?

– Oui, oui. Tout va bien. J'ai juste… Tout va bien. Et toi?

Il était pâle et hirsute, ses traits creusés par la fatigue, les yeux cernés par sa longue nuit blanche. Il soutint mon regard un instant, puis il se détourna et déglutit.

– Je…

Il s'interrompit. Se levant, il vint se placer devant moi. Ses cheveux dénoués retombaient sur ses épaules, rougeoyant dans le rayon de lumière qui illuminait l'arrière de sa tête.

– Tu ne me détestes pas? demanda-t-il.

Prise de court, je me mis à rire.

– Non, répondis-je. Je devrais?

Il pinça les lèvres, puis après avoir passé une main sur sa bouche, gratta sa barbe piquante.

– Euh… Peut-être. En tout cas, je suis heureux qu'il n'en soit rien.

Il prit mes mains avec douceur, son pouce caressant les entrelacs ciselés sur mon anneau d'argent. Ses doigts étaient froids.

– Pourquoi veux-tu que je te déteste? À cause des alliances?

Certes, j'aurais été furieuse contre lui s'il avait perdu l'une ou l'autre au jeu. Mais puisque ce n'était pas le cas… Mais, par sa faute, je m'étais inquiétée toute la nuit.

– Oui, d'abord pour cette raison, répondit-il. Ça faisait longtemps que je ne m'étais pas laissé dominer par mon orgueil, mais je n'ai pas pu m'en empêcher, avec ce Wylie qui te tournait autour, les yeux constamment fixés sur tes seins…

– Vraiment?

Ce détail m'avait échappé.

– Vraiment.

Cette seule évocation ralluma un instant un feu assassin dans son regard, puis il chassa Wylie d'un geste dédaigneux de la main et reprit le catalogue de ses péchés :

– Et puis pour t'avoir traînée hors de la maison en chemise et t'avoir assaillie comme une bête en rut…

Il effleura la marque rouge de ses dents dans mon cou. Je sentais encore sa morsure.

– Ah! Euh… À vrai dire, ça ne m'a pas franchement déplu.

Il écarquilla les yeux.

– C'est vrai?

– Oui, sauf que je dois avoir les fesses toutes bleues.

– Oh!

Il parut momentanément confus, puis esquissa un petit sourire.

– J'en suis désolé. À la fin de la partie de whist, je n'avais qu'une idée en tête, te trouver, *Sassenach.* J'ai monté et descendu les escaliers une bonne dizaine de fois, allant jusqu'à ta porte puis rebroussant chemin.

Je fus ravie de l'entendre. Cela augmentait encore les probabilités qu'il soit bien mon visiteur nocturne.

Il saisit une boucle de mes cheveux et la caressa entre deux doigts.

– Sachant que je ne pourrais pas dormir, j'ai décidé d'aller faire un tour dans le parc, mais, sans m'en rendre compte, je me suis de nouveau retrouvé devant ta porte, me demandant comment arriver jusqu'à toi ou de quelle manière te faire sortir.

Cela expliquait sans doute mes rêves équestres. Dans la nuque, l'endroit où il m'avait mordu m'élançait un peu. Comble de l'ironie, où m'avait-il emmenée? Dans une écurie, bien sûr! Un vrai roi d'Irlande!

Il serra délicatement ma main.

– J'ai pensé que la force de mon désir finirait par te réveiller. Puis tu es arrivée…

Il s'arrêta, le regard soudain doux et sombre, avant de s'exclamer :

– Bon sang! Ce que tu étais belle, là-haut, sur les marches, avec tes cheveux dénoués et la silhouette de ton corps sous ta chemise…

Il secoua la tête.

– J'ai cru que je mourrais si je ne te possédais pas tout de suite.

Je tendis la main et la posai sur sa joue.

– Je n'aurais pas voulu avoir ta mort sur la conscience.

Nous aurions sans doute pu parler longtemps ainsi, si un hennissement puissant, suivi de piétinements intempestifs, ne nous avait interrompus. Les chevaux nous faisaient clairement savoir que nous les empêchions de recevoir leur petit-déjeuner.

Je laissai retomber ma main, et Jamie se pencha pour ramasser sa veste à demi enfouie dans la paille. Il ne perdit pas l'équilibre, mais je le vis grimacer quand le sang lui monta brusquement à la tête. Je reconnus sans peine les symptômes.

– Tu as beaucoup bu, cette nuit?

Il se redressa avec un petit grognement amusé.

– Ça se voit tant que ça?

Une personne moins expérimentée que moi l'aurait deviné à un kilomètre. Sans parler du signe le plus flagrant de sa récente beuverie : il empestait comme une distillerie.

– Apparemment, ça ne t'a pas empêché de gagner au jeu, répondis-je avec tact. Ou peut-être que Phillip Wylie était encore plus soûl que toi?

Il parut surpris et un peu offensé.

– Tu ne crois tout de même pas que je me suis soûlé pendant la partie! Alors que tes bagues étaient en jeu? Non, c'était après. MacDonald a été chercher une bouteille de champagne et une de whisky, puis il a insisté pour qu'on fête dignement nos gains.

– MacDonald? Donald MacDonald? Il jouait avec vous?

– Oui, on faisait équipe contre Wylie et Stanhope. Je ne sais pas ce qu'il vaut comme soldat, mais cet homme a un doigté certain aux cartes!

Le mot «doigté» me fit tiquer. Il était venu jusqu'à la porte de ma chambre. Il n'avait pas dit y être entré. Avait-il été trop soûl pour s'en souvenir? Était-ce moi qui, emportée par mes rêves de stupre équin, avais imaginé toute la scène? Impossible. Je chassai le malaise suscité par ce souvenir, préférant me concentrer sur un autre détail de sa remarque.

– Tu as bien dit «nos gains»?

Sur le moment, j'avais pensé qu'il s'était contenté de récupérer mes bagues, mais je me souvenais à présent que celles-ci n'avaient été que sa mise.

– Qu'est-ce que tu as raflé à Phillip Wylie? demandai-je en riant. Les boutons de son gilet brodé? Les boucles en argent de ses souliers?

Il me regarda avec une expression étrange.

– Non, répondit-il. Son cheval.

* * *

Il jeta mon manteau sur mes épaules, glissa un bras autour de ma taille et m'entraîna vers l'allée centrale de l'écurie, passant devant les boxes.

Joshua était entré en silence par l'autre porte et travaillait au fond de la pièce, chargeant une mangeoire de fourchées de foin. Quand nous arrivâmes à sa hauteur, il nous lança un bref regard et nous salua, le visage tout à fait neutre devant notre allure dépenaillée, nos pieds nus, nos cheveux pleins de paille. Même dans la maison d'une aveugle, un esclave savait ne pas voir.

Sa tête baissée indiquait clairement que ce n'était pas ses affaires. Il paraissait aussi fatigué que nous, les yeux rouges et cernés.

– Comment va-t-il? demanda Jamie avec un signe du menton vers la stalle.

La question sembla le réveiller un peu. Il reposa sa fourche et répondit d'un air satisfait :

– Très bien. C'est vraiment une belle bête, ce Lucas. M. Wylie a bien de la chance.

– Oui, dit Jamie. Sauf qu'à présent, il est à moi.

Joshua le dévisagea d'un air ahuri.

– Il est quoi?

– À moi.

Jamie s'approcha de la rambarde. Tendant la main pour gratter le front de l'étalon occupé à mâcher du foin, il lui murmura :

– *Seas. Ciamar a tha thu, a ghille mhoir?*

Je le suivis, observant le cheval par-dessus son bras. Lucas releva la tête un instant et nous examina de son œil rieur, puis il chassa sa crinière qui lui retombait devant le visage et reprit sa mastication d'un air concentré.

– Belle bête, non? me déclara Jamie.

Il contemplait Lucas d'un air songeur.

– Oui, mais…

Mon admiration était légèrement teintée de consternation. Si Jamie avait voulu se venger de Wylie au centuple, il avait réussi son coup. En dépit de mon irritation pour le jeune marchand, je ne pouvais m'empêcher d'être désolée devant ce que représentait probablement pour lui la perte de son magnifique étalon frison.

– Oui, mais quoi, *Sassenach*?

– C'est juste que…

Je cherchai mes mots. Compte tenu des circonstances, je ne pouvais pas lui dire que j'avais de la peine pour Wylie.

– Que comptes-tu faire de lui? demandai-je enfin.

Même moi, je pouvais voir que Lucas n'était pas du tout adapté à la vie à Fraser's Ridge. Le faire labourer la terre ou haler des charges était un sacrilège. Certes, Jamie pouvait toujours le monter, mais… Je fronçai les sourcils en songeant aux pistes caillouteuses et aux ornières boueuses qui mettraient en péril ses pattes si bien tournées et fendraient ses sabots soignés. Les broussailles et les branches basses se prendraient dans sa crinière et sa queue. Ce cannibale de Gideon était infiniment mieux adapté que lui à notre environnement sauvage.

– Oh! je n'ai pas l'intention de le garder, m'assura Jamie, bien que j'aurais aimé le monter…

Il poussa un soupir de regret.

– Mais il supportera mal la vie chez nous. Non, je compte le revendre.

– Tant mieux!

J'étais soulagée. Wylie rachèterait sûrement son cher étalon, à n'importe quel prix. L'honneur serait sauf et l'argent très bienvenu.

Pendant que nous discutions, Joshua était ressorti. Il réapparut soudain à la porte, un sac de blé en équilibre sur une épaule. Son air abattu avait disparu, faisant place à l'inquiétude.

– Madame Claire? Je vous demande pardon, mais je viens de croiser Tessa près de la grange. Elle dit que Betty ne va pas bien du tout. J'ai pensé que vous voudriez le savoir.

50

Bain de sang dans le grenier

Le dortoir du grenier semblait avoir été la scène d'un meurtre, et d'un meurtre particulièrement sanglant. Près de son lit retourné, Betty se convulsait de douleur sur le plancher, les genoux fléchis et les poings serrés sur le ventre. La mousseline de sa chemise était déchirée et imbibée de sang. Le Dr Fentiman se tenait à ses côtés, presque autant couvert de sang qu'elle, tentant en vain de la maîtriser.

Le soleil s'était levé et se déversait en faisceaux blafards par les minuscules lucarnes, illuminant des parties du chaos, plongeant le reste du grenier dans une sombre confusion. Les petits lits étaient poussés sur les côtés ou renversés, leurs draps sens dessus dessous. Des souliers usés et des vêtements étaient éparpillés sur le sol, entre les traînées de sang.

Je me précipitai vers Betty, mais avant d'avoir pu la rejoindre, elle fut secouée par un profond gargouillis, crachota et expulsa une nouvelle giclée de sang par la bouche et le nez. Elle se plia en avant, se renversa en arrière, se recroquevilla de nouveau, se raidit… puis se relâcha, toute molle.

Je tombai à genoux à ses côtés, même s'il suffisait d'un seul regard pour comprendre que ses membres étaient retombés dans une inertie terminale, et que rien ni personne ne pourrait les ranimer. Je soulevai sa tête et pressai mes doigts sous sa mâchoire. Ses yeux étaient révulsés. Plus un souffle, plus de pouls dans son cou moite.

À en juger par les quantités de sang répandu sur le sol, il ne devait plus en rester beaucoup dans son corps. Ses lèvres étaient bleues, sa peau couleur de cendres. Agenouillé à ses côtés, Fentiman était livide. Ses bras maigrelets ceignaient le torse massif de la morte, soutenant son corps.

Sans perruque et en chemise de nuit, il avait enfilé à la hâte ses culottes en satin bleu. L'air empestait le sang, la bile et les excréments, trois substances dont il était couvert. Il releva la tête vers moi sans donner l'impression de me reconnaître. Il était encore sous le choc, hagard.

Depuis que Betty avait cessé de se débattre, il régnait dans le grenier un silence absolu, un de ceux qui suivent souvent le passage de la mort. Le briser semblait un blasphème.

– Docteur Fentiman? appelai-je doucement.

Il cligna des yeux et entrouvrit la bouche, mais aucun son n'en sortit. Il ne bougeait pas malgré la flaque de sang qui se répandait sous lui. Je posai une main sur son épaule. Il était menu, mais raide, empreint de déni. Je comprenais ce qu'il ressentait. Perdre un patient pour lequel on s'est battu est une sensation terrible que tous les médecins connaissent pourtant, un jour ou l'autre. J'exerçai une faible pression avec ma main.

– Vous avez fait tout ce que vous pouviez. Ce n'est pas de votre faute.

Ce qui s'était passé la veille n'avait plus d'importance. C'était un collègue, et je devais lui apporter tout le réconfort possible.

Il passa la langue sur ses lèvres sèches et acquiesça brièvement, puis, avec douceur, il reposa le corps à terre. Un faisceau de lumière éclaira le sommet de son crâne, le faisant luire sous ses cheveux rares et gris, et accentuant encore son aspect fragile. De fait, il me paraissait soudain terriblement frêle. Il me laissa l'aider à se hisser debout sans protester.

Une plainte sourde me fit soudain me retourner. Des servantes se tenaient blotties les unes contre les autres dans la pénombre, l'air atterré et les mains noires tremblantes posées sur le coton blanc de leur chemise. Dehors, dans l'escalier, on entendait des voix masculines, étouffées et anxieuses. Je perçus aussi Jamie qui parlait calmement aux hommes à voix basse, leur expliquant la situation.

J'appelai le premier nom qui me vint à l'esprit.

– Gussie?

Le groupe d'esclaves resta soudé un moment, puis il se scinda à contrecœur. Craintive, Gussie avança. C'était une jeune Jamaïcaine au teint marron clair, toute menue sous un turban en calicot bleu.

– Madame?

Elle gardait les yeux fixés sur les miens, veillant à ne pas les baisser vers la forme gisant sur le sol.

– Je descends avec le Dr Fentiman. Je demanderai aux hommes de venir… s'occuper de Betty. Il faudrait nettoyer ça…

Je fis un geste vers les souillures sur le plancher et elle hocha la tête, toujours choquée mais soulagée d'avoir de quoi s'occuper.

– Oui, madame, on va s'en charger tout de suite. Mais…

Elle hésita, puis redressa la tête vers moi.

– Madame?

– Oui?

– Il faut que quelqu'un aille prévenir Phaedre, lui dire ce qui est arrivé à Betty. Vous voulez bien, madame?

Surprise, je regardai autour de moi et me rendis compte que Phaedre n'était pas parmi les esclaves regroupées dans le coin. En tant que camériste de Jocasta, elle devait dormir en bas, près de sa maîtresse, même la nuit de ses noces.

– Euh… oui, hésitai-je. Bien sûr, mais…

– Betty est sa maman, dit Gussie en voyant que je ne comprenais pas.

Elle déglutit et ravala ses larmes.

– Il faut la prévenir. Quelqu'un… Je peux y aller, madame? Je peux aller le lui dire?

– Allez-y.

Je m'effaçai devant elle. Elle passa sur la pointe des pieds devant le cadavre, puis elle courut vers la porte, ses pieds nus et calleux résonnant sourdement sur le plancher.

Le Dr Fentiman commençait tout juste à sortir de son état de choc. Il s'écarta de moi et se pencha en esquissant de vagues gestes vers le sol. Baissant les yeux, je constatai que sa mallette médicale avait été renversée dans la bagarre. Des fioles et des instruments de chirurgie jonchaient le sol, dans un fatras d'objets métalliques et de verre brisé.

Avant qu'il ait pu rassembler ses affaires, des éclats de voix retentirent dans l'escalier, et Duncan apparut dans le grenier, suivi de Jamie. Je remarquai au passage qu'il portait toujours sa tenue de marié, sans la veste et le gilet. S'était-il seulement couché?

Il me salua d'un signe de tête, mais son regard se posa immédiatement sur Betty, couchée sur le dos, sa chemise sanglante froissée autour de ses larges cuisses flasques, un sein sortant du vêtement déchiré, lourd et pendant comme un sac de farine à moitié vide. Il cligna plusieurs fois des yeux, se passa une main sur la moustache et prit une grande inspiration. Il se baissa pour ramasser une couverture sur le sol et la déposa délicatement sur le cadavre.

– Aide-moi à la transporter, *Mac Dubh*, demanda-t-il.

Voyant ce qu'il s'apprêtait à faire, Jamie s'accroupit et souleva le cadavre dans ses bras. Duncan se tourna vers les femmes.

– Ne vous inquiétez pas, dit-il d'une voix douce. Je veillerai à ce qu'on s'occupe bien d'elle.

L'autorité inhabituelle dans le ton de sa voix me fit comprendre que, en dépit de sa modestie naturelle, il avait accepté le fait qu'il était désormais le maître des lieux.

Une fois les hommes partis avec leur fardeau, j'entendis Fentiman pousser un profond soupir. Ce fut comme si tout le grenier expirait avec lui. L'atmosphère était encore chargée de mauvaises odeurs et de peine, mais le choc de la mort violente se dissipait.

Voyant de nouveau Fentiman prêt à ramasser ses affaires, je le pris par le bras.

– Laissez ça. Les femmes s'en chargeront.

Avant qu'il n'ait pu protester, je l'entraînai fermement vers la porte.

La maisonnée était debout. J'entendais des bruits de vaisselle dans la salle à manger et je sentis une vague odeur de saucisses. Je ne pouvais pas lui faire traverser les pièces de réception dans son état, ni l'emmener dans une chambre. Il devait probablement en partager une avec plusieurs hommes, dont certains devaient encore dormir. Faute d'une meilleure idée, je le conduisis dehors, m'arrêtant pour décrocher un autre manteau de servante des patères, près de la porte de service, et le lui jeter sur les épaules.

Ainsi Betty était – ou avait été – la mère de Phaedre. Je n'avais pas beaucoup connu la morte, mais je connaissais Phaedre, et mon cœur se serra en pensant à sa douleur. Je ne pouvais rien faire pour elle pour le moment, mais au moins, je pouvais peut-être aider le médecin.

Toujours silencieux, il me suivit lentement dans l'allée qui bordait l'une des pelouses, cachée des regards par le mausolée en marbre blanc d'Hector Cameron et sa haie d'ifs taillés. Le banc de pierre sous les saules me semblait l'endroit idéal, personne n'y viendrait si tôt le matin.

De fait, l'endroit était désert. Seuls deux verres de vin témoignaient des festivités de la veille. Je me demandai brièvement s'il y avait eu ici un rendez-vous galant, ce qui me rappela ma propre aventure nocturne. Dieu qu'il était énervant de ne pas savoir à qui avaient appartenu ces mains !

Repoussant cette question lancinante – et les verres abandonnés –, je m'assis et fis signe au docteur d'en faire autant. Il faisait frisquet, mais le banc étant en plein soleil, les rayons réchauffaient mon visage. L'air frais semblait faire du bien à Fentiman. Ses joues avaient retrouvé un peu de couleurs, et son nez son teint rose habituel.

– Vous vous sentez mieux?

Il acquiesça, resserrant le manteau autour de son cou de moineau.

– Oui. Je vous remercie, madame Fraser.

Prenant le ton le plus convivial possible, je lançai :

– Ça vous fiche un sacré coup, n'est-ce pas?

Il ferma les yeux et secoua la tête.

– Oui, un très sale coup. Je n'aurais jamais pensé...

Il n'acheva pas sa phrase. Je me tus moi aussi. Je savais qu'il aurait besoin d'en parler tôt ou tard, mais il était inutile de le brusquer.

– C'était généreux de votre part de venir si vite, déclarai-je au bout d'un moment. Je vois qu'ils vous ont sorti du lit. Son état s'est aggravé brusquement?

– Oui. Pourtant, j'aurais juré qu'elle allait mieux après la saignée d'hier soir.

Il se frotta le visage des deux mains, puis cligna des yeux.

– Le majordome m'a réveillé juste avant l'aube. Quand je suis monté, je l'ai trouvée qui se tenait le ventre, se plaignant de crampes. Je lui ai fait une autre saignée, puis je lui ai administré un clystère, sans aucun succès.

– Un clystère?

Ces lavements étaient des remèdes très prisés. Certains étaient relativement inoffensifs, d'autres franchement corrosifs.

– Oui, à la teinture de *nicotiana.* Dans la plupart des cas de dyspepsie, cela donne généralement de très bons résultats.

Je répondis par un silence. Une solution à base de tabac administrée par voie rectale était probablement assez efficace contre des parasites intestinaux tels que des oxyures, mais je doutais qu'elle ait un effet quelconque sur une indigestion. Cependant, elle n'aurait pas pu provoquer une telle hémorragie non plus.

Je posai mes coudes sur mes genoux et appuyai mon menton dans mes mains, perplexe.

– C'est incroyable ce qu'elle a pu saigner. Je crois que je n'avais encore rien vu de pareil.

– En effet. Si... si seulement j'avais pensé...

Je me penchai sur lui et posai une main sur son bras.

– Je suis sûre que vous avez fait tout ce que vous pouviez. Elle ne crachait pas de sang quand vous l'avez quittée la nuit dernière, n'est-ce pas?

– Non. Mais il n'empêche que je m'en veux. Sincèrement.

– C'est normal. On a toujours l'impression qu'on aurait pu faire encore plus.

Surpris par le ton de ma voix, il se tourna vers moi. Sa tension se relâcha un peu.

– Vous avez... une nature généreuse et compréhensive, madame Fraser.

Je lui souris sans un mot. Il était peut-être ignorant, arrogant et intempérant, mais il était accouru au chevet de sa malade et s'était battu pour elle jusqu'au bout, au mieux de ses compétences. Cela en faisait un vrai médecin à mes yeux et, à ce titre, il méritait toute ma compassion.

Au bout d'un moment, il posa sa main sur la mienne. Nous restâmes assis en silence, regardant glisser devant nous la rivière brune et trouble chargée de limon. Le banc en pierre me glaçait les fesses et la brise matinale s'insinuait sous ma chemise, mais j'étais trop préoccupée pour me soucier de ces gênes mineures. Je pouvais sentir le sang séché sur ses vêtements et revoyais sans cesse la scène dans le grenier. Mais de quoi diable était morte cette femme?

Je le questionnai avec tact, essayant de lui soutirer des détails révélateurs qu'il aurait pu remarquer, mais ils ne me furent guère utiles. Déjà pas très observateur en temps normal, il l'était encore moins sorti du lit en pleine nuit pour se rendre dans un grenier sombre. Néanmoins, il se fit plus disert, se libérant progressivement de sa sensation d'échec personnel, souvent le prix à payer par les médecins qui croient en ce qu'ils font.

– J'espère que Mme Cameron – je veux dire Mme Innes – ne pensera pas que j'ai trahi son hospitalité.

Cela pouvait paraître une étrange manière de présenter les choses. D'un autre côté, Betty avait effectivement été la « propriété » de Jocasta. Au-delà de l'impression d'avoir échoué, il envisageait sans doute aussi la possibilité qu'elle le tienne pour personnellement responsable de la mort de son esclave et qu'elle réclame une compensation.

– Je suis sûre qu'elle se rendra compte que vous n'avez rien pu faire, le consolai-je. Si vous le souhaitez, je le lui expliquerai.

Fentiman serra ma main dans un élan de gratitude.

– Chère madame Fraser, vous êtes aussi bonne que ravissante.

– Vous trouvez, docteur?

Une voix mâle et glaciale venait de s'élever derrière nous. Je fis un bond, laissant retomber la main de Fentiman, comme si c'était un câble sous haute tension. Faisant volte-face, je découvris Phillip Wylie, adossé au tronc d'un saule, nous examinant avec un sourire sardonique.

– Je dois dire que « bonne » n'est pas vraiment le premier mot qui me vient à l'esprit. « Dévergondée » peut-être, « légère » très certainement. Quant à « ravissante », je vous le concède aisément.

Son regard se promena sur mon corps avec une insolence que j'aurais trouvée totalement déplacée, si je ne m'étais soudain rendu compte qu'il nous avait surpris assis, main dans la main, dans une tenue des plus compromettantes, tous deux encore en chemise, presque déshabillés.

Je me redressai dans toute ma dignité et serrai mon manteau autour de moi. Son regard s'arrêta longuement sur mes seins. Je croisai les bras sous ma poitrine, bombant le torse d'un air de défi.

– Vous vous égarez, monsieur Wylie, dis-je le plus froidement possible.

Il éclata de rire, sans pour autant sembler trouver ma remarque drôle.

– Moi, je m'égare? Et vous, madame, vous n'auriez rien égaré? Comme votre robe, par exemple? Vous n'avez pas un peu froid, dévêtue de la sorte? À moins que les soins de notre bon docteur ne vous aient suffisamment réchauffée?

Fentiman, aussi choqué que moi par l'apparition subite de Wylie, s'était levé à son tour. Il vint se placer devant moi, ses joues maigres frémissantes de fureur.

– Comment osez-vous, monsieur! Comment avez-vous l'infernale présomption de vous adresser ainsi à une dame? Si j'étais armé, je vous défierais sur l'instant, je le jure!

Le regard de Wylie me quitta un instant pour se porter sur mon défenseur. Ce n'est qu'alors qu'il remarqua le sang sur ses jambes et ses culottes. Sa moue cynique devint moins assurée.

– Je… mais… que vous est-il arrivé?

– Cela ne vous concerne pas, monsieur.

Fentiman était hérissé comme un coq nain, raide et les narines palpitantes de colère. Il me présenta son bras non sans une certaine grandeur.

– Venez, madame Fraser. Vous n'avez pas besoin d'être exposée aux jappements insultants de ce chiot hargneux. Permettez-moi de vous escorter auprès de votre mari.

En entendant le mot «chiot», le visage de Wylie vira au rouge violacé. Si tôt le matin, il ne portait ni fard ni poudre. Il se gonfla comme une grenouille enragée.

Je fus prise d'une terrible envie de rire, mais je parvins à me retenir. Me mordant la lèvre, j'acceptai le bras du médecin. Il m'arrivait presque à l'épaule, mais cela ne l'empêcha pas de pivoter sur ses talons nus et de nous entraîner vers la maison avec la dignité martiale d'un brigadier.

En jetant un œil par-dessus mon épaule, je vis Wylie toujours au pied du saule, qui nous regardait nous éloigner. Je lui adressai un petit au revoir de la main. Mon alliance en or luisit au soleil et le fit se raidir encore un peu plus.

– J'espère que nous n'arriverons pas trop tard pour le petit-déjeuner, dit Fentiman sur un ton joyeux. Je crois bien que j'ai retrouvé mon appétit.

51

Suspicion

Après le petit-déjeuner, les invités commencèrent à partir. Jocasta et Duncan, debout sur la terrasse – l'image même du couple uni – souhaitaient bonne route à leurs hôtes, tandis qu'une procession de voitures et de carrioles roulait au pas dans l'allée. Ceux qui vivaient en aval de la rivière attendaient sur l'embarcadère, les dames s'échangeant des recettes et les derniers ragots. Les messieurs allumaient leurs pipes en se grattant la tête, soulagés de leurs vêtements de fête inconfortables et de leurs perruques. Passablement épuisés, l'air hagard et les yeux rouges, leurs domestiques étaient assis sur les piles de bagages.

– Tu as l'air fatigué, maman.

Brianna n'avait pas l'air non plus au mieux de sa forme. Roger et elle n'avaient pratiquement pas dormi de la nuit. Une vague odeur de camphre se dégageait de ses vêtements.

– Je me demande bien de quoi, répliquai-je en réprimant un bâillement. Comment va Jemmy ce matin?

– Il renifle encore un peu, mais il n'a plus de fièvre. Il a mangé du porridge ce matin et il…

Je hochai la tête machinalement, puis l'accompagnai pour examiner le bébé qui, en dépit de son nez coulant et d'une légère hébétude due à la fatigue, avait retrouvé son exubérance joyeuse naturelle. Cela me rappela une sensation d'autrefois, quand je prenais l'avion entre les États-Unis et l'Angleterre : le syndrome du décalage horaire. J'avais l'étrange impression d'être à la fois consciente et lucide sans être solidement fixée dans mon corps.

Gussie veillait sur le bébé. Comme à peu près tout le monde sur la plantation, elle était pâle avec les traits tirés, mais son état était probablement dû plus au chagrin qu'à la gueule de bois. Tous les esclaves étaient très affectés par la mort de Betty. Ils vaquaient à leurs occupations comme à l'accoutumée, mais ils ne parlaient presque pas et gardaient le visage sombre.

Une fois terminé l'examen des oreilles et de la gorge de Jemmy, j'interrogeai la jeune servante.

– Gussie, vous vous sentez bien?

Elle sursauta, l'air désorienté. Peut-être lui posait-on ce genre de question pour la première fois…

– Oh, oh, oui, madame! Bien sûr.

Elle lissa son tablier des deux mains, visiblement gênée par mon regard.

– Bien, dans ce cas, je vais aller examiner Phaedre.

J'étais rentrée à la maison avec le Dr Fentiman. Je l'avais confié à Ulysse en priant celui-ci de le nourrir et de le coucher. Puis, j'étais partie à la recherche de Phaedre, après m'être débarbouillée et habillée, ne voulant pas me présenter devant elle souillée du sang de sa mère.

Je l'avais trouvée dans l'office d'Ulysse, l'air hébété et assise sur le tabouret où le majordome lustrait habituellement l'argenterie, un grand verre de cognac devant elle, intact. Teresa, une autre esclave, lui tenait compagnie. En me voyant apparaître, elle avait poussé un soupir de soulagement et était venue à ma rencontre.

– Elle ne va pas fort, madame, me murmura-t-elle. Elle n'a pas dit un mot et n'a même pas versé une larme.

Le beau visage de Phaedre semblait sculpté dans un bois fruitier. D'ordinaire d'une délicate couleur cannelle, son teint s'était changé en un marron pâle ligneux. Ses yeux fixaient le mur blanc, de l'autre côté de la porte ouverte de l'office.

Je posai une main sur son épaule. Elle était chaude, mais si raide et si dure qu'on aurait dit une pierre chauffée par le soleil.

– Je suis désolée, dis-je doucement. Sincèrement désolée. Le Dr Fentiman est allé la voir dès qu'il a appris. Il a fait tout son possible.

C'était la vérité. Je n'avais pas besoin de lui dire ce que je pensais des compétences du médecin. Qui plus est, cela n'avait plus d'importance.

Pas de réponse. Phaedre respirait. Je distinguais les mouvements de sa poitrine, mais rien de plus.

Je me mordis l'intérieur de la joue, cherchant désespérément quelque chose ou quelqu'un pour la réconforter. Jocasta? Savait-elle seulement que Betty était morte? Duncan était évidemment au courant, mais peut-être avait-il préféré attendre que tous les invités soient partis avant de le lui annoncer. Une autre idée traversa soudain mon esprit.

– Le prêtre… Veux-tu que le père LeClerc bénisse le corps de ta mère?

C'était un peu tard pour l'extrême-onction, mais j'étais sûre que le jésuite accepterait de faire un geste pour la réconforter. Il n'était pas encore parti. Je venais de l'apercevoir dans la salle à manger, finissant un plat de côtelettes de porc et d'œufs sur le plat.

L'épaule sous ma main trembla imperceptiblement. Impassible, l'esclave leva vers moi ses sombres yeux opaques.

– À quoi bon? murmura-t-elle.

– Euh… eh bien…

Je cherchai vainement une réponse, mais elle s'était déjà détournée, fixant une tache sur le bois de la table.

En désespoir de cause, je lui avais donné une faible dose de laudanum – essayant d'ignorer l'ironie de la situation –, puis Teresa l'aida à se coucher dans son lit habituel, dans le cabinet de toilette attenant au boudoir de Jocasta.

Je m'y rendis après m'être assurée de la bonne santé de Jemmy. La petite pièce n'avait pas de fenêtre. Elle sentait l'amidon, le fer à friser et l'eau de toilette fleurie de Jocasta. Une immense armoire et son chiffonnier assorti se dressaient d'un côté, face à une coiffeuse. Le lit étroit de Phaedre prenait place derrière un paravent.

Le son de sa respiration lente et profonde me rassura. En silence, je m'approchai d'elle. Couchée en chien de fusil, les genoux fléchis, elle me tournait le dos.

Brianna, qui était entrée derrière moi, regarda par-dessus mon épaule, son souffle chaud me chatouillant l'oreille. Je lui fis signe que tout allait bien.

De retour dans le boudoir, Brianna s'arrêta un instant et, de manière soudaine, me serra contre elle. Dans la pièce voisine inondée de lumière, Jemmy venait de s'apercevoir que sa mère n'était plus là et se mit à crier :

– Ma-ma ! Ma ! MA-MA !

* * *

Il était temps que je mange un morceau, mais les odeurs du grenier et le parfum d'eau de toilette qui s'attardaient à l'arrière de mes sinus m'avaient coupé l'appétit. Quelques invités traînaient encore dans la salle à manger. Amis intimes de Jocasta, ils resteraient à River Run encore quelques jours. Je les saluai au passage, refusant leurs invitations à me joindre à eux, et mis le cap sur les escaliers menant au deuxième étage.

La chambre était vide, les matelas mis à nu et les fenêtres grandes ouvertes pour aérer la pièce. L'âtre avait été balayé. Il faisait froid, mais il y régnait un calme béni.

Ma propre cape était toujours accrochée dans la penderie. Je m'en enveloppai, m'allongeai sur mon lit et m'endormis instantanément.

* * *

Juste avant le coucher du soleil, je me réveillai, morte de faim, à la fois étrangement rassurée et mal à l'aise. Je compris aussitôt pourquoi j'étais plus calme : l'odeur de sang et de fleurs avait disparu, remplacée par celle de la crème à raser et du linge frais. La lumière dorée qui filtrait par la fenêtre faisait briller un long cheveu cuivré dans le creux du matelas, à mes côtés, là où avait reposé la tête de quelqu'un. Jamie était venu dormir près de moi.

Comme pour me le confirmer, la porte s'ouvrit, et son visage souriant apparut. Il était rasé, peigné, habillé de propre et le regard clair. Toute trace de la nuit précédente semblait effacée de son visage, excepté son expression quand il me dévisagea. J'étais fripée et pas très fraîche. La tendresse dans son regard me réchauffa le cœur.

– Enfin réveillée, *Sassenach*? Tu as bien dormi?

– Comme une morte, répondis-je sans réfléchir.

En m'entendant parler, je sentis un pincement au ventre. Jamie lut mon désarroi sur mes traits et vint s'asseoir tout près, sur le lit.

– Que se passe-t-il? Tu as fait un cauchemar?

– Pas exactement, répondis-je lentement.

De fait, je ne me souvenais pas d'avoir rêvé. Pourtant, mon esprit semblait avoir tourné à plein régime dans les profondeurs de l'inconscience, prenant des notes et faisant des déductions. À présent, aiguillonné par le mot «morte», il venait de me présenter ses conclusions, ce qui expliquait le sentiment de malaise à mon réveil.

– Cette femme, Betty… ils l'ont déjà enterrée?

– Non. Ils ont lavé son corps et l'ont entreposé dans une remise. Jocasta a voulu attendre demain matin afin de ne pas troubler ses invités. Certains couchent encore ici cette nuit.

Il fronça les sourcils, me dévisageant avec attention.

– Pourquoi?

Je me frottai le visage, moins pour me réveiller que pour rassembler mes idées.

– Il y a quelque chose qui cloche. À propos de sa mort.

– Qui cloche, mais dans quel sens? C'est une fin particulièrement atroce, mais tu veux parler d'autre chose, n'est-ce pas?

– En effet.

Mes mains étaient glacées. Je les tendis machinalement vers les siennes pour les réchauffer.

– Je veux dire… je ne pense pas qu'il s'agisse d'une mort naturelle. On l'a tuée.

Ainsi lâchées, mes paroles restèrent en suspens dans l'air, entre nous deux. Ses sourcils se rapprochèrent et il pinça les lèvres, méditatif. Je remarquai toutefois qu'il ne rejetait pas l'idée d'emblée, ce qui renforça encore ma conviction.

– Qui? demanda-t-il enfin. Tu es sûre de toi, *Sassenach*?

– Je n'en ai pas la moindre idée et, non, je n'en suis pas sûre et certaine.

J'hésitai, mais il exerça une légère pression sur mes mains, m'encourageant.

– J'ai été infirmière, médecin, guérisseuse. J'ai vu tant de gens mourir de tout un tas de choses, Jamie… Je n'arrive pas à expliquer exactement ce qui me paraît anormal, mais, maintenant que j'ai l'esprit bien reposé par de bonnes heures de sommeil, je sais… je crois… qu'il y a vraiment quelque chose de pas net caché là-dessous.

Mes arguments n'étaient pas très convaincants. La lumière baissant, les recoins de la chambre projetaient des ombres étirées. Je frissonnai, me raccrochant à Jamie.

– Je vois, dit-il doucement. Mais, n'y a-t-il pas un moyen de t'en assurer?

La fenêtre était encore entrouverte. Une bourrasque gonfla soudain les rideaux et le froid hérissa le duvet de mes bras.

– Si, peut-être, répondis-je.

52

Une nuit laborieuse

La dépendance où ils avaient entreposé le corps de Betty était assez éloignée de la maison : il s'agissait d'une petite remise à outils attenant au jardin potager. Le croissant de lune était encore bas dans le ciel, mais il diffusait assez de lumière pour permettre de distinguer l'allée en briques. Les poiriers en espalier étendaient leurs branches noires sur le mur, comme une toile d'araignée. Quelqu'un avait creusé un trou récemment. Je sentis l'odeur humide de la terre fraîchement retournée et frémis en songeant aux vers et à la pourriture.

Jamie posa une main dans mon dos.

– Ça va aller, *Sassenach*?

– Oui, bien sûr.

Je saisis néanmoins sa main libre pour m'apaiser. Ils n'allaient tout de même pas enterrer Betty dans le potager. La fosse devait être destinée à quelque chose de plus prosaïque, comme un carré d'oignons ou de petits pois. Cette idée me réconforta, mais bien peu. Rongée par l'appréhension, j'avais toujours les nerfs à fleur de peau.

Jamie lui-même était loin d'être à l'aise, même s'il s'efforçait de paraître détendu. La mort lui était familière et ne lui faisait pas peur outre mesure. Toutefois, catholique et celte, il croyait fermement en un autre monde invisible s'étendant au-delà de la dissolution des corps. Il acceptait implicitement l'existence des *tannasgeach* – les esprits – et ne tenait pas à en croiser un. Néanmoins, puisque j'étais déterminée, il braverait l'au-delà pour moi. Il serra fort ma main et ne la lâcha plus.

Je lui étais très reconnaissante d'être présent à mes côtés. Outre la question discutable de ce que penserait de mes intentions le fantôme de Betty, je savais que l'idée d'une mutilation délibérée le perturbait profondément, même s'il était tout à fait conscient qu'un corps sans vie n'était ni plus ni moins qu'un amas de glaise.

Plus tôt dans la soirée, alors que nous débattions encore du projet, il m'avait déclaré :

– Voir des hommes se faire mettre en pièces sur un champ de bataille est une chose, *Sassenach*. C'est la guerre, et aussi cruel que cela puisse paraître, cela reste honorable. Mais découper de sang-froid et avec un couteau de cuisine une malheureuse innocente… Tu es sûre que c'est absolument nécessaire?

– Oui.

J'avais gardé les yeux fixés sur le contenu du sac que je préparais. Un grand rouleau de charpie pour absorber les liquides, plusieurs flacons pour prélever des échantillons, ma plus grosse scie à amputation, plusieurs scalpels, un gros sécateur, un couteau récemment affûté emprunté aux cuisines… Certes, l'assortiment était assez effrayant. J'enveloppai le sécateur dans une serviette pour éviter qu'il ne cliquette contre les autres instruments, le plaçai dans le sac, puis déclarai, en pesant mes mots :

– Jamie, je sais qu'il y a anguille sous roche. Or, si Betty a été assassinée, nous lui devons de découvrir comment et pourquoi. Mets-toi à sa place, tu ne voudrais pas qu'on recherche ton assassin? Et être… vengé?

Il était resté silencieux un long moment, l'air de réfléchir intensément. Puis ses traits s'étaient détendus.

– Si, avait-il enfin répondu.

Il avait saisi la scie et l'avait emballée dans un linge.

Il n'avait plus émis aucune objection, ni même demandé une dernière fois si j'étais certaine de ce que j'avançais.

Il avait simplement déclaré que, si je devais le faire, alors il viendrait avec moi.

À vrai dire, j'étais très loin d'être sûre de moi. Betty aurait pu être victime d'un accident. Je pouvais m'être trompée. Si ce n'était que la simple hémorragie d'un ulcère à l'œsophage ? La rupture d'un anévrisme dans la gorge ? Quelque aberration physiologique inhabituelle mais naturelle ? Et si je m'entêtais uniquement pour me prouver mes compétences en matière de diagnostic ?

Relevant les épaules, je resserrai autour de mon cou ma cape gonflée par le vent. Non, ce n'était pas une mort naturelle, je le savais. Je n'aurais pas su dire comment elle était survenue, mais, par chance, Jamie ne me l'avait pas demandé.

Un souvenir me revint brusquement à l'esprit : Joe Abernathy, un sourire de défi illuminant son visage jovial, fouillant dans un carton rempli d'ossements et déclarant : « Je voudrais voir si tu t'y prends aussi bien avec un mort, lady Jane ? »

Je lui avais démontré que j'étais à la hauteur. Il m'avait tendu le crâne, et l'image de Geillis Duncan s'était répandue en moi comme de l'azote liquide.

– Tu n'es pas obligée de le faire, Claire, répéta Jamie à mes côtés. Je ne considérerais pas ce refus comme de la lâcheté de ta part.

Sa voix était douce et grave, à peine audible dans le vent.

– Moi si.

Cette question étant réglée, il lâcha ma main et passa devant moi pour ouvrir la grille.

Il s'arrêta et, dans la pénombre, je le vis tourner la tête sur le côté, tendant l'oreille. La lanterne sourde qu'il tenait sentait l'huile chaude. La faible lueur qui s'échappait du panneau ajouré parsemait la cape de Jamie de minuscules points de lumière. Je fis volte-face à mon tour et contemplai la maison. En dépit de l'heure tardive, des chandelles brûlaient dans un des petits salons, où une partie de cartes s'éternisait. Lorsque le vent tourna, je surpris un vague bourdonnement de voix, puis un éclat de rire. Les fenêtres des étages étaient presque toutes noires, sauf les deux de la chambre de Jocasta.

– Ta tante veille tard, chuchotai-je à Jamie.

Il leva les yeux vers les fenêtres.

– Non, répondit-il. C'est Duncan. Ma tante n'a pas besoin de lumière.

– Il lui fait peut-être la lecture au lit, suggérai-je.

Cette tentative pour alléger l'atmosphère ne fonctionna qu'à moitié. Tendu, Jamie rit furtivement, puis soulevant le loquet de la grille, il la poussa. De l'autre côté nous attendait une étendue de noir absolu. Je tournai le dos à la maison et entrai, me sentant comme Perséphone descendant au royaume des morts.

Jamie referma derrière nous, me tendit la lanterne, puis s'enfonça de quelques pas dans le noir. Il faisait si sombre que je devinais sa silhouette plus que je ne la voyais. J'entendis un bruissement d'étoffe puis un bruit caractéristique.

– Qu'est-ce que tu fais?

– Je pisse sur les montants de la grille. On fera ce qu'on a à faire, mais je ne tiens pas à ramener quelque chose avec moi dans la maison.

À mon tour, je pouffai de rire. Mais quand il insista pour répéter son rituel sur la porte de la remise, je ne protestai pas. Fruit de mon imagination ou pas, la nuit semblait habitée, comme si des ombres invisibles se déplaçaient dans les ténèbres, chuchotant dans le vent.

Se retrouver à l'intérieur fut presque un soulagement, malgré l'atmosphère dense qui y régnait. Les odeurs de la mort se mêlaient à celles de la rouille, du foin pourri et du bois mildiousé. Jamie fit coulisser le panneau métallique de la lanterne sourde, et la lumière inonda soudain les recoins de la remise.

Ils avaient couché le corps de la servante sur une planche posée sur deux tréteaux. Elle avait été lavée et enveloppée d'un linceul en coton blanc. Près d'elle se trouvaient une miche de pain et un verre d'eau-de-vie. Un petit bouquet d'herbes séchées et soigneusement nouées reposait sur le linceul, juste au niveau du cœur. Ces offrandes devaient être celles des autres esclaves. Jamie se signa avant de me lancer un sévère regard de mise en garde.

– Toucher à ces objets porte malheur.

– Je suis sûre qu'ils ne se retournent contre soi que si on les vole. Je les remettrai en place dès que j'aurai fini.

Toutefois, je me signai à mon tour avant de les prendre un à un et de les déposer dans un coin.

– Mmphm. Attends, *Sassenach*. Ne l'examine pas tout de suite.

Il fouilla dans les poches de sa cape et en sortit une fiole. Il la déboucha, puis, un doigt sur le goulot, il l'agita au-dessus du cadavre en murmurant une prière en gaélique. Je reconnus une invocation à saint Michel pour nous protéger des démons, des goules et de toutes les choses effrayantes qui errent dans la nuit. Très utile.

– C'est de l'eau bénite? demandai-je, médusée.

– Naturellement. C'est le père LeClerc qui me l'a donnée.

Il dessina une croix au-dessus de la morte, puis il posa brièvement la main sur le drap blanc au niveau de la courbe du front, avant de me donner le signal, à contrecœur, de me mettre au travail.

Je sortis un scalpel de mon sac et défis soigneusement la couture du linceul. J'avais apporté une grosse aiguille et du fil ciré pour recoudre le corps plus tard. Avec un peu de chance, je pourrais également réparer le drap, afin d'effacer toute trace de mon passage.

Le visage de Phaedre était pratiquement méconnaissable. Ses joues rondes étaient affaissées, sa peau grise, ses lèvres et ses oreilles violettes. Cela me facilita la tâche.

Ce corps n'était qu'une coquille vide et non la représentation de la femme que j'avais connue. Si Betty était encore dans les parages, elle ne verrait aucune objection à me voir agir ainsi. De cela, je ne doutais pas.

Jamie marmonna quelques mots en gaélique, puis il se tut, tenant haut la lanterne pour me permettre de travailler. Elle projetait son ombre sur le mur de la remise, gigantesque et inquiétante dans la lueur vacillante. Je me détournai, me concentrant sur ma mission.

Même les autopsies les plus modernes et hygiéniques relèvent de la simple boucherie. Ce que je faisais était encore pire en raison de l'absence de lumière, d'eau et d'instruments adéquats.

– Tu n'es pas obligé de regarder, Jamie.

Je reculai d'un pas pour m'essuyer le front sur mon avant-bras. En dépit du froid, mes efforts pour fendre le plexus me faisaient transpirer. L'air était chargé des odeurs fétides du corps ouvert.

– Il y a un clou dans le mur, poursuivis-je. Tu peux y accrocher la lanterne et attendre dehors.

– Ça ira, *Sassenach*. Qu'est-ce que c'est? dit-il en se penchant en avant et en pointant l'index.

Sa moue dégoûtée avait cédé la place à un air intrigué.

– La trachée et les bronches. Et là, tu as un bout de poumon. Puisque tu tiens le coup, tu ne pourrais pas, s'il te plaît, approcher la lumière un peu plus par ici?

Sans écarteur, je ne pouvais pas ouvrir suffisamment la cage thoracique pour examiner la totalité des poumons, mais j'en voyais assez pour éliminer différentes possibilités. Leur surface était noire et granuleuse. Âgée d'une quarantaine d'années, Betty avait passé sa vie dans un environnement chargé de fumée de cheminées. Soulevant du bout de mon scalpel la fine membrane pleurale à moitié transparente, j'expliquai :

– Toutes les saletés que tu inspires sans les expulser ensuite en toussant – comme le tabac, la fumée, la suie, le smog, etc. – finissent par s'accumuler entre le tissu pulmonaire et la plèvre. Comme le corps ne peut pas s'en débarrasser complètement, elles restent là. En revanche, les poumons d'un enfant sont propres et tout roses.

Jamie toussota par réflexe.

– Les miens ressemblent à ça? Qu'est-ce que le «smog»?

– L'air dans des villes comme Édimbourg, où la fumée se mêle à la brume engendrée par le fleuve.

Je parlais de manière détachée, grognant un peu en écartant les côtes et scrutant la cavité sombre.

– Les tiens sont sans doute dans un meilleur état, dans la mesure où tu as longtemps vécu en plein air et dans des endroits non chauffés. Les poumons propres sont une des compensations d'une vie sans feu.

– C'est toujours bon à savoir. Mais je suppose que, si on leur donne le choix, la plupart des gens préféreront avoir chaud et tousser.

Je souris tout en incisant le lobe supérieur du poumon droit. Aucune trace d'hémorragie. Pas de sang dans les voies respiratoires non plus. Aucun signe d'embolie pulmonaire. Pas d'épanchement sanguin dans la poitrine ni dans la cavité abdominale, hormis quelques traces d'infiltration. Le sang a coagulé peu après la mort, puis il se liquéfie de nouveau progressivement.

– Passe-moi encore un peu de charpie, s'il te plaît.

Compte tenu de la façon dont elle était morte, personne ne serait surpris de voir un peu de sang sur le linceul, mais je ne tenais pas à laisser trop de taches suspectes. Elles inciteraient des curieux à regarder ce qu'il y avait en dessous.

En me penchant pour prendre les morceaux de tissus, je posai accidentellement la main sur le flanc du cadavre. Celui-ci grogna sourdement. Jamie fit un bond en poussant un cri de surprise, faisant vaciller la lampe dans tous les sens.

Mon cœur battait à tout rompre et la sueur sur mon front me parut soudain glacée.

– Ce n'est rien, le rassurai-je. Ce n'est que du gaz emprisonné. Les cadavres émettent parfois ces drôles de bruits, mais c'est parfaitement normal.

Jamie stabilisa la lanterne.

– Oui, je sais, dit-il. Je l'ai souvent observé. Mais on s'y laisse prendre chaque fois, pas vrai ?

Il me sourit. Une fine couche de transpiration luisait sur son front.

Il me vint à l'esprit qu'il avait vu plus que son lot de cadavres au cours de sa vie, tous plus ou moins frais, et qu'il était au moins autant que moi familiarisé avec le phénomène de la mort. Je reposai prudemment ma main au même endroit, mais aucun autre son n'en sortit. Je repris mon examen.

L'autre différence entre cette autopsie improvisée et sa forme moderne était l'absence de gants. J'avais du sang jusqu'aux poignets. Les organes et les membranes que j'écartai avaient une consistance visqueuse désagréable. Malgré le froid dans la remise, le processus inexorable de la décomposition avait commencé. Je glissai une main sous le cœur et le levai vers la lumière, cherchant des décolorations à sa surface ou la rupture visible de gros vaisseaux.

– Ils remuent aussi, de temps en temps, reprit Jamie au bout d'un moment.

Une note étrange dans sa voix me surprit et me fit redresser la tête vers lui. Ses yeux étaient fixés sur le visage de Betty, mais, à leur air distant, il était évident qu'il voyait quelqu'un d'autre.

– Qui remue ?

– Les morts.

La peau de mes bras se hérissa. Il me donnait la chair de poule. Il avait raison, certes, mais j'aurais préféré qu'il choisisse un autre moment pour faire ce genre d'observation.

– C'est vrai, dis-je avec le plus de détachement possible. C'est un phénomène courant lors des autopsies. Généralement, c'est juste un déplacement des gaz.

– Une fois, j'ai vu un mort se redresser en position assise.

– Quoi? Dans son cercueil lors d'une veillée funèbre? Il n'était pas vraiment mort?

– Non, dans un feu. Il était bien mort.

Son regard semblait totalement tourné vers l'intérieur. Quoi qu'il ait vu, il le revoyait encore.

– Après Culloden, les Anglais ont brûlé les Highlanders morts qu'ils avaient ramassés sur le champ de bataille. On pouvait sentir les bûchers, mais je ne les ai vus qu'une fois caché dans la carriole qui me ramenait chez moi.

Il était couché sous un tas de foin, le nez pressé contre une fente entre les planches pour pouvoir respirer. Le conducteur avait fait un détour pour éviter les questions des troupes stationnées près de la ferme. À un moment donné, il avait dû s'arrêter pour laisser passer un convoi de soldats.

– Un bûcher brûlait à quelques mètres de moi. Il venait d'être allumé, car les vêtements des morts commençaient tout juste à noircir. J'ai vu Graham Gillespie couché sur la pile. Il était indubitablement mort, je voyais le trou d'une balle de pistolet dans sa tempe.

La charrette avait attendu ce qui avait paru à Jamie une éternité, même si, entre la douleur et la fièvre, il n'avait plus vraiment eu la notion du temps. Tandis qu'il regardait Gillespie, celui-ci s'était brusquement redressé dans les flammes et avait tourné la tête.

– Graham me fixait droit dans les yeux. Si j'avais été dans mon état normal, j'aurais sûrement poussé un cri de terreur. Mais, vu les circonstances, ça m'a paru… comme un geste amical de sa part.

Il y avait à la fois une note d'amusement et de gêne dans sa voix.

– Comme s'il me disait que, finalement, être mort n'était pas si terrible que ça, ou comme s'il me souhaitait la bienvenue en enfer.

– Contraction cadavérique, dis-je, absorbée dans mon exploration de l'appareil digestif. Le feu contracte les muscles, et les membres se tordent parfois dans des positions très réalistes. Tu peux approcher la lumière?

J'avais dégagé l'œsophage et l'ouvris minutieusement en deux, retournant le tissu flasque. La partie inférieure était légèrement irritée et contenait du sang, mais je ne voyais aucun signe de déchirure ni d'hémorragie. Je me penchai sur la cavité pharyngale en plissant les yeux, mais il faisait trop sombre pour voir quoi que ce soit. N'étant pas équipée pour faire un examen approfondi, je décidai de me concentrer sur l'autre extrémité, glissant une main sous l'estomac et le soulevant.

Aussitôt, le trouble qui m'habitait depuis le début s'intensifia. S'il y avait anguille sous roche, c'était là que j'en trouverais la preuve. La logique autant que mon sixième sens me l'indiquaient.

L'estomac ne contenait pas d'aliments. Après des vomissements aussi intenses, cela n'avait rien d'étonnant. Toutefois, lorsque j'incisai l'épaisse paroi musculaire, une forte odeur âcre d'ipéca s'éleva au-dessus des miasmes.

Devant mon exclamation, Jamie se pencha en avant :

– Que se passe-t-il?

– De l'ipéca. Ce charlatan lui a fait avaler de l'ipéca! Et récemment! Tu ne sens pas cette odeur?

Il grimaça de dégoût, puis il huma prudemment et hocha la tête.

– Il n'aurait pas dû? Pourtant, n'est-ce pas ce que tu as donné toi-même à la petite Beckie, le jour où elle a bu ta mixture bleue?

Beckie MacLeod, âgée de cinq ans, avait avalé la moitié d'un flacon contenant une décoction à base d'arsenic, potion que je fabriquais pour tuer les rats. Elle avait été attirée par sa couleur et, apparemment, n'avait pas été rebutée par son goût. Après tout, les rats aussi aimaient ça.

– Effectivement, répondis-je. Mais elle l'a avalée tout de suite. Il ne sert à rien d'en administrer plusieurs heures après l'ingestion du poison ou du produit irritant, quand il est déjà dans l'estomac.

Compte tenu des connaissances médicales de Fentiman, était-il conscient du danger potentiel? Il lui avait peut-être simplement donné de la racine d'*ipecacuanha* moulue, faute de mieux. Fronçant les sourcils, je me replongeai dans l'examen de la tunique interne de l'estomac. Oui, c'était bien là la source de l'hémorragie. Elle était à vif, rouge sombre comme de la viande hachée. L'organe lui-même contenait une petite quantité de liquide, une lymphe claire qui avait commencé à se séparer du sang coagulé.

– Tu crois que c'est l'ipéca qui l'a tuée?

– Je l'ai pensé, mais je n'en suis plus certaine, murmurai-je.

Ma première hypothèse avait été qu'en donnant une trop forte dose de ce produit à Betty, Fentiman avait déclenché des vomissements d'une telle violence qu'ils avaient entraîné une déchirure interne et une hémorragie, mais je n'en voyais aucune trace. Prenant mon scalpel, j'ouvris encore un peu plus l'estomac, écartant les bords et incisant le duodénum.

– Peux-tu me passer un des flacons vides et la bouteille de lotion de rinçage?

Jamie suspendit la lanterne à un clou et s'agenouilla pour chercher les objets dans mon sac, pendant que je continuais à fouiller dans l'estomac. Des matières granuleuses formaient un dépôt pâle dans les stries de la muqueuse. Je les grattai avec précaution, et elles se détachèrent facilement, créant une pâte grumeleuse entre mes doigts. Je n'étais pas sûre de ce que c'était, mais un horrible soupçon grandissait au fond de mon esprit. Je devais rincer cet estomac, collecter les résidus et les emporter dans la maison, où je pourrais les examiner au matin, sous la lumière du jour. Si c'était bien ce que je craignais…

Soudain, la porte de la remise s'ouvrit avec fracas. Un courant d'air glacé étira la flamme de la lanterne qui projeta une lumière blanche sur le visage de Phillip Wylie. Il se tenait sur le seuil, blême et interloqué.

Il me fixa la bouche entrouverte, puis il la ferma et déglutit. J'entendis clairement le bruit de sa gorge. Ses yeux se promenèrent lentement sur la scène, puis revinrent se poser sur mon visage, écarquillés par l'horreur.

J'étais moi aussi sous le choc. Mon cœur était remonté dans la gorge et mes mains restaient figées, mais mon cerveau fonctionnait à toute allure.

Que se passerait-il s'il se mettait à pousser des cris? Le scandale serait énorme, que je sois capable d'expliquer mon geste ou non. Si personne ne me croyait… Mon sang se glaça. J'avais déjà failli être brûlée vive pour sorcellerie et je ne tenais pas à renouveler l'expérience.

Je perçus un léger mouvement à mes pieds et me souvins que Jamie était accroupi dans l'ombre, sous la table. Le halo de la lanterne étant puissant mais circonscrit, les ténèbres m'enveloppaient jusqu'à la taille. Wylie ne l'avait donc pas vu. J'avançai un orteil et le poussai doucement, lui indiquant de ne pas bouger.

Je m'efforçai de sourire, puis après avoir dégluti, je dis la première chose qui me passa par la tête :

– Bonsoir!

Il s'humecta les lèvres. Il ne portait ni mouche ni poudre et était aussi livide que le linceul de Betty.

– Madame… Fraser, articula-t-il péniblement. Que… que… que faites-vous?

J'aurais cru que cela sautait aux yeux. Sa question devait probablement porter sur les raisons d'une telle action et je ne tenais pas à m'épancher sur le sujet.

– Peu importe, répliquai-je en retrouvant un peu d'aplomb. Dites-moi plutôt ce que vous faites là, à rôder dans le potager au beau milieu de la nuit?

Apparemment, j'avais posé la bonne question. Son expression passa aussitôt de l'horreur la plus profonde à la plus grande méfiance. Il tourna à peine la tête, comme pour regarder par-dessus son épaule, mais il s'arrêta avant d'avoir achevé son mouvement. Mes yeux suivirent la même direction. Il y avait quelqu'un dans l'obscurité, derrière lui. Un homme, grand, qui avança d'un pas en avant, son visage pâle apparaissant dans le halo de la lanterne. Je vis une paire d'yeux sardoniques, verts comme des groseilles à maquereau. Stephen Bonnet.

– Nom de Dieu ! lâchai-je.

À ce moment, il se produisit un certain nombre de choses. Jamie jaillit de sous la table avec la détente d'un cobra. Phillip Wylie bondit en arrière avec un cri d'effroi. La lanterne tomba de son clou et s'écrasa au sol. Il y eut une forte odeur d'huile, un « wwwwouf ! » sourd comme un four à gaz qui s'allume, et le linceul froissé à mes pieds s'embrasa.

Jamie disparut. J'entendis des cris dans la nuit au dehors et un bruit de course dans l'allée en briques. Je tentai de piétiner le tissu enflammé, ne parvenant qu'à me prendre les pieds dedans.

Puis j'eus une meilleure idée. Je me précipitai contre la table et la renversai ainsi que le cadavre. Je saisis d'une main un bout du linceul en flammes et l'étendis sur le corps et la planche retournée. Couvert de sciure, le sol de la remise brûlait déjà par endroits. Je donnai un coup de pied dans la lanterne brisée, la projetant contre la cloison de bois. Le reste de l'huile se répandit et s'enflamma aussitôt.

Des éclats de voix retentissaient dans le potager. Je devais sortir. Je saisis mon sac et pris la fuite, les mains couvertes de sang, mon poing toujours refermé sur ma preuve. Dans ce chaos généralisé, j'avais au moins une certitude. J'ignorais ce qui se passait et ce qui allait arriver, mais sur un point, au moins, je n'avais plus aucun doute : Betty avait été assassinée.

* * *

Deux serviteurs s'agitaient dans le potager, apparemment réveillés par les bruits. Paniqués, ils allaient et venaient en s'interpellant. Cependant, la luminosité de la lune étant très faible, il me fut facile de me glisser dans le noir sans être vue.

Personne n'était encore sorti de la maison principale, mais les cris et les flammes ne tarderaient pas à attirer l'attention. Je m'accroupis contre le mur sous un immense framboisier. La grille s'ouvrit grand et deux autres esclaves à moitié nus accoururent des écuries en criant des mots incohérents au sujet des chevaux. L'odeur du feu emplissait l'air. Ils pensaient sans doute que les stalles brûlaient elles aussi.

Mon cœur tambourinait dans ma poitrine. J'eus la vision désagréable de celui que j'avais tenu dans ma main quelques instants plus tôt et ne put m'empêcher de penser au mien. Il devait ressembler à un muscle rouge sombre et luisant, contracté comme un poing, palpitant indéfiniment dans sa petite cavité entre mes poumons.

En revanche, ceux-ci ne fonctionnaient pas aussi bien. Mon souffle court et laborieux n'était qu'un râle haletant que je m'efforçai d'étouffer de peur d'être repérée. S'ils parvenaient à extirper le corps de Betty du feu? Ils ne pourraient savoir qui était l'auteur des profanations, mais la découverte à elle seule aurait un retentissement terrible, entraînant les rumeurs les plus folles et déclenchant une hystérie collective.

Une lueur apparaissait derrière l'autre mur, au fond du potager. Le toit de la remise commençait à brûler, des lignes incandescentes faisant rougeoyer les interstices entre les bardeaux.

Je commençai à respirer un peu mieux en voyant les esclaves se regrouper près de la grille et, interdits, observer l'incendie. Il était déjà trop avancé, ils n'essaieraient plus de l'éteindre. Le point d'eau le plus proche était l'abreuvoir des chevaux. Le temps qu'ils aillent chercher des seaux, la remise serait déjà réduite à un amas de cendres. Comme aucun bâtiment ne se trouvait aux alentours, le mieux était encore de laisser le feu se consumer de lui-même.

La fumée s'enroulait en volutes tourbillonnantes. En sachant ce qui se trouvait dans la remise, il n'était que trop facile d'imaginer des formes spectrales s'agitant dans les nuées ondulantes. Puis, les flammes percèrent le plafond et des langues de feu illuminèrent le nuage de fumée par-dessous, éclairant la scène d'une lueur surnaturelle.

Un cri perçant s'éleva derrière moi, me faisant sursauter et me cogner le coude contre le mur en briques. Phaedre venait de franchir la grille, Gussie et une autre esclave sur ses talons. Elle traversa le potager en courant, criant « Maman ! ». Sa chemise blanche reflétait la lumière des flammes qui s'échappaient par les trous du toit, comme une pluie d'étincelles. Les hommes la rattrapèrent au vol, puis laissèrent les femmes s'empresser autour d'elle. Ayant un goût de sang dans la bouche, je pris conscience de m'être mordu la lèvre. Je fermai les yeux, essayant de ne plus entendre les cris frénétiques de la jeune femme et le chœur de ses amis tentant de la réconforter.

Je fus prise d'un terrible sentiment de culpabilité. Sa voix me faisait tant penser à celle de Brianna ! J'imaginais pleinement ce que celle-ci aurait ressenti, si mon propre corps était en train de brûler dans la remise. D'un autre côté, la douleur de Phaedre aurait sans doute été plus grande encore si je n'y avais pas mis le feu. Le froid et la tension me faisaient trembler des pieds à la tête, mais je repris néanmoins le sac que j'avais laissé tomber sur le sol à mes pieds.

Mes mains étaient raides, couvertes de sang séché et de lymphe. On ne devait surtout pas me voir ainsi. De ma main libre, je fouillai dans la sacoche et, à tâtons, trouvai un bocal vide fermé – qui, habituellement, contenait mes sangsues – ainsi que le flacon à lotion rempli d'alcool dilué et d'eau. La croûte de sang se craquela quand je fléchis mes doigts engourdis. Je tremblais tant que je n'arrivai pas à sortir le bouchon de liège. J'y parvins finalement avec mes dents, puis je versai un peu de solution dans ma paume, à l'intérieur de laquelle je tenais toujours le résidu granuleux prélevé sur la morte. Je le fis alors glisser dans le récipient en verre.

À présent, la maisonnée était réveillée. J'entendais des voix venant de cette direction. Que se passait-il? Où étaient Jamie, Stephen Bonnet et Phillip Wylie? Jamie n'étaient armé que d'une bouteille d'eau bénite, mais les deux autres? Je n'avais entendu aucune détonation, mais un coup de couteau ne faisait pas de bruit.

Je me rinçai rapidement les mains avec le reste de la solution, les séchant ensuite avec la doublure sombre de ma cape, sur laquelle personne ne verrait les taches. Telles des fantômes, des ombres allaient et venaient en courant dans les allées du potager, à quelques pas seulement de là où je me cachais. Pourquoi étaient-elles si silencieuses? Étaient-ce vraiment des êtres humains ou des esprits réveillés par le sacrilège?

Puis, l'une des silhouettes cria. Une autre lui répondit. Je me rendis compte alors que l'absence de bruits venait du bourdonnement de mes oreilles et du fait que ces gens couraient pieds nus sur la brique. Une sueur glacée insensibilisait mon visage, et mes mains étaient ankylosées à un point tel que le froid ne pouvait être le seul responsable.

« Pauvre idiote de Beauchamp, me sermonnai-je. Assieds-toi, tu vas tomber dans les pommes ! »

Ce que j'ai dû faire, car, lorsque je revins à moi quelques instants plus tard, j'étais assise dans la terre, sous le framboisier, à demi adossée au mur. Cette fois, le potager était rempli de monde, mélange d'invités et d'esclaves, indistincts et méconnaissables en chemise de nuit.

Je pris plusieurs inspirations profondes, puis, une fois certaine d'en être capable, je me relevai tant bien que mal et m'avançai dans l'allée la plus proche, mon sac à la main.

La première personne que je reconnus fut le major MacDonald. Debout au milieu du chemin, il contemplait l'incendie, les flammes se reflétant dans sa perruque blanche. Je lui agrippai le bras, le faisant sursauter.

– Que se passe-t-il? demandai-je sans prendre la peine de m'excuser.

– Où se trouve votre mari? questionna-t-il simultanément en jetant un œil derrière moi.

– Je ne sais pas. Je le cherche.

Lloyd Stanhope surgit à mes côtés.

– Madame Fraser! Vous n'avez rien, j'espère?

Dans sa chemise de nuit, il ressemblait à un œuf bouilli très agité. Sans sa perruque, son crâne tondu et ovale formait une tache pâle dans le noir.

Je l'assurai que j'allais bien, ce qui, à présent, était le cas. Ce ne fut qu'après avoir vu Stanhope et la plupart des autres messieurs tous à moitié habillés, que je me rendis compte que le major MacDonald était vêtu de pied en cap, de sa perruque poudrée aux boucles en argent de ses souliers. Mon expression dut changer en le dévisageant, car il arqua les sourcils et son regard descendit de mes cheveux noués à mes pieds chaussés. Il était manifestement en train de penser la même chose. Montrant mon sac, j'expliquai le plus calmement possible :

– Quand j'ai entendu crier au feu, j'ai pensé qu'il y avait peut-être des blessés. J'ai apporté mes affaires de médecine.

– Pour autant que je sache…

S'interrompant brusquement, il me tira en arrière. Le toit de la remise venait de s'effondrer, projetant une pluie d'étincelles qui retomba doucement sur les personnes assemblées dans le potager.

Tout le monde recula précipitamment. Puis il y eut une de ces brèves accalmies inexplicables où tous les membres d'une foule se taisent à l'unisson. Le feu brûlait toujours, faisant un bruit de papier froissé. Soudain, on entendit un cri lointain, un cri de femme, aigu et éraillé, mais néanmoins puissant et rempli de fureur.

– Mme Cameron ! s'écria Stanhope.

Mais le major courait déjà vers la maison.

53

L'or du Français

Assise sur la banquette devant la fenêtre de sa chambre, pieds et poings liés avec des lambeaux de drap, en chemise de nuit, Jocasta Cameron écumait de rage, le visage cramoisi. Je n'eus pas le temps de m'attarder sur son cas, car Duncan Innes, vêtu d'une simple liquette, gisait à plat ventre près de la cheminée.

Je me précipitai et m'agenouillai à ses côtés, cherchant son pouls.

Le major se pencha par-dessus mon épaule, plus intrigué qu'inquiet.

– Il est mort?

– Non. Faites sortir ces gens, voulez-vous?

La chambre était bondée, convives et domestiques s'agitant autour de Jocasta, s'exclamant, se perdant en conjectures et remuant beaucoup d'air sans vraiment se rendre utile. Le major tiqua devant mon ton péremptoire, mais il s'exécuta sans insister.

Duncan était vivant. Un bref examen ne révéla qu'une vilaine bosse derrière une oreille. Apparemment, on l'avait assommé avec le lourd chandelier en argent posé à ses côtés sur le parquet. Il avait le teint terreux, mais son pouls était relativement régulier et sa respiration normale. J'écartai ses paupières l'une après l'autre et inspectai ses pupilles qui me fixèrent, vitreuses, mais de la même taille toutes les deux. Elles n'étaient pas particulièrement dilatées. Jusque-là, rien de bien méchant.

Derrière moi, le major tentait de mettre son expérience militaire à profit en aboyant ses ordres d'une voix de stentor. Malheureusement, la plupart des personnes présentes n'étant pas des soldats, cela n'avait pas beaucoup d'effet.

Jocasta s'avéra nettement plus efficace. Libérée de ses liens, elle traversa la chambre en chancelant, s'appuyant lourdement sur le bras d'Ulysse, fendant la foule tel Moïse traversant la mer Rouge.

– Duncan ? Où est mon mari ?

Elle tourna la tête d'un côté, puis de l'autre, ses yeux aveugles fouillant la pièce d'un air mauvais. Les gens s'écartèrent sur son passage jusqu'à ce qu'elle arrive près de moi.

Sa main balaya l'espace devant elle.

– Qui est là ?

– C'est moi, Claire.

Je tendis la main et saisis la sienne, puis l'aidai à s'accroupir à mes côtés. Ses doigts étaient glacés et tremblants, ses poignets striés de marques violacées, là où on l'avait ligotée.

– Ne vous inquiétez pas. Il n'est qu'inconscient.

Je guidai ses doigts jusqu'au cou de son mari, posant son index sur l'artère jugulaire afin qu'elle perçoive le pouls. Elle laissa échapper une petite exclamation, puis elle se pencha, mit les deux paumes sur le visage de Duncan et suivit ses contours avec une tendresse anxieuse. Son attitude m'émut, tant elle contrastait avec son maintien autocratique habituel.

– Ils l'ont frappé. Il est grièvement blessé ?

– Je ne crois pas. Il a juste reçu un coup sur la tête.

Elle se tourna vers moi, les sourcils froncés et les narines frémissantes.

– Vous en êtes sûre ? Je sens du sang.

Je tressaillis. Mes mains étaient presque propres, mais il me restait du sang séché sous les ongles. Je résistai à ma première impulsion qui fut de cacher précipitamment mes mains dans les plis de ma jupe, murmurant plutôt :

– Ce doit être moi, ma tante.

Le major MacDonald nous observait de loin d'un air intrigué. L'avait-il entendu?

Percevant un mouvement d'agitation près de la porte, je me retournai. C'était Jamie. Il était échevelé, sa veste était déchirée et il portait ce qui ressemblait à un début d'œil au beurre noir. En dehors de cela, il avait l'air indemne.

Lisant sans doute le soulagement immense sur mon visage, son air féroce s'adoucit et il me fit un léger signe de tête. Ses traits se durcirent de nouveau en apercevant Duncan. Il posa un genou sur le sol à côté de moi. Avant qu'il n'ait eu le temps de me questionner, je lui expliquai :

– Il va bien. Quelqu'un l'a assommé et a ligoté ta tante.

– Qui?

Il releva les yeux vers Jocasta tout en posant une main sur la poitrine de son ami comme pour s'assurer qu'il respirait encore.

– Je n'en ai pas la moindre idée, répondit-elle sèchement. Si je le savais, j'aurais déjà envoyé mes hommes à leurs trousses. Personne n'a donc vu ces brigands?

– J'en doute, répondit Jamie. Avec un tel remue-ménage et des gens courant dans tous les sens, n'importe qui peut se faufiler sans se faire remarquer.

Je l'interrogeai du regard. Que voulait-il dire? Bonnet s'était-il enfui? Car qui d'autre aurait pu s'introduire dans la chambre de Jocasta? Remue-ménage ou pas, il ne pouvait y avoir une foule de criminels violents errant la même nuit sur une plantation de la taille de River Run.

Jamie me fit brièvement un signe négatif de la tête. Puis, apercevant mes mains et le sang sous mes ongles, il arqua à son tour un sourcil interrogateur. Avais-je découvert quelque chose? En avais-je eu le temps? Je hochai la tête et articulai en silence : « Meurtre. »

Il exerça une légère pression sur mon bras, puis jeta un bref coup d'œil par-dessus son épaule. Entre-temps, le major était enfin parvenu à repousser presque tout le monde dans le couloir. Il avait demandé aux domestiques de préparer des en-cas et des rafraîchissements, avait dépêché un palefrenier à Cross Creek pour prévenir le shérif, réparti les messieurs en plusieurs battues pour quadriller les environs à la recherche d'éventuels mécréants et envoyé les dames au salon pour se remettre de leurs émotions dans un froufrou de perplexité et d'excitation. Il referma enfin la porte, puis revint vers nous.

– Ne devrions-nous pas le mettre au lit? demanda-t-il.

Duncan commençait à remuer. Il gémit, toussa, s'étrangla un peu, mais, heureusement, ne vomit pas. Jamie et MacDonald le hissèrent debout, ses bras mous autour de leurs épaules, et le traînèrent jusqu'au grand lit à baldaquin, où ils l'allongèrent sans le moindre respect pour le dessus-de-lit en soie capitonnée.

Avec un réflexe atavique de bonne ménagère, je glissai un oreiller en velours vert sous sa tête. Bourré de son, il craqua un peu sous mes doigts en dégageant une forte odeur de lavande. Si celle-ci était efficace contre les maux de tête, je n'étais pas certaine qu'elle le soit contre ce genre de douleur crânienne.

– Où est Phaedre?

Ulysse avait guidé Jocasta jusqu'à sa bergère en cuir. Elle s'y enfonça, paraissant soudain épuisée et vieille. Son visage s'était vidé de ses couleurs en même temps que sa colère avait disparu. Ses cheveux blancs retombaient en mèches désordonnées sur ses épaules.

– Je l'ai envoyée se coucher, ma tante.

Brianna venait d'entrer, passant inaperçue dans la cohue et ayant résisté à l'évacuation du major. Elle se pencha sur sa grand-tante, prenant sa main avec sollicitude.

– Ne vous inquiétez pas, je m'occuperai de vous.

Reconnaissante, Jocasta posa une main sur la sienne, mais elle se redressa néanmoins d'un air inquiet.

– Se coucher? Pourquoi? Que s'est-il passé? D'où vient cette odeur de brûlé? Il y a le feu aux écuries?

Le vent avait tourné et l'air de la nuit s'engouffrait par le carreau cassé d'un des croisillons au-dessus de la banquette. Il flottait dans la pièce une odeur de fumée transportant avec elle une vague puanteur de chair grillée.

– Non, non, tante Jocasta! Les écuries sont intactes. C'est juste que Phaedre était dans tous ses états. Il y a eu un incendie dans la remise près du jardin potager, là où était entreposé le corps de sa mère...

Jocasta marqua un temps d'arrêt, puis se redressa avec une expression très étrange, sorte de mélange de satisfaction et de perplexité.

Jamie, qui se tenait derrière moi, le remarqua lui aussi, car je l'entendis pousser un petit grognement de surprise.

– Vous vous sentez mieux, ma tante?

Elle se tourna vers lui, l'air sardonique et les sourcils arqués.

– Oui, mais ça ira encore mieux après un petit remontant.

Ulysse, comme par enchantement, se matérialisa aussitôt à ses côtés et plaça un verre de cognac dans sa main. Puis elle demanda :

– Où en est Duncan?

J'étais assise près de lui sur le lit, son poignet dans ma main. Je le sentais remonter lentement à la surface de la conscience. Ses paupières tremblaient et ses doigts tressaillaient contre ma paume.

– Il revient à lui, annonçai-je.

– Ulysse, donne-lui du cognac, ordonna Jocasta.

J'arrêtai le majordome d'un geste de la main.

– Pas encore. Il risque de s'étouffer.

– Pouvez-vous nous expliquer ce qui s'est passé, ma tante? demanda Jamie d'un ton impatient. Ou doit-on attendre que Duncan se soit remis?

Jocasta soupira. Elle avait beau avoir le talent inné des MacKenzie pour cacher le fond de ses pensées, cette fois, il était clair qu'elle cogitait dur sous son masque impassible. Elle pointa le bout de sa langue et humecta une marque rouge à la commissure de ses lèvres. Elle avait dû aussi être bâillonnée.

Je sentais Jamie ronger son frein derrière moi. Il était si proche que j'entendais presque ses doigts pianoter contre un des montants du lit. Même si j'étais très curieuse de savoir ce qui était arrivé à Jocasta et Duncan, je mourrais d'impatience de me retrouver seule avec lui pour lui révéler ce que j'avais découvert et apprendre ce qui s'était passé dans le jardin potager.

Des voix murmuraient dans le couloir. Tous les invités ne s'étaient pas dispersés. J'entendis des bribes de conversation étouffée :

– ... calcinée... il n'en reste que les os...

– ... un vol? Je ne sais pas...

– ... vérifier les écuries...

– Oui, entièrement détruit pas le feu...

Un profond frisson me traversa et je serrai fort la main de Duncan, en proie à une soudaine panique incompréhensible. Je devais paraître bizarre, car Brianna me demanda doucement :

– Maman, ça va?

Elle me dévisageait d'un air soucieux. Je tentai de lui sourire, mais mes lèvres restaient figées.

Je sentis les mains chaudes et puissantes de Jamie se poser sur mes épaules. Sans m'en rendre compte, j'avais retenu mon souffle. À son contact, je pris une grande expiration, puis retrouvai ma respiration. Le major me regarda, intrigué, mais son attention fut détournée par Jocasta, qui rouvrit brusquement les yeux et qui le fixait.

– Vous êtes bien le major MacDonald, n'est-ce pas?

– Oui, madame, pour vous servir.

Il inclina machinalement la tête, oubliant, comme c'était souvent le cas, qu'elle ne pouvait le voir.

– Je vous remercie, major. Mon mari et moi, nous vous sommes infiniment redevables.

Le major émit une protestation polie.

– Si, si, insista-t-elle.

Elle se redressa en lissant ses cheveux en arrière.

– Vous vous êtes donné beaucoup de mal pour nous venir en aide et nous ne pouvons abuser davantage de votre gentillesse. Ulysse, conduisez donc le major au salon et offrez-lui des rafraîchissements.

Le majordome s'inclina obséquieusement et entraîna avec fermeté le major vers la porte. Je remarquai pour la première fois qu'il portait sa chemise de nuit par-dessus ses culottes non fermées et qu'il avait plaqué hâtivement sa perruque sur son crâne. MacDonald parut surpris et plutôt mécontent de se voir ainsi congédié, ayant évidemment préféré rester pour ne rien perdre des détails croustillants de l'affaire. Toutefois, comme il lui était difficile de faire autrement, il prit congé avec une dernière courbette et sortit d'un air digne.

Ma crise de panique, aussi soudaine qu'injustifiée, commençait à s'atténuer. Les mains de Jamie irradiaient une douce chaleur qui se diffusait dans tout mon corps, et je respirais de nouveau normalement. Je pus enfin concentrer toute mon attention sur le blessé qui venait tout juste d'ouvrir les yeux et semblait déjà le regretter.

– Aïe, *mo cheann*!

Aveuglé par la lumière de la lampe, Duncan plissa des yeux, ayant visiblement du mal à me distinguer avec précision. Puis il discerna la silhouette de Jamie derrière moi.

– *Mac Dubh*... que s'est-il passé?

Une des mains de Jamie quitta mon épaule et se posa sur le bras de Duncan.

– Ne t'inquiète pas, *a charaid*. Tante Jocasta s'apprêtait justement à nous raconter ce qui est arrivé. N'est-ce pas, ma tante?

Cette fois, son ton s'était fait un tantinet plus péremptoire. Ne pouvant plus tergiverser, Jocasta pinça les lèvres, puis soupira et se redressa dans son fauteuil, apparemment résignée à la désagréable nécessité de se confier.

– Il n'y a plus que des membres de la famille dans la chambre?

Quand nous l'eûmes assurée que c'était bien le cas, elle commença enfin.

Elle venait d'envoyer sa camériste se coucher et s'apprêtait à faire de même quand la porte de sa chambre s'était brusquement ouverte pour laisser entrer ce qu'elle pensait être deux hommes.

– En tout cas, je suis sûre qu'ils étaient au moins deux, j'ai entendu leurs pas, dit-elle. Il n'est pas impossible qu'ils aient été trois, mais j'en doute. Un seul d'entre eux a parlé. Je soupçonne que l'autre est quelqu'un que je connais, car il est resté en retrait, à l'autre bout de la pièce, comme s'il craignait que je l'identifie d'une manière ou d'une autre.

Celui qui avait pris la parole était un étranger. Elle était certaine de n'avoir jamais entendu sa voix auparavant.

– C'était un Irlandais. Il s'exprimait correctement, mais ce n'était certainement pas un gentleman.

Elle pinça les narines, d'un air de dédain involontaire. Au mot «Irlandais», la main de Jamie sur mon épaule s'était contractée.

– C'est le moins qu'on puisse dire, marmonna-t-il.

Brianna avait, elle aussi, tressailli à l'allusion, mais son visage restait neutre.

L'Irlandais avait formulé ses exigences sur un ton courtois mais ferme. Il voulait l'or.

– L'or?

Cette fois, c'était Duncan qui avait parlé, même si la question avait été sur toutes les lèvres.

– Quel or? demanda-t-il. Nous n'avons rien dans la maison hormis quelques livres sterling et un peu d'argent qui reste de la Proclamation.

Jocasta hésita, mais elle ne pouvait plus reculer. Du fond de la gorge, elle émit un petit bruit, comme si son corps lui-même renâclait de devoir lâcher un secret qu'il était parvenu à garder si longtemps.

– L'or du Français, dit-elle abruptement.

– Quoi? s'exclama Duncan.

Avec prudence, il effleura la bosse derrière son oreille, en ayant l'air de se demander si elle n'avait pas affecté son ouïe.

– L'or de France, répéta Jocasta d'un ton irrité. Celui envoyé juste avant Culloden.

– Avant..., commença Brianna.

Jamie l'interrompit :

– L'or du roi Louis. C'est bien ça, n'est-ce pas, ma tante? L'or destiné aux Stuart?

Jocasta précisa avec une moue cynique :

– L'or «autrefois» destiné aux Stuart.

Elle se tut, tendant l'oreille. Les voix s'étaient éloignées, mais on entendait encore du bruit dans le couloir. Elle se tourna vers Brianna et lui indiqua la porte d'un signe de tête.

– Vérifie que personne n'écoute par le trou de la serrure, ma petite. Je ne me suis pas tue pendant vingt-cinq ans pour l'annoncer à présent à tout le pays.

Brianna entrouvrit brièvement la porte, regarda à l'extérieur, puis la referma, confirmant qu'il n'y avait personne.

– Parfait. Viens ici, ma petite. Assieds-toi à mes côtés. Non, attends... D'abord, va me chercher le coffret que je t'ai montré hier.

Perplexe, Brianna disparut dans l'antichambre, puis revint quelques instants plus tard avec la vieille boîte tapissée de cuir. Elle la déposa sur les genoux de Jocasta, puis s'assit près d'elle sur un tabouret, me regardant vaguement inquiète.

J'avais retrouvé tous mes esprits, même si un faible écho de cette étrange peur résonnait encore dans mes os. J'adressai un sourire rassurant à Brianna et me penchai vers Duncan pour lui faire boire un peu de cognac dilué dans de l'eau. À présent, je comprenais d'où avait surgi cet ancien désarroi. D'une phrase surprise au vol, par hasard, des mots semblables à ceux entendus par une petite fille, bien des années plus tôt, chuchotés par des inconnus dans la pièce d'à côté, des inconnus venus lui annoncer que sa mère ne reviendrait plus. Elle était morte. Un accident. La voiture avait quitté la route. Il y avait eu un incendie. Calcinée. Il n'en restait que les os. « Calcinée… il n'en reste que les os », avait dit une voix, emplissant la petite fille de terreur. L'enfant avait alors compris qu'elle était abandonnée, à jamais. Ma main trembla et le liquide doré coula sur le menton de Duncan.

« Mais c'était il y a si longtemps, dans un autre pays, un autre temps », pensai-je en tentant de résister au raz-de-marée de ma mémoire.

Jocasta vida son propre verre, le reposa lourdement puis ouvrit le coffret sur ses genoux. L'or et les diamants à l'intérieur projetèrent des éclats vifs. Elle sortit le bâtonnet sur lequel étaient enfilées les trois bagues.

– J'ai eu trois filles autrefois. Clementina, Seonag et Morna.

Elle caressa l'une des bagues, un large anneau incrusté de trois gros diamants.

– Une pour chaque enfant. Hector m'a offert celle-ci à la naissance de Morna. C'était sa fille. Morna… tu savais que cela signifiait « aimée » ?

Sa main quitta le coffret et, cherchant devant elle, toucha la joue de Brianna, qui la saisit et la serra entre les siennes. L'autre main caressa doucement les trois bagues une à une.

– J'ai eu une fille de chaque mariage. Clementina était la fille de John Cameron. Je l'ai épousé alors que je n'étais moi-même qu'une enfant. Je l'ai eue à 16 ans. Seonag était celle de Black Hugh. Elle était très brune, comme son père, mais elle avait les yeux de mon frère Colum.

Elle tourna brièvement son regard aveugle vers Jamie, puis pencha de nouveau la tête, ses doigts se refermant sur la bague en diamants.

– Puis j'ai eu Morna, ma petite dernière. Elle est morte à l'âge de 16 ans.

Son visage était sombre, mais les plis de sa bouche s'adoucirent quand elle répéta les prénoms de ses enfants disparues. Clementina, Seonag et Morna.

– Je suis désolée, dit doucement Brianna.

Elle porta la main de sa grand-tante à ses lèvres et baisa ses doigts noueux. Toutefois, Jocasta ne perdit pas le fil de son récit.

– Hector Cameron m'a offert ces diamants, puis il a tué mes filles. Mes enfants, mes petites. Il les a tuées pour l'or du Français.

J'en restai le souffle coupé. Je sentis Jamie se raidir derrière moi et vis les yeux rouges de Duncan s'écarquiller. Brianna, elle, ne changea pas d'expression. Elle ferma les yeux un instant, mais ne lâcha pas la main de la vieille dame.

– Que leur est-il arrivé, ma tante?

Jocasta resta silencieuse un moment. Il n'y avait plus un bruit dans la pièce, hormis le crachotement des chandelles et le sifflement asthmatique à peine perceptible de sa respiration. À ma surprise, lorsqu'elle reprit la parole, elle ne s'adressa plus à Brianna, mais regarda directement vers Jamie.

– Tu es donc au courant au sujet de l'or, *a mhic mo pheathar*?

– J'en avais entendu parler.

Il contourna le lit et vint s'asseoir à mes côtés, se rapprochant de sa tante, avant de poursuivre :

– Depuis Culloden, une rumeur court dans les Highlands. On dit que le roi de France s'était enfin décidé à envoyer de l'or à son cousin pour l'aider à récupérer son trône. L'or aurait bien quitté la France, mais plus personne n'en a jamais vu la couleur.

– Moi si, dit Jocasta.

Sa grande bouche qui ressemblait tant à celle de son neveu s'élargit encore plus, faisant une étrange grimace, puis elle répéta doucement :

– Moi si, je l'ai vu. Trente mille livres en lingots d'or transportées sur un galion français. J'étais là quand ils les ont débarquées sur la plage. Il y avait six petits coffres, chacun si lourd qu'on ne pouvait en mettre plus de deux par chaloupe au risque de la faire couler. Chacun avait une fleur de lys gravée sur son couvercle, avec des coins renforcés en fer et un cadenas cacheté de cire rouge portant les armoiries de la couronne de France.

À ces mots, un soupir collectif parcourut la chambre; nous étions tous impressionnés. Jocasta hocha lentement la tête, son regard tourné vers cette nuit d'un passé lointain où elle voyait encore.

– Où l'a-t-on débarqué, ma tante? demanda Jamie.

– Sur Innismaraich. Un petit îlot au large de Coigach.

Je croisai le regard de Jamie. Innismaraich, l'île des Soyeux, le peuple de la mer. Nous connaissions cet endroit.

– Le trésor fut confié à la garde de trois hommes, poursuivit Jocasta. Hector Cameron était l'un d'eux, mon frère Dougal en était un autre et le troisième… était masqué. Ils l'étaient tous les trois, naturellement. Mais, alors que je connaissais Hector et Dougal, j'ignorais l'identité du troisième, et personne ne prononça jamais son nom. En revanche, je connaissais son valet, un homme appelé Duncan Kerr.

Jamie s'était raidi en entendant le nom de Dougal. Au nom de Duncan Kerr, il resta pétrifié.

– Il y avait aussi des domestiques? demanda-t-il.

– Deux. L'homme masqué était accompagné de Duncan Kerr et mon frère Dougal, d'un homme de Leoch. Son visage m'était familier mais pas son nom. Quant à Hector, c'était moi qui l'assistais. J'étais une fille robuste, comme toi, *a leannan*.

Elle serra la main de Brianna avant de poursuivre :

– Non seulement j'étais costaude, mais Hector avait une confiance totale en moi, comme moi en lui… à cette époque.

Une douce brise passant à travers le carreau cassé de la fenêtre agitait les rideaux, tel un fantôme accourant de très loin après avoir entendu invoquer son nom.

– Chaque couple était venu avec son bateau. Les coffres étaient petits mais si lourds que nous n'étions pas trop de deux pour les porter. Nous en chargeâmes donc deux dans notre embarcation. Ensuite, Hector et moi avons ramé jusqu'à la terre ferme. Dans la nuit, je pouvais entendre les coups de rame des autres barques, mais je ne pouvais les voir.

– Quand cela se passait-il, ma tante? demanda Jamie. Quand l'or est-il arrivé de France?

– Trop tard, hélas! murmura-t-elle. Maudit Louis!

Elle se redressa brusquement sur son siège et répéta dans une exclamation rageuse :

– Ce maudit Français! Que ses yeux pourrissent comme les miens l'ont fait! Quand je pense à tout ce que nous aurions pu accomplir s'il avait été fidèle à son sang et à sa parole!

Le regard de Jamie croisa le mien. Trop tard. Si l'or était arrivé plus tôt, lorsque Charles Édouard avait débarqué à Glenfinnan, ou encore pendant ces quelques semaines où il avait occupé Édimbourg… cela aurait-il changé quelque chose pour nous?

L'ombre d'un sourire triste effleura les lèvres de Jamie. Son regard se posa sur Brianna avant de revenir vers moi, ayant répondu lui-même à la question. Cela aurait tout changé.

– C'était en mars, reprit Jocasta plus calme, par une nuit glacée. Du haut de la falaise, on voyait très loin au large. La lune se reflétait en formant un sillage doré. Le navire a suivi cette voie d'or comme un roi arrivant à son couronnement. J'ai pensé que c'était un bon signe.

Elle se tourna vers Jamie, tordant les lèvres.

– À ce moment précis, j'ai cru l'entendre rire, déclara-t-elle. Brian le brun, celui qui m'avait enlevé ma sœur.

Cela lui aurait ressemblé, mais ce n'était pas lui. Ce devait être les phoques qui aboyaient.

J'observais Jamie pendant qu'elle parlait. Il ne bougea pas, mais les poils roux sur ses avant-bras se dressèrent comme par magie, luisant à la lueur des chandelles.

– J'ignorais que vous aviez connu mon père, dit-il d'une voix tendue. Mais laissons cela de côté pour le moment, ma tante, voulez-vous? Vous disiez que c'était en mars.

Elle hocha la tête.

– Trop tard, répéta-t-elle. Hector l'attendait deux mois plus tôt, mais il y avait eu des retards...

En effet, si l'or était arrivé en janvier, après la victoire de Falkirk, une telle démonstration de soutien de la part de la France aurait sans doute joué un rôle décisif. En revanche, en mars, l'armée des Highlands remontait déjà vers le nord, après avoir échoué à Derby dans sa tentative d'invasion de l'Angleterre. La mince chance de victoire de Charles Édouard Stuart s'était envolée, et ses hommes marchaient droit vers leur perte à Culloden.

Une fois les coffres en sécurité sur la terre ferme, les nouveaux gardiens du trésor s'étaient concertés pour savoir ce qu'il convenait d'en faire. L'armée était en déroute et Charles Édouard avec elle. Édimbourg était retombée aux mains des Anglais. Il n'y avait aucun lieu sûr où l'entreposer, aucun être digne de confiance dans l'entourage des Stuart à qui le confier.

– Ils se méfiaient d'O'Sullivan et des autres conseillers du prince, expliqua Jocasta. Tous des Italiens, des Irlandais... Dougal déclara qu'il ne s'était pas donné autant de mal pour voir l'or gaspillé ou volé par des étrangers.

Avec un sourire cynique, elle ajouta :

– Il tenait surtout à ce que personne n'oublie qu'il avait aidé à le récupérer.

Entre les trois gardiens, la confiance mutuelle n'était guère plus prononcée. Ils avaient passé la nuit à se disputer dans l'austère petit salon à l'étage d'une sinistre taverne, pendant que Jocasta et les deux valets dormaient à même le sol entre les coffres cachetés. Finalement, l'or avait été divisé. Chaque homme emporta deux coffres, jurant sur sa tête et celle de sa descendance de garder le secret et de veiller fidèlement sur sa partie du trésor au nom de son véritable propriétaire, le roi Jacques Stuart.

– Ils ont également fait jurer leurs valets de garder le silence, poursuivit Jocasta. Ils leur ont entaillé la main, faisant couler des gouttes de sang plus rouges que la cire des sceaux.

– Et vous, ma tante, avez-vous prêté serment? demanda Brianna.

– Non, pas moi. En tant qu'épouse d'Hector, j'étais liée par sa parole. À cette époque.

Mal à l'aise d'être en possession d'une telle fortune, les conspirateurs avaient quitté la taverne avant l'aube, cachant le butin sous des couvertures et des hardes.

– Deux voyageurs arrivèrent au moment où nous finissions de charger la cargaison. Leur présence a sans doute sauvé la vie du tavernier, car nous étions dans un endroit isolé, et il avait été le seul témoin de notre présence cette nuit-là. Je ne pense pas qu'Hector ou Dougal auraient songé à le supprimer, mais le troisième homme en avait clairement eu l'intention. Je l'ai lu dans ses yeux, dans la manière dont il se tenait, ramassé sur lui-même au pied de l'escalier, la main sur son coutelas. Il m'a surprise en train de l'observer et il m'a souri sous son masque.

– Il ne l'a jamais ôté, ce masque? demanda Jamie.

Le front plissé et les sourcils rapprochés, il se concentrait, comme si, en essayant de reconstituer la scène dans son esprit, il parviendrait à identifier le mystérieux troisième gardien.

– Non, répondit Jocasta. Après cette nuit-là, je me suis demandé si je le reconnaîtrais en le revoyant. J'avais l'impression que oui. Il était brun et mince, mais il y avait en lui la puissance d'une lame en acier. Si j'avais revu ses yeux à l'époque, alors que je voyais encore, je l'aurais sûrement reconnu, mais aujourd'hui... Saurai-je l'identifier uniquement à sa voix? Je ne sais pas, cela fait si longtemps.

Duncan, encore pâle et moite, se redressa sur un coude.

– Mais ce n'était pas un Irlandais, n'est-ce pas?

Jocasta sursauta. Elle semblait avoir oublié sa présence.

– Hein? Ah, non, *a dhuine*. À son accent, c'était indubitablement un Écossais et un gentilhomme.

Duncan et Jamie échangèrent un regard.

– Un MacKenzie ou un Cameron? demanda doucement Duncan.

Jamie opina du chef.

– Ou un des Grant, peut-être.

Je compris où ils voulaient en venir. Les clans de Highlanders étaient – ou avaient été – unis ou opposés par un réseau vertigineux d'associations et de querelles. Beaucoup n'auraient pas voulu – ou pas pu – coopérer à une mission aussi importante et secrète.

Colum MacKenzie avait négocié une alliance étroite avec les Cameron. De fait, Jocasta elle-même avait fait partie de ce pacte, son mariage avec Hector en constituant le symbole et la garantie. Or, si Dougal McKenzie avait été l'un des organisateurs de la réception de l'or de France et Hector Cameron un autre, il y avait de fortes chances que le troisième appartienne au clan de l'un ou de l'autre, ou encore d'un autre clan ami des deux premiers. MacKenzie, Cameron... ou Grant. Le fait que Jocasta ne l'ait pas reconnu faisait pencher la balance vers un Grant, car elle aurait immédiatement identifié un des membres importants des clans MacKenzie ou Cameron.

Toutefois, ce n'était pas le moment d'entrer dans ces détails. Son histoire n'était pas terminée.

Les conspirateurs s'étaient ensuite séparés, partant chacun de son côté avec un tiers de l'or français. Jocasta ignorait ce que Dougal et le troisième homme avaient fait de leurs coffres. Hector Cameron avait caché les siens sous le plancher de leur chambre, dans une vieille cachette construite par son père pour y entreposer des objets précieux.

Son intention initiale avait été de les garder là jusqu'à ce que le Prince parvienne en lieu sûr. Il serait alors en mesure de réceptionner le trésor et de l'utiliser pour la reconquête de son trône. Mais Charles Édouard était en fuite et ne devait pas trouver de terre d'accueil avant de nombreux mois. Avant qu'il ne puisse trouver un refuge, le désastre s'était abattu sur nous tous.

– Hector nous laissa à la maison, l'or et moi, et partit rejoindre le prince et l'armée. Le 17 avril, je le vis rentrer dans la cour au grand galop au coucher du soleil. Il sauta à terre, tendit les rênes de sa monture en nage à un palefrenier et se précipita dans la maison. Il me demanda de préparer tous nos objets de valeur. La Cause était perdue. Nous devions fuir, ou périr avec les Stuart.

Cameron était déjà riche à l'époque, et suffisamment prévoyant pour ne pas avoir donné sa voiture et son attelage à la cause des Stuart. Assez malin aussi pour ne pas tenter d'emporter les coffres avec lui.

– Il sortit trois lingots d'un des coffres et me les confia. Je les cachai sous le siège de notre voiture. Ensuite, le palefrenier et lui partirent cacher les autres dans la forêt. Je n'ai pas vu où ils les ont enterrés.

Vers midi, le 18 avril, Hector Cameron grimpa dans sa berline avec sa femme, leur fille Morna, le palefrenier et trois lingots d'or provenant du trésor du Français. Ils mirent le cap vers Édimbourg, voyageant au grand galop.

– Seonag était mariée au maître de Garth, qui s'était rangé très tôt dans le camp des Stuart. Il est mort à Culloden, mais, naturellement, nous ne le savions pas encore. Clementina était déjà veuve et vivait chez sa sœur à Rovo.

Tout en frissonnant, elle prit une grande inspiration. Elle ne voulait pas revivre ces événements, mais elle était incapable de s'en empêcher.

– Je suppliai Hector de passer par Rovo. Cela ne représentait qu'un détour d'une quinzaine de kilomètres, quelques heures de route supplémentaires, tout au plus. Il n'a rien voulu entendre. Il a déclaré que c'était impossible. Qu'aller les chercher pour les emmener avec nous était trop risqué. Clementina avait deux enfants; Seonag, un. Il n'y avait pas assez de place dans la berline. Cela ne ferait que nous ralentir. Je lui dis que nous n'étions pas forcés de les prendre avec nous, que nous devions les prévenir, les voir une dernière fois.

Elle marqua une pause avant de reprendre :

– Je savais où nous allions. Nous en avions déjà parlé, mais j'ignorais jusque-là qu'il avait déjà tout préparé au cas où.

Hector Cameron avait beau être jacobite, il n'en gardait pas moins les pieds sur terre. Connaissant la vie, il n'était pas du genre à gâcher la sienne pour une cause perdue. Voyant que les choses risquaient de mal tourner et craignant la débâcle, il avait prévu une sortie de secours. Il avait discrètement mis de côté des sacs de vêtements et d'affaires personnelles, vendu des propriétés afin de disposer de liquidités, puis réservé en secret trois places sur un navire reliant Édimbourg aux colonies.

Jocasta était assise le dos droit, la lueur des chandelles faisant briller ses cheveux blancs.

– Parfois, je me dis que je ne peux pas le lui reprocher. Il a pensé que Seonag refuserait de partir sans son mari et que Clementina n'aurait pas voulu risquer la vie de ses enfants dans une aussi longue traversée. Peut-être avait-il raison. Et peut-être que les prévenir n'aurait rien changé. Mais j'aurais tant voulu les revoir une dernière fois…

Elle ferma les lèvres et déglutit.

Quoi qu'il en soit, Hector avait refusé de s'arrêter, craignant d'être poursuivi. Les troupes du duc de Cumberland avaient convergé vers Culloden, mais il restait de nombreux soldats anglais sur les routes. Les rumeurs annonçant la défaite de Charles Édouard avaient commencé à se propager comme des remous dans l'eau, de plus en plus vite, entraînant les esprits dans un dangereux tourbillon.

De fait, les Cameron furent découverts, deux jours plus tard, près d'Ochtertyre.

– Notre voiture avait perdu une roue, dit Jocasta avec un soupir. Seigneur! Je la revois encore, tournoyant sur elle-même au bord de la route. L'essieu était cassé et nous n'avions d'autre choix que de camper sur place pendant qu'Hector et le palefrenier s'efforçaient de le réparer.

Cela leur avait pris presque la journée. Hector était devenu de plus en plus nerveux à mesure que le temps passait, son anxiété contaminant les autres.

– J'ignorais ce qu'il avait vu à Culloden. Il savait très bien que, si les Anglais le capturaient, c'en était fini de lui. S'ils ne le tuaient pas sur place, ils le pendraient pour trahison. Il transpirait à grosses gouttes, mais ce n'était pas uniquement dû à ses efforts physiques. Même ainsi…

Elle se mordit les lèvres un instant avant de poursuivre :

– Nous étions au printemps et le soleil se couchait tôt. Le soir était presque tombé quand ils ont enfin pu remettre la roue en place. Tout le monde est remonté en voiture. L'accident avait eu lieu dans le creux d'un vallon. Le palefrenier a éperonné les chevaux pour leur faire grimper la côte. Quand nous sommes arrivés au sommet, deux hommes armés de mousquet se sont avancés sur la route devant nous.

C'était une compagnie de soldats anglais, des hommes de Cumberland. Étant arrivés trop tard pour la bataille de Culloden, ils étaient exaltés par leur victoire et frustrés de ne pas y avoir participé. Ils avaient d'autant plus envie de se venger sur des Highlanders en fuite.

L'esprit toujours vif, Hector s'était recroquevillé dans un coin de la voiture en les voyant. Il se jeta un châle sur la tête, qu'il garda baissée, espérant ainsi se faire passer pour une grand-mère endormie. Suivant les instructions qu'il lui chuchotait, Jocasta se pencha à la fenêtre, s'apprêtant à jouer le rôle d'une dame respectable voyageant avec sa fille et sa mère.

Les soldats ne lui avaient pas laissé le temps de s'expliquer. Ouvrant la portière, ils l'avaient brutalement extirpée de la voiture. Morna, paniquée, avait bondi derrière elle, tentant de libérer sa mère. Un autre homme avait saisi l'enfant et l'avait retenue, se tenant entre Jocasta et la berline.

– Ils s'apprêtaient à faire sortir « grand-mère » à son tour. Ils auraient alors trouvé l'or et nous aurions tous été perdus.

Un coup de feu les avait tous figés. Se penchant par la portière ouverte, Hector avait tiré sur le soldat qui tenait sa fille. Mais la lumière était faible, ou peut-être étaient-ce les chevaux qui avaient bougé. Le coup atteignit Morna en pleine tête.

– J'ai couru vers elle, expliqua Jocasta d'une voix rauque. Je me suis précipitée, mais Hector a bondi hors de la voiture et m'a interceptée. Les soldats étaient stupéfaits et observaient la scène, encore sous le choc. Il m'a poussée à l'intérieur et a hurlé au palefrenier de démarrer, de décamper au plus vite !

Elle passa la langue sur les lèvres.

– Il m'a dit : « Elle est morte, il n'y a plus rien à faire. » Il me l'a dit encore et encore, me tenant fermement afin que, de désespoir, je ne me jette pas hors de la voiture.

Elle retira lentement sa main de celle de Brianna. Elle avait eu besoin de soutien pour commencer son histoire, mais ce n'était plus nécessaire. Elle serra les poings, les enfouissant dans les replis de sa chemise de nuit comme pour faire cesser les saignements de son ventre desséché.

– Entre-temps, la nuit était tombée, dit-elle d'une voix détachée et lointaine. J'ai aperçu la lueur des feux dans le ciel, en direction du nord.

Les troupes de Cumberland se répandaient partout, pillant et incendiant. Elles atteignirent Rovo, où Clementina et Seonag se trouvaient avec leurs familles, et mirent le feu au manoir. Jocasta ne sut jamais s'ils étaient tous morts dans l'incendie, ou plus tard, de faim et de froid dans le printemps glacial des Highlands.

– Ainsi donc, Hector a sauvé sa peau, et la mienne, qui ne valait plus grand-chose. Ainsi que l'or, naturellement.

Ses doigts cherchèrent de nouveau la bague et la tournèrent lentement autour de son bâtonnet, les diamants projetant leurs feux dans la lumière de la lampe.

– Je vois, murmura Jamie.

Il scrutait son visage. Il me parut soudain injuste qu'il la dévisage ainsi, semblant presque la juger, sans qu'elle puisse lui retourner son regard, ni même savoir qu'il l'observait. Je le touchai et il se tourna un instant vers moi, puis il prit ma main et la serra fort.

Jocasta reposa les bagues et se leva, soudain agitée à présent que la partie la plus difficile de son récit était terminée. Elle se rapprocha de la banquette sous la fenêtre, s'y agenouilla et écarta les rideaux. Elle se déplaçait avec une telle aisance qu'on avait du mal à la croire aveugle. D'un autre côté, c'était sa chambre, son antre. Le moindre objet y avait sa place précise, afin qu'elle puisse trouver son chemin. Elle posa les mains à plat contre la vitre et la nuit au-dehors, une brume blanche de condensation s'enroulant autour de ses doigts comme des flammes de glace.

– Hector a acheté cet endroit avec l'or que nous avions apporté. La terre, la scierie, les esclaves. Je dois reconnaître que son travail acharné a fait de la plantation ce qu'elle est aujourd'hui, mais c'est grâce à l'or que nous avons pu nous y installer.

– Et son serment? demanda Jamie.

Elle émit un petit rire cynique.

– Quel serment? Hector était un homme pratique. Les Stuart étaient finis. Quel besoin avaient-ils de tout cet or en Italie?

– Pratique, répétai-je malgré moi.

Je n'avais pas voulu parler, mais il m'avait semblé surprendre quelque chose de bizarre dans le ton de sa voix. De fait, elle se retourna vers nous en m'entendant. Elle souriait, mais un frisson me parcourut l'échine en voyant son expression.

– Oui, pratique, insista-t-elle. Mes filles étaient mortes. Il ne voyait aucune raison de perdre son temps à les pleurer. Il ne parlait jamais d'elles et ne tolérait pas que j'y fasse allusion. Autrefois, il avait été un homme de valeur. Il était déterminé à le redevenir, mais il savait que ce ne serait pas si facile ici… si les gens savaient.

Elle expira entre ses dents, trahissant sa colère rentrée.

– Je peux affirmer que personne dans ce pays n'a jamais su que j'avais été mère autrefois.

– Vous l'êtes toujours, dit doucement Brianna.

Elle me lança un bref regard et ses yeux bleus croisèrent les miens. Je m'efforçai de lui sourire tout en sentant les larmes me brûler les yeux. Elle savait de quoi elle parlait, tout comme moi.

Jocasta le savait, elle aussi. Ses traits se détendirent un instant, la fureur et le désespoir cédant la place à la nostalgie. Elle revint lentement vers le tabouret sur lequel Brianna était assise et posa sa main libre sur la tête de sa petite nièce.

– Oui, *a leannan*. Tu sais ce que je veux dire. Tu comprends maintenant pourquoi je tiens à léguer cet endroit, à toi et à ta descendance.

Jamie toussota, puis, intervenant avant que Brianna n'ait eu le temps de répondre, demanda sur un ton détaché :

– C'est ça que vous avez expliqué à l'Irlandais, ce soir? Pas toute l'histoire, bien sûr, mais que l'or n'est pas ici?

Jocasta retira sa main et se tourna vers lui.

– Oui, c'est ce que je leur ai dit, ou que je lui ai dit. Pour autant que je sache, ces coffres sont encore enterrés quelque part dans une forêt d'Écosse. Libre à lui de s'armer d'une pelle et d'aller creuser, si ça lui chante.

– Il vous a cru?

Elle secoua la tête.

– Comme je te l'ai dit, ce n'était pas un gentleman. Je ne connaissais pas exactement ses intentions. J'étais assise près du lit. Je garde toujours un petit couteau sous mon oreiller. Je n'allais pas le laisser me menacer sans réagir. Toutefois, avant que j'aie pu attraper l'arme, j'ai entendu des pas dans le boudoir.

Elle agita une main vers la porte, près de la cheminée. Son boudoir se trouvait de l'autre côté, formant une sorte de sas entre sa chambre et une autre, qui avait autrefois été celle d'Hector et qui était probablement devenue désormais celle de Duncan.

Les intrus avaient aussi entendu le bruit. L'Irlandais chuchota quelque chose à son acolyte, puis il s'écarta de Jocasta pour se rapprocher de l'âtre. L'autre vint alors se placer derrière elle et lui plaqua une main sur la bouche.

– Tout ce que je peux vous dire, c'est qu'il portait une casquette enfoncée jusqu'aux oreilles et qu'il empestait l'alcool, ajouta Jocasta avec une grimace de dégoût. Au point qu'il semblait s'en être aspergé.

La porte s'était ouverte, Duncan était entré, l'Irlandais avait bondi par-derrière et l'avait assommé.

– Je ne me souviens de rien, déclara Duncan. Je suis venu souhaiter bonne nuit à… ma femme. Je me rappelle avoir posé la main sur la poignée de la porte, puis je me suis réveillé, étendu ici, avec le crâne fendu en deux.

Il effleura prudemment sa bosse tout en examinant Jocasta d'un air inquiet.

– Et toi, *mo chridhe*? Comment te sens-tu? Ces gueux ne t'ont pas malmenée, au moins?

Il tendait la main vers elle, mais elle ne pouvait le voir. Il tenta alors de se redresser, puis retomba en gémissant. Elle se leva et se précipita vers le lit, tâtonnant jusqu'à ce qu'elle trouve sa main.

– Tout va bien, je n'ai rien eu, mis à part l'angoisse de croire que j'étais sur le point d'être veuve pour la quatrième fois.

Tracassée, elle soupira et s'assit à ses côtés sur le bord du lit, écartant une mèche de cheveux qui retombait devant son visage.

– Je ne savais pas ce qu'il t'avait fait. J'ai juste entendu un bruit sourd et un cri affreux quand tu t'es effondré. Puis l'Irlandais est revenu vers moi, et l'individu qui me tenait m'a lâchée.

Sur un ton aimable, l'Irlandais l'avait informée qu'il ne croyait pas un instant à son histoire. Il était convaincu que le trésor était ici, à River Run, et s'il ne pouvait se résoudre à lever la main sur une dame, il n'aurait pas ce genre de scrupule envers son mari.

– Si je ne lui disais pas où était l'or, son associé et lui découperaient Duncan en morceaux, en commençant par les orteils, puis en remontant vers ses bourses.

Duncan, qui n'avait déjà pas très bonne mine, blêmit davantage. Jamie le regarda brièvement, puis détourna les yeux et s'éclaircit la gorge.

– Vous étiez convaincue qu'ils le feraient? demanda-t-il.

– Ils avaient un couteau bien affûté. Il a glissé la lame sur ma paume pour me le prouver.

Elle ouvrit une main, nous montrant une fine ligne de sang séché. Puis elle haussa les épaules

– C'eut été dommage de les laisser faire. J'ai d'abord fait mine de ne pas être impressionnée, mais l'Irlandais est allé soulever un des pieds de Duncan. Alors j'ai pleuré et tempêté, espérant attirer l'attention de quelqu'un, mais ces maudits esclaves étaient tous partis se coucher, et je suppose que mes invités étaient trop occupés à siffler mon whisky ou à forniquer dans mon parc ou mes écuries pour m'entendre.

À cette dernière remarque, le visage de Brianna vira soudain au rouge vif. Jamie s'en aperçut lui aussi et toussota, évitant de croiser mon regard.

– Humm... oui et ensuite?

Un court instant, un air de satisfaction illumina les traits de Jocasta.

– Je leur ai dit que l'or était caché sous le plancher de la remise, près du potager. J'ai pensé que de tomber nez à nez avec un cadavre les refroidirait un moment. Le temps qu'ils trouvent le courage de creuser, j'aurais pu alors me libérer et donner l'alerte. Ce qui s'est passé.

Ils l'avaient bâillonnée et ligotée en hâte avant de filer à la remise, la menaçant de revenir et de mettre leurs menaces à exécution, s'ils découvraient qu'elle leur avait menti. Toutefois, dans leur précipitation, ils avaient raté leur bâillon. Elle était rapidement parvenue à s'en débarrasser et à briser un carreau pour appeler à l'aide.

– À mon avis, quand ils ont ouvert la porte de la remise et ont vu le corps, le choc a été tel qu'ils en ont lâché leur lanterne, ce qui a déclenché l'incendie. Dommage pour la remise, mais ce n'est qu'un petit prix à payer. J'espère seulement qu'ils ont brûlé avec !

Duncan, à peine rétabli et encore un peu grisâtre, suggéra :

– Tu ne penses pas qu'ils auraient pu mettre le feu exprès ? Pour cacher la terre retournée par leurs pelles ?

Jocasta fit non de la tête.

– Pourquoi faire ? Ils pouvaient bien creuser jusqu'en Chine, il n'y avait rien à trouver.

Elle commençait à se détendre un peu. Son visage retrouvait son teint normal, même si ses larges épaules s'affaissaient sous la fatigue.

Le silence retomba dans la chambre, me faisant prendre conscience de bruits au rez-de-chaussée depuis quelques minutes. Des voix mâles et des pas. Les hommes partis à la recherche des bandits étaient de retour et, à leurs tons las et éteints, il était évident qu'ils rentraient bredouilles.

La chandelle sur la table s'était presque consumée. Une autre sur le manteau de la cheminée cracha sa dernière lueur, puis elle mourut dans une volute finale de fumée parfumée à la cire d'abeille. Jamie regarda machinalement par la fenêtre. Il faisait encore nuit, mais la nature du ciel avait changé. L'aube n'était plus très loin.

Les rideaux remuèrent doucement, un courant d'air frisquet se répandant dans la pièce et soufflant encore une bougie. Cette seconde nuit blanche commençait à se faire sentir. J'étais glacée, engourdie et désincarnée. Les diverses horreurs que j'avais vues et entendues fusionnaient comme un rêve dans mon esprit. Seule une forte odeur de brûlé me prouvait encore qu'elles avaient bien eu lieu.

Il ne semblait plus rien y avoir à dire ou à faire. Ulysse revint, se glissant discrètement dans la chambre avec un chandelier et un plateau sur lequel il avait posé une bouteille de cognac et plusieurs verres. Le major MacDonald refit une brève apparition pour nous confirmer que les hommes n'avaient trouvé aucun signe des mécréants. J'examinai brièvement Duncan et Jocasta une dernière fois, puis laissai Brianna et Ulysse les aider à se coucher.

Jamie et moi redescendîmes l'escalier en silence. Sur la dernière marche, je me tournai vers lui. Il était livide de fatigue, ses trais tirés et durs comme sculptés dans le marbre. Ses cheveux et sa barbe naissante formaient une tache noire dans la faible lumière.

– Ils vont revenir, n'est-ce pas? demandai-je doucement.

Il hocha la tête, puis, me prenant par le bras, m'entraîna vers l'escalier de service.

54

Face à face, avec brioche

Si tôt dans l'année, la cuisine au sous-sol de la maison était encore utilisée, celle d'été dans les dépendances étant réservée aux préparations les plus salissantes et malodorantes. Réveillés par le remue-ménage, les esclaves étaient tous debout et au travail, même si plusieurs d'entre eux semblaient prêts à se rouler en boule dans un coin et à finir leur nuit à la moindre occasion. En revanche, la cuisinière en chef avait les yeux bien ouverts, et il était clair que personne sous ses ordres ne pouvait espérer rattraper le sommeil perdu.

La pièce était bien chauffée et accueillante, la lueur du grand feu de cheminée teintant ses murs de rouge, du bouillon, du pain chaud et du café remplissant l'air d'odeurs réconfortantes. Je pensais que l'endroit était idéal pour faire une petite pause et récupérer avant de monter se coucher, mais, apparemment, Jamie avait d'autres projets.

Il s'arrêta un instant pour discuter avec la cuisinière, juste le temps d'échanger quelques politesses et de lui soutirer une brioche à peine sortie du four, saupoudrée de cannelle et fleurant bon le beurre frais, ainsi qu'une cruche fermée remplie de café chaud. Puis il prit congé, me cueillant au passage sur le tabouret où je m'étais effondrée, et nous repartîmes, une fois de plus, dans le vent frisquet de la nuit.

Lorsqu'il s'engagea dans l'allée en briques qui menait aux écuries, j'eus une étrange sensation de déjà-vu. La lumière était exactement la même que vingt-quatre heures plus tôt, des têtes d'épingle lumineuses identiques s'éteignant peu à peu dans le ciel bleu-gris. La même brise printanière soulevait ma cape et picotait mon visage.

Mais, cette fois, nous marchions dignement côte à côte, et les souvenirs lubriques de la nuit précédente étaient nettement étouffés par les odeurs troublantes de sang et de matières calcinées. À chaque pas, j'avais l'impression de pousser les portes battantes d'un hôpital, d'être presque engloutie par les effluves de produits chimiques dans le bourdonnement des néons.

– C'est le manque de sommeil, méditai-je à voix haute.

Jamie se secoua pour se réveiller, s'ébrouant tel un chien sortant de l'eau. Puis il me prit le bras, comme s'il craignait que je tombe littéralement de fatigue la tête la première.

– Ce n'est pas encore le moment de dormir, *Sassenach*. Nous avons une ou deux petites choses à faire avant.

Je n'étais pas sur le point de tourner de l'œil. J'avais simplement voulu dire que le manque de sommeil me faisait l'effet vaguement hallucinatoire d'être de retour dans un hôpital. Pendant des années, en tant qu'infirmière, mère puis interne, j'y avais passé de longues nuits blanches, apprenant à fonctionner – avec efficacité – malgré un total épuisement.

Cette même sensation m'envahissait à présent, me plongeant dans un état artificiel de vigilance. Je me sentais toute racornie, comme si je n'habitais plus que le centre de mon corps, isolée du reste du monde par une épaisse enveloppe de peau inerte. Parallèlement, le moindre détail de mon environnement me paraissait d'une netteté irréelle, depuis le fumet délicieux de la brioche que transportait Jamie et du bruissement de sa cape, jusqu'au chant d'un homme, au loin, dans les quartiers des esclaves et aux tiges naissantes des joncs, dans les massifs qui bordaient l'allée.

Cette impression lucide de détachement m'accompagna jusqu'aux écuries. « Une ou deux petites choses à faire » avait-il dit. Je doutais qu'il veuille répéter notre performance de l'autre soir. D'un autre côté, s'il avait en tête une forme de débauche moins athlétique, impliquant la brioche et le café, je ne voyais pas pourquoi elle devait se dérouler dans les écuries plutôt que dans un des salons.

La porte latérale n'était pas verrouillée. Il la poussa et les odeurs chaudes du foin et des animaux endormis nous enveloppèrent.

– Qui est là ? demanda doucement une voix grave.

Roger, bien sûr ! Voilà pourquoi il n'était pas avec nous dans la chambre de Jocasta.

– Fraser, répondit Jamie sur le même ton.

Il m'attira à l'intérieur et referma la porte derrière nous.

Enveloppé dans une cape, Roger se tenait dans la lueur pâle d'une lanterne, près de la dernière rangée des logettes. Quand il se tourna vers nous, la lumière forma un halo rouge autour de ses cheveux noirs. Jamie lui tendit le pot de café.

– Tiens, *a Smeòraich.*

Les pans du vêtement de Roger s'écartèrent en attrapant le récipient et, de son autre main, je le vis ranger un pistolet sous sa ceinture. Sans commentaire, il déboucha la cruche et la porta à ses lèvres. Il but en plissant des yeux, le visage empreint de béatitude. Il soupira d'aise, expirant de l'air chaud.

– Je n'avais rien bu d'aussi bon depuis des mois ! déclara-t-il.

Avec un léger sourire, Jamie lui reprit la cruche et lui tendit la brioche emballée dans du papier gras, tout en demandant :

– Alors, comment se comporte-t-il ?

– Il a été bruyant au début, mais il s'est calmé depuis. Je crois qu'il s'est endormi.

Tout en déballant son repas, Roger indiqua un box d'un signe de tête. Jamie décrocha la lanterne de son clou et la brandit haut au-dessus de la porte. Regardant sous son bras, j'aperçus une silhouette recroquevillée dans la paille.

– Monsieur Wylie? appela Jamie. Vous dormez?

La forme remua dans un bruissement sec.

– Non, monsieur, répondit une voix acerbe.

La silhouette se déplia lentement et Phillip Wylie se leva, époussetant ses vêtements.

Je l'avais déjà vu plus à son avantage. Il manquait plusieurs boutons à son gilet et la couture d'une manche de sa veste était déchirée. Les deux jambes de ses culottes pendaient mollement, les boucles ayant été arrachées. Ses bas retombaient tristement sur ses chevilles, découvrant des mollets velus. Il avait reçu un coup sur le nez : un petit filet de sang avait séché au-dessus de sa lèvre supérieure et une autre tache sombre ornait la soie brodée de son gilet.

En dépit du laisser-aller de sa tenue, il n'avait rien perdu de son arrogance.

– Vous allez devoir répondre de vos actes, monsieur Fraser, soyez-en sûr!

– J'y compte bien, monsieur Wylie, répondit Jamie, imperturbable. Mais avant, c'est à vous de répondre à quelques questions.

Il souleva le loquet du box et ouvrit la porte.

– Sortez de là.

Wylie hésita, ne voulant pas rester enfermé mais rechignant à obéir à Jamie. Je vis ses narines frémir. Il avait dû sentir l'odeur du café. Cela sembla le décider et il se résolut à sortir enfin. Il passa devant moi, les yeux fixés en avant de lui, comme s'il ne m'avait pas vue.

Roger avait rapproché deux tabourets et un seau retourné. Je repoussai modestement ce dernier dans l'ombre et m'assis dessus, pendant que Jamie et Wylie prenaient place, face à face, juste assez proches l'un de l'autre pour pouvoir se sauter à la gorge. Roger se retira à l'écart lui aussi, s'installant près de moi avec sa brioche, l'air intéressé.

Wylie accepta la cruche de café d'un geste raide. Quelques grandes gorgées semblèrent lui redonner tout son aplomb. Il l'abaissa enfin avec une grande inspiration sonore, les traits plus détendus.

– Merci, monsieur.

Il rendit la cruche à Jamie avec une courbette, puis il s'assit le dos droit sur le tabouret. Il rajusta sa perruque qui avait miraculeusement survécu aux aventures de la nuit, bien qu'ayant visiblement souffert, puis déclara :

– Bien. Maintenant, puis-je connaître le motif de ses manières inqualifiables?

– Mais, certainement, monsieur, répondit Jamie sur le même ton. Je souhaite découvrir la nature de vos relations avec un certain Stephen Bonnet et tout ce que vous savez de cet individu.

Wylie le dévisagea sans comprendre, d'un air presque comique.

– Qui?

– Stephen Bonnet.

Wylie allait se tourner vers moi pour obtenir des éclaircissements, mais se souvenant de sa décision de m'ignorer, il se redressa en fronçant les sourcils.

– Je ne connais pas ce monsieur, monsieur Fraser, et ne pourrais donc en aucun cas entretenir de relations avec lui. Cela étant, quand bien même je le connaîtrais, je ne vois pas pourquoi je vous en informerais.

Jamie but une gorgée de café, puis il me tendit la cruche avant de reprendre :

– Ah non? Que faites-vous donc des obligations d'un invité auprès de ses hôtes, monsieur?

– Que voulez-vous dire, monsieur?

– Dois-je comprendre que vous ignorez que Mme Innes et son mari ont été victimes, cette nuit, d'une agression et d'une tentative de vol?

Wylie en resta bouche bée. Si sa surprise était feinte, c'était un très bon acteur. Mais d'après ce que j'avais pu en juger jusqu'à présent, il n'était pas franchement doué pour la comédie.

– Je l'ignorais. Qui...

Une pensée traversa son esprit et sa stupéfaction s'évanouit pour céder le pas à un regain d'indignation. Ses yeux saillirent légèrement.

– Comment? Vous me croyez mêlé à ce... à ce...

– Cet acte infâme? proposa Roger.

Celui-ci avait dû s'ennuyer ferme dans son rôle de geôlier. Visiblement, à présent, il s'amusait. Il tendit à Wylie un morceau de brioche.

– Oui, en effet, nous le croyons. Un peu de brioche, monsieur?

Wylie le dévisagea un instant, interdit, puis repoussa violemment la main tendue, faisant voler le morceau de brioche. Se tournant vers Jamie, il s'écria :

– Comment osez-vous, canaille! Vous insinuez que je suis un voleur?

Jamie se pencha doucement en arrière sur son tabouret, le menton haut levé.

– Parfaitement. Vous avez bien essayé de me voler ma femme sous mon nez, pourquoi vous comporteriez-vous autrement avec les biens de ma tante?

Le visage de Wylie devint d'un cramoisi violacé peu seyant. S'il n'avait pas porté une perruque, nous aurions sûrement vu ses cheveux se dresser sur sa tête.

– Vous n'êtes qu'un... qu'un... salaud!

Il se rua sur Jamie. Les deux hommes roulèrent à terre dans un enchevêtrement de bras et de jambes.

Je bondis en arrière. Roger voulut intervenir, mais je le retins par un pan de sa cape.

Jamie avait l'avantage de la taille, mais Wylie, outre le fait d'avoir la moitié de son âge, n'était pas non plus un novice dans l'art du corps à corps. Sans compter qu'il était animé par une fureur aveugle. Mais il m'aurait suffi de patienter un peu et Jamie l'aurait maîtrisé. Toutefois, je n'étais plus d'humeur à attendre.

Monstrueusement irritée par l'un comme par l'autre, j'avançai d'un pas et retournai la cruche au-dessus de la mêlée. Le café n'était pas bouillant mais suffisamment chaud. À l'unisson, ils poussèrent un cri de surprise, puis ils roulèrent, chacun de son côté, se redressèrent à quatre pattes et s'ébrouèrent. Je crus entendre Roger rire derrière moi, mais quand je fis volte-face, il afficha aussitôt un air grave et inspiré. Il m'observa, surpris, et enfourna un nouveau morceau de brioche.

Entre-temps, Jamie et Wylie s'étaient relevés, tous deux trempés de café et semblant prêts à reprendre la procédure, là où je l'avais interrompue. Je me plaçai entre eux et tapai du pied.

– Ça suffit comme ça ! J'en ai assez !

– Pas moi ! s'écria Wylie. Il a sali mon honneur et j'exige répa…

– Votre honneur, vous pouvez vous le mettre là où je pense !

Voyant que Jamie s'apprêtait à lancer une déclaration aussi incendiaire, je l'arrêtai net dans son élan :

– Toi aussi !

Sans le quitter des yeux, je frappai avec mon soulier l'un des tabourets renversés en tonnant :

– Assis !

Éloignant sa chemise trempée de son torse, il redressa le tabouret et s'y assit, drapé dans une immense dignité.

Wylie, moins enclin à me prêter attention, poursuivit ses péroraisons au sujet de son honneur. Je lui envoyai un coup dans le tibia avec ma solide bottine. Il poussa un cri aigu et sautilla sur une jambe tout en tenant l'autre. Les chevaux, complètement réveillés par le boucan, trépignaient et piaffaient dans leurs boxes. L'air était rempli de brins de paille en suspens.

Jamie me lança un regard méfiant, puis déclara à Wylie :

– J'étais vous, j'éviterais de la contrarier. Quand elle est en colère, elle peut être dangereuse.

Wylie me fixa d'un œil mauvais, mais une lueur d'incertitude traversa son regard, que ce soit à cause de la cruche de café que je tenais toujours par le goulot comme une matraque, ou parce qu'il me revoyait quelques heures plus tôt, en pleine autopsie de Betty. Il ravala non sans effort les mots qu'il s'apprêtait à prononcer, puis s'assit lentement sur l'autre tabouret. Il sortit un mouchoir de la poche de son gilet et épongea le filet de sang qui coulait d'une entaille à l'arcade sourcilière. Avec une politesse exquise, il demanda à Jamie :

– Si cela ne vous ennuie pas, j'aimerais savoir de quoi il retourne au juste.

Il avait perdu sa perruque dans la bagarre. Elle gisait sur le sol dans une flaque de café. Jamie se pencha et la souleva délicatement, comme un animal mort. De son autre main, il essuya une traînée de boue sur sa mâchoire, puis tendit la perruque dégoulinante à son propriétaire en déclarant :

– Nous voici donc au même point, monsieur.

Avec un hochement sec de la tête, Wylie prit sa perruque et la déposa sur ses genoux, ne prêtant pas attention au liquide qui tachait ses culottes. Sceptiques, les deux hommes se tournèrent vers moi avec la même impatience. Apparemment, j'avais été nommée maîtresse de cérémonie.

– Il s'agit de vol, de meurtre et de Dieu seul sait quoi d'autre, dis-je d'un ton décidé. Nous sommes fermement déterminés à élucider cette affaire.

– De meurtre? s'exclamèrent Wylie et Roger à l'unisson.

– Qui a été assassiné? demanda Wylie.

– Une esclave, répondit Jamie. Ma femme soupçonnait que sa mort n'était pas naturelle. Nous avons voulu en avoir le cœur net, d'où notre présence dans la remise cette nuit.

– Votre présence…

Déjà pâle, Wylie sembla être pris de nausée à l'évocation de la scène en question.

– Oui… je vois…

Il jeta sur moi un regard en coin.

Roger avança dans le cercle de lumière de la lanterne et redressa le seau. Il s'assit à mes pieds et posa le reste de la brioche sur le sol.

– Alors, comme ça, elle a bien été tuée? Comment?

– On lui a fait avaler du verre pilé. Il y en avait encore dans son estomac.

Tout en disant cela, je ne quittai pas Wylie des yeux. Il afficha la même expression stupéfaite que Roger et Jamie. Celui-ci se remit le premier de sa stupeur. Il se redressa et lissa ses cheveux hirsutes derrière ses oreilles.

– Du verre…, répéta-t-il. Combien de temps faut-il pour tuer quelqu'un de cette façon, *Sassenach*?

Avec deux doigts, je me frottai le front entre les sourcils. L'engourdissement de tout à l'heure cédait peu à peu la place à un mal de crâne rendu plus intense par le riche arôme du café et le fait que je n'en avais pas bu une goutte.

– Je l'ignore. Il suffit de quelques minutes aux petits bouts de verre pour descendre dans l'estomac, mais il faut un certain temps avant qu'ils ne provoquent des lésions assez importantes pour entraîner une grave hémorragie. L'intestin grêle subit sans doute les pires dégâts, les particules tranchantes pouvant perforer sa tunique interne. Si l'appareil digestif ne fonctionne pas normalement, en raison d'une forte absorption d'alcool, par exemple, et si le transit est ralenti, cela peut prendre encore plus de temps. Même chose si Betty a beaucoup mangé.

Roger se tourna vers Jamie.

– C'est la femme que Brianna et vous avez trouvée dans le potager?

– Oui, répondit-il. Elle était ivre et inconsciente. Quand tu l'as examinée plus tard, *Sassenach,* était-elle déjà empoisonnée?

– Difficile à dire. Le verre pilé faisait peut-être déjà ses ravages, mais, comme elle était toujours évanouie, c'était impossible à deviner. Fentiman m'a dit qu'elle s'était réveillée au beau milieu de la nuit, se plaignant de terribles crampes d'estomac. Toutefois, je ne peux pas dire si elle avait déjà ingurgité le verre quand vous l'avez trouvée ou si on l'a extirpée de sa stupeur éthylique pendant la nuit pour le lui faire avaler.

– « De terribles crampes d'estomac », répéta Roger. Quelle fin horrible !

– Oui, convint Jamie. L'auteur de ce crime est d'une cruauté monstrueuse. Mais qui pouvait bien vouloir la mort de cette femme ?

– Bonne question, dit sèchement Wylie. En tout cas, je peux vous assurer que ce n'est pas moi.

Jamie le dévisagea longuement.

– Peut-être, déclara-t-il enfin. Mais, dans ce cas, que veniez-vous faire dans la remise au beau milieu de la nuit, si ce n'était pas pour contempler le visage de votre victime ?

– Ma victime ! éructa de nouveau Wylie en bondissant sur ses pieds. Ce n'était pas moi dans la remise qui avait les bras enfoncés dans ses tripes jusqu'aux coudes. « Ma » victime ! Figurez-vous, madame, que la profanation d'un cadavre est un acte passible de la peine capitale. J'en ai entendu des choses à votre sujet, madame Fraser ! Oh que oui, et quelles choses ! À mon avis, c'est vous qui avez causé la mort de cette malheureuse, et ce, dans le seul but d'obtenir…

Il n'acheva pas sa phrase. Jamie attrapa son col et le tordit autour de son cou. Puis il lui envoya un coup de poing dans le ventre. Le jeune homme se plia en deux, toussant et recrachant un mélange de café, de bile et de plusieurs autres substances désagréables sur le sol, sur ses vêtements et sur Jamie.

Je soupirai d'un air las. Les effets revigorants de la discussion s'estompant, je me sentis de nouveau désorientée et glacée. La puanteur n'arrangeait rien.

Jamie lâcha Wylie et commença à ôter ses vêtements souillés. Je le fixai d'un regard réprobateur.

– Ce genre de réaction ne va pas vraiment nous aider, lui dis-je. Même si j'apprécie que tu défendes mon honneur.

Sa tête réapparut sous la chemise qu'il enleva et fit tomber sur le sol.

– Tu crois peut-être que j'allais laisser ce freluquet t'insulter !

– Je doute qu'il recommence, dit Roger.

Il se leva et se pencha vers Wylie, toujours plié en deux sur son tabouret, le teint verdâtre. Roger regarda Jamie par-dessus son épaule.

– C'est vrai ce qu'il a dit au sujet de la peine de mort?

Hirsute et torse nu, taché de sang et de vomi, Jamie n'avait plus grand-chose du gentleman policé qui avait joué au whist deux soirs plus tôt.

– Je ne sais pas, répondit-il. Mais peu importe, parce qu'il ne dira rien à personne. Dans le cas contraire, je le découperai en morceaux et donnerai ses couilles et sa langue de menteur à manger aux cochons.

Il posa la main sur le manche de son coutelas, comme pour s'assurer qu'il était bien là, au cas où. Puis, se tournant vers Wylie, il reprit la conversation avec une extrême courtoisie :

– Mais je suis sûr que vous ne proféreriez jamais d'accusations mensongères à l'encontre de mon épouse, n'est-ce pas, monsieur?

Je ne fus pas surprise de voir Wylie, toujours incapable de parler, faire non de la tête. Jamie émit un grognement satisfait et ramassa sa cape par terre.

Encore étourdie par cette manifestation d'honneur viril, je m'assis sur le seau.

– Bien ! soupirai-je. Maintenant que tout est rentré dans l'ordre, où en étions-nous ?

– Au meurtre de Betty, déclara Roger. Nous ignorons qui, quand et comment. Toutefois, histoire d'avancer un peu, je suggère que nous présumions que personne ici présent n'est le coupable.

– Soit, convint Jamie en se rasseyant à son tour. Dans ce cas, si nous parlions de Stephen Bonnet?

L'expression de Roger, jusque-là intéressé, s'assombrit aussitôt.

– Pourquoi? Il est mêlé à cette affaire?

– Peut-être pas au meurtre, mais ma tante et Duncan ont été attaqués dans leurs appartements par deux bandits. L'un d'eux était irlandais.

Il s'enroula dans sa cape et lança un regard sinistre vers Wylie qui, suffisamment remis, se redressa.

– Je vous répète que je ne connais pas de gentleman de ce nom, qu'il soit Irlandais ou Hottentot.

– Stephen Bonnet n'a rien d'un gentleman, rectifia Roger.

Son ton était relativement mesuré mais chargé d'une tension qui surprit Wylie.

– Je ne connais pas cet homme, répéta-t-il fermement. Qu'est-ce qui vous fait croire que l'Irlandais qui a agressé M. et Mme Innes est bien ce Bonnet? Il a laissé sa carte, peut-être?

Je ris malgré moi. En dépit de tout, je devais reconnaître que Phillip Wylie m'inspirait un certain respect. Séquestré, battu, menacé, aspergé de café, privé de sa perruque, il conservait beaucoup plus de dignité que bien d'autres hommes dans une telle situation.

Jamie me jeta un coup d'œil, puis se tourna de nouveau vers Wylie. Dans la pénombre, je crus déceler un léger tremblement de ses lèvres, comme s'il se retenait de sourire.

– Non, il n'a rien laissé, répondit-il. Mais je connais Stephen Bonnet. Cet homme est un félon, un dégénéré et un voleur. Or, il se trouvait avec vous quand vous nous avez surpris, ma femme et moi, dans la remise.

– C'est vrai, confirmai-je. Je l'ai vu aussi. Il se tenait juste derrière vous. Au fait, vous ne nous avez toujours pas dit ce que vous faisiez là?

Wylie inspira profondément et baissa les yeux, se frottant le nez du dos de la main. Puis il redressa la tête et se tourna vers Jamie.

– J'ignore qui est cet homme. Un peu plus tôt, il m'avait bien semblé être suivi, mais, quand je me suis retourné, il n'y avait personne. Puis, quand j'ai ouvert la porte et aperçu ce qui se passait dans la remise, j'ai été tellement choqué que je n'ai plus fait attention à rien d'autre.

Ça, je le croyais aisément.

Wylie haussa les épaules avant de poursuivre :

– Puisque vous dites que ce Bonnet se tenait derrière moi, vous avez sans doute raison. Mais je vous assure qu'il n'était pas avec moi et que j'ignorais sa présence.

Jamie et Roger échangèrent un regard, mais tous deux sentaient que Wylie disait vrai, tout comme moi. Il y eut un bref silence, durant lequel j'entendis les chevaux remuer dans leurs stalles. Ils n'étaient plus agités, ils attendaient simplement leur nourriture. Les premières lueurs de l'aube filtraient par les fentes sous les avant-toits, créant une aura tamisée et grise qui ternissait les couleurs à l'intérieur de l'écurie, mais soulignait les contours des harnais suspendus aux cloisons, des fourches et des pelles entreposées dans un coin.

Jamie bougea et étira ses épaules.

– Les garçons d'écurie ne vont plus tarder, déclara-t-il à Wylie. C'est bon, monsieur, j'accepte votre parole de gentleman.

– Vraiment? Vous me faites trop d'honneur!

Faisant mine de ne pas remarquer son sarcasme, Jamie enchaîna :

– Toutefois, cela ne nous dit toujours pas ce que vous veniez faire dans la remise à cette heure de la nuit.

Wylie s'était déjà à demi levé de son siège. En entendant la question, il hésita, puis se rassit lentement. Il sembla réfléchir puis, résigné, soupira.

– Lucas, dit-il clairement.

Il ne releva pas les yeux, fixant ses mains qui pendaient mollement entre ses jambes.

– Je l'ai vu naître. Je l'ai élevé, dressé, entraîné…

Il déglutit péniblement, avant d'achever :

– Je suis allé dans l'écurie pour passer un dernier petit moment seul avec lui… pour lui dire adieu.

Pour la première fois, l'aversion de Jamie pour Wylie sembla disparaître. Il hocha la tête.

– Je vois. Et ensuite?

Wylie se redressa doucement.

– En sortant de l'écurie, j'ai cru entendre des voix près du mur du potager. En m'approchant, j'ai vu de la lumière dans la remise. J'ai ouvert la porte. Vous savez comme moi ce qui s'est passé ensuite, monsieur Fraser.

– Oui, je sais. J'ai couru après Bonnet et vous vous êtes mis en travers de ma route.

Wylie releva dignement le col de sa veste abîmée.

– Vous m'avez attaqué! rectifia-t-il froidement. Je me suis défendu, comme j'en avais parfaitement le droit. Puis votre gendre et vous-même m'avez traîné de force jusqu'ici et retenu prisonnier durant la moitié de la nuit.

Roger se racla la gorge.

– Hmm… en effet, déclara Jamie sur un ton neutre. Mais nous n'allons pas remettre cette histoire sur le tapis. Je suppose que vous n'avez pas vu dans quelle direction Bonnet a filé?

– Si. Même si j'ignorais qui il était. Je suppose qu'à cette heure il est loin.

Un semblant de satisfaction dans sa voix fit tiquer Jamie.

– Que voulez-vous dire?

– Lucas.

D'un signe de tête, Wylie indiqua le fond de la salle, encore plongée dans l'obscurité.

– … Sa stalle est tout au bout. Je reconnais parfaitement sa voix et le bruit de ses mouvements. Or, je ne l'ai pas entendu ce matin. Bonnet – si c'était bien lui – a fui vers les écuries.

Avant que Wylie n'ait eu fini de parler, Jamie saisit la lanterne et marcha d'un pas pressé vers l'extrémité de la pièce. À son passage, des chevaux passèrent le museau par-dessus les portes de leurs boxes, agitant des naseaux curieux. Mais aucun museau noir ne pointait au bout de la rangée, aucune longue crinière ne vint saluer sa venue. Nous le rejoignîmes rapidement, alors qu'il brandissait haut sa lanterne devant le trou vide.

Elle n'éclaira que de la paille.

Silencieux, nous restâmes là un moment, puis Phillip Wylie soupira.

– J'ai perdu mon cheval, monsieur Fraser, et vous aussi.

Puis son regard ironique se posa sur moi.

– Dites-vous qu'au moins, vous avez encore votre femme.

Il tourna les talons et s'éloigna, ses bas autour des chevilles, ses semelles rouges luisant dans la lumière du jour naissant.

* * *

Au dehors, l'aube parait le paysage d'une lueur charmante. Seule la rivière semblait animée, la lumière grandissante projetant des reflets d'argent entre les arbres.

Roger était parti vers la maison en bâillant, mais Jamie et moi nous étions attardés près du paddock. Encore quelques minutes et les occupants de River Run commenceraient à s'activer. Il y aurait d'autres questions, d'autres supputations, d'autres discussions. Ni lui ni moi n'avions envie de parler, du moins pour le moment.

Finalement, il passa un bras autour de mes épaules et, d'un air décidé, m'entraîna dans la direction opposée à la maison. J'ignorais où nous allions et peu m'importait, du moment où, une fois arrivés, il y aurait un endroit où s'allonger.

Nous passâmes devant la forge, où un garçonnet encore à demi endormi actionnait un soufflet, faisant voleter autour de lui une nuée d'étincelles rouges comme des lucioles. Nous passâmes devant les dépendances, contournâmes un bâtiment et nous retrouvâmes devant une sorte de grange équipée d'une double porte. Jamie souleva le loquet et poussa un battant, me faisant signe de le suivre.

– Je ne sais pas pourquoi je n'ai pas pensé à cet endroit plus tôt, déclara-t-il. C'était le lieu idéal pour jouir d'un peu d'intimité.

Nous étions dans le hangar à voitures. Une carriole et un buggy se tenaient dans la pénombre, ainsi que le phaéton de Jocasta. Calèche ouverte ressemblant à un grand traîneau perché sur deux roues, elle était équipée d'une banquette tapissée de velours bleu et d'un siège de cocher se dressant comme la proue d'un navire. Jamie me souleva par la taille et me hissa à bord. Un plaid en peau de buffle était abandonné là. Il l'étala sur le plancher de la voiture, où il y avait tout juste assez de place pour deux personnes qui ne voyaient aucun inconvénient à se coller l'une contre l'autre.

– Viens, *Sassenach*, dit-il en s'agenouillant. Ici au moins, on nous laissera dormir en paix. Pour la suite, nous verrons bien à notre réveil.

J'abondais dans son sens. Bien que sur le point de m'effondrer, je ne pus m'empêcher de lui demander entre deux bâillements :

– Ta tante, tu lui fais confiance? Je veux dire, tu crois son histoire au sujet du trésor et tout le reste?

Son bras posé contre mon flanc, il marmonna dans mon oreille :

– Oui, bien sûr. Enfin… pour autant qu'on puisse faire confiance à une MacKenzie.

55

Déductions

La faim et la soif finirent par nous chasser de notre tanière. En sortant du hangar à voitures, nous passâmes devant les esclaves qui détournèrent les yeux avec tact. Ils étaient encore occupés à nettoyer les derniers vestiges de la fête. À l'autre bout de la pelouse, j'aperçus Phaedre qui revenait du mausolée, les bras chargés d'assiettes et de verres. Elle avait le visage bouffi et les yeux rouges, mais ne pleurait pas.

Elle s'arrêta en nous voyant.

– Miss Jo vous demande, monsieur Jamie.

Elle avait parlé mécaniquement, comme si ses propres mots n'avaient pas de sens pour elle. Elle ne trouva rien d'anormal non plus à notre façon soudaine de réapparaître ni à notre tenue débraillée.

Jamie se passa une main sur le visage.

– Ah oui? Bien, je monte la voir tout de suite.

Elle allait reprendre son chemin, mais Jamie s'avança pour lui toucher l'épaule.

– Je suis sincèrement désolé, ma petite.

Ses yeux se remplirent de larmes, mais elle ne répondit pas. Elle esquissa une révérence, tourna les talons et s'éloigna d'un pas rapide, sans même se rendre compte qu'un couteau tombait de sa haute pile de couverts.

Il rebondit dans l'herbe derrière elle et je me baissai pour le ramasser. La sensation du manche dans ma main me rappela subitement la lame que j'avais utilisée pour ouvrir le corps de sa mère. Déroutée l'espace d'un bref instant, je ne fus plus sur la pelouse devant la maison, mais dans la remise sombre, l'odeur de la mort épaississant l'air, la preuve du meurtre formant un grumeau graveleux entre mes doigts.

Puis la réalité reprit le dessus. L'étendue de verdure était couverte de colombes et de moineaux qui picoraient paisiblement les miettes autour du piédestal de la déesse de marbre blanc, éclatante au soleil.

Jamie me parlait.

– ... ta toilette et te reposer un peu, *Sassenach*?

– Pardon? Oh... non, pas question. Je t'accompagne.

J'avais soudain hâte d'en finir avec cette affaire et de rentrer chez nous. J'avais eu ma dose de mondanités pour un bon moment.

* * *

Jocasta, Duncan, Roger et Brianna se trouvaient tous dans la petite salle à manger, partageant un petit-déjeuner copieux, quoique très tardif. Brianna regarda avec surprise les vêtements souillés de son père, mais elle ne fit aucun commentaire, continuant à boire son thé tout en nous inspectant du coin de l'œil. Jocasta et elle étaient encore en robe de chambre. Quant à Duncan et à Roger, ils étaient déjà habillés, mais n'étaient pas très frais. Ni l'un ni l'autre ne s'étaient rasés, et Duncan avait un grand bleu d'un côté du visage, là où il s'était cogné en tombant contre la dalle de la cheminée. Mis à part cela, il paraissait s'être remis.

Je supposais que Roger avait déjà informé tout le monde de notre entretien avec Phillip Wylie et de la disparition de Lucas. En tout cas, personne ne posa de questions. Duncan poussa en silence une assiette de bacon vers Jamie, puis on n'entendit plus que le cliquetis musical des couverts contre les assiettes et le bruit du thé versé dans les tasses.

Enfin repus et l'esprit plus ou moins clair, nous nous redressâmes sur nos chaises et abordâmes de manière assez hésitante les événements du jour… et de la veille. Il s'était passé tant de choses que je pensais plus judicieux de tenter de reconstituer les faits dans un ordre plus ou moins logique. Lorsque j'avançai cette proposition, Jamie fit une moue vexante, laissant entendre qu'il considérait le raisonnement comme une notion incompatible avec ma personnalité. Néanmoins, je ne me démontai pas et ouvris la séance avec fermeté :

– Tout commence avec Betty, vous ne pensez pas?

– De toute manière, il faut bien partir de quelque part, convint Jamie.

Brianna finit de beurrer sa tartine, l'air amusé. Puis, avant de mordre dedans, elle agita son couteau vers moi.

– Poursuivez, Miss Marple.

Roger pouffa de rire, mais je ne lui prêtai pas attention et continuai dignement :

– Bien. La première fois que j'ai vu Betty, elle m'a paru droguée, mais Fentiman m'ayant empêchée de l'examiner, je n'ai pas pu m'en assurer. Toutefois, nous sommes raisonnablement certains que le punch qu'elle a bu contenait une drogue, n'est-ce pas?

J'examinai les visages autour de la table. Brianna et Jamie acquiescèrent ensemble, prenant une mine solennelle.

– Oui, j'ai goûté quelque chose dans cette coupe qui n'était pas de l'alcool, confirma Jamie.

– Quant à moi, dit Brianna, après le départ de papa, j'ai parlé aux domestiques. Deux femmes ont reconnu que Betty avait l'habitude de finir le fond des verres lors des réceptions, mais toutes deux m'ont assurée que la dernière fois où elles l'ont vue servir le punch dans le petit salon, elle était à peine un peu pompette.

– C'est vrai, je m'y trouvais en compagnie de Seamus Hanlon et de ses musiciens, déclara Roger. J'ai vu Ulysse préparer le punch lui-même. Est-ce que c'était la première cuvée de la journée, Ulysse?

Toutes les têtes pivotèrent en direction du majordome. Impassible, celui-ci se tenait derrière la chaise de Jocasta. Sa livrée repassée et sa perruque impeccable étaient ni plus ni moins qu'un reproche silencieux au laisser-aller général des tenues.

– Non, monsieur, la seconde, répondit-il. La première avait été bue au cours du petit-déjeuner.

Ses yeux étaient alertes, bien qu'un peu rouges, mais le reste de son visage avait l'air sculpté dans un bloc de granit gris. La maison et les esclaves domestiques étaient sous sa responsabilité, et il était clair qu'il était mortifié par les événements récents, les considérant comme une faute personnelle.

Roger se tourna de nouveau vers moi en grattant son menton râpeux. S'il avait réussi à piquer un petit somme depuis notre confrontation avec Wylie, cela ne se voyait guère.

– Je n'ai pas fait attention à Betty, mais je pense qu'à ce stade, si elle avait été soûle ou même éméchée, je l'aurais remarqué. Tout comme Ulysse.

Il jeta un œil vers le majordome qui confirma ses dires d'un hochement de tête.

– Le lieutenant Wolff, lui, était complètement ivre, reprit Roger. Tout le monde l'a remarqué, observant au passage qu'il était un peu tôt dans la journée pour se trouver dans un tel état.

– La seconde cuvée de punch a été servie peu après midi, intervint Jamie. Or, j'ai trouvé Betty couchée sur le dos dans le tas de fumier, empestant l'alcool avec une coupe renversée à ses côtés, à peine une heure plus tard. Je ne dis pas que c'est impossible, mais il faut vraiment le vouloir, pour sombrer aussi rapidement dans l'inconscience, surtout en ne buvant que des fonds de verre.

– Nous pouvons donc supposer qu'elle a bel et bien été droguée, dis-je. Plus probablement, avec du laudanum. Y en avait-il dans la distillerie ici?

À mon intonation, Jocasta comprit que ma question s'adressait à elle. Elle se redressa sur sa chaise, remettant une mèche blanche sous son bonnet. Elle semblait avoir bien récupéré de ses émotions de la veille.

– Oui, mais ça ne veut rien dire, objecta-t-elle. N'importe qui aurait pu en apporter. Il n'est pas difficile de s'en procurer, il suffit d'y mettre le prix. Je connais au moins deux femmes, parmi mes invités, qui en prennent régulièrement. Elles en avaient sûrement un peu sur elles.

J'aurais été curieuse de savoir qui, parmi les relations de Jocasta, était opiomane, et comment elle le savait, mais là n'était pas la question pour l'instant. Je passai au point suivant, me tournant vers Jamie.

– D'où que soit venu le laudanum, disons qu'il a fini dans l'organisme de Betty. Quand tu l'as découverte, tu as dit avoir immédiatement soupçonné qu'elle avait bu une boisson contenant une drogue ou un poison destiné à quelqu'un d'autre.

Il hocha la tête, me suivant avec attention.

– Oui. Mais qui voudrait faire du mal ou tuer une esclave?

– Je n'en sais rien, mais on l'a pourtant assassinée, intervint Brianna. Je ne vois pas comment elle aurait pu avaler du verre pilé, par hasard, à la place d'une autre personne. Et vous?

Je fronçai les sourcils.

– Tu as sans doute raison, mais ne me bouscule pas. J'essaie d'être logique! Effectivement, je doute qu'elle ait pu l'avaler par accident. Ce qu'il faudrait savoir, c'est «quand» cela s'est produit. Selon moi, certainement après que vous l'avez montée au grenier et que Fentiman l'a examinée la première fois.

Si Betty avait ingéré le verre avant l'administration des émétiques et des purges, ces derniers auraient rapidement déclenché une importante hémorragie interne. Or, cela s'était produit, mais plus tard, quand le médecin était revenu peu avant l'aube soigner ses douleurs intestinales. Je m'adressai de nouveau à Brianna :

– Quand vous êtes allés inspecter les environs, Roger et toi, vous n'avez vu personne qui avait l'air drogué?

Ils firent non de la tête. Roger fronçait les sourcils, comme si la lumière du jour le dérangeait. Son mal au crâne ne me surprenait pas. J'avais moi-même une douleur lancinante dans les tempes.

– J'ai bien vu une vingtaine d'invités qui commençaient à tituber, dit-il, mais ils semblaient tous légitimement ivres.

– Et le lieutenant Wolff? demanda Duncan.

Personne ne s'était attendu à l'entendre parler. Il rougit légèrement en sentant tous les regards tournés vers lui, mais il poursuivit sur sa lancée :

– *A Smeòraich* a dit qu'il l'avait vu complètement soûl dans le petit salon. N'aurait-il pas pu prendre le laudanum, boire la moitié de sa coupe et laisser l'autre moitié à Betty?

– Je ne sais pas, dis-je. Le fait est que je n'avais encore jamais vu quelqu'un atteindre un tel degré d'ébriété en moins d'une heure, uniquement avec de l'alcool.

– Quand je suis allé faire le tour des invités, le lieutenant était appuyé contre un des murs du mausolée avec une bouteille à la main, déclara Roger. Il était incohérent, mais encore conscient.

– Oui, il s'est effondré dans le bosquet un peu plus tard, dit Jamie. Je l'y ai aperçu dans l'après-midi. Cela dit, il n'était pas dans le même état que l'esclave. Il avait tout simplement l'air soûl.

– Pourtant, les horaires correspondent, méditai-je. Donc, cela reste une possibilité. Quelqu'un a-t-il revu le lieutenant plus tard?

– Oui, dit Ulysse. Il est rentré dans la maison pendant le dîner, me demandant de lui trouver un bateau au plus vite. Puis il est parti par le fleuve. Toujours très ivre, mais lucide.

Jocasta marmonna :

– Lucide, lui. Peuh !

Elle se massa les tempes du bout des doigts. Apparemment, elle aussi sentait venir la migraine.

Brianna, la seule qui ne semblait pas avoir mal à la tête, mit deux morceaux de sucre dans sa tasse et remua avec vigueur en faisant un tel vacarme que Jamie grimaça.

– Je suppose que cela élimine le lieutenant de la liste des suspects ? demanda-t-elle. À moins que son départ précipité ne soit incriminant en soi ?

Jocasta se pencha soudain en avant, tendant la main au-dessus de la table devant elle. Elle chercha à tâtons parmi les plats et la vaisselle du petit-déjeuner jusqu'à ce qu'elle ait trouvé ce qu'elle cherchait.

– Ne sommes-nous pas en train d'oublier quelque chose ? demanda-t-elle. Jamie, tu m'as parlé de la coupe dans laquelle Betty avait bu. Elle ressemblait bien à celle-ci, n'est-ce pas ?

Elle était en argent, flambant neuve, son motif ciselé à peine visible. Plus tard, lorsque le métal se patinerait, les lignes gravées se terniraient et se détacheraient clairement sur la surface polie. Pour le moment, la lettre « I » et le petit poisson qui nageait autour se perdaient dans les reflets étincelants.

Jamie toucha la main qui la tenait.

– Oui, c'était exactement la même, ma tante, répondit-il. Brianna m'a dit qu'elle faisait partie d'un service ?

– Oui. Une série de six coupes que j'ai offertes à Duncan le matin de notre mariage.

Elle reposa le bel objet avant de poursuivre :

– Ce jour-là, Duncan et moi en avons utilisé deux pour notre petit-déjeuner. Les quatre autres sont restées ici.

Elle agita une main derrière elle vers la desserte, où étaient posés les plats de bacon et d'œufs brouillés. Des assiettes décoratives étaient dressées contre le mur, avec des verres à liqueur en cristal intercalés. Je fis le compte.

Les six coupes en argent étaient à présent toutes sur la table, remplies de porto, une boisson que Jocasta appréciait particulièrement pour son premier repas de la journée. Il était impossible de deviner laquelle avait contenu la boisson droguée.

– Ulysse, tu n'as pas utilisé ce service dans le petit salon le jour du mariage? demanda Jocasta.

L'idée même sembla choquer le majordome.

– Non, madame. Bien sûr que non.

Elle hocha la tête et se tourna dans la direction de Jamie.

– Donc, comme tu vois, il s'agissait de la coupe de Duncan.

Celui-ci écarquilla les yeux, mais blêmit en comprenant ce que cela signifiait.

– Non, dit-il en secouant la tête. Non, je ne vois pas pourquoi.

Toutefois, de petites gouttes de sueur avaient commencé à perler sur ses joues tannées.

Jamie se pencha vers lui.

– Quelqu'un t'a-t-il proposé à boire avant-hier, *a charaid*?

Duncan haussa les épaules.

– Oui, à peu près tout le monde!

Naturellement. Chacun avait tenu à trinquer avec le marié. Toutefois, ses nerfs ayant considérablement perturbé ses intestins, il n'avait accepté aucun des verres. Il ne se souvenait pas non plus si l'un des rafraîchissements lui avait été servi dans une coupe en argent.

– J'étais tellement distrait, *Mac Dubh*, qu'on aurait pu m'offrir un serpent venimeux sans que je m'en rende compte.

Ulysse déposa une serviette sur un plateau et la présenta discrètement à Duncan. Il la saisit d'un air absent, puis se tamponna le visage.

– Vous pensez donc qu'on a voulu s'en prendre à lui?

Le ton stupéfait de Roger aurait pu être vexant, mais Duncan ne sembla pas s'en offusquer.

– Mais pourquoi? demanda-t-il. Qui m'en voudrait à ce point?

Jamie laissa échapper un petit rire, et la tension autour de la table se relâcha un peu. Le fait était : Duncan, un homme intelligent et compétent, était si modeste qu'on l'imaginait mal offensant quelqu'un, et encore moins susciter une haine meurtrière.

Jocasta avait suivi un raisonnement similaire.

– Il me vient un soupçon, déclara-t-elle. Jamie, te souviens-tu de ce qui s'est passé au *gathering*?

Surpris, Jamie haussa les sourcils.

– Il est arrivé tellement de choses, ma tante! Je suppose que vous faites allusion au père Kenneth?

– Exactement. Tu m'as bien dit que Lillywhite avait déclaré avoir pour instruction d'empêcher le prêtre de célébrer une cérémonie, n'est-ce pas?

Tout en parlant, elle leva la main machinalement au moment même où Ulysse y plaçait une nouvelle tasse de thé.

– Oui, répondit Jamie. Pensez-vous qu'il faisait expressément allusion à votre mariage avec Duncan? Que c'était la cérémonie qu'il avait ordre d'empêcher?

Mon mal de crâne empirait à vue d'œil. Je pressai mes doigts contre mon front. Réchauffés par le contact de la tasse de thé, ils me firent du bien.

– Attends un instant, l'arrêtai-je. Tu veux dire que quelqu'un aurait tout fait pour que le mariage entre ta tante et Duncan n'ait pas lieu lors du *gathering* – avec succès – et que, cette fois, ce quelqu'un n'aurait rien trouvé de mieux pour l'empêcher que d'assassiner Duncan?

Jamie observait Jocasta avec intérêt.

– Ce n'est pas moi qui le dit, rectifia-t-il. C'est ce que suggère ma tante.

– Parfaitement, dit-elle avec calme.

Elle but une gorgée de thé, puis elle reposa sa tasse avant d'expliquer :

– Ce n'est pas pour me vanter, mais je dois reconnaître que l'on m'a souvent courtisée depuis la mort d'Hector. Oh, ça ne me flatte aucunement, je ne me berce pas d'illusions ! River Run est une plantation prospère et je suis une vieille femme.

Il y eut un moment de silence, tandis que tous digéraient sa déclaration. Le visage de Duncan reflétait un mélange d'effroi et de gêne.

– Mais... mais..., balbutia-t-il. Si... si tel est le cas, *Mac Dubh*, pourquoi avoir attendu ?

– Comment ça ?

Duncan observa l'assemblée autour de la table.

– Au cours des quatre mois qui se sont écoulés depuis le *gathering,* personne n'a levé le petit doigt contre moi. Je me déplace presque toujours seul à cheval. Rien n'aurait été plus facile que de me tendre une embuscade un jour où je faisais la tournée de mes fournisseurs et de m'abattre d'une balle dans la tête.

Il avait parlé sur un ton détaché, mais je sentis Jocasta frémir.

– Pourquoi attendre la dernière minute avant le mariage et agir en présence de centaines de personnes ?

– Effectivement, tu n'as pas tort, admit Jamie.

Roger avait suivi le débat les coudes posés sur ses genoux, le menton sur ses poings. En entendant cette dernière remarque, il se redressa.

– Je vois une explication ! annonça-t-il. Le prêtre.

Tout le monde se tourna vers lui, attendant la suite.

– Le prêtre était sur les lieux, expliqua-t-il. Si River Run est vraiment l'enjeu de ce meurtre, alors il ne suffit pas d'éliminer Duncan. En se contentant de le tuer, notre assassin se retrouve à la case départ. Certes, Jocasta ne peut plus épouser Duncan, mais lui-même n'est toujours pas marié avec elle non plus. En revanche, si le prêtre est présent et que tout est prêt pour célébrer une cérémonie privée, alors tout devient plus simple. Notre homme tue son rival, de manière à faire penser à un suicide ou à un accident, puis il s'introduit dans les appartements de Jocasta et oblige le prêtre à célébrer le mariage, sous la contrainte d'une arme. Les domestiques et les invités sont tous occupés autour de Duncan. Personne ne se rend compte de rien. Le lit se trouve dans la pièce à côté. Notre homme n'a plus qu'à y traîner Jocasta et à consommer le mariage de force... et hop, le tour est joué!

À cet instant, Roger aperçut l'air ahuri de Jocasta et la bouche grande ouverte de Duncan. De toute évidence, il ne s'agissait pas que d'une intéressante hypothèse d'historien. Cramoisi, il s'éclaircit la gorge.

– Ah... euh... ça s'est vu.

Jamie toussota dans le creux de sa main. Effectivement, c'était déjà arrivé. Son propre grand-père avait entamé sa fulgurante ascension sociale en épousant de force – et en culbutant dans la foulée – la veuve Lovat, une riche lady âgée.

– Quoi? s'indigna Brianna. Mais c'est ignoble... Comment peut-on espérer s'en tirer aussi facilement?

– Je crains que ce soit possible, répondit Roger en ayant presque l'air de s'en excuser. En matière de droit et de propriété, les femmes ne sont pas franchement veinardes. À partir du moment où tu épouses une femme et que tu couches avec elle, celle-ci t'appartient, ainsi que tous ses biens, qu'elle soit d'accord ou non. À moins qu'elle n'ait un parent mâle pour contester ses noces, un tribunal ne pourra rien y faire.

– Mais elle a un parent mâle! protesta Brianna en agitant la main vers Jamie.

Celui-ci avait effectivement une objection, mais pas celle à laquelle Brianna se serait attendue.

– Oui mais... tout dépend des témoins, déclara-t-il. Pour que le mariage forcé soit validé, il faut qu'il ait été consommé devant témoin.

Il se racla la gorge, et Ulysse remplit sa tasse de thé.

Le vieux Simon avait eu des témoins, deux de ses amis, plus les deux dames de compagnie de la douairière, dont l'une devint plus tard la grand-mère de Jamie, même si je devinais que cette seconde transaction n'avait pas nécessité l'usage de la force.

Je fis tomber des miettes de mon corselet avant de déclarer :

– Cela n'aurait pas vraiment présenté des difficultés. De toute évidence, notre homme n'a pas agi seul. Quelle que soit l'identité du mari de substitution, s'il existe réellement, il a des complices. Notamment Randall Lillywhite.

– Qui n'était pas présent, me rappela Jamie.

– Certes, mais le principe tient toujours.

– Dans ce cas, le lieutenant Wolff redevient notre suspect principal, non? s'entêta Roger. Tout le monde sait qu'il a fait des pieds et des mains pour épouser Jocasta. Or, il était là, lui.

– Oui, mais rond comme une queue de pelle, déclara Jamie, sceptique.

– Peut-être pas. Comme je l'ai dit, Seamus et ses musiciens étaient surpris de voir quelqu'un soûl si tôt dans la journée. Mais si c'était de la comédie?

Il fit un tour de table du regard pour s'assurer que tout le monde le suivait.

– … En faisant semblant d'être complètement ivre, personne ne ferait attention à lui ni ne le soupçonnerait. Il était tout à fait en mesure d'empoisonner une coupe de punch et de la donner à Betty avec l'ordre de l'apporter à Duncan. Ensuite, il n'avait plus qu'à traîner dans les parages en attendant de filer dans les appartements de Jocasta dès que l'annonce du malaise de Duncan se répandrait. On peut imaginer que Duncan ayant refusé le punch, Betty s'est retrouvée avec une coupe pleine dans les mains. Comment résister à la tentation de se glisser discrètement dans le potager pour boire tranquillement?

Jocasta et Ulysse émirent simultanément un bruit de protestation, laissant clairement entendre leur opinion au sujet du comportement répréhensible de l'esclave. Roger se hâta de poursuivre son raisonnement :

– Sauf que le punch n'a pas tué Betty. L'assassin avait peut-être mal calculé la dose, à moins que...

Une nouvelle idée traversa son esprit.

– Il n'avait peut-être pas l'intention de tuer Duncan avec le punch, mais uniquement de le rendre inconscient pour le balancer ensuite discrètement dans la rivière. Cela aurait été encore mieux. Vous pouvez nager, Duncan?

L'air étourdi, celui-ci fit non de la tête. Il leva machinalement une main et massa le moignon de son bras amputé.

Roger se frotta les mains d'un air satisfait.

– Ainsi, votre noyade serait passée pour un simple accident. Mais tout est allé de travers, parce que la servante a bu le verre à votre place. Voilà pourquoi on l'a tuée!

– Pourquoi? demanda Jocasta.

Elle paraissait aussi étourdie que Duncan.

– Parce qu'elle pouvait identifier celui qui lui avait donné la coupe, déclara Jamie.

Il hocha la tête et s'enfonça dans sa chaise.

– Elle l'aurait dénoncé, dès qu'on l'aurait interrogée pour connaître les raisons de son état. Oui, cela tient debout. D'un autre côté, il ne pouvait se débarrasser d'elle d'une manière trop flagrante. Le risque d'être vu entrant ou sortant du grenier était trop grand.

Roger approuva.

– Oui, mais en revanche, il ne lui était pas très difficile de mettre la main sur du verre pilé. Il y avait des coupes et des flûtes en cristal partout dans la maison et le jardin. Il suffisait d'en faire tomber une sur les briques, de broyer les débris sous le talon et voilà!

Il n'était même pas nécessaire de se donner autant de mal. Les allées et la terrasse étaient jonchées d'éclats. Moi-même, j'avais laissé échapper une coupe lorsque Phillip Wylie m'avait surprise.

Je me tournai vers Ulysse.

– Reste à savoir de quelle manière on a administré le verre pilé à Betty. Savez-vous si quelqu'un lui a apporté à boire ou à manger?

Le majordome plissa le front, comme une eau noire troublée par un caillou.

– Le Dr Fentiman m'a recommandé de lui faire avaler de la crème fouettée au cognac et un peu de porridge, à condition qu'elle soit assez réveillée pour manger quelque chose. J'ai préparé la crème moi-même et Mariah la lui a montée. J'ai fait demander à la cuisinière de préparer du porridge, mais j'ignore si Betty l'a mangé et qui le lui a porté.

– Hmmm…, fit Jocasta. Les cuisines devaient être en plein branle-bas de combat. Avec toutes ces allées et venues… Nous pouvons toujours interroger Mariah et les autres, mais je serais surprise qu'elles se souviennent d'avoir emporté le plat, et encore plus qu'elles soient capables de nous dire si quelqu'un y a touché ou non. Il aura suffi d'un instant pour distraire une servante et glisser les morceaux de verre…

Elle agita une main, indiquant la facilité scandaleuse avec laquelle le meurtre avait pu être commis.

– Il se peut aussi que l'assassin soit allé au grenier sous prétexte de prendre des nouvelles de Betty et lui ait fait avaler quelque chose avec le verre dedans, suggérai-je. La crème fouettée aurait parfaitement fait l'affaire. Les gens n'ont cessé de monter et de descendre, mais Betty est restée seule là-haut de longs moments. Entre la visite de Fentiman et le moment où les autres filles se sont couchées, n'importe qui a pu lui rendre visite au grenier sans se faire remarquer.

Brianna se pencha vers Roger et lui glissa :

– Bravo, inspecteur Clouzot. Mais il n'y a aucune preuve, n'est-ce pas?

Jocasta et Duncan étaient assis côte à côte, raides comme une paire de totems indiens. En entendant sa nièce, la vieille dame inspira profondément, s'efforçant de se détendre.

– C'est vrai, dit-elle, il n'y en a pas. Te souviens-tu que Betty t'ait offert une coupe de punch, *a dhuine*?

L'air concentré, Duncan mâchouilla un instant sa moustache, puis secoua la tête.

– Peut-être que oui… *a bhean*. Mais peut-être que non.

– Nous voilà bien avancés!

Tout le monde se tut pendant un moment. Ulysse évoluait silencieusement autour de nous, débarrassant la table. Enfin, Jamie poussa un soupir et se redressa.

– Bon, dit-il. Passons au point suivant : l'événement de la nuit dernière. Nous sommes tous d'accord sur le fait que l'Irlandais qui s'est introduit dans la chambre de ma tante était Stephen Bonnet, non?

Brianna sursauta, renversant sa tasse sur la table.

– Qui? demanda-t-elle d'une voix cassée. Stephen Bonnet est ici?

Jamie me regarda, surpris.

– Je croyais que tu le lui avais dit, *Sassenach*.

– Quand? rétorquai-je, irritée.

Je me tournai vers Roger :

– Je croyais que tu le lui avais dit.

Il haussa les épaules, l'air neutre. Ulysse s'affairait déjà avec une serviette, épongeant le thé renversé. Brianna était blême, mais s'était ressaisie.

– Peu importe, dit-elle. Il était ici la nuit dernière?

– Oui, répondit Jamie à contrecœur. Je l'ai vu.

– C'est donc lui le voleur cherchant le trésor, ou l'un d'eux?

Elle saisit un des verres de porto et le but comme de l'eau. Ulysse écarquilla les yeux, mais il s'empressa de le remplir de nouveau.

– Il semblerait, dit Roger en évitant de croiser son regard.

– Comment a-t-il pu être au courant au sujet de l'or, ma tante? demanda Jamie.

Jocasta tendit une main ouverte et Ulysse y plaça un toast beurré.

– Quelqu'un a parlé, répondit-elle. Hector, Dougal ou le troisième homme. Connaissant Hector et Dougal, je doute que ce soit eux. Mais une chose est claire : je t'ai déjà dit que le second voleur dans ma chambre, celui qui empestait l'alcool… n'avait pas prononcé un seul mot. C'est forcément quelqu'un que je connais et qui a eu peur d'être identifié par sa voix.

– Le lieutenant Wolff? suggéra Roger.

Jamie hocha la tête, une profonde ride creusant son front.

– Étant dans la marine, rien ne pouvait lui être plus facile que de recruter un pirate pour faire sa sale besogne, pas vrai?

– Pourquoi spécifiquement un pirate? murmura Brianna.

Le porto lui avait fait du bien, mais elle était encore pâle.

Jamie ne sembla pas l'avoir entendue.

– Oui, dix mille livres en or, ce n'est pas rien. Un homme seul ne pourrait transporter une telle somme. Louis de France et Charles Édouard Stuart en savaient quelque chose. Ils avaient dépêché six personnes pour s'occuper de trente mille livres.

Pas étonnant que l'homme qui avait appris l'existence de l'or ait engagé Stephen Bonnet, pirate et contrebandier notoire. Non seulement il avait les moyens de transporter l'or, mais également les relations nécessaires pour l'écouler.

– Un bateau, dis-je lentement. Le lieutenant est parti en bateau, pendant le dîner. Supposons qu'il ait descendu la rivière pour retrouver Bonnet. Ils sont revenus ensemble et ils ont attendu une occasion de se glisser dans la maison et de terroriser Jocasta pour lui faire avouer où était caché l'or.

Jamie hocha la tête.

– Oui, c'est possible. Le lieutenant est dans la région depuis des années. Ma tante, pourrait-il avoir vu quelque chose lui faisant croire que vous gardiez le trésor ici ? Vous avez dit qu'Hector avait apporté trois lingots, n'est-ce pas ? En reste-t-il quelque chose ?

Jocasta pinça les lèvres, puis, après un instant d'hésitation, acquiesça.

– Oui, il en gardait un morceau sur son bureau, comme presse-papiers. Wolff l'a peut-être vu, mais comment pouvait-il deviner de quoi il s'agissait ?

– Il n'était peut-être pas au courant à l'époque, suggéra Brianna. Il aura fait le rapprochement plus tard en entendant parler du trésor du Français.

Il y eut un murmure général d'approbation. Théoriquement, notre histoire tenait la route. Néanmoins, je ne voyais pas comment nous pourrions le prouver. Lorsque je fis part de mes doutes, Jamie haussa les épaules, léchant un vestige de confiture sur le dos de sa main.

– À mon avis, pour le moment, les preuves ne sont pas ce qu'il y a de plus important, *Sassenach*. Ce qui compte, c'est ce qui va se passer maintenant.

Il se tourna vers Duncan.

– Ils vont revenir, *a charaid*. Tu en es conscient, n'est-ce pas ?

Duncan l'admit, l'air triste mais déterminé.

– Oui, je sais.

Il tendit la main pour saisir celle de Jocasta. Pour la première fois, je le voyais faire un tel geste.

– Nous serons prêts à les accueillir, *Mac Dubh*.

Jamie hocha lentement la tête.

– Je ne peux pas rester, Duncan. Les semailles n'attendent pas. Mais je préviendrai tous ceux que je connais de surveiller discrètement le lieutenant Wolff.

Jocasta était restée silencieuse, gardant sa main dans celle de son mari.

– Et l'Irlandais ? demanda-t-elle.

Son autre main frottait lentement son genou. Elle appuyait doucement sur sa paume, là où la lame l'avait entaillée.

Jamie échangea un regard avec Duncan, puis avec moi.

– Il reviendra, dit-il avec une note sinistre dans sa voix.

Je regardai Brianna. Son visage était calme, mais étant sa mère, je sentis la peur ramper au fond de ses yeux, tel un serpent sous l'eau. Stephen Bonnet, me rendis-je compte avec un serrement de cœur, était déjà de retour.

* * *

Nous repartîmes vers nos montagnes le lendemain. Il ne nous restait pas plus d'une dizaine de kilomètres à parcourir quand j'entendis un bruit de galopade sur la route derrière nous. En me retournant, j'aperçus un éclat écarlate entre les branches vert printemps des châtaigniers.

C'était le major MacDonald. Son air ravi, tandis qu'il éperonnait sa monture pour nous rattraper, me suffit pour comprendre.

– Et merde ! soupirai-je.

Le message portait le sceau de Tryon, du même rouge éclatant que la redingote du major.

– C'est arrivé ce matin à Greenoaks, déclara-t-il en regardant Jamie décacheter la missive. J'ai offert de vous l'apporter, puisque, de toute manière, je venais dans cette direction.

Il savait déjà ce que disait la lettre. Farquard Campbell avait déjà ouvert la sienne.

J'observai le visage de Jamie pendant qu'il lisait. Son - expression ne changea pas. Quand il eut fini, il me tendit la lettre.

19 mars 1771
Aux commandants de milice

Messieurs,

Avec l'accord du Conseil de Sa Majesté, j'ai entrepris hier de rassembler un corps d'armée constitué de plusieurs régiments de miliciens afin de marcher sur les colonies d'insurgés et de réduire à l'obéissance ceux qui, par leurs actes de rébellion et leurs déclarations séditieuses, ont défié notre gouvernement et interrompu le cours de la justice en obstruant, en renversant et en fermant nos tribunaux. Afin que votre régiment ait l'honneur de servir sa patrie dans cette importante mission, je vous demande de sélectionner trente hommes qui rejoindront mes forces dans cette noble entreprise.

Nos troupes ne devraient pas se mettre en marche avant le vingt du mois prochain, date avant laquelle vous serez informé du jour où vous devrez réunir vos miliciens, ainsi que de la date de l'opération et de votre itinéraire.

Tout colon qui n'aura pas été mobilisé devra assumer son devoir de chrétien en assistant au mieux de ses possibilités les familles de vos recrues et en veillant sur elles. Ni la parenté ni les biens des recrues ne doivent en pâtir pendant tout le temps où elles défendront l'intérêt général.

Concernant les frais engendrés par cette expédition, je ferai imprimer des bons de souscription payables au porteur, ces bons restant négociables jusqu'à ce que le Trésor puisse les régler grâce au fonds de prévoyance, et ce, au cas où les provisions de nos caisses s'avéreraient insuffisantes pour satisfaire aux besoins de notre noble entreprise.

Je suis etc., etc.

William Tryon

Hermon Husband et James Hunter avaient-ils déjà été mis au courant avant de quitter River Run ? Très probablement. Quant au major, il était bien sûr en route vers New Bern pour offrir ses services au gouverneur. Ses bottes étaient recouvertes d'une pellicule de poussière, mais la garde de son épée avait été astiquée et brillait au soleil.

– Putain de bordel de merde ! jurai-je de nouveau.

Le major MacDonald sursauta. Jamie me jeta un coup d'œil et le coin de ses lèvres frémit.

– Ça va, déclara-t-il. Cela nous laisse presque un mois pour rentrer l'orge de printemps.

SIXIÈME PARTIE

La guerre de la Régulation

56

« Je veux bien être pendu si nous ne les tuons pas tous jusqu'au dernier... »

Déposition d'Avery Waightstill, témoin
Caroline du Nord, Comté de Mecklenburg

Le soussigné Waightstill Avery atteste par la présente s'être trouvé dans la résidence d'un dénommé Hudgins, située à l'extrême-sud de l'île Longue, le six mars de cette année mille sept cent soixante et onze, entre neuf et dix heures du matin.

Le témoin y a vu trente à quarante hommes appartenant au groupe se disant « les Régulateurs ». L'un d'entre eux (qui a déclaré s'appeler John McQuiston) l'a intercepté, puis, en recourant à la force, fait prisonnier au nom de tous les autres. Peu après, un dénommé James Graham (ou Grimes) a déclaré au témoin ce qui suit : « Tu es désormais notre prisonnier et ne peux aller nulle part sans ton garde. » Immédiatement après, il a ajouté : « Tant que tu resteras avec ton garde, il ne te sera fait aucun mal. »

Le témoin a ensuite été conduit sous escorte de deux hommes jusqu'au « camp de Régulation » (ainsi nommé par les individus susmentionnés), situé à moins de deux kilomètres de distance, où de nombreux autres adeptes de ce mouvement se sont rassemblés quelques heures plus tard. En tout, le témoin estime leur nombre à deux cent trente individus.

Le témoin a retenu le nom de cinq de leurs capitaines ou meneurs (à savoir, deux Hamilton, dont un prénommé Thomas, un James Hunter, un Joshua Teague, et le susnommé James Grimes, ou Graham). Le témoin a entendu de nombreux autres intervenants, dont il ignore les noms, tenir des propos injurieux à l'encontre du gouvernement, des juges de la Cour supérieure, de l'Assemblée et d'autres représentants de l'autorité. Devant un auditoire proférant des insanités, le susnommé Thomas Hamilton a prononcé un discours dont la teneur et le sens sont reproduits ici (l'assistance applaudissant et soutenant la véracité de ce qu'il avançait) :

« De quel droit Maurice Moore est-il juge ? Il n'est pas magistrat et n'a pas été nommé par le roi, pas plus qu'Henderson. Ni l'un ni l'autre n'ont leur place dans un tribunal. L'Assemblée a adopté une loi interdisant les attroupements populaires, bafouant encore un peu plus les droits du peuple. Finalement, nous devons nous en réjouir, car nous n'aurons désormais plus aucun scrupule à exécuter tous les clercs et magistrats. Je veux bien être pendu si nous ne les tuons pas tous jusqu'au dernier. S'ils n'avaient pas voté cette loi, nous aurions pu laisser la vie sauve à certains d'entre eux. Interdire les attroupements ! Il n'a jamais existé pareille loi dans le droit anglais ni dans aucun autre pays, hormis la France. C'est de là qu'ils l'ont importée. Bientôt, ils importeront l'Inquisition ! »

Beaucoup parmi les orateurs présents ont affirmé que le gouverneur était l'ami des magistrats et que l'Assemblée n'abritait que des vendus, payés pour persécuter les Régulateurs ; que Husband avait été incarcéré afin qu'il ne voie pas leurs exactions sournoises pendant que le gouverneur et l'Assemblée adoptaient les lois dictées par les avocats ; que les magistrats manipulaient le gouverneur et tiraient toutes les ficelles, faisant nommer des juges de paix ignares afin de satisfaire leurs propres intérêts.

Ils ont décrété que les provinces devaient être débarrassées des magistrats et que ceux-ci n'y demeuraient désormais qu'à leurs risques et périls. Ils ont déclaré Fanning hors-la-loi à compter du vingt-deux mars, tout Régulateur l'apercevant après cette date ayant pour ordre de l'abattre. Certains ont affirmé qu'ils avaient hâte de s'en charger et ont juré de le tuer s'ils l'apercevaient à Salisbury. D'autres ont émis le vœu de croiser le juge Moore à Salisbury afin de le fouetter, certains parlant même de le tuer. Un dénommé Robert Thomson a déclaré que Maurice Moore était un parjure et l'a qualifié de coquin, de canaille, de bandit, de gredin, etc., sous les acclamations de ses complices.

Lorsque la nouvelle annonçant que le capitaine Rutherford défilait à la tête de ses troupes dans les rues de Salisbury est tombée, le témoin a entendu l'assemblée clamer que l'ensemble des Régulateurs présents devaient s'armer et marcher sur la ville, affirmant qu'ils étaient assez nombreux pour les tuer tous. « Tuons-les ! Montrons-leur qui nous sommes ! »

Déposition retranscrite et soussignée devant le juge de paix, le huit mars 1771.

(signataire) Waightstill Avery
(témoin) William Harris, juge de paix

* * *

De William Tryon à l'attention
du général Thomas Gage
Caroline du Nord
New Bern, le 19 mars 1771

Monsieur,

Le Conseil provincial de Sa Majesté a décidé hier de lever un corps d'armée constitué de régiments et de compagnies de miliciens afin de marcher sur les colonies d'insurgés qui, par leurs actes de rébellion et leurs déclarations séditieuses, ont défié notre gouvernement.

Comme nous sommes bien pauvres en équipements militaires et en armements, j'en appelle à votre diligence pour nous procurer les articles (canons, fusils, étendards, tambours, etc.) dont la liste suit.

Je projette de me mettre en marche avec mon propre régiment le vingt du mois prochain et d'assembler ma milice en cours de route. Je compte sur mille cinq cents hommes, mais, à en juger par l'opinion générale qui semble en faveur de notre gouvernement, ce nombre pourrait se trouver considérablement augmenté.

Avec l'expression de mon plus grand respect et de toute mon estime,

Votre dévoué

William Tryon

57

Le sommeil des justes

Fraser's Ridge
15 avril 1771

Étendu sur le lit, Roger écoutait les bzzzz intermittents d'un moustique invisible qui s'était glissé sous la peau suspendue devant la fenêtre de la cabane. Le berceau de Jemmy était protégé d'un voile de gaze, une protection dont Brianna et lui ne bénéficiaient pas. Si ce satané insecte voulait bien se poser, il pourrait l'écraser, mais la bestiole semblait déterminée à tourner en rond au-dessus de leurs têtes, faisant de temps en temps de brusques piqués pour fredonner son insupportable bruit à son oreille avant de remonter hors de portée dans le noir.

Après l'activité fébrile de ces derniers jours, même les raids d'un escadron de moustiques n'auraient pas dû l'empêcher de dormir. Il avait passé deux jours entiers à galoper à travers vallons et crêtes, passant le message aux colons les plus proches, qui, à leur tour, le transmettraient aux membres de la milice qui vivaient plus loin. Les semailles de printemps avaient été effectuées en un temps record, tous les hommes disponibles ayant travaillé aux champs de l'aube au crépuscule. Son organisme était encore saturé d'adrénaline, de petites décharges fusant dans ses muscles et son esprit, comme de la caféine injectée par intraveineuse.

Toute la journée avait été consacrée à préparer la ferme à leur départ, et les images fragmentées de sa série de corvées défilaient derrière ses paupières dès qu'il fermait les yeux : réparer la clôture, charger le foin dans la grange, filer au moulin pour rapporter les sacs de farine nécessaires pour nourrir un régiment en marche, redresser la jante d'une roue de carriole, épisser les traits d'un harnais brisé, aider à rattraper la truie blanche qui avait encore fait une tentative d'évasion, couper du bois. Pour finir, juste avant le dîner, il avait passé une petite heure à retourner la terre dans le potager, afin que Claire puisse semer ses plants d'ignames et d'arachides avant le départ.

Malgré la précipitation et l'effort physique, cette dernière activité à la tombée du soir avait constitué un agréable répit, qui contrastait avec la frénésie organisée de la journée. Il se concentra sur ce moment relaxant, dans l'espoir de ralentir son esprit et de se calmer assez pour pouvoir s'endormir.

Il faisait chaud pour un mois d'avril. Le potager de Claire croulait sous les jeunes pousses. Partout, ce n'étaient que tiges vertes, feuilles naissantes, fleurettes éclatantes. Les plantes grimpantes s'enroulaient autour des palissades et ouvraient leurs corolles blanches au-dessus de sa tête, pendant qu'il travaillait dans la lumière déclinante.

Le parfum des plantes et de la terre retournée, entêtant comme de l'encens, s'élevait autour de lui, tandis que l'air rafraîchissait. Émergeant du bois, des papillons de nuit blancs, noirs et gris venaient butiner les jonquilles. Des nuées de moucherons et de moustiques excités par sa sueur voletaient autour de lui, attirant à leur tour les engoulevents, créatures voraces aux ailes étroites et au corps trapu, qui vrombissaient entre les roses trémières avec l'agressivité d'une horde de hooligans.

Il étira ses orteils sous les lourdes couvertures, sa jambe effleurant celle de sa femme. Il sentait encore la tranche dure de la pelle sous sa semelle et la sensation gratifiante du crissement du terreau et du craquement des racines à chaque nouvelle pelletée. La terre noire et humide, veinée des rhizomes blancs des herbes folles, reflétait l'éclat fugitif des lombrics fuyant se mettre à l'abri.

Une grosse saturnie, alléchée par les odeurs du jardin, avait volé à côté de sa tête. Irréelles, ses ailes silencieuses brun pâle avaient la taille de ses paumes et leurs ocelles le regardaient fixement, en silence.

«Qui cultive un jardin travaille avec Dieu.» Telle était la devise gravée sur la margelle du vieux cadran solaire en bronze, dans le jardin du presbytère où il avait grandi, à Inverness. Phrase ironique, dans la mesure où le révérend n'avait eu ni le temps ni le goût du jardinage, et que les lieux étaient une véritable jungle de mauvaises herbes et de ronces. Il sourit tout en saluant mentalement l'ombre du révérend.

«Bonne nuit, père. Que Dieu te bénisse.»

Cela faisait longtemps qu'il ne souhaitait plus ainsi bonne nuit à sa courte liste de parents et d'amis, vestige d'une enfance de prières nocturnes qui s'achevaient invariablement par la litanie : «Que Dieu bénisse Nana et grand-père Guy qui sont au ciel, ainsi que mon meilleur ami Peter, et la chienne Lillian et le chat de l'épicier…»

Il n'avait pas récité tous ces noms depuis des années, mais au souvenir de la sensation de paix que faisait naître en lui cette énumération, il dressa une nouvelle liste. Après tout, ce n'était pas pire que de compter les moutons.

«Bonne nuit, madame Graham…» Il eut une vision brève mais claire de la vieille gouvernante du révérend plongeant la main dans un bol d'eau, puis aspergeant un gril chaud pour voir si les gouttelettes se mettaient à danser. «Que Dieu vous bénisse…»

«Bonne nuit, petit bonhomme…» Il tourna la tête vers le berceau de Jemmy. «Que Dieu te bénisse…»

Puis il l'orienta de l'autre côté et ouvrit les yeux sur l'ovale pâle du visage de Brianna non loin du sien, à une trentaine de centimètres tout au plus. Il roula le plus doucement possible sur le côté et l'observa. Comme ils devaient partir tôt le lendemain matin, ils avaient laissé le feu s'éteindre. Il faisait si sombre dans la pièce qu'il distinguait à peine les taches foncées de ses sourcils et de ses lèvres.

Elle n'avait jamais de mal à s'endormir. Elle s'étendait sur le dos, s'étirait, faisait son trou dans le matelas avec un soupir d'aise, prenait trois grandes inspirations, puis elle s'éteignait comme une bougie. Peut-être était-ce l'épuisement, ou simplement la chance d'avoir une bonne santé et la conscience tranquille, mais il soupçonnait parfois qu'elle avait hâte de se réfugier dans ce jardin secret des rêves, un univers où elle était au volant de sa voiture, libre, les cheveux au vent.

Il sentait son souffle caresser son visage. Où était son esprit à cet instant, dans quel endroit inconnu?

«La nuit dernière, j'ai rêvé que je faisais l'amour avec Roger.» Il avait beau essayer d'effacer le souvenir de ce passage particulier de son journal intime, il résonnait encore dans son esprit. Bercé par sa prière, il avait failli s'endormir, mais la vision du cahier où Brianna consignait ses rêves le réveilla. Après le moment d'intimité qu'ils venaient de partager, elle ne devrait pas avoir ce genre de visions!

Il referma les yeux, se concentrant sur le rythme régulier de sa respiration. Son front se trouvait près de celui de Brianna. Pourrait-il capter ses pensées à travers les os de son crâne? Il sentait surtout l'odeur de sa peau, il revivait leurs adieux, avec leur lot de doutes et de plaisirs.

Elle partirait, elle aussi, demain à l'aube, avec Jemmy. Leurs affaires étaient prêtes, posées près de son balluchon à côté de la porte. M. Wemyss les conduirait à Hillsborough, où elle serait, en théorie, en sécurité, occupée – lucrativement – à peindre le portrait de Mme Sherston.

– Fais très attention à toi, lui avait-il dit pour la troisième fois dans la soirée.

Hillsborough se trouvait en plein cœur du territoire des Régulateurs et il avait de sérieuses réserves quant à la sagesse de cette décision. Elle avait ri de ses inquiétudes, se moquant de l'idée que le petit et elle puissent être en danger. Elle avait sans doute raison, mais probablement aurait-elle réagi comme lui s'il y avait vraiment eu un risque. Elle était tellement excitée par cette première commande que, pour se rendre à Hillsborough, elle aurait traversé sans sourciller une troupe d'émeutiers armés.

Il se souvint d'elle, un peu plus tôt dans la soirée, tandis qu'elle préparait leurs affaires, fredonnant *Loch Lomond* :

– « Oh! tu n'as qu'à suivrrrre la route du haut et je prendrrrrai la route du bas. Tu verrrras que je serai à Loch Lomond avant toi… »

Il lui saisit le bras tandis qu'elle pliait une des robes de Jemmy.

– Hé, tu m'as entendu?

Elle le regarda en papillotant, prenant un air faussement soumis qui n'avait fait qu'accroître son irritation.

– Je suis sérieux, Brianna.

Il la força à se tourner vers lui et la fixa avec intensité. Une lueur moqueuse brillait toujours au fond de ses yeux en triangle bleu nuit. Il resserra sa prise sur son poignet. Elle avait beau être grande et bien bâtie, ses os paraissaient délicats, presque friables dans sa main. Il imagina soudain son squelette sous sa peau, ses pommettes hautes et larges, son crâne rond, ses longues dents blanches. Il était si facile d'imaginer celles-ci figées dans le rictus permanent de la mort, après la décomposition des chairs.

Il l'attira à elle avec une brusquerie inattendue, l'embrassant avec une fougue incontrôlable. Peu importait s'il lui faisait mal.

Elle ne portait que sa chemise et il ne prit pas la peine de la lui enlever. Il la poussa en arrière sur le lit et retroussa le vêtement jusqu'au haut de ses cuisses. Elle tendit les mains vers lui, mais il ne la laissa pas le toucher, lui plaquant les bras le long du corps. Puis il l'enfonça dans le creux du matelas de tout son poids, la pétrissant, la malaxant, cherchant à se rassurer dans la couche de chair qui séparait leurs os respectifs.

Ils avaient fait l'amour en silence, à demi conscients de la présence de leur enfant endormi tout à côté. Il avait senti son corps répondre au sien d'une manière suprême et inattendue qui se situait au-delà des mots.

– Je suis sérieux, avait-il répété plus tard dans le creux de son oreille.

Il était couché sur elle, la clouant sur le lit. Elle tenta de se dégager, mais il la maintint là, l'empêchant de bouger. Elle soupira, puis il sentit ses lèvres remuer et ses dents se refermer doucement sur la chair, près de sa clavicule. Elle le mordit. Ce n'était pas brutal, plutôt un long suçon qui le fit haleter et se redresser.

Elle libéra ses bras et se tortilla pour rouler sur le côté et l'enlacer à son tour par derrière, serrant contre lui sa peau moite et chaude.

– Je sais, dit-elle. Je suis sérieuse, moi aussi.

* * *

– C'est ce que tu voulais?

Il chuchotait à présent, pour ne pas la réveiller. La chaleur de son corps irradiait à travers les draps. Elle était profondément endormie.

Si ce n'était pas ce qu'elle voulait, qu'était-ce? Était-ce la nature brutale de ses assauts qui l'avait fait réagir? Ou bien avait-elle senti la force qui se cachait en lui et avait-elle alors reconnu ce besoin désespéré qu'il avait de la protéger?

Si c'était la brutalité… Il déglutit, serrant les poings en songeant à Stephen Bonnet. Elle ne lui avait jamais parlé de ce qui s'était passé entre eux, et il était inconcevable qu'il le lui demande. Et pour lui, il était encore plus inimaginable de penser que quelque chose dans cette rencontre ait pu l'exciter. Pourtant, les rares fois où, pour une raison ou pour une autre, il l'avait prise sans ménagement, sans sa douceur habituelle, elle s'était montrée particulièrement réceptive.

Elles étaient bien loin, ses prières, à présent !

Il eut l'impression d'être retombé dans l'enfer de rhododendrons, qu'il avait connu un jour, dans ce même dédale de racines humides et de feuilles géantes qui se refermaient sans cesse sur son visage, quelle que soit la direction choisie. Chaque fois qu'une vague lueur au fond d'une galerie offrait l'espoir d'une issue, il déboulait sur un nouvel enchevêtrement.

« Car ma mie et moi nous ne nous reverrons jamais, sur les jolies berges et les versants de Loch Lomond... »

Il était de nouveau sur les nerfs. Sa peau le démangeait et il avait des fourmis dans les jambes. Le moustique, qui passa à ses côtés, l'agaça et il gifla l'air pour l'attraper, trop tard bien sûr. Incapable de tenir en place, il se glissa discrètement hors du lit et fléchit plusieurs fois les genoux pour diminuer les crampes dans ses mollets.

Constatant que cela le soulageait vraiment, il enchaîna avec une série de pompes, comptant en silence chaque fois qu'il plongeait vers le plancher. Un, deux, trois, quatre... Il se concentra sur la brûlure croissante dans ses pectoraux, ses épaules et ses biceps, sur la monotonie apaisante de l'énumération. Vingt-six, vingt-sept, vingt-huit...

Enfin, les muscles tremblants, il se releva, décrocha la peau devant la fenêtre et se tint nu devant l'ouverture, l'air humide de la nuit l'enveloppant. Il risquait de laisser entrer des moustiques, mais celui qui se trouvait déjà à l'intérieur en profiterait peut-être pour sortir.

Le clair de lune parait la forêt de reflets d'argent. Le vague halo d'un feu au loin indiquait le lieu où les miliciens avaient établi leur campement. Il en était arrivé de nouveaux tout au long de la journée, sur des mules ou des chevaux décharnés, le mousquet posé en travers des couvertures enroulées. Il entendit des voix et des rires portés par la brise. Au moins, il n'était pas le seul à ne pas dormir.

Une lueur plus vive brilla du côté de la grande maison, à l'autre bout de la clairière. Une lanterne, deux silhouettes marchant côte à côte, une grande, une plus petite.

Une voix mâle parlait, posant une question. Une fois les personnes plus proches, il reconnut Jamie, mais il n'entendit pas ses paroles.

– Non, répondit la voix de Claire. Je suis encore couverte de la terre du potager. Il faut que je me lave. Monte te coucher.

Jamie hésita, puis lui tendit la lanterne. Roger aperçut brièvement le visage de Claire, tourné vers le haut, souriant. Jamie se pencha vers elle et déposa un baiser sur ses lèvres.

– Dépêche-toi alors, dit-il. Tu sais que je n'arrive pas à bien dormir si tu n'es pas à mes côtés.

Claire se mit à rire.

– Menteur! Tu vas t'endormir tout de suite, n'est-ce pas?

La silhouette de Jamie s'était déjà fondue dans l'obscurité, mais la brise soufflait vers la cabane, et sa voix flottait dans le noir, faisant partie de la nuit.

– Non, pas tout de suite, *Sassenach*. Mais je ne peux pas faire l'autre chose sans toi, pas vrai?

Claire rit de plus belle.

– Tu n'as qu'à commencer tout seul, je te rattraperai.

Elle se tourna et s'éloigna vers le puits. Roger attendit devant la fenêtre jusqu'à ce qu'elle revienne, la lanterne se balançant au bout de son bras, puis qu'elle soit rentrée. Le vent avait encore tourné, et il n'entendait plus les hommes dans la forêt, même si leur feu était toujours visible.

Roger scruta les bois. À présent, sa peau s'était rafraîchie et les poils de son torse commençaient à se hérisser.

L'esprit ailleurs, il passa une main sur sa poitrine et sentit le point encore sensible où elle l'avait mordu. Il formait une tache sombre dans la faible lueur de l'astre nocturne. En resterait-il quelque chose au matin ?

En levant la main pour remettre la peau devant la fenêtre, il aperçut un éclat de lune se refléter dans du verre. Il s'agissait de la collection d'objets personnels de Brianna, posée sur l'étagère près de la fenêtre. La paire de peignes en écaille que Jocasta lui avait offerte, son bracelet en argent, la petite fiole d'huile de tanaisie, deux ou trois fragments d'éponge posés à côté, une jarre plus grande contenant des graines de carotte. Ce soir, elle n'avait pas eu le temps de se mettre une éponge imbibée d'huile, mais il était prêt à parier sa tête qu'elle avait pris ses graines pendant la journée.

Il fixa la peau à ses clous, puis retourna se coucher en faisant une pause près du berceau. Le souffle du bébé à travers le voile de gaze était chaud et rassurant contre sa paume.

Jemmy s'étant débarrassé de ses couvertures, Roger souleva le voilage et les remit en place, les calant fermement sous son menton. Il sentit quelque chose de mou… la poupée de chiffon que le petit serrait contre lui. Roger attendit un moment, une main posée dans le dos du bébé, dont la cage thoracique se soulevait et s'affaissait doucement. Puis il caressa la courbe douce et rembourrée des petites fesses.

– Bonne nuit, mon bonhomme, chuchota-t-il enfin. Que Dieu te bénisse et te protège.

58

Joyeux anniversaire

1er mai 1771
Camp de l'Union

Je fus réveillée juste après l'aube par un insecte rampant sur ma jambe. J'agitai le pied et il fila précipitamment entre les herbes, alarmé de découvrir que j'étais en vie. Avec prudence, je remuai les orteils, puis, ne percevant pas d'autres intrus, j'inspirai une profonde bouffée d'air frais, humant l'odeur de sève, et m'étirai avec volupté.

J'entendis vaguement remuer non loin, mais ce n'était que les chevaux des officiers qui se réveillaient toujours longtemps avant les hommes. Le camp était encore silencieux, ou du moins autant que pouvait l'être un campement de plusieurs centaines d'hommes, quelle que soit l'heure. Au-dessus de ma tête, une lumière douce et l'ombre d'un feuillage filtraient à travers la toile de tente, mais le soleil n'était pas tout à fait levé. Je refermai à moitié les yeux, ravie de ne pas avoir besoin de me lever tout de suite. Si j'attendais encore un peu, il se trouverait bien un autre lève-tôt pour préparer le petit-déjeuner.

Nous avions rejoint le camp la nuit précédente, après une longue route sinueuse dans les montagnes et le piémont. Le lieu de rendez-vous était la plantation du colonel Bryan. Nous étions arrivés en avance. Tryon et ses troupes de New Bern n'étaient pas encore là, pas plus que les détachements des comtés de Craven et de Carteret qui apportaient les pièces d'artillerie et les perriers, de petits canons en bronze. Au cours du dîner de la veille, le colonel Bryan nous avait informés que les hommes de Tryon étaient attendus dans la journée.

Une sauterelle atterrit sur la toile au-dessus de moi. Je la surveillai attentivement, mais elle ne semblait pas vouloir entrer. J'aurais peut-être dû accepter l'offre de Mme Bryan de me trouver un lit dans la maison, avec les quelques épouses d'officiers qui étaient du voyage. Mais Jamie ayant insisté pour rester dans le pré avec ses hommes, j'avais décidé de l'accompagner, préférant partager sa paillasse avec des insectes que de dormir dans un lit sans lui.

Je regardai sur le côté, veillant à ne pas bouger au cas où il dormirait encore. Mais ses yeux étaient grands ouverts. Immobile, il avait l'air parfaitement détendu, hormis sa main droite. Il la tenait levée, semblant l'examiner avec attention, la tournant d'un côté puis de l'autre, pliant puis dépliant les doigts du mieux qu'il le pouvait. Les articulations de son index étaient soudées, le rendant définitivement raide. Son majeur était un peu tordu, une profonde cicatrice blanche s'enroulant autour de sa seconde phalange.

Sa main était calleuse et usée par le travail manuel. Le minuscule stigmate laissé par un clou était encore visible, rose pâle, au milieu de sa paume. Sa peau tannée et bronzée était parsemée de taches de rousseur et de poils blonds dorés. Je la trouvai remarquablement belle.

– Joyeux anniversaire, chuchotai-je. Tu fais l'inventaire ?

Il posa sa main sur son torse et se tourna vers moi avec un sourire.

– Oui, plus ou moins. Cela dit, il me reste quelques heures. Je suis né à six heures et demie du soir. C'est seulement à l'heure du dîner que je pourrai affirmer avoir vécu un demi-siècle.

Je roulai sur le côté tout en riant, me débarrassant de ma couverture d'un coup de pied. L'air était délicieusement frais, mais cela ne durerait pas.

– Tu t'attends à te désintégrer encore un peu plus avant le repas? demandai-je.

– Bah, je ne pense pas qu'une pièce tombera d'ici là. Quant à la machinerie…

Il s'étira en cambrant les reins et retomba avec un soupir de contentement en sentant ma main se poser sur lui.

– Hmm… je vois que la machinerie est toujours en bon état de marche, le rassurai-je.

Je tirai légèrement sur la pièce en question, lui arrachant un petit cri étranglé.

– Ça tient bien, confirmai-je.

Avec fermeté, il posa sa main sur la mienne pour prévenir tout autre expérience de ma part.

– Tant mieux, déclara-t-il. Comment as-tu deviné ce que j'étais en train de faire? L'inventaire, comme tu dis.

Je mis mon menton sur son torse, où un petit creux semblait avoir été conçu spécialement pour cet usage.

– Cela m'arrive, moi aussi, à chaque anniversaire, mais le plus souvent, la nuit d'avant. Je réfléchis surtout à l'année qui vient de s'écouler, comme une sorte de bilan. Peut-être que tout le monde en fait autant. Juste pour savoir si on est toujours la même personne.

– Je suis relativement certain de l'être, m'assura-t-il. Tu n'as pas remarqué de changement notable, n'est-ce pas?

Je soulevai mon menton de quelques centimètres, l'examinant avec attention. À vrai dire, il m'était difficile de le contempler objectivement. J'avais du mal à le considérer dans son ensemble. J'étais trop habituée à ses traits et tellement attachée à eux que je tendais à ne remarquer que les petits détails charmants – une tache de rousseur sur le lobe d'une oreille, une incisive pointant légèrement en avant, se démarquant à peine de ses compagnes – et à réagir au moindre changement de son expression.

Il se soumit tranquillement à mon examen, les paupières mi-closes pour se protéger de la lumière grandissante. Ses cheveux s'étaient détachés pendant son sommeil et retombaient sur ses épaules, ses vagues rousses encadrant un visage fortement marqué par l'humour et la passion, mais paradoxalement capable d'un immobilisme remarquable.

Enfin, je reposai mon menton avec un soupir satisfait.

– Non, ça va, tu es toujours toi-même.

Il grogna, amusé, mais ne bougea pas. J'entendais un des cuistots s'affairer non loin, jurant lorsqu'il se prit les pieds dans la languette d'une carriole. Le campement n'était pas encore entièrement monté. Quelques compagnies – celles qui comptaient la plus forte concentration d'anciens soldats parmi leurs officiers – étaient ordonnées et bien organisées. Mais ce n'était pas le cas de bon nombre d'entre elles. Le grand pré était parsemé de tentes de travers et de matériel entassé pêle-mêle dans un désordre qui n'avait pas grand-chose de militaire.

Un tambour se mit à rouler, sans grand effet. L'armée continua à roupiller.

– Tu penses que le gouverneur parviendra à tirer quelque chose de ces troupes? demandai-je, sceptique.

Jamie semblait lui aussi s'être rendormi. À ma question, les longs cils auburn se soulevèrent paresseusement.

– Oh, oui. Tryon est un soldat. Il saura ce qu'il faut faire. Au moins, pour commencer. Faire marcher des hommes au pas et leur faire creuser des latrines n'est pas bien sorcier. Les faire se battre, en revanche, sera une autre paire de manches.

– Tu crois qu'il sera à la hauteur?

La poitrine sous mon menton se souleva dans un grand soupir.

– Peut-être bien que oui. Peut-être bien que non. La question est : sera-t-il contraint d'en arriver là?

Effectivement, là était la question. Depuis que nous avions quitté Fraser's Ridge, les rumeurs avaient virevolté autour de nous telles des feuilles mortes dans une bourrasque d'automne. Les Régulateurs avaient levé une armée de dix mille hommes marchant sur New Bern. Le général Gage arrivait de New York avec un régiment de troupes officielles pour ramener l'ordre dans la colonie. La milice du comté d'Orange s'était rebellée et avait tué ses officiers. La moitié des hommes du comté de Wake avaient déserté. Hermon Husband avait été arrêté et embarqué à bord d'un navire qui le conduisait à Londres pour répondre à des accusations de trahison. Hillsborough était tombée aux mains des Régulateurs, qui s'apprêtaient à incendier la ville et à passer Edmund Fanning et ses associés au fil de l'épée. J'espérais que cette dernière rumeur était fausse ou, dans le cas contraire, qu'Hubert Sherston ne faisait pas partie des intimes de Fanning.

Après avoir fait le tri dans la masse des ouï-dire, des suppositions et des inventions les plus délirantes, le seul fait dont nous pouvions être sûrs était que le gouverneur Tryon venait rejoindre la milice. Une fois qu'il serait arrivé, nous verrions bien.

La main de Jamie reposait contre mon dos, son pouce caressant lentement le bord de mon omoplate. Avec sa capacité habituelle pour la discipline mentale, il semblait avoir totalement chassé de son esprit l'incertitude de cette entreprise militaire et se concentrait sur un sujet aux antipodes du précédent.

– Il ne t'arrive jamais de…

Il n'acheva pas sa phrase.

– De quoi?

Je déposai un baiser sur son torse, cambrant les reins pour encourager ses caresses, avec succès.

– Eh bien… je ne suis pas sûr de pouvoir l'expliquer, mais je viens de me rendre compte que j'avais vécu plus longtemps que mon père, ce à quoi je ne m'étais jamais attendu. C'est juste que… cela me fait bizarre, c'est tout. Toi qui as perdu ta mère si jeune, tu n'y penses jamais?

– Si.

Mon visage était enfoui contre son torse, ma voix se perdant dans les plis de sa chemise.

– ... Autrefois, quand j'étais jeune. C'est comme partir en voyage sans carte.

Sa main dans mon dos s'arrêta un instant.

– Oui, c'est ça. Je savais plus ou moins ce que signifiait être un homme trentenaire, quadragénaire... mais maintenant?

Il émit un petit bruit, un mélange d'amusement et de perplexité.

– Il faut s'inventer soi-même, dis-je doucement. On regarde les autres femmes, ou les autres hommes. On essaie leur vie pour voir si elle nous va. Puis, on cherche à l'intérieur de soi ce qu'on ne trouve pas ailleurs. Et on se demande toujours... toujours... si on a fait ce qu'il fallait.

Sa main était lourde et chaude dans mon dos. Il sentit les larmes qui s'étaient brusquement mises à couler du coin de mes yeux sur sa chemise. Son autre main se posa sur ma tête et caressa mes cheveux.

– Oui, c'est ça, répéta-t-il tout doucement.

À l'extérieur, le camp commençait à se réveiller. On entendait des bruits métalliques et des voix éraillées par le sommeil. Au-dessus de nous, la sauterelle se mit à crier, un son rappelant le bruit d'un clou qu'on gratte sur un fond de casserole en cuivre.

– Voici un matin comme mon père n'en a jamais connu, déclara Jamie.

Il avait parlé si bas que je l'entendis autant à travers la paroi de son torse que dans mes oreilles.

– Le monde est un présent, chaque jour est un présent, *mo chridhe*, ajouta-t-il. Peu importe ce que demain nous réserve.

Je poussai un soupir et tournai la tête, reposant ma joue contre sa poitrine. Il essuya mon nez avec un pli de sa chemise.

– Quant à mon inventaire…, acheva-t-il, j'ai encore toutes mes dents, il ne me manque aucune partie de mon corps et ma queue est toujours aussi raide le matin au réveil. Ça pourrait être pire.

59

La machinerie militaire

Journal de l'expédition contre les insurgés
Tenu par William Tryon, gouverneur

Jeudi 2 mai
Les détachements de Craven et de Carteret ont quitté New Bern avec deux pièces d'artillerie, six perriers montés sur chariots, seize carrioles et quatre charrettes chargées de bagages, de munitions et d'assez de vivres pour nourrir les différents régiments qui doivent les rejoindre sur la route du lieu de rassemblement général, la plantation du colonel Bryan.

Vendredi 3 mai, camp de l'Union
À 12 h, le gouverneur a passé en revue les détachements dans le pré de Smiths Ferry sur la rive ouest du Neuse.

Samedi 4 mai
L'ensemble du corps d'armée a avancé jusqu'au palais de justice de Johnston. Quinze kilomètres.

Dimanche 5 mai
Avons avancé jusqu'à la plantation du major Theophilus Hunter dans le comté de Wake. Vingt kilomètres.

Lundi 6 mai

Halte de l'armée. Au cours d'une revue générale, le gouverneur a inspecté le régiment du comté de Wake. M. Hinton, colonel du régiment, a informé le gouverneur qu'il n'avait pu recruter que vingt-deux hommes parmi la compagnie qu'il avait reçu ordre de former, du fait d'une désaffection de la part des habitants du comté.

En passant devant le premier rang du bataillon, le gouverneur a pu observer le mécontentement général au sein dudit régiment, dans lequel un homme sur cinq seulement possède une arme. Constatant qu'à son injonction de se porter volontaire au service les hommes refusaient d'obéir, il a ordonné à l'armée d'encercler le bataillon, puis trois de ses colonels ont sélectionné d'office quarante des hommes parmi les plus présentables et actifs, ce qui n'a pas été sans provoquer un mouvement de panique au sein du bataillon, qui en comptait quatre cents.

Au cours de la sélection, les officiers ont activement incité les hommes à s'enrôler et, en moins de deux heures, sont parvenus à accroître l'effectif de la compagnie Wake à cinquante hommes. La nuit tombant, les hommes du comté de Wake ont été congédiés, considérablement affectés par leur déshonneur et leur conduite qui l'a occasionné. L'armée est rentrée au camp.

Mercredi 8 mai

Le détachement du colonel Hinton est resté en arrière, afin d'éviter que les mécontents du comté ne se regroupent et ne rejoignent les Régulateurs des comtés adjacents.

Ce matin, un détachement a pris la résidence de Turner Tomlinson, Régulateur notoire, l'a fait prisonnier et l'a enfermé au camp. Il a avoué être un Régulateur, mais a refusé de divulguer d'autres informations.

L'armée a avancé et monté le camp près de Booth, à New Hope Creek.

Vendredi 10 mai

Halte pour rééquiper les carrioles, referrer les chevaux et effectuer toutes les réparations nécessaires. Passage en revue à Hillsborough de deux compagnies de la milice du comté d'Orange.

Le prisonnier Tomlinson a échappé dans la soirée à la vigilance de son gardien. Plusieurs détachements ont été envoyés à ses trousses, sans succès.

Dimanche 12 mai

Traversée du Haw et installation du camp sur la rive ouest. Il avait été annoncé que les Régulateurs tenteraient de s'opposer à la traversée du fleuve par les royalistes, mais, ayant pensé que l'armée ne quitterait pas Hillsborough avant le lundi au plus tôt, ce mouvement soudain les a pris au dépourvu.

Avons été informés ce jour que le général Waddell et ses troupes ont été contraints par les Régulateurs à retraverser le cours du Yadkin.

Messe avec sermon célébrée par le révérend McCartny. Texte : « Si tu n'as pas d'épée, vends tes vêtements et achètes-en une. »

Ce jour, vingt gentilshommes volontaires ont rejoint nos rangs, venant principalement des comtés de Granville et de Bute. Ils ont été rassemblés en troupe de cavalerie légère sous les ordres du major MacDonald. Un Régulateur surpris par les armées de flanc a été débusqué avec son fusil. L'intendant a confisqué dans son logement une barrique de rhum cachée là pour l'usage des Régulateurs, ainsi que plusieurs fûts appartenant à sa famille.

Lundi 13 mai

Marche jusqu'à O'Neal. À 12 h, un cavalier rapide dépêché par le général Waddell a délivré un message verbal, de crainte qu'une lettre soit interceptée. La teneur de son message était la suivante : « Jeudi soir, le 9 de ce mois, deux mille Régulateurs ont encerclé le camp du général et, de la manière la plus hardie et insolente, lui ont demandé de battre en retraite avec ses troupes sur l'autre rive du Yadkin, qui se trouvait à trois kilomètres de là. Le général a refusé d'obtempérer, arguant que les ordres du gouverneur étaient d'aller de l'avant. Les rebelles ont alors redoublé d'insolence et, avec moult cris d'Indiens, se sont attachés à intimider ses hommes.

Le général, dont les hommes ne sont pas plus de trois cents et, pour la plupart, peu enclins à combattre – sans compter que bon nombre de ses sentinelles sont passées dans le camp des Régulateurs – s'est vu contraint de s'exécuter et, tôt le lendemain matin, a franchi de nouveau le Yadkin, avec armes et bagages. Les Régulateurs ont convenu de se disperser et de rentrer chacun chez soi.

Un conseil de guerre a immédiatement été convoqué afin de délibérer sur les informations apportées par le messager. Il était composé, outre des colonels et des officiers supérieurs, des honorables membres du Conseil de Sa Majesté : John Rutherford, Lewis DeRosset, Robert Palmer et Sam Cornell. Il a été décidé que l'armée devait changer d'itinéraire, suivre la route d'Hillsborough à Salisbury, traverser la Petite et la Grande Alamance, le plus tôt possible, et aller sans perdre de temps à la rencontre du général Waddell. L'armée s'est aussitôt mise en marche et, avant la nuit, a monté le camp sur la rive ouest de la Petite Alamance. Un important détachement a été envoyé en avant-garde prendre possession de la rive ouest de la Grande Alamance afin d'éviter que des parties ennemies ne s'emparent de cette place forte.

Ce soir, nous avons été informés que les Régulateurs envoyaient des éclaireurs dans toutes leurs communautés et se réunissaient à Sandy Creek, près de Hunter.

Nous avons avancé et rejoint le détachement sur la rive ouest de la Grande Alamance, où un site stratégique a été choisi pour monter le camp. Là, l'armée a fait une halte, en attendant que des carrioles vidées aillent faire le plein de vivres à Hillsborough.

Ce soir, nous avons été informés que les rebelles entendent attaquer le camp pendant la nuit. Tout est prêt pour parer une éventuelle confrontation, un tiers des hommes ayant été priés de rester sur le pied de guerre, les autres dormant près de leurs armes. Aucune alerte n'a été donnée.

Mardi 14 mai

Les hommes sont consignés dans le camp.

L'armée est restée sur le pied de guerre, comme la nuit précédente. Aucune alerte.

Mercredi 15 mai

Vers 18 h ce jour, le gouverneur a reçu une lettre des insurgés, dont il a fait part au Conseil de guerre. Il a été décidé que l'armée marcherait sur les rebelles tôt le lendemain matin, que le gouverneur leur enverrait une lettre leur proposant les termes de leur reddition et que, s'ils refusaient, l'assaut serait donné.

Les hommes sont restés sur le pied de guerre toute la nuit. Aucune alerte, bien que les rebelles aient monté leur camp à huit kilomètres seulement.

* * *

Extrait du journal des rêves

Hillsborough, le 15 mai

La nuit dernière, je me suis endormie tôt et me suis réveillée avant l'aube, à l'intérieur d'un nuage gris.

Toute la journée, j'ai eu la sensation d'être encerclée par la brume. Les gens me parlent, mais je ne les entends pas. Je vois leurs lèvres remuer, je hoche la tête, je souris, et ils s'éloignent. Il fait chaud et moite. Partout flotte une odeur de métal chaud. J'ai mal à la tête et la cuisinière n'arrête pas de faire un boucan infernal avec ses casseroles.

Toute la journée, j'ai vainement essayé de me souvenir de mon rêve. Je ne me rappelle que du gris et d'un sentiment de peur. Je n'ai jamais été près d'une bataille, mais j'ai l'impression que dans mon sommeil, je vois la fumée des canons.

60

Conseil de guerre

Jamie revint du Conseil de guerre longtemps après l'heure du dîner et transmit brièvement à ses hommes les ordres de Tryon. Leur réaction fut largement positive, voire franchement enthousiaste.

Ewald Mueller étira ses longs bras et fit craquer ses doigts en déclarant :

– Il est grand temps de se remuer les fesses. Si on reste plus longtemps ici, on finira par prendre racine.

Cette opinion déclencha des rires et des hochements de tête. La perspective d'un peu d'action, dès le lendemain matin, améliora considérablement le moral des troupes. Les hommes s'installèrent pour bavarder autour des feux, les derniers rayons du soleil couchant se reflétant sur leurs gobelets en étain et les canons polis des mousquets posés à leurs pieds.

Jamie fit une brève ronde d'inspection, répondant aux questions et rassurant les quelques inquiets, puis me rejoignit devant notre feu plus petit. Je l'observai attentivement. En dépit de la tension due à la situation imminente, je sentais chez lui une satisfaction secrète qui ne me disait rien qui vaille. Tout en lui tendant un morceau de pain et une écuelle de ragoût, je demandai :

– Qu'as-tu encore manigancé ?

Il n'essaya même pas de nier.

– J'ai réussi à coincer Cornell en tête à tête et à l'interroger au sujet de Stephen Bonnet.

Il arracha un morceau de pain d'un coup de dents et déglutit après l'avoir à peine mâché.

– Bon sang ce que j'avais faim ! J'ai passé ma journée à ramper sous les ronces comme un serpent, sans avoir le temps d'avaler quoi que ce soit.

– Ne me dis pas que Samuel Cornell a rampé avec toi sous les ronces !

Cornell était un des membres du Conseil royal de Sa Majesté, un riche marchand d'Edenton dont le rang, le ventre bedonnant et le tempérament se prêtaient mal à ce genre d'exercice.

– Non, je lui ai parlé plus tard, répondit Jamie.

Il trempa son pain dans le ragoût, avala une autre bouchée de géant, puis, provisoirement incapable de parler, me fit un signe de la main. Je lui tendis un gobelet de cidre pour faire descendre la masse coincée dans sa gorge. Une fois l'obstruction débouchée, il reprit :

– Nous espionnions les lignes rebelles. Elles ne sont pas loin, même si le terme de « lignes » est très exagéré. Je n'avais pas vu une telle bande de vauriens depuis l'époque où j'étais soldat en France. Un jour, nous avons libéré un village tombé aux mains d'un groupe de contrebandiers en vins. La moitié de ceux qui tenaient encore debout étaient au bordel. Il a fallu les aider à se relever pour les arrêter. D'après ce que j'en ai vu, ceux-là ne valent guère mieux.

Après quelques secondes de réflexion, il concéda :

– Sauf qu'il y a moins de prostituées dans leurs camps.

À vrai dire, au moment même où nous parlions, une bonne partie des troupes du gouverneur était plutôt éméchée. Cet état était tellement habituel que cela ne suscitait aucun commentaire. Je lui donnai un autre morceau de pain, réorientant la conversation sur le point essentiel.

– Alors, qu'as-tu appris au sujet de Bonnet ?

– Cornell ne l'a jamais rencontré, mais il a entendu parler de lui. Apparemment, on le voit trafiquer dans les ports quelque temps, puis il disparaît pendant trois ou quatre mois et réapparaît soudain, buvant dans les tavernes d'Edenton ou de Roanoke, des pièces d'or plein les poches.

Trois ou quatre mois correspondaient plus ou moins à la durée d'un aller et retour transatlantique.

– Ça signifie simplement qu'il rapporte des produits d'Europe et les vend, déclarai-je. En contrebande, je suppose ?

– Oui, c'est l'avis de Cornell. Mais sais-tu où il débarque sa marchandise ?

Il essuya ses lèvres sur le dos de sa main avant de répondre :

– Sur le débarcadère de Wylie. Du moins, c'est le bruit qui court.

J'en restai bouche bée, et plutôt affolée.

– Quoi… tu veux dire que Phillip Wylie est de mèche avec lui ?

– Pas forcément. Mais le débarcadère jouxte sa plantation, et ce petit merdeux était avec Bonnet la nuit où il est venu à River Run, quoi qu'il ait dit plus tard.

Il agita une main, mettant Wylie de côté pour l'instant, et reprit :

– Cornell dit que Bonnet a de nouveau disparu. Personne ne l'a vu depuis un mois. Cela signifie que ma tante et Duncan sont sans doute en sécurité pour le moment. Tant mieux ! Cela fait un motif d'inquiétude en moins. J'en ai déjà assez comme ça ces temps-ci.

Il parlait sans ironie, balayant du regard le campement qui s'étalait autour de nous. Avec la tombée du jour, les feux s'étaient mis à luire par centaines comme des lucioles le long des berges de la Grande Alamance.

– Hermon Husband est ici, dit-il.

Je relevai les yeux de son écuelle de ragoût, que je venais de remplir pour la deuxième fois.

– Tu lui as parlé ?

– Non, je n'ai pas pu m'approcher. Il est avec les Régulateurs, naturellement. J'étais sur une petite colline surplombant la rivière et je l'ai aperçu au loin. Il était au milieu d'un grand attroupement, mais, avec sa tenue, je ne pouvais pas le manquer.

Je lui tendis son plat fumant.

– Que va-t-il faire ? Il ne va quand même pas se battre ni laisser ses amis se faire massacrer.

La présence d'Hermon Husband me paraissait bon signe. Pour les Régulateurs, il représentait presque un leader. Ils l'écouteraient sûrement.

Jamie secoua la tête, l'air inquiet.

– Je ne sais pas, *Sassenach.* Lui-même ne prendra pas les armes, c'est sûr, mais les autres…

Il resta songeur quelques secondes, puis, soudain, ses traits se figèrent. D'un air résolu, il me rendit l'écuelle, se leva et repartit à travers le camp.

Je le vis donner une tape sur l'épaule de Roger et l'attirer à l'écart. Ils discutèrent un moment, puis Jamie glissa une main dans la poche de sa veste et en sortit un objet blanc qu'il tendit à Roger. Celui-ci l'examina un instant, puis il hocha la tête et le mit dans sa propre poche.

Jamie le gratifia d'un coup amical sur le bras, puis il revint vers notre feu, s'arrêtant en chemin pour échanger quelques plaisanteries avec les frères Lindsay.

De retour à mes côtés, il reprit son assiette, un sourire de soulagement aux lèvres. Il attaqua le ragoût avec autant d'appétit que tantôt, expliquant entre deux bouchées :

– J'ai demandé à Roger d'aller trouver Husband demain matin à la première heure et, s'il le peut, de le ramener ici pour parler en tête à tête avec Tryon. Si Husband ne parvient pas à convaincre Tryon – ce qui est fort probable – ce dernier saura peut-être persuader le Régulateur du sérieux de ses menaces. Si Hermon sent que tout cela risque de se terminer dans un bain de sang, il convaincra peut-être ses hommes de battre en retraite.

– Tu y crois vraiment ?

Il avait bruiné dans l'après-midi, et le ciel à l'est était encore chargé de nuages ourlés de rouge, non par les derniers rayons du soleil couchant, mais par le reflet des feux des Régulateurs qui campaient sur l'autre rive de l'Alamance.

Jamie essuya le fond de son écuelle avec un morceau de pain puis secoua la tête.

– Je n'en sais rien. Mais nous ne perdons rien à essayer, non ?

Je hochai la tête et me penchai pour rajouter des branches dans les flammes. Personne ne s'endormirait de bonne heure ce soir.

Les feux avaient brûlé toute la journée, fumant et crachotant sous la bruine. Maintenant que celle-ci avait cessé, les nuages s'éparpillaient, se déchiquetant en longues langues flamboyantes et s'étirant dans tout le ciel de l'ouest, éclipsant par leur éclat les brasiers allumés sur terre. Je posai une main sur le bras de Jamie.

– Regarde !

Il se tourna en pensant que quelqu'un l'avait suivi pour lui soumettre un nouveau problème. Son visage se détendit quand je pointai un doigt vers le ciel.

Quand je montrais à Frank une merveille de la nature alors qu'il avait l'esprit occupé ailleurs, il marquait juste le temps d'arrêt nécessaire pour ne pas paraître impoli, et marmonnait « Oh, oui, c'est vraiment charmant, n'est-ce pas ? », puis se replongeait dans ses pensées. Jamie, lui, leva la tête vers le spectacle éclatant et figea.

« Qu'est-ce qui te prend ? me sermonnai-je. Tu ne peux pas laisser Frank Randall reposer en paix ? »

Jamie passa un bras autour de mes épaules et soupira :

– En Écosse, on ne voit jamais un ciel pareil !

– Qu'est-ce qui te fait penser à l'Écosse ?

J'étais surprise que le panorama le fasse, lui aussi, songer au passé. Il esquissa un sourire songeur.

– L'aube et le crépuscule, le passage des saisons… Chaque fois que je remarque un changement dans le paysage autour de moi, je pense à ce qui a été et à ce qui est. Cela ne m'arrive pas systématiquement dans une maison, mais, quand je dors à la belle étoile, comme en cet instant, je me réveille souvent en pensant à des gens que j'ai connus autrefois, puis je reste en silence sous les étoiles à me remémorer d'autres lieux et d'autres temps.

Il haussa les épaules avant d'achever :

– À présent que le soleil se couche, je pense à l'Écosse.

– C'est drôle, j'étais moi aussi absorbée par d'autres lieux et d'autres temps.

Je posai ma tête contre son épaule et repris :

– Pour le moment, toutefois, je ne peux penser à rien d'autre qu'à toute cette beauté.

– Ah?

Il hésita un instant, puis déclara prudemment :

– Je ne te pose jamais la question, parce que, si la réponse est « oui », je ne pourrais pas y faire grand-chose, mais… regrettes-tu souvent l'autre époque?

J'attendis un laps de trois battements de cœur avant de répondre. Je les perçus distinctement, battant avec lenteur dans sa cage thoracique contre mon oreille. Puis je fermai ma main gauche, sentant le métal lisse de mon alliance en or.

– Non, répondis-je enfin. Mais je m'en souviens.

61

Ultimatums

Camp de la Grande Alamance
16 mai 1771

Aux gens en armes actuellement rassemblés et se faisant appeler « Régulateurs »

En réponse à votre pétition, je vous informe que j'ai toujours veillé avec le plus grand soin aux intérêts de nos colonies, ainsi qu'à ceux de tous nos sujets y résidant. Je regrette la nécessité fatale dans laquelle, en vous soustrayant aux lois de notre pays, vous me placez de vous sommer de déposer vos armes, de livrer vos meneurs, de vous soumettre à notre justice et de confier votre sort à la clémence de notre gouvernement. En acceptant mes termes dans l'heure qui suit la réception de cette missive, vous éviterez une effusion de sang, car vous êtes actuellement en état de guerre et de rébellion contre votre Roi, votre patrie et vos lois.

William Tryon

* * *

À mon réveil, Jamie était déjà parti, laissant sa couverture soigneusement repliée à côté de moi, et Gideon avait disparu de sous le chêne des marais auquel il l'avait attaché la veille.

– Le colonel est parti assister au Conseil de guerre du gouverneur, m'informa Kenny Lindsay entre deux bâillements.

Il cligna des yeux, s'ébroua comme un chien trempé puis demanda :

– Qu'est-ce que ce sera, m'dame, thé ou café?

– Du thé, s'il vous plaît.

Sans doute étaient-ce les événements actuels qui me faisaient penser à la *Boston Tea Party*[1]. Je n'arrivais pas à me souvenir de la date de cet épisode historique particulier et ses conséquences, mais j'avais l'obscur pressentiment de devoir profiter de toutes les occasions de boire du thé pendant qu'il y en avait encore, en saturant mon organisme comme un ours qui se gave de baies et de larves à l'approche de l'hiver.

La journée s'annonçait dégagée et, s'il faisait encore frais, il flottait dans l'air une certaine moiteur due aux pluies de la veille. Je bus mon thé par petites gorgées, sentant des mèches de cheveux s'enrouler sur mon visage et coller à mes joues dans la vapeur qui se dégageait de ma tasse.

Une fois réveillée, j'allai chercher deux seaux et partis vers la rivière. J'espérais que cette réserve serait inutile, mais il valait mieux disposer à l'avance d'une certaine quantité d'eau bouillie, au cas où. En outre, si je n'en avais pas besoin pour des raisons médicales, je pourrais m'en servir pour rincer mes bas, qui réclamaient mes soins depuis un certain temps déjà.

En dépit de son nom, la Grande Alamance n'avait rien d'impressionnant, ne mesurant pas plus de six mètres de large sur pratiquement tout son cours. Elle était également peu profonde, vaseuse et aussi tortueuse qu'une effilocheuse de laine, parcourue de petits bras et d'affluents

1. En 1773, exaspérés d'être accablés de taxes par Londres et obligés d'acheter les surplus de thé de la Compagnie des Indes orientales, des colons déguisés en Indiens attaquent des navires dans la rade de Boston et jettent à la mer leur cargaison de thé, signe précurseur de la guerre d'Indépendance. *(N.D.T.)*

qui serpentaient dans le paysage. Cela dit, elle constituait sans doute une bonne ligne de démarcation militaire. La franchir ne représentait pas vraiment de difficultés, mais un groupe d'hommes ne pouvait le faire en douce.

Des libellules rasaient la surface de l'eau et frôlaient les têtes de plusieurs miliciens qui papotaient tranquillement tout en se soulageant dans le cours boueux. J'attendis avec tact derrière un buisson qu'ils aient fini, puis, dès qu'ils furent partis, je m'approchai à mon tour tout en me disant que la décision de la plupart des soldats de ne boire de l'eau que sur le point de mourir de déshydratation était une bonne chose.

En rentrant au camp, je trouvai tout le monde réveillé. Toutefois, les hommes étaient plus sur le qui-vive que sur le pied de guerre. Le retour de Jamie n'éveilla qu'une vague curiosité, Gideon se frayant un chemin entre les feux avec une étonnante délicatesse.

Kenny se leva pour l'accueillir.

– Alors *Mac Dubh*, du nouveau?

Jamie fit non de la tête. Il était vêtu avec une sobriété qui confinait à l'austérité, les cheveux tirés en arrière, son coutelas et ses pistolets accrochés à sa ceinture, son épée au flanc. Une cocarde jaune fixée à sa boutonnière constituait son seul ornement. «Il était paré pour la bataille», pensai-je avec un serrement de cœur.

– Le gouverneur a envoyé sa réponse aux Régulateurs. Quatre shérifs en ont emporté une copie et ils la liront à tous les groupes qu'ils rencontreront. Nous n'avons plus qu'à attendre la suite.

Je suivis son regard, dirigé vers un des feux, non loin. Roger avait dû partir dès les premières lueurs de l'aube, avant le réveil du camp.

Ayant transvasé l'eau des seaux dans la bouilloire, je les soulevai de nouveau pour faire un second voyage à la rivière quand Gideon aplatit soudain ses oreilles, agita ses naseaux et poussa un hennissement sec indiquant une arrivée. Jamie mit aussitôt la main sur la garde de son épée. Ma vue étant obstruée par l'énorme poitrail du cheval, je ne pouvais savoir qui approchait, mais, en apercevant Jamie se détendre, je devinais la présence d'un ami.

Ou, à défaut d'un ami, du moins quelqu'un qu'il ne comptait pas égorger sur-le-champ ou arracher de sa selle. J'entendis une voix familière et me baissai pour regarder sous le cou de l'étalon. Le gouverneur Tryon approchait au petit trot dans le pré, escorté de deux aides de camp.

Il chevauchait dignement, même s'il manquait quelque peu de style. Il portait un uniforme de campagne : une redingote bleue avec des culottes en daim, la cocarde jaune des officiers sur son tricorne et un sabre de cavalerie suspendu à sa ceinture. Celui-ci ne servait pas pour la parade, sa garde avec des encoches et son fourreau élimé en témoignaient.

Tryon arrêta son cheval devant nous et inclina la tête vers Jamie en effleurant le bord de son chapeau. M'apercevant derrière Gideon, il ôta complètement son chef et me salua comme il se doit :

– Mes hommages, madame Fraser.

En me voyant les seaux à la main, il se tourna sur sa selle et lança à l'un des ses aides :

– Monsieur Vickers, ayez l'obligeance d'aider Mme Fraser, si vous voulez bien.

J'abandonnai volontiers mon fardeau à M. Vickers, un jeune homme aux joues roses qui ne devait pas avoir plus de dix-huit ans, mais, au lieu de l'accompagner, je lui indiquai simplement où aller puiser l'eau. Tryon parut contrarié, mais je répondis à son expression réprobatrice par un sourire neutre et je tins bon. Je ne bougerais pas.

Il eut la sagesse de ne pas insister et n'émit aucun commentaire sur ma présence. Préférant faire comme si je n'étais pas là, il fit de nouveau face à Jamie.

– Vos troupes sont-elles en ordre, colonel?

Il balaya les alentours du regard. Pour le moment, les seuls soldats visibles étaient Kenny, qui avait le nez enfoui dans sa tasse, ainsi que Murdo Lindsay et Geordie Chisholm, absorbés par un concours de lancer de couteau à l'ombre d'un taillis.

– Oui, monsieur.

Le gouverneur haussa les sourcils sans cacher son scepticisme.

– Dans ce cas, monsieur, appelez-les pour que je puisse les passer en revue.

Jamie marqua un temps d'arrêt, puis reprit ses rênes. Il plissa les yeux pour se protéger du soleil tout en évaluant la monture du gouverneur.

– C'est un bel hongre que vous avez là, monsieur. Il est bien dressé ?

– Naturellement, s'impatienta le gouverneur. Pourquoi ?

Jamie renversa la tête en arrière et poussa un long hululement de Highlander, un de ces sons barbares censés être entendus dans les montagnes plusieurs hectares à la ronde. Le cheval du gouverneur roula des yeux affolés et se cabra. Des miliciens surgirent de tous les buissons, poussant des cris de sauvage, provoquant une explosion tonitruante de corbeaux qui s'élevèrent des arbres environnants comme un nuage de fumée noire. Le hongre rua, envoyant le gouverneur valser dans l'herbe, puis fila ventre à terre vers l'autre côté du pré.

Je reculai de quelques pas pour me mettre à l'abri.

Le gouverneur, le visage empourpré et hors d'haleine, se redressa en position assise et se retrouva au centre d'un cercle de miliciens hilares, pointant tous leurs armes sur lui. Interloqué, il fixa la gueule du canon placée à quelques centimètres de son nez, puis il l'écarta d'une main, émettant des bruits d'écureuil agacé. Jamie se racla discrètement la gorge et ses hommes disparurent aussitôt dans le taillis.

Il m'apparut qu'il serait très mal venu de tendre une main vers le gouverneur pour l'aider à se relever ou même de le laisser voir ma tête. Je tournai donc subtilement les talons et m'éloignai de quelques pas, feignant de découvrir une nouvelle plante fascinante à mes pieds.

M. Vickers émergea de la forêt avec un seau dans chaque main. Il roula des yeux ronds en voyant son chef. Comme il allait se précipiter à son aide, je le retins par la manche. Il valait mieux laisser à M. Tryon le temps de retrouver son souffle et sa dignité.

– Que s'est-il passé ? me souffla le jeune homme.

– Rien de grave.

Je lui repris les seaux avant qu'il ne les renverse et demandai :

– Savez-vous combien de miliciens sont rassemblés ici ?

– Mille soixante-huit, madame, répondit-il l'air ahuri. Sans compter les troupes du général Waddell, naturellement. Mais, que...

– Vous avez des canons ?

– Oh oui ! Plusieurs, madame. Nous avons deux détachements d'artilleurs. Deux canons de soixante-quinze millimètres de calibre, dix perriers et deux mortiers lançant des boulets de deux kilos.

À la pensée d'une telle puissance de feu, Vickers se redressa un peu.

Derrière moi, j'entendis la voix de Jamie :

– Il y a deux mille hommes de l'autre côté de la rivière, monsieur. Mais la plupart ne sont pour ainsi dire pas armés. Beaucoup ne portent qu'un couteau.

Il était descendu de cheval et tenait le chapeau du gouverneur. Il le frappa nonchalamment contre sa cuisse et le lui tendit. Son propriétaire l'accepta avec autant de grâce que possible, compte tenu des circonstances.

– Merci, monsieur Fraser, j'en étais déjà informé, répondit-il sèchement. Je suis ravi de constater que vos renseignements corroborent les miens. Monsieur Vickers, auriez-vous l'obligeance d'aller chercher mon cheval ?

Le rouge avait quitté les joues de Tryon et, si ses manières étaient toujours un peu guindées, il ne semblait pas en vouloir outre mesure à Jamie. Le gouverneur avait un certain sens de l'équité et, plus important encore vu la situation, un certain sens de l'humour, ces deux qualités ayant apparemment survécu à la récente démonstration d'efficacité militaire.

– Vos agents vous ont sans doute également informé que les Régulateurs n'ont pas de chefs à proprement parler? demanda Jamie.

– Au contraire, monsieur Fraser. Il m'a semblé comprendre qu'Hermon Husband est, et ce depuis un certain temps déjà, un des principaux agitateurs de ce mouvement. James Hunter est aussi un nom qui revient régulièrement dans les lettres de plaintes et les pétitions dont on nous abreuve à New Bern. Il en va de même pour Hamilton, Gillespie…

D'une main impatiente, Jamie chassa une nuée de moucherons devant son visage.

– Dans certaines circonstances, monsieur, je serais enclin à débattre avec vous de la question de savoir si la plume est oui ou non plus puissante que l'épée, mais pas aujourd'hui, à la veille d'un combat. L'audace d'un homme à écrire des pamphlets n'en fait pas un chef de guerre. Or Husband est un gentilhomme quaker.

– C'est ce que je me suis laissé dire.

Tryon fit un geste vers la rivière au loin avant d'ajouter :

– Pourtant, il se trouve là-bas.

– En effet, convint Jamie.

Il hésita un instant, évaluant l'humeur du gouverneur. Nerveux, celui-ci avait les traits tendus et les yeux fiévreux. Toutefois, la bataille n'était pas imminente et il maîtrisait ses nerfs. Il était encore en mesure d'écouter Jamie :

– J'ai accueilli cet homme chez moi, monsieur, et il m'a reçu chez lui. Il n'a jamais caché ses opinions ni son tempérament. S'il est là aujourd'hui, c'est la mort dans l'âme, j'en suis sûr.

Jamie reprit son souffle, sentant qu'il marchait sur des œufs.

– J'ai envoyé un homme de l'autre côté de la rivière pour le supplier de venir me rencontrer. Je crois pouvoir le persuader d'influencer ces hommes afin qu'ils abandonnent leur projet fou, dont la seule issue est un désastre.

Il soutint le regard de Tryon avant de poursuivre :

– Puis-je vous demander, monsieur, non, vous implorer, de parler en personne à Husband s'il accepte de venir?

Tryon resta silencieux, tournant et retournant son tricorne poussiéreux entre ses mains. Un viréo chantait dans les branches d'un orme au-dessus de nos têtes. Enfin, il fit claquer son chapeau contre sa cuisse d'un air décidé :

– En tant que gouverneur de cette colonie, je ne peux tolérer que la paix soit mise en danger, que des hommes bafouent nos lois, que des émeutes et des effusions de sang restent impunies. Non, monsieur, je ne le recevrai pas.

Il me lança un regard noir avant de reprendre :

– De toute manière, je doute qu'il se déplace. Ces hommes ont déjà arrêté leur décision...

Il hocha la tête en direction des arbres qui bordaient l'Alamance.

– ... et moi la mienne. Toutefois...

Il hésita un instant, puis secoua la tête :

– ... s'il vient, je vous demande de lui faire entendre raison. S'il accepte de renvoyer paisiblement ses hommes chez eux, amenez-le-moi et nous discuterons ensemble d'un arrangement. Mais je n'attendrais pas qu'il se décide.

Entre-temps, M. Vickers avait récupéré la monture du gouverneur. Le jeune homme restait légèrement à l'écart, tenant les deux chevaux par les rênes. Je le vis acquiescer, comme s'il approuvait les propos de Tryon. Malgré son chapeau qui le protégeait du soleil, il avait le visage rouge et les yeux brillants. Il avait hâte de se battre.

Ce n'était pas le cas de Tryon, mais il était prêt à le faire. Jamie aussi. Les deux hommes se fixèrent un moment dans le blanc des yeux sans rien dire, puis Jamie hocha la tête, acceptant l'inévitable.

– Vous me donnez combien de temps? demanda-t-il doucement.

Tryon leva les yeux vers le soleil. La matinée était déjà bien avancée. Roger était parti depuis au moins deux bonnes heures. Combien de temps lui fallait-il pour trouver Hermon Husband et revenir?

– Les compagnies sont en ordre de bataille, annonça Tryon.

Il jeta un œil vers le taillis, un rictus agitant la commissure de ses lèvres.

– Peu de temps. Tenez-vous prêt, monsieur Fraser.

Il pivota sur ses talons, plaqua son tricorne sur sa tête, saisit les rênes de son cheval et grimpa en selle. Il s'éloigna sans se retourner, suivi de ses aides.

Jamie l'observa sans rien dire.

Je m'approchai de lui, touchant sa main. Je n'avais pas besoin de lui dire que j'espérais le retour de Roger, bientôt.

62

« Les personnes errantes et autres suspects »

Article 12 : Aucun officier ou soldat n'est autorisé à franchir les limites du camp se trouvant dans le périmètre de la Grande Garde. Article 63 : Les commandants des différentes compagnies interpelleront et emprisonneront toute personne errante et autres suspects ainsi que tous ceux ne pouvant justifier de leur présence sur les lieux. Tout incident de ce genre sera rapporté au quartier général.

« Devoirs et règlements du camp » : ordres donnés par Son Excellence le gouverneur Tryon aux responsables provinciaux de la Caroline du Nord.

* * *

Roger toucha la poche de ses culottes où se trouvait son insigne militaire en étain, normalement censée être cousue sur une veste ou un chapeau. C'était un bouton d'environ quatre centimètres de diamètre, au contour percé de trous et estampillé d'un « CF » grossier signifiant « Compagnie Fraser ». Avec les cocardes en tissu, c'était là tout ce qui tenait lieu d'uniforme aux fantassins du gouverneur, et le seul moyen de distinguer un milicien d'un Régulateur.

Quand Jamie lui avait tendu son insigne pendant le dîner, deux soirs plus tôt, il avait demandé avec une moue ironique :

– Comment sait-on au juste sur qui on doit tirer? S'il faut s'approcher suffisamment près pour voir l'insigne, ne risque-t-on pas de se faire abattre le premier?

Jamie lui avait répondu avec un regard tout aussi moqueur, mais il s'était diplomatiquement abstenu de tout commentaire sur les aptitudes de son gendre pour le tir et sur ses chances d'atteindre de manière intentionnelle qui que ce soit avec son mousquet.

– Personnellement, je n'attendrais pas, avait-il néanmoins conseillé. Si quelqu'un court vers toi en brandissant une arme, tire d'abord, puis prie de ne pas t'être trompé.

Quelques hommes autour du feu s'étaient mis à ricaner, mais Jamie ne leur avait pas prêté attention. Il avait saisi un bâton et sorti trois ignames grillées des braises, les poussant côte à côte, noires et fumantes dans la brise du soir. Puis, il en avait repoussé une dans les cendres.

– Ça, c'est nous.

Il avait repoussé la seconde.

– Ça, c'est la compagnie du colonel Leech, et ça…

Il avait fait rouler la troisième qui était partie rejoindre ses compagnes en rebondissant.

– … c'est celle du colonel Ashe. Tu me suis?

Il avait arqué un sourcil interrogateur en direction de Roger.

– … Chaque compagnie suivra sa propre route, si bien qu'au début, tu ne rencontreras sans doute pas d'autres miliciens. Tous ceux arrivant en sens inverse ont toutes les chances d'appartenir au camp ennemi.

Il avait légèrement souri en indiquant d'un geste du menton les hommes rassemblés autour du feu pour le dîner, le nez dans leur écuelle.

– Tu connais tous ceux qui sont ici, non? Évite de tirer sur l'un d'eux, et tout ira bien.

Roger sourit tristement en descendant avec précaution une pente couverte de minuscules fleurs jaunes. Les conseils de son beau-père étaient sages. Il était moins préoccupé par le danger de se faire tirer dessus que par celui de blesser quelqu'un accidentellement, sans parler du risque non négligeable de se faire sauter quelques doigts.

Secrètement, il avait résolu de ne tirer sur personne, quelles que soient les circonstances ou ses chances d'atteindre sa cible. Il avait entendu suffisamment d'histoires de Régulateurs... comme celles d'Abel MacLennan ou d'Hermon Husband. Même en faisant abstraction du style emphatique naturel d'Husband, il fallait reconnaître que ses pamphlets étaient habités par un vrai sentiment d'injustice. Comment Roger pourrait-il chercher à le tuer ou simplement à le blesser pour la seule raison d'avoir protesté contre la corruption et des abus de pouvoir si flagrants qu'ils crevaient les yeux de n'importe quelle personne un tant soit peu sensible et concernée par la justice?

Grâce à sa formation d'historien, il en savait assez pour se rendre compte de la portée des problèmes et sur la manière dont ils étaient apparus. Il était également conscient de la difficulté à les régler. Il comprenait la position de Tryon – jusqu'à un certain point –, mais sa compassion n'allait pas jusqu'à faire de lui un soldat volontaire défendant l'autorité de la Couronne, et encore moins la cause du gouverneur, à savoir sauver sa réputation et sa fortune personnelle.

Ayant entendu des voix, il s'arrêta un instant puis se cacha promptement derrière le tronc d'un gros peuplier.

Trois hommes apparurent quelques instants plus tard, discutant tranquillement. Chacun d'eux portait un pistolet et une poche de munitions, mais ils faisaient davantage penser à trois copains partis chasser le lièvre qu'à des soldats à la veille d'une bataille.

De fait, c'étaient précisément des chasseurs. L'un d'eux portait une grappe de dépouilles velues accrochées à sa ceinture et un autre, un sac taché de ce qui paraissait être du sang frais. Tandis que Roger les observait, un des hommes se figea, une main tendue pour signaler à ses compagnons d'en faire autant. Ces derniers se raidirent comme des limiers à l'arrêt, pointant le nez vers un bosquet situé à une soixantaine de mètres.

Même en sachant que quelque chose se trouvait là, Roger mit un moment à distinguer le daguet, immobile, devant un taillis de jeunes pousses. Le voile de lumière diaprée qui filtrait entre les feuilles le rendait presque invisible.

Le premier homme mit lentement son fusil en joue, cherchant à tâtons une cartouche, mais son camarade l'arrêta d'une main sur le bras, lui déclarant d'une voix basse mais audible :

– Attends, Abram ! Tu ne peux pas tirer si près de la rivière. Tu as entendu ce qu'a dit le colonel ? Les Régulateurs campent à deux pas d'ici, sur l'autre rive. Il ne s'agit pas de les provoquer, pas encore.

Il lui montra un dense bosquet d'aulnes et de saules qui bordaient la rive opposée de la rivière, à une centaine de mètres à peine.

Abram acquiesça à contrecœur et releva son fusil.

– Tu as raison. Tu crois que c'est pour aujourd'hui ?

Roger regarda vers le jeune cerf, mais il s'était volatilisé.

Le troisième homme sortit un mouchoir de sa manche et s'essuya le visage. Il faisait chaud et moite.

– Je ne vois pas comment on pourrait l'éviter, déclara-t-il. Tryon a fait mettre ses canons en place dès l'aube. Il n'est pas du genre à se laisser marcher sur les pieds. Il attendra peut-être les renforts de Waddell, mais il peut aussi estimer qu'il n'en a pas besoin.

Abram ricana, dédaigneux.

– Pour écraser ces gueux ? Tu veux rire ! Tu les as vus ? Ils font peine à voir.

L'homme au mouchoir sourit cyniquement.

– Peut-être, mais as-tu vu certains des miliciens venus de l'arrière-pays ? Ils ne sont guère plus présentables. Sans compter que les Régulateurs sont peut-être des gueux, mais ils sont nombreux. D'après le capitaine Neale, ils sont le double de nous.

Abram émit un grognement.

– Des gueux ! répéta-t-il.

Avec regret, il jeta un dernier coup d'œil vers le taillis, puis il tourna les talons, entraînant ses amis.

– Venez ! Allons voir un peu plus haut dans les collines.

Les chasseurs faisaient partie du même camp que Roger. Ils ne portaient pas de cocardes, mais, sur leur vestes et leurs chapeaux, il avait reconnu leurs insignes qui jetaient des reflets argentés dans la lumière matinale. Il resta toutefois caché jusqu'à leur disparition. Étant presque sûr que Jamie lui avait confié cette mission sans avoir préalablement consulté les autorités compétentes, il préférait ne pas avoir à justifier sa présence ici.

Au sein de la milice, l'attitude vis-à-vis de la Régulation était, au mieux, méprisante. Au pire, dans les sphères supérieures du pouvoir, elle était froidement vindicative.

– Écrasons-les une fois pour toutes, avait déclaré Richard Caswell la veille au soir, devant une tasse de café.

Riche planteur de la partie orientale de la colonie, il n'avait aucune sympathie pour les revendications des Régulateurs.

Roger tapota la poche de sa veste, hésitant encore. Non, il valait mieux ne pas mettre l'insigne. Si on la lui demandait, il pouvait toujours la présenter. En outre, il doutait de se faire tirer dans le dos sans avoir au moins été averti par un cri. Cependant, il se sentait étrangement vulnérable en traversant le pré des hautes herbes et, de façon inconsciente, il soupira de soulagement quand les branches langoureuses des saules qui bordaient la rivière se refermèrent sur lui, l'enveloppant dans leur ombre fraîche.

Avec l'approbation de Jamie, il avait laissé son mousquet au camp et était venu sans autre arme que le couteau à sa ceinture, tenue considérée comme faisant partie intégrante de celle de tout un chacun. Son seul autre accessoire était un grand mouchoir blanc plié sous sa veste. Jamie lui avait expliqué :

– Si tu te sens menacé, n'importe où, sors-le et agite-le en criant « Trêve ! » Puis, demande qu'on vienne me chercher et ne dis rien jusqu'à ce que j'arrive. Si tu le peux, sers-t'en aussi comme d'un étendard pour me ramener Husband.

Il eut envie de plaisanter en s'imaginant soudain en train d'escorter le quaker en agitant son mouchoir au bout d'un bâton, comme un guide accueillant des touristes dans un aéroport. Jamie, lui, n'avait pas eu l'air de rire, ni même de sourire. Aussi, il avait solennellement accepté son carré de tissu blanc et l'avait plié avec soin. Il regarda prudemment à travers l'écran de branches souples. Seul le cours d'eau étincelait sous les premiers rayons du soleil, s'écoulant dans un paisible gargouillis. Il n'y avait personne en vue et le bruit de la rivière étouffait les sons qui auraient pu provenir de l'autre rive. Les hommes de la milice ne lui tireraient sans doute pas dans le dos, mais il était moins sûr de ne pas se faire abattre par les Régulateurs s'ils le voyaient franchir la rivière depuis le côté ennemi.

Toutefois, ne pouvant resté caché sous les saules toute la journée, il émergea de son abri et suivit le cours d'eau vers l'endroit indiqué plus tôt par les chasseurs, surveillant attentivement les arbres sur l'autre rive. Cet endroit lui sembla le meilleur pour traverser, le lit étant tapissé de cailloux et peu profond. Tout paraissait calme. Si les Régulateurs étaient vraiment rassemblés derrière ce bosquet, ils étaient rudement discrets !

Difficile d'imaginer paysage plus serein. Pourtant, son cœur battait à tout rompre. Il eut l'étrange impression que quelqu'un marchait à ses côtés. Il regarda autour de lui, mais rien ne bougeait, hormis les branches de saules ondoyant dans le courant.

– C'est toi, papa? demanda-t-il à voix basse.

Il se sentit ridicule, mais la sensation d'être accompagné persista.

Il haussa les épaules et commença à ôter ses souliers et ses bas. Ce devait être les circonstances. Non pas que franchir une rivière à gué en quête d'un quaker agitateur de gueux soit comparable à traverser la Manche de nuit à bord d'un *Spitfire* pour aller bombarder l'Allemagne, mais… une mission était une mission.

Il jeta un dernier coup d'œil à la ronde mais ne vit rien. Le sourire au coin des lèvres, il mit un pied dans l'eau, déclenchant un mouvement de panique dans un groupe de têtards qui se tortillaient près de la berge. Plus loin, il salua un canard huppé qui passait par là.

– Quand faut y aller, faut y aller! lui lança-t-il.

L'oiseau ne lui prêta pas attention et continua d'explorer un tapis flottant de cressons.

L'autre rive semblait aussi bucolique, aucune menace n'émanait du groupe d'arbres, en dehors du raffut des oiseaux qui y nichaient. C'est seulement une fois assis sur une pierre chauffée par le soleil pour renfiler ses bas qu'il perçut enfin un signe de vie humaine dans cette partie du monde.

– Alors, mon chou, qu'est-ce que ce sera?

La voix était sortie du bosquet derrière lui. Il se figea, le sang bouillonnant dans ses oreilles. C'était une voix de femme. Avant d'avoir eu le temps de bouger ou de penser à une réponse, il entendit un rire plus grave, qui le fit aussitôt se détendre. Son instinct lui disait qu'il n'avait rien à craindre d'une personne s'exprimant avec cette intonation particulière.

– Je n'en sais rien, ma biche, tout dépend de combien ça va me coûter.

– Oh, écoutez-le! Ce n'est plus le moment de compter tes sous, mon gros lapin.

– Ne vous inquiétez pas, mesdames, si besoin est, nous organiserons une collecte.

– Ah, c'est comme ça? Parfait, mais n'oubliez pas, mon bon monsieur, que dans notre congrégation, on fait la collecte avant de chanter les cantiques!

En écoutant ces négociations aimables, Roger en déduisit qu'ils étaient trois hommes et deux femmes, tous confiants que, quelle que soit l'issue de leurs tractations financières, chacun repartirait satisfait.

Il garda ses souliers à la main et s'éloigna sur la pointe des pieds, laissant les sentinelles – si c'était bien d'elles dont il s'agissait – à leurs calculs. Apparemment, l'armée des Régulateurs était moins bien organisée que les troupes du gouvernement.

Ce n'était pas peu dire, comme il put le constater plus loin. Il longea la rivière un certain temps, ne sachant pas trop où campaient le gros des rebelles. Il parcourut près de six cent mètres sans croiser d'autres âmes que les deux prostituées et leurs clients. Il traversa de petites pinèdes et des prés verdoyants avec, pour seule compagnie, des oiseaux occupés à se faire la cour et de minuscules papillons orange et jaunes. Il avait l'étrange impression d'être le héros d'une nouvelle de science-fiction, seul être humain sur la planète après la disparition mystérieuse de tous ses habitants.

– Qu'est-ce que cette manière de faire la guerre? grommela-t-il.

Il était inquiet. Que se passerait-il s'il ne trouvait pas ce maudit quaker – voire même son armée – avant le déclenchement des hostilités?

Au détour d'un coude de la rivière, il aperçut enfin le premier signe de la présence des Régulateurs : des femmes lavaient du linge près d'un amas de rochers.

Rassuré, il s'enfonça dans la broussaille avant qu'elles n'aient pu le voir. Si les femmes se trouvaient là, les hommes ne devaient plus être très loin.

Effectivement, après une dizaine de mètres, il entendit enfin les bruits d'un camp : des rires, un cliquetis de vaisselle, des coups de hache dans le bois. En contournant un massif d'aubépine, il manqua de percuter une bande d'adolescents qui couraient en riant et en se pourchassant, brandissant la queue fraîchement coupée d'un raton laveur.

Ils filèrent devant lui sans lui prêter la moindre attention et il poursuivit son chemin d'un pas plus assuré. Aucune sentinelle dans les environs. De fait, l'apparition d'un visage inconnu ne semblait susciter ni curiosité ni méfiance. Quelques hommes se retournèrent sur son passage, puis reprirent tranquillement le fil de leur conversation, ne remarquant rien d'étrange dans son allure.

Il aborda carrément un homme occupé à faire rôtir un écureuil au-dessus d'un feu.

– Je cherche Hermon Husband.

L'homme le dévisagea sans comprendre.

– Le quaker? essaya Roger.

Les traits de l'homme se détendirent.

– Ah, lui! Il doit être par là-bas.

Il pointa son bâton, et les pattes calcinées de l'écureuil lui indiquèrent la direction.

«Par là-bas» n'était pas la porte à côté. Roger traversa trois autres camps éparpillés avant de rejoindre ce qui semblait être le corps principal de l'armée – si on pouvait qualifier ainsi ce rassemblement bigarré d'êtres humains. Certes, ici, l'atmosphère paraissait plus sérieuse. Les batifolages insouciants des campements près de la rivière se faisaient plus discrets, mais, pour autant, l'endroit ne ressemblait pas au Q.G. d'un commandement stratégique.

Il se prit à espérer que la violence pouvait encore être évitée, même avec les deux armées face à face et les canons chargés. Il avait bien senti l'excitation des miliciens prêts au combat, mais pas une atmosphère de haine ni de soif de sang.

De ce côté-ci, la situation était très différente, mais les hommes semblaient encore moins disposés à en découdre sur-le-champ. Toutefois, tout en avançant, il commença à sentir autre chose, une impression d'urgence croissante, presque de désespoir. Les fanfaronnades n'étaient plus de mise. Les hommes étaient rassemblés en petits groupes, discutant têtes baissées et échangeant des messes basses, ou bien ils restaient assis dans leur coin, chargeant leurs fusils et affûtant leurs couteaux d'un air sombre.

Plus il approchait, plus ceux qu'il interrogeait connaissaient le nom d'Hermon Husband, leurs doigts pointant avec assurance dans une même direction. Comme un aimant, ce patronyme l'attirait de plus en plus loin, au cœur d'une masse épaisse d'hommes et de garçons, tous excités et armés. Le bruit devenait lui aussi plus assourdissant, les voix frappant ses tympans comme des marteaux sur une enclume.

Il découvrit enfin le quaker, debout sur un rocher, tel un grand loup gris aux abois, cerné par une meute de trente à quarante hommes, tous vociférant. Ils se poussaient des coudes et se piétinaient sans ménagement. De toute évidence, ils exigeaient une réponse, mais ils étaient trop énervés pour l'écouter.

Husband, en bras de chemise et le visage rouge, hurlait quelque chose à un ou deux hommes près de lui, mais, dans le vacarme général, Roger ne pouvait l'entendre. Il parvint à s'immiscer dans le périmètre extérieur du cercle, mais en marchant vers le centre, la densité des corps le bloqua rapidement. Du moins, de là, il pouvait capter quelques bribes de phrases.

– Nous devons y aller, Hermon ! Nous n'avons plus le choix ! cria un homme dégingandé avec un chapeau cabossé sur la tête.

– Il y a toujours le choix ! répliqua Husband. Le moment est justement venu de le faire. Que Dieu nous aide à prendre la décision la plus sage !

– Comment ? Avec les canons pointés sur nous ?

– Non, non ! En allant de l'avant ! Nous devons aller de l'avant ou tout est perdu !

– Perdu ? Mais nous avons déjà tout perdu ! Il faut…

– Le gouverneur nous a ôté la possibilité de choisir. Il faut…

– Il faut…

– Il faut…

Les interventions isolées se perdirent dans une clameur générale de colère et de frustration. Comprenant qu'il ne servirait à rien d'attendre d'être reçu, Roger se glissa entre deux fermiers et tira Husband par la manche.

– Monsieur Husband, je dois vous parler! hurla-t-il à son oreille.

Husband le regarda d'un air neutre en essayant de libérer sa main, puis le reconnaissant, il s'immobilisa. Sa barbe mal taillée accentuait la forme carrée de son visage. Ses épais cheveux gris, détachés, pointaient comme des piques de hérisson sur son crâne. Il secoua la tête et ferma les yeux, puis les rouvrit en fixant Roger, comme un homme essayant vainement d'effacer une vision impossible.

Il fit signe à la foule de le laisser tranquille, saisit le bras de Roger, sauta de son rocher et l'entraîna vers une cabane délabrée et penchée qui se dressait, tel un ivrogne, à l'ombre d'un taillis d'érables. Roger lançait des regards féroces autour de lui pour décourager les autres de les suivre.

Certains s'entêtèrent, agitant les bras et s'exclamant bruyamment. Roger leur claqua la porte au nez, en rabattit rapidement le loquet et s'adossa à elle. Il faisait plus frais à l'intérieur, même si l'air sentait le renfermé, la cendre de bois et la graisse brûlée.

Husband se tint un moment au milieu de la pièce, haletant, puis il saisit une louche et but longuement l'eau d'un seau posé près de la cheminée, le seul objet de la cabane. Sa veste et son chapeau étaient accrochés à une patère près de la porte. Quelques détritus étaient éparpillés sur le sol en terre battue. Le précédent occupant des lieux avait dû déguerpir en emportant tout ce qu'il pouvait.

Calmé par ce moment de répit, Husband lissa sa chemise froissée et rejeta ses cheveux en arrière, demandant de son ton doux habituel :

– Que fais-tu ici, l'ami MacKenzie ? Ne me dis pas que tu es venu te rallier à la cause de la Régulation !

– Non, en effet.

Roger jeta un regard méfiant vers la fenêtre, craignant que la foule n'encercle la cabane, mais, compte tenu du brouhaha extérieur, les hommes avaient tout l'air de poursuivre leur débat animé. Personne n'était sur le point de lancer l'assaut contre leur refuge.

– Je suis venu vous demander de traverser la rivière avec moi pour discuter avec Jamie Fraser. Vous ne risquez rien, nous avancerons sous un drapeau blanc.

Husband regarda à son tour par la fenêtre, répondant avec une moue ironique.

– Je crains que l'heure des discussions ne soit passée depuis longtemps.

Roger était plutôt de son avis, mais il insista néanmoins.

– Le gouverneur n'en est pas convaincu. Il ne souhaite pas massacrer ses propres concitoyens. Si on pouvait persuader la foule de se disperser pacifiquement…

Husband agita une main vers la fenêtre.

– Tu veux rire ? Tu crois sincèrement que c'est envisageable ?

– Non, admit Roger. Toutefois, si vous acceptiez de me suivre… s'ils voyaient qu'il reste une chance de…

– S'il existait la moindre possibilité de réconciliation et de réparation, elle aurait été proposée depuis belle lurette. Quel est le gage de la sincérité du gouverneur ? D'être venu avec des troupes et des canons ? D'envoyer une lettre qui nous menace de…

– Il ne s'agit pas de réparation, coupa Roger, mais d'une chance de sauver vos vies.

Husband se figea. La couleur avait quitté ses joues, même s'il était encore parfaitement calme.

– Nous en sommes donc là? demanda-t-il dans un souffle sans lâcher Roger des yeux.

Celui-ci hocha lentement la tête.

– Vous n'avez plus beaucoup de temps. Au cas où vous ne viendriez pas lui parler en personne, M.Fraser m'a chargé de vous dire que deux compagnies d'artilleurs étaient déployées contre vous, ainsi que huit de miliciens. Le gouverneur n'attendra pas au-delà de demain à l'aube, au plus tard.

Il était conscient que transmettre ce genre d'information à l'ennemi était un acte de trahison, mais Jamie Fraser en aurait fait autant s'il était venu en personne.

– Nous sommes près de deux mille à nous être déplacés jusqu'ici, dit Husband comme s'il se parlait à lui-même. Deux mille! Ça ne représente donc rien pour lui? Que tant d'hommes aient quitté leurs terres et leur foyer pour venir protester…

– Pour le gouverneur, c'est un acte de rébellion et donc, une déclaration de guerre, l'interrompit Roger.

Il regarda vers la toile huilée qui recouvrait la fenêtre avant d'ajouter :

– Maintenant que je les ai vus, je dois avouer qu'il a de bonnes raisons de le penser.

– Il ne s'agit pas d'une rébellion, s'entêta Husband.

Il se redressa, sortit un ruban noir en soie élimée de sa poche et attacha ses cheveux dans sa nuque.

– Les autorités ont refusé d'entendre nos plaintes légitimes! Nous n'avions pas d'autre solution que de nous rassembler en un corps physique pour présenter nos griefs devant M. Tryon et lui démontrer l'iniquité de notre situation.

– Je vous ai entendu parler de choix, tout à l'heure. Or, à en juger par les remarques que j'ai surprises en venant ici, il me semble que la plupart des Régulateurs ont opté pour la voie de la violence.

– Peut-être, admit Husband à contrecœur. Pourtant, nous… ils ne sont pas une armée vengeresse, pas une foule aveugle…

Néanmoins, à voir son coup d'œil involontaire vers la fenêtre, la situation, pour lui, semblait claire : il était conscient que les hommes assemblés sur les berges de l'Alamance étaient à deux doigts de se transformer en une foule en colère et incontrôlable.

– Ont-ils désigné un chef, quelqu'un qui puisse parler officiellement en leur nom? s'impatienta Roger. Vous-même ou peut-être M. Hunter?

Husband marqua un long temps de réflexion, frottant ses lèvres du dos de sa main comme pour effacer un goût aigre. Puis il secoua la tête.

– Ils n'ont pas de vrais leaders, dit-il doucement. Jim Hunter ne manque pas d'audace, mais il n'a pas une âme de commandeur. Quand je lui en ai parlé, il m'a répondu que chaque homme devait agir pour son propre compte.

– Vous avez ce qu'il faut. Vous pouvez être leur chef.

Husband parut scandalisé, comme s'il l'avait accusé d'être doué pour tricher aux cartes.

– Pas moi.

– Vous les avez conduits jusqu'ici…

– Ils sont venus tout seuls! Je n'ai demandé à personne de…

– Ils sont venus! Ils vous ont suivi.

Husband tiqua, puis pinça les lèvres. Constatant que ses paroles avaient fait mouche, Roger insista :

– Vous avez déjà pris la parole devant eux et ils vous ont écouté. Ils sont venus avec vous, derrière vous. Ils vous écouteront sans doute encore!

Il entendait la rumeur au-dehors s'intensifier. La foule s'impatientait. Elle n'était pas encore incontrôlable, mais elle ne tarderait plus à le devenir. Que feraient-ils tous s'ils savaient qui il était, ce qu'il était venu faire? Il avait les paumes moites. Il les essuya sur les pans de sa veste et sentit la petite masse dure de son insigne de milicien. Il regretta de ne pas avoir pris le temps de l'enterrer quelque part avant de traverser la rivière.

Husband l'examina un instant, puis tendit les deux mains vers lui.

– Prie avec moi, l'ami.

– Mais je…

– Tu n'as pas besoin de parler. Je sais que tu es papiste, mais nous n'avons pas coutume de prier à voix haute. Il te suffit de rester silencieux à mes côtés et de demander du fond du cœur d'être inspiré par la sagesse infinie de notre Seigneur… pas uniquement pour toi, mais pour tous ceux qui sont ici…

Roger se mordit la langue, se retenant de corriger Husband. Sa propre affiliation religieuse n'avait pas d'importance pour le moment, même si, apparemment, celle du quaker en avait. Il se contenta donc de hocher la tête, refoulant son impatience, et lui prit les mains en lui offrant tout le soutien possible.

Husband resta parfaitement immobile, tête baissée. Soudain, on tambourina à la porte et des voix s'écrièrent :

– Hermon ? Tout va bien là-dedans ?

– Allez, Hermon ! On n'a pas le temps pour ce genre de choses ! Caldwell vient de rentrer de chez le gouverneur…

– Une heure, Hermon ! Il nous a donné une heure !

Roger sentit un filet de sueur lui couler entre les omoplates, mais, ayant les mains prises, il ne bougea pas. Il releva les yeux vers Husband. Celui-ci semblait le dévisager tout en ayant l'air ailleurs, comme s'il écoutait une voix lointaine, indifférent au vacarme dehors. « Même ses yeux étaient gris quaker, pensa Roger, comme deux flaques d'eau de pluie après un orage. »

Un instant, il crut que les hommes allaient finir par enfoncer la porte, mais non. On toqua encore de manière impatiente, puis les coups s'espacèrent. Il sentit le martèlement de son propre cœur ralentir progressivement, son angoisse diminuant.

Les yeux fermés, il essaya de se concentrer, comme le lui avait demandé Husband. Il chercha dans sa mémoire une prière appropriée, mais ne trouva rien que des vagues souvenirs du missel de son enfance.

Aide-nous, Ô Seigneur...
Entends notre prière...
Aide-nous, Ô Seigneur...

La voix de son père – son autre père, le révérend – répéta quelque part dans le fond de sa tête : « Aide-nous, Ô Seigneur... Aide-nous à nous souvenir que les hommes s'égarent souvent par absence de réflexion plutôt que par manque d'amour, et combien sont sournois les pièges tendus en travers de notre route. »

Chaque mot s'illuminait brièvement dans son esprit comme une feuille embrasée s'élevant au-dessus d'un feu d'automne, mais elle disparaissait dans les cendres avant qu'il puisse la saisir. Devant ces tentatives infructueuses, il se contenta de serrer les mains d'Husband, écoutant sa respiration, une note grave et rauque.

« S'il te plaît... », pria-t-il sans savoir ce qu'il demandait au juste. Ces paroles s'évaporèrent à leur tour, ne laissant à leur place que le néant.

Il ne se passa rien. À l'extérieur, les voix continuaient d'appeler, mais elles ne paraissaient désormais guère plus conséquentes que les chants des oiseaux. L'air dans la pièce était figé mais frais, comme si un léger vent jouait dans les coins, évitant le centre où ils se tenaient. Roger sentit sa propre respiration se fluidifier et son rythme cardiaque ralentir encore un peu.

Il ne se souvenait pas d'avoir rouvert les yeux et pourtant ils regardaient ceux d'Husband, gris et parsemés de taches bleues, avec d'infimes éclats noirs. Ses cils étaient épais et une boursouflure relevait le coin d'une paupière, un orgelet en voie de guérison. Le minuscule dôme lisse et rouge irradiait à partir d'un petit centre rubis en un dégradé cramoisi, puis d'une teinte rose qui avait dû être celle de la première aube, le jour de la création.

Le visage devant lui était sculpté de rides profondes. Elles formaient une arche entre le nez et la bouche et s'incurvaient au-dessus d'épais sourcils, dont chaque long poil retombait avec la grâce d'une aile d'oiseau. Entre ses lèvres larges et lisses luisait le bord blanc d'une dent, étrangement dur par rapport à la chair souple qui l'abritait.

Roger se tint sans bouger, fasciné par toute cette beauté. À ses yeux, Husband n'était plus un homme trapu d'âge mûr aux traits indistincts. Ce qu'il voyait était d'une singularité émouvante, une chose unique et merveilleuse, irremplaçable.

Il lui vint à l'esprit qu'il avait eu la même révélation en contemplant pour la première fois son fils nouveau-né, s'émerveillant de la perfection de chaque orteil menu, de la courbe de ses joues, du dessin ciselé de ses oreilles, du rayonnement de sa peau neuve, tous ces détails étant des signes de son innocence. Là, devant lui, il admirait la même création, moins neuve, sans doute plus tout à fait candide, mais si merveilleuse.

Roger baissa les yeux et vit ses propres mains tenant toujours celles, plus petites, d'Husband. Il fut impressionné par la joliesse de ses propres doigts, des os courbes de ses poignets et de ses articulations, du charme renversant d'une fine cicatrice à la base de son pouce.

Dans un profond soupir, Husband vida ses poumons et retira ses mains. Roger se sentit un instant désorienté, puis la paix de la pièce retomba sur lui, et à la contemplation de la beauté succéda un calme profond.

– Merci, l'ami Roger, dit doucement Husband. Je n'espérais pas recevoir une telle grâce, mais elle est bienvenue.

Roger hocha la tête, incapable de parler. Il observa Husband décrocher son manteau et l'enfiler, ses traits exprimant à présent une détermination tranquille. Sans plus hésiter, le quaker souleva le verrou et ouvrit la porte.

Les hommes au-dehors reculèrent d'un pas, la surprise sur leur visage cédant rapidement la place à la tension et à l'irritation. Husband n'écouta pas leurs questions et leurs exhortations et marcha lentement vers un cheval attaché à un arbre, derrière la cabane. Ce ne fut qu'une fois en selle qu'il se retourna enfin vers ses compagnons.

– Rentrez chez vous ! lança-t-il d'une voix forte. Nous devons quitter cet endroit. Chacun doit retrouver son foyer !

Il y eut un moment de silence stupéfait, puis une explosion de cris indignés.

– Quel foyer ? cria un jeune homme avec une barbe rousse. Facile à dire pour toi ! Moi, je n'en ai plus !

Husband resta imperturbable.

– Rentrez chez vous ! répéta-t-il. Tout ce que nous parviendrons à faire ici, c'est semer la violence !

– Parfaitement, c'est bien ce qu'on a l'intention de faire ! tonna l'un des plus costauds.

Il agita son mousquet au-dessus de sa tête dans un chœur d'acclamations.

Roger avait suivi Husband, personne ne lui prêtant attention. Il se tenait légèrement à l'écart, observant le quaker qui tentait de s'éloigner, se tournant sur sa selle pour crier et gesticuler vers les hommes qui se bousculaient autour de sa monture. Un Régulateur le tira par la manche, l'obligeant à tirer sur ses rênes et à se pencher pour écouter un discours enflammé.

À la fin de ces paroles haineuses, il se redressa, secoua la tête et plaqua son chapeau sur son crâne.

– Je ne peux pas laisser le sang couler par ma faute. Si je reste parmi vous, mes amis, il y aura des morts ! Partez ! Il est encore temps ! Je vous en prie !

Il ne criait plus, mais le bruit autour de lui s'était tu juste assez longtemps pour qu'il se fasse entendre. Il se redressa, le visage défiguré par l'inquiétude, et aperçut Roger à l'ombre d'un cornouiller. La sérénité avait quitté son regard mais pas la détermination.

– Je m'en vais ! lança-t-il. Je vous en conjure, mes amis, faites de même !

Il fit tourner son cheval sur place, puis l'éperonna et partit au trot. Quelques hommes coururent derrière lui, mais ils s'arrêtèrent rapidement. Ils revinrent sur leurs pas, l'air perplexe et furieux, marmonnant en petits groupes et secouant la tête, la mine consternée.

Le brouhaha reprit le dessus, tout le monde parlant en même temps, discutant, insistant, niant l'évidence. Roger pivota sur ses talons et s'éloigna discrètement vers un taillis d'érables. Maintenant qu'Husband était parti, il lui paraissait plus sage de filer rapidement.

Mais une main se posa sur son épaule et le força à se retourner.

– D'où sors-tu, toi? Qu'as-tu raconté à Hermon pour le faire déguerpir?

Un type crasseux portant un vieux gilet en cuir se tenait devant lui, les poings serrés. Il semblait hors de lui et prêt à se défouler sur la première chose qui lui tomberait sous la main.

Roger répondit sur un ton qu'il espérait apaisant :

– Je lui ai dit que le gouverneur voulait éviter un bain de sang, dans la mesure du possible.

D'un air sceptique, un barbu aux cheveux bruns toisa sa tenue en toile grossière.

– C'est lui qui t'a envoyé? Tu es venu proposer d'autres conditions que celles de Caldwell?

– Non.

Encore sous l'effet de sa rencontre avec Husband, Roger se sentait protégé des courants de colère et d'hystérie latente qui tournoyaient autour de la cabane, mais ce sentiment de paix fondait à vue d'œil. Attirés par l'attroupement, d'autres Régulateurs vinrent rejoindre leurs deux acolytes.

– Non, répéta-t-il plus fort. Je suis venu mettre Husband en garde… vous mettre tous en garde. Le gouverneur veut…

Un chœur d'insultes l'interrompit, lui signifiant que les propositions de Tryon n'intéressaient personne. Roger balaya du regard le cercle de visages autour de lui, mais aucun n'exprimait la plus petite indulgence, encore moins de sympathie. Il haussa les épaules et recula d'un pas.

– Très bien, déclara-t-il avec le plus de détachement possible. M. Husband vous a donné son meilleur conseil, je ne peux qu'abonder dans son sens.

Il tenta de partir, mais deux mains s'abattirent sur ses épaules, l'obligeant à regarder de nouveau vers le rang des interrogateurs.

– Pas si vite, l'ami, dit l'homme au gilet en cuir. Tu as parlé avec Tryon, n'est-ce pas?

– Non, admit Roger. J'ai été envoyé…

Il hésita. Devait-il utiliser le nom de Jamie Fraser? Peut-être pas, cela pouvait autant l'aider que le desservir.

– … Je suis venu demander à Hermon Husband de m'accompagner sur l'autre rive pour se rendre compte lui-même de la situation. Il a préféré se contenter de ma description. Vous avez vu comme moi quelle a été sa réaction.

Un petit homme aux favoris roux agita un poing pugnace sous son nez.

– C'est ce que «tu» dis! À quel titre devrions-nous nous contenter de ta description?

Il singea l'accent écossais de Roger, déclenchant une vague d'hilarité parmi ses compagnons.

Roger inspira profondément et s'efforça de garder son calme.

– Je ne peux pas vous obliger à me croire, monsieur. Mais pour ceux qui ont encore des oreilles, voici ce que j'ai à dire : les miliciens se tiennent prêts et bien armés. Je n'ai pas rencontré le gouverneur en personne, mais ses objectifs ont été clairement énoncés. Il ne tient pas à verser le sang, mais il est déterminé à prendre toutes les mesures qu'il estimera nécessaires pour disperser cette assemblée. Toutefois, si vous acceptez de rentrer pacifiquement chez vous, il est disposé à se montrer clément.

Un moment de silence suivit, rompu par un raclement de gorge. Un épais crachat strié de jus de tabac brun s'écrasa aux pieds de Roger.

– Voilà ce que j'en fait de la clémence du gouverneur! déclara le cracheur.

– Et ça, c'est pour toi, connard! rajouta un de ses compagnons.

Il projeta sa paume ouverte vers le visage de Roger qui l'esquiva de justesse, se recroquevilla et l'envoya basculer à la renverse d'un grand coup d'épaule. Puis il fléchit les genoux, poings serrés devant lui, prêt à parer d'autres attaques.

– Ne lui faites pas de mal! lança l'homme au gilet en cuir. Il peut encore nous servir.

Il se tourna vers Roger, restant prudemment hors de portée de ses poings.

– Que tu aies vu ou non le visage de Tryon, peu importe, mais tu as sûrement vu ses troupes, n'est-ce pas?

– En effet.

Le cœur de Roger battait rapidement et ses tempes palpitaient. Pourtant, étrangement, il n'avait pas peur. La foule autour de lui était hostile, mais pas sanguinaire... du moins, pas encore.

– De combien d'hommes Tryon dispose-t-il?

L'homme l'observait avec attention, le regard brillant. Il valait mieux lui répondre sincèrement. Fort probablement, ils savaient déjà tous la vérité. Rien n'empêchait les Régulateurs de traverser l'Alamance et d'aller eux-mêmes évaluer la situation.

– D'un peu plus d'un millier.

Son interlocuteur ne montra pas la moindre surprise. Il était donc au courant.

– Mais ce sont des miliciens entraînés, précisa Roger.

Autour de lui, un certain nombre de Régulateurs s'étaient désintéressés de la discussion et avaient repris leurs exercices de lutte non loin.

– Ils ont des pièces d'artillerie, poursuivit Roger. Vous n'en avez aucune, pas vrai ?

Le visage de l'homme se referma comme un poing.

– Tu peux penser ce que tu veux, dit-il sèchement. Mais tu diras à Tryon que nous sommes deux fois plus nombreux. Entraînés ou pas, nous sommes bien armés, chaque homme possède un mousquet.

Il renversa la tête en arrière, plissant des yeux pour se protéger du soleil.

– Une heure, hein? reprit-il plus doucement. Un peu moins, je crois.

Puis regardant de nouveau Roger dans les yeux, il poursuivit :

– Retourne de ton côté de la rivière et dis au gouverneur Tryon que nous sommes décidés à nous faire entendre et à obtenir réparation. S'il nous écoute et accepte nos revendications, fort bien. Autrement…

Il toucha la crosse de son pistolet accroché à sa ceinture et hocha la tête d'un air sinistre.

Roger observa la rangée des visages silencieux. Certains paraissaient indécis, mais la plupart étaient butés ou ouvertement provocants. Il tourna les talons sans un mot de plus et s'éloigna, le fantôme du révérend chuchotant dans les feuilles de printemps tandis qu'il passait sous les arbres :

« Bénis soient les pacificateurs, car ils seront considérés comme les enfants de Dieu. »

Il espérait que l'intention était également prise en compte.

63

Le manuel du médecin militaire, livre I

Article 28 : Le médecin tiendra un registre où il inscrira le nom de chaque sujet auquel il aura prodigué ses soins, celui de sa compagnie, le jour où il lui a été confié et celui où il a été renvoyé au front.

Devoirs et règlements du camp

* * *

Un courant d'air frais caressa ma joue, et malgré la chaleur de la journée, je frissonnai. J'eus soudain l'idée absurde que le bout d'une aile m'avait effleurée, comme si l'ange de la mort m'avait frôlée en silence, en route vers sa sinistre mission.

– Ne sois pas idiote, dis-je à voix haute.

Evan Lindsay m'entendit, tourna brièvement la tête vers moi, puis il reprit sa position. Comme la plupart des autres, il ne cessait de regarder vers l'est.

Les gens qui ne croient pas à la télépathie n'ont jamais mis le pied sur un champ de bataille ni servi dans une armée. Lorsque les troupes sont sur le pied de guerre, quelque chose d'impalpable circule d'un homme à l'autre. L'air lui-même semble animé de sentiments. Un mélange de peur et d'excitation danse sur la peau et s'enfonce dans la moelle épinière avec une insistance aussi pressante qu'une soudaine pulsion sexuelle.

Aucun messager n'était encore arrivé, mais il en viendrait un. Je le sentais moi aussi. Il était arrivé quelque chose, quelque part.

Tout le monde attendait, figé. Une puissante envie de bouger, de dissiper ce sortilège me possédait. Je fis volte-face, mes mains me démangeant, me réclamant d'agir, de faire quelque chose. L'eau que j'avais posée sur le feu avait bouilli et était recouverte d'un linge propre. J'ouvris le couvercle de mon coffre de médecine et me mis à ranger son contenu, même si je le savais déjà en ordre.

Je touchai un à un les flacons étincelants en lisant les étiquettes. La lecture ressemblait à une litanie apaisante. Atropine, belladone, laudanum, parégorique, huile de lavande, huile de genièvre, essence de pouliot, vesce des dames… et les bouteilles trapues et brunes d'alcool. Toujours de l'alcool. J'en avais apporté tout un tonneau qui se trouvait encore dans notre carriole.

Un mouvement attira mon regard. C'était Jamie. Le soleil faisait briller ses cheveux, tandis qu'il avançait lentement entre les arbres, se penchant ici et là pour glisser un mot à l'oreille de quelqu'un, pour toucher une épaule, tel un magicien insufflant la vie à des statues.

Je restai immobile, les mains enfoncées dans les plis de mon tablier. Je ne souhaitais pas le distraire mais mourait d'envie de capter son attention. Il se déplaçait nonchalamment, plaisantant, donnant des tapes dans le dos ici et là, mais son angoisse était palpable. Quand s'était-il trouvé dans une armée la dernière fois, attendant l'ordre de donner l'assaut?

«À Culloden», pensai-je en sentant les poils se dresser sur mes avant-bras.

Un bruit de sabots et de branchages écrasés par le passage de chevaux retentit au loin. Tout le monde se retourna sur le qui-vive, le mousquet pointé en avant. Un murmure de surprise générale envahit le camp, lorsque le premier cavalier apparut, baissant sa chevelure rousse pour passer sous les branches basses des érables.

– Nom de Dieu! lâcha Jamie assez fort pour être entendu jusque dans la clairière. Qu'est-ce qu'elle vient foutre ici?

Les hommes qui la connaissaient se mirent à rire, leur hilarité faisant se fendiller la tension comme un caillou jeté sur une couche de glace. Les épaules de Jamie se détendirent, mais il alla à sa rencontre, le visage sinistre.

Le temps que Brianna se soit arrêtée devant lui et ait sauté de selle, je les avais rejoints.

– Qu'est-ce que..., commençai-je.

Mais Jamie se tenait déjà nez à nez avec sa fille, sa main sur son bras, les yeux plissés et débitant à voix basse un torrent de paroles en gaélique.

– Je suis désolé, m'dame. Elle n'a rien voulu entendre et a insisté pour venir.

Un second cheval venait de sortir d'entre les arbres, monté par un jeune homme noir à la mine contrite. C'était Joshua, le palefrenier de Jocasta.

– Je n'ai pas pu l'en empêcher, pas plus que m'dame Sherston. On a tout essayé.

– C'est ce que je vois.

Réagissant à ce que lui disait son père, Brianna avait les joues en feu, mais elle ne semblait pas disposée à remonter en selle et à repartir. Elle lui rétorqua en gaélique, un jargon incompréhensible pour moi, et Jamie fit un bond en arrière comme piqué par une guêpe. Après un bref hochement de tête, apparemment satisfaite de l'effet de sa déclaration, elle tourna les talons. En me voyant, un grand sourire illumina son visage.

– Maman !

Elle me serra dans ses bras. Sa robe sentait vaguement le savon frais, la cire d'abeille et la térébenthine. Je remarquai une petite traînée de bleu cobalt sous sa mâchoire.

– Bonjour, ma chérie. D'où arrives-tu ainsi ?

Je l'embrassai sur la joue et reculai d'un pas. Ravie de la voir malgré tout. Elle portait sa tenue de tous les jours, une robe en toile de lin grossier comme elle en portait à Fraser's Ridge, mais propre et repassée. Ses longs cheveux roux étaient tressés et un chapeau de paille pendait dans son dos.

– D'Hillsborough, répondit-elle. Au dîner, hier soir, un invité des Sherston nous a appris que la milice campait ici, alors je suis venue. J'ai apporté des provisions et des herbes du jardin. J'ai pensé que tu en aurais peut-être besoin.

Elle agita une main vers les sacoches accrochées à sa selle.

– Ah ! Ah oui, c'est gentil.

J'étais plutôt mal à l'aise, sentant la présence fulminante de Jamie quelque part derrière moi.

– Euh... surtout ne va pas croire que je ne suis pas heureuse de te voir, ma chérie, mais des combats risquent d'éclater d'un instant à l'autre et...

– Je sais.

Son visage se rembrunit insensiblement. Elle ajouta :

– Ne t'inquiète pas, maman. Je ne suis pas venue me battre, autrement j'aurais mis mes culottes.

J'entendis quelqu'un s'esclaffer dans mon dos, puis les frères Lindsay pouffer de rire. Elle baissa la tête pour cacher son sourire et je ne pus m'empêcher de sourire à mon tour.

– Je resterai avec toi, déclara-t-elle en parlant doucement. Je peux t'être utile s'il y a des blessés à soigner... après.

J'hésitai, mais indéniablement, si les hommes étaient amenés à se battre, il y aurait des victimes, et une paire de mains en plus serait toujours bienvenue. Brianna n'était pas infirmière, mais elle savait ce qu'étaient des microbes et des antiseptiques, une connaissance bien plus précieuse dans certains cas qu'une formation en anatomie et en physiologie.

Elle s'était redressée et examinait les hommes qui attendaient sous les érables, cherchant quelqu'un.

– Où est Roger ?

– Il va bien, répondis-je en espérant que c'était le cas. Jamie l'a envoyé de l'autre côté de la rivière ce matin avec un drapeau blanc pour ramener Hermon Husband et organiser une rencontre avec le gouverneur.

– Il est «là-bas»?

Sa voix s'était étranglée involontairement. Elle s'éclaircit la gorge avant de poursuivre :

– Dans le camp ennemi? Puisque je suppose que ce sont nos ennemis à présent.

Jamie s'avança à mes côtés, dévisageant sa fille d'un air agacé, mais paraissant résigné à sa présence.

– Il reviendra, dit-il. Ne t'inquiète pas. Personne ne lui fera de mal sous un drapeau blanc.

Brianna regarda au loin par-delà la rivière. Son visage s'était refermé, noué par l'angoisse.

– Tu penses qu'un drapeau blanc lui sera très utile une fois qu'ils auront commencé à se tirer dessus?

La réponse à cette question – qu'elle connaissait déjà – était «probablement pas». Jamie se tut. Il ne prit pas la peine non plus de lui dire qu'on n'en viendrait sans doute pas là. L'odeur de poudre noire et de transpiration rendait l'air, tendu par l'attente, presque aigre.

– Il reviendra, répéta Jamie sur un ton plus doux.

Il lui toucha la joue, repoussant en arrière une mèche libre.

– Je te le promets. Il ne lui arrivera rien.

Elle scruta son visage, l'air un peu moins inquiet, puis hocha la tête. Jamie se pencha, déposa un baiser sur son front, et se tourna pour parler à Rob Byrnes.

Brianna l'observa un moment, puis dénoua les lacets de son chapeau et vint s'asseoir sur un rocher à mes côtés. Ses mains tremblaient légèrement. Elle prit une grande inspiration et serra ses genoux contre sa poitrine pour se calmer.

Elle indiqua d'un signe de tête mon coffre de médecine.

– Je peux t'aider? demanda-t-elle. Tu veux que j'aille te chercher quelque chose?

– Non, j'ai tout ce qu'il me faut. Il ne reste plus qu'à attendre.

Puis j'ajoutai en grimaçant :

– C'est la partie la plus dure.

Elle émit un petit bruit d'assentiment et fit un effort visible pour se détendre. Plissant le front, elle examina mon matériel : le feu, l'eau bouillie, la table pliante, le grand coffret contenant mes instruments et mon sac plus petit renfermant mon matériel de premiers soins.

Du bout de sa botte, elle poussa le sac en toile.

– Qu'y a-t-il là-dedans?

– De l'alcool et des bandages, un scalpel, des forceps, une scie d'amputation, des garrots. Dans la mesure du possible, ils amèneront les blessés ici, ou à l'un des autres médecins. Mais si je dois aller sur le champ de bataille soigner un homme trop mal en point pour être transporté, il me suffira d'attraper mon sac et de filer.

Je l'entendis déglutir. En levant les yeux vers elle, je remarquai les taches de rousseur qui se détachaient sur le bout de son nez. Puis son expression changea brusquement, passant de manière comique de sérieuse à répugnée. D'un air soupçonneux, elle huma l'air, son long nez s'agitant comme la trompe d'un fourmilier.

Je l'avais sentie aussi : la puanteur de fèces fraîches émanait du bosquet, juste derrière nous.

– C'est assez fréquent juste avant une bataille, lui chuchotai-je. Ça les prend aux tripes, les pauvres!

Elle se racla la gorge sans répondre, mais je vis son regard parcourir la clairière et se poser sur un homme, puis sur un autre. Je savais à quoi elle pensait. Comment était-ce possible? Comment pouvait-on contempler la masse compacte et ordonnée d'un être humain, tel celui-ci, la tête penchée pour écouter les propos d'un ami, ou cet autre, les bras tendus pour saisir une gamelle, le visage tantôt souriant, tantôt soucieux, les yeux brillants et les muscles bandés… et penser à des organes perforés, aux peaux écorchées, aux os fracturés… à la mort?

Impossible. L'effort d'imagination dépassait la capacité et les facultés de quiconque n'a jamais assisté à cette métamorphose obscène. Mais ceux qui l'avaient observée ne l'oubliaient jamais.

Je toussotai et me penchai en avant, espérant détourner notre attention à toutes les deux.

– Qu'as-tu raconté à ton père tout à l'heure? demandai-je. En arrivant, tu lui as parlé en gaélique.

– Ah, ça!

Une faible rougeur amusée redonna provisoirement des couleurs à ses joues.

– Il a aboyé après moi, me demandant si je n'étais pas tombée sur la tête et si je voulais faire de mon fils un orphelin en risquant ma vie aux côtés de Roger. Je lui ai rétorqué que, si c'était si dangereux ici, de quel droit risquait-il de faire de moi une orpheline en t'entraînant à ses côtés?

Je me mis à rire, le plus discrètement possible.

– Tu n'es pas vraiment en danger, n'est-ce pas?

Balayant du regard le campement militaire, elle précisa :

– Je veux dire, ici?

– Non, si les combats se rapprochent, nous nous déplacerons immédiatement. Mais je ne crois pas que…

Je fus interrompue par le bruit d'un cheval arrivant à fond de train. Je bondis, tout comme le reste des hommes. C'était l'un des deux aides de camp de Tryon, le visage poupin tout pâle d'excitation retenue.

– Tenez-vous prêts, déclara-t-il hors d'haleine en sautant de sa selle.

– On ne fait que ça depuis l'aube, bougonna Jamie. Que s'est-il encore passé?

Apparemment, trois fois rien, mais ce rien avait son importance. Un prêtre du camp des Régulateurs était venu discuter avec le gouverneur.

– Un prêtre? l'interrompit Jamie. Tu veux dire un quaker?

L'aide lui lança un regard agacé, n'appréciant pas d'être interrompu.

– Non, ce n'est pas ce que j'ai voulu dire, monsieur. Comme chacun sait, les quakers n'ont pas de clergé. C'était un ministre du culte nommé Caldwell, le révérend David Caldwell.

Indépendamment de son affiliation religieuse, Tryon n'avait guère été ému par le plaidoyer de l'émissaire des Régulateurs. Il ne pouvait ni ne voulait traiter avec une bande de rebelles. S'ils acceptaient de se disperser, il promettait d'examiner leurs doléances présentées en bonne et due forme. Mais, avant toute chose, ils avaient une heure pour partir.

– Une heure, répéta Jamie, songeur.

Comme moi, pour la centième fois depuis le début de la matinée, il jeta un coup d'œil vers l'écran de saules derrière lequel Roger avait disparu pour accomplir sa mission.

– L'heure en question a commencé depuis combien de temps? demanda-t-il.

– Environ trente minutes, répondit l'aide.

Soudain, il eut l'air encore plus jeune que son âge. Il déglutit et remit son chapeau.

– Je dois y aller, monsieur. Attendez le signal du canon. Bonne chance!

– Bonne chance à toi aussi, répondit Jamie.

Il toucha le bras du jeune homme en guise d'au revoir, puis donna une claque sur la croupe de son cheval, le faisant partir en trombe.

Comme si cela avait été un signal, une activité frénétique s'empara du camp, avant même que le cavalier n'eut disparu entre les arbres. Les fusils déjà armés et chargés furent vérifiés et revérifiés, les boucles de ceintures bouclées et rebouclées, les insignes lustrés, les chapeaux époussetés, les cocardes fixées, les bas remontés, les jarretières resserrées. Les gamelles déjà remplies furent secouées pour s'assurer que le contenu ne s'était pas évaporé au cours du dernier quart d'heure.

Cette fébrilité était contagieuse. Je me surpris à recompter les flacons dans mon coffre, murmurant les noms sur les étiquettes comme on égrène les perles d'un rosaire, leur sens se perdant dans la ferveur de la prière. « Romarin, atropine, lavande, huile de clou de girofle… »

Dans tout ce remue-ménage, Brianna se distinguait par son immobilisme. Seule sa jupe était parfois agitée par la brise. Elle restait assise sur son rocher, les yeux rivés sur les arbres au loin. Je l'entendis marmonner quelque chose et me tournai vers elle.

– Qu'est-ce que tu as dit ?

– Ce n'est pas dans les livres.

Elle ne détachait pas son regard de la forêt, ses mains jointes sur ses genoux, pressées l'une contre l'autre, comme si elle pouvait faire apparaître Roger par la seule force de sa volonté. Du menton, elle indiqua le pré, la végétation et les hommes autour de nous.

– Tout ça n'est pas dans les manuels d'histoire, dit-elle. J'avais lu des choses au sujet du massacre de Boston, « là-bas », en classe. Puis, je l'ai lu dans le journal, « ici ». Mais je n'ai jamais rien lu concernant ce qui est en train de se passer. Pas une ligne sur le gouverneur Tryon, sur une rébellion en Caroline du Nord ni un endroit appelé Alamance. Cela signifie qu'il ne se passera rien.

Elle parlait sur un ton enflammé, cherchant à se convaincre.

– S'il y avait eu une grande bataille ici, quelqu'un en aurait parlé, reprit-elle. Il existerait forcément une trace quelque part. Or il n'y a rien. Donc il n'arrivera rien. Rien !

– Je l'espère.

Sa conviction me rassura. Elle avait sans doute raison. De toute manière, ce ne pourrait être une grande bataille. Nous n'étions qu'à quatre ans du début de la guerre d'Indépendance. Des escarmouches bien moins importantes avaient été dûment répertoriées dans les annales.

Le « massacre de Boston » avait eu lieu un an plus tôt environ. C'était un combat de rue, des heurts entre une foule en colère et une section de soldats apeurés. Des insultes avaient fusé, quelques pierres avaient été lancées. Un coup de feu non autorisé, un mouvement de panique, et cinq morts. Un quotidien de Boston avait rapporté les événements en les amplifiant pour faire monter la sauce. J'avais lu l'article dans le boudoir de Jocasta. Une de ses amies lui en avait envoyé une copie.

Deux cents ans plus tard, les manuels scolaires avaient immortalisé et fait de ce bref incident le symbole du mécontentement croissant des colons. J'observai les hommes autour de nous. Si une vraie bataille devait se dérouler ici – un gouverneur royal écrasant une rébellion de colons –, elle aurait quand même mérité d'être rapportée dans les livres d'histoire !

Toutefois, tout cela n'était que théorique. J'étais douloureusement consciente du fait que ni la guerre ni l'histoire ne se souciaient vraiment de ce qui « aurait dû » se passer.

Jamie se tenait près de Gideon, qu'il avait attaché à un arbre. Il irait se battre avec ses hommes, à pied. Il décrocha ses pistolets de sa selle et mis des munitions supplémentaires dans la bourse accrochée à sa ceinture. Concentré sur les préparatifs, il gardait la tête penchée.

Je ressentis un besoin urgent de le toucher, de lui parler. Je tentais de me convaincre que Brianna avait raison, que tout finirait bien, qu'il n'y aurait sans doute même pas un seul coup de feu échangé... mais, malgré tout, trois mille hommes armés étaient rassemblés sur les berges de l'Alamance, tous prêts à s'entre-tuer.

J'abandonnai Brianna sur son rocher, les yeux fixés sur les bois, et me hâtai de le rejoindre.

– Jamie...

Je posai une main sur son bras. J'eus l'impression d'avoir touché un câble à haute tension. Son énergie vibrait sous la couche isolante de sa chair, prête à exploser en une décharge fulgurante. Il paraît que lâcher ce genre de filin est impossible, que la victime d'une électrocution y reste attachée, incapable de bouger et de se sauver, tandis que le courant lui grille le cerveau et le cœur.

Il baissa les yeux vers moi avec un petit sourire.

– *A nighean donn*. Tu es venue me souhaiter bonne chance ?

Je m'efforçai de lui renvoyer son sourire, même si le courant continuait à vibrer en moi, crispant les muscles de mon visage.

– Je ne pouvais pas te laisser partir sans dire… quelque chose. Je suppose que « bonne chance » fera l'affaire.

J'hésitai, les mots se bousculant dans le fond de ma gorge, soudain pressés de sortir et d'en dire beaucoup plus que je n'en avais le temps. Finalement, je ne formulai que l'essentiel :

– Jamie… je t'aime. Fais attention !

Il disait ne pas se souvenir de Culloden. Cette perte de mémoire concernait-elle aussi les quelques heures juste avant la bataille, au moment de nos adieux ? En regardant dans le fond de ses yeux, je compris qu'il ne se rappelait de rien.

– « Bonne chance » fera l'affaire, répéta-t-il.

Sa main se posa et se resserra sur la mienne, elle aussi raidie par le courant. Il ajouta :

– « Je t'aime » est encore mieux.

Il leva ses doigts et toucha mes cheveux, mon visage, fixant mes yeux comme pour capturer mon image à cet instant précis… juste au cas où cette vision de la femme aimée serait la dernière.

Enfin, ses doigts caressèrent mes lèvres, légers comme le frôlement d'une feuille morte qui tombe. Il esquissa un sourire et murmura :

– Le jour viendra peut-être où la vie nous séparera. Mais pas aujourd'hui.

Le son d'un clairon s'éleva entre les arbres, lointain mais perçant comme le chant d'un pivert. Je me tournai vers le bruit. Brianna resta immobile comme une statue sur son rocher, le regard toujours tourné vers le bois.

64

Le signal de l'assaut

Note : trois coups de canon indiqueront aux troupes de se ranger en ligne de bataille, cinq coups de canon donneront le signal de l'assaut.

Ordre de bataille, William Tryon

* * *

Roger sortit lentement du camp des Régulateurs, se retenant de toutes ses forces pour ne pas prendre ses jambes à son cou et se retourner. On lui lança quelques insultes et menaces à demi sérieuses, mais le temps qu'il ait rejoint la lisière du bois, la foule s'était déjà désintéressée de lui et avait repris ses débats houleux. Il faisait chaud pour un jour de mai, mais avec sa chemise trempée de sueur et collée sur le torse, il se serait cru en plein mois de juillet.

Une fois hors de vue, il s'arrêta. Il haletait et se sentait étourdi et un peu nauséeux, des effets secondaires de l'adrénaline. Au centre du cercle des visages hostiles, il n'avait rien senti. Rien. Mais à l'abri du danger, les muscles de ses jambes tremblaient et, d'avoir serré les poings, il avait des crampes dans les mains. Tout en fléchissant les doigts, il tenta de respirer plus lentement.

Finalement, cela avait ressemblé à la traversée de la Manche, de nuit, en temps de guerre.

Mais il s'en était sorti et il pouvait retourner auprès de sa femme et de son fils. Une étrange sensation s'empara de lui, son immense soulagement se teintant d'une douleur plus sourde, inattendue. Il pensait à son père, qui avait eu moins de chance.

Une faible brise tournait autour de lui, soulevant ses mèches moites sur son cou et lui apportant une fraîcheur bienvenue. Il avait tant transpiré que sa cravate trempée semblait sur le point de l'étrangler. Avec des gestes nerveux, il la dénoua et enleva sa veste, qu'il tint, les yeux fermés, au bout de ses mains, inspirant de grandes bouffées d'air jusqu'à ce que la sensation de nausée s'atténue.

Il invoqua sa dernière vision de Brianna, dans le chambranle de la porte, Jemmy dans ses bras. Il revit ses cils lourds de larmes et les yeux ronds et solennels du bébé. Il se souvint alors de son expérience dans la cabane avec Husband, une vision de beauté et de joie profonde apaisant son esprit et son âme. Il allait retrouver les siens. Plus rien d'autre n'avait d'importance.

Au bout d'un moment, il rouvrit les yeux et se remit en marche, sa veste à la main. Il commençait à se sentir mieux dans son corps, sinon dans sa tête.

Il ne ramenait pas Husband à Jamie, mais celui-ci n'aurait pas pu faire mieux. Il était possible que les insurgés – on ne pouvait parler d'armée, quoi qu'en pense Tryon – finissent effectivement par se désolidariser les uns des autres, se disperser et rentrer chez eux, privés du semblant de direction qu'Husband leur avait fourni. Il l'espérait. Mais peut-être qu'un autre homme s'élèverait de cette foule rageuse, un homme doué pour commander.

Soudain, il se souvint d'une phrase. L'homme à la barbe noire lui avait demandé : « Tu es venu proposer d'autres conditions que celles de Caldwell ? » Un peu plus tôt, alors qu'il priait avec Husband, à travers les martèlements contre la porte de la cabane, il avait vaguement entendu quelqu'un crier : « On n'a pas le temps pour ce genre de choses ! Caldwell vient de rentrer de chez le gouverneur… » Une autre voix anonyme avait ajouté avec des accents désespérés : « Une heure, Hermon ! Il nous a donné une heure, pas plus ! »

– Merde ! jura-t-il à voix haute.

David Caldwell, le pasteur presbytérien qui les avait mariés, Brianna et lui. Ce ne pouvait être que lui. Il avait dû aller parler au gouverneur au nom des Régulateurs… et essuyer une rebuffade, assortie d'un avertissement.

« Une heure, pas plus ! » Une heure pour se disperser, pour évacuer les lieux pacifiquement ? Ou une heure pour répondre à un ultimatum ?

Il leva les yeux vers le ciel. À vue de nez, il était midi passé. Il renfila sa veste et fourra sa cravate dans sa poche, à côté du drapeau blanc inutilisé. Quel que soit le sens de cette heure de grâce, il était temps de déguerpir.

La journée était belle et chaude, l'odeur de l'herbe fraîche et de la sève acide des jeunes feuilles emplissait l'air. L'urgence de la situation et le souvenir des Régulateurs bourdonnant autour de lui comme des frelons l'empêchaient d'apprécier les beautés de la nature, mais, tout en hâtant le pas vers la rivière, il conservait quelques vestiges de la paix intérieure ressentie dans la cabane.

Cette sensation perdurait en lui, cachée mais accessible, comme un galet lisse dans sa poche. Il la tournait et la retournait dans sa tête. C'était si étrange : il ne s'était « rien » passé à proprement parler. L'expérience avait été si ordinaire, loin de toute irréalité ou de surnaturel. Pourtant, après avoir soudain vu le monde sous cette lumière particulière, il ne pouvait l'oublier. Parviendrait-il à l'expliquer à Brianna ?

Une branche basse frôlant son visage, il tendit un bras pour l'écarter, surpris de sentir sous sa main la surface lisse et fraîche des feuilles, l'étrange délicatesse de leurs contours, tranchantes comme des lames, mais fines comme du papier à cigarettes. Faible rappel mais combien reconnaissable de cette splendeur pénétrante. Il se demanda alors si Claire la voyait aussi. Percevait-elle la beauté des corps qu'elle manipulait? Était-ce ce qui faisait d'elle une guérisseuse?

Husband l'avait vu, lui aussi. Il avait partagé cette perception. Ses convictions de quaker en avaient été renforcées, le contraignant à quitter les lieux, incapable de commettre un acte de violence ni de le cautionner par sa présence.

Qu'en était-il de ses propres certitudes? Il les supposait inchangées. Il n'avait jamais eu l'intention de faire du mal à qui que ce soit et cela n'était pas près de changer.

Un petit papillon bleu voleta devant son genou, sans aucun souci apparent. Malgré la belle journée de printemps, toute illusion de tranquillité s'était évanouie. Alors qu'il sortait du taillis de saules et longeait la rivière, les odeurs de transpiration, de crasse, de peur et de colère qui avaient flotté dans le campement emplissaient encore ses narines, se mêlant aux parfums plus frais de l'eau claire et du trille blanc.

Et qu'en était-il des convictions de Jamie Fraser? Roger se demandait souvent ce qu'il pensait réellement, pas seulement parce qu'il l'appréciait, mais aussi en tant qu'historien. Lui, il avait pris sa propre décision concernant le conflit. Il ne pouvait en son âme et conscience chercher à nuire à quiconque, même s'il était prêt à défendre sa vie si nécessaire. Mais Jamie?

Il était presque sûr que ses sympathies, s'il en avait, allaient plutôt vers les Régulateurs. Fort probablement, son beau-père n'éprouvait aucune loyauté particulière à l'égard de la Couronne. Serment d'allégeance ou pas, aucun homme ayant survécu à Culloden et ses conséquences ne pouvait en ressortir avec l'idée de devoir fidélité au roi d'Angleterre, sans parler de quoi que ce soit de plus substantiel. Non, pas à la Couronne, mais à William Tryon, peut-être?

Il ne pouvait non plus s'agir d'une loyauté sur un plan personnel, même s'il ressentait certainement une obligation. Tryon l'avait convoqué et il était venu. Compte tenu de la situation, il n'avait guère eu le choix. Mais maintenant qu'il était là, se battrait-il?

Comment pourrait-il l'éviter? Il avait le devoir de diriger ses hommes et, s'il devait y avoir une bataille, (Roger regarda en arrière de lui, comme si le nuage de colère au-dessus du camp des Régulateurs était devenu visible, formant un bouillonnement noir à la cime des arbres), oui, il se battrait, indépendamment de ses propres sentiments.

Roger tenta de se visualiser pointant un mousquet vers un homme contre lequel il n'avait aucune raison d'en vouloir et appuyant sur la gâchette. Pire encore, se ruer sur un voisin, l'épée à la main. Fracasser le crâne de Kenny Lindsay, par exemple? C'était inimaginable. Rien d'étonnant à ce que Jamie ait demandé à Husband de l'aider à arrêter le conflit avant qu'il n'éclate.

Toutefois, Claire lui avait raconté un jour que, jeune homme, Jamie avait été mercenaire en France. Il avait donc dû tuer des hommes contre lesquels il n'avait aucun grief. Comment…

Écartant une branche de saule, il entendit leurs voix avant de les voir. Des femmes travaillaient plus loin sur la berge. Certaines étaient accroupies dans l'eau, lavant, d'autres portaient le linge propre sur la rive pour le suspendre dans les arbres et l'étaler sur les buissons. Il les parcourut rapidement du regard jusqu'à ce que… était-ce possible?

Il n'aurait su dire comment ni pourquoi il l'avait repérée, rien chez elle ne la distinguait des autres. Pourtant elle se détachait du groupe, comme bordée d'un trait d'encre noire sur un fond d'eau et de verdure.

Son cœur se mit à battre plus fort, ravivé par la joie. Elle était vivante.

– Morag, chuchota-t-il.

Il avait déjà franchi la lisière du bois de saules, quand il se demanda enfin ce qu'il était en train de faire et pourquoi. Mais il était trop tard, il se trouvait déjà à découvert et avançait vers elles.

Plusieurs femmes lui jetèrent un coup d'œil. Certaines se figèrent, sur leurs gardes. Elles étaient une bonne vingtaine et leurs hommes ne devaient pas être très loin. En pataugeant dans l'eau, elles l'observèrent en train d'approcher, vigilantes mais non alarmées.

Dans l'eau jusqu'aux genoux, ses jupes relevées et coincées sous sa ceinture, elle le regardait venir vers elle. Elle l'avait reconnu, il le sentait, mais elle ne le montrait pas.

Les autres femmes reculèrent, attentives. Elle resta droite, tenant un vêtement trempé entre ses mains, les libellules filant autour d'elle. Des mèches de cheveux châtains retombaient de son bonnet.

– Madame MacKenzie, dit-il. Je suis heureux de vous revoir.

Un sourire à peine perceptible s'afficha au coin de ses lèvres. Elle avait les yeux noisette, ce qu'il n'avait encore jamais remarqué.

– Monsieur MacKenzie, dit-elle avec un léger signe de tête.

Il réfléchissait fébrilement à ce qu'il devait faire. Tout d'abord, la prévenir, mais comment? Pas devant toutes les autres femmes.

Il resta planté là un moment, ne sachant quelle stratégie adopter, puis, soudain inspiré, il se pencha, ramassa un paquet de linge dégoulinant qui trempait dans l'eau à côté d'elle et grimpa sur la berge. Morag le suivit précipitamment.

– Hé! Où allez-vous comme ça? Ce sont mes affaires!

Il transporta sa charge sous les arbres et la déposa lourdement sur un buisson, veillant toutefois à ne rien laisser tomber par terre. Morag marchait sur ses talons, le visage rouge d'indignation.

– Qu'est-ce qui vous prend, voleur! Rendez-moi mes habits!

– Je ne suis pas en train de les voler, l'assura-t-il. Je voulais simplement vous parler seul à seule.

Elle lui lança un regard soupçonneux.

– Ah oui ? De quoi ?

Il lui sourit. Elle était toujours maigre, mais ses bras étaient bronzés et son petit visage respirait la santé. Elle était propre et avait perdu l'air maladif et fragile qu'elle avait eu à bord du *Gloriana*.

– Je voulais savoir si vous alliez bien, dit-il doucement. Et votre fils, Jemmy ?

Prononcer ce prénom le fit frissonner et, l'espace d'un instant, il revit Brianna sur le pas de la porte, son fils dans les bras, l'image se superposant au souvenir de Morag serrant son bébé dans la pénombre de la cale, prête à tuer ou à mourir pour le sauver.

– Ah.

Son air suspicieux s'atténua. Après tout, il était en droit de lui poser la question.

– Nous allons bien… tous les deux.

Elle ajouta avec un air entendu :

– Mon mari aussi.

– Je suis sincèrement ravi de l'entendre. Sincèrement. Je… j'ai pensé à vous de temps en temps… me demandant si… si tout s'était bien passé pour vous. Tout à l'heure, en vous apercevant, j'ai voulu m'en assurer, voilà tout.

– Ah, je vois. C'est très gentil à vous, monsieur MacKenzie.

Elle releva les yeux et le regarda enfin en face, reprenant :

– … Je sais ce que vous avez fait pour nous. Je ne l'ai pas oublié. Je prie pour vous tous les soirs.

– Ah… merci.

Un étrange poids lui serra la poitrine. Il s'était parfois demandé si elle pensait à lui à l'occasion. Se souvenait-elle du baiser qu'il lui avait donné dans cette cale, cherchant une étincelle de sa chaleur pour se protéger du frémissement mortel de la solitude? Il s'éclaircit la gorge pour dissiper la gêne que ce souvenir faisait naître en lui.

– Vous... habitez dans le coin?

– Avant oui, mais à présent... peu importe.

Elle se tourna, reprenant son linge sur le buisson, secouant chaque pièce de vêtement avant de la plier.

– C'était très aimable à vous de vous inquiéter de notre sort, monsieur MacKenzie.

Apparemment, la conversation était close. Il s'essuya les mains sur ses culottes, ne voulant pas partir encore. Il devait lui dire... mais, maintenant qu'il l'avait retrouvée, il n'avait pas envie de se contenter d'une simple mise en garde et de filer. Il bouillonnait de curiosité, associée à un bizarre sentiment de parenté.

Peut-être pas si bizarre, après tout. Ce petit bout de femme était de sa famille, la seule personne de même sang qu'il ait rencontrée depuis la mort de ses propres parents. En même temps, tout en tendant la main vers elle et en touchant son coude, il était conscient de la singularité de la situation : elle était son ancêtre.

Elle se raidit et tenta de se dégager, mais il la retint par le bras. L'eau de la rivière avait glacé sa peau, mais il sentait son pouls battre sous ses doigts.

– Attendez, dit-il. Je vous en prie, juste un instant. Il faut que... que je vous dise quelque chose.

– Non, ce n'est pas nécessaire. Je préférerais que vous ne disiez rien.

Elle tira plus fort sur son bras et se libéra.

– Votre mari? Où est-il?

Comme elle ne résidait pas dans les parages, il était clair qu'elle et ses compagnes vivaient dans les campements d'où il venait. Ce n'était pas une prostituée, il en aurait mis sa main à couper. Cela voulait dire qu'elle avait suivi son mari, et donc que...

– Il est tout à côté!

Elle recula d'un pas, évaluant la distance qui la séparait du reste de son linge. Roger se tenant entre elle et le buisson, elle était obligée de le contourner pour récupérer ses jupons et ses bas.

Se rendant compte qu'il l'effrayait, il se retourna précipitamment et attrapa une poignée de vêtements au hasard.

– Je suis désolé. Votre linge… Tenez.

Il le lui fourra dans les bras et elle le rattrapa de justesse. Quelque chose tomba, une robe de bébé. Ils se penchèrent en même temps pour la ramasser, leurs crânes se percutant violemment.

– Oh ! Oh ! Doux Jésus Marie !

Morag se tenait la tête tout en serrant son linge trempé contre sa poitrine.

– Bon sang ! Ça va, Morag ? Heu, pardon, madame Mackenzie ? Je suis vraiment désolé !

Il lui toucha l'épaule, grimaçant de douleur, puis se baissa pour attraper la robe. Ensuite, il tenta vainement d'essuyer les traces de boue. Morag cligna des yeux larmoyants et se mit à rire en voyant son air consterné.

La collision avait permis de briser la tension. La jeune femme recula d'un pas, mais n'avait plus l'air menacé.

– Oui, ça va, répondit-elle.

Elle renifla, s'essuya les yeux puis palpa prudemment son front.

– Heureusement, j'ai la tête dure, comme le disait toujours ma mère. Et vous, vous n'avez pas trop mal ?

– Non, ça va.

Roger se massa le front à son tour, sentant brûler sous ses doigts la courbe de son arcade sourcilière, le reflet de celle de Morag. Mais, chez cette dernière, elle était plus petite et plus fine.

– Moi aussi, j'ai le crâne dur. C'est un trait de famille.

Il sourit, se sentant ridiculement heureux. Il lui tendit le vêtement souillé, s'excusant de nouveau, mais pas uniquement à cause du linge à relaver :

– Votre mari… si je vous demandais de ses nouvelles, c'est que… il fait partie des Régulateurs, n'est-ce pas ?

Elle le regarda d'un air surpris.

– Oui, bien sûr. Pas vous?

Naturellement, sinon que ferait-il de ce côté-ci de l'Alamance? Les troupes de Tryon étaient rassemblées en rangs ordonnés dans le pré de l'autre côté de la rivière. De ce côté-ci, les Régulateurs grouillaient dans tous les sens, sans chef ni direction, masse furieuse vibrant d'une violence prête à exploser n'importe comment.

– Non, je suis avec la milice.

Il agita une main vers le lointain, où l'on apercevait la fumée des feux de camp. Une lueur de méfiance apparut de nouveau dans les yeux de Morag, mais elle n'avait plus peur. Après tout, il était seul.

– C'est de cela dont je voulais vous parler. Je désirais vous mettre en garde, vous et votre mari. Cette fois, le gouverneur est sérieux. Il est venu avec des troupes organisées, des canons, beaucoup d'hommes, tous armés.

Il se pencha vers elle, lui tendant le reste des bas mouillés. Elle les prit d'une main, mais sans le quitter des yeux, attendant la suite.

– Il est résolu à étouffer la rébellion, par tous les moyens. En cas de résistance, il a donné à ses hommes l'ordre de tuer. Vous comprenez? Vous devez le dire à votre mari, le convaincre de partir avant… avant qu'il arrive quelque chose.

Elle pâlit et posa instinctivement une main sur son ventre. Le linge ayant mouillé sa robe en mousseline, il remarqua le léger renflement qui lui avait échappé plus tôt, rond et lisse comme un melon sous le tissu humide. Il sentit la peur de Morag se répandre en lui, comme si les bas trempés étaient chargés d'électricité.

« Avant oui, mais à présent… », avait-elle dit lorsqu'il lui avait demandé s'ils habitaient dans les parages. Elle avait peut-être simplement voulu dire qu'ils avaient déménagé ailleurs, mais… il y avait de la layette dans son linge. Son fils était ici avec elle. Partir en guerre en emmenant femme et enfant signifiait qu'ils n'avaient aucun endroit où se mettre à l'abri.

L'angoisse de Morag était compréhensible. Désormais sans toit, si son mari était blessé ou tué, comment subviendrait-elle aux besoins de Jemmy et du nouveau bébé qui grandissait dans son ventre? Elle n'avait personne, aucune famille vers laquelle se tourner.

Ou plutôt, elle en avait mais elle l'ignorait. Il s'empara fermement de sa main et l'attira à lui, envahi par le besoin de la protéger, elle et ses enfants. Il l'avait sauvée une fois, il pourrait la sauver de nouveau.

– Morag, écoutez-moi. S'il arrivait quelque chose, quoi que ce soit, venez me trouver... Si vous avez besoin d'aide, je prendrai soin de vous.

Elle ne tenta pas de se libérer, mais scruta son visage, l'air grave, une légère ride entre ses sourcils incurvés. Une envie irrésistible d'établir un lien physique entre eux le tenaillait, cette fois pour elle autant que pour lui. Il baissa la tête et, très doucement, l'embrassa.

Puis il rouvrit les yeux et, redressant la tête, aperçut par-dessus son épaule la mine incrédule de son aïeul de maintes générations.

* * *

– Lâchez ma femme immédiatement!

William Buccleigh MacKenzie surgit des buissons dans un fracas de branchages, l'allure résolument hostile. Il était presque aussi grand que Roger et plutôt baraqué, détails personnels peu importants dans la mesure où il avait également un couteau dans le fourreau accroché à sa ceinture, la main posée sur le manche. Son attitude n'avait rien d'ambiguë.

Roger résista à sa première impulsion qui était de dire «ce n'est pas ce que vous croyez». De fait, ça ne l'était pas, mais il ne voyait pas d'autre explication plausible à formuler.

Sentant que tout geste brusque serait inopportun, il se redressa lentement en déclarant :

– Je n'ai pas voulu manquer de respect à votre femme. Toutes mes excuses.

– Ah oui? Dans ce cas, qu'étiez-vous en train de faire au juste?

Posant une main protectrice sur l'épaule de sa femme, il dévisagea Roger, l'œil assassin. Elle tressaillit, les doigts de son mari s'enfonçant dans sa chair. Roger aurait bien aimé lui faire lâcher prise, mais ce n'était pas le moment d'envenimer la situation.

– J'ai rencontré votre femme, et vous même, à bord du *Gloriana*, il y a un an ou deux. Lorsque je l'ai aperçue ici, j'ai voulu m'enquérir de votre famille. C'est tout.

Morag toucha la main de son mari, qui desserra légèrement sa prise.

– Il ne voulait aucun mal, William. Il dit vrai. Tu ne te souviens pas de lui? C'est l'homme qui nous a trouvés dans la cale où nous étions cachés, Jemmy et moi. Il nous apportait à manger et à boire.

– Vous m'aviez vous-même demandé de veiller sur eux, lui rappela Roger. Cette fameuse nuit de la bagarre, quand les marins se sont mis à balancer les malades par-dessus bord.

Les traits de MacKenzie se détendirent un peu.

– Ah oui. C'était vous? Je n'ai pas vu votre visage dans le noir.

– Je n'ai pas vu le vôtre non plus.

Maintenant en pleine lumière, il ne pouvait s'empêcher de l'étudier avec intérêt, malgré la situation tendue.

Ainsi c'était là le fils – non reconnu – de Dougal MacKenzie, autrefois chef de guerre des MacKenzie de Leoch. Cela se voyait. Il avait bien les traits de la famille, en plus carrés, plus durs et plus blonds. En l'observant avec attention, Roger reconnaissait les hautes pommettes et le grand front dont Jamie avait hérité du côté de sa mère.

De la même taille que les MacKenzie, il faisait plus de un mètre quatre-vingt, ses yeux fixes arrivant au même niveau que ceux de Roger.

William Buccleigh se tourna brièvement en entendant un bruit dans les broussailles, et le soleil fit luire un éclat vert mousse dans son regard. Roger dut se retenir de fermer les yeux de crainte que MacKenzie ne remarque le même reflet dans les siens.

Mais, pour le moment, ce dernier avait d'autres soucis. Deux hommes émergèrent des buissons, las et crasseux d'avoir campé trop longtemps. L'un portait un mousquet, l'autre s'était armé d'une grosse branche qu'il tenait comme un gourdin.

– Qui c'est celui-là, Buck? demanda l'homme au mousquet.

– C'est ce que je m'efforce de découvrir, répondit MacKenzie.

Il avait retrouvé son air mauvais. Il écarta sa femme d'un geste de la main.

– Retourne auprès des autres, Morag. Je m'occupe de lui.

Le regard paniqué de la jeune femme allait de son mari à Roger.

– Mais William… Puisque je te dis qu'il n'a rien fait!

– Parce que se frotter contre toi en public comme si tu étais une vulgaire traînée n'est rien!

Il lui lança un regard fulminant et elle devint cramoisie, se souvenant du baiser. Elle insista néanmoins :

– Mais… je… c'est que… il a été bon pour nous. Tu ne devrais pas…

– Je t'ai dit de t'en aller!

Elle ouvrit la bouche pour protester, mais se ravisa en voyant son mari avancer vers elle en serrant le poing. Sans réfléchir, Roger envoya un crochet dans la mâchoire de MacKenzie. Le craquement se répercuta jusque dans son coude.

William Buccleigh trébucha et tomba sur un genou, secouant la tête, étourdi. Le cri de surprise de Morag fut étouffé par les exclamations sidérées des deux autres hommes. Avant qu'il n'ait eu le temps de se retourner pour les confronter, Roger entendit un bruit derrière lui, discret mais assez fort pour lui glacer le sang, le claquement sec et froid d'un chien de fusil qu'on arme.

Il y eut un bref *pschhht* de poudre qui s'embrase, puis un *pffffoum!* tandis que le coup partait dans un rugissement et un nuage de fumée noire. Tous bondirent en même temps. Toussant et à moitié hébété, Roger se retrouva entraîné dans un corps à corps confus avec l'un des hommes. Tout en s'efforçant de le repousser, il aperçut Morag agenouillée dans l'herbe, qui tamponnait le visage de son mari avec un linge humide. William la repoussa brutalement, se releva tant bien que mal et fonça sur Roger, les yeux exorbités de rage, le visage rouge de fureur.

Roger pivota sur ses talons, dérapant sur le tapis de feuilles, se libéra de la prise de son adversaire et courut vers les buissons. Il se jeta dans les broussailles, les brindilles et les branches le fouettant de toutes parts et cinglant son visage et ses bras. Un fracas de branchages, puis un halètement puissant retentirent derrière lui. Une main s'abattit soudain sur son épaule avec une poigne d'acier.

Il saisit les doigts et les tordit de toutes ses forces, jusqu'à entendre craquer les os et les articulations. Leur propriétaire poussa un cri et tira sur son bras. Roger en profita pour se lancer la tête la première dans une ouverture du taillis.

Il atterrit sur une épaule, se recroquevilla, roula sur le sol, écrasa un petit buisson, dévala une pente argileuse escarpée et dégringola dans la rivière en projetant de grandes gerbes d'eau.

Cherchant à prendre pied, il coula, remonta à la surface, toussa, cracha et barbota en tentant d'écarter les cheveux de devant sa figure, pour découvrir William MacKenzie qui se tenait sur la berge au-dessus de lui. Voyant son ennemi dans une position aussi désavantageuse, ce dernier prit son élan et sauta.

Une charge plus puissante qu'un boulet de canon s'écrasa contre la poitrine de Roger, le renvoyant sous l'eau. Des cris de femmes résonnèrent au loin. Il ne pouvait ni respirer ni voir. Il se débattait désespérément dans une masse tourbillonnante de vêtements, de membres, de vase, dérapant sur le lit de la rivière en cherchant à se redresser, les poumons sur le point d'exploser.

Enfin, sa tête creva la surface de l'eau. Il ouvrit et ferma la bouche comme une carpe, prenant de grandes inspirations. Il entendit le sifflement de l'air pénétrant dans ses poumons, puis dans ceux de MacKenzie. Celui-ci s'écarta et se releva à quelques mètres de lui, soufflant comme un moteur noyé, tandis que l'eau se déversait de ses vêtements. Roger se pencha en avant, gonflant la poitrine, les mains sur les cuisses et les bras tremblant sous l'effort. Lorsqu'il eut retrouvé son souffle, il se redressa et essuya les mèches mouillées plaquées sur son visage.

– Écoutez..., commença-t-il en haletant. Je ne voulais...

Il n'en dit pas plus. MacKenzie, dans le même état que lui, avançait de nouveau vers lui, l'eau jusqu'à la taille. L'expression de son visage était étrange, déterminée. Ses yeux vert mousse très clairs le fixaient.

Roger se souvint tardivement d'un autre détail. Cet homme n'était pas uniquement le fils de Dougal MacKenzie, mais aussi celui de Geillis Duncan, sorcière notoire.

Quelque part de l'autre côté des saules, il y eut une forte déflagration. Des nuées d'oiseaux effrayés s'élevèrent au-dessus des arbres. La bataille avait commencé.

65

Alamance

Le gouverneur dépêcha alors un de ses aides de camp, le capitaine Malcolm, avec le shérif du comté d'Orange pour lire aux rebelles sa lettre leur enjoignant de déposer les armes, de livrer leurs meneurs renégats, etc. Vers dix heures et demie, les deux émissaires revinrent annoncer que le shérif avait lu l'injonction quatre fois, devant diverses factions de rebelles, qui en avaient toutes rejeté les termes avec dédain, déclarant qu'elles n'avaient pas besoin de délai de réflexion et appelant à la bataille à corps et à cris.

William Tryon, *Journal de l'expédition contre les insurgés*

* * *

– On fera gaffe à MacKenzie.

Jamie donna une tape sur l'épaule de Geordie Chisholm qui hocha la tête, ayant bien compris le message.

Ils étaient tous au courant. C'étaient de braves gars, ils ouvriraient l'œil. Ils finiraient certainement par tomber sur lui, alors qu'il rentrait au camp.

Il se le répéta pour la énième fois, sans parvenir à se rassurer. Nom de Dieu, qu'avait-il pu lui arriver?

Il revint vers la tête de sa compagnie, écartant avec violence les broussailles devant lui, comme s'il leur en voulait. S'ils faisaient attention, ils repéreraient Roger à temps, avant de lui tirer dessus. Du moins, il essayait de s'en convaincre, sachant en tout état de cause que, dans le feu de l'action, chacun tirait sur tout ce qui bougeait. On avait rarement le temps d'étudier les traits de celui qui arrivait face à vous, surgissant soudain d'un nuage de fumée.

De toute manière, peu importait qui tirerait sur son gendre. Brianna et Claire le tiendraient personnellement responsable de la vie du jeune homme, à juste titre.

Par chance, il n'eut bientôt plus le temps de penser. Ils sortirent à découvert et ses hommes s'éparpillèrent, courant dans le pré, pliés en deux, zigzaguant entre les hautes herbes par groupe de trois et quatre, comme il le leur avait appris, un soldat aguerri par peloton. Quelque part derrière eux, le premier coup de canon ébranla le ciel ensoleillé.

Au même moment, il repéra les premiers Régulateurs, qui, tout comme eux, s'enfuyaient de l'autre côté du champ. Ils n'avaient pas encore aperçu les miliciens.

Avant qu'ils n'en aient eu le temps, il poussa son cri de guerre – *Casteal an DUIN!* – et chargea, le mousquet brandi haut au-dessus de sa tête pour indiquer à ses hommes de le suivre. Des rugissements et des hurlements fendirent l'air. Les Régulateurs, pris par surprise, s'arrêtèrent net en dérapant dans l'herbe, manipulant maladroitement leur fusil et se gênant les uns les autres.

– *Thugham! Thugham!* Suivez-moi! Suivez-moi!

Estimant qu'il était suffisamment près, il se laissa tomber sur un genou, mit en joue et tira juste à quelques centimètres du crâne des adversaires.

Derrière lui, il entendit ses hommes s'agenouiller en position de tir, le cliquetis des pierres à fusil, puis la détonation assourdissante de la salve.

Un ou deux Régulateurs s'accroupirent et ripostèrent. Les autres détalèrent vers un petit monticule couvert d'herbes pour se mettre à l'abri.

– *A draigha!* À gauche! *Nach links!* Coupez-leur la route!

Sans s'en rendre compte, Jamie hurlait tout en courant.

Le petit groupe de Régulateurs se scinda. Quelques-uns bifurquèrent vers la rivière, les autres se regroupèrent comme un troupeau de moutons, galopant vers la butte.

Ils l'atteignirent et disparurent derrière la crête. Jamie rappela aussitôt ses hommes d'un tel sifflement strident qu'il perça le vacarme croissant des canons. Sur la gauche, il entendait un crépitement de mousquets. Il partit dans cette direction, espérant que ses hommes le suivraient.

Ce fut une erreur. Le terrain était marécageux, rempli d'ornières fangeuses et de boue qui adhérait aux semelles. Il lança un nouveau cri et leur fit signe de rebrousser chemin. Mieux valait se retrancher plus haut et laisser l'ennemi venir vers eux et s'empêtrer dans ce bourbier.

La partie surélevée du pré était tapissée d'une broussaille dense mais sèche. Il brandit une main, les doigts écartés, indiquant aux hommes de s'éparpiller et de se mettre à couvert.

Un nuage de fumée rendue âcre par l'odeur de la poudre noire s'éleva des arbres voisins. Les détonations d'artillerie étaient devenues régulières. Les canonniers ayant trouvé leur rythme œuvraient comme un cœur géant qui palpitait au loin.

Jamie avança lentement vers l'ouest, le regard alerte. Par ici, la végétation était surtout constituée de taillis de sumacs et d'arbres de Judée, de ronces s'élevant jusqu'à sa taille et de groupes de pins plus haut que lui. La visibilité était mauvaise, mais il pourrait entendre quiconque approcher, longtemps avant de le voir ou d'être vu.

Il n'apercevait aucun de ses hommes. Il se tapit derrière un jeune plant de cornouiller et poussa un cri similaire à celui du colin à gorge blanche. Des signaux identiques s'élevèrent derrière lui. Aucun devant. Parfait, à présent, tout le monde savait plus ou moins où se trouvaient les autres. Il avança prudemment, se glissant entre les buissons. Il faisait plus frais à l'ombre des arbres, mais l'air était épais et la sueur lui coulait dans le cou et le dos.

Il entendit un bruit de pas et s'enfonça entre les branches d'une pruche, les aiguilles sombres se refermant sur lui. Seul son mousquet pointait dans une ouverture.

Celui qui approchait se déplaçait rapidement. Il y eut un craquement de branches, un souffle laborieux, puis un jeune homme apparut, haletant. Il n'avait pas de fusil, mais la lame recourbée d'un couteau de cordonnier brillait dans sa main.

Le visage du garçon lui était familier. Jamie fouilla dans sa mémoire et parvint à mettre un nom dessus, avant que son doigt ne quitte la gâchette. Il appela d'une voix basse mais portante :

– Hugh ! Hugh Fowles !

Le jeune homme laissa échapper un petit cri de surprise et fit volte-face, écarquillant les yeux. Apercevant Jamie et son fusil entre les aiguilles du conifère, il se figea, comme un lapin terrorisé.

Puis, sa panique se mua en détermination. Il se rua vers Jamie en hurlant. Surpris, celui-ci eut à peine le temps de redresser son mousquet pour faire dévier la main qui tendait le couteau. La lame glissa le long du canon dans un crissement strident et rebondit contre la main de Jamie. Le jeune Fowles lança son bras en arrière pour tenter de le poignarder de nouveau, mais Jamie lui envoya un coup sec dans le genou, reculant au bon moment pour éviter le garçon. Ce dernier perdit l'équilibre et partit en avant, agitant vainement sa lame dans les airs.

Jamie lui assena un deuxième coup, et Hugh tomba, son couteau s'enfonçant dans la terre.

– Tu as bientôt fini ? s'énerva Jamie. Bon sang, petit, tu ne me reconnais donc pas ?

Il n'arrivait pas à comprendre si Fowles l'avait identifié, ni même s'il l'avait entendu. Livide et roulant des yeux affolés, le garçon battait des bras et des jambes, tentant à la fois de se redresser et de récupérer son couteau.

– Vas-tu…

Il n'acheva pas sa phrase, car le jeune homme abandonna son arme et se jeta sur lui dans un grognement bestial. Le poids de son assaillant fit chanceler Jamie en arrière, Hugh tentant de lui serrer le cou pour l'étrangler. Laissant tomber son mousquet, Jamie envoya un grand coup d'épaule bien senti dans le ventre du garçon, histoire de mettre un terme définitif à cette empoignade ridicule.

Hugh Fowles s'effondra et se recroquevilla sur le sol, se tortillant comme un mille-pattes blessé et effectuant une série de grimaces sans son. On aurait dit qu'il venait d'avaler son petit-déjeuner de travers.

Jamie porta sa main droite à ses lèvres, suçant ses articulations à vif. Le couteau les avait écorchées, et son coup de poing n'avait rien arrangé. Sa main lui brûlait, et le sang dans sa bouche avait un goût de métal chauffé.

Il entendit d'autres pas de course. Il eut à peine le temps de ramasser son mousquet avant que les buissons ne s'écartent, révélant le beau-père de Fowles, Joe Hobson, pointant lui aussi un fusil devant lui.

Jamie, un genou à terre, le tenait en joue, son canon braqué sur sa poitrine.

– Ne bouge pas!

Hobson s'immobilisa, comme si un marionnettiste avait tiré toutes les ficelles. Son attention se porta sur son beau-fils, puis revint vers Jamie.

– Qu'est-ce que tu lui as fait?

– Rien de définitif. Baisse ton arme, d'accord?

Hobson ne remua pas. Il était noir de crasse et pas rasé depuis des lustres, mais ses yeux étaient vifs et alertes.

– Je ne te veux pas de mal, baisse ton arme, répéta Jamie.

Hobson garda le doigt sur la gâchette, mais une lueur de doute traversa son regard.

– Pas question de se constituer prisonnier!

– Tu l'es déjà, pauvre fou! Ne t'inquiète pas, ils ne te feront rien, pas plus qu'au garçon. Vous serez tous deux plus en sécurité dans une prison qu'ici, crois-moi!

Cette déclaration fut ponctuée d'un sifflement sinistre qui fendit l'air au-dessus de lui, déchirant les feuilles. Jamie baissa la tête par réflexe, son ventre se nouant.

Hobson eut un sursaut de terreur, balayant l'air de son mousquet. Il tressaillit encore et ses yeux s'ouvrirent grand. Une tache rouge s'épanouit lentement sur sa chemise. Il baissa des yeux stupéfaits vers elle, la gueule de son fusil retombant comme une tige fanée. Il le lâcha, s'assit brutalement sur le sol, adossé à un tronc d'arbre, et mourut.

Toujours sur un genou, Jamie pivota sur place et vit Geordie Chisholm derrière lui, le visage noirci par la fumée de son arme, contemplant le cadavre de Hobson avec l'air de se demander comment cela avait pu arriver.

Un nouveau coup de canon retentit. Un projectile fendit la végétation et atterrit non loin dans un bruit sourd. Jamie perçut le choc à travers la semelle de ses bottes. Il se jeta à plat ventre et rampa jusqu'à Hugh Fowles qui venait de se mettre à quatre pattes, pris de haut-le-cœur.

Il lui attrapa un bras sans prêter attention à la flaque de vomi et le tira sans ménagement.

– Viens, dépêche-toi !

Il se redressa, saisit le jeune homme par la taille et les épaules, et le traîna vers un coin plus abrité, tout en appelant son compagnon à la rescousse.

– Geordie ! Geordie ! Aide-moi !

Chisholm se précipita. À eux deux, ils parvinrent à faire tenir Fowles debout et à le tirer en le portant à moitié, courant et trébuchant.

Les branches sectionnées libéraient dans l'air une odeur âcre de sève fraîche. Il eut alors une vision du jardin de simples de Claire, de terre retournée sous ses coups de pelle, de champs creusés de sillons et de tombes, puis d'Hobson assis au soleil contre le tronc d'arbre, la surprise se reflétant encore dans ses yeux morts.

Fowles puait le vomi et la merde. Du moins, il espérait que c'était bien Fowles.

Lui-même avait une forte envie de rendre ses tripes. Il se mordit la langue, goûta de nouveau son sang et contracta ses abdominaux, ravalant sa bile.

Quelqu'un se dressa dans un buisson sur sa droite. Il tenait son arme dans sa main gauche. Il la leva par réflexe et tira. Il continua d'avancer entouré de son propre nuage de fumée, apercevant l'homme sur lequel il venait de tirer tourner les talons et prendre ses jambes à son cou.

Fowles tenait désormais sur ses jambes. Jamie le lâcha, laissant Geordie s'occuper de lui, et, mettant un genou à terre, chercha sa poudre et une nouvelle cartouche. Il ouvrit celle-ci d'un coup de dents, sentant la poudre se mêler à son sang. Puis il versa son contenu dans le réservoir, le bourra, remplit l'amorce, vérifia sa pierre, le tout en remarquant avec surprise que ses mains ne tremblaient pas. Au contraire, elles s'affairaient avec adresse, connaissant exactement leur rôle.

Il leva son canon et serra la mâchoire, à peine conscient de son geste. Des hommes approchaient, trois. Il mit en joue le premier. Dans un dernier sursaut de conscience, il rectifia le tir et, le mousquet tressaillant entre ses doigts, visa non loin de la tête. Les Régulateurs s'arrêtèrent. Il baissa son arme, dégaina son coutelas et se rua sur eux en criant.

La voix rendue rauque à cause de la fumée, des mots jaillirent de sa gorge.

– Fuyez!

Il se vit comme s'il s'observait de loin et conclut qu'il réagissait exactement comme Hugh Fowles un peu plus tôt. Il avait alors trouvé son comportement stupide.

– Fuyez!

Les hommes détalèrent dans tous les sens comme des cailles apeurées. Tel un loup, il suivit aussitôt le plus lent, enjambant les accidents de terrain, une joie féroce animant ses jambes et s'épanouissant dans son ventre. Il aurait pu courir indéfiniment, le vent froid giflant sa peau et hurlant dans ses oreilles, le sol souple soulevant ses pieds. Il volait à la surface des herbes et des pierres.

Celui qu'il poursuivait l'entendit se rapprocher, jeta un coup d'œil en arrière et, avec un cri de terreur, percuta un arbre de plein fouet. Jamie se jeta sur sa proie, atterrissant sur son dos et sentant ses côtes craquer sous son genou. Il agrippa une poignée de cheveux gras et poisseux de transpiration, et tira en arrière. Il se retint de justesse d'ouvrir, d'un coup de coutelas, la gorge nue qui s'offrait à lui, tendue et vulnérable. Il imagina l'impact de la lame sur la peau, la chaleur du jet de sang. Il en avait envie.

Pantelant, il prit une grande inspiration.

Très lentement, il écarta sa lame de la veine palpitante. Le mouvement le laissa tremblant de frustration comme si, sur le point de déverser sa sève, on l'avait arraché du corps de sa femme.

– Tu es mon prisonnier, annonça-t-il.

L'homme le regarda sans comprendre. Il pleurait, les larmes creusant sur ses joues de longues traînées dans la crasse. Il essaya de parler, mais n'émit que des sanglots, incapable d'inspirer assez d'air avec sa tête penchée en arrière. Jamie se rendit alors compte qu'il s'était exprimé en gaélique. L'homme ne l'avait pas compris.

Il desserra lentement sa prise, s'obligeant à lâcher les cheveux de l'homme. Il chercha les mots en anglais, enfouis quelque part sous la soif de sang qui bouillonnait dans son crâne. Enfin, il parvint à articuler, reprenant son souffle presque entre chaque syllabe :

- Tu… es… mon… prisonnier.

– Oui ! Oui ! Je me rends ! Ne me tuez pas ! Je vous en supplie, ne me tuez pas !

L'homme se recroquevilla, sanglotant toujours, croisant les mains sur sa nuque et haussant les épaules sous ses oreilles, par crainte de se faire briser la nuque par un coup de dents de Jamie.

Celui-ci ressentait encore ce vague désir d'agression, mais le bourdonnement dans ses artères commençait à s'estomper, même s'il l'entendait toujours sous les battements de son cœur. Le vent ne chantait plus pour lui, mais suivait sa propre course, indifférent, dans les feuilles au-dessus de lui. Il y eut quelques détonations dans le lointain, mais la canonnade avait presque cessé.

La sueur dégoulinait de son menton et de ses sourcils. Sa chemise trempée empestait.

Il descendit lentement du dos de son prisonnier et s'agenouilla à ses côtés. Les muscles de ses cuisses tremblaient et brûlaient en raison de sa course. Soudain, il éprouva une irrépressible tendresse pour cet homme et tendit la main pour le toucher, élan suivi d'un sentiment d'horreur aussi imprévisible et qui s'évanouit presque aussitôt. Nauséeux, il ferma les yeux et déglutit, sa langue l'élançant là où il s'était mordu.

L'énergie que la terre lui avait prêtée quittait peu à peu son corps, s'écoulant de ses jambes et retournant vers le sol. Il donna une tape maladroite sur l'épaule du prisonnier, puis se releva péniblement, sentant brusquement tout le poids de sa fatigue.

– Lève-toi.

Ses mains tremblaient. Pour rengainer son coutelas, il dut s'y reprendre à trois reprises.

– *Ciamar a tha thu, Mac Dubh?*

Ronnie Sinclair venait de se matérialiser à ses côtés, lui demandant s'il allait bien. Il hocha la tête et recula pendant que son compagnon aidait l'homme à se relever et lui faisait retourner sa veste. Les autres arrivaient, seuls ou par deux. Geordie, les Lindsay et Gallegher les rejoignirent et s'agglutinèrent autour de lui, comme de la limaille de fer attirée par un aimant.

Eux aussi avaient fait des prisonniers, six en tout, la tête basse, apeurés, ou simplement épuisés, portant leurs vestes côté doublure pour montrer leur statut. Fowles se trouvait parmi le groupe, blême et misérable.

L'esprit de Jamie s'était éclairci, même si son corps était encore mou et lourd. Henry Gallegher avait une grande écorchure sanglante en travers du front. Un des hommes de Brownsville – était-ce Lionel? – tenait son bras dans un angle étrange : il était à coup sûr cassé. En dehors de cela, ils paraissaient tous indemnes. C'était déjà ça.

Avec un petit geste vers les prisonniers, il s'adressa en gaélique à Kenny Lindsay.

– Demande-leur s'ils ont vu MacKenzie.

Les tirs de mousquet s'étaient presque tous tus, à l'exception d'un coup ici et là. Tardivement effrayées, des colombes passèrent dans le ciel dans un vacarme d'ailes.

Personne n'avait vu Roger. Jamie hocha la tête et essuya sur sa manche la sueur de son visage.

– Il est peut-être déjà rentré sain et sauf, ou peut-être pas. De toute façon, ce qui est fait est fait. Vous vous êtes bien battus, les gars. Rentrons.

66

Un sacrifice nécessaire

Ce soir, les morts ont été enterrés avec les honneurs militaires, et trois renégats parmi les prisonniers ont été pendus devant les miliciens. Les hommes en ont éprouvé une grande satisfaction. Ce sacrifice était nécessaire afin d'apaiser les rumeurs au sein des troupes. Celles-ci estimaient que la justice publique devait s'exercer sur-le-champ envers certains insurgés pris lors de la bataille. À cause d'eux, elles ont bravé mille dangers et souffert la perte de nombreuses vies.

William Tryon, *Journal de l'expédition contre les insurgés*

* * *

Roger tira de toutes ses forces sur la corde qui lui serrait les poignets, mais ne parvint qu'à enfoncer un peu plus le chanvre brut dans sa chair. Il sentait la brûlure de sa peau entaillée et une sensation humide qu'il devina être un suintement de sang. Ses doigts avaient doublé de volume et ressemblaient à des saucisses sur le point d'éclater.

Il gisait là où Buccleigh et ses amis l'avaient jeté, à l'ombre d'un tronc d'arbre couché, les mains et les jambes ligotées. Encore trempé de l'eau de la rivière, il aurait grelotté de froid s'il ne s'était pas autant débattu pour enlever ses liens. À la place, la sueur coulait dans son cou, ses joues étaient brûlantes et il avait l'impression que sa tête allait exploser à cause d'un excès de sang.

Ils lui avaient enfoncé son drapeau blanc si profondément dans sa gorge qu'il étouffait, puis l'avaient bâillonné avec sa cravate. Ancêtre ou pas, William Buccleigh MacKenzie ne s'en sortirait pas comme ça!

On entendait encore des coups de feu qui ne ressemblaient plus à des salves, mais plutôt à un crépitement de *pop-corn* dans une poêle à frire. De temps à autre, dans l'air chargé de fumée de poudre noire, un objet fusait entre les arbres dans un sifflement et un déchirement terrifiants, emportant branches et feuillage sur son passage. Mitraille? Boulets de canon?

C'était bien un boulet qui s'était abattu sur la berge un peu plus tôt, s'enfouissant dans une explosion de boue et interrompant momentanément la bagarre. L'un des amis de Buccleigh avait poussé un cri et s'était mis à courir, pataugeant dans l'eau, pour se réfugier derrière les arbres. Mais l'autre était resté, le tiraillant, le cognant, indifférent aux coups de feu et aux cris, jusqu'à ce que Buccleigh, le rejoignant, ils parviennent à lui plonger la tête sous l'eau et à l'y maintenir. Roger sentait encore ses sinus brûler.

Il parvint à se redresser sur ses genoux, se tordant comme une chenille arpenteuse, mais il n'osa pas relever la tête par crainte de se faire tirer dessus. Plein de fureur, il n'avait pas vraiment eu peur, même quand il avait pris conscience des combats, partout autour de lui. Il n'avait pas non plus paniqué.

Il se frotta le visage contre l'écorce du tronc, essayant de coincer la bande de tissu autour de son crâne. Il y parvint. Le moignon d'une branche accrocha son bâillon et, d'un coup sec, il le fit glisser sous son menton. Puis, il coinça un bout du mouchoir au même endroit et recula la tête, le tissu mouillé sortant peu à peu de sa gorge comme un prestidigitateur déroulant une guirlande hors de son chapeau.

Par réaction, il perdit le souffle, et la bile lui remonta dans la gorge. Il inspira de grandes bouffées d'air, avide d'oxygène, et son estomac se calma un peu.

Parfait, il pouvait désormais respirer. Et après? Les échanges de tir se poursuivaient autour de lui et il entendit des branches craquer sur sa gauche, plusieurs hommes fonçant droit devant eux à travers les buissons.

Quelqu'un arrivait sur lui au pas de course. Il plongea derrière le tronc, juste à temps pour éviter d'être aplati par un corps atterrissant en vol plané à côté de lui. Son nouveau compagnon se redressa à quatre pattes, se plaquant contre l'abri de fortune avant de se rendre compte de sa présence.

– Toi !

C'était Barbe-noire, l'homme qu'il avait vu dans le camp d'Husband. Il dévisagea Roger, la colère déformant peu à peu ses traits. Ce dernier pouvait la sentir, une odeur fétide et pénétrante de peur et de fureur.

Barbe-noire l'attrapa par le col et l'attira à quelques centimètres de son visage.

– Tout ça, c'est ta faute ! Ordure !

Avec ses mains et ses poings liés, Roger n'avait aucun moyen de se défendre. Il se débattit néanmoins, tentant de se libérer, puis il grogna :

– Lâchez-moi, pauvre idiot !

L'autre se rendit soudain compte que Roger était ligoté et, dans sa stupéfaction, le lâcha. Déséquilibré, celui-ci tomba sur le côté, se cognant douloureusement la tempe contre l'écorce du tronc. Barbe-noire roula des yeux incrédules, puis un sourire sardonique illumina son visage.

– Sacrebleu, on t'a capturé ! Tu parles d'un coup de bol ! Mais qui t'a saucissonné comme ça ?

Derrière lui, une voix grave à l'accent écossais annonça le retour de William Buccleigh MacKenzie.

– C'est moi ! Pourquoi dis-tu que c'est de sa faute ? Qu'est-ce qu'il a fait ?

– Ça !

Barbe-noire écarta les bras, indiquant le pré autour d'eux et les derniers sursauts de la bataille. L'artillerie s'était tue, et on n'entendait plus que quelques tirs de mousquet au loin.

– Ce bonimenteur est venu dans le camp ce matin, cherchant Hermon Husband. Puis il s'est enfermé avec lui pour discuter en privé. Je ne sais pas quelles sornettes il a pu lui raconter, mais, un peu plus tard, Husband est ressorti, est monté directement sur son cheval, nous a dit de rentrer chez nous et a filé !

Barbe-noire lança un regard torve à Roger et le gifla à toute volée.

– Qu'est-ce que tu lui as dit, tête de cul ?

Sans attendre sa réponse, il se tourna de nouveau vers Buccleigh dont le regard intéressé allait et venait vers le captif, creusant un profond sillon entre ses épais sourcils blonds. Barbe-noire continua à fulminer :

– Si Hermon ne nous avait pas lâchés, nous aurions peut-être pu leur tenir tête. Mais en détalant brusquement, il nous a coupé l'herbe sous le pied. Plus personne ne savait trop quoi faire. Puis, Tryon nous a ordonné de nous rendre, ce que nous n'étions pas prêts de faire, naturellement, mais nous n'étions pas non plus vraiment préparés pour nous battre…

Il s'interrompit, croisant le regard de Roger, se souvenant avec un certain malaise que celui-ci l'avait vu paniquer et prendre ses jambes à son cou.

Autour d'eux, le silence était retombé. Plus personne ne tirait. Roger comprit que la bataille était non seulement terminée, mais également perdue, ce qui signifiait que les miliciens n'allaient pas tarder à débarquer, quadrillant le terrain. La gifle l'avait fait larmoyer. Il cligna des yeux pour éclaircir sa vue, soutint le regard de Barbe-noire et, rassemblant toute l'autorité dont il pouvait faire preuve couché ainsi sur le sol, ficelé comme une dinde de Noël, rétorqua :

– J'ai dit à Husband ce que je vous ai raconté plus tard, à savoir que le gouverneur ne plaisantait pas et qu'il était résolu à écraser cette rébellion, ce que, apparemment, il a fait. Si vous tenez à votre peau, ce qui semble être le cas…

Avec un grognement de rage, Barbe-noire l'attrapa par les épaules et entreprit de lui fracasser le crâne contre le tronc d'arbre.

Roger se tortilla comme une anguille. Il se cambra de toutes ses forces, puis se propulsa en avant, donnant un coup de tête en plein dans le nez de son attaquant. Il sentit avec satisfaction craquer le cartilage et l'os, puis le jet de sang chaud contre son visage, avant de retomber sur un coude, hors d'haleine.

Même si le geste lui était venu naturellement, c'était la première fois qu'il donnait un « baiser de Glasgow ». Son front lui faisait mal, mais c'était sans importance. Il n'avait qu'une envie, que Buccleigh s'approche assez pour lui administrer le même traitement.

Ce dernier l'examina avec un mélange d'amusement et de respect méfiant.

– Je vois qu'on a affaire à un homme aux multiples talents ! Traître, voleur de femme, contorsionniste et beau parleur, tout ça en même temps !

Barbe-noire vomit, s'étranglant avec le sang de son nez cassé. Roger ne lui adressa pas un regard. À présent, sa vue était nette et il ne quittait plus Buccleigh des yeux. Il savait lequel des deux était le plus dangereux.

– Un homme qui a confiance en sa femme n'a pas peur qu'un autre la lui vole, déclara-t-il. Je suis sûr de ma femme et n'ai que faire de la tienne, *amadain*.

En dépit de sa peau bronzée, les joues de Buccleigh s'empourprèrent. Il conserva malgré tout son calme, affichant un léger sourire ironique.

– Parce que, en plus, tu es marié ? Ta pauvre femme ne doit pas être gâtée par la nature pour que tu viennes renifler sous les jupes de la mienne. À moins qu'elle ne t'ait jeté à la porte, parce que tu étais incapable de la satisfaire ?

La morsure de la corde autour de ses poignets rappela à Roger qu'il n'était pas en position pour se lancer dans une joute verbale. Il ravala non sans mal la réplique qui lui brûlait les lèvres. Elle donna un goût aigre au fond de sa gorge.

– À moins que vous ne teniez à faire de votre femme une veuve, il serait préférable de partir, vous ne croyez pas?

D'un bref signe de tête, il indiqua l'autre côté du pré, où le court silence avait cédé la place à des éclats de voix.

– La bataille est terminée, vous avez perdu, ajouta-t-il. J'ignore s'ils comptent faire des prisonniers.

– Ils en ont déjà pris quelques-uns.

Buccleigh fronça les sourcils, indécis. Pourtant, Roger ne voyait pas beaucoup d'options. Il avait le choix entre le laisser partir, l'abandonner ligoté ou le tuer. Les deux premières lui convenaient. Quant à la troisième, si Buccleigh avait voulu l'abattre, il serait déjà mort.

– Vous devriez vous enfuir pendant qu'il est encore temps. Votre femme va s'inquiéter.

Mentionner Morag fut une erreur. Le visage de Buccleigh s'assombrit aussitôt, mais, avant qu'il n'ait pu dire quoi que ce soit, l'apparition de la dame en question l'interrompit. Elle était accompagnée de l'homme qui avait aidé son mari à ligoter Roger.

– Willie! Oh, Willie! Dieu soit loué, tu es sain et sauf! Tu es blessé?

Pâle et anxieuse, elle portait un bébé pendu à son cou comme un petit singe. Malgré son fardeau, elle toucha son mari avec une main pour s'assurer qu'il était vraiment indemne.

– Ne t'inquiète pas, Morag, je vais bien, marmonna Buccleigh.

Bien que visiblement gêné par la présence des autres, il posa sa main sur la sienne et déposa un baiser sur son front. Peu ému par ces retrouvailles et intrigué, le compagnon de Buccleigh frappa des petits coups dans le flanc de Roger du bout de sa botte.

– Alors, qu'est-ce qu'on va en faire, Buck?

Celui-ci hésita. En apercevant Roger sur le sol, Morag poussa un cri étouffé et se plaqua une main sur la bouche.

– Willie ! s'écria-t-elle. Qu'as-tu fait ? Libère-le, pour l'amour de sainte Bride !

– Pas question. C'est un sale traître.

Buccleigh pinça les lèvres. De toute évidence, il aurait préféré que sa femme ne remarque pas le prisonnier.

– C'est faux, il ne peut pas l'être !

Serrant son fils contre elle, Morag se pencha sur Roger d'un air inquiet. Voyant l'état de ses mains, elle se tourna, indignée, vers son mari.

– Willie ! Comment peux-tu traiter cet homme ainsi après ce qu'il a fait pour nous ? Il a sauvé la vie de ta femme et de ton fils !

« Oh là là ! Morag, ce n'est peut-être pas la meilleure tactique », pensa Roger en voyant Buccleigh serrer le poing. Cet homme avait clairement un gros problème de jalousie, et se trouver dans le camp des vaincus n'allait rien arranger.

– Fiche le camp, Morag, répliqua Buccleigh moins galamment. Ce n'est pas un endroit pour toi et le petit. Emmène-le ailleurs.

Entre-temps, Barbe-noire s'était remis sur pied. Se dressant aux côtés de Buccleigh, il jeta un coup d'œil assassin à Roger tout en palpant son nez enflé.

– Si tu veux mon avis, tu ferais mieux de lui trancher la gorge, un point c'est tout.

Pour marquer ses propos, il envoya un coup de pied dans les côtes de Roger qui se recroquevilla comme une crevette. Morag poussa un cri outré et décocha un coup de pied dans le tibia de Barbe-noire.

– Laissez-le tranquille !

Pris par surprise, Barbe-noire poussa un hurlement et partit à cloche-pied en arrière. Le troisième compagnon sembla trouver cet échange très amusant, mais il ravala son hilarité devant le regard noir de Buccleigh.

Morag s'agenouilla en dégainant le petit couteau qu'elle portait à sa ceinture et entreprit de sectionner les liens de Roger d'une seule main. Tout en appréciant son geste, celui-ci aurait préféré qu'elle ne tente pas de l'aider. Il n'était que trop évident que le démon de la jalousie avait pris possession de l'âme de William Buccleigh MacKenzie, dont les yeux sortaient de leurs orbites en dardant des éclairs d'émeraude.

Buccleigh saisit sa femme par le bras et la força à se relever. Le bébé, secoué, se mit à vagir.

– Va-t'en, Morag! aboya Buccleigh. Va-t'en tout de suite!

– C'est ça, décampe! ajouta Barbe-noire. On n'a pas besoin que tu viennes te foutre dans nos pattes avec tes airs de fouine!

– Qui t'a permis de parler à ma femme sur ce ton?

Pivotant sur ses talons, Buccleigh envoya un crochet du droit en plein dans le ventre de Barbe-noire. Celui-ci tomba à la renverse en position assise, ahuri, ouvrant et fermant la bouche d'un air comique. Roger en eut presque pitié, en le voyant pris entre deux MacKenzie. Décidément, ce n'était pas son jour.

L'autre ami de Buccleigh, qui avait observé la scène avec la fascination d'un spectateur suivant un match de tennis, profita de l'occasion pour se joindre à la conversation.

– Quoi que tu fasses, Buck, décide-toi.

Mal à l'aise, il montra la rivière du menton. On entendait des hommes venir dans cette direction. Ce n'étaient pas des Régulateurs en fuite, les bruits paraissaient trop ordonnés et résolus. Des miliciens cherchant à faire des prisonniers? Roger l'espérait.

Buccleigh hocha la tête, puis se tourna vers sa femme. Il la prit par les épaules, doucement cette fois.

– Pars, Morag. Mets-toi à l'abri.

Devant le ton implorant de son mari, son visage se radoucit. Elle regarda Roger qui essayait désespérément de lui transmettre un message télépathique, des pensées de plus en plus urgentes.

« Pars, je t'en prie, avant de me faire tuer ! »

Morag, déterminée, fit face à son mari.

– Je pars, mais tu dois me jurer que tu ne toucheras pas à un cheveu de cet homme !

Buccleigh tressaillit et ses poings se contractèrent, mais Morag ne bougea pas d'un pouce, petite et opiniâtre.

– Jure-le ! répéta-t-elle. Car, par sainte Bride, je ne partagerai pas ma couche avec un assassin !

Écartelé, Buccleigh jetait des regards hésitants à Barbe-noire, qui faisait la tête, et au troisième homme, qui se balançait d'un pied sur l'autre, comme s'il avait un besoin pressant. Les miliciens se rapprochaient. Il se tourna de nouveau vers sa femme.

– D'accord, Morag, bougonna-t-il. Allez, tu peux partir maintenant.

– Non.

Elle prit la main de son mari et l'attira vers son sein. Remis de sa frayeur, Jemmy s'était recroquevillé contre l'épaule de sa mère, suçant bruyamment son pouce. Morag plaça la main de son père sur son petit crâne.

– Jure sur la tête de ton fils que tu ne feras aucun mal à cet homme et que tu ne le feras pas tuer par un autre.

Roger applaudit mentalement ce geste, mais craignit qu'elle ne soit allée trop loin. Buccleigh se raidit et le sang lui monta de nouveau au visage. Au bout de quelques instants très tendus, il hocha néanmoins la tête, une fois.

– Je le jure.

Puis il ôta sa main. Les traits de Morag se détendirent. Sans un mot de plus, elle tourna les talons et s'éloigna d'un pas rapide, serrant le bébé contre elle.

Roger laissa échapper l'expiration qu'il avait retenue. Bon sang, quelle femme ! Il espérait du fond du cœur que rien ne lui arriverait, à elle et à son bébé. En revanche, si son crétin de mari décidait de tomber dans un puits de mine et de se briser le cou…

William Buccleigh le regardait d'un air méditatif, ne prêtant pas attention à l'agitation croissante de son ami qui jetait des coups d'œil nerveux vers la rivière. Des voix s'interpellant indiquaient que des hommes divisés en équipe ratissaient le coin.

– Allez, Buck ! On n'a plus de temps à perdre. Ils ont dit que Tryon avait l'intention de pendre des prisonniers pour l'exemple, et je ne tiens pas à en faire partie !

– Tiens donc, murmura Buccleigh.

Son regard vert était rivé sur celui de Roger qui crut, un instant, y lire quelque chose d'étrangement familier. Un frisson parcourut son échine. Mal à l'aise, il indiqua le troisième homme d'un geste de la tête et déclara :

– Il a raison. Partez. Je ne vous dénoncerai pas.

Buccleigh fronçait les sourcils en réfléchissant.

– Non, dit-il enfin. Je crois effectivement que tu ne dénonceras personne.

Il se pencha et ramassa sur le sol l'ancien drapeau blanc à présent souillé de terre et de salive, puis ordonna :

– Johnny, vas-y. Occupe-toi de Morag. Je vous rejoins plus tard.

– Mais, Buck…

– Pars ! Je ne risque rien.

Avec un léger sourire et toujours sans quitter Roger des yeux, il glissa une main dans sa bourse et en extirpa un petit bout de métal terne. Roger reconnut son insigne avec les lettres « FC » grossièrement ciselées sur sa surface noircie.

Faisant sauter le bouton dans le creux de sa main, Buccleigh se tourna vers Barbe-noire, qui commençait de nouveau à s'intéresser aux événements.

– Je viens d'avoir une petite idée concernant notre ami. Tu es toujours avec moi ?

Barbe-noire regarda Roger puis MacKenzie, et un sourire grandit lentement sous son nez rouge et bulbeux. Le malaise de Roger se mua brusquement en un mouvement de panique.

– À l'aide! hurla-t-il. Ohé! La milice! Au secours!

Il roula sur le côté, se tortillant pour les éviter, mais Barbe-noire le saisit par les épaules et le plaqua au sol. Des appels puis un bruit de course retentirent de l'autre côté des arbres.

Buccleigh s'agenouilla devant Roger, lui saisit la mâchoire avec une poigne de fer, étouffant ses cris, puis pressa sur ses joues pour le forcer à ouvrir la bouche.

– Non, monsieur, je ne crois pas que tu parleras à qui que ce soit.

Amusé, il enfonça de nouveau le mouchoir sale dans la bouche de Roger et le fixa avec le lambeau de cravate.

Il se releva ensuite, l'insigne de la milice toujours à la main. Au même moment, les buissons s'écartèrent et il se tourna vers les arrivants en agitant le bras dans un salut jovial.

67

Après la bataille

À quatorze heures trente passées, l'ennemi est à présent totalement dispersé et l'armée quadrille un rayon de dix kilomètres autour du camp, avec l'ordre de ne pas perdre de temps et de revenir promptement au bord de l'Alamance. Des carrioles vides ont été réquisitionnées pour ramasser les morts et les blessés loyalistes, ainsi que plusieurs rebelles. Ces derniers, bien qu'ayant reconnu qu'ils n'auraient fait aucun quartier en cas de victoire, ont néanmoins été bien traités et, le cas échéant, soignés.

William Tryon, *Journal de l'expédition contre les insurgés*

* * *

Une balle de mousquet avait fracassé le coude de David Wingate. Ce n'était pas de chance. Deux centimètres plus haut, elle aurait brisé l'os, mais, dans ce cas, celui-ci se serait ressoudé proprement. Avec une incision semi-circulaire sur la bordure supérieure, j'avais ouvert l'articulation, extrait la balle aplatie et des éclats d'os, mais le cartilage était grièvement endommagé et le tendon du biceps sectionné. J'apercevais l'éclat argenté d'une de ses extrémités, profondément enfouie dans la chair rouge sombre du muscle.

Je me mordis la lèvre supérieure en réfléchissant. Si je laissais les choses en l'état, le bras serait définitivement – et fortement – handicapé. Si je parvenais à rattacher le tendon sectionné et à réaligner correctement les extrémités osseuses dans la capsule articulaire, le patient pourrait peut-être récupérer un peu de la mobilité de son bras.

Je jetai un œil vers le camp autour de moi. Il ressemblait à un service des urgences, jonché de corps, de matériel et de bandages sanglants. Heureusement, la plupart des corps remuaient encore, même si ce n'était que pour jurer ou gémir. Un homme était déjà mort quand ses amis l'avaient amené. Enveloppé dans une couverture, il gisait à l'ombre d'un arbre.

Jusque-là, la plupart des blessures que j'avais vues étaient bénignes, bien que deux hommes aient été traversés par des balles. Je ne pouvais rien pour eux, mis à part les garder au chaud et croiser les doigts. Brianna allait vérifier régulièrement s'ils ne présentaient pas de signes d'état de choc et de fièvre, entre deux rondes au cours desquelles elle administrait de l'eau et du miel aux blessés ne souffrant que de plaies superficielles. Le principal était de la tenir occupée. De fait, elle ne restait pas en place, même si son visage me rappelait les volubilis sauvages qui poussaient dans les lianes derrière moi, blancs et plissés, se refermant en vrilles pour se protéger des terreurs de la journée.

Juste après la bataille, j'avais dû amputer une jambe à l'un des hommes de la compagnie Mercer qui campait non loin de la nôtre et n'avait pas de chirurgien. Le rebond d'un éclat de mortier l'avait percuté et emporté le pied. Seule était restée la chair du bas de la jambe qui pendait en lambeaux à partir de l'os broyé. Quand le morceau de jambe coupée était tombé par terre avec un bruit sourd, juste aux pieds de Brianna, j'avais eu peur de la voir tourner de l'œil. Mais elle avait miraculeusement tenu le coup, soutenant le patient qui, lui, s'était vraiment évanoui (Dieu merci !) pendant que je cautérisais ses petits vaisseaux et bandais son moignon à toute allure.

Jamie avait de nouveau disparu. Il avait ramené ses hommes, m'avait serrée fort contre lui, embrassée une fois, fougueusement, puis il était reparti avec les Lindsay pour conduire les prisonniers chez le gouverneur et demander en chemin si quelqu'un avait des nouvelles de Roger.

En le voyant revenir, mon soulagement avait été immense, mais mes craintes pour Roger formaient une boule compacte sous mon plexus. Au moins, en travaillant, je pouvais penser à autre chose. Il était encore possible de croire au dicton «pas de nouvelles, bonnes nouvelles», mais plus pour longtemps. Je m'étais donc plongée avec ardeur dans les réalités immédiates du tri des blessés pour ne pas me laisser entraîner par mon imagination.

Rien d'autre ne paraissait urgent. Des hommes continuaient de rentrer au camp en clopinant, mais Brianna les accueillait les uns après les autres, le cœur dans les yeux. Si l'un d'eux avait besoin de moi, elle m'appellerait. Je me décidai donc. J'avais le temps. M. Wingate n'avait pas grand-chose à perdre, hormis encore un peu de souffrance, mais je me devais de lui demander d'abord s'il s'en sentait capable.

Il était livide et en nage, mais tenait encore assis. Il me signifia son autorisation d'un hochement de tête, et je lui tendis de nouveau la bouteille de whisky. Il la plaqua contre ses lèvres de sa main libre, comme s'il s'agissait d'un élixir de vie. J'appelai un autre homme à l'aide pour qu'il lui tienne le bras pendant que j'officiais et incisai rapidement la peau juste au-dessus de la courbe du coude dans un «T» inversé, exposant la partie inférieure du biceps et rendant l'endroit plus accessible. Du bout de mon forceps le plus long, je commençai à fouiller, parvenant à isoler le brin argenté et dur du tendon tranché, le tirant le plus bas possible jusqu'à trouver un endroit sain à percer avec une suture. Puis je m'attelai à la tâche délicate d'unir les deux parties sectionnées.

Mon attention totalement centrée sur mon travail, je perdis bientôt toute notion de l'environnement. J'étais vaguement consciente d'un bruit répétitif de gouttes s'écrasant sur le sol entre mes pieds, sans savoir s'il s'agissait de ma transpiration, de son sang ou des deux. J'aurais eu grand besoin des mains adroites d'une infirmière expérimentée à mes côtés, mais je devais me débrouiller seule. Heureusement, j'avais une bonne aiguille chirurgicale ainsi que de fines sutures en soie bouillies. Je fis des points petits et nets, un zigzag noir qui maintenait fermement les tissus glissants et suintants. Dans d'autres circonstances, pour ce genre d'opération j'aurais utilisé du boyau de chat, un fil organique qui se serait progressivement dissous et aurait été absorbé par le corps. Toutefois, les tendons cicatrisant lentement – dans le meilleur des cas – je ne pouvais courir ce risque. Les sutures en soie resteraient définitivement en place, et je priais pour qu'elles ne provoquent aucune complication.

Une fois le plus dur accompli, le temps reprit son cours normal. Je pus parler à David sur un ton rassurant, lui qui avait traversé l'épreuve comme un vrai gentleman. À l'annonce de la fin de l'intervention, il hocha la tête et esquissa vaillamment un petit sourire forcé, sans desserrer les dents, les joues striées de larmes. Alors que je lavais sa plaie avec de l'alcool dilué, il hurla – ils passaient tous par là, les malheureux, c'était inévitable –, puis il s'affaissa en tremblant pendant que je recousais la peau et bandais le membre.

Cela ne nécessitait aucune compétence particulière et permettait à mon esprit de vaquer tout en travaillant. Je pris peu à peu conscience de la présence d'un groupe d'hommes derrière moi. Ils discutaient de la récente bataille, ne tarissant pas d'éloges pour le gouverneur Tryon.

– Tu y étais ? Il a vraiment fait ce qu'on raconte ?

– Je veux bien être écorché vif et servi frit au petit-déjeuner si je mens, répondit l'autre sur un ton sentencieux. Je te dis que je l'ai vu de mes propres yeux. Il s'est approché à moins de cent mètres de cette racaille et leur a tous ordonné de se rendre. Pendant une minute, les autres n'ont rien répondu. Ils se regardaient les uns les autres pour savoir qui allait parler, puis l'un d'eux a beuglé : « Va au diable ! Pas question de capituler maintenant ! » Alors, le gouverneur a fait une tête à faire fuir l'orage. Il s'est redressé sur sa selle, a levé son sabre et a crié : « Feu ! »

– Et vous avez fait feu ?

– Non, pas tout de suite, répondit, acerbe, une autre voix plus éduquée. Comment aurait-on pu ? Une prime de quarante shillings pour rejoindre la milice, c'est une chose, mais tirer de sang-froid sur des gens qu'on connaît en est une autre. De l'autre côté du champ, je pouvais voir le cousin de ma femme qui me faisait de grands sourires ! Je ne peux pas dire que ma famille et moi apprécions particulièrement ce crétin, mais comment voulez-vous que je rentre à la maison en annonçant à ma Sally que j'ai farci de plomb le cousin Millard ? !

– Tu aurais préféré que ce soit le cousin Millard qui te troue ? demanda le premier en riant.

– Tu as raison. Mais on n'a pas attendu de voir si on allait en arriver là. Constatant que les hommes autour de lui hésitaient, le gouverneur est devenu rouge comme un dindon. Il s'est levé dans ses étriers, a agité son sabre haut au-dessus de sa tête et a vociféré : « Mais tirez, bon sang ! Tirez sur eux, ou sur moi ! »

Le narrateur mit beaucoup d'enthousiasme dans sa reconstitution, déclenchant un murmure d'admiration dans son auditoire.

– Ça, c'est un soldat ! s'exclama l'un d'eux.

Les autres émirent un brouhaha d'assentiments.

– On a donc tiré, reprit le narrateur avec une note de résignation. Une fois parti, il n'y en a pas eu pour longtemps. Heureusement pour lui, le cousin Millard court vite. Ce petit saligaud s'en est sorti !

Cela provoqua de nouveaux rires et me fit sourire. Je donnai une tape sur l'épaule de David. Il écoutait, lui aussi, la conversation le distrayant de sa douleur.

– Pas si sûr, intervint un autre. Apparemment, Tryon entend bien s'assurer une victoire durable, cette fois. J'ai entendu dire qu'il a décidé de pendre sur-le-champ les chefs des Régulateurs.

Je fis volte-face, le bandage encore à la main.

– Il a quoi?

Le petit groupe sursauta, se tournant vers moi avec surprise. L'un d'eux me salua en effleurant le bord de son chapeau avant de déclarer :

– Oui, madame. C'est un type de la brigade de Lillington qui me l'a dit. Il était en route pour aller voir le spectacle.

– Tu parles d'un spectacle! marmonna un autre en se signant.

– Ce serait dommage qu'il pende le quaker, dit un troisième d'un air sombre. Ce vieux Husband est une vraie terreur sur le papier, mais ce n'est pas un mauvais bougre. Pas plus que James Hunter ou Ninian Hamilton.

Un autre donna un coup à son voisin, lui glissant avec une grimace comique :

– Peut-être qu'il pendra le cousin Millard. Comme ça, tu seras débarrassé de lui et ta femme ne pourra s'en prendre qu'au gouverneur.

Cela déclencha un nouveau chœur de rires, mais l'humeur était moins joviale. Je repris mon travail, me concentrant de toutes mes forces pour chasser l'image de ce qui était en train de se passer sur le champ de bataille.

La guerre était déjà un fléau, même quand elle était un mal nécessaire. Mais la vengeance froide du vainqueur franchissait un pas de plus dans l'horreur. Pourtant, du point de vue de Tryon, elle était peut-être aussi indispensable. En termes de bataille, celle-ci, très rapide, avait fait relativement peu de victimes. Je n'avais vu qu'une vingtaine de blessés et un seul mort. Il y avait d'autres postes médicaux, bien sûr, mais, d'après les commentaires autour de moi, elle avait plus l'allure d'une mise en déroute que d'un bain de sang. Les miliciens étaient peu enclins à massacrer leurs concitoyens, cousins ou pas.

Cela signifiait aussi que la plupart des Régulateurs s'en étaient sortis indemnes. Le gouverneur estimait sans doute qu'un geste spectaculaire s'imposait, afin de sceller sa victoire, d'intimider les survivants et d'écraser une fois pour toutes la mèche de ce groupe dangereux qui brûlait depuis trop longtemps.

Un mouvement et un bruit de sabots me firent relever la tête. Près de moi, Brianna fit de même, le corps tendu comme un arc. C'était Jamie chevauchant avec Murdo Lindsay en croupe. Les deux hommes sautèrent à terre, puis Jamie confia Gideon à Murdo et vint vers moi.

À sa mine inquiète, je sus qu'il n'avait toujours pas de nouvelles de Roger. Il me dévisagea et n'eut pas besoin de poser de questions pour deviner que moi non plus. Ses épaules s'affaissèrent dans un moment de découragement, puis se redressèrent aussitôt.

– Je vais aller voir dans le pré, me dit-il à voix basse. J'ai déjà fait passer le message dans les différentes compagnies. S'il est amené quelque part, on nous le fera savoir.

– Je viens avec toi.

Brianna dénouait déjà son tablier taché, le roulant en boule.

Jamie la regarda, puis hocha la tête.

– Oui, bien sûr, dit-il. Donne-moi juste un moment. Je vais chercher Josh pour qu'il aide ta mère.

– Je prépare les chevaux.

Elle se déplaçait avec des mouvements rapides et saccadés, sans sa grâce athlétique habituelle. Elle fit tomber la bouteille d'eau, puis s'y reprit quelques fois avant de parvenir à la récupérer. Je la lui pris avant qu'elle ne la lâche encore et serrai fort ses mains.

Elle leva les yeux vers moi, les lèvres tremblantes. Je pris cela pour une tentative de sourire.

– Il va bien, murmura-t-elle. On va le trouver.

– Oui, je sais.

Je desserrai mon étreinte et la regardai s'éloigner dans le pré, les mains crispées sur ses jupes qu'elle relevait pour marcher plus vite. La peur cachée derrière mon sternum se détacha et tomba dans mon ventre comme une pierre.

68

L'exécution des ordres

Roger se réveilla lentement avec une douleur lancinante dans tout le corps et la sensation d'une catastrophe imminente. Il n'avait aucune idée de là où il était, ni comment il y était arrivé, mais il entendait des voix, beaucoup de voix, certaines presque compréhensibles, d'autres chantant comme des harpies dans une cacophonie stridente. L'espace d'un instant, il crut qu'elles étaient dans sa tête. Il pouvait presque les voir, telles de petites formes brunes avec des ailes en cuir et des dents acérées qui carambolaient derrière ses paupières en déclenchant une multitude de minuscules explosions de lumière.

Sa boîte crânienne n'allait plus tarder à lâcher sous la pression. Il sentait une brûlure sur tout le haut de la tête. Il aurait voulu qu'on la lui ouvre, libérant le vacarme et vidant son crâne tel une coupe d'os brillant.

Il ouvrit les yeux sans s'en rendre compte et fixa la scène, droit devant lui, quelques minutes sans comprendre, pensant que ce spectacle faisait encore partie de son esprit confus. Des hommes grouillaient dans une mer de couleurs, des tourbillons de bleus, de rouges et de jaunes, parsemés de taches vertes et brunes.

Un défaut de sa vision le privait de perspective, et il voyait tout fragmenté : un groupe lointain de têtes flottait comme une grappe de ballons de baudruche velus, un bras semblait détaché de son corps et agitait un étendard rouge vif, plusieurs paires de jambes paraissaient plus proches… Était-il assis par terre? En effet. Une mouche frôla son oreille et atterrit en bourdonnant sur sa lèvre supérieure. Par réflexe, il voulut la chasser, découvrant par là même qu'il était bien réveillé… et toujours attaché.

Ses mains étaient engourdies au-delà de toute sensation, mais la douleur diffusait dans les muscles de ses bras et de ses épaules. Il secoua la tête pour s'éclaircir les idées, une grave erreur que ce geste. Une douleur aveuglante lui transperça le cerveau, lui faisant monter les larmes aux yeux.

Il inspira profondément, s'efforçant de se raccrocher à des bribes de réalité et de se ressaisir. «Concentre-toi et tiens bon», se répéta-t-il. Les voix chantantes s'étaient éloignées, seule une vague résonance persistait dans ses oreilles. En revanche, les autres continuaient à parler. Désormais, il savait qu'elles étaient réelles. Ici et là, il parvenait à capter un mot qui battait toujours des ailes et à l'immobiliser pour examiner son sens.

«Exemple».

«Gouverneur».

«Corde».

«Pisse».

«Régulateurs».

«Ragoût».

«Pied».

«Pendre».

«Hillsborough».

«Eau».

«Eau» : voilà un mot qu'il comprenait. Il en connaissait la représentation. Il en voulait. Désespérément. Sa gorge était sèche et sa bouche comme remplie de… de quelque chose. Il s'étrangla en essayant de remuer sa langue dans une vaine tentative inconsciente de déglutition.

«Gouverneur». La répétition de ce mot, prononcé juste au-dessus de lui, le fit relever la tête. Il concentra sa vision flottante sur un visage. Mince, sombre, fronçant les sourcils.

– Tu en es sûr? dit le visage.

« Sûr de quoi? » se demanda vaguement Roger. Il n'était sûr de rien, hormis d'être dans de sales draps.

– Oui, monsieur, répondit une autre voix.

Un autre visage flotta près du premier. Celui-ci semblait familier, bordé d'une épaisse barbe noire.

– Je l'ai vu dans le camp d'Hermon Husband, il débattait avec lui. Vous n'avez qu'à interroger les autres prisonniers, ils vous le confirmeront.

La première tête acquiesça, puis se tourna vers une troisième, plus haute que les autres. Le regard de Roger monta d'un cran et il tressaillit en poussant une exclamation étouffée. Une paire d'yeux verts, baissés vers lui, l'examinaient froidement.

– Il s'appelle James MacQuiston, dirent ces derniers. Il vient de Hudgin's Ferry.

– Vous l'avez vu se battre? demanda le premier homme.

Roger commençait à distinguer plus nettement celui-ci. C'était un soldat proche de la quarantaine, portant un uniforme. Quelque chose d'autre se détachait plus clairement... James MacQuiston. Ce nom ne lui était pas inconnu... Qui...?

– Il a tué un homme de ma compagnie, dirent les yeux verts d'une voix soudain gonflée par la colère. Il l'a abattu froidement alors qu'il gisait blessé sur le sol...

Le gouverneur – car ce ne pouvait être que lui... le gouverneur Tryon! – hocha la tête, l'air soucieux.

– Dans ce cas, mettez-le avec les deux autres. Cela nous en fait trois, cela devrait suffire pour le moment.

Des mains saisirent Roger sous les bras et le hissèrent debout. Elles le soutinrent un instant, puis le poussèrent en avant, le faisant trébucher. À moitié en marchant et à moitié soutenu par deux hommes en uniforme, il tenta de se retourner pour voir les yeux verts. Bon sang... comment s'appelait-il ? Mais les soldats le bousculèrent de nouveau, l'entraînant vers une colline surmontée d'un immense chêne blanc.

La butte était entourée d'une marée humaine qui s'écarta pour laisser passer Roger et son escorte. La sensation d'une catastrophe imminente était de retour, comme un fourmillement sous la surface de son cerveau.

MacQuiston ! Le nom s'afficha soudain clairement dans sa mémoire. James McQuiston était un des leaders mineurs de la Régulation, un agitateur de Hudgin's Ferry dont les discours enflammés chargés de menace et de dénonciation avaient été publiés dans la *Gazette*. Roger les avait lus.

Pourquoi les yeux verts l'avaient-ils... Buccleigh ! Il s'appelait Buccleigh. À son soulagement d'avoir retrouvé la mémoire succéda aussitôt un mouvement de panique en se rendant compte que Buccleigh l'avait fait passer pour un représentant de la rébellion. Mais pourquoi...

Il n'eut pas à s'interroger longtemps. Les dernières rangées de têtes s'écartèrent devant lui, et il vit les chevaux qui attendaient sous l'arbre, les nœuds pendant des branches au-dessus des selles vides.

* * *

Pendant que les condamnés étaient assis sur le dos des bêtes, ils tinrent celles-ci par le mors. Des feuilles touchèrent son visage, des branches se prirent dans ses cheveux et, instinctivement, il se tourna pour protéger ses yeux.

Au loin dans la clairière, à demi enfouie dans la foule, il aperçut la silhouette d'une femme, indistincte mais avec la forme reconnaissable d'un bébé dans ses bras. Cette vision lui envoya une décharge de révolte dans la poitrine et le ventre, le souvenir de Brianna et de Jemmy illuminant son esprit.

Il se jeta sur le côté, les reins cambrés, glissant de selle sans pouvoir avancer les mains pour parer sa chute. D'autres mains le rattrapèrent et le remirent d'aplomb, l'une le giflant à toute volée par la même occasion. Il secoua la tête pour dissiper le choc et, à travers sa vision brouillée, vit la madone brune fourrer son fardeau dans les bras d'un voisin, relever ses jupes et s'enfuir comme si elle avait le diable à ses trousses.

Quelque chose coulissa lourdement sur sa poitrine comme un serpent. Le chanvre brut piqua son cou et se resserra autour de sa gorge. Il se mit à hurler sous son bâillon.

Toute pensée le quitta et il se débattit furieusement, n'étant plus animé que par le désespoir et l'instinct de survie. Oubliant ses poignets sanglants et ses muscles douloureux, il serra tellement la monture entre ses cuisses que celle-ci fit une embardée pour protester. Jamais il n'aurait imaginé avoir autant de force pour tirer sur ses liens.

Plus bas dans la clairière, l'enfant privé de sa mère s'était mis à pleurer. Le silence s'était emparé de la foule, amplifiant encore les cris du bébé. Le soldat brun était assis sur son cheval, un bras levé, l'épée pointée vers le ciel. Il semblait dire quelque chose, mais Roger ne l'entendait pas sous le vacarme de son cœur battant jusque dans ses oreilles.

Les os de ses poignets se disloquèrent et une vague de chaleur fusa dans un de ses bras, tandis que le muscle se déchirait. L'épée s'abattit dans un reflet de métal. Ses fesses glissèrent par-dessus la croupe du cheval, entraînant ses jambes derrière elles. Puis il tomba en chute libre.

Il y eut une secousse brutale…

Il tournoya sur lui-même, essayant vainement d'inspirer de l'air, ses ongles déchirant la corde profondément enfoncée dans sa chair. Ses mains s'étaient libérées mais trop tard. Il ne les sentait plus, ne pouvait plus rien en faire. Futiles, insensibilisés et durs comme des bouts de bois, ses doigts dérapaient sur les brins de chanvre torsadés.

Il se balança, donnant des coups de pied, et entendit le brouhaha lointain de la foule. Il se cabra et gesticula, ses pieds pédalant dans le vide, ses mains grattant son cou. Sa poitrine se comprima, ses reins se cambrèrent au maximum. Sa vue s'était obscurcie, de petits éclairs explosant dans les coins de ses yeux. Il s'adressa à Dieu, mais aucune demande de grâce n'émana du fond de lui, uniquement un puissant « Non ! » qui se répercuta dans tous ses os.

Puis cette impulsion obstinée le quitta brusquement. Il sentit son corps se relâcher et s'étirer, plus bas, toujours plus bas vers la terre. Un courant d'air froid l'enveloppa et son corps se vida, répandant une chaleur apaisante entre ses jambes. Une lumière vive brilla derrière ses paupières et il n'entendit plus rien d'autre que l'explosion de son cœur et les cris lointains d'un bébé abandonné.

69

Une urgence désespérée

Jamie et Brianna étaient pratiquement prêts à partir. Bien que noirs de poudre et épuisés, plusieurs hommes se proposèrent pour participer aux recherches. Brianna se mordit la lèvre et les remercia d'un signe de tête. Je savais qu'elle leur était reconnaissante, mais un grand groupe se déplaçait plus lentement et, en plus, elle ne voulait pas attendre qu'ils aient nettoyé leurs armes, rempli leurs gamelles et récupéré leurs chaussures.

Au début, Joshua avait appréhendé son nouvel emploi en tant qu'assistant du chirurgien, mais, après tout, il était garçon d'écurie et donc habitué à soigner les chevaux. La seule différence, lui expliquai-je en lui arrachant un sourire, était que les humains pouvaient dire là où ils avaient mal.

Je venais de faire une brève pause pour me laver les mains avant de recoudre un cuir chevelu entaillé, lorsque j'entendis des éclats de voix à la lisière du pré derrière moi. Comme moi, Jamie tourna la tête et retraversa la clairière à grands pas.

– Que se passe-t-il? demandai-je.

J'aperçus une jeune femme en piteux état qui arrivait vers nous au petit trot. Elle était menue et boitait drôlement – elle devait avoir perdu un soulier –, mais elle courait, soutenue d'un côté par Murdo Lindsay qui, tout en l'aidant, poussait de grandes exclamations.

– Fraser, haleta-t-elle. Fraser!

Elle lâcha Murdo et se fraya un chemin entre les hommes stupéfaits, son regard balayant les visages. Sa chevelure châtain était emmêlée et pleine de feuilles, ses joues et son front striés d'écorchures sanglantes.

– James… Fraser… Je dois… Êtes-vous…?

Elle ânonnait, à bout de souffle. Le visage rouge cramoisi, elle semblait sur le point de succomber à une apoplexie d'un instant à l'autre.

Jamie s'avança et la prit par le bras.

– Je suis Jamie Fraser. C'est moi que vous cherchez?

Elle hocha la tête, mais ne parvenait pas à articuler. Je versai rapidement une tasse d'eau et la lui tendis, mais elle la refusa en secouant violemment la tête, agitant avec vigueur un bras vers la rivière, ouvrant grand la bouche comme une carpe hors de l'eau.

– Rog… er, parvint-elle à prononcer. Roger MacKen… zie.

Avant que la dernière syllabe ne soit sortie de sa bouche, Brianna était devant elle.

– Où est-il?

Elle attrapa le bras de la jeune femme, autant pour la soutenir que pour l'enjoindre à parler.

– Pen… dre. Ils sont… ils sont… en train de le pendre! Gouver… neur!

Brianna la lâcha et courut vers les chevaux. Jamie l'avait devancée et, concentré, dénouait les brides avec la même dextérité que je lui avais vue avant le début d'un combat. Sans un mot, il se pencha, les mains en coupe. Brianna y mit le pied et sauta en selle, éperonnant sa monture sans attendre que Jamie n'ait rejoint la sienne. Toutefois, Gideon rattrapa la jument en quelques foulées et les deux chevaux disparurent sous les saules, comme engloutis par les arbres.

Je marmonnai entre mes dents, sans même savoir s'il s'agissait d'un juron ou d'une prière. Je flanquai mon aiguille et mon fil dans les mains de Joshua sidéré, pris au vol mon sac de premiers soins et courut vers mon propre cheval, abandonnant la jeune femme aux cheveux châtains, effondrée dans l'herbe et qui recrachait ses poumons.

* * *

Je les rejoignis rapidement. Ne sachant pas précisément où Tryon tenait son tribunal militaire improvisé, nous perdîmes un temps précieux, nous arrêtant plusieurs fois, Jamie penché sur l'encolure de son cheval pour demander sa route. Les indications étaient souvent floues et contradictoires. Brianna était ramassée sur sa selle, vibrante comme une flèche prête à fendre l'air mais ne trouvant pas sa cible.

Je me préparais à tout, y compris au pire. Je n'avais aucune idée du genre de tribunal installé par Tryon ni de combien de temps s'écoulerait entre la sentence et son exécution. Probablement pas longtemps. Je connaissais cet homme depuis assez longtemps pour savoir qu'il réfléchissait avant d'agir, mais qu'une fois sa décision arrêtée, il agissait promptement. En outre, il était conscient que, une fois pris ce genre de mesures, il valait mieux ne pas laisser traîner.

Quant à pourquoi Roger se trouvait là… je ne pouvais l'imaginer. Seulement espérer que cette femme se soit trompée et l'ait confondu avec un autre. Néanmoins, j'en doutais, tout comme Brianna qui talonnait son cheval sur une partie bourbeuse du terrain avec une urgence telle qu'elle était décidée à sauter à terre et à traîner l'animal si nécessaire.

L'après-midi touchait à sa fin. Des nuages de moucherons nous enveloppaient, mais Jamie ne prenait même plus la peine de les chasser. Ses épaules étaient droites comme de la pierre, prêtes à assumer le fardeau de sa responsabilité. Cette vision autant que ma propre angoisse me disaient que Roger était probablement déjà mort.

Cette idée me creusait le cerveau comme une pioche. Chaque fois que je regardais le visage blême de Brianna, j'imaginais le petit Jemmy orphelin, j'entendais l'écho de la voix douce et grave de Roger, riant au loin et chantant dans mon cœur. Je n'essayai pas de repousser ces pensées, sachant que cela ne servirait à rien. En outre, je ne craquerais pas avant d'avoir vu le corps.

Même dans ce cas, je ne me laisserais pas aller. Brianna aurait besoin de moi. Jamie se tiendrait à ses côtés, solide comme un roc, agissant comme il le fallait, mais, plus tard, lui aussi aurait besoin de moi. Personne ne pourrait lui ôter sa culpabilité, mais je pourrais au moins lui servir de confesseur et intercéder en sa faveur auprès de sa fille. Mon propre deuil devrait attendre.

Le terrain se dégagea, s'aplatissant à la lisière d'un grand pré. Jamie éperonna Gideon qui partit au galop, les autres chevaux lui emboîtant le pas. Nos ombres volaient telles des chauves-souris au-dessus de l'herbe, le bruit de nos sabots étouffés par les cris des nombreuses personnes rassemblées.

À l'autre extrémité du pré, un monticule était couronné d'un grand chêne blanc, ses feuilles de printemps étincelantes dans le soleil couchant. Mon cheval fit une embardée pour éviter un groupe d'hommes et je les aperçus : trois petites silhouettes pendant comme des marionnettes brisées dans l'ombre profonde de l'arbre. La pioche s'abattit une dernière fois, et mon cœur vola en éclats.

Trop tard.

* * *

C'était une exécution bâclée. Ne disposant pas de troupes officielles, Tryon n'avait pas pu faire appel à un bourreau professionnel et compétent. Les trois condamnés avaient été juchés en selle, des nœuds lancés sur les branches au-dessus d'eux, et, à un signal, on avait fait détaler les chevaux, laissant les trois hommes se balancer au bout de leur corde.

Un seul avait eu la chance de mourir sur le coup d'une nuque brisée. Cela se voyait à l'angle droit de sa tête, à la mollesse de ses membres ligotés. Ce n'était pas Roger.

Les autres avaient été étranglés, lentement. Leurs corps étaient tordus, retenus par leurs liens dans les postures finales de leur lutte. À mon arrivée, un seul avait été détaché. Il passa devant moi dans les bras de son frère. Les traits des trois hommes étaient pareillement déformés par l'agonie. Les orteils de Roger traînaient dans la poussière. Il était plus grand que les autres. Ses mains s'étant détachées, il était parvenu à glisser les doigts de l'une d'elles sous le nœud. Ils étaient presque noirs, toute circulation coupée. Je ne pus me résoudre à regarder tout de suite son visage. Au lieu de cela, je me tournai vers celui de Brianna, livide et totalement immobile, chaque os et chaque muscle pétrifiés. Celui de Jamie était identique, mais tandis que le regard de Brianna était vidé par le choc, le sien brûlait, ses yeux n'étant plus que deux trous noirs de charbon. Il se tint un instant paralysé devant Roger, puis il se signa et dit brièvement quelque chose en gaélique. Il dégaina son coutelas et déclara à sa fille :

– Je le tiens. Coupe la corde.

Il lui tendit le couteau sans lui jeter un seul coup d'œil, puis, avançant d'un pas, il prit le corps par la taille, le soulevant légèrement pour soulager la tension de la corde.

Roger gémit. Jamie se figea, l'enlaçant toujours, et me lança un regard atterré. Le son était à peine perceptible. Seul l'air choqué de Jamie me convainquit que je l'avais vraiment entendu. Mais c'était vrai, Brianna l'avait aussi entendu. Elle bondit sur la corde, la sciant dans un silence fébrile. Pendant ce temps, figée par la stupeur, je me mis à réfléchir, le plus vite possible.

Peut-être n'était-ce que le bruit de l'air résiduel chassé du corps par la pression des bras de Jamie? Mais non, je le voyais au visage de ce dernier.

Je m'élançai à mon tour, en tendant les bras. Alors que le corps de Roger s'effondrait, je rattrapai sa tête et la tins entre mes mains pour la stabiliser, pendant que Jamie le couchait sur le sol. Il était froid, mais ferme. Normal puisqu'il était encore vivant, mais je m'étais attendu au contact flasque de la chair morte, et le choc de sentir la vie sous mes mains fut considérable.

Le souffle coupé comme après un coup de poing dans le ventre, je parvins à articuler :

– Une planche... Une porte, quelque chose de plat et dur pour l'allonger. Il ne faut pas bouger sa tête. Il a peut-être le cou cassé.

Jamie déglutit, puis acquiesça et s'éloigna, marchant d'abord d'un pas raide, puis de plus en plus rapide, se faufilant entre les groupes de parents endeuillés et de spectateurs curieux. Nous commencions à présent à attirer l'attention.

Brianna tenait toujours le coutelas de son père. En voyant les gens s'agglutiner, elle passa devant moi, le regard brillant d'une lueur noire, prête à transpercer quiconque aurait l'audace de s'approcher de trop près.

Je n'avais pas le temps de me laisser distraire. La respiration de Roger était imperceptible. Sa poitrine ne se soulevait pas, aucun sursaut ou mouvement n'agitait ses narines ou le coin de ses lèvres. Je palpai vainement son poignet libre à la recherche du pouls. Il était inutile d'essayer dans la masse de tissus enflés de son cou. Je finis par le trouver; il battait faiblement juste sous le sternum.

Le nœud était profondément enfoncé dans la chair. Je pris mon canif dans ma poche. La corde était neuve, le chanvre rêche. Les fibres étaient velues, tachées de sang séché. Je notai ces détails dans un coin reculé de mon cerveau pendant que mes mains s'affairaient. Les cordes neuves se détendent. Un vrai bourreau utilise ses propres cordes, préalablement étirées et huilées, déjà testées pour faciliter leur emploi. Le chanvre brut me mordait les doigts, s'enfonçant douloureusement sous mes ongles, tandis que je le grattais, le piquais et le lacérais.

Le dernier brin céda enfin, et je l'écartai d'un coup de lame. Je n'osai pas renverser la tête de Roger en arrière. Si ses vertèbres cervicales étaient fracturées, je risquais de le laisser handicapé ou de le tuer. Je saisis sa mâchoire et tentai d'enfoncer mes doigts dans sa bouche pour ôter le mucus et les autres matières. Peine perdue, sa langue avait enflé. Elle ne pendait pas à l'extérieur, mais elle me barrait la route. Heureusement, l'air prenait moins de place que des doigts. Je lui pinçai les narines, inspirai plusieurs fois le plus profondément possible, puis collai ma bouche contre la sienne et soufflai.

Si j'avais osé regarder son visage pendant qu'il pendait à sa branche, je me serais tout de suite rendu compte qu'il n'était pas mort. Ses traits étaient affaissés par la perte de connaissance, ses paupières et ses lèvres étaient bleues, mais son visage n'était pas noirci par le sang congestionné. Ses yeux étaient fermés et non saillants hors de leurs orbites. Ses entrailles s'étaient vidées, mais sa moelle épinière n'était pas sectionnée. Il ne s'était pas étranglé… pas encore.

Toutefois, il était sur le point de mourir étouffé sous mes yeux. Sa poitrine ne bougeait toujours pas. Je pris une nouvelle inspiration et soufflai, une main sur son sein. Rien. Je soufflai encore. Toujours rien. Encore. Un petit mouvement, insuffisant. L'air fuyait à la commissure de mes lèvres. Encore. Autant souffler contre une pierre. Encore.

Des bruits confus de voix résonnèrent au-dessus de ma tête. Brianna criait. Puis Jamie apparut à mes côtés.

– Voici ta planche, annonça-t-il calmement. Que pouvons-nous faire?

Je repris mon souffle et m'essuyai la bouche.

– Prends-le par les jambes. Brianna, toi, prends-le sous les épaules. Ne le soulevez pas avant que je vous le dise.

Nous le déplaçâmes rapidement, mes mains soutenant sa tête comme le Saint-Graal. Un attroupement s'était formé autour de nous, mais je n'avais pas le temps d'écouter et de voir. Je n'avais d'yeux que pour ma mission.

Je déchirai mon jupon, le roulai en boule et l'utilisai pour soutenir son cou. Je n'avais pas senti de craquement ou de friction dans ses vertèbres quand nous l'avions bougé, mais je devais mettre toutes les chances de mon côté. Par opiniâtreté ou pur miracle, il était encore en vie. Mais il était resté pendu par le cou pendant près d'une heure, et le gonflement des tissus dans sa gorge allait bientôt achever ce que la corde n'avait pas réussi à terminer.

J'ignorais si je disposais de quelques minutes ou d'une heure, mais l'intervention était inévitable et il n'y avait qu'une chose à faire. Il ne passait plus que quelques molécules d'air à la fois entre les muqueuses écrasées et gorgées de fluides. Bientôt, les voies respiratoires seraient complètement obstruées. Puisque l'air ne pouvait plus parvenir dans les poumons par le nez et la gorge, il fallait lui ouvrir un autre chemin.

Je me tournai à la recherche de Jamie, mais trouvai Brianna agenouillée à mes côtés. Un vacarme confus derrière nous m'indiqua que Jamie s'occupait de notre public.

Une trachéotomie? C'était rapide et ne nécessitait pas de grandes compétences, mais maintenir le passage ouvert était délicat. En outre, cela ne suffirait peut-être pas à dégager l'obstruction. Une main sur le sternum de Roger, je sentais le battement lointain de son cœur sous mes doigts. Il tiendrait peut-être le coup…

Je m'éclaircis la gorge et déclarai à Brianna d'une voix que j'espérais calme :

– Bien! Je vais avoir besoin d'un peu d'aide.

– D'accord, qu'est-ce que je fais?

Dieu soit loué, « elle » paraissait calme.

En théorie, rien de bien compliqué : maintenir la tête de Roger bien en arrière et l'empêcher de bouger pendant que je lui tranchais la gorge. Naturellement, l'hyperextension du cou risquait de sectionner la moelle épinière ou de la comprimer de manière irréversible. Mais Brianna n'avait pas besoin de s'en inquiéter... ni même de le savoir.

Elle s'agenouilla près de sa tête et fit ce que je lui demandais. Le médiastin au niveau de la trachée forma une bosse bien visible, tandis que s'étiraient l'aponévrose et la peau qui le recouvraient.

Encadrés par de gros vaisseaux, les anneaux cartilagineux se dessinèrent clairement. Du moins, j'espérais que c'étaient bien eux. Sinon, je risquais de sectionner la carotide ou la jugulaire interne et de vider Roger de son sang sous nos yeux.

La seule vertu d'une urgence désespérée est d'autoriser le sauveteur à tenter ce qu'il n'oserait jamais faire de sang-froid.

En extirpant ma petite bouteille d'alcool de ma poche, je manquai de la laisser tomber. Mais le temps d'en verser le contenu sur mes doigts, de nettoyer le scalpel puis le cou de Roger, la transe du chirurgien m'avait envahie et mes mains ne tremblaient plus.

Les doigts sur sa gorge, je fermai les yeux un instant pour sentir le battement faible de l'artère et la masse légèrement plus molle de la thyroïde. Je remontai... oui, elle coulissait bien. Je massai l'isthme de la glande, la faisant glisser hors de ma route, et, de l'autre main, enfonçai ma lame dans le quatrième cartilage trachéal.

Celui-ci était en forme de « U », et l'œsophage en arrière était mou et vulnérable. Je ne devais pas pénétrer trop loin. La peau et le fascia fibreux cédèrent, puis je rencontrai une faible résistance suivie d'un petit éclatement, et ma lame sombra. Il y eut un soudain gargouillis et une sorte de chuintement humide, le son de l'air aspiré à travers le sang. La poitrine de Roger se souleva. Je le sentis et me rendis compte à cet instant que j'avais toujours les yeux fermés.

70

Tout va bien

L'obscurité l'enveloppait, totale et réconfortante. Il perçut un vague mouvement hors de ce cocon chaleureux, une présence importune et douloureuse, et il se retrancha dans son abri de ténèbres. Celui-ci fondait autour de lui, exposant des parties de son corps à la lumière crue.

Il ouvrit les yeux. Il n'aurait su dire ce qu'il regardait et dut faire un effort pour comprendre. Sa tête l'élançait, tout comme une dizaine d'autres points plus petits, chacun formant de minuscules explosions de douleur, comme si des aiguilles plantées dans son corps le clouaient sur une planche tel un papillon. S'il parvenait à les arracher, il pourrait peut-être s'envoler…

Il referma les yeux, cherchant le réconfort de la nuit. Le vague souvenir d'un effort surhumain des muscles de sa cage thoracique qui se déchiraient pour aspirer de l'air refaisait surface. Il y avait aussi de l'eau, quelque part dans sa mémoire, qui remplissait son nez, faisait gonfler ses vêtements… Était-il en train de se noyer? Cette idée déclencha dans son esprit une étincelle d'alarme. On disait que la mort par noyade n'était pas si désagréable, elle ressemblait à l'endormissement. Était-il en train de couler à pic, sombrant dans une facilité traîtresse et finale, attiré vers les profondeurs par l'envoûtante obscurité?

Il sursauta, battit des bras, essayant d'inverser le mouvement et de remonter à la surface. La douleur transperça sa poitrine et brûla sa gorge. Il voulut tousser et n'y parvint pas. Il tenta d'inspirer de l'air et n'en trouva pas. Il heurta une surface solide…

Quelque chose le saisit, le tint fermement. Un visage apparut au-dessus du sien, une peau floue, une masse indistincte de cheveux roux. Brianna? Le nom flotta dans son esprit comme un ballon de baudruche vivement coloré. Puis sa vue se fit plus nette, révélant des traits plus durs plus farouches. Jamie. Ce prénom resta lui aussi en suspens dans sa tête, étrangement rassurant.

Une pression, de la chaleur… une main serrait son bras, une autre, plus ferme, était posée sur son épaule. Il cligna des yeux, sa vue s'améliorant peu à peu. L'air ne circulait ni dans sa bouche ni dans son nez. Sa gorge était fermée, sa poitrine en feu. Pourtant, il respirait. Les muscles minuscules entre ses côtes se contractaient douloureusement. Il ne s'était donc pas noyé. Cela faisait trop mal.

– Tu es vivant, dit Jamie.

Des yeux bleus regardaient dans les siens, intenses, si près qu'il sentait un souffle sur son visage.

– Tu es vivant. Sain et sauf. Tout va bien.

Il examina ces mots avec détachement, les tournant et les retournant comme une poignée de cailloux, les soupesant dans le creux de sa paume.

« Tu es vivant. Sain et sauf. Tout va bien. »

Une vague sensation de confort l'envahit. Apparemment, il n'avait pas besoin d'en savoir plus pour le moment. Le reste pouvait attendre. L'obscurité grandit de nouveau, aussi accueillante qu'un canapé profond et douillet. Il s'y enfonça avec volupté, entendant toujours les mots résonner à ses oreilles telles des notes pincées sur les cordes d'une harpe.

« Tu es vivant. Sain et sauf. Tout va bien. »

71

Rien qu'une étincelle

– Madame Claire?

Robin McGillivray se tenait sur le seuil de la tente, se tortillant d'un pied sur l'autre, sa tignasse brune et frisée dressée sur sa tête comme un goupillon. On aurait dit un raton laveur traqué. Il s'était essuyé les yeux, mais le reste de son visage était encore noir de crasse et de fumée de poudre.

Claire se leva aussitôt.

– J'arrive.

Avant que Brianna n'ait eu le temps de réagir, elle avait déjà attrapé son sac de premiers soins et se dirigeait vers la porte.

– Maman!

Brianna avait à peine haussé la voix, mais ce murmure était chargé d'une telle angoisse que Claire pivota sur place, comme assise sur un tourne-disque. Ses yeux d'ambre s'arrêtèrent un instant sur le visage de sa fille, glissèrent vers Roger puis revinrent vers Brianna.

– Surveille sa respiration, dit-elle. Veille à ce que le tube ne s'obstrue pas. S'il est assez conscient pour avaler, donne-lui un peu d'hydromel. Et touche-le. Il ne peut pas tourner la tête pour te voir, mais il a besoin de savoir que tu es là.

– Mais…

Brianna s'interrompit, la gorge trop sèche pour parler. Elle avait envie de pleurer. «Ne t'en va pas! Je ne sais pas comment le garder en vie! Je ne sais pas quoi faire!»

– Ils ont besoin de moi, dit très doucement Claire.

Se tournant dans un bruissement de jupe, elle rejoignit Robin qui s'impatientait et disparut dans le crépuscule.

– Et moi pas?

Les lèvres de Brianna avaient remué, mais elle n'aurait su dire si elle avait parlé à voix haute ou non. Peu importait. Sa mère était partie.

Un peu étourdie, elle se rendit compte qu'elle avait retenu son souffle. Elle expira lentement, puis inspira. La peur était un serpent venimeux, s'enroulant autour de son cou et rampant à l'intérieur de son esprit, prêt à planter ses crocs dans son cœur. Elle prit encore plusieurs inspirations en serrant les dents, puis, mentalement, saisit par la tête le reptile qui se débattit avec frénésie, le jeta dans un panier et referma le couvercle d'un coup sec. Pas question de se laisser dominer par la panique!

Sa mère n'aurait pas quitté le chevet de Roger si celui-ci avait couru un danger immédiat, ni si elle avait encore pu l'aider médicalement. Et elle, que pouvait-elle faire pour lui? Elle respira encore à fond, faisant craquer les baleines de son corset.

«Touche-le. Parle-lui. Fais-lui savoir que tu es à ses côtés.» Tels étaient les mots de Claire, énoncés sur un ton insistant mais plutôt distrait, pendant qu'elle achevait sa trachéotomie improvisée, les mains couvertes de sang.

Brianna se tourna vers Roger, cherchant vainement une partie indemne de son corps qu'elle pourrait effleurer. Ses mains violacées, aux doigts broyés presque noirs, ressemblaient à des gants de caoutchouc gonflés. La trace de la corde dans la chair de ses poignets était tellement profonde qu'elle avait l'impression écœurante de distinguer le blanc de ses os. Ses mains avaient l'air fausses, accessoires de pacotille pour un mauvais film d'horreur.

Mais, même grotesques, elles étaient en meilleur état que son visage. Celui-ci était bouffi et tuméfié, et comme posé sur une horrible collerette de sangsues fixées sous sa mâchoire. Toutefois, sa déformation était plus subtile. Il ressemblait à un étranger maléfique se faisant passer pour Roger.

Ses mains étaient, elles aussi, lourdement décorées de sangsues. Il devait avoir sur lui tous les spécimens de la région. Claire avait demandé à Joshua de supplier les autres médecins de lui donner les leurs, puis envoyé les deux fils Findlay patauger le long des berges de la rivière en chercher d'autres.

« Surveille sa respiration. » Ça, elle pouvait le faire. Elle s'assit, le plus discrètement possible, craignant sans trop savoir pourquoi de le réveiller. Avec douceur, elle posa une main sur son cœur, et soulagée de le trouver chaud, elle soupira. En sentant le souffle de Brianna sur son visage, Roger se tendit, puis se décontracta de nouveau.

Sa respiration était si superficielle qu'elle ôta sa main, de peur que le poids de celle-ci empêche la poitrine de se soulever. Au moins, il respirait. Elle entendait le faible sifflement de l'air qui passait dans la canule, dans la gorge. Claire avait réquisitionné la pipe que M. Caswell avait fait venir d'Angleterre. Impitoyable, elle avait cassé son tuyau et l'avait rapidement rincé dans l'alcool. Il était encore taché de goudron de tabac, mais semblait bien fonctionner.

Deux doigts de la main droite de Roger étaient cassés. Tous ses ongles étaient en sang, déchirés ou arrachés. Elle sentit sa gorge se nouer en pensant à la violence avec laquelle il s'était débattu pour survivre. Son état était très précaire. Elle avait l'impression que le moindre contact risquait de le faire sursauter, alors qu'il se tenait sur un fil invisible entre la vie et la mort. Pourtant, elle comprenait le sens des paroles de sa mère : ce même contact pouvait le retenir, l'empêcher de trébucher et de tomber dans le vide, de se perdre dans les ténèbres.

Finalement, elle posa la main sur sa cuisse et la serra, rassurée par la fermeté du long muscle rond sous la couverture qui lui recouvrait les jambes. Il émit un petit bruit.

L'espace d'un instant surréaliste, elle se demanda si elle ne devait pas lui tenir le sexe.

– Au moins, il saurait que je suis là, murmura-t-elle.

Elle ravala une envie hystérique de rire. Il dut l'entendre, car il remua faiblement sa jambe. Elle se pencha en avant et demanda doucement :

– Tu peux m'entendre? Je suis là, Roger. C'est moi, Brianna. Ne t'inquiète pas, tu n'es pas tout seul.

Sa propre voix lui parut étrange, trop forte, raide et empruntée.

– *Bi socair, mo chridhe. Bi samnach, tha mi seo.*

En gaélique, cela sonnait mieux, le côté formel de la langue érigeant une barrière entre elle et l'intensité des émotions qui risquaient de la submerger si elle les libérait. L'amour, la peur et la colère tourbillonnaient en elle, formant un mélange si explosif que ses mains en tremblaient.

Soudain, elle prit conscience que ses seins étaient turgescents, douloureusement pleins. Au cours des dernières heures, elle n'avait pas eu le temps d'y penser, et encore moins de soulager la pression. Ses mamelons la brûlaient. Elle serra les dents en sentant un petit écoulement de lait tacher son corselet et se mêler à sa sueur. Elle eut une envie subite de serrer Roger dans ses bras, de lui donner la tétée, de le bercer contre sa poitrine en laissant la vie s'écouler de son corps vers le sien.

« Touche-le. » Elle en oubliait de le faire. Elle caressa son bras, le massant doucement, espérant oublier son inconfort.

Roger sentit une main sur lui. Il entrouvrit un œil, et elle crut lire, dans ses profondeurs, une vague étincelle, un signe de reconnaissance.

– Tu ressembles à une version masculine de la Méduse.

Cette image lui était venue à l'esprit en premier. Un sourcil brun sursauta.

– C'est à cause des sangsues, expliqua-t-elle.

Elle toucha l'une de celles qui pendaient à son cou, et elle se contracta mollement, déjà à moitié gorgée.

– … Ça te fait une barbe de serpents. Tu les sens ? Elles font mal ?

Il remua ses lèvres, formant péniblement un « non » inaudible. Elle se souvint trop tard des recommandations de sa mère.

– N'essaie pas de le faire parler.

Elle regarda vers le lit voisin, mal à l'aise, mais le blessé couché avait les yeux fermés. Elle lui tourna le dos, se pencha et embrassa furtivement Roger, l'effleurant à peine du bout des lèvres. Il remua la bouche. Elle crut deviner une tentative de sourire.

Elle avait envie de hurler. « Qu'est-ce qui s'est passé ? Qu'est-ce que tu as foutu ? » Mais il ne pouvait répondre.

Puis, d'un coup, la fureur l'envahit. Consciente des allées et venues des gens autour d'eux, elle se retint de crier, mais elle se pencha plus près et lui agrippa l'épaule, un des rares endroits relativement intacts, lui sifflant à l'oreille :

– Comment as-tu pu te mettre dans un état pareil ?

Ses yeux roulèrent lentement vers elle. Il fit une grimace qu'elle n'arrivait pas à déchiffrer, puis l'épaule sous sa main se mit à vibrer. Pendant quelques secondes, elle le dévisagea totalement perplexe, avant de se rendre compte qu'il riait. Il riait !

La canule dans sa gorge se mit à trembler, émettant un sifflement rauque qui acheva de la mettre hors d'elle. Elle se leva, pressant les mains contre ses seins douloureux.

– Je reviens tout de suite, annonça-t-elle. Tu n'as pas intérêt à bouger de là, salaud !

72

Du petit bois et des braises chaudes

Gerald Forbes était un avocat prospère, ce qui, en temps normal, sautait aux yeux. Même dans sa tenue de combat et le visage maculé de traînées noires, il conservait un air solide et sûr de lui, apparence très utile pour un capitaine de milice. Même à présent, bien que visiblement mal à l'aise sur le seuil de notre tente en train de tordre entre ses mains le bord de son chapeau, il gardait une certaine prestance.

Je crus d'abord que c'était de la gêne, celle, habituelle, des gens face à la maladie, ou de l'embarras devant l'accident de Roger. Mais il y avait autre chose. D'un signe de tête, il salua à peine Brianna assise au chevet de son mari, déclarant hâtivement :

– Je suis sincèrement désolé de ce qui vous arrive, madame.

Puis il se tourna vers Jamie.

– Monsieur Fraser, puis-je vous parler un instant? Madame Fraser, cela vous concerne aussi.

Je lançai un regard vers Jamie. Il me fit un signe de tête et je me levai, saisissant par réflexe mon sac de premiers soins.

D'emblée, je compris que je ne pourrais pas faire grand-chose. Isaiah Morton était couché sur le flanc sous la tente de Forbes, livide et en nage. Il respirait encore mais lentement, émettant un horrible gargouillement qui me rappela le bruit de la gorge de Roger quand je l'avais transpercée. Il était inconscient, ce qui valait mieux pour lui. Après l'avoir rapidement examiné, je me rassis sur mes talons, en essuyant mon visage trempé de transpiration avec mon tablier. Le temps ne s'était pas beaucoup rafraîchi avec la tombée du jour et dans la tente fermée régnait une chaleur étouffante.

– Une balle lui a transpercé un poumon, déclarai-je.

Les deux hommes hochèrent la tête, le sachant déjà.

– On lui a tiré dans le dos, dit Jamie sur un ton sinistre.

Il jeta un coup d'œil vers Forbes, qui acquiesça sans quitter le blessé des yeux.

– Non, répondit-il à une question que personne n'avait posée. Ce n'était pas un lâche. Le terrain était dégagé. Nous avancions tous en rang ordonné. Notre compagnie fermait la marche.

– Pas de Régulateurs derrière vous? Pas de tireur embusqué?

Forbes fit non de la tête avant que Jamie ait fini de poser sa question.

– Nous avons pourchassé une poignée de Régulateurs jusqu'à la rivière, mais nous n'avons pas été plus loin. Nous les avons laissés filer.

Forbes tenait toujours son chapeau, enroulant et déroulant machinalement son bord.

– Je n'étais pas là pour faire un massacre.

Silencieux, Jamie hocha la tête.

Je m'éclaircis la gorge et refermai doucement sur le dos de Morton les vestiges sanglants de sa chemise.

– En fait, il a reçu deux balles, précisai-je.

La seconde avait tout juste éraflé le haut de son bras, mais je distinguais clairement la direction du sillon creusé au passage.

Jamie ferma brièvement les yeux, puis les rouvrit.

– Les Brown, déclara-t-il sur un ton résigné.

Gerald Forbes sursauta.

– Brown? C'est le nom qu'il a prononcé.

– Il a parlé?

Jamie s'accroupit près du blessé, fronçant les sourcils. Il m'interrogea du regard, mais je lui fis signe que non. Je tenais le poignet d'Isaiah Morton et sentais son pouls hésiter et trébucher. Il ne parlerait probablement plus.

Forbes se baissa à côté de Jamie, déposant enfin son chapeau malmené.

– Il a demandé à vous voir, Fraser. Puis, il a dit : «Prévenez Alicia. Alicia Brown.» Il l'a répété plusieurs fois avant de…

Il n'acheva pas sa phrase, faisant un geste vers Morton. Dans ses paupières entrouvertes, on pouvait voir une ligne blanche, ses yeux révulsés par l'agonie.

Jamie lâcha une obscénité en gaélique entre ses dents.

– Tu crois vraiment que ce sont eux? demandai-je doucement.

Résistant, le pouls entre mes doigts fit une embardée.

Il hocha la tête, les yeux baissés sur Morton.

– Je n'aurais jamais dû les laisser s'enfuir, dit-il dans un soupir.

Je compris qu'il voulait parler de Morton et d'Alicia Brown.

– Tu n'aurais pas pu les en empêcher.

Je tendis ma main libre vers lui, mais, tenant toujours Morton, je ne pus l'atteindre.

Gerald Forbes me dévisageait, perplexe.

– Monsieur Morton s'est enfui avec la fille d'un certain Brown, expliquai-je. La famille de la demoiselle n'a pas beaucoup apprécié.

– Ah, je vois.

Forbes regarda de nouveau Morton, faisant claquer sa langue dans un mélange de reproche et de compassion.

– Ces Brown…, reprit-il, savez-vous à quelle compagnie ils appartiennent?

– À la mienne, répondit Jamie. Du moins, ils en faisaient partie. Je ne les ai pas vus depuis la fin de la bataille.

Se tournant vers moi, il demanda :

– On peut faire quelque chose pour lui, *Sassenach*?

Je fis non de la tête sans pour autant lâcher son poignet. Le rythme erratique de son cœur ne s'était pas amélioré, mais son état n'avait pas empiré non plus.

– J'ai cru un instant qu'il nous avait déjà quittés, mais il est toujours de ce monde. La balle n'a pas dû perforer de gros vaisseaux. Mais même ainsi…

Jamie poussa un profond soupir.

– Tu veux bien rester avec lui, jusqu'à ce que… ?

– Oui, bien sûr. Mais il faudrait que tu retournes dans notre tente pour t'assurer que tout se passe bien là-bas. Je veux dire, si Roger… viens me chercher.

Il acquiesça et sortit. Gerald Forbes se rapprocha et posa une main hésitante sur l'épaule de Morton.

– Je veillerai à ce que sa femme reçoive une aide. S'il revient à lui un moment, vous le lui direz?

– Oui, bien sûr.

Comme ma réponse s'était fait hésitante, il releva la tête vers moi, surpris.

– C'est que… euh… il a deux femmes, expliquai-je. Il était déjà marié quand il s'est enfui avec Alicia Brown. D'où les problèmes avec la famille.

Ce fut au tour de Forbes de marquer un temps d'arrêt. Il cligna des yeux puis déclara :

– Je vois. La… euh… première Mme Morton, vous ne connaîtriez pas son nom, par hasard?

– Non, je crains que…

– Jessie.

Il avait à peine murmuré ce mot, mais il résonna comme un coup de canon.

– Quoi?

J'avais dû, malgré moi, resserrer ma main sur son bras, car Morton grimaça. Il était toujours aussi livide, mais ses yeux étaient ouverts, embrumés par la douleur mais lucides.

– Jessie, murmura-t-il de nouveau. Je… ze… bel Hatfield. De l’eau?

– Quoi? Oh oui, pardon!

Je lâchai son poignet et saisis la cruche derrière moi. Il était prêt à boire à grande gorgée, mais je lui laissai seulement tremper ses lèvres.

– Jezebel Hatfield et Alicia Brown, répéta lentement Forbes. C’est bien ça? Où habitent-elles?

Morton inspira, toussa, puis s’arrêta, envahi de douleur. Il attendit un moment avant de poursuivre.

– Jessie, à Granite Falls. Alicia, à Greensboro.

Il respirait par à-coups, marquant des pauses entre chaque mot. Toutefois, je n’entendais pas de gargouillement sanglant dans sa gorge, et il ne saignait ni de la bouche ni du nez. En revanche, la plaie dans son dos émettait un bruit de succion. Prise d’une soudaine inspiration, je le fis légèrement basculer en avant et écartai de nouveau les lambeaux de sa chemise.

– Monsieur Forbes. Vous n’auriez pas une feuille de papier?

– Mais… euh… si… c’est-à-dire que…

Il avait machinalement glissé une main dans la poche intérieure de sa veste et en avait extirpé une feuille de papier pliée. Je la lui pris des mains, la dépliai, versai de l’eau dessus et l’étalai sur le petit trou, sous l’omoplate de Morton. L’encre mélangée au sang coula en fines rigoles sur sa peau laiteuse, mais le bruit cessa aussitôt.

Tenant le papier en place d’une main, j’écoutai les battements de son cœur. Ils étaient toujours faibles mais plus réguliers… oui, indubitablement plus réguliers.

– Ça alors!

Je me penchai sur le côté pour le dévisager.

– Vous n’allez pas mourir maintenant, n’est-ce pas?

La transpiration dégoulinait sur son visage et faisait adhérer sa chemise sur sa poitrine. Sa respiration était toujours saccadée mais plus profonde. Il esquissa un vague sourire.

– Non, m'dame, haleta-t-il. Alicia. Le bébé… dans un mois. J'lui ai dit… je serai là.

Je soulevai un coin de la couverture et essuyai la sueur sur son front.

– On fera tout notre possible pour que vous y soyez, l'assurai-je.

Je me tournai vers l'avocat qui avait suivi l'opération la bouche entrouverte.

– Monsieur Forbes, je pense qu'il serait préférable de conduire M. Morton sous ma tente. Pouvez-vous trouver deux hommes pour le transporter ?

Il referma brusquement les mâchoires.

– Oh ! Oui, bien sûr, madame Fraser. J'y vais de ce pas.

Toutefois, il ne bougea pas tout de suite. Il posa ses yeux sur la feuille de papier plaquée sur le dos du malade. Je ne pus lire que quelques mots distincts entre mes doigts, mais ils suffirent à me prouver la méprise de Jamie lorsqu'il traitait Forbes de sodomite. La lettre commençait par : *Ma Valencia chérie*. Je ne connaissais qu'une seule Valencia dans la région de Cross Creek, ou même dans toute la colonie de la Caroline du Nord. La femme de Farquard Campbell.

– Je suis vraiment désolée pour votre courrier.

Tout en regardant Forbes dans les yeux, je frottai discrètement le papier avec ma paume, fondant irrémédiablement tout le texte en une grande tache d'encre et de sang.

– Je crains qu'elle ne soit totalement illisible.

Il prit une grande inspiration et remit son chapeau sur sa tête.

– Ce n'est rien, madame Fraser. Cela n'a aucune importance. Je cours chercher de l'aide.

* * *

La tombée du jour nous débarrassa non seulement de la chaleur, mais aussi des mouches. Attirées par la sueur, le sang et le fumier, elles avaient envahi le campement, mordant, piquant, rampant et bourdonnant jusqu'à nous rendre fous. Même après leur départ, je continuai à me gifler les bras et le cou, croyant toujours sentir le chatouillement de leurs pattes.

Goûtant à cette paix retrouvée, je jetai un coup d'œil sur mon petit royaume. Constatant que tout le monde respirait avec une étourdissante variété d'effets sonores, je sortis de la tente pour prendre une bouffée d'air frais.

La respiration est une activité trop sous-évaluée. Je restai là un moment, les yeux fermés, appréciant les mouvements fluides de ma cage thoracique qui se dilatait et se contractait, la douce inspiration, l'influx purificateur. Après avoir passé les dernières heures à empêcher l'air d'entrer dans la poitrine d'Isaiah Morton et à le faire rentrer dans celle de Roger, c'était un privilège que je chérissais. Ni l'un ni l'autre ne pourraient respirer sans douleur pendant un certain temps, mais tous deux étaient vivants.

Ils étaient mes derniers patients. Les autres blessés graves avaient été récupérés par les médecins de leur propre compagnie ou conduits sous la tente du gouverneur pour y être soignés par son médecin privé. Ceux qui souffraient de blessures légères étaient retournés auprès de leurs camarades pour exhiber fièrement leurs plaies ou soigner leurs bobos à grand renfort de bière.

Je perçus des roulements de tambours au loin et tendis l'oreille. La musique suivit une cadence solennelle puis s'arrêta brusquement. Pendant un court silence, tout mouvement parut suspendu, puis la détonation d'un canon se fit entendre.

Les frères Lindsay, qui se trouvaient non loin, allongés sur le sol près de leur feu, avaient tous deux redressé la tête.

– Qu'est-ce que c'est? leur demandai-je. Que se passe-t-il?

– Ils enterrent les morts, madame Fraser, me lança Evan. Ne vous inquiétez pas.

Je les remerciai d'un geste et m'éloignai en direction de la rivière. Les grenouilles chantaient, faisant contrepoint aux honneurs militaires pour les hommes morts sur le champ de bataille. Je me demandais si – au cas où les familles ne réclamaient pas les corps – les deux Régulateurs pendus seraient enterrés au même endroit, ou si on leur réserverait une sépulture à part, moins honorable. Tryon n'était pas homme à abandonner un ennemi aux mouches.

À présent, il devait avoir été mis au courant. Allait-il venir s'excuser? Mais quel genre d'excuses pouvait-il présenter? Roger ne devait la vie qu'au hasard et à une corde neuve.

Et encore… il n'était pas vraiment tiré d'affaire.

En posant une main sur Isaiah Morton, je sentais la brûlure de la balle logée dans son poumon, mais également celle, plus intense et féroce, de sa volonté de vivre en dépit de tout. Lorsque je touchais Roger, cette brûlure n'était qu'une mince étincelle. J'écoutais son souffle chuintant, et mon esprit ne voyait qu'un morceau de bois calciné, avec une minuscule braise qui se consumait encore, mais qui menaçait de s'éteindre d'un instant à l'autre.

« Du petit bois », pensai-je soudain. On en jetait dans le feu sur le point de s'éteindre. On soufflait aussi sur les charbons, mais encore fallait-il qu'il y ait des braises, une matière qui permette à la flamme de prendre, de se nourrir et de grandir.

Un couinement de roues m'extirpa de ma contemplation d'un groupe de roseaux et me fit redresser la tête. C'était une charrette tirée par un seul cheval.

– Madame Fraser? C'est bien vous?

Il me fallut un moment pour reconnaître la voix.

– Monsieur MacLennan? m'exclamai-je.

Il s'arrêta à ma hauteur et effleura le bord de son chapeau. Dans la pénombre, son visage était flou et austère.

Je m'approchai et baissai la voix, bien qu'il n'y ait personne dans les parages pour nous entendre.

– Que faites-vous ici?

– Je suis venu chercher Joe.

D'un geste de la tête, il indiqua l'arrière de la charrette. J'aurais dû m'y attendre. J'avais vu la mort et la destruction toute la journée et ne connaissai que vaguement Joe Hobson. Toutefois, j'ignorais qu'il avait été tué, et les poils de mes avant-bras se hérissèrent.

Sans dire un mot, je contournai la voiture. Celle-ci sursauta et vibra, tandis qu'Abel tirait sur le frein et sautait me rejoindre.

Le corps n'était pas enveloppé dans un linceul, mais quelqu'un avait étalé un grand mouchoir plus ou moins propre sur son visage. Trois énormes mouches y étaient posées, immobiles et repues. Je les chassai du dos de la main, même si cela ne faisait plus une grande différence. Elles s'envolèrent en bourdonnant, pour aller se poser un peu plus loin, hors de ma portée.

– Vous avez participé aux combats? demandai-je à Abel MacLennan sans le regarder.

Il devait être dans le camp des Régulateurs, mais il ne sentait pas la poudre.

– Non, dit-il par-dessus mon épaule. Je ne voulais pas me battre. Je suis venu avec Joe Hobson, M. Hamilton et les autres, mais quand j'ai compris qu'il y aurait une bataille, j'ai préféré repartir. J'ai marché jusqu'au moulin de l'autre côté de la ville. Puis, le soleil s'est couché et je n'avais toujours pas de nouvelles de Joe... Alors, je suis revenu.

Nous parlions tous deux doucement comme par crainte de déranger le sommeil du mort.

– Qu'allez-vous faire maintenant? Vous voulez de l'aide pour l'enterrer? Mon mari...

– Oh non! Je vous remercie, madame Fraser, ne vous inquiétez pas pour moi, m'interrompit-il. Je le ramène chez lui. En revanche, si vous aviez un peu d'eau, ou à manger, pour le voyage...

– Bien sûr. Ne bougez pas. Je vais vous chercher ça.

Je me hâtai vers notre tente, pensant en chemin à la route entre Alamance et Drunkard's Spring. Cela représentait quatre, cinq, six jours ? Sous un soleil torride, sans parler des mouches. Toutefois, j'avais appris à reconnaître le ton d'un Écossais décidé. Il était inutile de discuter.

Je pris juste le temps de vérifier l'état de mes deux malades. Ils respiraient. Bruyamment, douloureusement, mais distinctement. J'avais remplacé le papier mouillé sur le dos de Morton par un carré de lin huilé dont le pourtour enduit d'un peu de miel adhérait parfaitement. Il n'y avait aucune fuite. Parfait.

Brianna était toujours assise au chevet de Roger. Elle avait trouvé un peigne en bois et, patiente, lui démêlait les cheveux, ôtant avec délicatesse les nœuds et les brindilles, lissant ses boucles lentement. Elle fredonnait *Frère Jacques*. Le corselet de sa robe était taché d'auréoles au niveau des seins. Elle était déjà sortie une ou deux fois dans la journée pour soulager la pression de la lactation, mais, apparemment, il était encore temps. Rien qu'à la voir, ma propre poitrine me faisait mal.

Elle releva la tête et croisa mon regard. D'un geste bref, je touchai mon sein et lui indiquai la porte, en haussant les sourcils. Elle hocha la tête et esquissa un sourire qui se voulait rassurant, mais je voyais bien la tristesse dans son regard. Elle avait dû se rendre compte que si Roger avait des chances de survivre, il ne chanterait ni même ne parlerait peut-être plus jamais.

Le nœud dans ma gorge m'empêcha de prononcer la moindre parole. Je me contentai de lui sourire à mon tour et ressortis avec mon paquet sous le bras.

Soudain, une silhouette se dressa dans le noir devant moi et je manquai de la percuter. Je m'arrêtai net, serrant mes provisions.

– Pardon, madame Fraser. Je croyais que vous m'aviez vu.

C'était le gouverneur. Il fit un pas de côté, pénétrant dans le halo diffusé par les lanternes de la tente.

Il était seul et semblait épuisé. La chair de son visage était affaissée et creusée de rides. Il sentait l'alcool. Son Conseil de guerre et ses officiers miliciens avaient dû fêter la victoire. Toutefois, son regard était direct et son pas assuré. Il fit un signe de tête vers notre tente.

– Votre gendre… Il est…

– Vivant, répondit une voix grave derrière lui.

Il fit volte-face avec une exclamation étouffée.

Une ombre remua et prit forme. Jamie sortit lentement de la nuit. Il était resté assis sous un grand noyer, invisible dans le noir. Depuis combien de temps était-il là?

– Monsieur Fraser.

Désarçonné, le gouverneur serra les dents et les poings pour se ressaisir. Pour regarder Jamie en face, il était obligé de renverser la tête en arrière, et je devinais son mécontentement. Jamie le remarqua aussi, mais, apparemment, s'en souciait comme d'une guigne. Il se tenait tout près de Tryon, le surplombant, avec une expression qui en aurait énervé plus d'un.

Ce devait être le cas de Tryon, mais il redressa le menton, résolu à formuler ce qu'il était venu dire.

– Je viens vous présenter mes excuses pour ce qui est arrivé à votre gendre. Ce fut une erreur très regrettable.

– Très regrettable, répéta Jamie sur un ton caustique. Auriez-vous l'obligeance de nous expliquer, monsieur, comment cette… erreur… a pu se produire?

Il fit un pas en avant, et Tryon recula automatiquement d'un pas. La chaleur monta dans les joues du gouverneur et sa mâchoire se durcit.

– Il y a eu une confusion, dit-il entre ses dents. Il a été identifié à tort comme l'un des meneurs de la Régulation déclarés hors-la-loi.

– Par qui? demanda Jamie.

– Je ne sais pas. Par plusieurs personnes. Je n'avais aucune raison de douter de leur identification.

– Je vois. Mais Roger MacKenzie n'a-t-il rien dit pour sa défense ? N'a-t-il pas révélé son identité ?

Tryon se mordit brièvement la lèvre supérieure avant de répondre :

– Euh... non.

– Forcément, il était ligoté et bâillonné ! explosai-je. Vous ne l'avez même pas laissé parler, vous... vous...

La lanterne suspendue à l'entrée de notre tente faisait briller le gorgerin du gouverneur, un croissant de métal argenté qui lui protégeait le cou. La main de Jamie se leva lentement – si lentement que Tryon ne sentit pas le danger venir – et se referma autour de sa gorge, juste au-dessus de la pièce métallique.

– Laisse-nous, Claire.

Son ton n'avait rien de menaçant, il était plutôt étrangement détaché. La lueur de panique qui traversa le regard de Tryon céda aussitôt la place à la fureur. Il recula précipitamment d'un autre pas.

– Comment osez-vous porter la main sur moi, monsieur !

– Vous avez bien osé poser les vôtres sur mon fils.

Jamie ne comptait pas vraiment faire du mal au gouverneur, mais, d'un autre côté, son geste n'était pas qu'une simple intimidation. Du moins je le supposai. La rage froide brûlait en lui, comme de la glace dans ses yeux. Tryon la voyait aussi.

– Puisque je vous dis que c'était une erreur ! Je suis venu la réparer dans la mesure de mes moyens.

– Une erreur ? Peuh ! C'est tout ce que représente pour vous la mort d'un innocent ? Vous êtes prêt à tuer et à mutiler pour satisfaire votre gloire. Peu vous importe de semer la destruction sur votre passage pourvu que cela grossisse la liste de vos exploits. Que pensera-t-on en Angleterre en lisant les dépêches, monsieur ? Y avouerez-vous que vous avez braqué vos canons sur vos propres citoyens alors qu'ils n'étaient armés que de couteaux et de bâtons ? Ou vous contenterez-vous de dire que vous avez maté la rébellion et préservé l'ordre? Reconnaîtrez-vous que, dans votre soif de vengeance aveugle, vous avez pendu un innocent? Direz-vous que vous avez commis une «erreur»? Ou uniquement que vous avez puni le mal et rendu la justice au nom de Sa Majesté?

Les muscles des mâchoires de Tryon saillaient, ses membres tremblaient, mais il parvint à conserver son sang-froid. Il inspira profondément par le nez avant de parler.

– Monsieur Fraser, je vais vous confier une information que peu de gens connaissent, car elle n'a pas encore été rendue publique.

Jamie ne répondit pas, mais arqua un sourcil. Son regard était froid et sombre.

– J'ai été nommé gouverneur de la colonie de New York. La lettre officielle est arrivée, il y a un peu plus d'un mois. Je partirai avant juillet pour prendre mes nouvelles fonctions. Josiah Martin me remplacera ici en Caroline. Donc, comme vous le voyez, je n'avais aucun enjeu personnel dans cette affaire et n'avais aucun besoin de glorifier mes exploits, comme vous le dites.

Une froideur semblable à celle de Jamie avait pris la place de sa peur initiale. Il s'éclaircit la gorge avant de poursuivre :

– Je n'ai agi que par sens du devoir. Je n'ai pas voulu laisser à mon successeur une colonie dans un état de désordre et de rébellion, même si j'étais en droit de le faire.

Il prit une grande inspiration, s'efforçant de desserrer les poings.

– Vous avez l'expérience de la guerre et du devoir, monsieur Fraser. Soyez honnête, vous savez comme moi que, dans un cas comme dans l'autre, les erreurs arrivent, et plus souvent qu'on ne le croit. C'est inévitable.

Les deux hommes restèrent en silence face à face, les yeux dans les yeux, sans sourciller.

Mon attention fut soudain détournée par le son lointain d'un bébé qui pleurait. Je tournai la tête juste à temps pour voir Brianna surgir de la tente en soulevant ses jupes.

– Jemmy ! déclara-t-elle. C'est Jemmy !

Des voix se rapprochaient depuis l'autre bout du camp, précédant l'apparition de la silhouette ronde et froufroutante de Pénélope Sherston, l'air apeuré mais déterminé, flanquée de deux esclaves : un homme portant deux gros paniers et une femme serrant un paquet qui gigotait dans ses bras et émettait un vacarme infernal.

Brianna fonça droit sur le colis telle l'aiguille d'une boussole vers le nord magnétique. Le raffut se tut dès que Jemmy fut extirpé de ses couvertures, les cheveux hérissés sur son crâne, ses petits pieds pédalant dans le vide de soulagement et de joie. La mère et l'enfant disparurent rapidement dans les ombres sous les arbres. Une certaine confusion s'ensuivit. Mme Sherston expliquait de manière décousue au petit attroupement autour d'elle qu'elle avait été tout simplement trop bouleversée par les informations concernant la bataille, que c'était trop affreux, qu'elle avait craint que… mais qu'ensuite l'esclave de Mme Rutherford était venu lui annoncer que tout allait bien… alors elle avait pensé que peut-être… et donc… et l'enfant qui ne cessait pas de pleurer… alors…

Gênés dans leur confrontation, Jamie et le gouverneur s'étaient retirés dans l'obscurité. Je les distinguais encore, deux ombres raides, l'une grande, l'autre plus petite, se tenant face à face, les torses bombés. Toutefois, l'entretien ne menaçait plus de dégénérer en violence. J'apercevais la tête de Jamie penchée à peine vers celle de Tryon, qui écoutait.

– … ait apporté quelques provisions, me disait Pénélope Sherston. Du pain frais, du beurre, un peu de confiture de myrtilles, du poulet froid…

– Les provisions ! m'exclamai-je, me souvenant soudain du paquet sous mon bras. Je vous demande pardon !

Je lui adressai un grand sourire et filai, l'abandonnant la bouche grande ouverte devant la tente.

Abel MacLennan se trouvait toujours là où je l'avais laissé, attendant patiemment sous les étoiles. D'un geste, il écarta mes excuses, me remerciant pour la nourriture et la jarre de bière.

– Y a-t-il quelque chose d'autre que... ?

Je m'interrompis. Que pouvais-je faire d'autre pour lui ?

Pourtant, il y en avait bien une.

– Le jeune Hugh Fowles..., dit-il en calant la marchandise sous son siège. On m'a dit qu'il avait été fait prisonnier. Votre mari... ne pourrait-il pas placer un petit mot pour lui ? Comme il l'a fait pour moi ?

– Je suppose que si. Je le lui demanderai.

Tout était calme autour de nous, assez loin du camp pour que le bruit des conversations ne porte pas au-dessus du croassement des grenouilles, du chant des criquets et du gargouillis de l'eau. Impulsivement, je lui demandai :

– Monsieur MacLennan, où irez-vous ? Je veux dire, après avoir raccompagné Joe Hobson chez lui ?

Il ôta son chapeau et gratta son crâne chauve, non pas pour exprimer sa perplexité, mais plutôt pour se préparer à formuler une pensée mûrement réfléchie.

– Je ne pense aller nulle part. Il y a des femmes là-bas à Drunkard's Spring. Et des enfants. Avec Joe mort et Hugh prisonnier, elles vont se retrouver toutes seules. Je resterai les aider.

Il me salua d'un signe de tête et remit son chapeau. Je lui pris la main et la serrai, ce qui le surprit. Puis il grimpa sur sa charrette et fit claquer sa langue. Tandis que le cheval se mettait en branle, il agita la main en signe d'au revoir et je lui répondis, prenant soudain conscience de ce qui avait changé chez lui.

Sa voix était toujours remplie de chagrin et le deuil faisait encore ployer ses épaules. Pourtant, il accomplissait sa mission en se tenant le dos droit, la lueur des étoiles se reflétant sur son chapeau poussiéreux. Son regard était décidé, et son pas également. Si Joe Hobson nous avait quittés pour le royaume des morts, Abel MacLennan, lui, avait réintégré celui des vivants.

Le temps que je revienne à la tente, tout semblait être rentré dans l'ordre. Le gouverneur ainsi que Mme Sherston et ses esclaves étaient partis. Isaiah Morton dormait, gémissant de temps en temps mais sans fièvre. Roger était immobile, tel un gisant de marbre, le visage et les mains tuméfiés. Le vague chuintement de sa respiration ponctuait la chanson que Brianna fredonnait tout en berçant Jemmy.

Le visage du bébé était détendu, sa bouche rose entrouverte dans l'abandon total du sommeil. Je tendis les bras et, après un moment de surprise, Brianna me le confia. Très doucement, je déposai le petit corps inerte et mou sur la poitrine de Roger. Brianna eut un mouvement de réflexe pour attraper son fils et l'empêcher de glisser, mais le bras de Roger se souleva, raide et lent, et se replia autour du corps de l'enfant. « Du petit bois », pensai-je avec satisfaction.

Jamie était dehors, assis adossé au noyer. Après m'être assurée que tout allait bien à l'intérieur, je sortis le rejoindre dans l'obscurité. Il ouvrit les bras sans un mot et je me réfugiai entre eux.

Nous restâmes enlacés dans le noir, écoutant le crépitement des feux de camp et le chant des grillons.

Respirant.

* * *

Camp de la Grande Alamance
Vendredi 17 mai 1771
Parole-Granville
Countersign-Oxford

C'est avec la plus profonde gratitude que le gouverneur adresse ses sincères remerciements aux officiers et aux soldats de l'armée pour le soutien généreux et valeureux qu'ils lui ont apporté dans la bataille de l'Alamance. À l'aide de leur bravoure et de leur droiture ainsi qu'avec la grâce de notre Seigneur tout-puissant, nous avons eu raison de l'obstination et de l'aveuglement des rebelles. Son Excellence s'associe à la douleur des loyalistes pour les braves tombés et blessés sur le champ de bataille et, conscient que l'avenir de la Constitution dépendait de l'issue de cette bataille et des services importants rendus au roi et à la patrie, considère ces pertes humaines (qui affligent aujourd'hui leurs parents et leurs proches) comme un monument à la gloire et à l'honneur de ces héros et de leurs familles.

Les morts seront enterrés ce soir à dix-sept heures. Le service funéraire, précédé d'un tir d'artillerie, sera célébré avec les honneurs militaires. Après la cérémonie, des prières et une action de grâce seront dites pour la victoire éclatante que la divine providence a bien voulu accorder à l'armée.

SEPTIÈME PARTIE

Alertes, résistance et fuite

73

Une pâleur d'un ton plus blanc

Dans un élan de générosité inattendue, Mme Sherston nous offrit l'hospitalité. Je m'installai donc dans sa grande maison avec Brianna, Jemmy et mes deux patients, Jamie partageant son temps entre Hillsborough et le camp de la milice, qui resterait en place au bord de l'Alamance jusqu'à ce que Tryon soit convaincu de l'écrasement définitif de la Régulation.

Avec mes forceps, je n'étais pas parvenue à extraire le projectile logé dans le poumon de Morton, néanmoins ce morceau de métal ne semblait pas le déranger outre mesure. La plaie avait commencé à cicatriser de manière satisfaisante. Impossible de savoir où se trouvait exactement la balle, mais, de toute évidence, elle n'avait perforé aucun des gros vaisseaux. Tant qu'elle ne se déplaçait pas, Morton pouvait fort bien vivre avec. Je connaissais bon nombre d'anciens combattants dans son cas, dont Archie Hayes.

Je n'étais pas très sûre de l'état de conservation de ma pénicilline, mais elle avait l'air d'être efficace. Malgré le pourtour de la plaie rouge et suintant, je notai aucune infection et très peu de fièvre. Outre le médicament, l'apparition d'Alicia Brown et de son ventre proéminent, quelques jours après la bataille, contribua considérablement à la convalescence de Morton. Une heure après son arrivée, il était redressé en position assise sur son lit, pâle mais jubilant, les cheveux hirsutes et une main posée avec adoration sur la masse remuante de son enfant à naître.

Pour Roger, c'était une autre paire de manches. Sa seule blessure grave était sa gorge écrasée. Les fractures de ses doigts, que j'avais éclissés, devraient guérir sans difficulté. Ses ecchymoses étaient passées relativement vite du rouge et du bleu vifs à un spectaculaire camaïeu de violet, de vert et de jaune. Avec ces couleurs, il avait l'air d'avoir été exhumé la veille après une semaine passée dans une tombe. Ses signes vitaux étaient excellents, mais sa vitalité, nettement moins.

Il dormait beaucoup, ce qui aurait dû être bon signe. Toutefois, son sommeil était agité. Il avait quelque chose de troublant, comme si, après avoir avidement cherché l'inconscience, il s'y accrochait avec une obstination qui m'inquiétait plus que je n'osais l'admettre.

Brianna, qui n'avait rien à envier à personne en matière d'obstination, avait pour mission de le réveiller de force régulièrement, afin de le nourrir, de nettoyer sa canule et sa plaie. Au cours de ces opérations, il gardait le regard fixé au loin, vide, et réagissait à peine aux remarques de sa femme. Une fois les soins terminés, il fermait de nouveau les yeux, s'enfonçait dans son oreiller, ses mains bandées croisées sur sa poitrine comme un gisant. Seul le chuintement régulier de sa canule émettait un son.

Deux jours après la bataille d'Alamance, Jamie rentra chez les Sherston à Hillsborough juste avant le dîner, épuisé par sa longue chevauchée et couvert de poussière rouge.

Je sortis à sa rencontre dans la cour avec un bol d'eau. Il le vida d'un trait, poussa un soupir de satisfaction, puis essuya la transpiration de son visage sur la manche de sa veste.

– Aujourd'hui, j'ai eu une petite conversation avec le gouverneur, annonça-t-il. Il ne tenait pas vraiment à rediscuter des événements qui ont eu lieu juste après la bataille, mais je ne voulais pas le voir s'en tirer à si bon compte.

Je l'aidai à ôter sa veste poussiéreuse en marmonnant :

– J'imagine que tu ne lui as guère laissé le choix. William Tryon n'est pas Écossais, et encore moins un Fraser.

Il esquissa un sourire. « Têtu comme pierre » : ainsi m'avait-on décrit le clan Fraser des années plus tôt, et rien depuis ne m'avait donné à penser que leur réputation était surfaite.

Il haussa les épaules et s'étira langoureusement, faisant craquer ses vertèbres.

– Bon sang, ce que j'ai faim ! Il y a quelque chose à manger ?

Il se détendit et agita son long nez, humant l'air avec espoir. Bien que les arômes de miel qui flottaient dans l'air soient assez explicites, je précisai :

– Du jambon en croûte et une tarte de patates douces. Alors, qu'a dit le gouverneur après que tu l'as tyrannisé en bonne et due forme ?

À son air satisfait, je devinais que je n'étais pas trop loin de la vérité.

– Un certain nombre de choses. Tout d'abord, j'ai insisté afin qu'il m'explique les circonstances dans lesquelles Roger a été fait prisonnier, qui l'a livré et ce qui a été dit. J'ai bien l'intention d'élucider cette affaire.

Il dénoua son catogan et secoua vigoureusement la tête.

– Il s'est souvenu de quelque chose ?

– Oui. Roger lui a été amené par trois hommes. L'un d'eux portait un insigne de la compagnie Fraser. Il a donc pensé qu'il était avec moi, enfin, il le prétend.

Il avait ajouté cette dernière remarque avec une moue ironique. Il me semblait pourtant que la déduction de Tryon était logique, mais Jamie n'était pas d'humeur objective.

– L'homme en question devait porter l'insigne de Roger, déclarai-je. Les autres membres de ta compagnie sont tous rentrés avec toi, à l'exception des Brown. Or, ça ne pouvait pas être eux.

Les deux Brown avaient profité de la confusion de la bataille pour exercer leur vengeance sur Isaiah Morton et s'éclipser. Ils ne se seraient pas attardés pour monter un sale coup contre Roger, quand bien même ils auraient eu une raison de le faire.

Il hocha la tête.

– Oui, mais pourquoi? Il a dit que Roger était déjà bâillonné et ligoté. J'en ai profité pour lui rappeler que cette façon de traiter un prisonnier de guerre était indigne.

– Qu'a-t-il répondu?

Tryon était peut-être moins têtu que Jamie, il n'en était pas moins susceptible.

– Il a rétorqué qu'il ne s'agissait pas d'une guerre, mais d'une insurrection constituant une trahison, ce qui lui donnait le droit de prendre des mesures sommaires. Apparemment, Monsieur ne voit aucune objection à pendre un homme sans même l'autoriser à prononcer un mot pour sa défense…

Ses joues s'empourpraient dangereusement.

– Je te jure, Claire, que si Roger était mort au bout de cette corde, j'aurais étranglé Tryon à mains nues et l'aurais laissé pourrir sur place, bouffé par les corbeaux!

Je n'en doutais pas un instant. Je revoyais sa main se lever lentement vers le cou de Tryon juste au-dessus de son gorgerin. Le gouverneur n'était certainement pas conscient du danger qu'il avait couru cette nuit, après la bataille.

– Il n'est pas mort et ne mourra pas, lui rappelai-je sur le ton le plus ferme possible.

J'espérais avoir raison. Je posai une main sur son avant-bras. Je sentais ses muscles bouger sous la peau dans leur désir contenu de frapper quelqu'un. Il baissa les yeux vers moi, prit une grande inspiration puis une autre, tambourina sur sa cuisse de ses doigts raides, puis parvint enfin à maîtriser sa colère.

– Enfin…, reprit-il. Il a dit que l'homme avait identifié Roger comme étant James MacQuiston, un des meneurs de la Régulation. Je me suis renseigné sur ce MacQuiston. Serais-tu surprise, *Sassenach*, d'apprendre que personne n'a jamais vu le visage de cet homme?

Je l'aurais été et je le lui fis savoir. Il hocha la tête, le rouge quittant peu à peu ses joues.

– Moi aussi, mais c'est pourtant le cas. Tout le monde connaît ses idées, publiées dans les journaux, mais personne ne l'a jamais vu. Pas même le vieux Ninian, Hermon Husband, ni aucun autre des Régulateurs auxquels j'ai pu parler, même si la plupart gardent profil bas, naturellement. J'ai même retrouvé l'imprimeur d'un des discours de MacQuiston. Le manuscrit avait, paraît-il, été déposé sur le pas de sa porte un matin, avec un fromage et de l'argent pour payer l'impression.

J'ôtai ma main de son bras, estimant que le danger était passé, et méditai tout haut :

– Voilà qui est intéressant! «James MacQuiston» serait donc un nom d'emprunt?

– Très probablement.

Poursuivant dans la même ligne d'idées, j'eus une illumination soudaine.

– Et si l'homme qui avait dénoncé Roger au gouverneur n'était autre que MacQuiston lui-même?

Jamie haussa des sourcils surpris, puis acquiesça.

– En effet, en faisant pendre Roger à sa place, il se mettait à l'abri. Étant mort, il ne risquait plus d'être arrêté. Oui, c'est une bonne idée…

Il ajouta judicieusement :

– … bien qu'un peu tordue.

– Rien qu'un peu.

Il paraissait en vouloir moins à MacQuiston, tordu et fictif, qu'au gouverneur, mais, d'un autre côté, les actes de Tryon ne faisaient aucun doute.

Tout en parlant, nous avions traversé la cour en direction du puits. Posé sur la margelle, un seau était à moitié rempli d'une eau rendue chaude et saumâtre après une journée passée au soleil. Jamie retroussa ses manches, mit ses mains en coupe et s'aspergea le visage. Puis il s'ébroua avec vigueur au-dessus des hortensias de Mme Sherston.

Je lui tendis la serviette en lin froissée et accrochée sous le chaperon du puits, en lui demandant :

– Le gouverneur se souvient-il à quoi ressemblaient les hommes qui lui ont amené Roger?

Il s'essuya le visage, secouant la tête.

– Il ne se rappelle que de l'un d'eux. Celui qui portait l'insigne et qui a parlé le plus, un grand gaillard blond, très costaud. Il croit qu'il avait les yeux verts. Dans le feu de l'action, il n'a pas fait très attention à son allure. C'est tout ce dont il se souvient.

– Salope de Roosevelt de mes deux! m'exclamai-je soudain. Grand, costaud, avec les yeux verts... Tu crois que ce pourrait être Stephen Bonnet?

Il écarquilla les yeux et resta figé un moment au-dessus de la serviette. Puis il la reposa d'un air songeur.

– Seigneur! souffla-t-il. Je n'y avais pas pensé.

À vrai dire, l'idée me surprenait aussi. Ce que je savais de Bonnet cadrait mal avec l'image d'un Régulateur. La majorité d'entre eux étaient des hommes pauvres et désespérés, comme Joe Hobson, Hugh Fowles et Abel MacLennan. Quelques-uns étaient des idéalistes scandalisés, style Husband et Hamilton. Stephen Bonnet avait peut-être traversé des périodes de pauvreté et de désespoir, mais j'étais relativement certaine que l'idée de protester en présentant ses revendications au gouverneur ne lui serait pas venue à l'esprit. Se dédommager en recourant à la force, oui. Tuer un shérif ou un magistrat pour venger quelque offense, sans doute. Mais... non, c'était ridicule. J'étais sûre d'une seule chose au sujet de Bonnet : il n'avait jamais payé d'impôts.

Entre-temps, Jamie en était arrivé à la même conclusion. Il essuya une dernière goutte qui lui pendait au bout du nez et déclara :

– Non. Il n'y a pas d'argent à gagner dans cette affaire. Tryon lui-même a dû demander des fonds au comte d'Hillsborough pour financer sa milice. Quant aux Régulateurs…

D'une main, il écarta l'idée que ces derniers aient les moyens de payer un individu pour quelque service que ce soit.

– Je ne sais pas tout sur Stephen Bonnet, mais, d'après ce que j'en ai vu, seul l'or ou la perspective de mettre la main dessus pourrait l'attirer sur un champ de bataille.

– Certes.

Un cliquetis de vaisselle et d'argenterie nous parvenait depuis les fenêtres ouvertes, accompagné des voix des esclaves. On mettait le couvert pour le dîner.

– Il est donc inconcevable que Stephen Bonnet et James MacQuiston soient une seule et même personne ?

Cette question le fit rire, et ses traits se détendirent pour la première fois.

– Non, *Sassenach*. Ça, je peux te l'assurer. Stephen Bonnet ne sait pas lire, ni même écrire son propre nom.

Je le regardai, médusée.

– Comment le sais-tu ?

– Samuel Cornell me l'a dit. Il ne l'a pas rencontré en personne, mais Walter Priestly est venu le trouver un jour pour lui emprunter de l'argent de toute urgence. Il a été surpris, car Priestly était riche. Mais il lui a expliqué qu'il attendait un chargement imminent payable rubis sur l'ongle exclusivement en pièces d'or, son transporteur refusant d'accepter les garanties en marchandise, l'argent de la Proclamation ou même les traites bancaires. Il ne faisait pas confiance aux mots écrits sur du papier ni à personne pour les lui lire. Il n'acceptait que de l'or.

– Oui, ça ressemble bien à Bonnet.

Je tenais sa veste pliée sur le bras. Je la secouai et époussetai ses pans, détournant la tête pour me protéger du nuage de poussière rouge que je soulevais.

– Ce que tu disais à propos de l'appât du gain… Tu penses que Bonnet aurait pu se trouver à Alamance par accident? En route vers River Run, peut-être?

Il réfléchit un instant, puis fit non de la tête, tout en déroulant ses manches.

– Ce n'était pas une grande guerre, *Sassenach*, pas le genre d'événement dans lequel on peut se faire entraîner par surprise. Les deux camps adverses se sont fait face deux jours durant, et leurs postes de garde étaient de vraies passoires. N'importe qui aurait pu quitter Alamance ou contourner les campements. En outre, Alamance n'est pas sur la route de River Run. Non, celui qui a tenté de tuer Roger était ici de son plein gré.

– Nous revoilà donc avec notre mystérieux James MacQuiston. Mais qui peut-il donc être? Je ne vois pas qui parmi les Régulateurs pourrait en vouloir personnellement à Roger!

– Moi non plus, admit Jamie. Il ne nous reste plus qu'à attendre que ce garçon soit en mesure de nous le dire lui-même.

* * *

Après le dîner – au cours duquel il ne fut naturellement pas question de Stephen Bonnet ni de tout autre sujet contrariant –, je remontai voir Roger. Jamie m'accompagna et congédia discrètement l'esclave assise près de la fenêtre, en train de repriser. Quelqu'un devait rester en permanence au chevet du malade pour s'assurer que sa canule, son seul moyen de respirer, ne se bouchait pas ni ne se déplaçait. Avant que je l'enlève, il faudrait encore patienter plusieurs jours, le temps que les tissus broyés du larynx désenflent.

Jamie attendit que j'aie vérifié son pouls et sa respiration, puis, à mon signe de tête, il s'assit près du lit. Sans s'embarrasser de préliminaires, il demanda :

– Connais-tu le nom des hommes qui t'ont livré?

Roger leva les yeux vers lui, fronçant les sourcils, puis hocha lentement la tête en levant un doigt.

– L'un d'eux, traduisit Jamie. Combien étaient-ils?

Trois doigts. Cela correspondait au souvenir de Tryon.

– Étaient-ils des Régulateurs?

Un hochement de tête.

Jamie me lança un regard, puis baissa de nouveau les yeux vers Roger.

– Ce n'était pas Stephen Bonnet?

Roger se redressa brusquement en position assise, la bouche ouverte. Il saisit le tube dans sa gorge, essayant désespérément de parler et secouant violemment la tête.

Je lui agrippai l'épaule, tentant de protéger sa canule de l'autre main. La violence de son mouvement l'avait pratiquement arrachée hors de l'incision, et un filet de sang coulait dans son cou. La plaie s'était rouverte, mais Roger n'en était pas conscient. Ses yeux étaient rivés sur Jamie et ses lèvres remuaient frénétiquement, posant des questions silencieuses.

Jamie l'agrippa par l'autre épaule et m'aida à le forcer à se rallonger.

– Non, non, répondit-il. Si tu ne l'as pas vu, c'est qu'il n'y était pas. Tryon ayant décrit l'homme qui t'a trahi comme un grand blond aux yeux verts, on a pensé que, peut-être…

Les traits de Roger se détendirent. Il s'enfonça de nouveau dans son oreiller, sa bouche légèrement tordue. Jamie insista :

– Mais tu connais cet homme, n'est-ce pas? Tu l'avais déjà rencontré?

Roger détourna le regard, acquiesça, puis haussa les épaules. Il paraissait à la fois irrité et impuissant. J'entendais son souffle s'accélérer, sifflant dans le tube d'ambre. Je me raclai la gorge en insistant et en fronçant les sourcils vers Jamie. Roger n'était plus dans un état critique, mais il n'était pas guéri, loin de là.

Jamie ne me prêta pas la moindre attention. Avant de monter, il avait pris la boîte à dessin de Brianna. Il posa une feuille de papier dessus, la déposa sur les genoux de Roger, puis lui tendit un fusain.

– Tu veux bien essayer encore?

Il avait tenté de communiquer par écrit avec Roger depuis qu'il avait repris connaissance, mais les mains trop enflées de son gendre n'avaient pu se refermer autour d'un crayon. Elles étaient encore boursouflées et violacées, mais l'application répétée de sangsues et les massages doux avaient amélioré leur état. Elles commençaient à ressembler vaguement à des membres humains.

Roger pinça les lèvres, mais il attrapa maladroitement le fusain. Son index et son majeur étaient cassés. Leurs éclisses dépassaient en formant un «V», signe bien déplacé, compte tenu des circonstances.

L'air concentré, il plissa le front et griffonna lentement quelque chose. Jamie suivait attentivement, tenant le papier à plat des deux mains pour l'empêcher de glisser.

Le bâtonnet se brisa en deux, les fragments volant dans toute la pièce. J'allai les ramasser pendant que Jamie se penchait sur le gribouillis. On y lisait un «W», un «M», puis un espace et un «MAC» maladroit.

– William? demanda Jamie.

Roger hocha la tête, en nage.

Je jetai un coup d'œil par-dessus l'épaule de Jamie.

– William Mac. Un Écossais, donc, ou du moins un homme portant un patronyme écossais?

Cela ne réduisait pas beaucoup notre champ d'investigation : MacLeod, MacPherson, MacDonald, MacDonnel, Mac... Quiston?

Roger leva une main et se frappa la poitrine. Il recommença en articulant un mot. Me souvenant de jeux télévisés basés sur des mimes, je pris cette fois Jamie de vitesse :

– MacKenzie?

Il me gratifia d'un éclat d'yeux verts et d'un acquiescement.

– MacKenzie, William MacKenzie, répéta Jamie, méditatif.

Il sembla parcourir à toute allure son répertoire mental de noms et de visages sans trouver de correspondance.

J'observai le visage de Roger. Encore très tuméfié, il reprenait peu à peu une forme normale, en dépit de la marque blafarde sous le menton. Son expression était étrange. Je lisais dans ses yeux la douleur physique, l'impuissance, la frustration devant son incapacité à dire à Jamie ce qu'il voulait savoir, mais il y avait autre chose. De la colère, certes, mais également une sorte de perplexité.

Je me tournai vers Jamie qui pianotait sur la table en réfléchissant.

– Tu connais un William MacKenzie ?

– Oui, j'en connais même quatre ou cinq. Mais en Écosse. Aucun ici, et aucun qui…

Roger leva brusquement la main en entendant le mot « Écosse », et Jamie s'interrompit, le fixant comme un chien à l'arrêt.

– L'Écosse, dit-il. Il a quelque chose à voir avec l'Écosse ? C'est un nouvel immigrant ?

Roger secoua violemment la tête, puis grimaça de douleur. Il serra les paupières un moment puis les rouvrit et agita la main vers les morceaux de fusain que je tenais toujours.

Il s'y reprit plusieurs fois et, à la fin, retomba épuisé dans son oreiller, le col de sa chemise de nuit trempé de sueur et taché de sang. Le résultat de ses efforts était à moitié effacé et désordonné, mais le mot était clairement lisible : « Dougal ».

L'air intéressé de Jamie se changea aussitôt en méfiance.

Il connaissait plusieurs Dougal, quelques-uns d'entre eux habitant en Caroline du Nord.

– Dougal…, répéta-t-il. Dougal Chisholm? Dougal O'Neill?

Roger nia, leva la main et la pointa avec insistance vers Jamie, tapant son torse du bout de ses éclisses. Comme celui-ci ne comprenait toujours pas, il chercha de nouveau le morceau de fusain, mais il avait roulé de la boîte à dessin et s'était brisé sur le sol. Grimaçant, il pressa le bout de son annulaire encore noir de charbon contre le papier. Puis s'aidant de tous ses doigts les uns après les autres, il réalisa un léger gribouillis spectral qui me glaça le sang.

« Geilie » écrivit-il.

Jamie regarda le mot un moment. Un léger frisson le parcourut et il se signa.

– *A Dhia*, dit-il doucement.

Il releva les yeux vers moi et nous échangeâmes un regard angoissé. Nous comprîmes en même temps. Roger se laissa alors retomber sur son oreiller, expirant bruyamment dans sa canule.

– Le fils que Geillis Duncan a eu de Dougal, dit Jamie, incrédule. Je crois bien qu'il s'appelait William. Tu es sûr, Roger?

Roger hocha brièvement la tête, puis il leva un doigt éclissé et montra son propre œil, d'un vert clair et profond, couleur de mousse. Son teint était aussi blanc que le drap sur lequel il était couché et ses doigts noircis tremblaient. Ses lèvres aussi. Il mourait d'envie de parler, d'expliquer… mais, pour des renseignements plus détaillés, nous devrions tous attendre encore.

Sa main retomba et il ferma les yeux.

* * *

La révélation de l'identité de William Buccleigh MacKenzie n'altéra en rien l'envie pressante de Jamie de retrouver le tortionnaire de Roger, mais elle modifia son intention de l'assassiner sur-le-champ une fois qu'il aurait mis la main dessus. C'était déjà un progrès.

Brianna, arrachée à sa séance de peinture pour donner son avis, arriva dans ma chambre avec son tablier. Elle sentait fort la térébenthine et l'huile de lin, une traînée de jaune de Naples décorant le lobe d'une oreille.

Décontenancée par les questions abruptes de Jamie, elle répondit :

– Oui, j'ai déjà entendu parler de William Buccleigh MacKenzie. L'enfant des fées.

– Le quoi ? demanda Jamie, abasourdi.

Soudain, je m'en souvins moi aussi :

– Effectivement, je l'avais appelé ainsi en voyant l'arbre généalogique de Roger. J'ai compris alors qui était William Buccleigh. Dougal avait confié l'enfant à William et Sarah MacKenzie, tu te souviens ? Le couple lui a donné le prénom de leur fils mort deux mois plus tôt.

– Roger m'a raconté qu'il avait vu William MacKenzie et sa femme à bord du *Gloriana* pendant sa traversée entre l'Écosse et la Caroline du Nord, intervint Brianna. Mais il a su trop tard qui il était et n'a pas pu discuter avec lui. Cependant, même s'il est ici, pourquoi ce William en voudrait-il à Roger et pourquoi avoir cherché à se débarrasser de lui de cette manière ?

Elle frissonna en dépit de la chaleur qui régnait dans la chambre. En ce début d'été, même avec les fenêtres ouvertes, l'air était brûlant et lourd d'humidité.

– C'est le rejeton de la sorcière, répondit Jamie.

Il semblait croire que c'était là une explication suffisante, et je n'étais pas loin de lui donner raison.

– Moi aussi, on m'a prise pour une sorcière, observai-je d'un ton acerbe.

Il me regarda de biais et sourit. Puis, il s'éclaircit la gorge et essuya son front moite sur sa manche avant de conclure :

– Je suppose qu'il n'y a rien d'autre à faire qu'attendre. Cela dit, le fait d'avoir un nom va nous aider. Je demanderai à Duncan et à Farquard de se renseigner.

Il poussa un soupir d'exaspération, puis reprit :

– Mais qu'en faire une fois que je l'aurai retrouvé? Fils de sorcière ou pas, il est de mon sang. Je ne peux pas le tuer. Pas après Dougal…

Il se rattrapa de justesse et toussota.

– Je veux dire… c'est le fils de Dougal, après tout. Mon cousin germain, en somme.

Je savais ce qu'il voulait vraiment dire. Quatre personnes étaient au courant de ce qui s'était réellement passé dans ce grenier de la vieille ferme, près de Culloden, le jour avant la fameuse bataille. L'une d'elles était morte, une autre avait disparu, certainement engloutie, elle aussi, dans les remous du Soulèvement. J'étais donc le seul témoin survivant à avoir assisté à la mort de Dougal et à connaître la main qui avait versé son sang. Quel que soit le crime de William Buccleigh MacKenzie, Jamie ne le tuerait pas, par égard pour la mémoire de son père.

Brianna le dévisageait d'un air choqué.

– Envisageais-tu de le tuer, sans même savoir qui c'était?

Elle tordait un chiffon imbibé de peinture entre ses mains.

Jamie se tourna vers elle.

– Roger est ton homme, le fils de ma maison, dit-il très sérieusement. Bien sûr que je tiens à le venger!

Brianna m'observa un court instant, puis détourna les yeux. Elle paraissait songeuse, avec cet air d'avoir une petite idée derrière la tête qui ne me disait rien qui vaille.

– Parfait, déclara-t-elle calmement. Quand vous aurez retrouvé ce William Buccleigh MacKenzie, faites-le-moi savoir.

Elle plia son chiffon, le fourra dans sa poche, puis repartit au travail.

* * *

Brianna gratta une noisette de vert Véronèse sur le bord de sa palette, puis effleura de la pointe de son pinceau la grande tache de gris perle qu'elle avait préparée. Elle hésita un instant, faisant osciller les couleurs dans la lumière de la fenêtre pour les évaluer, puis rajouta un soupçon de cobalt. Un spectre de tons subtils allait du bleu gris au gris vert, des teintes si délicates qu'un œil non avisé les aurait à peine distinguées du blanc.

Avec un de ses gros pinceaux épais, elle étala les tons gris par petites touches superposées le long de la mâchoire du visage qu'elle était en train de peindre. Oui, c'était bien ça : un teint de porcelaine sous lequel pointait une ombre ferme, un mélange à la fois aérien et terreux.

Absorbée par sa vision dédoublée d'artiste, elle peignait, profondément concentrée, isolée du monde extérieur, comparant l'image qui prenait forme sur la toile avec celle gravée à jamais dans sa mémoire. Elle avait pourtant déjà vu la mort auparavant. Son père, Frank, avait été exposé dans un cercueil ouvert lors de sa veillée funèbre, et elle avait assisté aux obsèques de plusieurs vieux amis de la famille. Mais les couleurs des embaumeurs étaient très crues, presque grossières, comparées à celles d'un cadavre frais.

Elle saisit un pinceau fin et ajouta une pointe de vert anglais pur dans la courbe profonde d'une orbite. Du sang et des os... Toutefois, la mort n'altérait pas la forme du squelette ni les ombres qu'il projetait. Le sang colorait ces zones sombres. Dans la vie, il circulait sous la peau en créant des nuances bleues, rouges, roses, lavande. Dans la mort, il s'immobilisait, stagnait et fonçait... bleu argile, mauve, indigo, brun violacé... et ce ton nouveau de vert ténu et éphémère, à peine visible, que son esprit d'artiste qualifiait, avec une lucidité brutale, de « début de putréfaction ».

Des voix inconnues résonnèrent dans le couloir. Elle releva le nez de sa toile, sur ses gardes. Pénélope Sherston aimait bien montrer à ses visiteurs le tableau en cours. En temps normal, Brianna ne voyait pas d'inconvénient à ce qu'on la regarde travailler ni à expliquer son œuvre, mais le portrait qu'elle peignait était difficile à réaliser et elle devait faire vite. Elle ne pouvait utiliser des couleurs aussi subtiles que pendant une brève période avant le coucher du soleil, quand la lumière était claire mais diffuse.

Heureusement, les voix poursuivirent leur route vers le petit salon. Elle se détendit, reprenant son pinceau plus épais.

Sa vision émergea de nouveau dans sa tête : le cadavre déposé sous un arbre à Alamance, près de l'infirmerie de fortune de sa mère. Elle s'était attendue à être rebutée par les blessures et la mort, mais elle avait surtout été choquée par sa propre fascination. Elle en avait pourtant vu d'autres, mais assister sa mère lors de ses consultations habituelles était différent. Elle avait le temps de compatir à la douleur des patients, de remarquer toutes les petites indignités et les maux de la chair fragile. Sur un champ de bataille, tout allait très vite, il y avait trop à faire pour être délicat.

Pourtant, en dépit de l'urgence et de la précipitation, elle s'était arrêtée un instant à chacun de ses passages devant l'arbre. Elle s'était penchée pour soulever un coin de la couverture et regarder le visage du mort, horrifiée par sa fascination mais ne faisant rien pour y résister. Dans sa mémoire, elle avait enregistré les changements inexorables et stupéfiants des couleurs et des ombres, la raideur musculaire, le déplacement des formes, pendant que la peau s'affaissait et se raccrochait aux os, la mort et la décomposition entamant leur longue métamorphose magique.

Elle n'avait pas pensé à demander le nom du mort. Était-ce un manque de sensibilité de sa part? Probablement. Le fait était que tous ses sentiments avaient été accaparés ailleurs et l'étaient encore. Elle ferma les yeux et récita une brève prière pour le repos de l'âme de son modèle inconnu.

Quand elle les rouvrit, elle constata que la lumière baissait. Elle gratta sa palette et commença à nettoyer ses pinceaux et ses mains, réintégrant lentement et à contrecœur le monde extérieur.

Jemmy avait probablement déjà dîné et pris son bain, mais il refusait de s'endormir sans tétée et sans être bercé. À cette seule pensée, ses seins la démangèrent. Ils étaient agréablement pleins, mais devenaient douloureusement gorgés depuis que le bébé avait commencé à manger de la nourriture solide et se jetait avec moins de voracité sur sa chair.

Elle allaiterait Jemmy, puis, après l'avoir couché, irait manger un morceau à la cuisine. Elle n'avait pas dîné avec les autres afin de profiter de la lumière, et son estomac grondait doucement en sentant les odeurs de nourriture qui s'attardaient dans la maison.

Ensuite… elle monterait voir Roger. À cette idée, elle serra les mâchoires. Elle s'efforça alors de détendre ses lèvres, expulsa l'air en faisant vibrer sa bouche et en émettant un bruit flatulent de bateau à moteur.

Malheureusement, Pénélope Sherston choisit ce moment pour passer la tête dans l'entrebâillement de la porte. Elle cligna des yeux, mais eut l'élégance de faire comme si de rien n'était.

– Ah ! vous voici, ma chère ! Venez donc nous rejoindre dans le petit salon un instant. M. et Mme Wilbur meurent d'envie de vous rencontrer.

Brianna tenta de retrouver l'air digne et indiqua son tablier plein de taches.

– Oh ! Euh… oui, bien sûr. Donnez-moi juste le temps de me changer…

Mme Sherston balaya sa gêne d'un geste, ravie d'exhiber son artiste maison en costume.

– Non, non, ne vous inquiétez pas pour ça. Ce soir, nous recevons dans la plus grande simplicité. Personne ne s'en formalisera.

Malgré elle, Brianna avança vers le petit salon.

– D'accord, mais… juste pour une minute. Je dois aller coucher Jemmy.

La petite bouche rose de Mme Sherston se fronça de surprise. Elle ne comprenait pas pourquoi ses esclaves ne pouvaient pas s'occuper du bébé, mais ayant déjà entendu les opinions de Brianna sur le sujet, elle eut la sagesse de ne rien dire.

Les parents de Brianna se trouvaient dans le petit salon avec les Wilbur, qui s'avérèrent un charmant couple âgé. Claire les appelait déjà par leur prénom, Darby et Joan. Ils la rassurèrent comme il se devait sur sa tenue, insistèrent poliment pour voir son tableau, exprimèrent leur profonde admiration pour la toile et son auteur (tout en écarquillant les yeux devant le sujet choisi), et se comportèrent avec une telle amabilité qu'elle finit par se détendre.

Elle s'apprêtait à prendre congé, quand M. Wilbur profita d'un temps mort dans la conversation pour se tourner vers elle avec un sourire bienveillant et déclarer :

– J'ai cru comprendre que des félicitations étaient de circonstance, madame MacKenzie.

– Ah oui ? Euh… merci.

Ne sachant pas de quoi on la félicitait, elle pivota vers sa mère en quête d'un indice. Celle-ci grimaça et se tourna vers Jamie, qui toussota, puis déclara sur un ton détaché :

– Le gouverneur Tryon a concédé à ton mari deux mille cinq cents hectares de terrain dans l'arrière-pays.

– Il a fait ça ? Mais… pourquoi ?

Il y eut un bref moment de gêne, tandis que les Wilbur et les Sherston échangeaient des regards indécis.

– À titre de dédommagement, déclara Claire d'une voix tendue.

Brianna comprit enfin. Si personne n'avait l'indélicatesse de parler ouvertement de la pendaison accidentelle de Roger, l'histoire était trop sensationnelle pour ne pas avoir fait le tour de la bonne société d'Hillsborough. Soudain, elle se rendit compte que l'hospitalité de Mme Sherston envers ses parents et Roger n'avait peut-être pas été motivée uniquement par sa bonté. Héberger le pendu concentrait toute l'attention de la ville sur la maison Sherston. C'était sans doute encore plus gratifiant que de faire réaliser un portrait peu conventionnel.

– J'espère que votre mari va mieux, ma chère, enchaîna avec tact Mme Wilbur pour combler le silence. Nous avons été navrés d'apprendre son accident.

Un accident. C'était encore la manière la plus prudente de décrire la situation.

Elle sourit aussi courtoisement que possible avant de se retourner vers son père :

– Roger est au courant pour la concession?

– Non, nous avons pensé que tu tiendrais peut-être à le lui annoncer toi-même.

Sa première réaction fut de la gratitude. Elle aurait quelque chose à dire à Roger. Il était difficile de parler à quelqu'un qui ne pouvait vous répondre. Toute la journée, elle stockait des sujets de conversation, des pensées ou des événements qui se transformeraient ensuite en histoires à raconter. Toutefois, sa réserve d'anecdotes se tarissait rapidement, et assise près du lit de Roger, elle cherchait souvent, avec désespoir, des banalités à dire.

Sa seconde réaction fut un léger agacement. Pourquoi son père ne lui avait-il pas annoncé cette nouvelle en privé au lieu d'étaler leurs histoires de famille devant de parfaits inconnus? Puis elle surprit l'échange discret de regards entre ses parents. Sa mère venait de poser silencieusement la même question, et il y avait répondu, en lançant un bref coup d'œil vers M. Wilbur, puis vers Mme Sherston.

« Il valait mieux dire la vérité devant des témoins dignes de foi que de laisser les commérages se propager de manière incontrôlée. »

Elle se fichait pas mal de sa propre réputation – celle-ci était déjà bien entachée –, mais elle s'était suffisamment familiarisée avec les réalités sociales de l'époque pour savoir tout le mal que le scandale pourrait causer à son père. Si le bruit courait que Roger était effectivement un des meneurs de la Régulation, les propres loyautés de Jamie seraient sans doute remises en cause.

En écoutant les conversations dans le salon des Sherston au cours des dernières semaines, elle avait commencé à comprendre que la colonie était comme une gigantesque toile d'araignée. De très gros arachnides tissaient d'innombrables fils de commerce, le long desquels un certain nombre d'araignées plus petites se frayaient tout doucement un chemin, toujours à l'écoute du vague bourdonnement de détresse émis par une mouche prise au piège, vérifiant sans cesse la solidité du réseau, la présence de soies brisées.

Les entités plus petites se faufilaient prudemment au périmètre de la toile, toujours attentives aux moindres mouvements des grosses – les araignées étant des cannibales, comme tous les ambitieux.

Son père occupait une position importante, mais pas assez stable pour résister au travail de sape des ragots et de la suspicion. Roger et elle en avaient déjà discuté auparavant, en privé, émettant des hypothèses. Les lignes de fractures étaient là, visibles aux yeux de ceux qui savaient ce que réservait l'avenir. On sentait déjà les tensions et les frictions qui s'approfondiraient soudain, formant un gouffre assez grand pour couper les liens entre les colonies et la mère patrie.

Si les pressions devenaient trop fortes, trop vite, si les liens entre Fraser's Ridge et le reste de la colonie s'étiraient trop… ils risquaient de lâcher. Les soies poisseuses se refermeraient en un épais cocon autour de sa famille, la laissant suspendue à un fil, seule, proie facile pour ceux qui voulaient lui sucer le sang.

« Ce que tu peux être morbide, ce soir ! » se dit-elle, s'amusant elle-même de son choix d'images. Ce devait être le fait de peindre la mort.

Ni les Wilbur ni les Sherston ne semblaient avoir remarqué son humeur. En revanche, sa mère lui lança un regard songeur, mais ne dit rien. Brianna échangea encore quelques amabilités, puis s'excusa.

Son moral ne s'améliora pas en constatant que Jemmy, lassé de l'attendre, s'était endormi, des traces de larmes encore fraîches sur ses joues. Elle s'agenouilla un moment près de son berceau, une main posée délicatement sur lui, espérant qu'il pourrait sentir sa présence et se réveiller. Son petit dos se soulevait et s'affaissait dans le rythme douillet d'une paix profonde, mais il ne bougea pas. La transpiration formait une pellicule luisante dans les plis de sa nuque.

La chaleur de la journée montait du sol, rendant les pièces du premier étage toujours étouffantes à la tombée de la nuit. Naturellement, on fermait les fenêtres pour éviter que les courants d'air néfastes ne pénètrent dans la chambre et ne dérangent le bébé. Mme Sherston n'avait pas d'enfant, mais elle savait quelles précautions prendre.

Dans les montagnes, Brianna n'aurait pas hésité à ouvrir grand les carreaux, mais dans une ville densément peuplée comme Hillsborough, remplie d'étrangers venus de la côte, d'abreuvoirs pour chevaux à l'eau stagnante, de puits froids et humides…

Soupesant, d'un côté, le danger relatif de piqûres de moustiques porteurs de paludisme et, de l'autre, celui de la suffocation, Brianna décida finalement d'ôter la mince couverture qui recouvrait son fils et de lui enlever sa robe. Il était maintenant confortablement étalé sur son drap, emmailloté d'un lange, sa peau douce, brillante et rose luisant dans la clarté de la chandelle.

En soupirant, elle moucha celle-ci et sortit, laissant la porte entrebâillée afin de l'entendre s'il se réveillait. Il faisait presque nuit. La lumière du rez-de-chaussée filtrait par la cage d'escalier, mais le fond du couloir était plongé dans l'obscurité. Les consoles dorées et les portraits d'ancêtres de M. Sherston formaient des formes spectrales dans le noir.

La chambre de Roger était éclairée. La porte était fermée, mais un faisceau doré s'étirait sur le parquet lustré de son seuil, mordant les franges bleues du tapis du couloir. Elle se dirigea vers la mince clarté, sa faim supplantée par le désir plus fort d'un contact physique. Ses seins avaient recommencé à lui faire mal.

Une esclave s'était assoupie dans un coin de la chambre, ses mains reposant mollement sur son ouvrage oublié sur ses genoux. Elle sursauta en entendant la porte s'ouvrir et, d'un air coupable, cligna des yeux vers Brianna.

Celle-ci se tourna aussitôt vers le lit où reposait Roger, mais tout semblait en ordre. Elle entendait le sifflement et le soupir de sa respiration. Elle fronça les sourcils en direction de la femme, puis lui fit signe qu'elle pouvait disposer. Rassemblant maladroitement son bas inachevé, l'esclave sortit en évitant son regard.

Roger était couché sur le dos, un drap soigneusement tiré sur les angles saillants de son corps. « Qu'il est maigre, pensa Brianna. Comment a-t-il pu fondre autant, si vite? » Il ne pouvait avaler que quelques cuillerées de soupe et du bouillon à la pénicilline de Claire, mais deux ou trois jours de ce régime ne suffisaient tout de même pas pour l'émacier à ce point?

Puis en y réfléchissant, elle se dit que le stress de la campagne l'avait probablement déjà amaigri. Jamie et Claire étaient, eux aussi, plus minces que d'ordinaire. Les traits enflés avaient caché la proéminence de ses os, mais en retrouvant visage humain, ses pommettes saillaient en étirant sa peau, et la courbe gracieuse de sa mâchoire se détachait nettement au-dessus du bandage blanc entourant sa gorge lacérée.

Brianna prit conscience qu'elle l'observait en évaluant la couleur de ses ecchymoses. Le jaune verdâtre des marques qui s'estompaient peu à peu différait du gris-vert délicat de la mort récente. Il faisait aussi maladif, mais une couleur de vie teintait néanmoins sa peau. Elle inspira profondément, s'apercevant soudain que la fenêtre à guillotine de cette chambre était aussi fermée. La transpiration coulait et s'immisçait de manière désagréable dans le creux de ses reins, entre ses fesses.

Le grincement du châssis réveilla Roger. Il tourna la tête sur l'oreiller et esquissa un faible sourire en l'apercevant.

– Comment te sens-tu?

Elle parlait à voix basse, comme dans une église, de peur de parler trop fort.

Il haussa une épaule, mais articula un «ça va» silencieux. Il paraissait flétri et moite, ses cheveux noirs adhérant à ses tempes.

– C'est fou ce qu'il fait chaud, non?

Elle agita une main vers la vitre ouverte d'où entrait de l'air chaud mais mobile. Il hocha la tête, pointant son col d'un doigt bandé. Comprenant son signe, elle déboutonna entièrement sa chemise pour laisser la brise caresser son torse nu.

Il avait de petits mamelons, cernés d'aréoles rose foncé sous des poils noirs et frisés. Cette vision lui rappela ses propres seins gorgés de lait et elle fut traversée d'une envie folle de les presser contre sa bouche. En se souvenant du soir où il l'avait tétée sous les saules à River Run, elle fut parcourue d'un courant chaud qui se diffusa de sa poitrine jusque dans son bas-ventre. Le sang lui montant aux joues, elle se tourna et fit mine d'examiner ce qu'il y avait à manger sur la table de chevet.

Un bouillon de viande froid, épicé à la pénicilline, dans un bol fermé, et une cruche de thé au miel faisaient office de repas. Elle prit la cuillère et l'interrogea du regard. Il grimaça faiblement, mais acquiesça. Elle saisit le bol et s'assit sur le tabouret à côté de lui.

Comme lorsqu'elle donnait sa bouillie à Jemmy, elle déclara joyeusement :

– Ouvre la porte de l'écurie, voilà le cheval qui arriiiiiiive!

Il leva au ciel des yeux exaspérés.

Ne se laissant pas démonter, elle poursuivit :

– Quand j'étais petite, mes parents me disaient : « Ouvre le garage pour ranger l'automobile » ou encore « Ouvre les portes de l'écluse pour laisser entrer la péniche », mais je ne peux pas les utiliser avec Jemmy. Ta mère ne te faisait-elle pas la même chose avec les voitures et les avions ?

Il tordit les lèvres, mais finit par sourire malgré lui. Il répondit non de la tête et pointa un doigt vers le plafond. Levant les yeux, elle aperçut un point noir sur le plâtre. En regardant de plus près, elle constata qu'une abeille égarée avait dû entrer par la fenêtre pendant la journée et somnolait à présent dans la pénombre.

– Ah oui ? Soit, alors ouvre grand, voici venir la petite abeille, bzzz bzzz…

Elle lui versa la cuillerée dans sa bouche. Elle ne put poursuivre le jeu trop longtemps, mais l'atmosphère s'était détendue. Elle lui parla de Jemmy, qui avait un nouveau mot favori – « Wagga » –, mais que personne encore n'avait réussi à comprendre.

– J'ai d'abord pensé que ça voulait dire « chat », mais il les appelle « maou-maou ».

Elle essuya une goutte de sueur sur son front du dos de la main, puis replongea la cuillère dans le bol.

– Mme Sherston dit qu'il devrait déjà marcher. Bien entendu, les enfants de sa sœur gambadaient tous avant un an. Maman, en revanche, m'assure que tout va bien. Selon elle, les enfants se mettent à marcher quand ils se sentent prêts. Cela peut arriver entre dix et dix-huit mois, mais la moyenne, c'est quinze.

Elle surveillait sa bouche pour guider l'ustensile, mais elle était consciente qu'il l'observait. Elle avait envie de le regarder dans les yeux, mais elle craignait de voir ce qui se cachait dans leurs profondeurs vert sombre. Serait-ce le Roger qu'elle connaissait ou l'inconnu silencieux, le pendu ?

– Oh, j'allais oublier !

Elle s'interrompit au milieu de sa description des Wilbur. Naturellement, ce n'était pas vrai, mais elle n'avait pas voulu lui asséner la nouvelle de but en blanc.

– Papa a parlé avec le gouverneur cet après-midi. Il – je veux dire le gouverneur – t'a offert une concession. Deux mille cinq cents hectares.

Tout en le disant, elle se rendit compte de l'absurdité de ce cadeau. Deux mille cinq cents hectares de terres sauvages contre une vie pratiquement détruite. « Laisse tomber le "pratiquement" », pensa-t-elle soudain en le regardant.

Il la dévisagea d'un air perplexe, puis secoua la tête et s'enfonça dans son oreiller en fermant les yeux. Il leva les mains puis les laissa retomber, comme si la nouvelle était tout simplement trop énorme pour y réfléchir. C'était peut-être vrai.

Elle resta là à l'observer, mais il ne rouvrit pas les yeux. De profondes rides creusaient son front entre ses sourcils.

Ressentant le besoin de le toucher pour briser la barrière du silence, du bout des doigts elle effleura l'ecchymose sur sa pommette. Elle distinguait ses contours flous, voyait presque la tache de sang coagulé sous la peau, là où les vaisseaux capillaires avaient éclaté. Elle commençait à jaunir. Sa mère lui avait expliqué que les leucocytes de l'organisme affluaient vers la lésion où ils désintégraient progressivement les cellules endommagées et recyclaient le sang répandu. Les couleurs changeantes reflétaient les différentes étapes de ce ménage cellulaire.

Il rouvrit les yeux en la fixant d'un regard neutre. Elle savait qu'elle avait l'air inquiète et s'efforça de sourire.

– Tu n'as pas l'air mort, dit-elle.

Cela brisa sa façade impassible. Une faible lueur d'humour traversa ses yeux.

– Roger…

Ne trouvant pas ses mots, elle se rapprocha impulsivement de lui. Il se rétracta instinctivement, se recroquevillant pour protéger le tube fragile dans sa gorge, mais elle posa ses bras autour de ses épaules, très délicatement, ayant un besoin désespéré de sentir la texture de sa peau.

– Je t'aime, murmura-t-elle.

Elle serra le muscle de son bras, l'enjoignant de la croire.

Elle l'embrassa. Ses lèvres étaient chaudes et sèches, familières et pourtant… un frisson brutal la parcourut. Pas un souffle ne caressait sa joue, elle avait l'impression d'avoir embrassé un masque. L'air, humidifié par les profondeurs secrètes de ses poumons, sifflait à travers le tube d'ambre qu'elle sentait contre son cou, comme l'émanation d'une grotte. La chair de poule envahit ses bras et elle s'écarta, espérant que son visage ne trahissait ni son choc ni sa répulsion.

Roger avait les yeux fermés, les paupières serrées fermement. Les muscles de sa mâchoire saillaient; elle avait vu leur ombre se modifier.

D'une voix tremblante, elle parvint à dire :

– Re… pose-toi bien. Je… viendrai te voir demain matin.

Elle redescendit au rez-de-chaussée, remarquant à peine le chandelier du couloir allumé et l'esclave qui attendait en silence, dans l'ombre, de revenir monter la garde dans la chambre.

La faim était revenue, mais elle ne se mit pas immédiatement en quête de nourriture. Elle devait d'abord se débarrasser de tout ce lait inutilisé. Elle se dirigea vers la chambre de ses parents, sentant un léger courant d'air circuler dans l'obscurité étouffante. En dépit de la chaleur et de la moiteur, ses doigts étaient froids, comme si la térébenthine continuait à s'évaporer de sur sa peau.

* * *

La nuit dernière j'ai rêvé de mon amie Deborah. À la fac, elle se faisait un peu d'argent de poche en lisant les tarots à la résidence universitaire. Elle me proposait régulièrement une séance, mais j'ai toujours refusé.

À l'école primaire, sœur Marie Romaine nous avait expliqué que les catholiques n'avaient pas le droit de pratiquer la divination. Il nous était interdit de faire tourner les tables, de tirer les cartes ou de lire dans des boules de cristal, car ce n'étaient là que des opérations de séduction du D-I-A-B-L-E. Elle épelait toujours ce mot pour ne pas avoir à le prononcer.

J'ignore si le diable avait quelque chose à voir là-dedans, mais je n'ai jamais pu me résoudre à laisser Deborah lire mon avenir. Toutefois, elle l'a fait hier dans mon rêve.

J'avais l'habitude de la regarder interpréter les cartes des autres. Les tarots me fascinaient, peut-être justement parce qu'ils étaient interdits. Ils portaient des noms si fantastiques : les Arcanes majeurs, les Arcanes mineurs, la Maison dieu, l'Ermite, la Roue de la fortune, l'Impératrice... le Pendu.

Forcément, comment pouvais-je ne pas en rêver ? Ce n'était pas un rêve subtil, loin de là ! Il était là, au milieu des cartes que j'avais tirées et Deborah m'expliquait :

« Un homme est suspendu par un pied à un tronc coincé entre deux arbres. Ses bras, pliés dans son dos, forment avec sa tête un triangle inversé, tandis que ses jambes dessinent une croix. Dans une certaine mesure, le Pendu est toujours relié à la terre par l'intermédiaire du tronc auquel son pied est attaché. »

Je regardai l'homme sur le dessin, accroché à jamais entre ciel et terre. Cette carte m'avait toujours paru bizarre. Le fait d'être dans cette position ne semblait pas préoccuper particulièrement le Pendu.

Deborah continuait d'étaler les cartes sur la table et de les retourner et, chaque fois, le Pendu réapparaissait.

« Le Pendu représente la nécessité du renoncement de soi et du sacrifice, dit-elle en tapotant la carte du bout

du doigt. Cette carte a un sens profond mais en grande partie caché. C'est à toi de le découvrir. L'abandon de soi entraîne une transformation de la personnalité, mais l'ego en question doit d'abord accomplir sa propre régénération. »

Une transformation de la personnalité. C'est bien ce que je crains le plus. La personnalité de Roger me plaisait parfaitement telle qu'elle était !

Et puis... crotte ! J'ignore quelle est la part du D-I-A-B-L-E dans cette histoire, mais je suis sûre que tenter de se projeter trop loin dans l'avenir est une erreur. Surtout en ce moment.

74

Les sons du silence

Il manquait encore une dizaine de jours avant l'achèvement du portrait de Pénélope Sherston. D'ici là, Isaiah Morton et Roger seraient assez rétablis pour pouvoir être déplacés. Compte tenu de la naissance imminente du rejeton de Morton et du danger de mort qu'il courait s'il s'approchait de Granite Falls ou de Brownsville, Jamie s'était arrangé pour qu'Alicia et lui soient hébergés chez le maître brasseur des Sherston. Dès qu'il aurait retrouvé un peu de force, Isaiah travaillerait à la brasserie comme roulier.

– Ne me demande pas pourquoi, me confia Jamie en privé, mais j'ai fini par m'attacher à ce petit sot immoral. Je ne voudrais pas qu'il finisse assassiné de sang-froid.

Le moral d'Isaiah était remonté en flèche depuis l'arrivée d'Alicia. Au bout d'une semaine, il était capable de descendre à la cuisine, où il restait assis à regarder avec adoration sa belle travailler, puis, avant de remonter se coucher, d'offrir quelques commentaires sur l'avancée du portrait de Mme Sherston.

Se tenant sur le seuil de la pièce dans sa chemise de nuit, il s'exclama, admiratif :

– Qu'est-ce que c'est ressemblant ! Rien qu'en regardant le tableau, on pourrait deviner qui c'est !

Compte tenu que Mme Sherston avait choisi de se faire représenter en Salomé, je n'étais pas certaine que ce soit vraiment un compliment, mais le modèle rougit de plaisir et le remercia, émue par l'évidente sincérité de son ton.

Le fait était que Brianna avait fait du très beau travail, parvenant à montrer Mme Sherston de manière à la fois réaliste et flatteuse, sans une ironie trop flagrante, même si la tentation avait dû être grande. Le seul commentaire personnel qu'elle s'était autorisé se situait dans la tête coupée de saint Jean-Baptiste, dont les traits taciturnes ressemblaient à s'y méprendre à ceux du gouverneur Tryon. Toutefois, avec tout ce sang, je doutais que quelqu'un s'en aperçoive.

Nous étions prêts à rentrer chez nous, et la maisonnée vibrait, dans une atmosphère agitée et excitée, sauf Roger.

Sur le plan purement physique, celui-ci allait indiscutablement mieux. Il avait retrouvé une bonne mobilité de ses mains, à l'exception de ses deux doigts cassés, et la plupart des ecchymoses sur son visage et son corps avaient presque disparu. Surtout, sa gorge désenflée lui permettait de respirer de nouveau par le nez et la bouche. Je pus enlever sa canule et recoudre l'incision, une intervention douloureuse mais brève qu'il endura stoïquement, le corps raide et les yeux grands ouverts levés vers le plafond.

Sur le plan mental, sa convalescence me semblait nettement moins flagrante. Après avoir recousu sa gorge, je l'avais aidé à se redresser en position assise dans son lit, avait essuyé son visage et lui avait donné un peu d'eau avec du cognac en guise de fortifiant. Je l'avais observé avec attention tandis qu'il déglutissait, puis après avoir posé mes doigts sur son cou, je lui demandai de recommencer. Je fermai les yeux pour mieux percevoir les mouvements de son larynx et des anneaux cartilagineux de sa trachée, et évaluer au mieux l'étendue des dégâts.

Quand je les rouvris, ses pupilles me regardaient fixement, à quelques centimètres des miennes, froides et dures, chargées d'une question.

– Je ne sais pas, dis-je enfin dans un murmure.

Mes doigts reposaient toujours au même endroit. Je sentais le sang palpiter dans sa carotide, sa vie s'écoulant juste sous la peau. Mais la masse dure et angulaire du larynx, étrangement déformé, était inerte. Aucun battement, aucune vibration d'air n'était discernable dans les cordes vocales.

– Je ne sais pas, répétai-je en ôtant lentement ma main. Tu… tu veux qu'on fasse un essai maintenant?

Il fit non de la tête et, se levant du lit, s'approcha de la fenêtre en me tournant le dos. En le voyant regarder dans la rue, les mains appuyées contre le chambranle, il me vint soudain un souvenir lointain et dérangeant.

C'était par une nuit de clair de lune, pas en plein jour comme à présent. Nous étions à Paris. Je m'étais réveillée et avais trouvé Jamie, se tenant nu devant la fenêtre, les cicatrices sur son dos projetant de pâles reflets argentés, son corps luisant d'une sueur froide. Roger transpirait lui aussi, mais à cause de la chaleur. Sa chemise adhérait à sa peau et les contours de son corps exprimaient le même sentiment : un homme rassemblant ses forces pour lutter contre la peur, un homme qui doit affronter seul ses démons.

J'entendis des voix dans la rue en contrebas. Jamie rentrait du camp et tenait Jemmy devant lui sur sa selle. Il avait pris l'habitude d'emmener le petit avec lui dans ses allées et venues quotidiennes, afin que Brianna puisse travailler sans être distraite. Du coup, Jemmy avait appris quatre nouveaux mots – dont deux jurons. La seule veste décente de Jamie était tachée de confiture et puait les langes sales. Toutefois, ils paraissaient tous ravis de cet arrangement.

La voix de Brianna, qui riait en allant récupérer son fils, résonna en bas. Roger se tenait immobile, comme sculpté dans du bois. Il ne pouvait les appeler, mais il aurait pu attirer leur attention en tapant contre les montants, en faisant un bruit quelconque, en agitant la main. Il ne bougea pas.

Au bout d'un moment, je me levai en silence et quittai la pièce, une boule dure dans la gorge.

Après que Brianna eut emmené Jemmy prendre son bain, Jamie me raconta que Tryon avait libéré la plupart des hommes capturés pendant la bataille. Il ôta sa veste et ouvrit le col de sa chemise, offrant son visage à la légère brise qui entrait dans la maison.

– J'ai également plaidé pour Hugh Fowles. Il m'a entendu et l'a fait relâcher.

– Il avait intérêt!

À ma voix étranglée, il me regarda surpris et émit un son grave du fond de sa gorge. Cela me fit penser à Roger, dont le larynx n'était plus capable de cette forme d'expression. Il dut lire le désarroi dans mes yeux, car il me prit doucement le bras. Il faisait trop chaud pour se serrer l'un contre l'autre, mais je pressai brièvement ma joue contre son épaule, cherchant un réconfort dans la solidité de son corps, sous sa chemise moite.

– J'ai recousu le cou de Roger, dis-je. Il peut respirer, mais je ne sais pas s'il sera capable de reparler.

« Sans parler de chanter », ajouta une petite voix dans ma tête.

Jamie émit un autre bruit, cette fois agacé.

– J'ai parlé à Tryon au sujet de sa promesse à Roger. Il m'a donné le document attestant la régularité de la concession. Deux mille cinq cents hectares jouxtant les miens. Son dernier geste officiel en tant que gouverneur, ou presque.

– Que veux-tu dire?

Il s'écarta, fébrile.

– Je t'ai dit qu'il avait libéré la plupart des prisonniers, n'est-ce pas? Il en a gardé douze, des meneurs de la Régulation tous déclarés hors-la-loi. Ou du moins, c'est ce qu'il dit. Ils seront jugés pour rébellion le mois prochain.

L'ironie dans sa voix était aussi lourde que la poussière dans l'air.

– Et s'ils sont déclarés coupables?

– Au moins, ils auront une occasion de se faire entendre devant un tribunal avant d'être pendus.

Il s'était arrêté devant le portrait en fronçant les sourcils, mais je n'étais pas vraiment sûre qu'il le voie.

– Je ne resterai pas pour le procès. J'ai dit à Tryon que nous devions rentrer nous occuper de nos champs et de nos fermes. Il a démobilisé les compagnies de miliciens pour cette raison.

Je sentis un poids en moins sur le cœur. Il ferait plus frais dans les montagnes, l'air serait plus pur, ce serait un meilleur endroit pour guérir.

– Quand partons-nous?

– Demain.

Finalement, il avait bien remarqué le portrait. Devant la tête sur le plateau, il hocha la tête d'un air approbateur.

– Il n'y aurait qu'une seule raison de rester ici plus longtemps, mais cela serait sans doute peine perdue.

– C'est-à-dire?

Il se détourna de la toile.

– Le fils de Dougal. J'ai cherché William Buccleigh MacKenzie d'un bout à l'autre du comté au cours des dix derniers jours. J'ai trouvé des gens qui le connaissaient, mais personne ne l'a vu depuis Alamance. Certains pensent qu'il a quitté la colonie. Un bon nombre d'anciens Régulateurs ont pris la fuite. Husband est parti. On dit qu'il a emmené sa famille dans le Maryland. Mais pour ce qui est de William MacKenzie, il a disparu comme un serpent dans un trou à rat, entraînant les siens derrière lui.

* * *

La nuit dernière, j'ai rêvé que nous étions étendus sous un grand sorbier, Roger et moi. C'était une magnifique journée d'été et nous étions plongés dans une de ces conversations comme nous en avions toujours, au sujet des objets du futur qui nous manquaient. Sauf que les objets en question étaient étalés dans l'herbe entre nous.

J'ai déclaré que j'aurais vendu mon âme pour une barre de chocolat au lait et aux amandes, et elle est apparue. Je l'ai déballée et ai humé l'odeur du chocolat, puis j'ai retiré le papier d'argent et croqué dans la barre, mais entre-temps, la conversation avait dérivé sur le papier d'emballage.

Roger l'a ramassé et déclaré que ce qui lui manquait le plus, c'était le papier toilette et que celui d'ici était trop glissant pour se torcher avec. Je me suis mise à rire et ai répondu que le papier hygiénique n'avait rien de compliqué, les gens pouvaient fort bien fabriquer le leur s'ils le souhaitaient. Il y avait un rouleau par terre devant nous. Je le lui ai montré. Un gros bourdon s'est alors posé dessus, en a saisi un bout et s'est envolé en le déroulant. Il a décrit des cercles au-dessus de nos têtes, l'entrelaçant dans les branches.

Roger a alors dit que c'était un sacrilège que de se torcher avec du papier, ce qui est vrai, ici. Quand maman rédige ses notes de médecine, elle écrit tout petit et quand papa écrit en Écosse, il utilise les deux côtés de la feuille, puis il la tourne sur le côté et continue dans les marges, si bien que ça ressemble à un treillis.

J'ai alors vu papa assis par terre, écrivant une lettre à tante Jenny sur le papier hygiénique qui devenait de plus en plus long, tandis que le bourdon s'élevait toujours plus haut dans les airs, l'emportant en Écosse.

C'est moi qui utilise le plus de papier. Tante Jocasta m'a donné plusieurs de ses anciens carnets d'esquisses et toute une liasse de papier pour aquarelle. Je me sens coupable chaque fois que je m'en sers, car je sais à quel point il est cher. D'un autre côté, j'ai vraiment besoin de dessiner. Un des avantages de réaliser ce portrait de Mme Sherston, c'est que, comme je gagne un peu d'argent, j'ai l'impression d'avoir acquis le droit de consommer un peu plus de papier.

Puis le rêve a changé et je me suis vue dessinant Jemmy avec un crayon jaune 2B. Sur la tranche était écrit

« Ticonderoga » en lettres noires, comme sur ceux qu'on utilisait à l'école. Mais comme je dessinais sur du papier hygiénique et que la mine ne cessait de le déchirer, j'ai fini par être si frustrée que je l'ai froissé en boule dans ma main.

Puis c'est devenu un de ces rêves interminables et dérangeants où l'on erre pendant des heures à la recherche des toilettes sans jamais les trouver, pour se réveiller soudain avec le besoin pressant d'aller au petit coin.

Je n'arrive pas à décider si je préférerais avoir la barre de chocolat, le papier hygiénique ou le crayon. Je crois que j'opterais pour le crayon. Je pouvais sentir l'odeur du bois et de la mine fraîchement taillée, la sensation de le tenir entre mes doigts, entre mes dents. Quand j'étais petite, je mâchouillais tous mes crayons. Je me souviens encore de leur goût quand on mordait fort dedans et que de minuscules fragments de bois et de peinture s'en détachaient. Je les revois encore, mordus tout le long comme rongés par un blaireau.

J'y repensais justement cet après-midi. J'ai eu soudain un coup de cafard en me rendant compte que, pour aller à l'école, s'il y va un jour, Jemmy n'aura jamais un nouveau crayon jaune ni une boîte à goûter avec Batman dessus.

Les mains de Roger sont encore trop abîmées pour pouvoir tenir un crayon.

Maintenant, je sais que je ne veux ni un crayon ni du chocolat. Pas même du papier hygiénique. Je veux que Roger me parle de nouveau.

75

Dis mon nom

Le voyage du retour nous prit nettement moins de temps que le trajet jusqu'à Alamance, et ce, malgré la route qui ne cessait de grimper. Nous étions fin mai, et les blés verts étaient déjà hauts dans les champs autour d'Hillsborough, éparpillant leur pollen doré dans le vent. Dans nos montagnes, les céréales seraient moins avancées, mais la saison des naissances était déjà bien entamée, les veaux, les poulains et les agneaux ayant besoin d'être protégés des loups, des renards et des ours. La compagnie des miliciens s'étant dissoute sitôt tombé l'ordre du gouverneur, ses membres étaient repartis en hâte s'occuper de leurs champs et de leurs bêtes.

Par conséquent, notre convoi du retour était moins grand, ne comptant que deux carrioles. Quelques hommes vivant non loin de Fraser's Ridge avaient choisi de faire la route avec nous, tout comme les deux fils Findlay, dont la ferme familiale se trouvait sur notre chemin.

J'observai les deux adolescents, occupés à décharger un des chariots afin de monter le camp pour la nuit. Quoique très silencieux, c'étaient de très gentils garçons. Ils respectaient beaucoup Jamie (je crois qu'il leur faisait un peu peur), mais, au cours de la brève campagne, ils avaient surtout développé une étrange allégeance envers Roger. Cette fidélité perdurait même après le démantèlement de la milice.

Ils étaient venus le voir à Hillsborough, recroquevillant de gêne leurs orteils nus pour ne pas salir les tapis turcs de Pénélope Sherston. Le visage écarlate et pratiquement incapables de parler eux aussi, ils avaient tendu à Roger trois petites pommes vertes toutes tordues, probablement volées en chemin dans un verger.

Roger les avait remerciés d'un large sourire, en avait prise une et, héroïque, avait mordu dedans à pleines dents avant que j'aie pu l'en empêcher. N'ayant avalé que de la soupe depuis une semaine, il avait failli s'étouffer. Il était néanmoins parvenu à déglutir en s'étranglant à moitié, puis ils étaient restés là tous les trois à se regarder en souriant, émus jusqu'aux larmes.

Pendant le voyage, les Findlay ne quittèrent pratiquement pas Roger des yeux, toujours vigilants, bondissant l'aider dès qu'il avait du mal à accomplir une tâche avec ses mains blessées. Jamie m'avait parlé de leur oncle, Iain Mhor. De toute évidence, ils étaient habitués à anticiper les désirs non exprimés.

Jeune et robuste, Roger avait cicatrisé rapidement. Mais deux semaines, c'était peu pour que des os brisés se ressoudent. J'aurais préféré qu'il garde les mains bandées quelques jours de plus, mais ce handicap lui portait visiblement sur les nerfs. La veille, j'avais donc ôté ses éclisses à contrecœur en lui recommandant avec insistance de faire attention.

– N'y songe même pas! lui lançai-je d'un ton de reproche.

Je venais de le surprendre au moment où il s'apprêtait à descendre de la carriole un des lourds sacs à dos remplis de provisions. Il me dévisagea en arquant un sourcil, puis il haussa les épaules avec un sourire et recula d'un pas, pendant que Hugh Findlay chargeait le sac sur son dos. Il m'indiqua alors le cercle de pierres que Iain Findlay était en train d'assembler pour le feu, puis me montra la forêt. Pouvait-il aller chercher du bois?

– Certainement pas, répondis-je fermement.

Il mima quelqu'un en train de boire. Aller chercher de l'eau?

– Non. Il suffirait qu'un seau t'échappe et...

Je regardai autour de nous, cherchant ce qu'il pourrait faire sans risquer de se blesser, mais monter un camp n'impliquait que des tâches lourdes. D'un autre côté, je savais à quel point il trouvait frustrant de rester planté là, les bras ballants. Il en avait assez d'être traité comme un infirme, et je sentais poindre chez lui un début de rébellion. Encore un «non» et il était capable d'essayer de soulever la carriole rien que pour me narguer.

– Il peut écrire, *Sassenach*?

Jamie, qui venait de s'arrêter près de moi, avait remarqué mon dilemme.

– Écrire? Écrire quoi? demandai-je, surprise.

Il était déjà occupé à fouiller dans nos affaires et en sortit son écritoire de voyage dont il ne se séparait jamais.

– Des lettres d'amour? suggéra-t-il avec un sourire. Ou des sonnets peut-être?

Il lança le coffret à Roger qui le rattrapa au vol sans se soucier de mes protestations. Puis il lui déclara :

– Mais avant de composer un poème épique en l'honneur de William Tryon, tu m'obligerais en racontant comment notre parent mutuel en est arrivé à vouloir ta peau, hein?

Roger resta immobile un moment, serrant contre lui l'étui en bois, puis il lança un sourire en coin à Jamie et hocha la tête doucement.

Il se mit à l'œuvre pendant que l'on montait le camp autour de lui, fit une pause pour dîner, puis continua. Cette tâche était laborieuse et très lente. Ses fractures étaient presque guéries, mais ses mains étaient encore raides, douloureuses et gauches. Il laissa tomber sa plume une bonne douzaine de fois. Rien qu'à le regarder, j'en avais mal pour lui.

– Tu vas bientôt arrêter, oui?

Occupée à récurer une casserole avec une poignée de joncs et du sable, je relevai le nez pour découvrir Brianna engagée dans un corps à corps sans merci avec son fils. Celui-ci ruait dans ses bras, lui donnant des coups de pied et de poing, faisant le genre de vacarme qui pousse même les parents les plus attentionnés à envisager l'infanticide. Je vis Roger se raidir en entendant le raffut, mais il poursuivit sa rédaction.

Brianna continuait à s'énerver.

– Mais enfin! Qu'est-ce que tu veux?

Elle s'agenouilla et parvint à maintenir Jemmy en position assise. Le but de l'opération était vraisemblablement de l'allonger sur le dos et de le changer pour la nuit.

Le lange, trempé, souillé et pendant mollement entre les cuisses du bébé, avait effectivement grand besoin d'attentions. Jemmy, qui avait dormi dans la carriole presque tout l'après-midi, s'était réveillé abruti par le soleil, irritable, peu disposé à se laisser tripoter et encore moins changer et coucher.

– Peut-être qu'il n'est pas fatigué, suggérai-je. Il a déjà dîné, non?

C'était une question purement rhétorique. Le visage de l'enfant était barbouillé de bouillie, et des morceaux de pain grillé parsemaient ses cheveux.

Brianna passa une main dans sa propre chevelure qui, bien que plus propre, était non moins ébouriffée. Jemmy n'était pas le seul MacKenzie à être de mauvais poil.

– S'il n'est pas fatigué, moi je le suis.

Elle avait de quoi. Pour épargner les chevaux sur les routes de plus en plus escarpées, nous avions marché toute la journée à côté de la carriole.

– Laisse-le-moi un moment pendant que tu vas faire un brin de toilette, proposai-je.

Héroïque, je réprimai un bâillement, puis saisis une grosse cuillère en bois que j'agitai sous le nez de Jemmy.

Il se balançait d'avant en arrière à quatre pattes en émettant d'insupportables gémissements. En apercevant l'ustensile, il cessa de pleurnicher et se figea, suspicieux.

J'ajoutai un gobelet vide en étain à mon leurre et le déposai sur le sol près de lui. Le tour était joué : il roula sur le ventre avec un gloussement de plaisir, s'empara de la cuillère des deux mains et s'en servit comme d'un maillet pour tenter d'enfoncer le gobelet dans la terre.

Brianna me regarda avec gratitude, se releva et disparut entre les arbres en direction du ruisseau. Un bref débarbouillage à l'eau glacée au beau milieu d'un bois sombre n'était peut-être pas aussi réparateur qu'un bon bain moussant à la lueur de bougies, mais l'essentiel était de pouvoir s'évader un moment. Un peu de solitude faisait des merveilles pour une mère, je le savais par expérience. Si le chemin de sa sainteté ne passait pas forcément par la propreté, le fait d'avoir les pieds, les mains et le visage propres améliorait indubitablement la vision de l'univers, notamment après une journée de transpiration, de crasse et de langes souillés.

J'examinai mes propres mains d'un œil critique. Après avoir tiré les chevaux, préparé le feu, cuisiné et récuré, ma propre vision de l'univers aurait bien eu besoin d'être redorée.

Néanmoins, il n'y avait pas que l'eau dans la vie pour remonter le moral. Jamie passa un bras par-dessus mon épaule, s'assit à mes côtés après avoir déposé un bol dans ma main et leva le sien à ma santé en souriant.

– *Slàinte, mo nighean donn!*

– Mmm…

Je fermai les yeux, humant les effluves parfumés.

– On peut dire «*slàinte*» quand ce n'est pas du whisky?

Il m'avait apporté du vin, et du bon, avec un beau bouquet rond, fleurant bon le soleil et la vigne.

– Pourquoi pas? répondit Jamie. Après tout, ça ne veut dire que «bonne santé»!

– Certes, mais je pensais que, compte tenu de la qualité de certains whiskies, « bonne santé » était un vœu pratique… On souhaite à la personne avec qui l'on trinque de survivre à l'expérience de boire son verre.

Il se mit à rire.

– Je n'ai encore tué personne avec ma production, *Sassenach*.

– Je ne parlais pas de la tienne, dis-je entre deux gorgées. Mmm… que c'est bon ! Non, je songeais aux trois miliciens du régiment du colonel Ashe.

Une sentinelle avait retrouvé les hommes en question ivres morts après avoir sifflé une bouteille de soi-disant whisky qu'ils s'étaient procuré Dieu sait où.

La compagnie Ashe n'ayant pas de médecin et campant près de la nôtre, on m'avait réveillée au beau milieu de la nuit pour tenter de les ranimer. Les trois individus avaient survécu, mais l'un d'eux avait définitivement perdu toute vision dans un œil, et un autre avait manifestement subi des lésions cérébrales mineures (personnellement, j'avais quelques doutes quant à l'étendue de ses facultés intellectuelles avant l'accident).

Jamie haussa les épaules. L'ivresse était un fait de la vie, le mauvais whisky en était un autre.

Entre-temps, Jemmy s'était désintéressé de la cuillère et du gobelet et avançait à quatre pattes vers la cafetière posée entre les pierres chaudes du feu.

– *Thig a seo, a chuisle !* lui lança Jamie.

Il ne prêta pas attention à la mise en garde, mais Tom Findlay le rattrapa et l'éloigna du danger. Il le coinça contre sa hanche, les pieds du bébé battant l'air, et l'amena à son grand-père.

– Assis ! ordonna ce dernier.

Sans attendre une réponse, il posa l'enfant par terre et lui donna sa balle en chiffon. Jemmy la serra, regardant son grand-père puis le feu.

– Jette-la dans les flammes, *a chuisle*, et tu auras une fessée.

Jemmy fronça le front et avança une lèvre inférieure tremblante, nous menaçant d'une nouvelle explosion de pleurs stridents. Toutefois, il ne lança pas la balle dans le feu.

– *A chuisle?* répétai-je en massacrant la prononciation. Je ne le connaissais pas, celui-là. Qu'est-ce que ça veut dire?

Jamie se frotta l'arête du nez d'un doigt.

– Ça veut dire «mon sang».

– Je croyais qu'on disait *mo fuil*?

– Oui, mais *mo fuil*, c'est le sang qui jaillit quand tu te blesses. *A chuisle*, c'est plutôt : «Ô toi, dans les veines de qui coule mon propre sang.» Nous le disons surtout aux tout-petits, quand ils sont apparentés, bien sûr.

– C'est charmant.

Je posai mon bol vide sur le sol et m'adossai à son épaule. Je me sentais fatiguée, mais la magie du vin m'avait agréablement sonnée.

– Appellerais-tu *chuisle* Germain ou Joan? Où faut-il qu'ils soient littéralement de ton sang?

– Personnellement, je serais plutôt enclin à traiter Germain de *petit emmerdeur**, mais Joan, oui certainement. Le sang du cœur compte autant que celui du corps.

Jemmy avait laissé tomber sa balle et contemplait avec enchantement les lucioles qui s'étaient mises à clignoter dans les hautes herbes à la tombée du soir. Maintenant que nous avions le ventre plein et que la perspective d'un sommeil bien mérité nous attendait, nous ressentions tous les effets apaisants de l'approche de la nuit.

Les hommes s'étaient allongés dans l'herbe au pied d'un grand sycomore, se passant la bouteille de vin en bavardant avec cette manière détachée et décousue de ceux qui se connaissent bien. Sur la piste, le seul espace dégagé, les deux Findlay jouaient à se lancer un objet qu'ils

* En français dans le texte. *(N.D.T.)*

manquaient une fois sur deux dans la pénombre, en échangeant des insultes bon enfant.

Il y eut un bruissement de branches de l'autre côté du feu et Brianna réapparut, mouillée mais nettement plus enjouée. Elle s'arrêta près de Roger, une main sur son épaule, et regarda ce qu'il écrivait. Il releva les yeux vers elle, puis, avec un haussement d'épaules résigné, lui tendit les pages terminées de son récit. Elle s'agenouilla à ses côtés et se mit à lire, écartant les mèches qui lui retombaient devant le visage et fronçant les sourcils en tentant de déchiffrer les lettres à la lueur du feu.

Une luciole atterrit sur la chemise de Jamie, formant une tache lumineuse d'un vert frais dans les plis sombres du tissu. J'avançai un doigt vers elle, et elle s'envola, décrivant une spirale au-dessus des flammes comme une étincelle fugitive.

J'indiquai l'autre côté du feu avec un signe d'approbation.

– C'était une excellente idée de demander à Roger d'écrire. Je brûle de savoir ce qui lui est arrivé.

– Moi aussi, convint-il. Quoique, maintenant que ce William Buccleigh s'est volatilisé, ce qui lui est arrivé est moins important que ce qui l'attend.

Je n'eus pas besoin de lui demander ce qu'il voulait dire par là. Personne n'était mieux placé que lui pour savoir ce que signifiait reconstruire sa vie après avoir frôlé la mort de si près et la force intérieure que cela demandait. Je pris sa main droite et il se laissa faire. Dans l'obscurité, je caressai ses doigts handicapés, frôlant la crête de ses cicatrices.

Pour masquer la conversation sérieuse et silencieuse de nos mains, je lui demandai sur un ton badin :

– Alors, tu n'as plus envie de savoir si, oui ou non, ton cousin est un assassin sans scrupule ?

Il émit un grognement qui aurait pu être un rire. Ses doigts s'enroulèrent autour des miens et les serrèrent.

– C’est un MacKenzie, *Sassenach*. Un MacKenzie de Leoch.

– Mmmm.

Si les Fraser avaient la tête dure, Jamie lui-même m’avait décrit les MacKenzie de Leoch comme étant « aussi charmants que des pinsons des champs et plus rusés que des renards ». C’était certainement le cas de ses oncles, Colum et Dougal. Je n’avais entendu aucun témoignage confirmant que sa mère, Ellen, partageait ces traits de famille, mais, d’un autre côté, à sa mort, Jamie n’avait que huit ans. Sa tante Jocasta ? Elle n’était certes pas née de la dernière pluie, mais elle me semblait moins portée sur les intrigues et les complots que ses deux frères.

– Tu as quoi ? s’exclama soudain Brianna de l’autre côté du feu.

Les pages dans les mains, elle dévisageait Roger, l’air à la fois consterné et amusé. Je ne voyais pas le visage de celui-ci, car il était tourné vers elle, mais il leva néanmoins un doigt devant ses lèvres pour l’enjoindre de se taire. Puis il se pivota vers l’arbre sous lequel les hommes buvaient pour s’assurer qu’ils ne l’avaient pas entendue.

Je distinguai un instant son profil éclairé par la lueur du feu et vis son expression passer soudainement de la méfiance à l’horreur. Il se leva d’un bond, la bouche ouverte.

– CHTOOOOP ! rugit-il.

C’était un hurlement terrible, rauque, avec un son étranglé, comme un cri poussé avec un poing enfoncé dans la gorge. Tout le monde se figea, y compris Jemmy qui avait abandonné les lucioles et s’apprêtait vaillamment à saisir la cafetière. Il leva des yeux surpris vers son père, la main à quelques centimètres du métal brûlant. Puis ses traits se froissèrent et il s’effondra en larmes.

Roger le souleva de terre. L’enfant hurla de plus belle, se débattant pour échapper à cet inconnu terrifiant. Brianna le récupéra précipitamment, le serrant contre son sein et enfouissant son visage contre son épaule. Elle-même était livide.

Roger paraissait sous le choc lui aussi. Il posa une main sur sa gorge, tout doucement, comme pas sûr qu'elle lui appartienne. La cicatrice laissée par la corde formait toujours un bourrelet de chair sombre sous sa mâchoire. Je l'apercevais même dans la faible lumière du feu, ainsi que la ligne plus petite et plus droite de mon incision.

Une fois passée la surprise provoquée par son cri, les hommes sortirent de sous leur arbre et les Findlay accoururent pour se rassembler autour de Roger, exprimant leur stupéfaction et le félicitant. Roger acquiesça, serrant des mains et se laissant taper dans le dos tout en ayant l'air de vouloir être ailleurs.

– Dites encore quelque chose, le supplia Hugh Findlay.

– Oui, vous pouvez y arriver, j'en suis sûr! l'encouragea Iain. Dites… dites… «Les chaussettes de l'archiduchesse sont archisèches.»

Cette suggestion souleva un tollé de protestations bientôt remplacé par un concert d'autres propositions tout aussi farfelues. Roger semblait de plus en plus affolé, sa mâchoire contractée. Jamie et moi étions debout. Jamie s'apprêtait à intervenir quand Brianna réapparut, se faufilant entre les hommes, Jemmy calé contre sa hanche. Elle saisit le bras de Roger de sa main libre et lui sourit, ses lèvres tremblant légèrement.

– Tu peux dire mon nom? demanda-t-elle.

Roger lui rendit son sourire. J'entendis le râle au fond de sa gorge quand il prit son inspiration.

Cette fois, il parla doucement, très doucement. Tout le monde retint son souffle, se penchant en avant pour l'entendre. C'était un murmure saccadé, laborieux et douloureux, la première syllabe poussée de toutes ses forces à travers ses cordes vocales abîmées, la dernière à peine audible, mais il parvint à dire :

– Brrrriiiiah… nah!

Elle éclata en sanglots.

76

L'argent de la suceuse de sang

Fraser's Ridge, juin 1771

Assise dans le fauteuil des invités dans le bureau de Jamie, je lui tenais compagnie en râpant des sanguinaires pendant qu'il se débattait avec sa comptabilité trimestrielle. Ces travaux étant longs et pénibles, nous pouvions ainsi partager la lumière d'une seule chandelle et nous soutenir mutuellement. Je trouvais toujours distrayantes les remarques qu'il adressait au papier au sujet de ses lectures.

– Fils de porc-épic gobeur d'œufs crus ! marmonna-t-il. Regarde-moi ça, *Sassenach*, ce type n'est ni plus ni moins qu'un vulgaire escroc ! Deux shillings et trois pences pour deux pains de sucre et un kilo d'indigo.

Je fis claquer ma langue d'un air réprobateur, m'abstenant de lui faire remarquer que deux shillings me semblaient un prix bien modeste pour des articles produits dans les Antilles, transportés par bateau jusqu'à Charleston, puis acheminés en carriole, en pirogue, à dos de cheval et enfin à pied sur plusieurs centaines de kilomètres, avant d'être finalement livrés à notre porte par un colporteur. En outre, celui-ci ne serait pas payé avant sa prochaine visite dans trois ou quatre mois, et encore, ne le serait probablement pas en espèces, mais sous la forme de six pots de confiture de groseille ou d'un cuisseau de chevreuil fumé.

Jamie continua de griffonner une colonne de chiffres et, arrivé en bas, griffa le papier d'un coup de plume, s'exclamant encore :

– Non mais, c'est incroyable ! Un fût de cognac à douze shillings, deux lés de mousseline à trois shillings dix chaque, articles de quincaillerie… je me demande ce que Roger peut bien fabriquer avec ça ? Il joue des airs folkloriques sur une binette ou quoi ? Articles de quincaillerie : dix shillings six !

– Je crois me souvenir qu'il s'agit d'un soc de charrue, dis-je sur un ton pacificateur. Il n'est pas pour nous. Roger l'a rapporté pour Geordie Chisholm.

Les socs de charrue étaient effectivement coûteux. Comme il fallait les importer d'Angleterre, rares étaient les petits fermiers des colonies qui en possédaient. La plupart se débrouillaient avec des plantoirs en bois et des bêches, préparant la terre à coup de hache ou parfois avec une binette en fonte.

Jamie relut ses comptes d'un air atterré, puis se passa une main dans les cheveux.

– Oui, sauf que Geordie n'a pas le premier sou pour se faire bénir du curé et n'en aura pas avant d'avoir vendu la récolte de l'an prochain. Donc, qui va régler les dix shillings et six pences ? Je te le donne en mille !

Sans attendre ma réaction, il se replongea dans ses calculs en marmonnant « Fils de tortue volante bouffeuse d'étrons », sans que je sache si ce qualificatif désignait Roger, Geordie ou le soc de charrue.

Je finis de râper une racine et la laissai tomber dans une jatte posée sur le bureau. La sanguinaire, de son nom scientifique *sanguinaria*, porte bien son nom. Son jus est rouge, âcre et poisseux. Le bol sur mes genoux était rempli d'épluchures visqueuses et, à voir mes mains, on aurait dit que je venais d'éviscérer toute une famille de petits rongeurs.

– J'ai six douzaines de bouteilles de liqueur de cerise prêtes, annonçai-je en saisissant une nouvelle racine.

Il pouvait difficilement l'ignorer, toute la maison avait empesté le sirop contre la toux pendant une semaine.

– Fergus pourrait aller les vendre à Salem, proposai-je.

Il hocha distraitement la tête.

– Oui, je compte dessus pour racheter du blé. Tu as autre chose à vendre à Salem? des chandelles? du miel?

Je relevai les yeux, mais ne vis que les épis sur le sommet de son crâne. Les chandelles et le miel étaient un sujet épineux.

– Je peux te fournir une quarantaine de litres de miel, dis-je prudemment. Et peut-être dix... allez , disons douze douzaines de chandelles.

Il se gratta le nez du bout de sa plume, le tachant d'encre.

– Je croyais que tes ruches avaient bien donné cette année?

C'était vrai. Ma première ruche s'était multipliée. J'en avais neuf à présent le long de mon jardin. J'en avais tiré près de deux cents litres de miel et assez de cire pour fabriquer plus de trois cents chandelles. Mais j'avais d'autres projets en tête.

– J'ai besoin d'une partie du miel pour mon infirmerie, expliquai-je. Il me sert d'onguent antibactérien pour étaler sur les plaies.

Il arqua un sourcil, sans lever la tête de ses gribouillis.

– J'aurais pensé que le miel attirait les mouches et les ours, observa-t-il. Il t'en faut combien? Il n'y a quand même pas tant de blessés qui défilent dans ton infirmerie au point de nécessiter cent soixante litres de miel. À moins que tu ne leur fasses prendre des bains dedans?

Je ris malgré moi.

– Non, une dizaine de litres me suffisent pour les plaies, disons une quinzaine pour préparer des fluides électrolytiques.

Il me regarda, surpris, puis se tourna vers la chandelle dont la flamme vacillait dans le courant d'air venant de la fenêtre.

– Électrique? Brianna m'a expliqué que c'était lié à la lumière, ou à la foudre, non?

– Non, électrolyte, rectifiai-je en articulant mieux. De l'eau sucrée. Quand une personne est en état de choc, est trop malade pour s'alimenter ou est grippée, le liquide électrolytique restitue au corps les ions essentiels, les sels, le sucre, etc., perdus par la diarrhée ou les saignements. Cela attire l'eau dans le sang et rétablit la tension artérielle. Tu m'as déjà vu en utiliser.

– Ah, c'est ainsi que ça fonctionne?

La curiosité illumina son visage. Il s'apprêtait à me demander des explications plus détaillées, quand il aperçut la pile de reçus et de lettres qui attendaient sur son bureau. Il reprit sa plume avec un air résigné.

– C'est bon, soupira-t-il. Garde ton miel. Je peux vendre ton savon?

J'aquiesçai, soulagée. Après de longs tâtonnements, j'étais enfin parvenue à produire un savon qui ne sentait pas le cochon mort, trempé dans la soude caustique, et qui ne dissolvait pas la couche superficielle de l'épiderme. Toutefois, sa fabrication nécessitait de l'huile de tournesol ou d'olive à la place du suif, toutes deux très chères.

J'envisageais de troquer avec des dames cherokee mon surplus de miel contre de l'huile de tournesol, avec laquelle je pourrais faire à la fois plus de savon et du shampooing. Ces derniers se vendraient à prix d'or n'importe où – Cross Creek, Wilmington, New Bern, voire Charleston, si nous nous aventurions jusque-là. Du moins, je l'espérais. Je n'étais pas certaine que Jamie soit prêt à se lancer dans cette aventure. Il faudrait des mois avant que mon entreprise donne des résultats, alors qu'il pouvait vendre le miel tout de suite et en tirer un profit immédiat. D'un autre côté, si je le persuadais que le savon rapporterait beaucoup plus que du miel non raffiné, j'aurais carte blanche.

Avant que j'aie pu lui parler de mon projet, nous entendîmes des pas dans le couloir, puis on gratta à la porte.

– Entrez ! lança Jamie en se redressant.

M. Wemyss passa la tête dans l'entrebâillement, puis hésita en apercevant mes mains sanglantes. Du bout de sa plume, Jamie lui fit aimablement signe d'avancer.

– Oui, Joseph ?

– Je pourrais vous dire un mot, monsieur ?

M. Wemyss était vêtu comme tous les jours, en chemise et culotte, mais il avait mouillé et lissé en arrière ses cheveux fins blond pâle, signe que sa démarche était quelque peu formelle.

Je repoussai mon fauteuil, rassemblant mes affaires pour lui laisser la place, mais il m'arrêta d'un geste précipité.

– Ne vous dérangez pas, madame ! En fait, si ça ne vous ennuie pas, j'aimerais autant que vous restiez. Il s'agit de Lizzie et l'avis d'une autre femme me serait précieux.

– Naturellement, répondis-je intriguée.

Jamie posa sa plume dans le pot devant lui et se pencha en avant, intéressé, en lui demandant de s'asseoir.

– Ah ! ah ! s'exclama-t-il. Aurais-tu trouvé un mari à notre petite Lizzie, Joseph ?

M. Wemyss hocha la tête, la lueur de la chandelle accentuant le caractère osseux de son visage. Il s'assit sur le tabouret l'air digne, dignité qui contrastait avec sa gaucherie habituelle.

– Je crois bien, monsieur Fraser. Robin McGillivray est venu me voir ce matin pour demander la main de ma petite Elizabeth au nom de son fils Manfred.

Je fus plutôt surprise. À ma connaissance, Manfred McGillivray n'avait pas vu Lizzie plus d'une demi-douzaine de fois et n'avait échangé avec elle que quelques brèves formules de courtoisie. Il n'était pas impossible qu'il ait été séduit. Lizzie était devenue une jolie jeune fille aux traits délicats et, bien qu'encore très timide, possédait de belles manières. Toutefois, cette base de demande en mariage me paraissait un peu légère.

À mesure que M. Wemyss nous exposait l'affaire, tout devint plus clair. Jamie avait promis à Lizzie de lui donner une dot, soit une parcelle de terre de premier choix. De son côté, M. Wemyss étant libéré de son contrat de servage, on lui avait octroyé une concession de vingt-cinq hectares, dont Lizzie hériterait un jour. Or, cette terre jouxtait le terrain des McGillivray et les deux réunis formeraient un domaine agricole très respectable. Apparemment, maintenant qu'elle avait marié ou fiancé convenablement ses trois filles, Ute McGillivray entreprenait la prochaine étape de son grand projet : le mariage de Manfred. Après avoir passé au crible toutes les jeunes filles disponibles dans un rayon de trente kilomètres autour de Fraser's Ridge, elle avait arrêté son choix sur Lizzie et envoyé Robin ouvrir les négociations.

– C'est vrai que les McGillivray sont une bonne famille, dit prudemment Jamie.

Il trempa un doigt dans mon bol de pelures de sanguinaires et tapota son buvard, formant des petits pois rouges.

– Ils ne possèdent pas beaucoup de terres, mais Robin se débrouille plutôt bien et, d'après ce que j'ai entendu dire, le petit Manfred est travailleur.

Robin était armurier et possédait une échope à Cross Creek. Après avoir fait son apprentissage chez un autre armurier d'Hillsborough, Manfred avait été, à son tour, reçu compagnon.

– Il l'emmènerait vivre à Hillsborough? demandai-je.

Cette décision pouvait être un critère déterminant pour Joseph Wemyss. S'il était prêt à tous les sacrifices pour assurer l'avenir de sa fille adorée, la voir partir au loin lui briserait le cœur.

Il secoua la tête. Ses cheveux avaient séché et commençaient à retrouver leur allure échevelée habituelle.

– Robin dit que non. Selon lui, son fils projette de s'installer à Woolam's Creek, s'il parvient à y monter un petit atelier. Ils habiteraient à la ferme.

Il regarda Jamie de biais, puis détourna les yeux, sa peau pâle se mettant à rougir.

Jamie baissa la tête, et je le vis se mordre les lèvres. Voilà donc où il intervenait dans les tractations. Située au pied de Fraser's Ridge, Woolam's Creek était une petite communauté qui prenait de plus en plus d'ampleur. Si les Woolam, une famille de quakers, y possédaient le moulin et une partie des terres sur l'autre rive du torrent, Jamie était le propriétaire de tout ce qui se trouvait du côté de Fraser's Ridge.

Jusque-là, il avait fourni des parcelles, des outils et des matériaux à Ronnie Sinclair, Theo Frye et Bob O'Neill pour construire une tonnellerie, une forge – encore en construction – et un petit magasin, tous devant nous reverser un jour une part de leurs bénéfices. Pour le moment toutefois, aucun ne générait le moindre revenu.

Si Jamie et moi avions des projets d'avenir, Ute McGillivray aussi. Naturellement, elle savait qu'étant très attaché à Lizzie et à son père, Jamie ferait son possible pour les aider. C'était en effet de l'aide que Joseph Wemyss était en train de lui demander avec beaucoup de délicatesse. Accepterait-il d'inclure dans la dot des locaux à Woolam's Creek pour Manfred?

Jamie me jeta un coup d'œil en coin. Je haussai discrètement les épaules, me demandant si, dans ses calculs, Ute McGillivray avait pris en compte la constitution délicate de Lizzie. Beaucoup de filles à marier étaient bien plus robustes qu'elle, et avec de bien meilleures perspectives de maternité. D'un autre côté, si Lizzie mourait en couches, les McGillivray conserveraient à la fois ses terres et la propriété de Woolam's Creek, et il ne serait pas difficile de trouver une seconde épouse à Manfred.

– Cela peut peut-être se faire, dit Jamie sans trop se mouiller.

Je le vis observer le registre ouvert avec ses colonnes déprimantes de chiffres, puis se tourner vers moi, l'air interrogateur. Le terrain n'était pas un problème, mais sans espèces et peu de crédits, les outils et le matériel en seraient un. Je pinçai les lèvres et soutins fermement son regard. Non, il ne mettrait pas les mains sur mon miel !

Il soupira et se cala contre son dossier, pianotant sur son buvard de ses doigts rouges.

– Je trouverai une solution, déclara-t-il. Qu'en dit la petite ? Veut-elle de Manfred ?

M. Wemyss parut dubitatif.

– Elle le dit. C'est un gentil garçon, même si sa mère… une brave femme assurément !… très brave même… mais un peu… comment dirais-je ?…

Il pivota vers moi, en plissant le front, et reprit :

– Pour tout vous dire, je suis pas sûr qu'Elizabeth sache ce qu'elle veut. Elle affirme que ce serait un bon mariage et que cela lui permettrait de rester près de moi, mais… je ne voudrais pas qu'elle se marie uniquement parce qu'elle croit que cela m'arrange.

Il lança un regard timide vers Jamie, puis vers moi, avant de conclure sur un ton précipité, comme s'il confessait un affreux secret :

– Sa mère et moi, nous nous aimions vraiment.

Il devint rouge vif et baissa la tête vers ses mains qu'il tordait sur ses genoux.

Je détournai moi aussi les yeux et fis tomber quelques brins de sanguinaires oubliés sur le bureau.

– Je vois, dis-je doucement. Aimeriez-vous que je lui parle ?

Il bondit presque de soulagement.

– Oh, je vous en serais tellement reconnaissant, madame !

Il serra fébrilement les mains de Jamie, m'adressa plusieurs courbettes de suite et finit par trouver la sortie, après moult hochements de tête et remerciements.

La porte se referma derrière lui et Jamie se massa les tempes.

– Dieu sait que ce n'est déjà pas facile de marier ses filles quand elles savent ce qu'elles veulent ! grogna-t-il en pensant manifestement à Brianna et à Marsali. Finalement, il vaut peut-être mieux qu'elles n'aient pas d'idées.

* * *

La chandelle unique vacillait, projetant des ombres dansantes dans la pièce. Je me levai et allai en chercher une autre sur l'étagère. À ma surprise, Jamie me suivit. Il passa devant un assortiment de mèches à demi brûlées et de bougies neuves, puis il sortit la grosse chandelle de douze heures cachée derrière elles.

Il la posa sur le bureau et l'alluma avec une des mèches. Elle avait déjà servi, mais ne s'était pas consumée beaucoup. Sur son signe de tête, j'allai discrètement fermer la porte, puis revins m'asseoir près de lui.

– Tu penses vraiment que le moment est venu ? demandai-je doucement.

Il ne répondit pas. Il se rassit sur sa chaise, les mains pliées sur les genoux, observant la flamme prendre et grandir.

Puis il poussa un soupir et orienta son registre vers moi. L'état de nos affaires s'étala, noir sur blanc, sous mes yeux effarés. Un désastre, du moins sur le plan de nos liquidités.

Dans les colonies, les échanges commerciaux reposaient peu sur l'argent liquide, et à partir d'Asheville en allant vers l'est, plus du tout. Dans les montagnes, les colons recouraient au troc et, sur ce plan-là, nous nous débrouillions plutôt bien. À échanger, nous avions du lait, du beurre et du fromage, des pommes de terre, du blé, du porc, du gibier, des légumes frais, des fruits secs, sans oublier un peu de vin tiré des raisins Scuppernong de l'année précédente. Nous avions du foin et du bois de construction – cela dit comme tout le monde – ainsi que mon miel et ma cire d'abeilles. Mais surtout, nous avions le whisky de Jamie.

Toutefois, il s'agissait là d'une ressource limitée. Nous avions planté huit hectares d'orge jeune. Sauf en cas de grêle, d'incendies de forêt et autres manifestations de la colère divine, ceux-ci se convertiraient en près de cent fûts de whisky. Même brut et non vieilli, on pourrait ensuite le vendre ou l'échanger contre beaucoup de choses. Cependant, l'orge était encore verte et dans les champs, et le whisky n'était qu'une perspective de profits.

En attendant, nous avions déjà consommé ou vendu tous nos stocks d'alcool. Certes, il restait les quatorze tonneaux enterrés sous la source de la distillerie, mais nous ne pouvions y toucher. À chaque distillation, Jamie mettait de côté deux tonneaux qu'il laissait religieusement vieillir. Le plus vieux de sa cachette avait deux ans. Il devrait y rester encore dix. Avec l'aide de la providence, il en sortirait un jour de l'or liquide, presque aussi précieux que sous sa forme solide.

Toutefois, vu nos exigences immédiates, nous ne pouvions attendre aussi longtemps. Outre l'éventualité d'aider Manfred McGillivray à monter une armurerie et de fournir une dot modeste à Lizzie, nous devions faire face aux frais habituels de la ferme, de l'entretien du bétail et du projet ambitieux de fournir un soc de charrue à chaque nouveau métayer, dont la plupart labouraient encore à la main.

Au-delà de nos propres coûts, nous avions une autre obligation très contraignante : cette garce d'emmerdeuse de Laoghaire MacKenzie Fraser !

Pas vraiment une ex-épouse, elle en était quand même presque une. Me croyant partie à jamais, voire morte, Jamie, aiguillonné par sa sœur Jenny, l'avait épousée. Leur union s'était rapidement avérée une erreur et, lorsque j'étais réapparue, elle avait pu être officiellement annulée, au soulagement de tous… plus ou moins.

Généreux à l'excès, Jamie avait convenu de lui verser une rente annuelle conséquente, plus une dot à chacune de ses filles. Il payait celle de Marsali petit à petit, en terres et en whisky, et nous n'avions encore reçu aucune annonce d'un mariage prochain de Joan. Mais l'échéance du versement destiné à entretenir le train de vie de reine de Laoghaire en Écosse approchait... et nos moyens ne nous permettaient pas de l'honorer.

Jamie ruminait, les yeux mi-clos. Je n'osai pas lui suggérer de munir Laoghaire d'un *gaberlunzie*[1] et de l'envoyer mendier sur les routes de la paroisse. Quoi qu'il pense de cette mégère, il s'en sentait responsable, un point c'est tout.

Je supposais que lui verser son dû en tonneaux de poisson fumé et de savon à la soude était aussi hors de question. Il nous restait trois solutions : vendre le whisky caché, mais c'était une grosse perte pour le long terme; emprunter de l'argent à Jocasta, ce qui était faisable mais très gênant; ou vendre autre chose. Plusieurs chevaux, par exemple. Une famille entière de cochons. Ou un bijou.

La bougie se consumait rapidement et la cire autour de la mèche avait fondu. Sous la flaque claire, je pouvais les deviner : trois gemmes, formant des taches sombres dans le pâle gris or de la chandelle, leurs couleurs vives étouffées mais néanmoins visibles à travers la cire. Une émeraude, une topaze et un diamant noir.

Jamie les fixa sans les toucher, ses épais sourcils froncés dans un effort de concentration.

Vendre une pierre précieuse dans la colonie de la Caroline du Nord ne serait pas une mince affaire. Nous devrions probablement nous rendre à Charleston ou à Richmond. C'était toutefois possible et cela nous permettrait de nous acquitter de notre dette auprès de ce vampire écossais et de régler d'autres dépenses. Mais ces gemmes avaient une valeur autre que financière : elles servaient de sauf-conduit pour traverser les pierres. Elles protégeaient la vie des voyageurs dans le temps.

Nos rares informations concernant cette croisière périlleuse nous venaient principalement des écrits de Geillis

1. Permis de mendier, valable dans une paroisse donnée, un jour par semaine. *(N.D.T.)*

Duncan ou de ce qu'elle m'avait raconté. Elle soutenait que les pierres précieuses ne se contentaient pas de protéger le voyage dans le chaos de cet espace indicible entre les couches du temps, mais elles accordaient la faculté de naviguer et de choisir l'époque à laquelle on souhaitait émerger.

Obéissant à une impulsion, je retournai vers l'étagère et, me dressant sur la pointe des pieds, j'en descendis un petit paquet enveloppé dans une peau de daim. Il était lourd dans ma main. Je l'ouvris avec précaution, déposant la pierre ovale sur le bureau, près de la bougie. C'était une grande opale, son cœur incandescent pris dans une matrice de roche terne et révélé par une incision qui en recouvrait la surface : une spirale, la représentation primitive du serpent qui se mord la queue.

La gemme avait appartenu à un autre voyageur – le mystérieux «Dent de loutre». Un Indien avec un crâne présentant des plombages dentaires, un Indien qui semblait avoir un temps parlé anglais. Il avait appelé sa pierre son «billet de retour». Geillis Duncan n'avait donc pas été la seule à croire que les pierres avaient un pouvoir particulier dans cet endroit terrible… entre les temps.

– La sorcière a bien dit qu'il en fallait cinq, non? demanda Jamie, songeur.

– C'est ce qu'elle pensait.

La soirée était chaude, mais le duvet sur mes avant-bras se hérissa au souvenir de Geillis, des pierres précieuses et de l'Indien que j'avais croisé sur le versant d'une montagne sombre, le visage peint du masque noir de la mort, peu avant de découvrir l'opale et le crâne qui était enfoui avec elle. Était-ce bien son crâne que nous avions enterré, plombages compris?

– Les pierres devaient-elles être polies ou taillées?

– Je ne sais pas. Je crois me souvenir que, selon elle, les taillées fonctionnaient mieux, mais j'ignore pourquoi, et si elle avait raison.

C'était bien là le hic : nous avions si peu de certitudes.

Il émit un petit *mmphm* et se frotta lentement le nez.

– Avec ces trois-là et le rubis de mon père, nous en avons quatre de taillées. Puis, il y a cette opale et la pierre de ton amulette qui sont brutes.

Les pierres taillées nous rapporteraient beaucoup plus que l'opale ou le saphir bruts de ma bourse de médecine. D'un autre côté, étions-nous prêts à nous séparer de gemmes qui, un jour peut-être, permettraient à Brianna ou à Roger de choisir entre la vie ou la mort?

Répondant à ses pensées plutôt qu'à ses paroles, je lui dis doucement :

– C'est peu probable. Brianna restera ici, certainement jusqu'à ce que Jemmy soit grand, probablement pour toujours.

Après tout, comment pouvait-on abandonner son enfant, se privant de connaître un jour ses petits-enfants? Pourtant, je l'avais fait. Je frottai inconsciemment mon alliance en or.

Jamie releva la tête vers moi, un sourcil en accent circonflexe, la flamme de la bougie se reflétant dans ses yeux, bleus comme des saphirs taillés et polis.

– Oui, mais… et Roger?

– Il ne partirait pas. Il ne quitterait pas Brianna et Jemmy.

J'avais parlé d'un ton ferme, mais le soupçon de doute dans ma voix ne lui échappa pas.

– Pas pour le moment, précisa-t-il.

Je pris une profonde inspiration et ne répondis rien. Je savais très bien ce qu'il voulait dire. Drapé dans son silence, Roger se refermait un peu plus de jour en jour.

Ses doigts étaient guéris. J'avais suggéré à Brianna qu'il reprenne son *bodhran,* il y trouverait peut-être un réconfort. Elle avait hoché la tête, dubitative. J'ignorais si elle lui en avait parlé ou non, mais l'instrument de musique était toujours accroché au mur dans leur cabane, aussi silencieux que son propriétaire.

Il continuait de sourire et de jouer avec Jemmy, et d'être attentionné avec Brianna, mais l'ombre au fond de son regard était toujours présente et, lorsqu'il n'était pas occupé à accomplir l'une de ses tâches attitrées, il disparaissait pendant des heures, parfois des journées entières, marchant dans la montagne, rentrant à la nuit tombée, épuisé, poussiéreux, silencieux.

– Il n'a plus dormi avec elle depuis que c'est arrivé, n'est-ce pas? me demanda Jamie.

– Si, plusieurs fois, soupirai-je. Mais, à mon avis, pas récemment.

Brianna faisait de son mieux pour être présente à ses côtés et l'extirper de l'abîme de sa dépression croissante. Mais il était clair à mes yeux, ainsi qu'à ceux de Jamie, qu'elle était en train de perdre la bataille, et qu'elle le savait. Elle aussi devenait de plus en plus taciturne, avec une ombre dans le regard.

– S'il retourne… là-bas, pourrait-on lui faire retrouver sa voix? Dans votre temps?

Je soupirai de nouveau et me rassis.

– Je n'en sais rien. Il serait aidé, peut-être avec une opération, certainement avec une rééducation orthophonique… mais personne ne peut dire ce qui fonctionnerait ou pas. Le pire, c'est qu'il pourrait fort bien retrouver sa voix ici, naturellement, si seulement il décidait de s'en occuper. Mais il ne le fera pas. Et, bien sûr, honnêtement, il faut admettre que, quoi qu'il fasse, la probabilité qu'il ne la retrouve jamais est bien réelle.

Jamie acquiesça en silence. Indépendamment des possibilités médicales, si son mariage avec Brianna échouait, plus rien ne retiendrait Roger ici. À lui alors de décider s'il voulait retourner dans le futur…

Jamie se redressa et souffla la bougie.

– Pas encore, dit-il d'une voix résolue dans l'obscurité. Il me reste encore quelques semaines avant d'être obligé d'envoyer de l'argent en Écosse. D'ici là, on trouvera bien une solution. En attendant, on garde les pierres.

* * *

La nuit dernière, j'ai rêvé que je faisais du pain. Du moins, j'essayais. J'étais en train de mélanger la pâte, quand je me suis rendu compte que je n'avais plus de farine. Puis, en versant la pâte dans des moules et en les mettant au four, je me suis aperçue qu'elle n'avait pas levé. J'ai dû tout recommencer. Je l'ai pétrie, pétrie et pétrie encore, puis je l'ai transportée partout dans un plat recouvert d'un chiffon, en cherchant un endroit chaud où la mettre. Je devais la garder à la chaleur pour que la levure ne meure pas. Je commençais à paniquer, parce que je ne trouvais aucun lieu convenable. Un vent glacé soufflait, et le plat était de plus en plus lourd et glissant. J'ai cru que j'allais le laisser tomber. Mes mains et mes pieds étaient gelés et engourdis.

Puis, je me suis réveillée frigorifiée. Roger s'était enroulé dans les couvertures, m'abandonnant sans rien. Un terrible courant d'air filtrait sous la porte. J'ai essayé de le pousser pour récupérer un coin de couette. Rien à faire. J'avais peur de réveiller Jemmy en faisant du bruit. Finalement, je me suis levée pour aller chercher ma cape et je me suis recouchée avec.

Roger s'est levé avant moi ce matin et est sorti. Je ne crois pas qu'il ait remarqué qu'il m'avait laissée sans protection dans le froid.

77

Un paquet de Londres

Le paquet arriva en août, grâce aux bons offices de Jethro Wainwright, l'un des rares colporteurs à avoir le sens des affaires assez poussé pour grimper les chemins escarpés et tortueux qui menaient à Fraser's Ridge. Le visage rouge et le souffle court, il finit de décharger le bât de son âne et me tendit le paquet avec un hochement de tête. Puis il accepta mon invitation et se dirigea d'un pas chancelant vers la cuisine, laissant sa monture paître dans la cour.

Ce paquet, une sorte de boîte soigneusement emballée dans une peau cirée, cousue et entourée d'une ficelle, était lourd. Je le secouai mais n'entendis qu'un bruit sourd, comme si son contenu était matelassé. Sur l'étiquette, on lisait simplement : *À l'attention de M. James Fraser, Fraser's Ridge, les Carolines.*

– À ton avis, qu'est-ce que ça peut être? demandai-je à l'âne.

Question purement formelle, mais l'âne, étant une créature obligeante, releva le museau de son herbe et me répondit avec des hi-han sonores, des tiges de fétuque pendant au coin de sa gueule.

Le bruit déclencha un concert de braiments et de hennissements de salutations et de curiosité de la part de Clarence et des chevaux. En quelques secondes, Jamie et Roger sortirent de la grange, Brianna de la laiterie, et

M. Bug se redressa de derrière un tas de fumier, comme un vautour interrompant la dégustation d'une carcasse.

– Merci, dis-je à l'âne.

Il coucha modestement ses oreilles et reprit son repas.

Brianna se hissa sur la pointe des pieds pour regarder par-dessus l'épaule de Jamie qui m'avait pris le paquet des mains.

– Qu'est-ce que c'est? Ça ne vient pas de Lallybroch, par hasard?

– Non, ce n'est ni l'écriture de Ian… ni celle de ma sœur.

Il avait marqué une brève hésitation, et je le vis jeter un deuxième coup d'œil sur le paquet pour vérifier. Il le renifla.

– Il a fait un sacré bout de chemin. Il porte encore l'odeur de goudron de la cale du navire.

– Il n'y avait aucun papier avec? demandai-je.

Il retourna le paquet.

– Non. Il y avait un sceau, mais il a disparu.

Des fragments de cire grise étaient encore pris dans la ficelle, mais le cachet qui aurait pu nous renseigner sur l'expéditeur avait depuis longtemps succombé aux aléas du voyage et au barda de M. Wainwright.

Sceptique, M. Bug plissa les yeux en détaillant le paquet.

– En tout cas, ce n'est pas une tête de pioche.

Jamie soupesa la boîte.

– Non, ni un livre ni une rame de papier. Je ne me souviens pas d'avoir commandé autre chose. Ça ne pourrait pas être des graines, *Sassenach*? M. Stanhope ne t'avait-il pas promis de t'envoyer des spécimens du jardin de son ami, M. Crossley?

– Oh! oui, c'est peut-être ça! m'exclamai-je, soudain excitée.

M. Crossley possédait un vaste jardin ornemental où il cultivait de nombreuses espèces exotiques importées des quatre coins du monde. M. Stanhope devait lui demander s'il serait intéressé par un échange : des graines et des boutures d'herbes européennes et asiatiques très rares de sa collection contre des bulbes et des semences de ce que Stanhope décrivait comme ma « forteresse des montagnes ».

Roger et Brianna échangèrent un bref regard. Les graines leur paraissaient nettement moins intrigantes que des livres ou du papier. Toutefois, l'arrivée d'une lettre ou d'un paquet était un événement suffisamment rare pour que personne ne suggère de l'ouvrir avant d'avoir épuisé le plaisir de deviner son contenu.

Finalement, on ne le déballa qu'après le dîner, après que tout le monde l'eut soupesé, secoué, humé et eut donné son avis. Repoussant son assiette, Jamie alla le chercher solennellement, l'agita une dernière fois, puis me le tendit.

– Ce nœud mérite l'attention d'un chirurgien, *Sassenach,* annonça-t-il avec un sourire.

Le fait était. Celui qui l'avait noué n'était pas un marin et, faute de savoir-faire, avait déployé des trésors de minutie. Il me fallut plusieurs minutes pour en triturer les bouts, mais je finis par le défaire et roulai la ficelle en pelote pour la réutiliser plus tard.

Du bout de son couteau, Jamie fit ensuite sauter les coutures de la peau huilée et en extirpa un petit coffret en bois sous des ah ! de stupéfaction. En bois sombre poli, d'une facture sobre mais élégante, il était équipé d'un moraillon en laiton et d'une plaque en cuivre enchâssée dans le couvercle.

Brianna se pencha sur la table en étirant le cou et lut à voix haute :

– « Fabriqué dans les ateliers de messieurs Halliburton et Halliburton, 14 Portman Square, Londres ». Qui sont-ils donc ?

– Je n'en ai pas la moindre idée, répondit Jamie.

Il souleva le moraillon d'un doigt et ouvrit délicatement le couvercle. À l'intérieur se trouvait un sac en velours rouge sombre. Il le sortit, tira sur le lacet et extirpa lentement… une chose.

C'était un disque plat et doré, d'une dizaine de centimètres de diamètre. Son périmètre était légèrement surélevé, comme une assiette, et gravé de symboles. Au centre se dressait une sorte d'ouvrage ajouré en métal argenté composé d'un cadran ouvert, tel celui d'une montre, mais avec trois bras le reliant au pourtour extérieur du disque doré.

Le cercle argenté était lui aussi orné de dessins obscurs, à peine visibles tant ils étaient petits, et fixé à un support en forme de lyre, lui-même reposant sur une sorte de longue tige plate sinueuse dont un bord épousait l'intérieur du disque. Le tout était surmonté d'une barre dorée aux extrémités effilées et fixé par une aiguille – identique à celle d'une boussole, mais très épaisse – qui traversait le centre du disque et permettait à la barre de tourner sur elle-même. Au centre de la barre était gravé le nom « James Fraser ».

Naturellement, Mme Bug fut la première à se remettre de sa surprise.

– Par sainte Bride, qu'est-ce que c'est que cette chose-là ?

– Un astrolabe armillaire, répondit Jamie, comme si cette chose était la plus banale au monde.

– Oh ! mais bien sûr, sommes-nous bêtes ! murmurai-je.

Il retourna l'objet, révélant une surface plate gravée de plusieurs cercles concentriques, ces derniers étant subdivisés par de minuscules repères et symboles. Cette face possédait aussi une partie rotative mais rectangulaire, avec les extrémités recourbées, aplaties et incrustées de paires d'encoches formant des séries de viseurs.

Brianna avança un doigt et toucha avec révérence le métal brillant.

– C'est vraiment de l'or ? demanda-t-elle.

Avec délicatesse, Jamie déposa l'objet sur sa paume ouverte.

– Oui et, d'ailleurs, je me demande bien pourquoi.

– Pourquoi un astrolabe ou pourquoi de l'or? demandai-je.

– Pourquoi de l'or. Je cherchais un astrolabe depuis longtemps, n'ayant rien trouvé d'Albany à Charleston. John Grey m'avait promis de m'en faire envoyer un de Londres, je suppose que c'est celui-ci. Mais, diable, pour quelle raison il…

Tout le monde avait encore les yeux rivés sur l'instrument. Jamie reprit soudain le coffret dans lequel il était arrivé. La lettre était au fond, cachetée d'un sceau bleu. Mais celui-ci n'était pas le cachet habituel de Lord John, avec sa demi-lune souriante et ses étoiles, mais un blason inconnu qui montrait un poisson tenant une bague dans sa bouche.

Jamie l'examina en fronçant les sourcils, puis décacheta la lettre.

M. James Fraser
à Fraser's Ridge
Colonie royale de la Caroline du Nord

Cher monsieur,

J'ai l'honneur de vous faire parvenir le colis ci-joint avec les compliments de mon père, Lord John Grey. Lors de mon départ pour Londres, il m'a demandé de vous trouver le meilleur instrument qui soit, ce que je me suis attelé à faire avec la plus grande diligence, connaissant la haute estime dans laquelle il vous tient. J'espère qu'il vous donnera entière satisfaction.

Votre dévoué serviteur,
William Ransome, Lord Ellesmere
Capitaine, 9e régiment

– William Ransome?

Brianna, qui s'était levée pour regarder par-dessus l'épaule de Jamie, se tourna vers moi.

– Il dit que Lord John est son père… mais le fils de Lord John n'est-il pas un petit garçon?

– Il a quinze ans.

Jamie avait une note étrange dans la voix. Roger, occupé à examiner l'astrolabe entre ses mains, redressa la tête, ses yeux verts soudain intenses. Son regard glissa vers moi, avec cette lueur dérangeante récente, comme s'il écoutait des paroles que personne d'autre n'entendait. Je me détournai de sa vue.

– … pas Grey, était en train de dire Brianna.

– Non.

Jamie tenait toujours la lettre, l'air ailleurs. Il secoua brièvement la tête pour chasser une pensée puis reprit le fil de la conversation.

– Non, répéta-t-il plus fermement. William est le beau-fils de Lord John. Son père était le comte d'Ellesmere. Le garçon est le neuvième tenant du titre. Le vrai patronyme des Ellesmere est Ransome.

Je gardai les yeux fixés sur la table et le coffret vide, craignant de les relever. Mon visage transparent risquait de trahir mes pensées… ou de révéler simplement que je cachais quelque chose.

Le père biologique de William Ransome n'était pas le huitième comte d'Ellesmere mais James Fraser. Je pouvais sentir la tension dans sa jambe qui touchait la mienne sous la table, même s'il ne laissait percevoir qu'un léger agacement. Il replia la lettre et la remit dans le coffret.

– Apparemment, on lui a offert une charge d'officier. Il est donc parti à Londres et a acheté cet instrument à la demande de John. Sauf que, apparemment, dans le monde où évolue ce garçon «le meilleur» veut nécessairement dire plaqué or.

Il étendit une main, et M. Wainwright, qui était en train d'admirer son reflet dans la surface polie, lui rendit l'astrolabe à contrecœur.

Jamie l'examina d'un œil critique, faisant pivoter la tige argentée du bout de l'index.

– Oui, dit-il enfin presque malgré lui, c'est vraiment du très beau travail !

M. Bug acquiesça tout en prenant un des friands tout chauds que sa femme faisait passer à la ronde.

– Joli. Arpentage? demanda-t-il sur son ton télégraphique habituel.

Brianna prit deux petites bouchées à la pomme de terre et s'assit à côté de Roger, en lui en tendant une, machinalement.

– Ça sert à arpenter?

– Entre autres choses, répondit Jamie.

Il retourna l'instrument et poussa délicatement la barre plate, faisant pivoter les viseurs.

– Cette partie-là sert de théodolite. Tu sais de quoi il s'agit?

Brianna hocha la tête, intéressée.

– Oui, je sais faire différents types d'arpentage, mais on utilisait généralement...

Je vis Roger avaler en grimaçant la croûte du friand qui, en s'émiettant, avait adhéré aux parois de sa gorge. Je levai la main vers la cruche d'eau, mais il croisa mon regard et me fit un signe presque imperceptible que ce n'était pas la peine. Il déglutit de nouveau, plus facilement cette fois, et toussa.

– Tu m'avais dit que tu savais arpenter, expliqua Jamie, ravi. Alors je voulais un astrolabe, même si j'avais quelque chose de moins clinquant en tête. De l'étain aurait été plus pratique. Cela dit, puisque c'est un cadeau...

– Laisse-moi voir.

Brianna lui prit l'objet, le scrutant d'un air absorbé, puis fit tourner le cadran intérieur.

– Tu sais te servir d'un astrolabe? m'étonnai-je.

– Moi oui, dit Jamie avec une certaine fierté. J'ai appris en France.

Il se leva et indiqua la porte d'un signe de tête.

– Apporte-le dehors, je vais te montrer comment lire l'heure.

* * *

– … OUI, JUSTE LÀ!

Penché par-dessus l'épaule de Brianna, Jamie lui indiqua un signe sur le cadran extérieur. Elle tourna le cadran intérieur pour le faire correspondre, leva les yeux vers le ciel et poussa l'aiguille de quelques millimètres.

– Dix-sept heures trente! s'exclama-t-elle, ravie.

– Dix-sept heures trente-cinq, corrigea Jamie avec un grand sourire. Tu vois ça?

Il me montra un des symboles sur le pourtour qui, de loin, ne me paraissait pas plus gros qu'une crotte de mouche.

– Dix-sept heures trente-cinq, répéta Mme Bug, impressionnée. Tu te rends compte, Archie! Je n'ai pas su l'heure exacte depuis… depuis…

– Édimbourg, confirma son mari.

– Oui, c'est ça! Ma cousine Jane avait une pendule de cheminée ravissante qui carillonnait comme une église. Les heures étaient écrites en chiffres de cuivre et une paire de chérubins volaient au-dessus de…

Ne prêtant pas attention aux souvenirs extatiques de Mme Bug et à l'instrument entre ses mains, Brianna déclara :

– Depuis que j'ai quitté la maison des Sherston, je sais l'heure pour la première fois.

Elle se tourna vers Roger et sourit. Au bout d'un moment, il esquissa, en retour, un faible sourire. Cela faisait combien de temps pour lui?

Tout le monde plissait des yeux vers le soleil, chassant les nuages de moucherons et se remémorant leur dernière fois. Comme c'était étrange, pensai-je avec amusement, cette préoccupation soudaine pour l'heure précise. Pourtant, je la partageais aussi.

J'essayai de me souvenir de cet instant précis moi aussi. Lors du mariage de Jocasta? Non… sur le pré au bord de l'Alamance, juste avant la bataille. Le colonel Ashe avait une montre de gousset et… Je m'interrompis. Non, c'était après la bataille. Cela devait très probablement correspondre à l'ultime moment où Roger avait entendu l'heure, lui aussi, s'il avait été assez conscient pour entendre l'un des médecins militaires annoncer qu'il était seize heures, et déclarer qu'à son avis éclairé, Roger ne serait plus de ce monde avant dix-sept heures.

– Que peut-on faire d'autre avec, papa ?

Avec précaution, Brianna tendit l'astrolabe à Jamie qui se mit aussitôt à effacer les traces de doigts à l'aide d'un pan de sa chemise.

– Oh ! un tas de choses. Tu peux trouver ta position sur terre comme en mer, localiser une étoile particulière dans le ciel…

– Très utile, observai-je. Mais sans doute moins pratique qu'une horloge. Je suppose que lire l'heure n'était pas ton principal objectif ?

Il remit l'instrument dans son sac en velours tout en répondant :

– Non, je dois arpenter correctement les terres de nos concessions… et rapidement.

Brianna, qui s'apprêtait à rentrer, se retourna vers lui.

– Pourquoi rapidement ?

– Parce que le temps presse.

Il jeta un coup d'œil en arrière, mais les autres s'étaient éloignés. Il ne restait plus sous le porche que Brianna, Roger, lui et moi.

M. Wainwright, peu intéressé par les merveilles de la science, était dans la cour, en train de rentrer ses marchandises à l'intérieur de la maison, assisté de M. Bug et gêné par le commentaire incessant de sa femme. Dès le lendemain, tous les gens de Fraser's Ridge seraient au courant de sa présence et viendraient chez nous acheter, vendre et entendre les dernières nouvelles.

– Vous savez ce qui va se passer, reprit Jamie. La Couronne tombera peut-être, mais la terre, elle, restera. Or, si l'on veut conserver nos terres parmi tout le tumulte, nous devons les arpenter et les faire enregistrer convenablement. En période de troubles, les gens doivent parfois partir de chez eux ou voient leur propriété confisquée. Ensuite, c'est la croix et la bannière pour récupérer ses biens. Il vaut mieux avoir des documents en bonne et due forme pour garantir nos avoirs.

Le soleil couchant nimbait d'or et de feu la courbe de son crâne. Il indiqua d'un geste du menton la silhouette sombre des montagnes qui se détachaient sur un somptueux fond de nuages roses et dorés, mais, à son regard, je devinais qu'il désignait un lieu bien au-delà.

– Nous avons pu sauver Lallybroch grâce à un acte de saisine. Après Culloden, Simon le jeune, le fils du vieux renard, a pu récupérer la plupart de ses terres parce qu'il avait des papiers prouvant qu'elles lui appartenaient.

Il ouvrit le couvercle du coffret et rangea le sac en velours.

– Je veux des papiers en règle. Ensuite, que George ou un autre soit assis sur le trône, cette terre sera à nous. À vous. Et à vos enfants après.

Je posai ma main sur la sienne. Sa peau était chaude et les poils dorés de son bras brillaient dans les derniers feux du soleil. Je compris soudain pourquoi les hommes mesurent le temps. Ils veulent l'arrêter un instant, dans l'espoir vain de le retenir.

78

Je suis ce que je suis

Brianna était venue dans la grande maison emprunter un livre. Elle laissa Jemmy dans la cuisine avec Mme Bug et se rendit dans le bureau de son père. Il n'était pas là, mais la pièce conservait encore vaguement son odeur masculine, un mélange indéfinissable de cuir, de sciure de bois, de sueur, de whisky, de fumier… et d'encre.

En souriant, elle se passa un doigt sous le nez, les narines frémissantes. Roger aussi dégageait ces diverses odeurs, mais, en dessous, il avait la sienne. De quoi était-elle faite ? À l'époque où il avait possédé une guitare, ses mains sentaient un peu le vernis et le métal. Mais c'était très loin, et il y avait très longtemps.

Repoussant cette pensée, elle se tourna vers les volumes sur l'étagère. Lors de son dernier voyage à Wilmington, Fergus avait rapporté trois nouveaux livres : une série d'essais de Michel de Montaigne, mais ils étaient en français et donc, pour elle, incompréhensibles, un exemplaire en piteux état de *Moll Flanders* de Daniel Defoe et un ouvrage d'un certain B. Franklin, très mince et relié en carton : *L'art et la manière de garder sa vertu.*

Il n'y avait franchement pas de quoi hésiter. Elle sortit *Moll Flanders* de la rangée. Le livre avait connu des jours meilleurs, le dos était cassé et les pages libres. Elle espérait qu'elles y étaient toutes. Il n'y avait rien de pire que d'atteindre un moment fort de l'histoire pour découvrir que la fin manquait. Elle le consulta soigneusement, et malgré quelques pages froissées ou tachées, il avait l'air complet. L'ouvrage dégageait lui aussi une odeur spéciale, comme si on l'avait trempé dans du suif.

Un fracas soudain dans l'infirmerie de sa mère la fit sursauter. Elle chercha instinctivement Jemmy du regard avant de se souvenir qu'il n'était pas avec elle. Elle remit vite le livre à sa place et se rua dans le couloir, manquant de percuter sa mère qui arrivait en courant de la cuisine.

Elle la devança sur le seuil de son local.

– Jemmy !

La porte de la grande armoire était entrouverte et une forte odeur de miel flottait dans l'air. Les débris d'un pot de grès gisaient au sol dans une flaque dorée et poisseuse. Le bébé était assis au milieu, généreusement barbouillé, écarquillant ses yeux bleus, sa bouche formant un « O » de surprise coupable.

Le sang monta aux joues de Briana. Marchant dans le mélange, elle saisit son fils par le bras et le mit debout.

– Jeremiah Alexander MacKenzie ! gronda-t-elle. Vilain garçon !

Elle vérifia rapidement qu'il n'était ni coupé ni blessé, puis lui donna une claque sur les fesses, assez fort pour sentir sa paume lui piquer.

Le hurlement qui s'ensuivit la fit aussitôt se sentir coupable, mais à la vue du carnage dans l'armoire, elle dut contenir son envie de le fesser encore.

– Jeremiah !

Des bouquets de romarin, d'achillée millefeuille et de thym avaient été arrachés de la tringle où ils séchaient et mis en pièces. L'un des voiles de gaze qui tapissaient les étagères avait été déchiré et pendait. On avait renversé des bouteilles et des flacons, et certains ayant perdu leur bouchon de liège laissaient échapper des poudres et des liquides multicolores. Un sac de gros sel était ouvert, et des poignées de cristaux gisaient tout autour.

Mais, pire que tout, l'amulette de sa mère était tombée sur le sol, la bourse en cuir ouverte, plate et vide. Des plantes séchées, des petits os et d'autres débris jonchaient le sol.

– Maman, je suis vraiment désolée. Il a dû s'échapper. C'est ma faute, je n'aurais pas dû le laisser…

Elle devait presque crier ses excuses pour se faire entendre par-dessus les braillements de son fils.

Un peu étourdie par la stridence des cris, Claire balaya la pièce du regard, faisant un rapide inventaire. Puis elle se pencha et prit Jemmy dans ses bras.

– Chhhhhut.

Elle posa doucement une main sur sa bouche. N'obtenant aucun résultat, elle lui tapota les lèvres, produisant un « wa-wa-wa » qui fit aussitôt taire le bébé. Il enfonça un pouce dans sa bouche en reniflant bruyamment, puis appuya sa joue poisseuse contre l'épaule de sa grand-mère.

Celle-ci se tourna vers Brianna, l'air plus amusé qu'agacé.

– Que veux-tu, à cet âge ils touchent à tout. Ne t'inquiète pas, ma chérie, c'est juste un peu de désordre. Heureusement, il n'a pas pu atteindre les couteaux, et je range tous mes poisons en hauteur.

Brianna sentit les battements de son cœur ralentir. Sa main la cuisait encore.

– Mais ton amulette…

Elle vit une ombre traverser le regard de sa mère quand celle-ci aperçut l'objet profané.

Claire inspira profondément, tapota le dos de Jemmy et le reposa. Puis se mordant la lèvre inférieure, elle ramassa avec délicatesse la bourse ornée de plumes miteuses.

– Je suis désolée, répéta Brianna, impuissante.

Elle voyait sa mère faire un effort pour se ressaisir. Cependant, celle-ci fit un geste de la main signifiant le peu d'importance de tout cela et se pencha pour rassembler les débris, plaçant un à un les minuscules os dans sa paume. Ses cheveux dénoués cachaient son visage.

– Je me suis toujours demandé ce qu'il y avait là-dedans. À ton avis, ce sont des os de quoi? De musaraigne?

– Je ne sais pas.

Gardant un œil sur Jemmy, Brianna s'accroupit à côté de sa mère et l'aida à ramasser les objets.

– Je dirais plutôt le squelette d'une souris ou d'une chauve-souris.

Claire redressa des yeux surpris vers sa fille.

– Bravo! Regarde.

Elle prit un petit morceau brun et parcheminé sur le sol et le lui montra. En y regardant de plus près, Brianna se rendit compte que la prétendue feuille morte racornie était un fragment d'aile de chauve-souris, le cuir fragile desséché devenu translucide. Un os courbe, fin comme une aiguille, la traversait, comme la nervure centrale d'une feuille.

– « Œil de triton, orteil de grenouille, poils de chauve-souris et langue de chien », cita Claire.

Elle étala les os sur le comptoir, les examinant avec fascination.

– Je me demande ce qu'elle a voulu dire avec ces objets.

– « Elle »?

– Nayawenne, la femme qui m'a donné ce talisman.

Se baissant de nouveau, Claire balaya de la main les restes de feuilles – du moins Brianna espérait qu'il s'agissait bien de feuilles – et les huma. Il y avait tant d'odeurs dans l'infirmerie qu'elle ne distinguait que le parfum sirupeux du miel, mais le nez sensible de sa mère n'avait aucune difficulté à repérer des senteurs individuelles.

– Du cirier, du sapin baumier, du gingembre sauvage, de la traînasse, énuméra Claire en agitant le nez comme un limier. Un peu de sauge aussi.

– De la traînasse? dit Brianna, amusée. Tu penses qu'il s'agit d'un commentaire sur ta personne?

– Peuh ! Moque-toi donc ! C'est une plante de la famille des polygonacées, plutôt irritante et qui pousse au bord des ruisseaux. Elle provoque des ampoules, brûle les yeux et… fait d'autres choses, je suppose, quand on se traîne dedans.

Ayant oublié sa réprimande, Jemmy s'était emparé d'une pince chirurgicale et la tournait dans un sens puis dans l'autre, se demandant apparemment si elle était comestible. Brianna s'interrogea sur l'opportunité de la lui enlever, puis, dans la mesure où sa mère stérilisait tous ses instruments métalliques en les faisant bouillir, décida de la lui laisser un instant, puisqu'elle n'avait pas de bords tranchants.

Confiant son fils à Claire, elle retourna dans la cuisine chercher de l'eau chaude et de quoi nettoyer le miel. Mme Bug s'y trouvait, profondément endormie sur le bahut, les mains croisées sur son ventre rond, son fichu de guingois sur une oreille.

Revenant sur la pointe des pieds avec un seau et une poignée de chiffons, elle trouva la plupart des débris déjà balayés et sa mère à quatre pattes, qui regardait sous les meubles. Elle jeta un œil vers l'étagère basse de l'armoire, mais elle ne remarqua aucun élément manquant, hormis le pot de miel. Les autres bouteilles et flacons avaient été redressés, et tout semblait en ordre.

– Tu as perdu quelque chose ?

Claire se mit presque à plat ventre pour scruter le dessous de l'armoire.

– Oui, une pierre, de la taille d'une pièce de monnaie, gris bleu, transparente par endroits. C'est un saphir brut.

– Il était dans l'armoire ? Mme Bug l'a peut-être rangé ailleurs en faisant le ménage.

Claire se redressa sur ses talons.

– Non, elle ne touche jamais à rien là-dedans. En outre, il n'était pas sur les étagères mais là-dedans.

Du menton, elle indiqua la bourse de cuir vide posée sur le comptoir, près de son contenu d'os et de plantes.

Une fouille rapide puis une autre plus lente ne révélèrent aucune trace de la pierre.

Se passant une main dans les cheveux, Claire observa son petit-fils d'un air méditatif.

– Je n'aime pas suggérer ça, mais tu ne crois pas que…

– Oh non ! gémit Brianna.

Elle se pencha pour examiner l'enfant occupé à insérer la pince dans sa narine gauche.

– Il avait des petites miettes collées par le miel autour de la bouche, probablement du romarin ou du thym.

Offensé par cet examen rapproché, Jemmy tenta de la matraquer avec l'instrument, mais elle saisit son poignet d'une main, lui enlevant l'outil de l'autre.

– On ne tape pas sur maman, dit-elle machinalement. C'est mal. Jemmy, est-ce que tu as avalé le caillou de grand-mère ?

– Na, répondit-il par habitude en agrippant la pince. À moi !

Elle renifla son visage, l'obligeant à se pencher en arrière. L'odeur était floue mais ne ressemblait pas à du romarin.

– Viens le sentir, demanda-t-elle à sa mère. Je n'arrive pas à savoir.

Claire s'inclina à son tour, faisant glousser Jemmy qui crut à un nouveau jeu.

– Gingembre sauvage, trancha-t-elle sans hésiter.

Puis, se courbant encore un peu plus, elle saisit un chiffon humide et frotta ses joues couvertes de miel.

– Regarde !

Elle montra à Brianna deux ou trois minuscules ampoules près de la bouche, comme de la semence de perles.

– Jeremiah, dit-elle gravement en tentant de capter son attention. Dis la vérité à maman. As-tu mangé le caillou ?

Jemmy détourna les yeux et tenta de s'enfuir en se tortillant.

– Pas taper ! Mal !

– Je ne te donnerai pas la fessée, le rassura-t-elle en le retenant par un pied. Je veux juste savoir. As-tu avalé une pierre d'environ cette taille?

Elle écarta le pouce et l'index, tandis qu'il frétillait de plus belle.

– Chaud, déclara-t-il.

Il appliquait, sans distinction, son nouveau mot préféré à tous les objets qui lui plaisaient.

Brianna ferma les yeux en poussant un soupir exaspéré, puis se tourna vers sa mère.

– J'en ai bien peur. Ça va lui faire mal?

– Je ne pense pas.

Claire observa son petit-fils en se tapotant la lèvre d'un doigt songeur. Puis elle traversa la pièce, ouvrit l'un de ces hauts placards et en sortit une bouteille en verre fumé.

– De l'huile de ricin, annonça-t-elle en cherchant une cuillère dans ses tiroirs. Pas aussi délicieux que le miel, mais très efficace.

* * *

L'huile avait beau être un remède souverain pour ce genre de bobo, ses effets n'étaient pas immédiats. Tout en surveillant d'un œil Jemmy dûment gavé et jouant avec ses cubes, Brianna et Claire tuèrent le temps en rangeant l'infirmerie, puis elles s'attelèrent à la tâche tranquille mais lente de préparer des médicaments. Claire n'avait pas pu s'y consacrer depuis fort longtemps et il y avait un stock hallucinant de feuilles, de racines et de graines à broyer, à râper, à moudre, à bouillir dans l'eau, à macérer dans l'huile, à extraire avec de l'alcool, à passer à travers un filtre de gaze, à mélanger dans de la cire d'abeille fondue, de la graisse d'ours ou avec du talc, à rouler en comprimés, à être mis en bouteille ou en sachets pour être conservées.

La journée étant agréablement chaude, elles ouvrirent la fenêtre pour laisser entrer la brise, même si cela impliquait de chasser continuellement les mouches, d'écarter les moucherons et de repêcher quelques frelons un peu trop curieux dans une solution en ébullition.

– Attention, mon ange !

Brianna agita précipitamment une main pour éloigner une abeille posée sur un cube, avant que Jemmy n'ait eu le temps de l'attraper.

– Méchante bébête ! expliqua-t-elle. Bobo !

– Elles ont senti leur miel, dit Claire en en chassant une autre. Je ferais mieux de leur en rendre un peu.

Elle en dilua dans de l'eau et en déposa un bol sur le rebord de la fenêtre. Quelques instants plus tard, son pourtour était noir d'abeilles buvant goulûment.

Brianna les observa en essuyant la transpiration qui coulait entre ses seins.

– Plutôt têtues comme bestioles, non ?

– Il vaut mieux l'être quand on veut arriver quelque part, murmura Claire, distraite.

Elle fronçait les sourcils tout en surveillant une solution chauffée avec une lampe à alcool.

– Ça te paraît cuit ? demanda-t-elle à sa fille.

– Tu es mieux placée que moi pour le savoir.

Elle se pencha néanmoins au-dessus de la casserole et huma.

– Je crois, oui. Ça sent fort.

Claire trempa rapidement un doigt dans la mixture puis goûta.

– Mmm. Oui, ça devrait suffire.

Enlevant le récipient de la flamme, elle versa tout doucement son contenu verdâtre dans un filtre de gaze posé sur le goulot d'une grande bouteille. D'autres, identiques, étaient alignées sur le comptoir, le soleil illuminant leur liquide comme des joyaux rouges, verts et jaunes.

– Dis, maman, as-tu toujours su que tu voulais être médecin ? demanda Brianna.

Sa mère fit non de la tête tout en découpant une écorce de cornouiller en fines lamelles avec un couteau aiguisé.

– Enfant, ça ne m'aurait jamais traversé l'esprit. À cette époque, les filles ne rêvaient pas de faire de la médecine. Je supposais qu'une fois grande, je me marierais, j'aurais des enfants et je construirais un foyer... Tu ne trouves pas que Lizzie a mauvaise mine en ce moment? Elle m'a semblé un peu jaunâtre hier soir, mais peut-être était-ce uniquement la lueur des chandelles.

– Je crois qu'elle va bien. Penses-tu qu'elle est amoureuse de Manfred?

La veille, ils avaient célébré les fiançailles de Lizzie et Manfred, toute la famille McGillivray ayant débarqué pour un somptueux dîner. Mme Bug, très attachée à Lizzie, s'était surpassée. Pas étonnant qu'elle se soit endormie dans la cuisine.

– Non, répondit Claire, sincère. Mais tant qu'elle n'est pas amoureuse de quelqu'un d'autre, ce n'est sans doute pas trop grave. Manfred est un gentil garçon et il est plutôt mignon. En outre, Lizzie s'entend bien avec sa mère, ce qui est également un bon point, compte tenu des circonstances.

Elle sourit en songeant à la massive Ute McGillivray qui avait pris d'emblée Lizzie sous son aile protectrice, choisissant les meilleurs morceaux de pickles et les lui fourrant dans le gosier, comme un rouge-gorge donne la becquée à un oisillon chétif.

– Je la soupçonne d'aimer Mme McGillivray plus que Manfred, déclara Brianna. Elle était très jeune quand sa mère est morte. Elle est heureuse de renouer un lien maternel.

Elle regarda Claire du coin de l'œil. Elle se souvenait très bien de la sensation d'être soudain privée de sa mère et du pur bonheur des retrouvailles. Par réflexe, elle se tourna vers Jemmy, plongé dans une conversation animée quoique largement inintelligible avec le chat Adso.

Claire hocha la tête tout en frottant les lamelles de cornouiller entre ses mains avant de les placer dans un flacon rempli d'alcool.

– Oui, cela dit, je pense qu'il n'est pas plus mal qu'ils attendent un peu – je veux parler de Lizzie et de Manfred –, ils auront le temps de mieux se connaître.

Il avait été convenu que le mariage aurait lieu l'été prochain, une fois que Manfred aurait établi son atelier d'armurerie à Woolam's Creek.

– J'espère que ça marchera.

– Quoi donc?

Claire boucha le flacon et le rangea sur une étagère de l'armoire.

– L'écorce de cornouiller. D'après le cahier du docteur Rawlings, on peut l'utiliser comme substitut à celle de quinquina, dont on extrait la quinine. C'est quand même plus facile à trouver et surtout beaucoup moins coûteux.

– Super, pourvu que ça marche.

Le paludisme de Lizzie s'était mis en sourdine depuis plusieurs mois, mais il y avait toujours un risque de récidive.

Le sujet de leur conversation précédente continuait de trotter dans la tête de Brianna. Tout en saisissant une nouvelle poignée de feuilles de sauge pour les moudre, elle reprit le fil de la discussion :

– Tu disais que, petite, être médecin ne t'intéressait pas. Mais, plus tard, je m'en souviens, tu étais vraiment déterminée à le devenir.

Elle avait quelques souvenirs épars mais précis de la formation médicale de sa mère. Elle sentait encore les odeurs d'hôpital dans ses cheveux et ses vêtements, le contact frais et doux des blouses vertes qu'elle portait parfois quand elle venait l'embrasser dans son lit en rentrant tard du travail.

Claire ne répondit pas tout de suite, se concentrant sur la barbe des épis de maïs séchés qu'elle nettoyait, jetant les parties pourries par la fenêtre. Puis, sans quitter son travail des yeux, elle expliqua :

– Au fond, les gens – et je ne parle pas seulement des femmes, loin de là – qui savent qui ils sont et ce qu'ils sont destinés à être trouvent toujours le moyen d'atteindre leur but. Ton père, je veux parler de Frank, était un brillant historien. Il aimait son métier et avait le don de la discipline et de la concentration, ce qui lui permettait de le faire bien. Mais il n'avait pas la vocation, il me l'a dit lui-même. Il aurait pu s'orienter vers d'autres disciplines sans aucun problème. Toutefois, pour certaines personnes, seule une voie compte vraiment et, dans ce cas… Je n'ai pas su tout de suite que la médecine m'était essentielle, mais quand je l'ai compris, mon chemin était tracé.

Elle haussa les épaules en s'essuyant les mains, puis elle recouvrit le panier d'un linge propre et l'entoura avec une ficelle.

Pensant à la cicatrice en zigzag sur la gorge de Roger, Brianna déclara :

– Oui, mais on ne peut pas toujours faire ce à quoi on était destiné, n'est-ce pas?

– C'est vrai, la vie t'impose parfois d'autres routes, murmura sa mère.

Elle releva les yeux et, croisant le regard de Brianna, esquissa un sourire narquois.

– Pour l'homme ou la femme ordinaire, la vie telle qu'elle se présente à eux est la vie qu'ils mènent. Prends Marsali, par exemple. Je doute qu'il lui soit déjà venu à l'esprit de vivre autrement. Sa mère s'occupait de sa maison et élevait des enfants. Elle ne voit pas pourquoi ce serait autrement pour elle. Pourtant, elle a une grande passion : Fergus. Cela a suffi à la faire sortir de l'ornière qu'aurait été sa vie.

– Pour retomber dans une autre identique?

Claire hocha la tête, saisissant un autre mortier sur le comptoir.

– Presque semblable. Sauf qu'elle vit en Amérique au lieu d'être en Écosse. Et qu'elle a Fergus.

– Comme tu as Jamie?

Elle l'appelait rarement par son prénom. Surprise, Claire releva les yeux.

– Oui. Jamie fait partie de moi. Comme toi.

Elle effleura la joue de Brianna d'une main rapide et légère, puis pivota pour décrocher un bouquet séché de marjolaine suspendu à une poutre au-dessus de la cheminée.

– Mais ni lui ni toi n'êtes complètement moi, poursuivit-elle le dos tourné. Je suis... ce que je suis. Médecin, infirmière, guérisseuse, peu importe comment les gens choisissent de m'appeler. Je suis née pour ça. Je le serai jusqu'à ma mort. S'il m'arrivait de te perdre, ou de perdre Jamie, je ne serais plus une personne entière, mais il me resterait cette partie de moi.

Elle poursuivit d'une voix si basse que Brianna dut tendre l'oreille pour la suivre :

– Pendant une brève période... après que je suis revenue... tu n'étais pas encore née... c'était tout ce qui me restait... le fait de savoir ce à quoi j'étais destinée.

Claire émietta la plante aromatique dans le récipient et chercha le pilon autour d'elle. Dehors, un bruit de bottes retentit, suivi de la voix de Jamie faisant une remarque humoristique au sujet d'un poulet qui venait de lui couper la route.

Aimer Roger et Jemmy ne lui suffisait-il pas? Cela aurait dû être apaisant. Pourtant, Brianna eut l'horrible impression que ce n'était pas le cas. Avant que cette pensée ne puisse se transformer en mots, elle demanda rapidement :

– Et papa?

– Et papa quoi?

– Fait-il partie de ceux qui ont toujours su à quoi ils étaient destinés?

Les mains de Claire s'arrêtèrent un instant.

– Oh! oui, il sait.

– Quoi? Un laird, un chef?

Sa mère hésita, réfléchissant.

– Non, répondit-elle enfin.

Elle prit le pilon et se mit à écraser la marjolaine. Son parfum s'éleva dans la pièce comme de l'encens.

– Un homme. Ce qui n'est pas rien.

79

Seule

Brianna referma le livre avec un mélange de soulagement et d'appréhension. L'idée de Jamie lui avait d'abord paru bonne : enseigner l'alphabet aux petites filles de Fraser's Ridge. Cela remplissait la cabane de bruits joyeux pendant quelques heures, et Jemmy adorait se faire dorloter par une demi-douzaine de mères miniatures.

Toutefois, la pédagogie n'étant pas un de ses dons naturels, elle était toujours soulagée quand la leçon touchait à sa fin. La crainte venait juste après. La plupart des fillettes venaient toutes seules ou accompagnées d'une grande sœur. Anne et Kate Henderson, qui vivaient à plus de trois kilomètres, étaient escortées par leur grand frère Obadiah.

Elle ne se souvenait plus très bien quand ni comment tout avait commencé. Peut-être dès le premier jour, quand il l'avait fixée dans le blanc des yeux avec un léger sourire et avait soutenu son regard une seconde de trop, avant de tapoter le crâne de ses sœurs et de les lui confier. Mais il n'y avait rien eu là qu'elle pût raisonnablement lui reprocher. Pas sur le coup, pas au cours des jours qui avaient suivi. Pourtant...

Au fond d'elle-même, Obadiah Henderson lui flanquait la frousse. C'était un grand garçon d'une vingtaine d'années, très musclé et plutôt beau gosse, avec des cheveux châtains et des yeux bleus. Mais quelque chose clochait chez lui, une certaine brutalité dans les plis de ses lèvres, une lueur sauvage dans ses yeux profondément enfoncés dans leurs orbites. Sa façon de la dévisager était très dérangeante.

Elle détestait raccompagner les fillettes à la porte à la fin de la classe. Les gamines se dispersaient dans un brouhaha de robes et de gloussements… et Obadiah attendait dehors, adossé à un arbre, assis sur la margelle du puits. Une fois même, il s'était allongé sur le banc, sous son porche.

Cette incertitude constante, le fait de ne jamais savoir où il serait, mais uniquement qu'il serait là, quelque part, l'énervait tout autant que son demi-sourire au coin des lèvres et cet éclair rieur dans les yeux quand il prenait congé. Cela ressemblait presque à un clin d'œil, comme s'il connaissait un secret coquin à son sujet, mais qu'il gardait pour lui, du moins pour l'instant.

Elle se rendit compte, non sans une certaine ironie, que son malaise en présence d'Obadiah venait en partie de Roger. Elle avait pris l'habitude d'entendre ce qui n'était pas formulé à voix haute.

Obadiah ne parlait pas non plus. Il ne lui disait rien, ne faisait jamais un geste déplacé. Pouvait-elle lui demander de ne pas la regarder? C'était ridicule. Tout comme il était absurde que son cœur s'arrête chaque fois qu'elle ouvrait la porte, et qu'une sueur froide l'envahisse dès qu'elle l'apercevait.

Rassemblant son courage, elle sortit sur le seuil de la cabane pour saluer ses élèves qui se dispersaient. Puis elle jeta un coup d'œil aux alentours. Il n'était pas là. Ni près du puits, ni sous l'arbre, ni sur le banc… nulle part.

Ne semblant pas inquiètes, Anne et Kate avaient déjà traversé la moitié de la clairière en compagnie de Jane Cameron.

– Anne! appela-t-elle. Où est ton frère?

Anne se retourna, faisant voler ses couettes.

– Il est parti à Salem, madame. Aujourd'hui, on va manger chez Jane.

Les fillettes s'éloignèrent en gambadant comme trois ballons rebondissant sur l'herbe.

La tension quitta lentement sa nuque et ses épaules, et elle prit une longue inspiration profonde. L'espace d'un instant, elle ressentit un vide, comme si elle se demandait quoi faire. Puis, elle se redressa et lissa son tablier froissé. Jemmy s'était endormi, bercé par le chant nasal des fillettes récitant leur alphabet. Elle pourrait profiter de sa sieste pour aller chercher de la crème à la laiterie. Roger adorait ses biscuits au babeurre. Elle lui en préparerait pour le dîner, avec un peu de jambon.

La laiterie était fraîche et sombre. Le bruit de l'eau qui courait dans la rigole en pierre creusée dans le sol était apaisant. Elle aimait venir dans cet endroit, attendre que ses yeux s'accoutument à la pénombre, puis admirer les algues vertes qui nageaient dans le courant. Jamie avait annoncé qu'une famille de chauve-souris s'était établie sous le toit. Levant les yeux, elle les aperçut, quatre petites masses suspendues dans le recoin le plus sombre, chacune ne faisant pas plus de cinq centimètres de long. On aurait dit des feuilles de vignes farcies. Ce rapprochement la fit d'abord sourire, puis lui serra le cœur.

La dernière fois qu'elle en avait mangées, elle était avec Roger dans un restaurant grec, à Boston. Ce n'était pas qu'elle aime particulièrement la cuisine grecque, mais elle aurait pu partager avec lui ce souvenir de leur ancienne vie. À présent, si elle lui parlait des chauves-souris, il se contenterait d'esquisser un de ses vagues sourires qui ne montaient jamais plus jusque dans ses yeux, et elle se retrouverait seule avec son image d'antan.

Elle sortit de la laiterie, marchant lentement, le seau de babeurre dans une main, une tranche de fromage dans l'autre. Ils déjeuneraient d'une omelette au fromage. Cela se préparait en un rien de temps, et Jemmy en raffolait. Il utilisait sa cuillère pour tuer sa proie, puis la dévorait en la saisissant des deux mains et en s'en mettant partout. Mais, au moins, il se nourrissait tout seul, ce qui était un progrès.

Elle souriait toute seule quand, relevant les yeux vers le sentier, elle aperçut Obadiah assis sur le banc.

– Qu'est-ce que vous faites là? Les filles ont dit que vous étiez à Salem.

Son ton était tranchant, mais un peu plus aigu qu'elle ne l'avait voulu.

Il se leva et avança d'un pas, toujours ce même demi-sourire aux lèvres.

– J'y étais. Je suis revenu.

Elle résista à l'impulsion de reculer. Elle était chez elle. Ce n'était pas lui qui la ferait fuir de sa propre maison.

– Les petites sont parties, dit-elle le plus froidement possible. Elles sont chez les Cameron.

Le cœur battant à tout rompre, elle passa devant lui, voulant déposer le seau sur le porche.

Elle se pencha et il plaça une main dans le creux de ses reins. Elle se figea. Il n'ôta pas sa main. Il ne tenta pas de la caresser ni de presser sa chair, mais son seul poids contre sa colonne vertébrale était comme un serpent mort. Elle tressaillit et fit volte-face, reculant précipitamment. Pour ce qui était de ne pas se laisser impressionner, c'était plutôt raté.

– Je vous ai rapporté quelque chose de Salem.

Un sourire occupait toujours ses lèvres, mais il n'avait aucun lien avec l'expression de son regard.

– Je n'en veux pas, répliqua-t-elle. Je veux dire… merci, mais je ne peux pas l'accepter. Mon mari ne serait pas d'accord.

– Il n'aura pas besoin de le savoir.

Il fit un pas vers elle et elle recula encore. Le sourire s'élargit.

– J'ai entendu dire que votre mari était rarement à la maison ces temps-ci, dit-il doucement. Vous devez vous sentir seule.

Il tendit une grande main vers son visage. Puis il y eut un drôle de petit bruit sourd, une sorte de « tonk ! », et il écarquilla des yeux ahuris.

Elle le dévisagea un moment sans comprendre, puis suivit son regard tandis qu'il baissait les yeux vers sa main tendue. Elle aperçut le petit couteau planté dans son avant-bras, une tache rouge s'élargissant sur la manche de sa chemise.

– Va-t'en.

Jamie avait parlé d'une voix basse mais distincte. Il émergea de l'ombre d'un arbre, fixant Henderson d'un air fort peu amical. Il les rejoignit en trois enjambées et arracha son couteau du bras du jeune homme d'un geste sec. Celui-ci émit un petit bruit étranglé d'animal blessé.

– Pars, dit encore Jamie. Ne remets jamais les pieds ici.

Le sang coulait dans la main d'Obadiah, dégoulinant au bout de ses doigts. Quelques gouttes tombèrent dans le babeurre, formant des fleurs cramoisies sur l'onctueuse surface jaune. Hébétée, Brianna ne put s'empêcher de remarquer leur étrange beauté, comme des rubis incrustés dans de l'or.

Puis le jeune homme fila, sa main libre tenant son bras blessé, traînant les pieds, puis courant vers la piste. Il disparut entre les arbres, et un grand silence retomba sur la cour.

– Tu avais vraiment besoin de faire ça ? dit enfin Brianna.

Elle se sentait étourdie, comme si elle aussi avait reçu un coup. Les gouttes de sang se diffusaient, leurs bords se dissolvant dans la crème. Elle eut un haut-le-cœur.

Son père la soutint par un bras et l'attira sur le banc du porche.

– Pourquoi, tu aurais préféré que j'attende ?

– Non, mais tu… tu ne pouvais pas te contenter de lui dire quelque chose ?

Ses lèvres étaient engourdies et sa vision périphérique traversée de petites lumières clignotantes. Elle comprit vaguement qu'elle était sur le point de tourner de l'œil et se pencha en avant, enfouissant sa tête entre ses genoux, son visage caché dans son tablier.

– C'est ce que j'ai fait. Je lui ai dit de partir, se défendit-il.

Le porche grinça quand il s'assit à côté d'elle.

– Tu sais très bien ce que je veux dire, marmonna-t-elle dans le tissu.

Elle se redressa lentement. L'épicéa rouge près de la grande maison oscilla doucement au loin puis se stabilisa.

– Qu'est-ce que tu cherchais à faire? reprit-elle. À faire l'important? Comment pouvais-tu être sûr de ton coup en lançant un couteau de si loin? Même pas un couteau, un canif!

– C'est tout ce que j'avais dans ma poche. Et puis, je n'avais pas vraiment l'intention de l'atteindre, avoua Jamie. Je voulais le planter dans le mur de la cabane, puis, quand il se serait retourné pour voir d'où venait le bruit, je l'aurais frappé par derrière. Sauf qu'il a bougé.

Elle ferma les yeux et inspira profondément par le nez, essayant de calmer les mouvements de pendule de son estomac.

– Tu te sens bien, *a muirninn*?

Il posa une main dans son dos, légèrement plus haut que là où Obadiah avait placé la sienne. Cela lui fit du bien : elle était grande, chaude et réconfortante.

– Ça va, répondit-elle en rouvrant les yeux.

Comme il paraissait inquiet, elle s'efforça de lui sourire.

– Vraiment. Ça va.

Il se détendit un peu, mais continua à la dévisager.

– Ce n'était pas la première fois, n'est-ce pas? Depuis combien de temps ce petit coq te tourne-t-il autour?

Elle inspira de nouveau. Se sentant coupable, elle aurait voulu dédramatiser la situation. Après tout, n'aurait-elle pas pu trouver un moyen d'y mettre un terme? Mais sous l'intensité de ce regard bleu, elle ne put mentir.

– Depuis le premier jour.

Il écarquilla les yeux.

– Si longtemps? Pourquoi n'en as-tu rien dit à ton mari?

Elle fut prise de court et se mit à bafouiller :

– Eh bien… c'est que… je n'ai pas pensé… je veux dire… ce n'était pas son problème.

Le sentant tiquer et ravaler sans doute une remarque mordante à propos de Roger, elle ajouta précipitamment :

– Il… il n'a rien fait… vraiment. Ce n'était que sa manière de me dévisager… et de sourire. Je ne pouvais pas me plaindre qu'il me regardait! Je n'ai pas voulu paraître fragile ni incapable de me défendre.

Pourtant, elle avait été les deux, et le savait. Cette conscience brûlait sous sa peau comme des piqûres de fourmis.

– Je ne voulais pas… avoir à demander à Roger de me défendre.

Il ne paraissait pas saisir. Il secoua lentement la tête sans la quitter des yeux.

– À quoi crois-tu qu'un homme sert? demanda-t-il enfin.

Il parlait sur un ton doux mais totalement perplexe.

– Tu penses que c'est un chien de compagnie? Un oiseau en cage?

– Tu ne comprends pas!

– Ah non?

Il expira bruyamment, dans un rire sardonique.

– Je suis marié depuis près de trente ans et toi, moins de deux. À ton avis, qu'est-ce que je ne comprends pas, ma fille?

– La situation entre maman et toi n'est pas du tout la même que celle entre Roger et moi!

– Non, c'est vrai. Ta mère respecte ma fierté et moi, la sienne. À moins que tu estimes qu'elle est lâche et ne sait pas se défendre toute seule?

– Je… non.

Elle déglutit, se sentant dangereusement au bord des larmes, mais déterminée à ne pas se laisser aller.

– Mais, papa, ce n'est pas pareil. Nous sommes d'un autre lieu, d'une autre époque.

– Je sais bien, dit-il plus calmement. Mais je ne pense pas que les hommes et les femmes aient tant changé que ça.

– Peut-être pas. Mais Roger est différent. Depuis Alamance.

Il sembla sur le point de répondre, mais se contenta de pousser un soupir. Il se pencha en avant, observant la cour, et tambourina doucement du bout des doigts sur le banc, entre eux.

– Oui, c'est possible, dit-il enfin.

Elle entendit un bruit sourd dans la cabane derrière elle, puis un autre. Jemmy s'était réveillé et lançait ses jouets par-dessus le bord de son berceau. Dans quelques instants, il allait se mettre à hurler pour les avoir. Elle se leva brusquement et arrangea les plis de sa robe.

– Il faut que j'aille m'occuper de Jemmy.

Jamie se mit debout à son tour et, saisissant le seau, en balança l'épais contenu jaune dans la cour.

– Je vais t'en rechercher, annonça-t-il.

Avant qu'elle ait pu lui dire que ce n'était pas la peine, il était parti.

Jemmy se tenait sur ses pieds dans son berceau, agrippé à son rebord, impatient d'en sortir. Quand elle se pencha pour le prendre, il se jeta dans ses bras. Il commençait à être lourd, mais elle le serra fort contre elle, pressant sa joue contre sa tête moite. Son cœur battait fort, cognant contre les parois de sa poitrine.

« Vous devez vous sentir seule », avait-il dit. Il avait tellement raison.

80

Un baiser d'adieu

Repu, Jamie se cala en arrière contre son dossier en soupirant. Alors qu'il s'apprêtait à se lever, Mme Bug bondit de sa chaise et agita un index menaçant vers lui.

– Comment ? Vous n'allez pas vous défiler en me laissant avec mon pain d'épice et ma crème fouettée sur les bras !

– Vous allez me faire exploser, Mme Bug, mais, d'un autre côté, autant mourir en homme comblé ! Laissez-moi juste aller chercher quelque chose pendant que vous servez.

Avec une agilité surprenante pour un homme qui venait d'engloutir une bonne livre de saucisses aux épices accompagnées de pommes et de patates frites, il sortit de table et disparut dans le couloir en direction de son bureau.

Je pris une profonde inspiration, me félicitant d'avoir senti l'odeur du pain d'épice au gingembre en train de cuire dans l'après-midi et d'avoir enlevé mon corset avant le dîner.

Jamie revint juste au moment où le gâteau et la crème fouettée, battue en gros caillots blancs, faisaient leur apparition. En passant, il déposa près de Roger un cahier relié en tissu ainsi que le petit coffret en bois contenant l'astrolabe.

Puis il se rassit en déclarant d'un ton détaché :

– Il doit nous rester environ deux mois de beau temps.

Il plongea un doigt dans la crème dans son assiette, puis le suça, fermant les yeux avec délectation.

– Alors?

La question était sortie dans un râle à peine audible, mais suffisamment distinct pour que même Jemmy cesse un instant de babiller et se tourne vers son père, la bouche ouverte. Ce devait être le premier mot de la journée prononcé par Roger.

Jamie avait rouvert les yeux et saisi sa cuillère, contemplant son assiette avec la détermination d'un homme qui se jette à la mer.

– Alors, Fergus descendra sur la côte juste avant les premières neiges. Ce serait bien qu'il puisse emporter les relevés d'arpentage pour les faire viser à New Bern, non?

Il attaqua son pain d'épice sans relever les yeux.

Il y eut un silence, perturbé uniquement par le bruit de nos respirations et le cliquetis des cuillères contre les assiettes en bois. Puis Roger, le seul à ne pas avoir commencé son dessert, articula lentement :

– Je peux… faire… ça.

Peut-être était-ce uniquement dû à ses efforts pour expulser l'air à travers sa gorge meurtrie, mais l'accent mis sur le dernier mot fit tiquer Brianna. À peine, mais assez pour que je le remarque, tout comme Roger. Il lui lança un bref regard, puis plongea son nez dans son assiette et serra les mâchoires.

– Parfait, dit Jamie toujours aussi nonchalant. Je te montrerai comment faire et tu pourras te mettre en route d'ici une semaine.

* * *

La nuit dernière, j'ai rêvé que Roger s'en allait. Cela fait une semaine que je rêve de son départ, depuis que Papa l'a suggéré. Enfin… « suggéré », tu parles! Comme Moïse descendant du mont Sinaï avec les Dix Suggestions.

Dans mon rêve, Roger rangeait ses affaires dans un grand sac pendant que je lavais le sol. Il était toujours dans mes pattes et je n'arrêtais pas de repousser son sac pour atteindre un nouveau coin de plancher. Celui-ci était très sale, avec toutes sortes de taches et de flaques visqueuses. Il y avait aussi des petits os éparpillés un peu partout, comme si Adso était venu manger un rongeur dans la cabane. Les os se prenaient sans cesse dans ma serpillière.

Je ne veux pas qu'il s'en aille, mais j'ai hâte qu'il soit parti. J'entends toutes ces choses qu'il ne dit pas, elles résonnent dans ma tête. Je me dis que lorsqu'il ne sera plus là, tout sera plus calme.

* * *

Elle se réveilla en sursaut. L'aube pointait tout juste et elle était seule. Des oiseaux chantaient dans la forêt. L'un d'eux faisait ses vocalises tout près de la cabane, des notes claires et mélodieuses. Une grive, peut-être?

Elle savait qu'il était parti, mais redressa néanmoins la tête pour le vérifier. Le sac à dos près de la porte avait disparu, tout comme le balluchon de vivres et la bouteille de cidre qu'elle lui avait préparés la veille. Le *bodhran* était toujours accroché à sa place sur le mur, semblant flotter dans la lumière pâle.

Elle avait tenté de le convaincre d'en rejouer, pensant qu'à défaut de sa voix il aurait toujours sa musique. Il avait résisté, jusqu'à ce qu'elle se rende compte qu'en insistant, elle ne faisait qu'attiser sa colère. Elle n'en avait plus parlé. Il ferait les choses à sa manière, ou pas du tout.

Elle jeta un œil vers le berceau, mais tout paraissait calme, Jemmy encore profondément endormi. Elle se renfonça dans son oreiller et posa les mains sur ses seins. Ils étaient nus, lisses et gonflés comme des gourdes. Elle pinça délicatement un mamelon et de minuscules perles de lait en jaillirent. L'une d'elles s'écoula sur le côté en formant une rigole.

La nuit dernière, avant de s'endormir, ils avaient fait l'amour. D'abord, elle n'avait pas cru qu'il en aurait envie, mais, quand elle s'était approchée en l'enlaçant, il l'avait serrée fort contre lui et l'avait embrassée lentement, très longuement, avant de la porter jusque dans leur lit.

Elle avait été si anxieuse de le satisfaire, de lui témoigner tout son amour avec sa bouche, ses mains et son corps, de lui donner une partie d'elle-même à emporter, qu'elle s'était totalement oubliée, au point que son propre orgasme l'avait prise par surprise. Elle glissa une main entre ses cuisses, se remémorant la sensation d'être soudain soulevée par une vague immense, portée inexorablement vers le rivage. Elle espérait que Roger s'en était rendu compte. Il n'avait rien dit, ni même ouvert les yeux.

Avant de partir, il avait déposé un baiser d'adieu sur sa bouche, dans le noir, sans dire un mot. Ou du moins… elle le croyait. Elle posa ses doigts sur ses lèvres, doutant soudain, mais sa peau douce et tendre ne lui révéla rien.

L'avait-il vraiment embrassée ? Ou l'avait-elle seulement rêvé ?

81

Tueur d'ours

Août 1771

Les chevaux hennissant dans le paddock nous annoncèrent de la visite. Intriguée, j'abandonnai ma dernière expérience et m'approchai de la fenêtre. Il n'y avait ni homme ni monture dans la cour, mais les bêtes continuaient de piaffer et de trépigner, comme si elles sentaient une présence inconnue. Le ou les visiteurs devaient être à pied et avoir fait le tour par la cuisine, la plupart des gens considérant généralement cela comme plus poli.

Cette supposition fut immédiatement confirmée par un cri strident, à l'autre bout de la maison. Je passai la tête dans le couloir juste à temps pour apercevoir Mme Bug jaillir tel un boulet de canon, hurlant de panique.

Elle ne me vit même pas et fila droit par la porte d'entrée, qu'elle laissa grande ouverte, traversa la cour et disparut au loin dans les bois sans cesser de hurler. Du coup, je réagis à peine quand, tournant la tête de l'autre côté, j'aperçus un Indien sur le seuil de la cuisine, l'air ahuri.

Nous nous observâmes un moment avec méfiance. En me voyant peu disposée à pousser des cris ni à courir, il se détendit. Il ne semblait pas armé, ne portait pas de peintures de guerre ni aucun signe d'hostilité, si bien que je relaxai moi aussi.

Devinant qu'il était cherokee, j'essayai prudemment :

– *Osiyo !*

Il portait trois chemises en calicot l'une sur l'autre, des culottes en grosse toile et cette drôle de casquette tombante, un peu comme un turban à moitié déroulé, que les hommes mettaient souvent pour les occasions formelles, plus de longues boucles d'oreilles en argent et une belle broche en forme de soleil levant.

Mon salut le ravit. Il m'adressa un grand sourire et me répondit quelque chose d'incompréhensible. Désolée, je haussai les épaules et souris en retour, puis nous restâmes là un moment à dodeliner de la tête et à sourire bêtement. Soudain inspiré, mon visiteur glissa une main sous le col de sa première chemise (un ravissant imprimé de losanges jaunes sur fond bleu) et en extirpa un lacet de cuir auquel étaient suspendues les griffes noires et recourbées d'un ou de plusieurs ours.

Il les agita vers moi en haussant les sourcils, jetant des coups d'œil à droite et à gauche, comme s'il cherchait quelqu'un sous la table ou sur mon armoire. Je compris aussitôt :

– Ah, vous voulez voir mon mari ?

Je mimai quelqu'un pointant un fusil.

– Le tueur d'ours ?

Ma perspicacité fut récompensée par l'éclat d'une dentition parfaite.

– Il devrait être là d'ici quelques minutes.

J'agitai une main vers la fenêtre, lui indiquant le sentier sur lequel avait détalé Mme Bug, indubitablement partie informer Sa Seigneurie qu'une armée de Peaux-Rouges assoiffés de mort et de destruction avait envahi la maison et profané son parquet briqué. Puis je lui montrai la porte de la cuisine.

– Venez boire quelque chose.

Il me suivit sans protester. Nous étions tranquillement assis à table, buvant du thé et échangeant d'autres sourires et hochements de tête, quand Jamie entra accompagné, outre de Mme Bug accrochée à ses basques et lançant des regards suspicieux vers notre visiteur, de Peter Bewlie.

Notre invité fut rapidement identifié comme étant Tsatsa'wi, le frère de l'épouse indienne de Peter. Il habitait dans un village situé à une cinquantaine de kilomètres, de l'autre côté de la ligne du Traité. Venu rendre visite à sa sœur, il résidait donc chez les Bewlie pour quelque temps. Peter expliqua :

– Hier, après le dîner, nous fumions une petite pipe quand Tsatsa'wi a raconté à ma femme ce qui était arrivé dans son village. Comme il ne parle pas l'anglais et que je ne connais que peu de mots de leur langue – rien que le nom de certaines choses et des formules de politesse –, elle m'a traduit qu'ils étaient harcelés par un ours violent depuis des mois.

Jamie indiqua le collier de griffes de l'Indien.

– Pourtant, il n'a pas l'air du genre à être intimidé par ces créatures, non?

Il sourit à Tsatsa'wi, qui, apparemment, comprit le sens du compliment. Les deux hommes se saluèrent par-dessus leur tasse de thé.

Peter lécha quelques gouttes à la commissure de ses lèvres, puis fit claquer sa langue d'un air d'approbation.

– Oui, c'est un sacré chasseur, notre Tsatsa'wi! En temps normal, lui et ses cousins auraient sans doute abattu la bête en un tour de main. Mais il semblerait que cet ours ne soit pas tout à fait comme les autres. Je lui ai donc proposé de venir te voir, *Mac Dubh*, en pensant que, si tu avais le temps, tu pourrais les débarrasser de cette créature.

Peter se tourna vers son beau-frère et indiqua fièrement Jamie d'un geste du menton, l'air de dire «tu vois, je te l'avais dit : il peut le faire».

Je réprimai un sourire. Jamie croisa mon regard, toussota modestement, puis reposa sa tasse.

– Je ne peux pas venir pour l'instant, mais, une fois le foin rentré… pourquoi pas? Qu'a-t-il de si particulier, cet ours?

– C’est un spectre, répondit Peter sur un ton enjoué.

Je manquai de m’étrangler avec mon thé. Jamie ne parut pas surpris outre mesure, mais se gratta le menton, songeur.

– Mmphm. Qu’a-t-il donc fait ?

L’ours avait fait son entrée en scène environ un an plus tôt, bien que personne ne l’ait réellement vu avant un bon laps de temps. On avait retrouvé les traces habituelles de déprédation – la disparition de poissons mis à sécher au soleil, de guirlandes d’épis de maïs suspendues sous les toits des maisons, de viande dans les fumoirs –, mais les villageois avaient d’abord pensé qu’il était un peu plus malin que la moyenne, l’ours moyen se fichant pas mal d’être surpris en flagrant délit ou pas.

– Il ne venait que la nuit, expliqua Peter, et ne faisait pratiquement pas de bruit, si bien que les gens sortaient de chez eux le matin et découvraient leur garde-manger pillé.

Ayant un peu plus tôt aperçu Mme Bug filer comme si elle avait le diable à ses trousses, Brianna était venue voir de quoi il retournait. Elle fredonna doucement un vieil air dont les paroles lui revenaient en mémoire au fur et à mesure : « Oh ! il dormira jusqu’à midi, mais avant la tombée de la nuit… il aura farfouillé dans tous les paniers de pique-nique du parc de saint Dominique. » Je pressai ma serviette contre mes lèvres pour cacher mon envie de rire.

– Ils ont tout de suite compris que c’était un ours, à cause des empreintes, poursuivit Peter.

Tsatsa’wi reconnut ce mot. Il posa ses deux mains à plat sur la table, pouce contre pouce, nous montrant la largeur de l’empreinte, puis toucha la griffe la plus longue de son collier, hochant la tête d’un air entendu.

Habitués aux ours, les villageois avaient pris les précautions d’usage, déplaçant les victuailles dans des lieux plus protégés et laissant leurs chiens dehors à la tombée de la nuit. Résultat, bon nombre de ces derniers avaient disparu à leur tour, toujours sans un bruit.

Mais les chiens avaient fini par devenir plus prudents, ou l'ours plus gourmand. La première victime humaine, un homme, avait été tuée en forêt. Puis – il y avait de cela six mois –, un enfant avait été emporté. Brianna cessa aussitôt de chantonner.

Un bébé avait été arraché à son berceau au bord d'une rivière, pendant que sa mère lavait son linge au coucher du soleil. Il n'y avait eu aucun bruit et pas un indice, hormis une grande empreinte griffue dans la boue.

Depuis, quatre autres villageois étaient morts, dont deux enfants qui cueillaient des fraises sauvages une fin d'après-midi. On avait retrouvé un corps, la nuque brisée, mais intact. L'autre avait disparu ; seules des traces sur le sol indiquaient qu'il avait été traîné dans les bois. Une femme au travail avait été tuée dans son champ de maïs, là encore au coucher du soleil, et partiellement dévorée sur place. La dernière victime, un homme, était parti traquer l'ours en question.

– Tout ce qu'ils ont retrouvé de lui, c'est son arc et quelques lambeaux de vêtements ensanglantés, dit Peter.

J'entendis un bruit sourd derrière moi. Mme Bug venait de s'effondrer sur le banc.

– Donc, ils ont déjà essayé de le chasser ? demandai-je.

Peter se tourna vers moi et hocha gravement la tête.

– Oh oui ! madame Claire. Comme ça, ils ont su ce que c'était vraiment.

Un petit groupe de chasseurs armés d'arcs, de lances et des deux mousquets du village s'était mis en route. Ils avaient décrit des cercles concentriques autour de leur petite communauté, persuadés que, s'y trouvant bien, l'ours resterait dans les parages. Ils avaient marché pendant quatre jours, tombant parfois sur de vieilles pistes, mais ils ne découvrirent aucune trace de l'ours lui-même.

– Tsatsa'wi était avec eux, expliqua Peter. Une nuit, lui et un de ses amis montaient la garde pendant que les autres dormaient. La lune venait de se lever. Il est allé chercher de l'eau. Quand il est revenu près du feu, il a juste eu le temps d'apercevoir son copain entraîné, mort, la tête broyée dans la gueule de la créature !

Tsatsa'wi suivait avec attention le récit. Arrivé à ce stade, il acquiesça vigoureusement et fit un geste qui devait correspondre au signe de croix chez les Cherokees, un geste bref et formel pour repousser le mal. Il se mit ensuite à parler, ses mains s'agitant dans les airs pour nous mimer la scène.

Naturellement, il avait crié, réveillant ses autres compagnons, et s'était rué vers l'ours, espérant lui faire peur pour qu'il lâche son ami, même s'il était évident que celui-ci était déjà mort. Il inclina sa tête en angle droit pour indiquer son cou brisé, laissant sa langue pendre à l'extérieur de sa bouche, une grimace qui, dans d'autres circonstances, aurait été comique.

Les chasseurs avaient emmené deux chiens qui s'étaient, eux aussi, précipités vers l'ours en aboyant. La bête avait effectivement abandonner sa proie, mais, au lieu de s'enfuir, avait chargé Tsatsa'wi. Il avait bondi de côté, et l'ours s'était arrêté, juste le temps d'attraper un des chiens avant de disparaître dans l'obscurité de la forêt, poursuivi par l'autre chien, une pluie de flèches et quelques balles de mousquet, dont aucune n'avait atteint sa cible.

Ils avaient pourchassé l'ours dans la forêt à l'aide de torches, sans parvenir à le retrouver. Le second chien était réapparu, la queue entre les jambes – Brianna se retint de justesse de pouffer de rire quand Tsatsa'wi mima son air penaud. Les chasseurs étaient revenus près de leur feu, choqués et perplexes, où ils avaient veillé le reste de la nuit avant de rentrer au village, le lendemain matin. Voilà pourquoi – Tsatsa'wi fit un geste gracieux vers Jamie – il sollicitait à présent l'aide de Tueur d'ours.

Brianna se pencha en avant, la curiosité l'emportant sur l'effroi initial suscité par le récit.

– Mais qu'est-ce qui leur fait penser qu'il s'agit d'un fantôme ?

Un sourcil arqué, Peter se tourna vers elle.

– La bête est plus grande qu'un ours ordinaire et toute blanche. Tsatsa'wi dit que, lorsqu'elle s'est retournée vers lui, ses yeux étaient rouge incandescent. Pour eux, il ne pouvait s'agir que d'un spectre, aussi ils n'ont pas été trop surpris qu'aucune de leurs flèches ne l'atteigne.

Tsatsa'wi reprit la parole, désigna Jamie en tapotant son collier de griffes, puis, à ma stupéfaction, fit volte-face et pointa un doigt vers moi.

– Moi? Mais qu'ai-je à voir là-dedans?

En entendant mon ton surpris, le Cherokee prit ma main et la caressa, non pas d'une manière affectueuse, mais plutôt pour indiquer ma peau. Amusé, Jamie émit un petit bruit.

– Il te trouve très blanche, *Sassenach.* Il pense peut-être que l'ours te prendra pour un esprit sœur.

Il me sourit, mais Tsatsa'wi avait visiblement saisi le sens de sa remarque et hocha vigoureusement la tête. Puis, il lâcha ma main et croassa brièvement… l'appel du corbeau.

– Ah! fis-je, mal à l'aise.

De toute évidence, la tribu de Tsatsa'wi n'avait pas uniquement entendu parler de Tueur d'ours, mais également de Corbeau blanc, même si je ne connaissais pas le mot en cherokee. Tout animal blanc était considéré comme porteur d'un message particulier, généralement pas très bon. J'ignorais s'il voulait dire par là que je pourrais exercer quelque influence sur l'ours fantôme ou simplement servir d'appât, mais j'étais indubitablement incluse dans l'invitation.

C'est ainsi qu'une semaine plus tard, le foin rentré et huit quartiers de gros gibier suspendus dans le fumoir, nous nous mîmes en route vers la ligne du Traité, parés pour un exorcisme.

* * *

Outre Jamie et moi, notre expédition était constituée de Brianna et de Jemmy, des jumeaux Beardsley et de Peter Bewlie, ce dernier nous servant de guide. Sa femme nous avait devancés avec Tsatsa'wi. Au début, Brianna n'avait pas voulu venir. Pas qu'elle n'aimait pas la chasse, mais elle craignait plutôt d'emmener Jemmy dans la nature sauvage. Jamie avait néanmoins insisté, affirmant que son adresse au tir nous serait indispensable. Comme elle ne voulait toujours pas sevrer son fils, elle avait été obligée de l'amener. Perché sur la selle devant sa mère, il était aux anges. Quand il ne commentait pas tout ce qu'il voyait dans son babil habituel, il suçait son pouce d'un air émerveillé.

Quant aux Beardsley, c'était surtout Josiah qui intéressait Jamie.

– Ce garçon a déjà tué au moins deux ours, m'avait-il expliqué. J'ai vu leurs peaux au *gathering*. Si son frère veut l'accompagner, je n'y vois pas d'inconvénient.

– Moi non plus, mais pourquoi tiens-tu tant à la présence de Brianna? Josiah et toi pouvez sûrement vous dépatouiller avec cet ours, non?

Astiquant le canon de son fusil avec un chiffon huilé, il avait répondu :

– Oui, mais si deux chasseurs valent mieux qu'un, trois valent encore plus, non? Surtout un bon fusil comme notre fille.

– Certes, dis-je, sceptique. Mais encore?

Il releva les yeux vers moi avec un petit sourire narquois.

– Quoi, tu ne crois tout de même pas que j'ai une arrière-pensée, *Sassenach*?

– Non, je ne le crois pas, j'en suis sûre.

Il se mit à rire tout en poursuivant son nettoyage. Au bout de quelques minutes, il reprit :

– En fait, j'ai pensé que ce serait une bonne chose pour la petite d'avoir quelques amis parmi les Cherokees. Au cas où elle aurait besoin d'un endroit où aller… un jour.

Il ne me dupa pas avec son air détaché.

– Un jour. Tu veux dire quand viendra la guerre d'Indépendance ?

– Oui. Ou… quand nous serons morts.

Pointant dans le vide, il mit en joue, fermant un œil pour vérifier le viseur. Malgré la chaleur de cette belle journée d'été indien, je sentis un courant glacé me parcourir le dos. La plupart du temps, je parvenais à oublier cette coupure de journal, celle qui rapportait la mort de Jamie Fraser et de son épouse dans un incendie à Fraser's Ridge. Certains jours, elle revenait me trotter dans la tête ; toutefois, je réussissais à l'enfermer dans un tiroir mental, refusant de m'appesantir sur le sujet. Cependant, il m'arrivait de me réveiller en sursaut en pleine nuit, tremblante et terrifiée, de hautes flammes léchant les recoins de mon esprit.

– L'article disait « ne laissent pas d'enfants en vie », dis-je, déterminée à surmonter ma peur. Tu penses que ça veut dire que Brianna et Roger seront partis… ailleurs, avant ? Chez les Cherokees, peut-être, ou à travers les pierres ?

– C'est possible.

Son visage était neutre, ses yeux rivés sur son travail. Ni lui ni moi n'étions prêts à admettre l'autre possibilité.

Bien qu'étant venue à contrecœur, Brianna semblait apprécier le voyage. Sans Roger et libérée des corvées ménagères, elle était beaucoup plus détendue, riait et plaisantait avec les Beardsley et taquinait Jamie. Le soir, près du feu, elle allaitait Jemmy, avant de se coucher en chien de fusil autour de lui et de s'endormir paisiblement.

Les Beardsley semblaient prendre du bon temps eux aussi. L'ablation des végétations et des amygdales infectées de Keziah n'avait pas guéri sa surdité, mais l'avait nettement diminuée. Désormais, il pouvait entendre quand on lui parlait assez fort, en articulant bien et en le regardant en face. En revanche, il semblait comprendre sans problème tout ce que son frère lui disait, même en chuchotant. En le voyant écarquiller les yeux pendant que nous chevauchions dans l'épaisse forêt bourdonnante d'insectes, traversions des torrents ou suivions de vagues pistes à travers les broussailles, je me rendis compte qu'il n'était jamais allé nulle part de sa vie. Il n'avait connu que la ferme Beardsley et Fraser's Ridge.

Je me demandais ce qu'il penserait de nos hôtes, et eux de lui. Peter avait raconté à Jamie que les Cherokees considéraient les jumeaux comme bénis des Dieux et portant chance. Tsatsa'wi avait exulté en apprenant qu'ils seraient du voyage.

Josiah semblait aussi s'amuser, même si, comme j'avais déjà pu le constater, il n'était guère démonstratif. Toutefois, à mesure que nous approchions du village, je crus déceler chez lui une certaine nervosité.

Jamie non plus n'était pas à son aise, mais, dans son cas, je pensais savoir pourquoi. Il n'avait rien contre le fait d'aller prêter main-forte à des chasseurs et se réjouissait plutôt de cette occasion de rendre visite aux Cherokees. Mais être précédé d'une réputation de grand tueur d'ours l'intimidait plutôt.

Cette supposition se confirma après trois jours de voyage, lorsque nous montâmes le camp pour la nuit. Nous n'étions plus qu'à une quinzaine de kilomètres du village, que nous atteindrions probablement le lendemain avant midi.

Pendant notre route, je l'avais vu prendre mentalement une décision. Une fois réunis pour dîner autour d'un grand feu, il se leva brusquement et s'approcha de Peter Bewlie, assis en train de regarder les flammes d'un air songeur.

– Peter, je dois te dire quelque chose au sujet de cet ours fantôme que nous sommes censés retrouver.

Extirpé de sa contemplation, ce dernier releva les yeux vers lui avec un sourire, se poussant pour le laisser s'asseoir à côté de lui.

– Oui, qu'est-ce qu'il y a donc, *Mac Dubh*?

– Eh bien… c'est que je ne sais pas grand-chose sur les ours. Il n'y en a plus en Écosse depuis bien longtemps.

Peter le regarda, surpris.

– Mais on raconte que tu as tué un grand ours armé de ton seul coutelas !

Jamie se frotta le nez, un peu agacé.

– Oui, euh… c'est vrai. Sauf que je n'ai pas eu à le traquer. Il est venu me chercher, je n'avais pas vraiment le choix. Je ne suis pas sûr de pouvoir leur être très utile pour retrouver la trace de cet animal fantôme. Cet ours doit être particulièrement intelligent, non ? Pour entrer et sortir du village depuis des mois sans que personne ne l'ait jamais aperçu…

– Plus intelligent que l'ours moyen, répéta Brianna avec une moue ironique.

Jamie lui lança un regard torve, puis il pivota brusquement vers moi, me faisant m'étrangler avec ma gorgée de bière.

– Quoi ? demanda-t-il sèchement.

– Rien ! Je n'ai rien dit !

Dégoûté, il nous tourna le dos et aperçut soudain Josiah qui, s'il ne pouffait pas de rire, se retenait visiblement.

– Quoi ? aboya-t-il encore.

Il indiqua Brianna et moi d'un signe du pouce.

– Elles, elles ont l'esprit dérangé, c'est clair, mais tu ne vas pas t'y mettre toi aussi, non ?

Le sourire de Josiah s'effaça aussitôt et il fit de son mieux pour afficher un air grave, même si le tremblement de ses lèvres et la rougeur de ses joues étaient visibles à la lueur du feu. Comme Jamie le fixait en plissant des yeux, le garçon laissa échapper un gloussement étranglé et se plaqua une main devant la bouche.

– On peut savoir ce que tu as ? demanda poliment Jamie.

Devinant qu'il se passait quelque chose, Keziah se rapprocha de son frère, redressant les épaules pour le soutenir moralement. Josiah eut un bref mouvement vers lui, mais soutint le regard de Jamie. Le visage encore rouge, il semblait avoir repris le contrôle.

– Je suppose que je ferais mieux de tout vous dire, monsieur.

– Je suppose, en effet.

Résigné, Josiah poussa un soupir.

– Ce n'était pas toujours un ours. Parfois, c'était moi.

Jamie le dévisagea un moment sans comprendre, puis un léger sourire apparut au coin de ses lèvres.

– Ah bon?

– Mais pas toujours, précisa le garçon.

Lorsque ses errances l'avaient mené près d'un des villages indiens – « uniquement si j'avais très faim, monsieur », ajouta-t-il précipitamment –, il avait rôdé dans les parages, se glissant entre les huttes à la nuit tombée et dérobant tout ce qui était facilement accessible. Il restait dans le coin plusieurs jours, se servant dans les garde-manger des villageois jusqu'à ce qu'il ait recouvré ses forces et rempli sa besace, puis il repartait chasser. Il rentrait ensuite avec ses peaux dans la grotte où il avait élu domicile.

Pendant le récit de son frère, l'expression de Keziah n'avait pas changé. Je n'étais pas certaine qu'il avait tout entendu, mais il n'avait pas l'air surpris. Sa main resta posée un instant sur le bras de son jumeau, puis le lâcha pour saisir un morceau de viande.

L'hilarité de Brianna s'était calmée. Elle avait écouté les aveux de Josiah, le front plissé.

– Oui, mais tu n'as pas volé le bébé dans son berceau ni dévoré à moitié cette pauvre femme… n'est-ce pas?

Josiah cligna des yeux, plus déconcerté que choqué par la question.

– Non, pourquoi? Vous ne croyez tout de même pas que je les aurais mangés? C'est vrai, parfois j'ai eu faim au point d'y penser et peut-être que… si j'étais tombé sur quelqu'un déjà mort, ma foi, je ne dis pas… à condition qu'il soit encore relativement frais, bien sûr… Mais de là à tuer quelqu'un exprès!

Brianna s'éclaircit la gorge, d'une manière rappelant étrangement son père.

– Non, je n'ai jamais pensé que tu les avais dévorés, mais je me disais que, si quelqu'un les avait tués, pour une raison quelconque, l'ours aurait pu passer par là et se nourrir des cadavres.

Peter hocha la tête, paraissant intéressé, mais peu surpris par cette suite d'aveux.

– Oui, un ours pourrait faire ça. Ce n'est pas un mangeur difficile et il ne crache pas sur une charogne.

L'attention de Jamie était toujours concentrée sur Josiah.

– Oui, j'ai bien entendu, mais Tsatsa'wi a dit qu'il avait vu l'ours emporter son ami. Il tue donc les hommes, non?

– Oui, en tout cas, il en a tué un, convint le garçon.

Le ton étrange dans sa voix n'échappa pas à Jamie. Il le fixa avec encore plus d'intensité, tandis que le garçon remuait silencieusement les lèvres, hésitant à en dire plus. Il jeta un coup d'œil vers son frère, qui l'encouragea d'un sourire. Au passage, je remarquai que Keziah avait une fossette dans la joue gauche, et Josiah, dans la droite.

Ce dernier soupira et se tourna de nouveau vers Jamie.

– Je ne voulais pas en parler, mais, vu que vous avez toujours joué franc-jeu avec nous, il ne me paraît pas correct de vous laisser courir après cet ours sans savoir ce qui se cache d'autre derrière.

Mes poils se hérissèrent sur ma nuque et je résistai à l'impulsion de me retourner pour scruter les ténèbres derrière moi. Je n'avais plus du tout envie de rire.

Jamie abaissa le morceau de pain dans lequel il s'apprêtait à mordre.

– Qu'y a-t-il d'autre?

– Eh bien… faut dire que je ne l'ai vraiment vu qu'une seule fois, et par une nuit sans lune. Mais j'avais passé toute la nuit à chasser dans la forêt, et mes yeux étaient accoutumés à l'obscurité. Vous savez comment c'est, n'est-ce pas?

Jamie hocha la tête.

– Oui, je sais. Où était-ce?

Près du village vers lequel nous nous dirigions. Josiah connaissait bien l'endroit. Cette nuit-là, son objectif avait été une maison en lisière des autres habitations. Des guirlandes de maïs étaient suspendues à sécher sous les avant-toits, et il espérait bien repartir avec quelques-unes d'entre elles, à condition de ne pas attirer l'attention des chiens.

– Réveillez-en un, et vous vous retrouvez avec toute une meute hurlante à vos trousses! expliqua-t-il en secouant la tête. Comme il ne restait plus que quelques heures avant l'aube, je me suis approché très lentement, caché entre les arbres, pour voir si un de ces gredins n'était pas couché au pied de la maison qui m'intéressait.

Soudain, il avait vu une silhouette quitter la maison. Les chiens ne semblant pas la remarquer, il en avait déduit que l'homme en question sortait de chez lui. Il s'était arrêté pour remplir sa gourde au puits, puis après avoir mis son arc et son carquois en bandoulière, il s'était dirigé droit vers le bois où Josiah était tapi.

– Je ne pensais pas qu'il en avait après moi, mais j'ai rapidement grimpé à un arbre sans faire de bruit.

L'homme était sans doute un chasseur qui partait de bonne heure vers un cours d'eau lointain où les ratons laveurs et les cerfs s'abreuvaient au petit matin. Ne voyant aucune raison d'être discret si près de son village, il avait marché tranquillement, sans chercher à se cacher.

Il passa juste sous l'arbre où Josiah, perché, retenait son souffle, puis avait poursuivi sa route, disparaissant dans la dense végétation. L'enfant commençait à descendre de son perchoir lorsqu'il avait entendu une exclamation de surprise, suivie d'un bruit de lutte s'achevant dans un « clonk! » sourd et sinistre.

– Comme quand on fait éclater un potiron bien mûr en laissant tomber une lourde pierre dessus, précisa-t-il. En entendant ce bruit dans le noir, mon trou du cul s'est resserré comme les cordons d'une bourse!

Toutefois, l'angoisse n'empêchant pas la curiosité, il s'était faufilé dans la forêt dans cette direction. Il entendit encore un craquement de branches et, avançant prudemment la tête derrière un écran de cèdres, il distingua une forme humaine étendue sur le sol. Une autre, penchée dessus, essayait apparemment de lui arracher ses vêtements.

– Le chasseur était mort, dit Josiah avec calme. Je sentais l'odeur du sang et de la merde. Le petit homme avait dû lui fracasser le crâne avec une roche ou un gourdin.

– «Petit homme»? demanda Peter. Qu'est-ce que tu veux dire? Tu le distinguais clairement?

Josiah secoua la tête.

– Non, comme il faisait encore nuit noire, je ne voyais que son ombre qui se déplaçait dans l'obscurité. Mais il était plus petit que moi, plus ou moins comme ça.

Il tendit une main à environ un mètre quarante du sol.

Subitement, le meurtrier avait été interrompu dans son dépouillement du cadavre. Fasciné, Josiah n'avait rien remarqué jusqu'à ce que retentissent un nouveau craquement de branches et le grognement d'un ours en quête de nourriture.

– Vous pouvez me croire, en l'entendant, le petit homme a détalé. Il est passé à côté de moi, c'est le seul moment où je l'ai vu de près.

Il marqua une pause pour boire une gorgée de bière.

– Alors? m'impatientai-je. Ne fais pas durer le suspense. À quoi ressemblait-il?

L'air songeur, il essuya une ligne de mousse retenue dans sa moustache miteuse.

– Pour ne rien vous cacher, madame, j'aurais mis ma main à couper que c'était le diable, s'il avait été plus grand.

Naturellement, cette déclaration provoqua quelque confusion. Après quelques éclaircissements, il s'avéra qu'il voulait dire tout simplement que le «petit homme» était un Noir.

– C'est en allant à votre *gathering* que je me suis rendu compte qu'il existait des gens normaux tout noirs, expliqua-t-il. Je n'en avais jamais vus avant, et personne ne m'avait prévenu non plus.

Keziah confirma sobrement d'un hochement de tête.

– Le diable dans le livre, annonça-t-il de son étrange voix bourrue habituelle.

Le «livre» en question était une vieille Bible qu'Aaron Beardsley avait troquée quelque part sans jamais trouver à qui la revendre. Aucun des deux garçons n'avait jamais appris à lire, mais les images, notamment celles représentant le diable en créature noire et voûtée vaquant à ses tâches maléfiques de tentation et de séduction, les avaient fascinés.

– Il n'avait pas de queue fourchue, avoua Josiah, mais il est passé si vite que j'aurais pu ne pas la voir dans l'obscurité.

Ne tenant pas à attirer l'attention de l'individu en question, il était resté immobile et avait donc entendu, impuissant, le festin de l'ours.

– C'est comme a dit M. Peter. Les ours ne sont pas difficiles. Je ne pouvais pas voir celui-ci, je ne sais donc pas s'il était blanc ou pas, mais il a bel et bien mangé l'Indien. Je l'entendais fouiller dans son corps à coup de griffes et se goinfrer.

Apparemment, ce souvenir ne le troublait pas, mais je vis Brianna pincer les lèvres.

Jamie et Peter échangèrent un regard, puis Jamie se gratta le front en réfléchissant.

– Entre Josiah volant de la nourriture et un petit diable noir qui assassine les gens, il semblerait que tous les méfaits survenus dans le village de ton beau-frère ne soient pas imputables à l'ours fantôme. Qu'en penses-tu, Peter? Un ours tombant par hasard sur un cadavre pourrait-il développer un goût pour la chair humaine, au point de s'attaquer ensuite aux hommes pour les manger?

Concentré, Peter hocha lentement la tête.

– Ce n'est pas impossible, *Mac Dubh*. Si un tueur erre dans les bois, qui peut dire combien de gens l'ours a vraiment tués et combien de morts lui ont été attribués à tort?

– Mais qui peut bien être ce petit diable noir? demanda Brianna.

Les hommes se regardèrent, puis haussèrent les épaules.

– Peut-être un esclave en fuite? suggérai-je. Je ne vois pas pourquoi un esclave affranchi, sain d'esprit, errerait seul dans la nature.

– Il n'est peut-être pas sain d'esprit, déclara Brianna. Esclave ou homme libre. Surtout s'il assassine des gens pour rien.

Mal à l'aise, elle jeta un coup d'œil à la ronde vers la forêt et posa une main sur Jemmy, enroulé dans une couverture à ses côtés et profondément endormi.

Les hommes cherchèrent automatiquement leurs armes du regard. Quant à moi, je glissai une main sous mon tablier pour toucher le couteau que je portais à ma ceinture pour déterrer des racines et couper des tiges.

Brusquement, les bois me parurent sinistres et oppressants. Il était si facile d'imaginer une paire d'yeux nous observant dans l'obscurité, d'interpréter le bruissement constant des branchages comme des pas furtifs ou le frottement d'une fourrure.

Jamie se racla la gorge.

– Ta femme n'aurait pas fait allusion à des démons noirs, par hasard, Peter?

– Non, pas à ma connaissance, *Mac Dubh,* répondit celui-ci avec une lueur amusée dans le regard. La seule chose qui s'en rapproche et dont je me souvienne, c'est l'Homme noir de l'Ouest.

– Qui c'est celui-là? demanda Josiah, intrigué.

Peter se gratta la barbe.

– En fait, personne en particulier. Les chamans désignent ainsi les esprits qui habitent à chaque point cardinal. Chacun a sa couleur. Les sorciers les invoquent dans leurs prières, selon ce qu'ils souhaitent attirer sur le village ou sur un de ses membres. L'Homme rouge de l'Est, par exemple, apporte le triomphe et la réussite. Celui du Nord est bleu, couleur de la défaite et des problèmes. On l'appelle donc pour donner du fil à retordre à ses ennemis. Au Sud habite l'Homme blanc, symbole de paix et de bonheur. On chante pour lui quand une femme attend un enfant, ce genre de choses…

Jamie était à la fois captivé et perplexe.

– Ça ressemble beaucoup à nos quatre *airts*, tu ne trouves pas ?

Peter hocha la tête.

– C'est vrai. C'est étrange non ? Comment les Cherokees peuvent-ils cultiver les mêmes croyances que nous autres, Highlanders ?

D'un geste vague, Jamie indiqua la forêt sombre autour de nous.

– Peut-être pas si bizarre que ça, après tout. Ils vivent comme nous, non ? Ce sont des chasseurs et des montagnards. Pourquoi ne verraient-ils pas ce que nous voyons ?

Peter hocha lentement la tête, mais toute cette philosophie commençait à impatienter Josiah.

– Alors, cet Homme noir de l'Ouest, qu'est-ce qu'il fait ? demanda-t-il.

Peter et Jamie se tournèrent vers lui. Les deux hommes ne se ressemblaient en rien. Peter était un petit barbu trapu, Jamie grand et élégant, même dans ses vêtements de chasse. Pourtant, quelque chose de semblable dans leur regard me donna la chair de poule, je n'osais pas imaginer ce « qu'ils voyaient ».

– L'Ouest, c'est la terre des morts, dit Jamie doucement.

Peter confirma d'un hochement de tête.

– L'Homme noir de l'Ouest, c'est la mort en personne. Enfin, d'après ce que disent les Cherokees.

Josiah marmonna qu'il ne croyait pas trop à ce genre d'histoires. Brianna, elle, déclara fermement :

– Vous ne me ferez pas avaler que l'esprit de l'Ouest se balade en forêt en tapant sur la tête des gens. Josiah a vu un homme en chair et en os. Et noir de surcroît. J'en déduis que c'était soit un ancien esclave affranchi, soit un esclave en fuite. Personnellement, je vote pour l'esclave en fuite.

Je n'étais pas certaine du caractère démocratique du processus, mais j'étais plutôt de son avis.

– Ce n'est pas tout, poursuivit-elle. Et s'il était aussi responsable des cadavres à moitié mangés? Certains esclaves africains ne viennent-ils pas de tribus anthropophages?

Peter Bewlie roula des yeux effarés, tout comme les Beardsley. Keziah lança un regard inquiet par-dessus son épaule, puis se serra plus près de son frère.

Jamie, lui, parut trouver l'idée amusante.

– C'est vrai qu'il doit y avoir quelques cannibales, ça et là, en Afrique, mais je n'ai encore jamais entendu dire qu'il y en avait parmi les esclaves. Je doute qu'ils soient très recherchés pour assurer le service dans les maisons. On aurait trop peur de se retrouver avec une fourchette plantée dans une fesse.

Cette remarque fit rire tout le monde et soulagea un peu la tension. Puis nous commencèrent tous à nous étirer et à nous préparer pour la nuit.

Nous attachâmes un soin particulier à remballer toutes nos provisions dans les sacoches, et Jamie les suspendit haut dans un arbre, à une bonne distance du campement. Même si l'ours fantôme s'était révélé moins puissant que nous ne l'avions supposé, nous étions tacitement d'accord pour ne prendre aucun risque inutile.

La plupart du temps, j'oubliais que nous vivions en pleine nature sauvage, mais, de temps à autre, un élément tangible venait me le rappeler : des visites nocturnes de renards, d'opossums et de ratons laveurs, le feulement occasionnel mais déroutant d'un couguar, qui ressemblait horriblement aux cris d'une femme ou aux pleurs d'un bébé. À présent, l'endroit où nous nous trouvions était calme et silencieux. Mais il était absolument impossible de se tenir au cœur de ces montagnes, la nuit, entourés de ténèbres absolues, écoutant les murmures secrets des grands arbres au-dessus de nos têtes, et de prétendre être ailleurs qu'entre les griffes d'une forêt primitive. Il ne faisait aucun doute que, si tel était son souhait, la nature pouvait nous engloutir d'une seule bouchée, ne laissant aucune trace de notre existence.

En dépit de son esprit logique, Brianna n'était pas immunisée contre les chuchotements de la forêt, surtout avec un petit enfant dans les bras. Elle n'aida pas à préparer le camp pour la nuit, mais, tout en restant près de Jemmy, chargea son fusil.

Après un bref coup d'œil vers sa fille, Jamie décréta qu'il prendrait le premier quart avec elle. Josiah et moi assurerions le suivant, puis ce serait au tour de Peter et de Keziah. Jusque-là, nous n'avions pas monté la garde pendant la nuit, mais personne ne s'en était plaint.

Il n'existe pas meilleur somnifère qu'une longue journée en selle. Je m'allongeai près de Jamie avec l'immense gratitude de retrouver une position horizontale, orientation qui compense le plus dur des lits. Jamie posa doucement une main sur ma tête. Je me tournai et embrassai sa paume, me sentant protégée.

Peter et les frères Beardsley s'endormirent en quelques secondes, je pouvais les entendre ronfler de l'autre côté du feu. J'étais moi-même à moitié endormie, bercée par la conversation tranquille et à demi chuchotée entre Jamie et Brianna, quand je perçus un changement dans le ton de leurs voix.

– Tu t'inquiètes pour ton homme, *a nighean* ?

Elle laissa échapper un soupir.

– Je suis inquiète depuis qu'ils ont essayé de le pendre. Mais, plus ça va, plus j'ai carrément peur pour lui.

Jamie répondit d'une voix qui se voulait apaisante :

– Il n'est pas plus en danger ce soir qu'il ne l'était hier soir, ni aucun autre soir depuis qu'il s'est mis en route.

– C'est vrai. Mais ce n'est pas parce que j'ignorais tout de l'existence d'ours fantômes et de meurtriers noirs qu'ils ne rôdaient pas dans la nuit.

– C'est exactement ce que j'ai voulu dire. Ta peur ne le protège pas davantage.

– Certes, mais crois-tu vraiment que ça va m'empêcher de m'inquiéter?

Il émit un petit rire cynique.

– Non, effectivement.

Il y eut un bref silence, puis elle reprit :

– C'est que... je n'arrête pas de me demander... Qu'est-ce que je ferais s'il lui arrivait quelque chose... s'il ne revenait pas? Pendant la journée, ça va. Mais la nuit, je ne peux penser à rien d'autre.

Je le vis renverser la tête en arrière, fixant le tapis d'étoiles.

– Que veux-tu..., soupira-t-il. Combien y a-t-il de nuits dans vingt ans, *a nighean*? Combien d'heures? Je les ai toutes passées à me demander si ma femme était encore en vie et, si oui, ce qu'elle était en train de faire. Elle et mon enfant.

Sa main me caressa doucement, lissant mes cheveux. Brianna ne répondit pas, mais fit un bruit indistinct avec le fond de sa gorge.

– Dieu sert à ça, poursuivit-il. S'inquiéter ne mène à rien... mais la prière est utile, parfois.

– Oui, dit-elle, peu convaincue. Mais si...

– Si elle n'était pas revenue, l'interrompit-il, si tu n'avais pas fait le voyage, si je n'avais jamais su, ou si j'avais su de source sûre que vous étiez toutes les deux mortes...

Il tourna la tête pour la regarder, et son corps se déplaça lorsqu'il souleva sa main de sur ma tête pour la toucher.

– … alors, j'aurais quand même survécu, *a nighean*, et continué de vivre ma vie. Ce que tu feras toi aussi.

82

Le ciel s'obscurcit

Roger se fraya un chemin dans un épais taillis de gommiers doux et de chênes des marais. Il était en nage. Il y avait de l'eau tout près, il pouvait la sentir. Dans l'air flottait le parfum sucré et résineux d'une plante qui poussait au bord des ruisseaux. Il ne se souvenait ni de son nom ni de quoi elle avait l'air, mais il reconnaissait son odeur.

La lanière de son sac s'étant prise dans une branche, il tira dessus d'un coup sec, libérant une nuée de petites feuilles jaunes qui virevoltèrent comme des papillons. Les nuits se faisaient fraîches, mais les journées étaient encore chaudes, et il avait fini sa gourde dans la matinée. Il avait hâte d'atteindre le ruisseau, mais pas seulement parce qu'il avait soif.

Plus que d'eau pour se désaltérer, il avait besoin d'un peu d'espace pour respirer. Dans la cuvette où il marchait, les groupes de cornouillers et de lauriers sauvages étaient si denses qu'il apercevait à peine le ciel. Là où le soleil parvenait à filtrer, l'herbe lui arrivait jusqu'à mi-cuisses et les feuilles piquantes des myrtes épineux lui griffaient les joues.

Il avait emmené Clarence, la mule étant mieux adaptée qu'un cheval à la marche dans les sous-bois chaotiques, mais, même pour elle, certains endroits étaient trop accidentés. Il l'avait donc laissée entravée plus haut, avec sa paillasse roulée et ses sacoches, pendant qu'il progressait à coups de machette vers le prochain point où effectuer son relevé.

Un canard branchu jaillit d'un buisson à ses pieds, manquant de lui provoquer une crise cardiaque avec son battement d'ailes. Il s'immobilisa un instant, le temps de récupérer son souffle, et une horde de perruches vivement colorées descendirent entre les branches en gazouillant, amicales et curieuses. Puis, une présence invisible les alarma, et elles s'élevèrent dans un seul mouvement dans un vacarme tonitruant.

Il faisait lourd. Il ôta sa veste et la noua autour de sa taille, puis il s'essuya le visage sur sa manche de chemise et reprit sa lente progression, l'astrolabe se balançant lourdement à une lanière autour de son cou. Du haut de la montagne, en contemplant les creux remplis de brume et les crêtes boisées, il avait ressenti un certain plaisir en pensant que tout cela lui appartenait. Ici, alors qu'il se débattait avec les lianes, les vulpins jaunes et les fourrés de roseaux plus hauts que lui, toute idée de propriété paraissait dérisoire. Comment pouvait-on se croire maître d'un merdier pareil ?

Il avait surtout envie d'en finir avec cette jungle et de remonter sur un terrain surélevé. Même écrasé sous les arbres gigantesques de la forêt vierge, on arrivait encore à respirer. Les branches de tulipiers et de châtaigniers géants s'étiraient comme un toit qui masquait la lumière, si bien que seules de petites plantes poussaient dans le sous-bois : des tapis de délicates fleurs sauvages, de sabots de la vierge et de trilles blancs. Les arbres faisaient pleuvoir une telle profusion de feuilles mortes que ses semelles s'enfonçaient de plusieurs centimètres dans un tapis moelleux.

Il semblait inconcevable qu'un lieu comme celui-ci puisse être maîtrisé par l'homme, et pourtant c'était possible. Il le savait, il l'avait vu ! Il avait un jour conduit une voiture sur une autoroute asphaltée traversant le cœur d'une région identique à celle-ci. Il savait que la nature pouvait être domptée. D'un autre côté, tout en luttant contre les troncs de sumacs et d'airelles rouges, il était aussi conscient que ce lieu pouvait l'engloutir à jamais en un clin d'œil.

Mais, dans l'échelle disproportionnée de la végétation, régnait autour de lui quelque chose de réconfortant. Parmi les arbres géants et la faune grouillante, il se sentait apaisé. Il n'était plus harcelé par tous ces mots coincés dans sa gorge, par l'inquiétude inexprimée dans les yeux de Brianna, par le jugement dans ceux de son père, un jugement suspendu, telle une épée de Damoclès au-dessus de sa tête. Par les regards de pitié et de curiosité, par l'effort constant et lent de son élocution, par le souvenir du chant.

Tout cela lui manquait, surtout Brianna et Jemmy. Il faisait rarement des rêves cohérents, contrairement à Brianna (qu'écrivait-elle à présent dans son cahier?), mais il s'était réveillé ce matin avec la sensation claire de Jemmy, rampant sur lui comme il aimait le faire, le tripotant par-ci par-là, inquisiteur, tapotant doucement son visage, explorant un œil, une oreille, son nez, sa bouche, comme s'il cherchait les mots disparus.

Les premiers jours de son expédition, il n'avait pas parlé, soulagé de ne pas y être contraint. À présent, il s'y était remis, n'aimant pas la tonalité rauque et hachée des sons qu'il émettait, mais moins gêné, car personne d'autre ne pouvait les entendre.

Percevant le gargouillis de l'eau sur des pierres, il écarta un écran de jeunes saules et découvrit le ruisseau à ses pieds, le soleil étincelant à sa surface. Il s'agenouilla, but, s'aspergea le visage, puis choisit plusieurs endroits sur la berge pour prendre ses visées. De son sac, il sortit son cahier, de l'encre, une plume, et extirpa l'astrolabe de sous sa chemise.

Une fois de plus, un petit air lui trottait dans la tête. Des mélodies se glissaient toujours à l'improviste, résonnant dans son oreille interne comme des sirènes sur des écueils, prêtes à le mettre en pièces.

Mais pas cette fois-ci… Il sourit en lui-même, poussa la barre de l'astrolabe et mit en visée un arbre sur la rive d'en face. C'était une comptine, l'une des chansonnettes que Brianna fredonnait à Jemmy. Un de ces horribles refrains qui s'immisçaient dans votre tête et n'en sortaient plus jamais. Tout en prenant ses repères et en inscrivant ses relevés, il chantonnait dans sa barbe sans prêter attention aux distorsions craquelées des sons.

– Un élé… phant… qui… se balan… çait…

Deux mille cinq cents hectares. Qu'allait-il pouvoir en faire? Qu'allait-il faire, point?

– Sur une… toile… d'arrrrrai… gnée… OHÉ OHÉ!

* * *

Je découvris rapidement pourquoi mon nom avait fait tilt dans l'esprit de Tsatsa'wi. Son village s'appelait Kalanun'yi ou Raventown, « la ville aux corbeaux ». Je ne vis aucun de ces oiseaux en arrivant, mais j'en entendis un qui nous lança un salut rauque depuis un arbre.

Le village jouissait d'un site charmant, dans une étroite vallée verdoyante, au pied d'une montagne peu élevée. Il était bordé de modestes parcelles cultivées et de vergers. Une petite rivière le traversait, formant plusieurs cascades et disparaissant au loin dans ce qui ressemblait à une immense roselière, les tiges géantes et les feuilles projetant des reflets dorés dans le soleil de ce début d'après-midi.

Les habitants nous accueillirent cordialement, nous nourrissant somptueusement et nous divertissant pendant une nuit et un jour. Dès la deuxième après-midi, ils nous invitèrent à participer à ce que j'interprétai comme une requête à la divinité cherokee de la chasse, afin de lui demander son accord et sa protection pour l'expédition contre l'ours fantôme qui devait se mettre en marche le lendemain.

Avant de rencontrer Jackson Jolly, je n'aurais jamais imaginé qu'il pouvait y avoir autant de variétés de talents chez les chamans qu'il y en avait dans le clergé chrétien. Jusque-là, j'avais connu plusieurs spécimens de chaque espèce, mais, gênée par les mystères du langage, je ne m'étais pas rendu compte qu'une vocation de chaman allait forcément de pair avec le charisme, le pouvoir spirituel ou un don pour la prédication.

En observant la somnolence qui se propageait parmi les personnes entassées dans la maison du beau-père de Peter Bewlie, il m'apparut très vite que, en-dehors de son charme et de ses liens personnels avec le monde des esprits, Jackson Jolly était singulièrement dépourvu de toute prédisposition pour le prêche.

J'avais déjà remarqué un certain air résigné sur le visage de quelques membres de la congrégation, lorsque le chaman, drapé dans une couverture de flanelle rouge, avait pris place devant l'âtre avec un masque sculpté en forme de tête d'oiseau. Quand il commença à parler, une sorte de bourdonnement sonore, la femme à mes côtés se mit à se balancer d'un pied sur l'autre en soupirant.

Le soupir était contagieux, mais pas aussi embarrassant que les bâillements. Au bout de quelques minutes, la moitié de l'assistance avait la bouche grande ouverte, les yeux larmoyants comme des fontaines. J'avais moi-même des crampes dans les mâchoires à force de me retenir et Jamie clignait des yeux comme une chouette.

Jolly était assurément un chaman sincère, mais aussi un raseur patenté. Le seul à être fasciné par son discours était Jemmy qui, perché dans les bras de Brianna, le fixait avec des yeux ronds.

L'invocation pour la chasse à l'ours était plutôt monotone, intégrant des répétitions à n'en plus finir de «*Hé! Hayuya'haniwa, hayuya'haniwa, hayuya'haniwa...*» suivies de variations subtiles sur le même thème, chaque vers s'achevant sur un surprenant «Ohé!», comme si nous

nous apprêtions à saborder un galion espagnol, armés d'une bouteille de rhum.

Au cours de ce chant, la congrégation se réveilla un peu. Il me vint alors à l'esprit que le problème ne venait peut-être pas du chaman. L'ours fantôme hantait le village depuis des mois. Ils avaient dû se farcir cette cérémonie de nombreuses fois, sans succès. Non, Jackson Jolly n'était pas un mauvais prêcheur, simplement sa congrégation avait perdu la foi.

À la fin de sa prière, Jolly piétina vigoureusement les braises de l'âtre pour ponctuer ses paroles. Il sortit ensuite un bouquet de sauge de son sac, le tendit au-dessus du feu, puis arpenta la pièce en agitant la fumée sur la tête des fidèles. La foule s'écarta poliment, tandis qu'il s'avançait vers Jamie et les jumeaux Beardsley puis décrivait plusieurs cercles autour d'eux, tout en psalmodiant et en les parfumant de fumée aromatique.

Jemmy trouvait la scène hilarante. Sa mère aussi. Elle se tenait de l'autre côté de moi, réprimant un fou rire. Jamie se dressait, raide et digne, pendant que Jolly, tout petit, sautillait autour de lui comme un crapaud, soulevant les pans de sa veste pour parfumer son arrière-train. Je n'osais pas regarder Brianna.

Cette phase de la cérémonie achevée, le chaman reprit sa place près du feu et se remit à chanter. Ma voisine ferma les yeux et grimaça légèrement.

Je commençais à avoir mal au dos, quand, enfin, Jolly acheva son rituel par un cri. Il se retira ensuite dans un coin, enleva son masque et s'essuya le visage, trempé par son dur labeur et l'air plutôt satisfait de lui-même. Le chef du village s'avança alors pour parler à son tour, et l'assemblée s'anima.

Je m'étirai le plus discrètement possible, me demandant ce qu'il y aurait pour le dîner. Distraite par ces pensées pratiques, je ne remarquai pas tout de suite un changement d'atmosphère. Soudain, la femme à mes côtés se redressa et lança quelques mots d'une voix forte. Elle inclina la tête, en tendant l'oreille.

Le chef cessa aussitôt de parler, et tous les gens autour de moi se mirent à regarder vers le plafond. Les corps se raidirent et les yeux s'écarquillèrent. Je l'entendis aussi, et un brusque frisson hérissa tous les poils de mes bras. Un vrombissement d'ailes remplissait l'air.

– Qu'est-ce que c'est que ça? demanda Brianna en levant les yeux à son tour. La descente du Saint-Esprit?

Je n'en savais rien, mais le bruit s'intensifiait rapidement, rappelant un roulement de tonnerre sans fin. L'air était rempli de vibrations.

– *Tsikwa* ! hurla un homme dans l'assemblée.

Aussitôt, la foule se rua vers la porte.

Me précipitant à l'extérieur, je crus tout d'abord qu'un orage s'approchait. Le ciel était sombre et électrique, et le paysage baignait dans une étrange lueur. Pourtant, l'air n'était pas humide. Une odeur bizarre me remplissait les narines, mais ce n'était pas celle de la pluie.

– Des oiseaux ! Mon Dieu, ce sont des oiseaux !

J'entendis à peine la voix de Brianna derrière moi, perdue dans le chœur d'exclamations. Tout le monde était dans la rue, le nez en l'air. Plusieurs enfants, effrayés par le bruit et les ténèbres, se mirent à pleurer.

C'était angoissant. Je n'avais jamais rien vu de pareil, les Cherokees non plus, à en juger par leur réaction. Le sol semblait trembler. L'air résonnait de battements d'ailes, comme un tambour martelé par des mains frénétiques. Je sentais leurs pulsations sur ma peau. Mon fichu me tirait sur le cou, cherchant à s'envoler.

La paralysie de la foule ne dura pas longtemps. Il y eut quelques cris, puis, tout à coup, tout le monde se mit à courir dans tous les sens, filant dans les maisons et en ressortant avec des arcs. En quelques secondes, une grêle de flèches fusa vers le nuage d'oiseaux, et des corps inertes s'effondrèrent au sol, transpercés.

Il n'y avait pas que les cadavres qui pleuvaient. Une fiente grasse s'écrasa sur mon épaule. Partout, dans la rue, des précipitations délétères de particules blanchâtres soulevaient des bouffées de poussière. Des plumes de duvet voletaient dans les airs comme des graines de pissenlit et, ici et là, des pennes plus longues tombaient en vrille comme des lances miniatures, rebondissant sur les courants d'air. Je reculai promptement, m'abritant sous un avant-toit avec Brianna et Jemmy.

Depuis notre refuge, nous observâmes avec horreur et fascination les villageois se bousculer, les archers décocher le plus vite possible, les flèches se suivre à toute allure. Jamie, Peter Bewlie et Josiah avaient couru chercher leurs fusils et se tenaient dans la foule, tirant à vue d'œil, ne cherchant même pas à viser. Il y en avait tant qu'ils ne pouvaient rater leur coup. Des enfants couverts de fientes couraient dans la foule, esquivant les oiseaux qui tombaient, ramassant les corps et les entassant sur les seuils des maisons.

Cela dura près d'une demi-heure. Nous restâmes accroupies à l'abri, assourdies par le raffut et hypnotisées par le défilé incessant dans le ciel. Après un premier mouvement de frayeur, Jemmy cessa de pleurer, mais il resta blotti dans les bras de sa mère, à moitié caché sous les pans de son châle.

Dans ce torrent céleste, il était impossible d'identifier un seul oiseau. Ce n'était qu'un flot de plumes qui remplissait totalement le ciel. Sous le tonnerre d'ailes, j'entendais les volatiles s'interpeller, un susurrement constant, tel un vent violent traversant une forêt.

Enfin, la grande nuée passa, les traînards formant une frange déchiquetée, pendant que le gros des troupes franchissait la montagne et disparaissait.

Tout le village poussa un soupir collectif. Les gens se frottèrent les oreilles, comme pour se débarrasser de l'écho du vacarme. Jackson Jolly se tenait au milieu de la foule, radieux, généreusement plâtré de fientes et de plumes, les yeux pétillants. Il écarta les bras et prononça quelques mots. Autour de lui, les gens lui répondirent dans un murmure.

L'air très impressionné, la sœur de Tsatsa'wi traduisit ces paroles en indiquant Jamie et les frères Beardsley :

– Nous sommes bénis. L'Ancêtre blanc nous a envoyés un grand signe. Ils trouveront l'ours maléfique, c'est sûr.

Je hochai la tête, encore un peu sonnée. À mes côtés, Brianna se pencha et ramassa un oiseau mort, le tenant par la fine flèche qui le traversait de part en part. Il était dodu et très beau, avec une tête délicate bleu perle, un poitrail chamois et des ailes brun-roux. Sa tête pendait mollement, ses yeux protégés par de fines paupières ridées bleu-gris.

– C'en est un, non? demanda-t-elle doucement.

– Je crois bien, répondis-je d'une voix calme.

Je touchai le plumage doux du bout d'un doigt. Pour ce qui était des signes et des présages, j'ignorais si celui-ci était de bon ou de mauvais augure. Je n'avais encore jamais vu de pigeon voyageur, mais j'étais pratiquement certaine d'en tenir un entre mes mains.

* * *

Les chasseurs partirent le lendemain avant l'aube. Brianna se sépara de son fils la mort dans l'âme, mais elle sauta en selle avec une légèreté laissant présager qu'une fois la traque commencée, elle ne se languirait pas trop de lui. Quant à Jemmy, il était trop occupé à fouiller dans les paniers sous le lit surélevé pour s'apercevoir du départ de sa mère.

Les femmes passèrent la journée à plumer, à rôtir, à fumer et à conserver les pigeons dans la cendre de bois. L'air était rempli de duvet et de l'odeur de foies grillés, une délicatesse dont tout le village se gorgeait. Pour ma part, j'aidais à la cuisine tout en entretenant d'intéressantes conversations et en m'adonnant à un troc très rentable. De temps en temps, je m'arrêtais pour regarder vers la montagne et réciter une brève prière pour le salut des chasseurs… et celui de Roger.

Outre une petite centaine de litres de miel, j'avais apporté des herbes et des graines européennes achetées à Wilmington. Le commerce allait bon train et, avant la soirée, j'avais troqué ces dernières contre des stocks de gingembre sauvage, d'herbe de Saint-Christophe et, une vraie rareté, un *chaga*. Cet énorme champignon verruqueux qui poussait sur les vieux bouleaux était réputé – m'informa-t-on – pour soigner le cancer, la tuberculose et les ulcères. Un produit précieux pour un médecin.

Quant au miel, je l'avais échangé contre la même quantité d'huile de tournesol. On me l'apporta dans de grosses outres que j'entassai comme des boulets de canon sous les avant-toits de la maison où nous logions. Chaque fois que je sortais, je m'arrêtais pour les contempler, satisfaite, imaginant déjà sa transformation en savon doux et parfumé. Finies les mains empestant la graisse de porc rance ! Avec un peu de chance, je pourrais vendre toute ma production à un prix assez élevé pour payer le prochain versement de la rente de cette garce de Laoghaire. Saleté de vampire !

Je passai le lendemain dans les vergers avec mon hôtesse Sungi, une autre des sœurs de Tsatsa'wi, une grande femme dans la trentaine, au visage doux. Elle parlait quelques mots d'anglais, moins que certaines de ses amies, mais c'était toujours mieux que moi. Je ne savais rien dire d'autre en cherokee que « bonjour », « bien » et « encore ».

En dépit des efforts linguistiques des Indiennes, j'eus quelques difficultés à comprendre le sens du prénom « Sungi » qui, selon la personne qui tentait de me l'expliquer, semblait signifier « oignon », « menthe » ou encore « vison ». Finalement, après de nombreux débats contradictoires, il s'avéra que le mot ne représentait rien de tout cela, mais une sorte d'odeur forte.

Les pommiers du verger étaient jeunes, encore minces, mais chargés de petites pommes jaune-vert d'agréable texture craquante et au goût acide, excellent antidote au gras des foies de pigeon. L'année ayant été sèche, il y avait moins de fruits que l'an passé, avait observé Sungi en fronçant les sourcils. Les blés avaient également moins donné.

Sungi confia Jemmy à ses deux filles, leur enjoignant d'être prudentes en pointant un doigt vers la forêt. Calant son panier contre sa hanche, elle se tourna vers moi :

– Bien Tueur d'ours venu. Ours ici pas vrai ours. Lui pas parler à nous.

– Ah! Oh! fis-je en essayant de prendre un air intelligent.

L'une de ses compagnes m'aida quelque peu en m'expliquant qu'un animal raisonnable aurait écouté les invocations du chaman, celui-ci s'étant adressé à l'esprit ours, afin que ses congénères et les chasseurs puissent trouver un terrain d'entente. Compte tenu de la couleur de cette créature et de son comportement malveillant et obtus, il était évident qu'il ne s'agissait pas d'un véritable ursidé, mais d'un esprit malin ayant décidé de se manifester sous la forme d'un ours.

– Ah! fis-je encore plus habilement. Jackson a fait allusion à l'Ancêtre blanc. C'est le même que l'esprit ours?

Je me souvenais des explications de Peter; selon lui, le blanc était une couleur positive.

Une autre femme – qui s'était présentée sous le nom anglais Anna au lieu de m'expliquer le sens de son prénom cherokee – éclata de rire, choquée.

– Non, non! L'Ancêtre blanc, ça être le feu.

Les autres dames s'en mêlèrent alors. Je finis par comprendre que le feu, très puissant et traité avec beaucoup d'égards, était une entité bienveillante. D'où l'atrocité de la conduite de l'ours. Généralement, les animaux étaient considérés avec respect, comme des messagers de l'au-delà (à ce stade, plusieurs femmes me lancèrent des regards en coin), mais cet ours-là se comportait d'une manière qui leur échappait complètement.

Sachant que la créature en question avait reçu un sérieux coup de pouce de la part de Josiah Beardsley et du « petit diable noir », je comprenais parfaitement. Loin de vouloir incriminer Josiah, je leur déclarai avoir entendu des histoires – sans révéler mes sources – au sujet d'un homme noir qui commettait des méfaits dans la forêt. En avaient-elles entendu parler ?

« Oh ! oui ! » m'assurèrent-elles, mais je ne devais pas m'en inquiéter. Un petit groupe d'hommes noirs vivaient « là-bas » (elles indiquèrent l'autre côté du village, la roselière invisible et les basses terres au-delà du cours d'eau). Ces individus étaient peut-être des démons, puisqu'ils étaient venus de l'Ouest, mais ce n'était pas certain. Plusieurs chasseurs du village les avaient suivis pendant des jours, épiant leurs moindres faits et gestes. Ils étaient revenus en rapportant que ces individus vivaient misérablement, vêtus de hardes, et ne possédaient même pas de vraies maisons. Aucun démon digne de ce nom ne vivrait ainsi.

Trop peu nombreux et trop pauvres, ils ne méritaient pas une attaque. Les chasseurs avaient en outre déclaré qu'il n'y avait que trois femmes avec eux, toutes très laides. Ils pouvaient quand même être des démons, on ne savait jamais, mais les villageois avaient décidé de ne pas s'occuper d'eux pour le moment. « Les hommes noirs ne s'approchent jamais du village, ajouta une femme en fronçant le nez, les chiens les sentiraient. » À ce stade, la conversation s'étiola, et nous nous éparpillâmes dans le verger, cueillant les fruits mûrs dans les arbres, pendant que les fillettes ramassaient ceux tombés par terre.

Lorsque nous rentrâmes vers le milieu de l'après-midi, épuisées, grillées par le soleil et sentant la pomme, les chasseurs étaient de retour.

– Quatre opossums, dix-huit lièvres et neuf écureuils, annonça Jamie en s'épongeant le front. Nous avons vu beaucoup d'oiseaux aussi, mais, vu tous les pigeons morts, nous ne les avons même pas tirés, sauf un beau faucon. George Gist voulait les plumes.

Échevelé, avec un coup de soleil rouge vif sur le nez, il était d'excellente humeur.

– … quant à Brianna – elle a été fantastique ! –, elle a tué un beau wapiti, juste de l'autre côté de la rivière. Elle l'avait atteint au poitrail, mais elle l'a achevé elle-même. Crois-moi, c'est pas évident d'égorger un animal de cette taille qui se débat !

– Ah, euh… c'est bien, dis-je d'une voix faible.

J'imaginai ma fille esquivant les coups de sabots et de bois mortels. Voyant mon air, Jamie précisa :

– Ne t'inquiète pas, *Sassenach*. Je lui ai appris comment s'y prendre. Elle est arrivée par-derrière.

– Ah ! tu me rassures ! rétorquai-je acerbe. J'imagine que les autres chasseurs ont été impressionnés.

– Et comment ! reprit-il joyeusement. Savais-tu que les femmes cherokees sont autorisées à faire la guerre et à chasser ? Ça n'arrive pas souvent, mais, de temps à autre, l'une d'elles montre des dispositions et se distingue. Ils les appellent des « femmes de guerre ». D'ailleurs, elles commandent souvent les hommes.

– Très intéressant.

J'essayai de chasser la vision de Brianna invitée à prendre la tête d'une attaque cherokee et préférai changer de sujet.

– Pendant que vous étiez occupés à échanger ces passionnants détails anthropologiques, vous n'auriez pas aperçu un ours, par hasard ?

– On a trouvé des traces. Josiah a l'œil, il a repéré non seulement des déjections, mais aussi l'arbre contre lequel il vient se gratter. Les poils étaient pris dans l'écorce. Selon lui, tous les ours ont deux ou trois arbres préférés et y reviennent toujours. Donc, quand on veut tuer un ours particulier, il suffit de se tapir près de son grattoir et de l'attendre.

– Je suppose que cette stratégie n'a pas fonctionné cette fois-ci ?

– Elle aurait sans doute marché, mais c'était inutile. Il ne s'agissait pas de notre ours. Les poils étaient bruns, pas blancs.

Toutefois, l'expédition n'avait pas été un échec. Les chasseurs avaient décrit un grand demi-cercle autour du village, s'enfonçant profondément dans les bois, puis descendant jusqu'à la rivière. Là, dans le sol spongieux du pré inondable, ils avaient trouvé des empreintes.

– Selon Josiah, elles sont différentes de celle de l'ours dont on a vu les poils, et d'après Tsatsa'wi, ce sont les mêmes que celles de l'ours blanc qui a mangé son ami.

La conclusion logique – tous les experts en ours présents étaient d'accord – était que l'ours fantôme avait probablement établi sa tanière dans la roselière. En plein cœur de l'été, elle était fraîche et sombre, grouillante d'oiseaux et de petit gibier. Même les cerfs aimaient s'y cacher quand il faisait trop chaud.

– Mais, on ne peut pas s'aventurer dans un endroit pareil avec des chevaux, expliqua Jamie.

Il secoua la tête, se passant les doigts dans les cheveux pour faire tomber des feuilles.

– À pied, on ne pourra pas aller bien loin non plus, vu la densité des roseaux. De toute façon, nous ne comptons pas y entrer.

Le plan était de mettre le feu à la roselière et de faire sortir l'ours à découvert dans les terres basses, de l'autre côté, où il serait facile à abattre. Cette pratique de chasse était courante, notamment en automne quand les roseaux secs s'embrasaient facilement. Toutefois, l'incendie ne ferait pas sortir l'ours seulement, mais tous les animaux qui vivaient là. Pour cette raison, ils avaient invité les chasseurs d'un autre village situé à une trentaine de kilomètres à se joindre à ceux de Ravenstown. Avec un peu de chance, il y aurait assez de gibier pour nourrir les deux villages pendant l'hiver, et l'ours fantôme ne s'échapperait pas.

– Très efficace, dis-je, amusée. J'espère seulement qu'ils n'enfumeront pas les esclaves.

– Quoi?

– Les diables noirs.

Je lui racontai ce que j'avais appris au sujet du campement et des esclaves fugitifs – si campement et esclaves il y avait.

Il s'assit devant moi afin que je lui tresse les cheveux :

– Je me doute bien qu'il ne s'agit pas des démons, dit-il sur un ton caustique. Cela dit, selon moi, ils ne courent pas de danger. Ils doivent vivre à l'extrémité de la roselière, sur l'autre berge de la rivière. De toute manière, je ferai passer le mot. Nous avons le temps, les chasseurs de Kanu'gala'yi ne seront pas là avant trois ou quatre jours.

Je terminai sa natte en nouant fermement son lacet et déclarai :

– Tant mieux! Tu auras juste assez de temps pour finir les foies de pigeon.

* * *

Les jours suivants se déroulèrent agréablement, même s'il flottait dans l'air une certaine excitation qui culmina avec l'arrivée des chasseurs de Kanu'gala'yi, ou Briertown, «la ville des églantiers». Je me demandais si on les avait invités en raison de leur expertise en terrain épineux, mais j'évitais de poser la question. Véritable éponge linguistique, Jamie connaissait déjà des termes pratiques tels que pou, mais je ne voulais pas abuser de ses facilités en le faisant traduire des jeux de mots.

Jemmy semblait avoir hérité du don de son grand-père pour les langues. Une semaine après notre arrivée, son vocabulaire avait déjà doublé, la moitié des mots étant désormais en anglais et l'autre, en cherokee, si bien qu'à part sa mère, personne ne le comprenait. Mon propre lexique s'était enrichi des mots pour « eau », « feu », « manger » et « à l'aide ». Pour le reste, je m'en remettais à la patience des Cherokees anglophones.

Après les cérémonies d'usage et un grand festin de bienvenue, la grande expédition de chasse se mit en route à l'aube, équipée de torches en sapin, d'arcs, de mousquets et de carabines. Une fois terminé le petit-déjeuner copieux à base de semoule de maïs mélangée à des foies de pigeon broyés avec des pommes frites – les restes des agapes –, ceux qui ne participaient pas à la chasse rentrèrent dans les maisons pour passer le temps à faire de la vannerie, de la couture et la conversation.

C'était une journée chaude, moite et lourde. Pas un souffle d'air ne circulait dans les champs, où les tiges sèches de maïs et de tournesols moissonnés étaient entassées comme des cure-dents oubliés. Pas l'ombre d'une brise pour soulever la poussière de la rue du village. On ne pouvait choisir un meilleur moment pour mettre le feu. Pour ma part, j'étais bien contente de pouvoir rester au frais dans la cabane de Sungi.

Au cours de nos bavardages, j'essayai d'en apprendre un peu plus sur l'amulette de Nayawenne. Elle était certes une sorcière tuscarora, ses croyances n'étaient peut-être pas les mêmes, mais la chauve-souris m'intriguait.

– Il existe une histoire au sujet des chauves-souris…, commença Sungi.

À ces mots, je me retins de sourire. Sur bien des points, les Cherokees ressemblaient aux Écossais des Highlands, notamment quant à leur goût pour « les histoires ». Depuis mon arrivée au village, j'en avais déjà entendu bon nombre.

Anna traduisait pendant que Sungi racontait :

– Un jour, les animaux et les oiseaux décidèrent de jouer au ballon. En ces temps, les chauves-souris marchaient sur quatre pattes. Quand elles voulurent jouer, les autres mammifères refusèrent, disant qu'elles étaient trop petites et allaient se faire écraser. Ce refus les rendit très mécontentes.

Sungi fronça son joli visage lisse, mimant une chauve-souris fâchée.

– Elles allèrent trouver les oiseaux et proposèrent de jouer dans leur camp. Ceux-ci les accueillirent, puis ils prirent des feuilles et des petits bâtons et leur confectionnèrent des ailes. Les oiseaux remportèrent le match, et les chauves-souris apprécièrent tellement leurs ailes que…

Brusquement, Sungi s'interrompit. Elle étira le cou et huma l'air. Autour de nous, toutes les femmes s'étaient tues. Sungi se leva et se dirigea vers la porte, puis appuya les mains contre le chambranle pour se pencher dehors.

Cela faisait déjà une bonne heure qu'une odeur de fumée flottait dans l'air, mais elle venait nettement de s'accentuer. Sungi sortit. Je me levai et la suivis comme les autres femmes, soudainement mal à l'aise.

Le ciel commençait à se charger de nuages de pluie, mais le rideau de fumée était plus noir encore, formant des volutes s'enroulant sur elles-mêmes au-dessus des arbres, au loin. Le vent s'était levé, devançant l'orage, et des tourbillons de feuilles mortes couraient entre nos jambes.

La plupart des langues disposent d'expressions monosyllabiques adaptées à des situations d'effroi soudain, et le cherokee ne faisait pas exception. Sungi prononça un mot incompréhensible pour moi, mais malgré tout très clair. L'une des femmes les plus jeunes se suça un doigt puis le tendit en l'air. Son geste était superflu. Le vent fouettait mon visage, soulevant mes cheveux et me glaçant la nuque. Il soufflait droit sur nous.

Anna prit une longue inspiration, redressant les épaules pour affronter la situation. Puis, tout à coup, toutes les femmes se mirent en mouvement. Elles couraient vers leurs maisons, appelant leurs enfants, s'arrêtant au passage pour ramasser de la viande mise à sécher, pour décrocher sous un toit une natte d'oignons ou une guirlande de courges et les mettre dans leurs jupes.

Je ne savais pas trop où était Jemmy. L'une des grandes filles l'avait emmené pour jouer, mais, dans la mêlée, je ne me souvenais plus de laquelle. Je retroussai mes jupes et courus le long de la rue, passant la tête à l'intérieur de chaque maison pour voir s'il y était. Une nette sensation d'urgence flottait dans l'air mais pas de panique. Le craquement de feuilles sèches paraissait constant, comme un léger bruissement qui me suivait partout.

Je le trouvai dans la cinquième maison, profondément endormi avec d'autres enfants de tous âges, blottis les uns contre les autres comme une portée de chiots dans les plis d'un plaid en buffle. Sans ses cheveux blonds qui se détachaient comme un phare, je ne l'aurais jamais aperçu dans la pénombre. Je le réveillai tout doucement et l'extirpai de la meute. Hagard, il regarda autour de lui en clignant des yeux.

– Tu viens avec grand-mère, mon chéri. Nous partons ailleurs.

– À dada? demanda-t-il, soudain alerte.

– Excellente idée, répondis-je en le calant contre ma hanche. Allons chercher un dada, d'accord?

L'odeur de fumée était encore plus puissante dans la rue. Jemmy se mit à tousser. Je sentais un goût âcre et amer au fond de ma gorge à chaque inspiration. L'évacuation allait bon train. Les villageois, principalement des femmes, entraient et sortaient rapidement des maisons, poussant des enfants devant eux, portant des balluchons faits à la hâte. Cependant, chacun restait concentré sur ce qu'il faisait sans perdre son sang-froid. Un village en bois situé au cœur d'une forêt était forcément exposé aux risques d'incendie. Les habitants le savaient, et ils étaient préparés.

Cela me rassura un peu, mais pas pour longtemps, car le bruissement de feuilles sèches était en fait le crépitement des flammes qui approchaient.

Les chasseurs avaient pris la plupart des chevaux. Lorsque j'atteignis l'enclos en ronces, il n'en restait que trois. Un des doyens du village était assis sur l'un deux, tenant Judas et l'autre monture par la bride, prêt à les emmener à l'abri. Judas était sellé, équipé de ses sacoches et d'un licol en corde. En m'apercevant, le vieil homme me sourit et fit un signe de tête vers le cheval.

– Merci ! lui lançai-je.

Il se pencha et cueillit Jemmy, pendant que je grimpais en selle et m'emparais du licol. Puis, il me rendit l'enfant avec maintes précautions.

Les chevaux énervés piaffaient et piétinaient. Ils savaient comme nous ce qu'était un feu de forêt et l'appréciaient encore moins. Je serrai fermement Jemmy contre moi et fis de mon mieux pour exercer mon autorité sur notre monture.

– Allez, hue !

Judas ne demandait que ça. Il partit en flèche vers la porte ouverte de l'enclos, comme si c'était la ligne d'arrivée d'une course, ma jupe s'accrochant au passage dans les ronces. Je parvins à le retenir assez longtemps afin que le vieillard et ses deux chevaux nous rattrapent. Il cria quelques mots, puis pointa un doigt vers la montagne, dans le sens opposé du feu. Le vent balayait sa barbe blanche sur son visage. Il l'écarta mais ne se donna pas la peine de répéter, se contentant de diriger sa monture dans la direction indiquée.

Je fis tourner Judas mais le retins, hésitant à suivre mon guide. Me retournant vers le village, je vis la procession des fuyards, qui suivaient tous la même route que le vieillard. Personne ne courait, mais tous marchaient d'un pas leste.

Brianna viendrait à la recherche de Jemmy, dès qu'elle se rendrait compte que le village était menacé. Je savais qu'elle me faisait confiance, mais, dans de telles circonstances, une mère ferait tout pour récupérer son petit. Nous ne courions pas un danger immédiat, si bien que je décidai d'attendre encore, en dépit de l'agitation croissante de l'enfant.

Le vent agitait la cime des arbres et soulevait des nuées de feuilles vertes, jaunes et rouges qui nous bombardaient, se plaquant contre ma jupe et formant sur la robe de Judas un patchwork automnal. Le ciel était devenu noir violacé, et les premiers coups de tonnerre roulèrent sous le sifflement du vent et du feu. Même à travers la fumée, on sentait l'arrivée de la pluie, ce qui me redonna espoir. Nous avions besoin d'un bon déluge, et le plus tôt serait le mieux.

Excité par l'électricité dans l'air, Jemmy battait des mains sur le pommeau de la selle, hurlant vers les cieux un chant de guerre personnel qui ressemblait à « Ogui-ogui-ogui ! ».

Judas, en revanche, n'appréciait pas du tout cette température. J'avais de plus en plus de mal à le maîtriser. Il ne cessait de tirer sur sa bride et exécutait une sorte de pas en crabe qui nous faisait décrire sur place des cercles erratiques. La corde me mordait les mains, et les talons de Jemmy me tatouaient les cuisses.

Je venais de décider de capituler et de laisser notre monture se joindre à l'exode, quand l'animal tourna brusquement la tête et la redressa, hennissant en direction du village.

De fait, des cavaliers approchaient. Je vis plusieurs chevaux émerger au trot de la forêt, de l'autre côté du village. Ravi de voir des congénères, Judas se montra soudain disposé à reprendre la direction du village, même si c'était aussi celle du feu.

Je rejoignis Brianna et Jamie au milieu des maisons. Ils avançaient dans la rue, en jetant des coups d'œil anxieux autour d'eux. Jemmy poussa un cri perçant de joie en apercevant sa mère et s'élança dans ses bras, manquant de peu de rater son coup et de se retrouver piétiné par les sabots.

– Vous avez trouvé l'ours ? criai-je à Jamie.

– Non ! hurla-t-il par-dessus le vent. Viens, *Sassenach*, ne restons pas ici !

Brianna était déjà partie, mettant le cap sur la forêt où disparaissaient les derniers villageois. Soulagée de ne plus être responsable de Jemmy, je venais de penser à autre chose.

– Attends une minute ! criai-je.

Je sautai à terre, lançant la bride de Judas à Jamie.

Il se pencha en avant pour l'attraper au vol et me hurla quelque chose que je n'entendis pas.

Nous nous trouvions devant la maison de Sungi, et j'avais vu mon tas de gourdes d'huile de tournesol. Je regardai vers la roselière. Le feu se rapprochait indubitablement, je crus même distinguer des flammes entre les tiges qui oscillaient. Toutefois, j'étais presque certaine que nos montures courraient plus vite. Devant moi gisaient les bénéfices d'un an de récolte de miel. Je n'allais tout de même pas laisser un incendie me les avaler.

N'écoutant pas les cris furieux de Jamie, je me précipitai dans la maison et fouillai désespérément parmi les paniers éparpillés, espérant que Sungi ne les avait pas prises… non, elles étaient toujours là. Je saisis une poignée de lanières en cuir et ressortis au pas de course.

M'agenouillant dans un nuage de poussière et de fumée, je nouai deux gourdes ensemble et revins en chancelant vers nos chevaux. Comprenant ce que j'étais en train de faire, Jamie prit toutes les rênes dans une main et se pencha pour saisir mon fardeau, balançant les récipients en travers de l'encolure de Gideon.

– Viens ! cria-t-il.

– Encore un !

Sans attendre sa réponse, je repartis vers la maison. Du coin des yeux, je le voyais se débattre avec les chevaux qui s'ébrouaient et ruaient, pressés de déguerpir. Il me hurlait des mots peu flatteurs en gaélique, mais je sentais une certaine résignation dans sa voix. Je ne pus m'empêcher de sourire, malgré l'angoisse qui m'étreignait le cœur et rendait mes doigts maladroits avec les lanières glissantes.

Judas hennissait et roulait des yeux affolés, montrant ses dents, mais Jamie le maintint fermement, le temps pour moi de lancer une seconde paire de gourdes en travers de sa selle et de grimper dessus.

Dès que la poigne de fer de Jamie se relâcha, Judas partit en trombe. Je tenais la bride, mais, comprenant vite qu'elle ne me servirait à rien, je m'accrochai de mon mieux au pommeau, les gourdes rebondissant contre mes jambes. Il galopa ventre à terre vers la sécurité des hauteurs.

L'orage s'était lui aussi rapproché. Le vent avait faibli, mais un éclair claqua au-dessus de nous, faisant bondir Judas qui redoubla de vitesse. Il détestait le tonnerre. Me souvenant de sa réaction lors de la dernière tempête, je me couchai sur lui, m'accrochant comme une moule à la coque d'un navire, déterminée à ne pas me faire éjecter ni piétiner dans la course folle.

Nous nous engouffrâmes dans les bois, et les branches nues me fouettèrent de toutes parts. Je m'aplatis contre son encolure, fermant les yeux pour éviter une énucléation. Judas avait été obligé de ralentir mais était toujours paniqué. Je sentais les mouvements de sa croupe tentant de me soulever et j'entendais son souffle sifflant dans ses naseaux.

Puis un nouveau coup de tonnerre retentit. Il perdit pied sur les feuilles glissantes, dérapa en biais et percuta un groupe de jeunes arbres. Heureusement, leurs troncs souples nous évitèrent le pire et il se redressa rapidement. Ouvrant prudemment un œil, je constatai qu'il avait trouvé une piste. Je la devinais, zigzaguant dans la végétation dense.

Les arbres se refermèrent derrière nous. Je ne distinguais plus rien qu'un oppressant enchevêtrement de troncs et de branches enlacés par les vestiges jaunes de chèvrefeuille sauvage et des lianes écarlates. L'épais sous-bois ralentit encore un peu la course du cheval et je pus enfin prendre une grande inspiration et me demander où était Jamie.

Le tonnerre retentit encore, suivi, juste après, d'un hennissement haut perché, non loin derrière moi. Si Judas détestait les orages, Gideon, lui, détestait suivre un autre cheval. Il devait nous talonner, cherchant à nous dépasser.

Une grosse goutte s'écrasa dans mon cou, et j'entendis le crépitement de la pluie sur les feuilles. Une forte odeur de terre mouillée me remplit les narines, et la forêt tout entière sembla soupirer, s'ouvrant à cette averse.

J'étais moi aussi soulagée.

Judas avança encore de quelques pas, puis s'arrêta pile, haletant et soufflant. Avant qu'un autre coup de tonnerre ne le fasse repartir, je glissai à terre, saisis son licol et l'attachai à un petit arbre, non sans mal, compte tenu de mes mains glissantes et tremblantes.

Il était temps. Le tonnerre gronda, claquant si fort que je le sentis sur ma peau. Judas hurla et rua, tirant comme un fou sur sa corde. Je m'écartai précipitamment pour ne pas être fauchée au passage et Jamie me rattrapa par-derrière. Il commença à parler, mais un nouveau grondement noya ses paroles.

Je fis volte-face et m'accrochai à lui, tremblante, encore sous l'effet du choc. La pluie tombait dru, rafraîchissant mon visage. Jamie déposa un baiser sur mon front, puis s'écarta et m'entraîna sous une grande pruche dont les aiguilles touffues nous protégeaient, formant une grotte odorante et presque sèche.

Une fois calmée, j'examinai l'endroit et me rendis compte que nous n'étions pas les premiers à nous être réfugiés ici. Je montrai du doigt un point dans l'ombre.

– Regarde!

Quelqu'un avait mangé, déposant une pile nette de petits os. Les animaux ne mangeaient pas aussi proprement et ne rassemblaient pas les feuilles mortes pour s'en faire des oreillers douillets.

Un nouveau coup de tonnerre fit grimacer Jamie, puis il hocha la tête.

– C'est la cachette d'un tueur d'hommes. Je ne pensais pas qu'elle était encore utilisée.

– La cachette d'un quoi?

– Un tueur d'hommes, répéta-t-il.

Un éclair illumina le ciel derrière lui, créant un arrière-plan aveuglant qui imprima sa silhouette en contre-jour sur ma rétine.

– On donne ce nom aux guetteurs, des guerriers qui montent la garde en dehors du village pour empêcher tout intrus de s'en approcher sans que les autres ne soient prévenus. Tu vois?

– Pour le moment, je ne vois plus rien du tout.

J'avançai une main à tâtons, rencontrai sa manche, puis me blottis contre lui. Je fermai les yeux dans l'espoir de retrouver la vue, mais, même à travers mes paupières closes, je ne voyais que la lumière blafarde de la foudre.

L'orage semblait s'éloigner lentement ou, du moins, le tonnerre était moins fréquent. Clignant des yeux, je découvris que je voyais de nouveau. Jamie s'écarta, me faisant signe d'avancer. Nous nous trouvions sur une sorte de corniche, la paroi de la montagne se dressant abruptement derrière nous. Invisible de plus bas grâce à une rangée de conifères, il y avait une petite clairière étroite, apparemment façonnée par l'homme. C'était en effet le seul espace ouvert dans ces montagnes. Regardant à travers les branches, j'eus une vue à couper le souffle sur la vallée où nichait Ravenstown.

La pluie tombait moins fort. De notre point de vue, haut perché, je constatai que les nuages n'appartenaient pas tous à un seul orage mais à plusieurs. Des grappes noires formaient, ici et là, des voiles de velours gris, et des zébrures silencieuses traversaient brusquement le ciel au-dessus des sommets lointains, le tonnerre grondant sourdement dans leur sillage.

De la fumée flottait encore au-dessus de la roselière, formant une couronne gris pâle, presque blanche sous le ciel noir. Même à notre altitude, l'odeur de brûlé mêlée à celle de la pluie piquait le nez. On apercevait parfois la lueur des flammes, mais l'incendie était en grande partie éteint. La prochaine averse se chargerait de l'étouffer une fois pour toutes. Je distinguais aussi des gens qui rentraient au village, de petits groupes qui sortaient de la forêt, portant des balluchons et traînant des enfants.

Je cherchai des cavaliers, mais je n'en vis aucun, encore moins de cheveux roux. Brianna et Jemmy étaient sûrement sains et saufs, non? Je frissonnai. Avec le temps changeant des montagnes, la température était passée de pesante à frisquette en moins d'une heure.

– Tu vas bien, *Sassenach?*

La main chaude de Jamie se posa sur ma nuque, ses doigts caressant les muscles tendus de mes épaules. Je pris une grande inspiration et tentai de me décontracter.

– Oui. Penses-tu que l'on peut redescendre sans danger?

Je me souvenais que la piste était étroite et escarpée. À présent, elle serait aussi boueuse et rendue glissante par les feuilles mortes trempées.

– Non, répondit-il. Mais je crois…

Soudain, il s'interrompit, fronçant les sourcils, les yeux vers le ciel. Puis, il regarda derrière nous. Je distinguai à peine la silhouette des chevaux, blottis l'un contre l'autre sous l'arbre auquel j'avais attaché Judas.

– J'allais dire qu'il ne me semblait pas particulièrement sûr de rester ici non plus, acheva-t-il enfin.

Crépitant comme des gouttes d'eau, ses doigts pianotaient doucement sur mon épaule, tandis qu'il réfléchissait.

– Cet orage se déplace trop vite, reprit-il. Les éclairs se rapprochent sur la montagne et le tonnerre…

Avec un à-propos théâtral, une violente détonation ébranla la vallée. L'un des deux chevaux poussa un hennissement aigu de protestation, puis j'entendis les craquements des branches pendant qu'il tirait sur son licol. Jamie lui jeta un regard noir.

– Ta monture a une profonde aversion pour le tonnerre, *Sassenach*.

– Oui, je m'en étais déjà aperçu, merci!

Je me serrai contre lui pour avoir plus chaud. Le vent se leva de nouveau, tandis que le second orage déferlait sur nous.

– Il risque fort de se briser le cou et le tien par la même occasion, si on a la malchance de se trouver sur la piste au moment où…

Je n'entendis pas la fin de sa phrase sous le vacarme, mais la devinai sans peine.

– Nous allons attendre, conclut-il sur un ton encourageant.

Il m'attira devant lui et m'enlaça, posant son menton sur le sommet de mon crâne. Nous nous tînmes ainsi à l'abri sous la pruche, attendant que les éléments se déchaînent.

Loin en contrebas, la roselière bouillonnait et grésillait, sa fumée prenant de la hauteur et se laissant entraîner par le vent. Loin du village, cette fois en direction de la rivière. Je me demandai soudain où était Roger sous ce ciel déchaîné. Avait-il pu trouver un abri?

– Je me demande aussi où est passé ce fameux ours…, dis-je à voix haute, n'exprimant que la moitié de ma pensée.

Un rire secoua la poitrine de Jamie, mais le grondement du tonnerre recouvrit sa réponse.

83

Les diables noirs

Roger se réveilla à moitié avec une odeur de brûlé dans la gorge. Il toussa, puis se rendormit, des images fragmentées d'âtre noir de suie et de saucisses trop cuites se dissolvant dans un brouillard. Après avoir passé la matinée à s'ouvrir un chemin dans un mur impénétrable de broussailles, de ronces et de roseaux, épuisé, il avait avalé un repas frugal avant de s'allonger au bord de la rivière pour une heure de sieste, à l'ombre d'un saule noir.

Bercé par le bruit de l'eau, il aurait sombré de nouveau dans un sommeil profond, si un cri lointain ne l'avait fait se redresser brusquement. Il l'entendit encore, distant mais puissant. La mule!

Il était déjà debout, courant vers le bruit, quand il se souvint de son sac en cuir où se trouvaient son encre, ses plumes et le précieux cahier de relevés. Il revint le chercher, puis pataugea dans l'eau peu profonde en direction des braiments hystériques de Clarence, l'astrolabe accroché à son cou lui martelant la poitrine. Il le glissa sous sa chemise pour éviter qu'il ne se prenne dans une branche, puis chercha désespérément par où il était venu.

De la fumée, il sentait de la fumée. Il toussa, manquant de s'étrangler. Chaque toux provoquait une douleur vive et menaçait de déchirer les tissus cicatriciels de sa gorge.

– J'arrive! marmonna-t-il à l'attention de Clarence.

Même s'il avait pu hurler, sa voix ne portait pas comme celle de la mule. Il l'avait laissée entravée à la lisière de la roselière. Ce ne pouvait être très loin. Le ciel était sombre. Abruti par sa sieste et son réveil brutal, il n'avait plus aucun sens de l'orientation. Clarence était son seul repère.

Que se passait-il donc ? L'odeur de fumée ne cessait d'empirer. À mesure que son esprit s'éclaircissait, il prenait conscience que quelque chose n'allait pas du tout. Habituellement somnolents à cette heure de la journée, les oiseaux énervés volaient au-dessus de sa tête, en poussant des cris puissants et hachés. Les roseaux étaient agités par le vent qui faisait bruisser leurs feuilles desséchées. Il sentit un souffle chaud sur son visage. Ce n'était pas la moiteur étouffante habituelle de la roselière, mais un air sec, brûlant, qui, paradoxalement, lui donna froid dans le dos. Bon sang, le feu !

Il expira lentement, s'efforçant de rester calme. Les tiges sèches des joncs s'entrechoquaient, chassant des familles entières de moineaux et de perruches qui, paniqués, voletaient autour de lui comme des poignées de confettis. Pénétrant dans sa poitrine, la fumée comprimait ses poumons et l'empêchait d'inspirer à fond.

– Clarence ! tenta-t-il d'appeler le plus fort possible.

C'était inutile. Il s'entendait à peine dans le bruissement des roseaux. La mule s'était tue. Cette entêtée n'était tout de même pas déjà réduite en cendres ? Non, elle avait dû briser ses entraves en chiffons et galoper en lieu sûr.

Quelque chose frôla sa jambe, et il baissa les yeux juste à temps pour apercevoir la queue glabre et écailleuse d'un opossum détalant sous des bois-boutons. Après tout, il devait savoir ce qu'il faisait. Roger plongea derrière lui.

Il entendit un grognement non loin, puis un petit cochon surgit d'un bosquet de houx et fila sous son nez vers la gauche. Les cochons, les opossums… laquelle de ces deux espèces avait le meilleur sens de l'orientation ? Il hésita un moment, puis opta pour le cochon. Il était suffisamment gros pour lui dégager un passage.

De fait, un chemin semblait tracé, des espaces de terre nue apparaissant entre des touffes d'herbe. Des orchidées sauvages s'y balançaient, colorées comme de minuscules bijoux. Il s'émerveilla devant leur délicatesse, tout en se demandant comment, dans de telles circonstances, il pouvait remarquer ce genre de choses.

La fumée était de plus en plus épaisse. Il dut s'arrêter pour tousser, se tenant la gorge comme pour protéger ses muqueuses. Les yeux larmoyants, il se redressa et découvrit que son sentier avait disparu. La panique lui tordit les entrailles quand il aperçut une fine volute de fumée sortir entre les tiges.

Il serra les poings jusqu'à enfoncer ses ongles dans ses paumes, la douleur l'aidant à se concentrer. Il tourna lentement sur lui-même, fermant les yeux, écoutant, orientant son visage d'un côté puis de l'autre, guettant un courant d'air frais, une sensation de chaleur, n'importe quel indice lui indiquant par où aller pour échapper aux flammes.

Rien. Ou plutôt, tout. Désormais, la fumée était partout, formant un nuage épais qui rampait sur le sol, sortait des taillis, asphyxiante. À présent, il pouvait entendre le feu lui-même, comme un gloussement, un rire s'échappant d'une gorge meurtrie.

Des saules ! Son esprit se raccrocha à cette image. Il en apercevait au loin, à peine visibles au-dessus des roseaux oscillants. Ces arbres poussaient au bord de l'eau. Il devait retourner au bord de la rivière.

Un petit serpent rouge et noir glissa sur son pied quand il atteignit la berge, mais il le remarqua à peine. Il n'avait pas le temps pour d'autres peurs que celle du feu. Il pataugea jusqu'au centre du cours d'eau peu profond et se mit à genoux pour approcher son visage le plus près possible de la surface.

Ici, l'air était plus frais. Il en inspira de grandes goulées, la toux secouant son corps de terribles spasmes. Dans quel sens aller à présent ? Par où ? Par où ? La rivière serpentait à travers des hectares de roseaux et de broussailles. Un côté le mènerait vers les basses terres, loin de l'incendie ou, au moins, sur un terrain dégagé où il pourrait voir dans quelle direction fuir. L'autre le conduirait peut-être droit dans la gueule du feu. Au-dessus de sa tête, des nuages noirs roulaient dans le ciel. Il n'avait aucun moyen de savoir.

Il pressa les bras le long de son corps, essayant d'étouffer sa toux, et sentit la masse de son sac à dos. Mince, les relevés ! Il pouvait admettre la possibilité de sa propre mort, mais pas la perte de ces données pour la cueillette desquelles ils s'était démené au fil des jours. Il revint en chancelant vers la berge et creusa frénétiquement la boue à mains nues, arrachant des poignées de longues herbes tenaces, déracinant des prêles qui se désagrégeaient entre ses doigts. Son souffle ne sortait plus que par saccades, comme des sanglots qui déchiraient ses bronches. Autour de lui, l'air brûlait. Il enfonça le sac dans le trou qu'il venait de creuser, puis rabattit la terre dessus, écartant les bras et poussant la boue vers lui, sa fraîcheur sur sa peau le réconfortant.

Il s'arrêta, hors d'haleine. Il aurait dû être en nage, mais sa transpiration séchait avant d'atteindre la surface de sa peau. Le feu était proche. Des pierres ! Il lui fallait des pierres pour marquer l'endroit, elles ne brûleraient pas. Il pataugea dans la rivière, chercha à tâtons sous l'eau, trouva un galet couvert d'algues visqueuses et le lança sur la berge. Puis un autre, une poignée de cailloux, une pierre plus grosse et plate… cela devait suffire, le feu approchait.

Il empila les pierres en forme de cairn bâclé, puis, recommandant son âme à Dieu, retourna dans le lit de la rivière et fuit, trébuchant, glissant, toussant, crachant, les cailloux roulant sous ses pieds. Il courut aussi longtemps que ses jambes tremblantes purent le porter, avant que la fumée ne s'enroule autour de son cou, remplisse sa tête et sa poitrine, presse l'air et la vie hors de ses poumons, ne le laissant qu'avec des ténèbres derrière les yeux, illuminées par la lueur vacillante des flammes.

* * *

Il luttait. Il se débattait contre le nœud autour de son cou, contre les liens qui retenaient ses poignets, mais, surtout, contre le néant noir qui écrasait sa poitrine et obstruait sa gorge, cherchant désespérément une dernière bouffée de cet air précieux. Il se cabra, poussant avec toutes les parcelles de son corps, puis roula sur le sol, ses bras libérés.

Sa main heurta quelque chose de mou qui poussa un cri de surprise.

Puis, il sentit des mains sur ses épaules, ses jambes. Il était assis, sa cage thoracique se soulevant laborieusement pour respirer. Sa vue était brouillée. Quelque chose percuta le bas de son dos. Il s'étrangla, toussa, inspira assez d'air pour creuser au plus profond de ses bronches carbonisées, raclant au passage une énorme glaire noirâtre qui remonta jusque sur sa langue, chaude et visqueuse comme une huître pourrie.

Il cracha, eut un haut-le-cœur quand la bile passa à travers le conduit étranglé de sa gorge, puis cracha encore, inspira et se redressa, haletant.

Absorbé par le miracle de l'air et de la respiration, il remarqua à peine son environnement. Des voix résonnaient autour de lui, et il distinguait vaguement des visages dans l'obscurité. L'odeur de brûlé était suffocante. Plus rien n'avait d'importance, hormis l'oxygène qui se diffusait dans ses poumons, regonflant peu à peu ses cellules racornies comme des raisins secs se gorgeant d'eau.

De l'eau toucha sa bouche, et il releva la tête en clignant des yeux larmoyants. Ses globes oculaires piquaient. La lumière et l'ombre se fondaient l'une dans l'autre. Il battit plus fort des paupières, les larmes apaisant ses cornées à vif, rafraîchissant ses joues. Quelqu'un pressa un bol contre ses lèvres. Une femme, le visage couvert de suie. Non, pas de suie. Il cligna encore des yeux, les plissa, cligna de nouveau. Elle avait la peau noire. Une esclave?

Il avala une brève gorgée d'eau, craignant d'interrompre sa respiration ne serait-ce qu'un instant, même en dépit du plaisir immense de la fraîcheur dans sa gorge ravagée. C'était bon, si bon! En se levant et en se refermant autour du bol, ses mains le surprirent. Il s'était attendu à la douleur de ses doigts brisés et engourdis… mais ils étaient indemnes et souples. Il porta machinalement une main à sa gorge, pensant y trouver sa canule chuintante… il tapota, incrédule, la chair solide. Il inspira, et l'air entra par son nez et s'engouffra dans sa trachée. Le monde remua autour de lui, se remettant en place.

Il était assis dans une sorte de hutte délabrée. Plusieurs personnes l'entouraient, d'autres encore l'observaient depuis la porte. La plupart étaient noires, toutes portaient des haillons, et aucune ne paraissait même vaguement amicale.

La femme qui lui avait donné à boire semblait apeurée. Il tenta de lui sourire et se remit à tousser. Elle le regarda par-dessous le fichu déchiré noué autour de son front, et il constata qu'elle avait les yeux rouge vif et les paupières enflées. Il devait avoir la même tête. L'air était encore chargé de fumée. Au loin, les roseaux craquaient et éclataient sous la chaleur. Quelque part, un oiseau poussa un cri d'alarme puis se tut abruptement.

Près de la porte, des hommes discutaient à voix basse, lui lançant des regards mauvais, un masque de peur et de méfiance recouvrant leurs traits. Dehors, il s'était mis à pleuvoir. Il ne pouvait sentir la pluie, mais un air frais balaya son visage et le clapotis des gouttes résonna sur le toit et les arbres aux alentours.

Après avoir vidé le fond du bol, il voulut le rendre à la femme, mais elle recula, comme s'il était contaminé. Il le posa sur le sol et s'essuya les yeux du dos de la main. Les poils de ses bras étaient grillés et le frottement les fit tomber en poussière.

Il tendit l'oreille pour essayer d'entendre ce qu'ils disaient, mais ne distingua qu'un charabia. Ce n'était ni de l'anglais, ni du français, ni du gaélique. Il avait déjà entendu des esclaves fraîchement débarqués à Charleston et destinés au marché de Wilmington parler entre eux, dans ce mystérieux murmure rauque. Ce devait être une langue d'Afrique australe.

Pourtant, il ne se trouvait pas sur une plantation. Si loin des montagnes, il n'y en avait aucune. Les rares domaines agricoles de cette région isolée étaient trop pauvres pour s'offrir des esclaves, surtout un tel nombre. Certains Indiens en possédaient, mais pas des Noirs.

Une seule explication était possible, et leur comportement semblait la confirmer : ses sauveurs – ses ravisseurs? – étaient des fugitifs, vivant ici dans la clandestinité.

Leur liberté, et sans doute leur vie, dépendait de cette clandestinité. Il représentait donc une menace vivante. Son sang se glaça quand il comprit à quel point sa situation était précaire. L'avaient-ils vraiment sauvé du feu? À en juger par la mine des hommes, ils devaient à présent s'en mordre les doigts.

L'un d'eux s'écarta du groupe, s'approcha de lui et s'accroupit, poussant la femme sur le côté. Il l'examina de haut en bas, puis de bas en haut en plissant des yeux, et demanda :

– Toi qui?

Roger devina que son interrogateur pugnace ne lui demandait pas vraiment son nom, mais plutôt la raison de sa présence dans le coin. Il passa rapidement en revue plusieurs réponses possibles. Laquelle le garderait en vie?

Chasseur? S'ils le croyaient anglais et seul, ils le tueraient certainement. Pouvait-il se faire passer pour un Français? Cela leur paraîtrait-il moins dangereux? Pas si sûr.

Il ouvrit la bouche, s'apprêtant à dire *Je suis français… je suis un voyageur** , quand une douleur vive au niveau du sternum lui coupa le souffle.

Le métal chauffé de l'astrolabe l'avait brûlé, provoquant des ampoules. En éclatant, celles-ci avaient libéré un liquide poisseux qui avait collé l'instrument contre sa peau. Celui-ci venait de se détacher, arrachant un lambeau de peau et laissant une zone de chair à vif au centre de sa poitrine.

Il glissa deux doigts sous son col et tira délicatement sur le lacet de cuir.

– Ar… pen… teur, croassa-t-il.

– *Hau !*

Son interlocuteur fixa le disque doré en écarquillant les yeux. Les hommes près de la porte se bousculèrent pour voir l'objet de plus près.

L'un d'eux tendit la main et tira sur l'astrolabe, faisant passer la lanière par-dessus sa tête. Roger n'essaya pas de le retenir. Il profita de ce qu'ils étaient tous absorbés par la contemplation de l'objet rutilant pour ramasser lentement ses pieds sous lui. Il devait lutter contre l'envie de fermer les yeux. Même la faible lueur du jour qui filtrait par la porte lui paraissait trop violente.

En le regardant, un des hommes déclara quelque chose sur un ton sec. Deux autres vinrent aussitôt se placer entre lui et la porte, le fixant de leurs yeux injectés de sang, tels des serpents à lunettes. Celui qui tenait l'astrolabe cria quelque chose, un nom apparemment. Il y eut un mouvement près de la porte, et quelqu'un se fraya un passage dans l'attroupement.

La femme qui s'approcha ne ressemblait pas aux autres. Bien que vêtue d'une chemise en lambeaux, un tissu noué autour de la tête, elle avait les bras et les jambes hâlés et couverts de taches de rousseur. C'était une Blanche. Elle tourna autour de Roger sans le quitter des yeux, puis baissa

* En français dans le texte. *(N.D.T.)*

la tête vers l'astrolabe que l'on venait de déposer dans sa main.

Un grand homme borgne s'avança et posa un doigt sur l'instrument, en prononçant des mots qui ressemblaient à une question. Elle secoua lentement la tête, caressant les symboles sur le pourtour du disque avec fascination. Puis elle le retourna.

Roger vit ses épaules se raidir lorsqu'elle lut l'inscription. Une étincelle d'espoir illumina son cœur. Elle connaissait ce nom.

Il avait misé sur le fait qu'étant un arpenteur, ces hommes comprendraient que des gens attendaient le résultat de son travail, des gens qui s'inquiéteraient de ne pas le voir revenir et qui partiraient à sa recherche. Mais si cette femme connaissait « James Fraser »...

Soudain, elle releva les yeux, son regard était dur, très différent. Elle s'approcha doucement mais sans peur apparente.

– Vous n'êtes pas Zames Frazer.

Il sursauta au son de sa voix, claire mais zozotante. Il cligna des yeux, puis se leva lentement, mettant sa main en visière pour mieux la distinguer dans le contre-jour de la porte.

Elle aurait pu avoir n'importe quel âge, entre vingt et même soixante ans, même si ses tempes châtain clair n'étaient pas encore striées de gris. Son visage était plus marqué par la vie à la dure et la faim que par le temps. Il lui sourit, et elle lui répondit par réflexe, esquissant une grimace hésitante qui dévoila plusieurs incisives cassées. Il distingua alors une cicatrice traversant un des sourcils. Elle était beaucoup plus mince que dans la description de Claire, mais cela n'avait rien d'étonnant.

– Je ne... suis pas... James Fraser, articula-t-il péniblement.

Il s'interrompit pour cracher encore un peu de glaire noire, puis reprit :

– Mais, vous… êtes… Fanny Beardsley… n'est-ce pas?

Il n'en était pas sûr, en dépit des dents, toutefois la stupeur sur le visage de la femme confirma ses doutes. Le borgne connaissait lui aussi ce nom. Vite, il avança d'un pas et la saisit par l'épaule. Les autres se rapprochèrent, l'air menaçant. Avant qu'ils n'aient le temps de mettre la main sur lui, il expliqua le plus rapidement possible :

– James Fraser… est le… père de ma femme. Vous voulez… savoir… à propos de… l'enfant?

L'air suspicieux disparut de son visage. Elle ne bougea pas, mais son regard se chargea d'une telle voracité qu'il dut se retenir pour ne pas reculer.

– Fanny?

Le grand borgne avait toujours une main sur son épaule. Il l'attira à lui, son œil unique allant et venant avec suspicion entre Roger et la femme. Elle lui dit un mot, presque dans un souffle, et posa sa main sur la sienne. Ses traits se métamorphosèrent aussitôt, son expression s'effaçant comme sur une ardoise. Elle se mit à lui parler à voix basse sur un ton précipité.

Bien que chargée, l'atmosphère dans la hutte avait changé. À la menace se mêlait à présent une certaine confusion. Le tonnerre gronda au loin, mais personne ne s'en préoccupa. Les hommes échangeaient des messes basses et lançaient des regards agacés au couple. Un éclair illumina le ciel, nimbant de ténèbres ceux qui se tenaient non loin de dehors.

Roger resta immobile, rassemblant ses forces. Ses jambes étaient comme du caoutchouc, et si respirer de nouveau était un vrai plaisir, chaque inspiration brûlait encore ses poumons. S'il devait se mettre à courir, il n'irait pas bien loin.

Les délibérations cessèrent brusquement. Le grand borgne se tourna vers la porte avec un geste abrupt et se mit à parler. Sa déclaration souleva des grognements de surprise et de réprobation. Les hommes sortirent néanmoins en grommelant. L'un d'eux, un petit aux cheveux tressés, se tourna vers Roger, retroussa ses babines et passa la tranche de la main devant son cou en sifflant. Malgré la peur, Roger remarqua ses dents limées en forme de pointe.

La porte à peine refermée, la femme le tira par la manche.

– Dites-moi.

– Pas… si vite.

Il toussa et s'essuya la bouche.

– Sortez-moi… de là… puis… je vous… dirai… tout ce que je sais.

– Dites-moi!

Elle enfonça ses doigts dans la chair de son bras. Il fit non de la tête. L'autre homme repoussa la femme sur le côté et agrippa Roger par sa chemise, le serrant de si près que, sous l'odeur de brûlé, celui-ci sentit une puanteur de dents pourries.

– Toi parler ou je te tuer!

Roger parvint à glisser un bras entre eux et à le repousser.

– Non… Vous me sortez… d'ici. Puis je parlerai.

L'homme hésita, se baissa et une lame apparut, décrivant un arc de cercle incertain. Il se tourna vers la femme.

– Tu sûre il sait?

Elle n'avait pas quitté des yeux le visage de Roger. Elle hocha la tête avec lenteur.

– Il zait.

– C'était… une fille. Ça vous le… saviez déjà.

– Elle est en vie?

– Sortez-moi… de là.

Elle n'était pas grande ni massive, mais l'intensité de son désir de savoir remplissait la hutte. Elle tremblait sur place, serrant les poings contre ses hanches. Elle fixa Roger encore pendant une bonne minute, puis pivota sur ses talons et parla violemment à son compagnon, dans son étrange langue africaine.

Il tentait vainement de discuter, mais elle déversait sur lui un flot de paroles, comme une pompe à incendie. Il leva les bras dans un geste de reddition frustrée, puis lui arracha son fichu. Il défit le nœud de ses longs doigts rapides et, sans cesser de marmonner, le tordit en bandeau.

La dernière chose que Roger vit avant que l'homme ne lui noue le tissu devant les yeux fut Fanny Beardsley, les cheveux coiffés en fines tresses grasses qui lui retombaient sur les épaules, ses yeux le fixant toujours, ardents comme des braises. Si elle l'avait pu, elle l'aurait mordu. Il en était sûr.

* * *

Leur sortie de la hutte ne se déroula pas sans peine. Un chœur de voix en colère les accompagna un bout du chemin, des mains tirant sur les vêtements et les membres de Roger. Toutefois, le borgne avait toujours son couteau. Roger entendit une interjection, un bruit de pas précipités autour de lui, puis un cri perçant. Les voix se turent enfin, et on cessa de le bousculer.

Pour se guider, il marchait une main posée sur l'épaule de Fanny Beardsley. Leur camp devait être très petit, car il sentit très vite des arbres autour de lui. Des feuilles frôlèrent son visage. L'air chaud et enfumé accentuait l'odeur de résine. Il pleuvait encore. Le sol était glissant et jonché de branches cassées.

L'homme et la femme échangèrent quelques mots puis se turent. Ses vêtements mouillés pendaient lourdement sur son corps, les coutures de ses culottes irritant sa peau à chaque pas. Le bandeau était trop serré pour distinguer quoi que ce soit, mais la lumière qui s'immisçait sous son bord lui permettait de deviner le passage du temps. Il évaluait qu'ils avaient quitté la hutte vers le milieu de l'après-midi. Lorsqu'ils s'arrêtèrent enfin, la lumière avait pratiquement disparu.

Cela ne l'empêcha pas d'être aveuglé quand ils lui ôtèrent le bandeau. Le soir tombait. Ils se tenaient dans une cuvette, déjà envahie par la pénombre. Levant les yeux, il vit les traînées orange et cramoisies au-dessus des montagnes, le fin voile de fumée illuminé par-dessous, comme si toute la planète elle-même était en feu. Les nuages s'étaient dispersés. Une bande de ciel dégagé commençait à se parsemer d'étoiles.

Fanny Beardsley lui faisait face, paraissant plus petite sous l'immense châtaignier, mais l'expression du visage aussi intense que dans la hutte.

Il avait eu tout le temps d'y réfléchir. Devait-il lui dire où se trouvait l'enfant ou prétendre ne pas le savoir? S'il le lui disait, tenterait-elle de récupérer sa fille? Le cas échéant, quelles en seraient les conséquences pour l'enfant, les esclaves fugitifs… même pour Jamie et Claire?

Ni l'un ni l'autre n'avaient jamais raconté ce qui leur était arrivé dans la ferme des Beardsley, hormis le fait qu'ils avaient trouvé son propriétaire mort d'une apoplexie. Toutefois, Roger les connaissait assez pour pouvoir interpréter le visage troublé de Claire et celui, impassible, de Jamie. Il ignorait le fond de l'histoire, mais Fanny Beardsley le savait. Les Fraser préféraient peut-être que cela ne se sache pas. Si Mme Beardsley réapparaissait à Brownsville pour réclamer son bébé, on poserait certainement des questions… Il valait peut-être mieux pour tout le monde qu'elles restent sans réponse.

Toutefois, devant le feu de son regard, il ne put que lui dire la vérité.

– Votre fille… va bien, commença-t-il.

Elle émit un petit son étranglé. Lorsqu'il eut fini de parler, des larmes coulaient le long des joues de Fanny, traçant des rigoles dans la suie et la poussière. Ses yeux étaient toujours grands ouverts, comme si le moindre clignement risquait de lui faire manquer une parole vitale.

Le borgne se tenait en retrait, sur ses gardes. Il concentrait surtout son attention sur la femme, lançant de temps à autre un regard vers Roger, les yeux aussi brillants que ceux de sa compagne.

– Elle avoir l'argent ? demanda-t-il.

Sa peau était couleur de miel sombre. Il aurait été beau sans l'accident qui lui avait coûté un œil, avec, pour résultat, une poche de chair rouge sous une paupière flétrie et tombante.

– Oui, elle a... hérité... de toute... la propriété d'Aaron... Beardsley. M. Fraser... a fait le nécessaire.

Jamie et lui s'étaient rendus au tribunal pour témoigner de l'identité du bébé. Richard Brown et sa femme avaient été nommés tuteurs de l'enfant... et de ses biens. Mûs par Dieu seul sait quelle inspiration ou outrage, ils l'avaient baptisée Alicia.

– Ça ne fait rien qu'elle noire ?

Il vit l'œil de l'esclave se poser sur Fanny Beardsley puis se détourner. Elle dut sentir une note d'incertitude dans sa voix, car elle fit volte-face, comme une vipère prête à mordre.

– Z'est la tienne ! Elle ne peut pas être la zienne, z'est impozible !

– Oui, que tu dire. Ils donner l'argent à petite noire ?

Elle frappa du pied par terre, puis le gifla. Il se redressa et tourna le visage, mais ne tenta pas d'échapper à sa fureur.

– Tu crois que ze l'aurais laissée z'il y avait eu la moindre chanze qu'elle zoit blanze ?

Elle lui martela le torse de coups de poing, hurlant :

– Z'est ta faute si zai dû la laizer ! Ta faute ! Toi et ta maudite peau noire ! Maudite ! Maudite !

Roger finit par lui attraper les bras et la retenir, la laissant s'époumoner jusqu'à ce qu'elle s'effondre en larmes.

L'esclave, qui l'avait observée avec un mélange de honte et de colère, leva à peine les mains vers elle. Il ne lui en fallut pas plus. Elle se libéra de Roger et se jeta dans les bras de son amant, sanglotant contre son torse. Il l'enlaça avec maladresse et la serra contre lui, se balançant doucement d'avant en arrière sur ses pieds nus. Il ne paraissait plus en colère, simplement penaud.

Roger se racla la gorge, grimaçant de douleur. L'esclave releva les yeux vers lui et hocha la tête.

– Toi partir, dit-il doucement.

Au moment où Roger tournait les talons, il le rappela :

– Attends ! Vrai ? Petite vraiment bonne maison ?

Roger acquiesça, pris d'une lassitude innommable. L'adrénaline ou l'instinct de survie qui l'avaient gardé debout jusqu'à présent semblaient épuisés. Le ciel flamboyant était réduit en cendres, et toutes les couleurs autour d'eux étaient en train de disparaître, avalées par l'obscurité.

– Elle… va bien… Ils prendront… bien soin… d'elle.

Il chercha désespérément des paroles réconfortantes à leur dire.

– Elle… est jolie, murmura-t-il enfin. C'est une jolie… petite fille.

Les traits de l'homme oscillèrent entre la gêne, le désarroi et le plaisir.

– Oh, ça être sa maman, pour sûr !

Il tapota doucement le dos de Fanny Beardsley. Elle avait cessé de sangloter mais gardait le visage enfoui contre sa poitrine, immobile et silencieuse. Il faisait presque nuit. Dans la pénombre, sa peau était aussi sombre que celle du borgne.

Celui-ci ne portait qu'une chemise en lambeaux trempée, si bien que sa peau apparaissait, ici et là, à travers les trous du tissu. Il portait une corde nouée autour de la taille, à laquelle était accroché un sac en toile grège. Il le dénoua d'une main et en extirpa l'astrolabe qu'il tendit à Roger.

– Vous ne… voulez pas… le garder ?

Il avait l'impression d'être dans un nuage. Tout lui paraissait lointain et brumeux. Les sons lui parvenaient comme à travers un filtre de coton.

L'ancien esclave secoua la tête.

– Non, pourquoi faire? Et puis… peut-être personne te chercher, mais le maître de ça… peut-être vouloir le retrouver.

Roger prit l'instrument et passa la lanière autour de son cou. Il s'y reprit à deux fois, tant ses bras étaient lourds, comme du plomb.

– Personne… ne viendra.

Il tourna les talons et s'éloigna, sans savoir où il était ni où il allait. Après quelques pas, il se retourna, mais la nuit les avait déjà engloutis.

84

Calciné jusqu'aux os

Les chevaux s'étaient un peu calmés, mais ils étaient encore nerveux, grattant le sol et tirant sur leurs rênes, tandis que le tonnerre grondait au loin. Jamie soupira, embrassa le sommet de ma tête, puis écarta les branches de conifère pour rejoindre la clairière. Je l'entendis grommeler en s'adressant à Gideon :

– Si tu ne te plais pas ici, fallait pas venir !

En l'apercevant, l'étalon piaffa de plaisir. Je m'apprêtais à le rejoindre pour l'aider à rassurer les bêtes, quand un mouvement en contrebas attira mon attention.

Me retenant à une branche de la pruche, je me penchai en avant, mais ne vis rien. Pourtant, il m'avait semblé reconnaître un cheval, qui n'arrivait pas du même endroit que les réfugiés. Je longeai la rangée des sapins, regardant à travers les branches, et rejoignis l'autre bout de la corniche. À mes pieds s'étalait la vallée.

Ce n'était pas vraiment un cheval… mais plutôt une…

– Clarence !

– Qui ?

La voix de Jamie me parvint, étouffée par le bruit du vent dans les arbres.

– Clarence ! La mule de Roger !

Sans attendre sa réponse, je m'agrippai à une branche lourde et m'avançai en équilibre précaire au bord du vide. Plus bas, les arbres étaient en rangs serrés, leur cime arrivant presque à la hauteur de mes pieds.

C'était Clarence, j'en étais sûre. Je n'étais pas experte dans l'art de reconnaître un quadrupède à sa démarche, mais, dans sa jeunesse, la mule avait été atteinte de gale ou d'une autre maladie de peau. Pendant la guérison, des poils blancs avaient recouvert les parties atteintes, l'affublant d'une croupe étrangement bigarrée.

Elle galopait maladroitement dans le chaume, les oreilles pointées en avant, ravie de retrouver de la compagnie. Elle était sellée et sans cavalier, ce qui m'arracha un très gros mot.

– Elle a brisé ses entraves et s'est enfuie.

Jamie était apparu derrière moi et examinait, lui aussi, la silhouette en contrebas. Il pointa le doigt :

– Tu vois?

Dans mon angoisse, je n'avais pas remarqué le bout de chiffon attaché à une de ses pattes avant.

J'essuyai mes paumes moites sur ma jupe, incapable de détourner le regard.

– Je suppose que ça vaut mieux. Je veux dire… si elle était entravée, Roger n'était pas dessus, donc il n'a pas été éjecté, il n'est ni assommé ni blessé.

– En effet.

Jamie était inquiet mais pas trop alarmé.

– Il va avoir un sacré chemin à faire à pied!

Toutefois, je vis ses yeux parcourir l'étroite vallée, à présent remplie de fumée. Il secoua la tête et marmonna dans sa barbe, sans doute le petit frère de mon gros mot.

M'adressant un sourire amer, il déclara :

– Je me demande ce que ressent le Seigneur quand il voit de haut toutes les bêtises commises par les hommes sans pouvoir rien y faire.

Avant que j'aie pu lui répondre, un éclair fendit le ciel et le tonnerre retentit presque aussitôt, si fort que je sursautai et manquai de glisser. Jamie me rattrapa par le bras et me plaqua contre la paroi de la corniche. Les chevaux paniquaient de nouveau. Il partait les rejoindre, lorsqu'il s'arrêta net, me tenant toujours le bras.

– Quoi? demandai-je.

Je suivis son regard, mais je ne vis que le mur rocheux, à trois mètres de là, parsemé de petites plantes vivaces.

Il me lâcha et, sans répondre, s'approcha de la paroi. À mon tour, je perçus le vieux tronc calciné. Il tendit très délicatement la main et cueillit quelque chose pris dans l'écorce. En m'approchant de lui, je vis dans sa paume une touffe de longs poils drus. Des poils blancs.

La pluie se remit à tomber, reprenant tranquillement sa mission qui consistait, visiblement, à tout imbiber. Deux gémissements perçants s'élevèrent, les chevaux n'appréciant guère d'être abandonnés.

J'observai le tronc d'arbre. Partout, des poils blancs étaient coincés dans les crevasses. J'entendais encore Josiah dire : « Les ours aiment se gratter. Ils ont deux ou trois arbres préférés et y reviennent toujours. » Je déglutis avec difficulté.

Jamie annonça très calmement :

– Il n'y a peut-être pas que l'orage qui énerve les chevaux.

Ce qui ne me rassura pas vraiment. La foudre tomba sur des arbres, plus bas, suivie par un violent coup de tonnerre. Un autre éclair enchaîna presque de suite, puis un autre. On se serait cru en guerre, lors d'un raid aérien. Les chevaux frisaient l'hystérie, et je n'en étais pas loin non plus.

En quittant le village, j'avais enfilé ma cape, mais la capuche et mes cheveux étaient totalement trempés, me collant au crâne, les gouttes crépitant sur ma tête comme une cascade de clous. Jamie, aussi mouillé que moi, me sourit à travers le rideau de pluie.

Il me fit signe de ne pas bouger, mais je le suivis. Les chevaux étaient fous furieux, roulant des yeux déments. Judas avait à moitié réussi à déraciner le petit arbre auquel il était attaché. Les oreilles aplaties, Gideon avait la lippe tremblante, montrant ses grandes dents jaunes, prêt à mordre.

En le voyant, Jamie se raidit. Il jeta un coup d'œil vers l'arbre grattoir, invisible de là où nous nous tenions. Un éclair illumina le paysage et le tonnerre se répercuta à travers la roche. Les chevaux hurlèrent et ruèrent. Jamie hocha la tête, puis, sa décision étant prise, il saisit fermement les rênes de Judas pour le stabiliser. Apparemment, nous descendions de la montagne, pente glissante ou pas.

Je grimpai en selle en balançant mes jupes trempées, agrippai les rênes et tentai de hurler des paroles rassurantes à Judas qui dansait sur place, pressé de partir. Étant dangereusement près du précipice, je me penchai en avant, m'efforçant de lui faire raser la paroi rocheuse.

Soudain, une extraordinaire sensation envahit tout mon corps. On aurait dit que je venais d'être piquée, des orteils à la racine des cheveux, par des milliers de fourmis. Mes mains étaient luminescentes, nimbées d'une aura bleutée. Les poils de mes avant-bras étaient dressés à l'horizontale, chaque bras irradiant une lueur bleue. Ma capuche étant tombée en arrière, mes cheveux se dressèrent, comme tirés délicatement par une main géante.

L'air sentit alors le souffre et, autour de moi, les arbres, les rochers et la terre furent inondés d'une lumière bleue. De minuscules serpents d'électricité blanche et brillante se dressaient sur le sol à quelques mètres de nous.

Je me retournai pour appeler Jamie et le vis sur Gideon, la bouche grande ouverte pour crier, ses paroles se perdant dans la réverbération de l'air autour de nous.

La crinière de Gideon se dressa comme par magie. La chevelure de Jamie flottait au-dessus de sa tête, traversée d'étincelles. Le cavalier et sa monture semblaient fluorescents, chaque muscle de leur visage et de leur corps se détachant distinctement. Une bouffée d'air inonda ma figure, et Jamie bondit de sa selle en se jetant sur moi, nous précipitant dans le vide.

La foudre frappa avant que nous ayons touché terre.

Je revins à moi les narines pleines d'odeurs de chair grillée et d'ozone. J'avais l'impression d'avoir été retournée comme un gant, tous mes organes exposés.

Il pleuvait toujours. Je restai immobile un instant, laissant la pluie couler sur mon visage et dans mes cheveux, pendant que les neurones de mon système nerveux rétablissaient lentement leurs connexions. Un de mes doigts bougea, de son propre chef. J'essayai de le remuer intentionnellement et y parvins. Puis, je tentai de fléchir les autres. L'expérience fut moins probante. Je dus attendre quelques minutes avant que les circuits soient rétablis et que je puisse me redresser en position assise.

Jamie était allongé près de moi, étalé sur le dos dans un groupe de sumacs, telle une poupée de chiffon. Je rampai jusqu'à lui et constatai qu'il avait les yeux ouverts. Il m'adressa un clin d'œil, et un muscle de sa joue tressaillit dans un semblant de sourire.

Je ne voyais de sang nulle part, et ses membres, bien que pointant dans toutes les directions, semblaient indemnes. Il s'ébroua avec vigueur, enlevant l'eau de son visage. Je posai une main sur son ventre pour sentir son pouls abdominal. Il battait très lentement mais régulièrement sous mes doigts.

J'ignorais depuis combien de temps nous étions inconscients, mais l'orage s'était éloigné. Des éclairs zébraient encore le ciel, faisant brièvement ressortir le relief des pics, dans le lointain.

– Le tonnerre est bon, citai-je dans une sorte de stupeur. Il prévient et impressionne. C'est la foudre qui assassine.

– En tout cas, elle m'a eue, dit Jamie. Ça va, *Sassenach*?

– À merveille, répondis-je en me sentant agréablement détachée. Et toi?

Il me regarda bizarrement, puis sembla conclure que je n'avais rien. Il s'agrippa à un tronc de sumac et se releva avec difficulté.

– Je ne sens pas encore mes orteils, déclara-t-il, mais le reste est entier. En revanche, pour ce qui est des chevaux…

Il leva les yeux, et je vis sa pomme d'Adam tressaillir.

Les chevaux ne faisaient plus de bruit.

Nous étions environ six mètres sous la corniche, parmi les pins et les sapins baumiers. Je pouvais bouger mais ne trouvais pas la force de volonté de le faire. Je restai assise, inventoriant les dégâts, pendant que Jamie se secouait, puis grimpait vers le point de vue du tueur d'hommes.

Tout semblait trop calme, au point où je me demandai si la détonation ne m'avait pas rendue sourde. Mes pieds étaient glacés. Baissant les yeux, je vis que mon soulier gauche avait été arraché par la foudre ou par la chute. Il n'était nulle part aux alentours. Mon bas s'était aussi envolé. Une tache sombre de veines éclatées couvrait ma cheville, juste sous l'os, souvenir de ma seconde grossesse. Je la fixai comme si elle détenait la clé des secrets de l'univers.

Les chevaux étaient probablement morts, je le sentais. Pourquoi pas nous? J'inspirai une bouffée d'air, l'odeur de la chair brûlée faisant naître un frisson au plus profond de moi. Était-ce parce que nous devions mourir dans quatre ans? Quand notre tour viendrait, finirions-nous en carcasses carbonisées et puantes dans les décombres fumantes de notre maison?

«Calcinée jusqu'aux os», chuchota la voix dans ma mémoire. Des larmes coulèrent sur mes joues, se mêlant à la pluie. Elles étaient destinées à nos chevaux, à ma mère, mais pas à moi. Pas encore.

Les veines bleues sous ma peau me parurent plus prononcées qu'auparavant. Sur le dos de mes mains, elles formaient une carte routière… dans la chair tendre derrière mes genoux, elles dessinaient des toiles d'araignées et des rosaces. Le long de mon tibia, une grosse veine serpentait, enflée et distendue. Je pressai l'index dessus. Molle, elle disparut, pour réapparaître dès que j'ôtai mon doigt.

Le fonctionnement interne de mon corps devenait plus visible, la peau tendue s'affinait, me laissant vulnérable. Tout ce qui avait été autrefois douillettement abrité dans mon enveloppe de chair se trouvait exposé, offert aux éléments. Les os et le sang tentaient d'affleurer... Une écorchure suintait sur le dessus de mon pied.

Jamie revint, dégoulinant et hors d'haleine. Lui, il avait perdu ses deux souliers. Il s'assit à mes côtés en annonçant :

– Judas est mort.

Il prit ma main glacée dans la sienne, tout aussi glacée, et la serra.

– Le pauvre... c'était comme s'il avait su, non? sanglotai-je. Il a toujours eu peur du tonnerre et des éclairs. Toujours.

Jamie passa un bras autour de mes épaules et pressa ma tête contre son torse, tout en murmurant des paroles de réconfort.

Je tentai de me ressaisir en essuyant mes larmes sur un pan de ma cape trempée et demandai :

– Gideon aussi?

Avec un sourire incrédule, Jamie secoua la tête.

– Il s'en est sorti. Il est brûlé à l'épaule et à la patte avant droite, et sa crinière a entièrement grillé.

Il ramassa un pan de sa propre cape déchirée en lambeaux et tenta à son tour de m'essuyer le visage, sans meilleur résultat.

– Ça va peut-être le rendre plus docile, dit-il en s'efforçant de plaisanter.

J'étais trop épuisée et ébranlée pour rire, mais je parvins à esquisser un sourire qui me réconforta moi-même.

– Je suppose. Tu crois que tu pourras le faire descendre? J'ai des onguents avec moi. Ils apaisent les brûlures.

– Je crois.

Il me tendit la main et m'aida à me relever. En me tournant pour épousseter ma jupe, j'aperçus quelque chose.

– Jamie… regarde ! dis-je dans un filet de voix.

À quelques mètres de nous se dressait un grand sapin baumier, sa cime coupée net et la plupart des branches calcinées. Coincée entre l'une d'elles et le moignon du tronc, une énorme masse ronde pendait. Elle était à moitié noire, les tissus carbonisés, mais la fourrure restante était hérissée en pointes trempées, d'un blanc crémeux comme des fleurs de trille.

Jamie regarda bouche bée le cadavre de l'ours. Puis, se tournant vers moi, son regard s'éleva par-dessus mon épaule, vers les montagnes éloignées où les derniers éclairs tombaient en silence.

– On dit que les grandes tempêtes annoncent la mort d'un roi, dit-il doucement.

Il toucha mon visage, très délicatement.

– Attends ici, je vais chercher le cheval, *Sassenach*. On rentre à la maison.

85

Le feu de l'âtre

Fraser's Ridge, octobre 1771

La saison changeait, d'heure en heure. Elle s'était endormie dans la douce fraîcheur d'une soirée de l'été indien et s'était réveillée, piquée par la morsure d'un froid automnal, les pieds frigorifiés sous sa couverture. Hagarde, elle comprit qu'elle ne pourrait se rendormir sans se couvrir davantage.

Se traînant hors du lit, elle se dirigea vers le berceau de Jemmy, à pas feutrés, sur le plancher glacé. Il était douillettement enfoncé dans son matelas de plumes, la couverture remontée jusque sous les oreilles. Elle posa doucement une main dans son dos, attendant sa respiration. Une fois, deux fois, trois fois.

Puis ayant trouvé un nouvel édredon, elle l'étala sur le lit. En attrapant la tasse sur la table de chevet pour soulager sa gorge sèche, elle constata, agacée, qu'elle était vide. Elle envisagea bien de se remettre au lit et de se rendormir, mais elle mourait de soif.

Sur le perron, il y avait toujours un seau d'eau du puits. Sans cesser de bâiller, elle souleva le loquet et l'abaissa doucement, même s'il n'y avait pas grand danger de réveiller Jemmy. Il dormait habituellement comme une souche.

Elle ouvrit néanmoins la porte avec discrétion et sortit, frissonnant quand l'air froid de la nuit plaqua sa chemise de nuit contre ses chevilles. Elle se pencha et chercha à tâtons dans l'obscurité. Pas de seau. Où diable…

Du coin de l'œil, elle perçut un mouvement et se tourna brusquement. L'espace d'un instant, elle crut qu'Obadiah Henderson était assis sur le banc près de la porte. Son cœur se serra comme un poing en voyant l'ombre se lever. Puis elle comprit et se jeta dans les bras de Roger avant que son cerveau n'ait fini d'enregistrer sa présence.

Se serrant contre lui, incapable de parler, elle eut le temps de remarquer certains détails : la crête de sa clavicule contre son visage, l'odeur de ses vêtements sales qui ne sentaient même plus la transpiration mais la forêt qu'il avait traversée, la terre sur laquelle il avait dormi et surtout la fumée âcre qu'il avait respirée, la puissance de son bras autour d'elle et la piqûre de sa barbe contre sa joue, le vieux cuir craquelé de ses souliers sous ses orteils nus et la forme des os de ses pieds dans les chaussures. Enfin, elle déclara entre deux sanglots :

– C'est toi ! Tu es rentré !

– Oui, je suis rentré, chuchota-t-il dans son oreille. Tu vas bien ? Jemmy va bien ?

Elle desserra son étreinte, et il lui sourit. C'était si étrange de voir son sourire à travers son épaisse barbe noire, de reconnaître la courbe de ses lèvres au clair de lune.

– Tout le monde va bien. Mais toi, tu n'as rien ?

Elle renifla, le contemplant avec des yeux débordant de larmes, puis demanda brusquement :

– Mais que fais-tu dehors, nom d'un chien ? Pourquoi tu n'as pas frappé ?

– Non, je n'ai rien, et je n'ai pas voulu te faire peur. Je pensais dormir ici et toquer à la porte demain matin. Pourquoi tu pleures ?

Brianna se rendit compte qu'il ne chuchotait pas par souci de ne pas faire de bruit, mais parce que sa voix était faible et enrouée. Pourtant, il avait parlé clairement, sans forcer les mots, sans hésitation douloureuse.

Elle essuya rapidement ses yeux sur le dos de sa main.

– Tu parles ! Je veux dire… tu parles mieux.

Avant son départ, elle n'aurait pas osé toucher sa gorge, mais son instinct lui dit de profiter de ce moment d'intimité dû à la surprise des retrouvailles. La gêne reviendrait peut-être, faisant encore d'eux des inconnus, mais, pour le moment, là dans le noir, elle pouvait tout dire, tout faire. Elle posa les doigts sur sa cicatrice en zigzag, puis caressa l'incision qui lui avait sauvé la vie, une ligne blanche et nette sous la barbe.

– Ça te fait encore mal quand tu parles ?

Ses yeux sombres et doux étaient rivés sur les siens.

– Oui, dit-il dans un râle. Mais je parle. Et je parlerai… Brianna.

Elle s'écarta, le tenant toujours par le bras, incapable de le lâcher.

– Rentrons, dit-elle. Il fait froid dehors.

* * *

J'avais plusieurs objections à la préparation d'un feu de cheminée, que ce soit des échardes sous les ongles, des ampoules ou des brûlures, sans parler du danger qu'il représentait. D'un autre côté, ses attraits étaient indéniables : il tenait chaud et il nimbait nos ébats amoureux d'une lumière dorée d'une telle beauté qu'elle permettait d'oublier toute gêne devant la nudité de son propre corps.

Nos silhouettes enchevêtrées se projetaient sur le mur, ici, une jambe, là, la courbe d'un dos ou d'une hanche. Jamie dressa sa tête, dessinant une grande créature couronnée d'une crinière qui me surplombait, les reins cambrés.

Mes doigts coururent sur sa peau luisante et ses muscles frémissants, glissèrent à travers la toison de sa poitrine et s'enfouirent dans sa chevelure chaude, attirant sa tête dans le creux sombre entre mes seins.

Je gardais les yeux mi-clos, serrant les cuisses, refusant de libérer son corps, d'abandonner l'illusion de ne faire plus qu'un, mais était-ce bien une illusion? Combien de fois pourrais-je encore le garder ainsi ancré en moi, dans la lumière magique d'un feu?

Je m'accrochai à lui de toutes mes forces, ainsi qu'aux derniers soubresauts de ma propre chair. Mais la jouissance saisie au vol est toujours éphémère et, quelques instants plus tard, j'étais de nouveau moi, unique. Sur ma cheville, la tache sombre se détachait nettement, même dans la lumière tamisée.

Je relâchai ses épaules et effleurai avec tendresse les boucles de ses poils. Il baissa la tête et déposa un baiser sur chacun de mes mamelons avant de se glisser sur le côté.

– Et on dit que les poules n'ont pas de dents! soupira-t-il.

Il massait une trace de morsure sur son épaule. Je me mis à rire, puis me redressai sur un coude, regardant autour de nous.

– Que se passe-t-il, ma petite poule? susurra-t-il.

– Rien, je vérifie simplement que nos vêtements soit à l'abri du feu.

Entre une chose et l'autre, je n'avais pas regardé où il avait jeté les siens. Je me détendis : ils étaient à une distance raisonnable des flammes. Ma jupe gisait en tas sur le lit. Mon corselet et ma chemise avaient atterri dans deux coins opposés de la chambre. Quant à la bande de tissu qui me servait de soutien-gorge, elle était invisible.

La lumière dansait sur les murs blanchis à la chaux et le lit était rempli d'ombres.

– Tu es belle, me murmura-t-il.

– Si tu le dis…

– Tu ne me crois pas? T'ai-je déjà menti?

– Ce n'est pas ça. Je voulais dire que, à partir du moment où tu le dis, ça devient vrai. C'est ton regard qui me rend belle.

Il soupira et s'installa plus confortablement. Une bûche craqua dans l'âtre, projetant une gerbe d'étincelles dorées, puis elle s'affaissa en grésillant quand la chaleur atteignit une veine humide en profondeur. Je contemplai le bois jeune virer au noir, puis au rouge, se consumant dans une chaleur blanche.

– Tu le penses aussi de moi, *Sassenach*? demanda-t-il soudain.

Son ton embarrassé me fit tourner la tête vers lui, surprise.

– Penser quoi? Que tu es beau?

Mes lèvres dessinèrent un sourire involontaire, qu'il me retourna.

– Eh bien… non, mais… Tu es encore capable de me regarder?

Je touchai la fine cicatrice en travers de ses côtes, laissée par une épée il y avait bien longtemps, puis la cicatrice plus longue et plus épaisse qu'une baïonnette avait creusée le long d'une de ses cuisses. Le bras qui me tenait, bronzé et dur, était couvert de poils blanc doré, décolorés par de longues journées de travail au soleil. Près de ma main, sa verge redevenue molle et tendre reposait dans son nid de poils auburn.

– Tu es beau à mes yeux, Jamie, dis-je doucement. Si beau que tu me brises le cœur.

Sa main remontait le long de mes vertèbres, une à une.

– Néanmoins, je suis vieux, dit-il en souriant. Ou je devrais l'être. J'ai des cheveux blancs, une barbe grise.

– Argentée, rectifiai-je.

Je caressai le chaume doux et bariolé sur son menton, ajoutant :

– … et que partiellement.

– Grise, insista-t-il fermement. Et miteuse. Pourtant…

Son regard s'adoucit en sondant le mien.

– … Je brûle toujours autant quand je suis près de toi, et je continuerai à brûler, je crois, jusqu'à ce que nous soyons tous les deux réduits en cendres.

– C'est de la poésie? demandai-je prudemment. Ou tu parles littéralement?

– Ah… euh… non, je ne voulais pas dire que…

Il resserra sa main sur mon bras et posa sa tête contre la mienne.

– Je ne parlais pas de ça, *Sassenach.* Si ça devait…

– Ça n'arrivera pas.

Son rire souleva mes cheveux.

– Tu sembles bien sûre de toi.

– On peut changer le futur. Je le fais sans arrêt.

– Ah oui ?

Je m'écartai légèrement pour mieux voir ses yeux.

– C'est vrai. Regarde Mairi MacNeill. Si je n'avais pas été là, la semaine dernière, elle serait morte, et ses jumeaux avec. Mais j'y étais, et ils ont tous survécu.

Je glissai une main sous ma nuque et contemplai les poutres du plafond, en méditant :

– Je me demande… Il y en a beaucoup pour lesquels je ne peux rien, mais il m'arrive d'en sauver quelques-uns. Si une personne survit grâce à moi, puis a des enfants, que ses enfants ont des enfants, et ainsi de suite… le temps d'arriver à mon époque, ça a fait, disons, une trentaine ou une quarantaine d'individus dans le monde qui n'auraient pas dû y être, non ? Tous ont une vie, font des choses… tu ne crois pas que ça revient à changer le futur ?

Pour la première fois, je me demandai quelle avait été ma contribution personnelle à l'explosion démographique du XXe siècle.

Il saisit ma main libre et caressa ma paume de son index.

– Oui, mais tu changes « leur » futur, *Sassenach.* Comment peux-tu savoir que ce n'était pas prévu ? Tous les médecins ont sauvé d'innombrables vies au fil des ans, non ?

Il tint fermement mon poignet, puis étira un à un mes doigts en les faisant craquer.

– Oui, naturellement, et pas que les médecins, d'ailleurs.

Je me redressai, soudain revigorée par la portée de mon idée.

– Mais… c'est pareil. Tu ne comprends donc pas? Toi aussi, tu as sauvé des vies. Fergus, Ian. Aujourd'hui, ils errent de par le monde, procréant et faisant toutes sortes de choses qui, à leur tour, auront une incidence sur l'existence d'autres gens. Tu as changé leur futur.

– Ah… eh bien… oui, peut-être, mais je ne pouvais pas agir autrement, n'est-ce pas?

Cette simple déclaration m'arrêta dans mon élan, et nous restâmes silencieux un moment, observant les reflets danser sur le mur. Enfin, il s'agita à mes côtés, reprenant :

– Je ne dis pas ça pour me plaindre, mais, de temps en temps, mes os me font mal.

Il ne me regardait pas mais contemplait sa main infirme, l'orientant dans la lumière. L'ombre de ses doigts tordus formait une araignée sur le mur.

De temps en temps. Je le savais. Je connaissais les limites du corps… et ses miracles. Je l'avais vu s'asseoir à la fin d'une rude journée de travail, la fatigue se lisant dans chaque ligne de son corps. Je l'avais vu se mouvoir lentement, tenant tête, les matins glacés, aux protestations de sa chair et de ses os. J'étais prête à parier qu'il n'avait pas connu un jour sans douleur depuis Culloden, les dégâts physiques de la guerre aggravés par l'humidité et la vie à la dure. J'étais aussi prête à parier qu'il n'en avait jamais dit un mot à personne, jusqu'à ce jour.

– Je sais, dis-je doucement.

Je touchai sa main, la cicatrice en vrille qui courait le long de sa jambe, le petit creux dans la chair de son bras traversée par une balle.

– Mais pas avec toi, dit-il.

Il couvrit ma main posée sur son bras.

– Sais-tu que le seul moment où je n'ai pas mal, c'est au lit avec toi, *Sassenach*? Quand je te prends, quand je suis couché dans tes bras… Mes plaies sont guéries, mes cicatrices, oubliées.

Je poussai un soupir et calai ma tête dans le creux de son épaule. Ma cuisse était pressée contre la sienne, ma chair molle épousant les contours durs de ses muscles.

– Les miennes aussi.

Il resta longtemps silencieux, caressant mes cheveux ébouriffés par nos ébats. Il lissa une boucle l'une après l'autre entre ses doigts, déclarant d'une voix endormie :

– Tes cheveux sont comme des nuages de tempête, *Sassenach.* À la fois sombres et clairs. Il n'y en a pas deux de la même couleur.

Il avait raison. La mèche qu'il tenait dans sa main contenait des cheveux d'un blanc pur, d'autres étaient argentés et blonds, certains foncés, presque sable, et plusieurs encore avaient conservé le châtain clair de ma jeunesse.

Ses doigts creusèrent sous la masse de ma chevelure, et il prit ma tête dans sa paume, comme un calice.

– J'ai vu ma mère dans son cercueil, dit-il.

Son pouce toucha mon oreille, descendit la courbe de l'hélix et du lobule, me faisant frissonner.

– Les femmes l'avaient tressée, trouvant que c'était plus convenable, mais mon père n'a rien voulu savoir. Je l'ai entendu. Il n'a pas crié, il est resté très calme. Il a expliqué qu'il voulait emporter d'elle l'image de celle qu'il avait connue. Elles lui ont répondu qu'il ne savait plus ce qu'il disait, qu'il était fou de chagrin. Il ne s'est pas donné la peine d'en rajouter et est allé lui-même vers le cercueil. Il a dénoué sa natte et a étalé sa chevelure sur l'oreiller. Elles n'ont pas osé l'en empêcher.

Il marqua une pause, son pouce s'immobilisant.

– J'étais là, sage dans mon coin. Quand ils sont tous sortis pour accueillir le prêtre, je me suis approché. Je n'avais encore jamais vu un cadavre.

Je laissai mes doigts s'enrouler autour de son avant-bras. Un matin, ma mère avait déposé un baiser sur mon front, avait remis la pince qui ne cessait de tomber de mes cheveux bouclés, puis m'avait dit au revoir. Je ne l'avais plus jamais revue. Elle avait eu un cercueil fermé.

– Tu l'as reconnue?

Il regardait le feu, les paupières lourdes.

– Non. Enfin... pas tout à fait. Le visage lui ressemblait, sans plus. On aurait dit que quelqu'un avait sculpté son portrait dans un bloc de bouleau. Mais ses cheveux... eux, étaient encore en vie. Ça, c'était toujours elle.

Je l'entendis déglutir, puis s'éclaircir la gorge.

– Ils lui descendaient jusque sous sa poitrine, si bien qu'ils cachaient le bébé couché contre elle. J'ai pensé qu'il n'aimerait pas ça, qu'il étoufferait. Alors, j'ai écarté les mèches pour qu'il respire. Je pouvais le voir, mon petit frère, blotti dans ses bras, sa tête sur son sein, confortablement niché sous le rideau de ses cheveux. Puis, je me suis dit que j'avais tort, qu'il serait sans doute plus heureux ainsi protégé, alors j'ai remis sa chevelure en place, la lissant sur lui.

Il prit une profonde inspiration, et je sentis sa poitrine se soulever.

– Elle n'avait pas un cheveu blanc, *Sassenach*. Pas un seul.

Ellen Fraser était morte en couches à l'âge de trente-huit ans. La mienne était morte à trente-deux. Je portais en moi toute la richesse de ces longues années qu'elles n'avaient pas vécues. Et plus encore.

– Voir les années s'inscrire sur ton corps et ton visage me procure une joie immense, *Sassenach*. Parce qu'elles signifient que tu vis.

Il leva la main et laissa doucement mes cheveux caresser mon visage, effleurer mes lèvres, flotter mollement sur mon cou et mes épaules, atterrissant comme des plumes sur la pointe de mes seins.

– *Mo nighean donn*, chuchota-t-il. *Mo chridhe*. Ma brune, mon cœur. Viens à moi, couvre-moi, abrite-moi, *a bhean*, guéris-moi. Brûle avec moi comme je brûle pour toi.

Je me couchai sur lui, le couvris, ma peau contre ses os, et toujours – toujours ! – ce noyau lumineux et ardent, ce muscle palpitant qui nous unissait. Mes cheveux retombèrent sur nous et, dans cette grotte brûlante et sombre, je chuchotai à mon tour :

– Jusqu'à ce que nous soyons réduits en cendres.

86

Le trou au fond de l'océan

Fraser's Ridge, octobre 1771

Roger fut aussitôt réveillé, sans passer par le palier de somnolence habituel, si bien que son corps était toujours inerte mais son esprit alerte, à l'affût du signe qui l'avait incité à remonter des ténèbres. Il n'avait pas de souvenir conscient du cri de Jemmy, mais il résonnait encore dans son oreille interne, avec cette combinaison d'espoir et de résignation, triste sort du parent qui émerge de la nuit le plus vite.

Le sommeil le tirait par les pieds, cherchant à l'entraîner de nouveau vers les profondeurs de l'oubli, comme s'il avait un boulet de dix kilos attaché à la cheville. Un faible bruissement maintint provisoirement sa tête hors de l'eau.

Il concentra toutes ses pensées vers le berceau, envoyant un message mental : « Rendors-toi. Chuuut. Tout doux. Toux doux… Rendoooooors-tooooooi. » Cette hypnose télépathique fonctionnait rarement, mais elle retardait de quelques précieuses secondes la nécessité d'agir. En outre, il arrivait que le miracle se produise et que son fils se rendorme, se détendant dans la moiteur trempée d'un lange mouillé et de ses rêves sucrés.

Roger retint son souffle, se raccrochant au bord d'une falaise qui s'effritait peu à peu, goûtant ces derniers instants bénis d'immobilité. Puis, le bruit se répéta et il bondit aussitôt.

– Brianna? Brianna, qu'est-ce qui se passe?

Elle se tenait près du berceau, formant une ombre spectrale dans le noir. Il la toucha, la saisit par les épaules. Elle serrait l'enfant dans ses bras, grelottante de froid et de peur.

D'instinct, il l'attira à lui, captant aussitôt son angoisse. Son sang se glaça et il s'efforça de ne pas regarder le berceau vide, la pressant plus fort contre lui.

– Qu'est-ce qu'il y a? chuchota-t-il. C'est Jemmy? Qu'est-il arrivé?

Elle fut parcourue d'un frisson, qui traversa le fin tissu de sa chemise de nuit. Roger eut la chair de poule.

– Ce n'est rien, il va bien, répondit-elle.

Se retrouvant inconfortablement coincé entre ses deux parents, Jemmy se réveilla en émettant un cri de surprise indignée et commença à battre des mains et des pieds, comme un fouet mécanique.

Ses vigoureux moulinets rassurèrent aussitôt Roger et étouffèrent les visions d'horreur qui l'avaient assailli en apercevant Brianna. Non sans mal, il prit l'enfant des bras de sa mère et le cala contre sa propre épaule. Il lui tapota doucement le dos pour le rassurer – autant que pour se rassurer lui-même – en sifflant lentement entre ses dents. Jemmy, qui trouvait toujours ce bruit apaisant, bâilla, se ramollit et se mit à ronronner contre son oreille, avec l'intonation montante et descendante d'une sirène de pompiers dans le lointain :

– PaapaaPaapaaPaapaa…

Brianna se tenait toujours devant le berceau, ses bras vides à présent croisés sur sa poitrine. Roger tendit sa main libre et caressa son épaule avant de l'attirer vers lui.

– Chuuut. Tout va bien, maintenant, tout va bien.

Elle glissa les bras autour de sa taille. Il sentait ses joues mouillées à travers sa chemise. Son autre épaule était déjà humide de la chaleur du bébé.

– Viens te recoucher, lui chuchota-t-il. Glisse-toi sous la couverture, il fait… froid.

Ce n'était pas tout à fait vrai. Il faisait chaud dans la cabane. Elle obéit néanmoins. Elle reprit son enfant et le mit à son sein. Ne refusant jamais une bonne occasion de se goinfrer, Jemmy accepta son offre avec enthousiasme, se recroquevillant en apostrophe de satisfaction contre le ventre de sa mère, tandis qu'elle s'allongeait sur le côté.

Roger fit de même, imitant la position de son fils, fléchissant les genoux derrière ceux de Brianna, formant une virgule protectrice. Ainsi ponctuée, elle se détendit progressivement, mais pas tout à fait.

– Ça va mieux? demanda-t-il au bout d'un moment.

Elle avait la peau encore moite. Tremblante, elle respira profondément.

– Oui. Ce n'était qu'un cauchemar. Excuse-moi de t'avoir réveillé.

– Ce n'est pas grave.

Il caressait la courbe de sa hanche, encore et encore, comme pour apaiser un cheval.

– Tu veux me raconter?

Il voulait sincèrement savoir, mais les bruits rythmiques de succion de Jemmy étaient soporifiques, et le sommeil commençait à descendre sur eux tandis qu'ils se réchauffaient, se fondant l'un dans l'autre, telle de la cire.

– Il faisait froid, dit-elle à voix basse. Je crois que la couverture était tombée, mais, dans mon rêve, la fenêtre était ouverte.

– Ici? Une de ces fenêtres?

Il leva un doigt montrant le mur d'en face. La peau huilée qui recouvrait l'ouverture était légèrement plus claire et se détachait dans l'obscurité.

– Non, chez nous à Boston, dans la maison où j'ai grandi. J'étais dans mon lit, mais le froid m'a réveillée. Je me suis levée pour voir d'où venait le courant d'air.

Il y avait des baies vitrées dans le bureau de son père. Le vent glacé s'engouffrait par là, gonflant les longs rideaux blancs. Le berceau se trouvait près du vieux secrétaire, et le bout d'une mince couverture blanche se balançait dans la brise.

– Il n'était plus là ! Jemmy n'était plus là ! Il avait disparu. J'ai tout de suite compris que quelque chose était entré par la fenêtre et l'avait emporté.

Sa voix s'était stabilisée, mais tremblait encore au souvenir de ce moment de terreur. Elle se pressa contre lui, cherchant inconsciemment sa présence pour se rassurer.

– J'en avais peur, sans savoir ce que c'était. Mais peu importait, il fallait que je retrouve Jemmy.

Elle tenait une main fermée sous son menton. Il la prit dans la sienne et la serra.

– J'ai écarté les rideaux et je me suis précipitée dehors. Mais il n'y avait rien. Que de l'eau.

– De l'eau ?

Elle se remit à grelotter. Il caressa du pouce son poing fermé, essayant de la calmer.

– L'océan. De l'eau à perte de vue, les vagues lapant le bord de la terrasse. Il faisait sombre et je savais qu'il n'y avait pas de fond. Jemmy était là-dedans. Il s'était noyé et j'étais arrivée trop tard…

Elle s'étrangla, puis retrouva sa voix.

– J'ai quand même plongé. Il le fallait. L'eau était noire et des choses grouillaient dedans avec moi. Je ne pouvais pas les voir, mais je les sentais me frôler. De grosses choses. Je continuais à chercher et chercher, mais je ne voyais toujours rien, puis l'eau s'est subitement éclaircie… et je l'ai vu.

– Jemmy ?

– Non, Bonnet. Stephen Bonnet.

Roger s'efforça de ne pas réagir, de ne pas se raidir. Elle faisait souvent de drôles de rêve. Il imaginait toujours que ceux qu'elle refusait de lui raconter étaient ceux où figurait Bonnet.

– Il tenait Jemmy et riait. J'ai voulu le prendre, mais Bonnet l'a écarté hors de ma portée. Il l'a refait plusieurs fois. J'ai essayé de le frapper, mais il a attrapé ma main sans cesser de rire. Puis, il a levé les yeux, et son air a changé.

Elle prit une grande inspiration et saisit les doigts de Roger.

– Je n'avais jamais vu une telle expression, Roger, jamais. Il pouvait voir quelque chose derrière moi, quelque chose qui avançait et qui le terrifiait. Il me tenait, m'empêchant de me retourner. Je ne pouvais pas m'échapper ni abandonner Jemmy. La chose approchait et… je me suis réveillée.

Elle laissa échapper un rire nerveux.

– La grand-mère de ma copine Gayle disait toujours que, dans un rêve, lorsqu'on tombait d'une falaise, on mourrait si on ne se réveillait pas avant de toucher terre. On mourrait réellement. Est-ce que c'est pareil quand on est sur le point d'être dévoré par un monstre?

– Non. En outre, dans ce genre de rêve, on se réveille toujours.

– Jusque-là, ça a toujours été mon cas.

Elle ne paraissait pas convaincue. Toutefois, d'avoir raconté son cauchemar avait calmé sa peur. Son corps abandonna ses dernières résistances, et elle se détendit contre lui en soupirant.

– Tu te réveilleras toujours. Ne te fais plus de souci, Jemmy est en sécurité. Je suis là, je veillerai sur vous deux.

Il passa un bras par-dessus sa hanche et posa la main sur le derrière rebondi du bébé qui, repu, avait sombré dans une paisible torpeur contagieuse. Brianna plaça sa main par-dessus.

– Le secrétaire de papa était jonché de livres. Il avait travaillé. Il y avait des ouvrages ouverts et des papiers éparpillés un peu partout. Sur son bureau, j'ai vu une feuille avec quelque chose d'écrit dessus. J'avais envie de la lire pour savoir ce qu'il préparait, mais je ne pouvais pas m'arrêter.

– Mm… mmm.

Elle frissonna légèrement, faisant bruisser les enveloppes de maïs de leur matelas et provoquant un mini séisme dans leur chaud univers. Elle se tendit, luttant contre le sommeil, puis relâcha ses muscles quand il mit la main sur son sein.

Roger resta éveillé, observant le carré de la fenêtre s'éclaircir lentement, tenant sa famille en sécurité dans ses bras.

* * *

De là où ils se tenaient, la maison était encore visible. Le ciel était chargé et, en dépit de la fraîcheur du petit matin, il faisait déjà lourd. Le jour s'était levé il y avait à peine une heure, mais déjà une fine couche de transpiration recouvrait la peau de Roger. Son cuir chevelu le picotait, des perles de sueur se formant sous sa tresse à la base de sa nuque.

Résigné, il étira le cou, et la première goutte glissa entre ses omoplates. Au moins, la chaleur soulageait les courbatures. Ce matin, ses bras et ses épaules avaient été si raides que Brianna avait dû l'aider à enfiler ses vêtements, lui passant sa chemise par-dessus sa tête et boutonnant sa braguette de ses doigts agiles.

Il sourit intérieurement, songeant à ce que ces doigts avaient fait d'autre. Cela lui fit oublier un instant ses douleurs et chassa de son esprit le souvenir dérangeant des rêves de sa femme. Il s'étira en grognant, sentit les muscles tirer sur ses articulations endolories. Le lin propre de sa chemise collait déjà à son torse.

Jamie le précédait sur la piste. Une tache humide grandissait à vue d'œil dans son dos, là où passait la bandoulière de sa gamelle. Roger puisa une maigre consolation dans le fait que son beau-père se déplaçait, lui aussi, avec nettement moins de grâce féline que d'habitude. Il savait que le grand Écossais n'était qu'un être humain, mais d'en avoir la preuve de temps en temps était rassurant.

– Vous pensez que cette température va durer?

Il avait surtout parlé pour la forme. Jamie n'était pas du genre bavard, mais, ce matin, il paraissait particulièrement peu loquace. Il avait à peine murmuré un «bonjour» quand Roger l'avait salué un peu plus tôt. Peut-être était-ce dû à la grisaille ambiante, avec sa menace – ou sa promesse – de pluie.

Le plafond nuageux était bas et terne, comme l'intérieur d'un bol en étain. Un après-midi à la maison, la pluie battant contre les peaux tendues devant les fenêtres, Jemmy dormant paisiblement roulé en boule tel un loir, pendant que sa mère laissait tomber sa chemise sur le sol et venait s'allonger sur le lit dans la lumière douce et grise... Il y avait des moyens de suer plus agréablement que d'autres.

Jamie s'arrêta et leva le nez vers le ciel. Il ouvrit sa main droite, la referma, puis la rouvrit lentement. Ses doigts raides rendaient difficiles certaines tâches délicates, comme écrire, mais ils présentaient un avantage inattendu : leurs articulations enflées annonçaient la pluie avec plus de précision qu'un baromètre.

Il les agita, puis adressa un léger sourire à Roger.

– Rien qu'un petit picotement, déclara-t-il. Il ne pleuvra pas avant ce soir. Allons-y.

Roger se retourna. La grande maison et la cabane n'étaient plus visibles. Tout en regardant le dos de Jamie qui s'éloignait déjà, il s'interrogeait. Le nouveau champ était presque à un kilomètre, ce qui donnait amplement le temps de faire la causette. Toutefois, le moment était peut-être mal choisi. Il devait discuter de ce sujet, face à face, en prenant tout son temps. Plus tard, quand ils feraient une pause pour déjeuner.

Les bois étaient silencieux, l'air lourd et immobile. Même les oiseaux se taisaient. Seul le toc, toc, toc occasionnel d'un pivert rompait le calme. Ils avançaient lentement sur le tapis d'humus, discrets comme des Indiens. Quand ils sortirent du dense taillis de chênes nains, débouchant sur le champ récemment débroussaillé, ils effrayèrent un groupe de corbeaux qui s'envolèrent dans une cacophonie de croassements, tels des démons échappés de l'enfer.

– Seigneur! souffla Jamie en se signant machinalement.

Roger sentit sa gorge et son ventre se nouer. Les oiseaux avaient ripaillé sur une masse gisant dans le trou laissé par un arbre déraciné. De là où il se trouvait, il ne voyait qu'une courbe pâle qui ressemblait à l'arrondi d'une épaule nue.

C'était effectivement une épaule nue... mais celle d'un cochon sauvage. Jamie s'accroupit près de la dépouille, examinant les plaies vives dans l'épaisse peau blême. Avec une grimace de dégoût, il toucha une entaille profonde dans le flanc. Roger pouvait voir le mouvement des mouches à l'intérieur des cavités rouge sombre.

Il s'accroupit à côté de son beau-père.

– Un ours? demanda-t-il.

– Non, un félin.

Jamie écarta les poils épars derrière une oreille et lui montra les petits trous bleus dans les plis de graisse.

– Il lui a brisé la nuque d'un seul coup de dents. Regarde, tu vois les traces de griffes?

Roger les voyait en effet, mais il n'avait pas assez d'expérience pour distinguer un coup de patte d'ours de celui d'un couguar. Il les observa de plus près, tâchant de mémoriser le motif.

Jamie se releva et s'essuya le visage sur une manche.

– Un ours aurait emporté le corps ou, du moins, une grosse partie. Cette bête est à peine entamée. Les félins, eux, abandonnent souvent leur proie et reviennent en manger un peu chaque jour.

Roger déglutit, imaginant aisément une paire d'yeux jaunes en train de les épier depuis le taillis derrière eux, scrutant froidement l'endroit où son crâne était fixé à sa colonne vertébrale.

– Vous pensez qu'il est toujours dans les parages?

Il jeta un coup d'œil autour d'eux, s'efforçant de paraître détaché. La forêt n'avait pas changé, mais, à présent, son silence paraissait anormal et menaçant.

Jamie chassa quelques mouches d'un geste de la main.

– Oui, sans doute. Ce cochon a été tué récemment. Il n'y a pas encore d'asticots.

Il indiqua les plaies béantes dans le flanc de la bête, puis se pencha et saisit deux pattes raides.

– Aide-moi. On va le suspendre. Ce serait dommage de ne pas profiter de toute cette viande.

Ils traînèrent la carcasse jusqu'au pied d'un arbre aux branches basses et robustes. Jamie sortit son mouchoir crasseux de sa manche et le noua sur son crâne pour empêcher la transpiration de lui piquer les yeux. Roger sortit le sien, soigneusement lavé et repassé, et fit de même. Soucieux de ne pas salir leur chemise propre, ils les ôtèrent et les suspendirent à un aulne.

Les jours précédents, lorsqu'ils étaient venus arracher les souches, ils avaient laissé de la corde dans le champ. Jamie s'en servit pour nouer solidement les quatre pattes du cochon, puis lança le bout par-dessus une branche. Cette truie adulte devait bien peser dans les cent kilos. Jamie enfonça ses talons dans le sol et s'arc-bouta, tirant de tout son poids sur le cordage, en grognant.

Roger retint sa respiration tout en aidant à soulever la dépouille rigide, mais Jamie avait vu juste. Elle était fraîche et dégageait l'habituelle odeur de chair de cochon, légèrement affadie par la mort, ainsi que celle plus âcre du sang.

Des poils drus lui grattèrent la peau du ventre quand il enlaça le corps, et il serra les dents pour cacher sa répugnance. Peu de choses étaient plus mortes qu'un gros cochon mort. Puis Jamie lui cria que ça allait. Il lâcha sa prise, et la truie se balança doucement, comme un pendule de chair.

Roger était trempé, avec une grosse tache de sang brun sur la poitrine et le ventre. Il frotta ses abdominaux avec l'intérieur de son avant-bras, mélangeant le sang et la sueur. Il jeta de nouveau un coup d'œil nerveux à la ronde. Rien ne bougeait entre les arbres.

– Les femmes vont être contentes ! déclara-t-il.

Jamie se mit à rire et sortit son coutelas de sa ceinture.

– Ça m'étonnerait ! Elles vont devoir passer une bonne partie de la nuit à la dépecer et à la saler.

Il suivit le regard de Roger en direction de la forêt et reprit :

– Même s'il est dans les parages, il ne nous embêtera pas. Les couguars ne s'attaquent pas à de grosses proies, à moins d'être affamés.

Il fit un signe de tête vers le flanc déchiré de la truie.

– Les quelques kilos de lard qu'il a déjà avalés devraient lui avoir calé l'estomac pour un petit moment. Dans le cas contraire…

Du menton, il indiqua son fusil adossé au tronc d'un noyer blanc voisin.

Il stabilisa le cochon pour permettre à Jamie de lui ouvrir le ventre, puis enveloppa la masse puante de ses viscères dans la nappe prévue pour leur déjeuner. Puis, pendant que Jamie préparait patiemment un feu de bois vert qui éloignerait les mouches de la carcasse, il traversa le champ pour se rendre au ruisseau qui s'enfonçait dans les bois.

Couvert de sang, de déchets et de transpiration, il s'agenouilla et s'aspergea le visage, les bras et le torse, s'efforçant de chasser cette sensation d'être épié. En Écosse, il lui était souvent arrivé, au détour d'une promenade dans la lande déserte, de se retrouver nez à nez avec un cerf adulte, émergeant comme par enchantement de la bruyère. En dépit des paroles rassurantes de Jamie, il savait fort bien qu'un élément d'un paysage tranquille pouvait soudain se détacher et s'animer dans un tonnerre de sabots ou un éclair de crocs.

Il se rinça la bouche, cracha, puis but de longues gorgées en déglutissant prudemment en raison de sa gorge rétrécie. Il revoyait la raideur du cadavre froid de la truie, la terre collée dans ses narines, les orbites creuses d'où les corbeaux avaient arraché les yeux. La chair de poule couvrit ses épaules, glacées autant par ses pensées que par l'eau vive du ruisseau.

Il n'y avait pas une grande différence entre un cochon et un homme. Au bout du compte, les deux finissaient en poussière. Un coup de dents, il n'en fallait pas plus. Il s'étira lentement, savourant la disparition de ses douleurs musculaires.

Un croassement vindicatif retentit dans un châtaignier au-dessus de lui. Les corbeaux, qui formaient des taches noires dans le feuillage jaune, protestaient violemment contre le vol de leur banquet.

Pris d'une répulsion soudaine, il ramassa une pierre sur la berge et la projeta de toutes ses forces dans l'arbre. Les oiseaux s'envolèrent dans une explosion de cris rauques et, satisfait, il reprit la direction du champ.

En le voyant revenir, Jamie le dévisagea un instant mais ne dit rien. Un peu plus loin, la dépouille du cochon pendait au-dessus du feu, ses contours dissimulés dans la colonne de fumée.

Ils avaient déjà scié les barrières dans de jeunes pins déracinés sur place. Les troncs étaient empilés à la lisière du pré. Toutefois, la clôture aurait des piliers en pierres sèches. Celles tout en bois suffisaient, à la rigueur, pour délimiter un terrain et empêcher les cerfs de venir brouter les cultures, mais elles ne résistaient pas aux assauts de cochons sauvages pesant entre cent cinquante et deux cents kilos.

Dans un mois, ils rassembleraient tous les porcs qu'ils avaient laissés en liberté dans la nature, s'engraissant grâce à l'épaisse couche de fruits et de glands qui tapissait la forêt. Des prédateurs en auraient dévorés certains, d'autres se seraient perdus, mais une bonne cinquantaine seraient équarris ou vendus.

Ils travaillaient bien ensemble, chacun sachant anticiper les gestes de l'autre. Lorsqu'une main était nécessaire, elle était déjà prête. Toutefois, pour l'instant, c'était la partie la moins intéressante de leur journée, leur tâche ne présentant aucun intérêt susceptible de rompre la monotonie du labeur et ne nécessitant aucune compétence. Il fallait chercher des pierres, par centaines, les extirper du terreau, les traîner à travers le champ, les entasser, puis les trier pour leur trouver leur juste place.

Il leur arrivait souvent de discuter tout en travaillant, mais pas ce matin. Chacun était absorbé par ses propres pensées, allant et venant les bras chargés. Seuls les cris lointains des corbeaux dépités et le bruit des pierres qu'ils jetaient sur le tas de plus en plus haut brisaient le silence.

Il devait le faire. Il n'avait pas le choix. Il le savait depuis longtemps, mais maintenant que cette perspective lointaine commençait à prendre forme… Roger examina discrètement son beau-père. Accepterait-il?

De loin, les cicatrices sur son dos étaient à peine visibles, cachées sous un voile brillant de sueur. Rien de tel que le dur travail physique quotidien pour garder la ligne et entretenir sa musculature. En voyant Fraser de loin, ou de suffisamment près pour distinguer le profond sillon des muscles de son dos, son ventre plat, les lignes allongées de ses bras et de ses cuisses…, on ne pouvait imaginer qu'il s'agissait d'un homme d'âge mûr.

Jamie lui avait montré ses cicatrices dès le premier jour où ils étaient partis travailler ensemble, après son expédition d'arpentage. Debout dans l'annexe à moitié construite de la laiterie, il avait ôté sa chemise et lui avait tourné le dos en déclarant nonchalamment :

– Jette un bon coup d'œil.

Ses anciennes marques étaient bien cicatrisées, formant pour la plupart de fins croissants et des lignes blafardes avec, par endroits, un réseau argenté ou un nœud brillant, là où le coup de fouet avait arraché un lambeau de peau trop large pour permettre à la plaie de se ressouder proprement. Il restait des fragments de peau intacte, lisse et claire entre les zébrures, mais peu.

Roger s'était demandé ce qu'il était censé dire : « Je suis désolé », « Merci de l'honneur que vous me faites » ?

Finalement, il s'était tu. Jamie s'était retourné, lui avait tendu une hache comme si de rien n'était, puis ils s'étaient mis au travail, torses nus. Toutefois, il avait remarqué que son beau-père n'ôtait jamais sa chemise en présence d'autres hommes.

D'accord. De tous les hommes, Jamie était le mieux placé pour comprendre le besoin, la nécessité… le fardeau que les rêves de Brianna faisaient peser sur lui, comme une pierre dans son ventre. Il l'aiderait certainement. Mais consentirait-il à le laisser aller jusqu'au bout tout seul ? Après tout, Jamie avait lui aussi son mot à dire dans cette affaire.

Les corbeaux les interpellaient toujours, mais de plus loin, poussant des croassements faibles et désespérés, tels des appels d'âmes perdues. Peut-être était-il fou de vouloir agir seul. Il fit tomber une brassée de pierres sur la pile. De petits cailloux rebondirent et roulèrent au sol.

« Le rejeton du prédicateur » : ainsi l'appelaient ses camarades à l'école. Il était vraiment cela, dans toutes les ambiguïtés du terme, de sa première impulsion à vouloir prouver par la force qu'il était un homme, à sa prise de conscience que tout recours à la violence était un signe de faiblesse morale. Mais, c'était dans un autre pays, un autre temps…

Il se pencha pour faire levier et déterrer une pierre prise dans la mousse et la terre. Rendu orphelin par la guerre, élevé par un homme de paix… comment pouvait-il se résoudre à commettre un meurtre ? Il transporta la pierre à travers le champ, finissant par la faire rouler.

– Tu n'as jamais rien tué d'autre que des poissons, marmonna-t-il dans sa barbe. Qu'est-ce qui te fait croire…

Il savait pertinemment ce qui le faisait croire.

* * *

Vers le milieu de la matinée, ils avaient entassé assez de pierres pour construire le premier pilier. Ils se mirent au travail, traînant, soulevant, empilant, insérant, lâchant de temps à autre un juron étouffé quand ils s'écrasaient un doigt ou un orteil.

Jamie hissa une grosse roche, puis se redressa, les mains sur les hanches, et reprit son souffle.

Roger s'arrêta, lui aussi. Autant se lancer maintenant, il ne trouverait pas un meilleur moment.

– J'ai un service à vous demander, demanda-t-il de but en blanc.

Jamie se tourna vers lui, haletant, et attendit.

– Apprenez-moi à me battre.

Jamie s'essuya le visage, puis esquissa un demi-sourire.

– Tu sais très bien te battre. Tu veux dire que tu aimerais apprendre à manier une épée sans te la planter dans le pied?

Roger poussa de sa botte un caillou qui était tombé de la pile.

– Oui, ce serait déjà un bon début.

Jamie resta un moment sans bouger, le contemplant avec attention. C'était un examen parfaitement froid et neutre, comme s'il inspectait un bouvillon qu'il envisageait d'acheter. Roger sentit la transpiration lui couler dans le dos. Une fois de plus, il eut l'impression d'être comparé – à son désavantage – à Ian Murray, le neveu absent.

– Tu es un peu âgé pour ça, déclara enfin Jamie. La plupart des guerriers commencent leur entraînement très jeunes. On m'a offert ma première épée à l'âge de cinq ans.

À cinq ans, Roger avait eu un train électrique. Avec une locomotive rouge qui sifflait quand on tirait sur une cordelette. Il soutint le regard de son beau-père avec un sourire aimable.

– Vieux, peut-être, mais je ne suis pas encore mort.

– Ça pourrait arriver. Il n'y a rien de pire qu'un apprentissage bâclé. Un idiot avec une épée rangée dans son fourreau est moins dangereux qu'un idiot qui croit savoir s'en servir.

– Merci. Vous me prenez pour un idiot?

Jamie se mit à rire.

– Non, mais es-tu prêt à faire le nécessaire pour apprendre sans que cela te monte à la tête?

– Oui. M'apprendrez-vous?

Jamie l'examina encore de la tête aux pieds en plissant des yeux.

– Tu as l'avantage de la taille et une bonne longueur de bras. Oui, je crois que tu pourrais apprendre.

Il tourna les talons et s'éloigna vers un second tas de pierres. Roger le suivit, se sentant étrangement flatté, comme s'il venait de réussir un test rapide mais déterminant.

En réalité, son examen n'avait pas encore commencé. Ils avaient érigé la moitié du second pilier quand Jamie reprit la parole :

– Pourquoi? demanda-t-il.

Il avait les yeux baissés vers une énorme pierre de la taille d'un petit tonneau de whisky. Il tentait lentement de la hisser, mais elle était trop lourde. Roger se pencha pour l'aider. Les mousses vertes sur sa surface étaient rugueuses contre ses paumes et formaient des croûtes desséchées.

– J'ai une famille à protéger.

Jamie hocha la tête une fois, deux fois et, à la troisième, ils soulevèrent ensemble la roche, grognant à l'unisson. Le monstre tomba en place avec un bruit sourd qui ébranla le sol sous leurs pieds.

– À protéger contre quoi?

Jamie fit un signe de tête en direction de la truie suspendue, ajoutant :

– Personnellement, je ne m'attaquerais pas à un couguar avec une épée.

Roger fléchit les genoux et enserra une nouvelle pierre de ses bras.

– Ah oui? Pourtant, j'ai entendu dire que vous aviez tué deux ours armé uniquement de votre coutelas.

Jamie fit une moue ironique.

– Dans le premier cas, c'était tout ce que j'avais sous la main pour me défendre. Dans le second, s'il a été tué par une épée, ce devait être celle de saint Michel, pas la mienne.

– Mais si vous aviez su que vous… euh… risquiez de croiser un ours, vous vous seriez mieux armé, non?

– Si j'avais su que j'allais croiser un ours, j'aurais pris un autre chemin, rétorqua Jamie.

Roger rit et cala une nouvelle pierre contre les autres. Il restait un interstice dans la structure qui risquait de la faire s'affaisser. Jamie s'accroupit devant la pile et trouva un petit morceau de granit dont un bord était effilé. Il entrait parfaitement dans le trou. Les deux hommes se sourirent.

– Vous pensez donc qu'il y a toujours un autre chemin? demanda Roger.

– Si tu veux parler de la guerre, oui. On ne le trouve pas toujours, mais il existe.

Roger n'avait pas pensé à la guerre qui approchait, mais il doutait que son beau-père ait voulu y faire allusion.

– Quant aux ours…, reprit Jamie. Il y a une grande différence entre en croiser un par hasard et le traquer.

* * *

Le soleil ne se montrait toujours pas, mais il n'était pas indispensable. Midi s'annonça par des grondements d'estomac, une douleur dans les mains et une lassitude soudaine dans les reins et les jambes, aussi ponctuelle que le carillon d'une pendule de salon. La dernière grosse pierre tomba en place, et Jamie se redressa avec un soupir.

D'un accord tacite, ils s'assirent avec leur gamelle et leur balluchon de provisions, jetant leur chemise sur leurs épaules nues pour éviter le coup de froid à mesure que leur transpiration séchait.

Jamie mâcha avec application, puis fit descendre une grosse bouchée avec une gorgée de bière. Il fit la grimace, pinça les lèvres pour cracher, puis se ravisa et avala.

– Pouah ! Lizzie est encore passée par la malterie.

Il croqua dans un biscuit pour faire passer le goût.

Roger sourit devant sa mine écœurée.

– Qu'est-ce qu'elle a mis dedans cette fois-ci ?

Lizzie s'était mis en tête d'expérimenter des bières aromatisées... sans grand succès pour le moment.

Jamie huma le goulot de sa bouteille en grès.

– Mmm... de l'anis ?

Il passa la bouteille à Roger qui renifla à son tour, les vapeurs d'alcool lui chatouillant les narines.

– Oui, de l'anis et du gingembre.

Il but une petite gorgée, fit la même moue que Jamie, puis retourna la bouteille au-dessus d'un mûrier sauvage qui ne lui avait pourtant rien fait.

– Je sais que ce n'est pas bien de gâcher, mais...

– Ce n'est pas gâcher que d'éviter d'être empoisonné.

Jamie se leva, lui prit la bouteille vide des mains, puis s'éloigna en direction du ruisseau. Quand il revint quelques instants plus tard, il la lui rendit remplie d'eau fraîche et se rassit en déclarant :

– J'ai eu des nouvelles de Stephen Bonnet.

Il avait parlé sur un ton si détaché que Roger ne réagit pas tout de suite.

– Ah bon ? dit-il enfin.

Les pickles suintaient dans sa main. Il essuya d'un doigt une coulée de vinaigre sur son poignet puis le suça, mais il arrêta de mordre dans son sandwich, ayant brusquement perdu l'appétit.

– Je ne sais pas où il est pour l'instant, mais je sais où il sera en avril prochain ou, plutôt, où on peut faire en sorte qu'il se trouve et le tuer. C'est dans six mois. Tu crois que tu seras prêt d'ici là?

Il regardait Roger, aussi calme que s'il venait de lui proposer un rendez-vous avec son banquier.

Roger était prêt à croire à l'enfer... et aux démons. Il n'avait pas rêvé la nuit dernière, mais le visage de Bonnet flottait toujours dans les marges de son esprit, invisible mais omniprésent. Aurait-il assez de temps pour l'invoquer et pour le faire pénétrer dans son champ de vision? Ne fallait-il pas appeler un démon pour qu'il se matérialise afin de pouvoir ensuite l'exorciser?

Avant cela, il y avait des préparatifs. Il fléchit de nouveau les épaules et les bras, cette fois avec résolution. Ses courbatures avaient pratiquement disparu.

– Oui, répondit-il. Ça devrait suffire.

87

En garde !*

L'espace d'un instant, il crut ne jamais arriver à soulever le loquet. Ses bras étaient lourds comme du plomb, et les muscles de ses avant-bras tremblaient d'épuisement. Il dut s'y reprendre à deux fois et, même ainsi, il ne parvint qu'à coincer le petit cordon de la serrure entre deux doigts. Son pouce refusait de se refermer.

L'ayant entendu tripoter le verrou, Brianna ouvrit la porte brusquement. Il eut à peine le temps d'apercevoir une masse échevelée, un sourire radieux et une traînée de suie sur une joue qu'elle était déjà dans ses bras, sa bouche contre la sienne. Il était à la maison.

– Tu es rentré ! s'exclama-t-elle en le libérant.

– Oui.

Et tellement heureux de l'être ! La cabane sentait la cuisine et la lessive. De vagues effluves de genièvre flottaient au-dessus de la fumée des chandelles en roseau et de l'odeur plus musquée des corps humains. Il lui sourit, soudain un peu moins fatigué.

– Papaa, papaa !

Jemmy sautillait d'excitation, prenant appui sur un tabouret bas.

Roger lui caressa la tête.

– Salut, toi ! Qui c'est qui est un gentil garçon ?

– Moi ! Moi !

* En français dans le texte. *(N.D.T.)*

Jemmy lui dévoila ses gencives roses où pointaient de petites dents blanches. Brianna lui adressa le même sourire, avec nettement plus de dents mais autant de joie.

– J'ai une surprise pour toi, regarde !

Elle s'approcha de la table et mit un genou à terre, à un mètre de son fils. Puis, elle tendit les bras, ses mains à quelques centimètres de celles de Jemmy.

– Viens voir maman, mon chéri. Viens me voir, viens !

Jemmy oscilla dangereusement, lâcha une première main qu'il tendit vers sa mère, lâcha l'autre main, avança d'un pas titubant, puis de deux et tomba dans les bras de Brianna en poussant des cris extatiques. Elle le serra contre elle, riant aux éclats, puis se tourna vers Roger.

– Va voir papa. Allez, va.

Jemmy fronça son visage d'un air concentré, comme un parachutiste débutant à la porte de l'avion se préparant pour son premier saut. Il se balança d'un côté et de l'autre. Roger s'accroupit et tendit les bras, sa fatigue provisoirement oubliée.

– Allez, mon grand, lance-toi ! Tu peux le faire !

Jemmy s'accrocha encore un peu à la main de sa mère, se penchant en avant, puis s'élança en titubant comme un ivrogne, effectuant trois pas rapides avant de plonger la tête la première dans les bras de son père, qui le serra contre lui. L'enfant se tortillait en gloussant de triomphe.

– Bravo, mon garçon ! Tu vas pouvoir mettre ton petit nez partout désormais !

Résignée, Brianna leva les yeux au ciel.

– Comme si ce n'était pas déjà le cas !

En guise d'illustration, Jemmy s'échappa des bras de son père, se mit à quatre pattes et partit en flèche vers son panier de jouets.

S'asseyant devant la table, Roger demanda :

– Qu'est-ce que vous avez fait d'autre aujourd'hui ?

Elle écarquilla les yeux.

– « Quoi d'autre » ? Parce qu'apprendre à marcher ne te suffit pas ?

– Si, si, bien sûr, c'est merveilleux! l'assura-t-il précipitamment. C'était juste comme ça, pour savoir.

Elle se détendit.

– Voyons voir... Nous avons récuré le plancher – la différence ne saute vraiment pas aux yeux...

Elle lança un regard écœuré vers les lattes de bois brut sous leurs pieds.

– ... Puis nous avons préparé de la pâte à pain et avons attendu qu'elle lève, ce qu'elle n'a jamais voulu faire et ce qui explique que tu auras du pain plat pour le dîner.

Remarquant la lueur agacée dans ses yeux, il se hâta de déclarer :

– Ça tombe bien, j'adore le pain plat.

Elle arqua un sourcil narquois.

– Ben voyons. Tu me diras, c'est plus facile à beurrer.

Il se mit à rire. Ici, dans la chaleur, ses mains commençaient à l'élancer, mais il se sentait bien. Épuisé au point de rester avachi sur un tabouret, mais bien. Et affamé. Son ventre gronda d'impatience.

– Du pain plat et du beurre, c'est un bon début. Quoi d'autre? Il y a quelque chose qui sent rudement bon!

Il jeta un coup d'œil plein d'espoir vers la marmite qui bouillonnait sur le feu et huma l'air, tentant de deviner :

– Du ragoût?

– Non, de la lessive. La troisième tournée de la journée. Il ne rentre pas grand-chose dans cette foutue marmite. Je ne pouvais pas faire bouillir le linge dans le chaudron de la grande maison, laver le plancher ici et filer la laine en même temps. Quand je fais la lessive dans la cour, je dois rester dans les parages pour surveiller le feu et remuer le bouillon, si bien que je ne peux rien faire d'autre. Très inefficace!

– C'est ennuyeux, en effet.

Roger décida de ne pas trop s'attarder sur la logistique de la lessive afin d'en venir à des questions plus pressantes. Il leva le menton vers l'âtre.

– Pourtant, je sens une odeur de viande. Tu es sûre qu'une souris n'est pas tombée dans ta marmite?

En entendant son père, Jemmy lâcha sa balle en chiffon et rampa avec enthousiasme vers la cheminée.

– Soulis! La soulis!

Brianna le rattrapa par le col de sa robe et fusilla Roger du regard.

– Mais non, mon chéri, il n'y a pas de souris. Papa dit encore n'importe quoi.

Elle souleva le garçon qui se débattit et le déposa dans sa chaise haute.

– Ça suffit. Sois sage, maintenant.

Jemmy se cabra, grognant et protestant, puis il se calma, glissa en bas de sa chaise et disparut dans les plis de la jupe de sa mère. Brianna le récupéra non sans mal, partagée entre le rire et l'exaspération, et le remit debout.

– Très bien, ne mange pas. Qu'est-ce que tu veux que ça me fasse?

Elle fouilla dans son panier de jouets et en sortit une vieille poupée en feuilles de maïs.

– Tiens, tu veux ta poupée? Regarde comme elle est jolie!

Jemmy la serra contre sa poitrine, s'assit et engagea avec elle une conversation passionnée, la secouant de temps à autre pour souligner ses propos.

– Manger! ordonna-t-il sévèrement en lui tapant le ventre.

Puis, il posa le jouet et, s'emparant du panier, le retourna sur lui.

– Sage! déclara-t-il.

Brianna se frotta le visage et poussa un soupir. L'air las, elle se tourna vers Roger.

– Tu voulais savoir à quoi je passe mes journées?

Puis elle l'observa plus attentivement.

– Et vous, monsieur MacKenzie, qu'avez-vous donc fait? On dirait que tu reviens du front!

Elle toucha son visage du bout des doigts. Il avait une bosse sur le front. Il sentait sa peau se tendre à cet endroit. Le contact de la main de Brianna déclencha une douleur vive.

– C'est presque ça. Ton père m'a appris les rudiments du maniement de l'épée.

Stupéfaite, elle haussa les sourcils et il émit un rire gêné.

– Avec des épées en bois, naturellement, précisa-t-il.

Ils en avaient déjà brisé trois, bien que leurs armes improvisées soient taillées dans un bois robuste.

– Il t'a frappé sur la tête?

– Euh... Pas tout à fait.

Avec, en tête, ses vagues souvenirs de films de cape et d'épée et de tournois d'escrime universitaires, il ne s'était pas attendu à autant de force brutale dans un combat face à face. Au premier coup de Jamie, son épée lui avait volé des mains, au second, elle s'était fendue en deux, projetant un éclat de bois qui avait sifflé à quelques millimètres de son oreille.

– Qu'entends-tu par «pas tout à fait»?

– Il m'apprenait une prise qu'il appelle «corps à corps», et qui revient, en gros, à coincer le bras de son adversaire sous le sien, puis à lui envoyer simultanément un genou dans les couilles et un coup de tête avant qu'il ne se dégage.

Choquée, Brianna émit un petit rire.

– Tu veux dire qu'il t'a...

– Non, mais il s'en est fallu de peu. J'ai un bleu sur la cuisse de la taille d'une noix de coco.

Brianna fronça des sourcils inquiets.

– Tu es blessé ailleurs?

Il lui sourit, gardant ses mains sur ses genoux.

– Non. Je suis juste fatigué, courbaturé et affamé.

Elle retrouva son sourire, malgré un air soucieux. Elle saisit un plat en bois sur la desserte et s'accroupit devant le feu. S'armant du tison, elle extirpa de la cendre des petits paquets noircis.

– Nous avons des cailles, déclara-t-elle sur un ton

satisfait. Papa les a apportées ce matin. Il a dit de ne pas les plumer, mais de les envelopper de boue et de les faire cuire telles quelles sous la braise.

Elle indiqua la marmite du bout de son tison.

– Jemmy m'a aidée à les rouler dans la boue. Voilà la raison de la troisième lessive. Aïe !

Elle suça son doigt brûlé, puis reprit son plat et le déposa sur la table.

– Attends un peu qu'elles refroidissent, conseilla-t-elle. Je vais te chercher ces pickles que tu aimes tant.

Les cailles ressemblaient à de vieux morceaux de charbon. Toutefois, un fumet alléchant se dégageait des fentes de leur coque en terre. Roger dut réprimer son envie d'en prendre une sur-le-champ, au risque de se blesser. Il se tourna plutôt vers l'autre plat qui était recouvert d'un linge. Il en souleva un coin et découvrit le fameux pain plat. Il parvint à en détacher un morceau du bout de ses doigts gourds et le fourra dans sa bouche.

Jemmy avait abandonné sa balle en chiffon sous le lit et était venu surveiller son père. Il se leva en s'agrippant au pied de table, repéra le pain et tendit la main, réclamant voracement son dû. Roger en déchira un bout et le lui tendit, manquant de le faire tomber par terre. Ses mains étaient dans un piteux état. Les articulations de sa main droite étaient écorchées, enflées et noires d'ecchymoses. La moitié de l'ongle du pouce avait été arrachée et du sang suintait du fragment restant.

Serrant son pain, Jemmy contemplait, fasciné, la blessure de son père, puis releva vers lui des yeux interrogateurs.

– Papa bobo ?

– Non, papa va bien, l'assura-t-il, juste un peu fatigué.

Jemmy fixa de nouveau le pouce blessé, puis il leva lentement la main et se mit à sucer bruyamment le sien.

Cela paraissait une bonne idée. Après un bref regard vers le dos de Brianna, il glissa son propre pouce douloureux dans sa bouche. Épais et dur, il ne semblait pas lui appartenir et avait un goût métallique de sang et de crasse froide. Puis, tout à coup, il trouva sa place, le palais et la langue se refermant sur le doigt blessé.

Jemmy lui donna un coup de tête dans la cuisse, sa manière à lui de demander à monter. De sa main libre, il saisit l'enfant par le fond du lange et le hissa sur son genou. Jemmy se cala confortablement contre lui, faisant son trou, puis il se détendit, serrant son morceau de pain dans une main et suçant tranquillement le pouce de l'autre.

Roger relaxa à son tour, un coude sur la table, l'autre bras autour de son fils, masse chaude et lourde qui respirait doucement contre ses côtes, accompagnant de manière paisible les bruits que faisait Brianna en mettant le couvert. À sa surprise, son pouce cessa bientôt de lui faire mal. Il le laissa néanmoins où il était, trop épuisé pour s'interroger sur cette étrange sensation de confort.

Après avoir été sollicités des heures durant, ses muscles se décontractaient progressivement.

Ses oreilles résonnaient encore des instructions sèches de son beau-père. « Sers-toi de ton avant-bras, bon sang ! Ton poignet ! Ton poignet ! Cesse d'agiter ta main comme ça, garde-la près du corps. C'est une épée, pas un gourdin ! Utilise la pointe ! »

À un moment, il avait projeté Jamie contre un tronc d'arbre d'un coup d'épaule. À un autre, son beau-père avait trébuché contre une pierre et était tombé à genoux. Mais pour ce qui avait été de le toucher avec son épée, il aurait pu tout autant se battre contre un nuage de poussière.

« Dans ce genre de combat, tous les coups sont permis », l'avait prévenu Jamie en haletant, quand ils s'étaient agenouillés au bord du ruisseau pour se débarbouiller. « Les jolis gestes, c'est pour la galerie. »

Il sursauta et écarquilla les yeux, brusquement arraché du vacarme des épées de bois qui s'entrechoquaient pour revenir dans la chaleur de la cabane. Le plat de cailles avait disparu. Brianna jurait entre ses dents, tentant de casser les coques en terre avec le manche de son coutelas.

« Regarde où tu mets les pieds ! Recule ! Recule ! Maintenant, reviens sur moi… non, n'avance pas tant le bras… conserve ta garde levée ! »

Et le claquement de l'arme en bois contre ses bras, ses cuisses et ses épaules, sa pointe lui piquant les côtes, s'enfonçant dans son ventre. Si la lame avait été en acier, il n'aurait pas survécu plus de quelques minutes, finissant en lambeaux sanglants.

« Ne coince pas ma lame sous la tienne, repousse-la. Frappe ! Frappe-la ! Attaque ! En avant ! Reste serré, reste serré… voilà, comme ça, bien ! »

Son coude ripa et sa main tomba sur la table. Il se redressa en sursaut, rattrapant de justesse le bébé endormi, puis cligna des yeux, les reflets du feu brouillant sa vue.

Brianna tressaillit et referma son cahier d'un air coupable. Elle le rangea sur la desserte, caché derrière un plat en étain, debout sur la tranche.

– C'est prêt, déclara-t-elle précipitamment. Je vais juste… chercher le lait.

Elle disparut dans le garde-manger dans un bruissement de jupe.

Roger souleva Jemmy contre son épaule, malgré ses bras ramollis comme des nouilles trop cuites. Le petit garçon dormait profondément, mais tenait toujours son pouce dans sa bouche. Celui de Roger était mouillé de salive, et une vague honte l'envahit. Zut, l'avait-elle dessiné ainsi ? À coup sûr, elle avait dû le surprendre dans cette posture et avait trouvé ça « mignon ». Ce ne serait pas la première fois qu'elle le croquait à l'improviste dans une situation compromettante. À moins qu'elle n'ait encore été en train d'écrire un de ses rêves ?

Il déposa doucement Jemmy dans son berceau, fit tomber les miettes de sa couverture, puis massa ses mains endolories. Il entendait Brianna transvaser des liquides dans le garde-manger. Il s'approcha à pas de loup de la desserte et sortit le cahier de sa cachette. C'était des croquis, pas des rêves. Que quelques lignes, l'essence d'une esquisse. Un homme mort de fatigue mais toujours vigilant. La tête posée sur une main, le cou tordu par l'épuisement, le bras libre entourant une créature choyée et sans défense.

Elle l'avait intitulé *En garde* !* de son écriture couchée et pointue.

Il referma le cahier et le remit en place. Elle se tenait sur le seuil du garde-manger, une cruche à la main.

– Viens manger, dit-elle doucement en le regardant dans les yeux. Tu as besoin de toutes tes forces.

---

* En français dans le texte. *(N.D.T.)*

88

Roger achète une épée

Cross Creek, novembre 1771

Il avait déjà tenu des épées du XVIIIe siècle, si bien que ni le poids ni la longueur ne le surprirent. La corbeille autour de la poignée était légèrement cabossée, mais pas au point de gêner sa prise. Toutefois, la différence entre disposer avec révérence une antiquité dans une vitrine de musée et choisir une lame affûtée dans l'intention délibérée de s'en servir pour transpercer un corps humain était évidente.

Jamie l'examina d'un œil critique avant de la lui rendre.

– Elle a un peu souffert, mais la lame est bien équilibrée. Essaie-la pour voir si elle te va.

Se sentant totalement idiot, il glissa la main dans la corbeille et pris une pose d'escrime en se basant sur ses souvenirs des films d'Errol Flynn. Ils se tenaient dans l'allée commerçante de Cross Creek, devant la forge. Quelques passants s'arrêtèrent pour offrir leurs conseils avisés.

– Combien demande Moore pour ce morceau de fer blanc ? demanda l'un d'eux d'un air dédaigneux. Au-delà de deux shillings, c'est du vol pur et simple.

Furieux, Moore se pencha par-dessus le battant inférieur de la porte de sa forge.

– Elle est très bien, mon épée ! Elle me vient de mon oncle qui s'est battu à Fort Stanwyck. Elle en a tué, des

Français, je peux vous le dire ! Et elle n'a qu'une petite bosse.

– Une petite bosse ! Tu veux rire, elle est tellement cabossée qu'en voulant embrocher un homme, on risque de lui couper l'oreille !

Un rire parcourut l'attroupement qui s'était formé, couvrant la réponse du forgeron. Roger abaissa la pointe de l'épée, puis la releva lentement. Comment essayait-on cette arme ? Était-il censé faire quelques moulinets du bras ? Piquer quelque chose avec ? Une carriole était garée non loin, remplie de sacs de jute contenant quelque chose… de la laine brute, à en juger par l'odeur.

Il chercha vainement le propriétaire de la voiture dans la foule grandissante. L'énorme cheval de trait attelé paraissait seul, ses oreilles couchées sur des rênes tombantes.

Le cordonnier, qui possédait l'échoppe d'en face, pinça les lèvres d'un air connaisseur.

– Si c'est une épée que cherche ce jeune homme, Malachy McCabe en a une meilleure. Il l'a conservée depuis son séjour à l'armée. Je crois qu'il serait prêt à s'en séparer pour trois shillings, tout au plus.

Un ancien soldat d'âge moyen contempla l'arme en inclinant la tête et opina :

– Elle n'est pas très élégante, mais elle m'a l'air d'être bien maniable.

Roger tendit le bras en avant, visant la porte de la forge, et manqua d'embrocher le forgeron qui sortait pour défendre sa marchandise. Celui-ci bondit sur le côté en poussant un petit cri, et la foule rugit de rire.

Une voix nasillarde tonnant derrière le dos de Roger interrompit ses excuses.

– Tenez, monsieur ! Permettez-moi de vous offrir une cible plus digne de votre lame qu'un malheureux forgeron sans défense.

Pivotant sur ses talons, Roger se retrouva face au Dr Fentiman en train de dégainer une rapière hors de sa canne creuse. Le médecin, qui lui arrivait plus ou moins au niveau du sternum, brandit son arme avec une férocité cordiale. Il sortait apparemment d'un déjeuner bien arrosé, et son nez brillait comme une ampoule de Noël.

– Un brin d'exercice, monsieur?

Fentiman fendait l'air devant lui de sa lame, la faisant chanter.

– Le premier à verser le sang de son adversaire l'emporte, qu'en dites-vous?

Le public s'en mêla aussitôt :

– Hé! mais c'est vous donner un avantage injuste, docteur! Votre métier n'est-il pas justement de saigner les gens?

– Ah! Ah! Si au lieu de le piquer vous le transpercez, vous vous engagez à reboucher le trou gratis?

– Dites, docteur, les affaires marchent donc si mal que vous en êtes réduit à vous créer votre clientèle?

– Prends garde à toi, jeune homme. Si tu lui tournes le dos, il te donnera un lavement!

– Mieux vaut un lavement qu'une épée dans le cul!

Le médecin ne prêta pas attention à ces commentaires vulgaires et autres calomnies. Il tenait sa rapière à la verticale, paré pour le combat. Roger jeta un œil vers Jamie qui, l'air amusé, observait la scène, adossé au mur. Il arqua un sourcil et haussa brièvement les épaules.

– Vois comment tu la sens dans ta main, déclara-t-il.

Apparemment, il considérait qu'un duel avec un nain éméché était un test aussi valable qu'un autre.

Roger leva son épée et fixa le médecin d'un air menaçant.

– *En garde*!* lança-t-il.

– *Gardez-vous*!* répondit aussitôt son adversaire en plongeant en avant.

Roger pivota sur un talon, et le médecin passa en trombe devant lui, son arme au bout du bras comme une lance. Moore le forgeron bondit juste à temps pour éviter d'être

* En français dans le texte. *(N.D.T.)*

embroché une deuxième fois, jurant abondamment et agitant un poing.

– J'ai l'air d'une cible ou quoi ?

Sans se démonter, Fentiman retrouva son équilibre et chargea de nouveau, lâchant des cris aigus pour s'encourager.

Roger avait l'impression d'être attaqué par une guêpe. Toutefois, en ne cédant pas à la panique, il était parvenu à suivre la chose et à la faire dévier de sa course. Le médecin était peut-être un bon escrimeur quand il était sobre, mais, dans son état actuel, ses assauts frénétiques et ses moulinets déments étaient faciles à déjouer, à condition de rester concentré.

Roger se rendit alors compte qu'il pouvait mettre fin au duel à tout instant, d'un simple coup avec la tranche de sa lourde épée sur la mince rapière de son adversaire. Cependant, il commençait à s'amuser et prenait soin de toujours parer avec le plat de sa lame.

Peu à peu, tout disparut de son champ de vision, à l'exception de la pointe de l'arme adverse. Les cris de la foule n'étaient plus qu'un bourdonnement lointain, la crasse de l'allée et la devanture de la forge à peine visibles. Il s'égratigna le coude contre le mur, recula, se déplaça en cercle pour gagner plus d'espace, le tout sans pensée consciente.

La rapière frappait sa lame, engageait, puis se libérait dans un crissement strident. Le fracas du métal, le sifflement de l'air et les ondes de choc se répercutaient dans les os de ses poignets à chaque coup.

« Observe le mouvement de son épée, accompagne-la, dévie-la. » Il ne savait pas ce qu'il faisait, mais il le faisait. La transpiration lui coulant dans les yeux, il secoua la tête pour s'en débarrasser, faillit ne pas arrêter une botte basse vers sa cuisse, le fit *in extremis* et repoussa la rapière en arrière.

Le docteur chancela, déséquilibré, et des cris sauvages de « Maintenant ! », « Plante-le tout de suite ! » remplirent l'air chargé de poussière. Il vit le gilet brodé de son adversaire, offert, rempli de papillons de soie, et refréna l'impulsion viscérale de lui plonger la lame en plein cœur.

Désarçonné par l'intensité de cette envie, il recula d'un pas. Le docteur sentit sa faiblesse et bondit en avant, soufflant, la pointe tendue. Roger fit un écart, et Fentimancontinua sa course, piquant la croupe du cheval de trait.

L'animal poussa un cri outragé et envoya promptement son agresseur et sa rapière voler à travers l'allée et s'écraser contre l'échoppe du cordonnier. Le docteur s'effondra sur le sol comme une mouche écrasée sous une pluie de lacets et de souliers.

Roger resta immobile, hors d'haleine. Son corps tout entier palpitait en rythme avec les battements tonitruants de son cœur. Il avait envie de continuer le combat, d'éclater de rire, de frapper quelque chose. Il avait envie de plaquer Brianna contre le mur le plus proche, là, maintenant.

Jamie souleva doucement la main de Roger et détacha ses doigts de la garde de l'épée. Il avait oublié qu'il la tenait encore. Sans elle, son bras semblait trop léger, comme prêt à se lever vers le ciel, tout seul. Ses doigts étaient raides d'avoir serré si fort la poignée. Il les fléchit machinalement et perçut le picotement dû au sang qui affluait de nouveau.

Son corps le piquait de partout. Il entendait à peine les rires et les propositions de lui offrir à boire, ni ne sentait les tapes de félicitations dans son dos.

– Un lavement ! Un lavement ! Qu'on lui donne un lavement ! chantait un groupe d'apprentis.

Ils suivaient le médecin qu'on emportait dans la taverne la plus proche pour lui administrer les premiers soins. Le propriétaire du cheval s'empressait auprès de son animal qui paraissait plus perplexe que blessé.

– Je suppose que c'est lui le vainqueur. Il a versé le premier sang.

Roger prit conscience qu'il avait parlé uniquement en reconnaissant le son de sa propre voix, étrangement calme à ses oreilles.

Jamie le regardait d'un air interrogateur, l'épée en équilibre sur la paume d'une main.

– Alors, qu'en penses-tu?

Roger hocha la tête. L'allée était inondée de soleil et remplie d'une fine poussière blanche. Elle s'infiltrait sous les paupières, brûlant les yeux.

– Oui, dit-il. Elle fera l'affaire.

– Parfait, répondit Jamie, toi aussi.

HUITIÈME PARTIE

Un chasseur sachant chasser…

89

Les lunes de Jupiter

Fin novembre 1771

Pour la quatrième fois en autant de minutes, Roger se répéta qu'il était médicalement impossible de mourir de frustration sexuelle. Il doutait même que cela puisse provoquer des séquelles durables. D'un autre côté, ce ne pouvait être bon pour la santé, même s'il s'efforçait de se convaincre que cela formait le caractère.

Il roula sur le dos en prenant soin de ne pas faire bruisser le matelas et fixa le plafond. Mauvaise idée. Les premières lueurs de l'aube filtraient par une fente dans la peau huilée tendue devant la fenêtre, tombant en un rayon oblique en travers de leur lit. Du coin de l'œil, il devinait toujours les hanches dorées de sa femme, comme illuminées par un projecteur.

Couchée sur le ventre, elle avait le visage enfoui dans l'oreiller. Le drap en lin avait glissé jusque sous ses reins, la laissant nue de la nuque à la raie des fesses. Elle était étendue si près de lui dans leur lit étroit que leurs jambes se touchaient. Son souffle chaud caressait l'épaule de Roger. Il en avait la gorge sèche.

Il ferma les yeux, mais cela ne l'aida guère, les images de la veille s'étant mises rapidement à défiler sous ses paupières. Brianna dans la lumière tamisée du feu de cheminée, les reflets flamboyants de sa chevelure scintillant dans la pénombre, la courbe d'un sein brillant soudainement quand elle avait fait glisser sa chemise de ses épaules.

En dépit de l'heure tardive et de sa fatigue, il avait été pris d'un désir fou. Toutefois, quelqu'un d'autre avait eu encore plus besoin d'elle. Il entrouvrit ses paupières et se hissa sur un coude, juste assez pour voir, au-delà des boucles éparses de Brianna, le berceau près du mur. Aucun signe de mouvement.

Ils avaient depuis longtemps conclu un accord. En cas d'urgence, il se réveillait instantanément, alors qu'elle était hagarde et maladroite. Aussi, lorsque la sirène stridente s'élevait du berceau en pleine nuit, les extirpant brutalement du sommeil le cœur battant, Roger se levait et se chargeait des premières nécessités d'hygiène. Le temps qu'il amène Jemmy à sa mère, celle-ci avait les idées plus claires et était prête à l'accueillir dans le refuge chaud et laiteux de son corps.

Désormais plus grand, Jemmy se réveillait moins souvent la nuit. Le cas échéant, c'était à cause d'un mal au ventre ou d'un cauchemar, et l'apaiser prenait plus de temps. Cette fois encore, Roger s'était rendormi avant que Brianna ait fini de le réconforter. Quand elle s'était enfin glissée dans leur lit, ses fesses frottant contre sa cuisse, les enveloppes de maïs dans le matelas craquant comme un millier de pétards lointains l'avaient brutalement extirpé de son sommeil dans un état de turgescence avancée.

Sentant la pression de sa croupe contre son corps, il s'était retenu de rouler sur elle et de l'assaillir par derrière. Des petits bruits de succion l'avaient arrêté de justesse. Elle avait pris Jemmy dans le lit.

Il était resté immobile, écoutant, priant qu'elle reste éveillée assez longtemps pour ramener le petit salopiaud dans son berceau. Parfois, mère et enfant s'endormaient ensemble, et, le lendemain matin, à son lever, Roger baignait dans une odeur troublante de femme et de pipi de bébé.

Finalement, il s'était rendormi lui aussi, malgré l'inconfort de sa situation, écrasé par une journée de labeur à couper du bois dans la montagne.

Il inspira doucement. Non, cette fois, elle l'avait recouché dans son propre lit. Il ne restait plus dans leur couche que le parfum de Brianna, un effluve terreux de chair féminine, une vague exhalaison de transpiration et de moiteur intime.

Elle soupira dans son sommeil, murmura quelques paroles inintelligibles et tourna sa tête sur l'oreiller. Ses yeux étaient bordés de cernes. Elle avait veillé tard pour faire de la gelée, puis s'était occupée deux fois du morp… du bébé. Comment pouvait-il la réveiller encore pour satisfaire ses besoins primaires?

Comment pouvait-il ne pas la réveiller?

Il serra les dents, écartelé entre la tentation, la compassion et la conviction qu'en cédant à ses pulsions, il serait interrompu au pire moment par le petit bonhomme dans le berceau.

Chat échaudé avait beau craindre l'eau froide, les exigences de la chair hurlaient plus fort que la voix de la sagesse. Il posa courageusement une main sur la fesse la plus proche, la pétrissant avec douceur. Elle était fraîche, lisse et ronde comme une courge.

Brianna gémit et s'étira langoureusement. Elle cambra les reins, soulevant son arrière-train d'une telle manière que Roger fut convaincu que la raison l'enjoignait à rejeter la couverture, à se coucher sur elle et à marquer son but en dix secondes, vu qu'il ne tiendrait probablement pas plus longtemps.

Il parvint à écarter la couverture, mais n'alla pas plus loin. Lorsqu'il souleva la tête de l'oreiller, une sphère pâle s'éleva lentement derrière le bord du berceau, telle une des lunes de Jupiter. Une paire d'yeux bleus le fixèrent avec un détachement clinique.

– Et merde!

– Hé! mède!

Jemmy se mit debout et sautilla sur place, s'agrippant à son lit qui commençait à être sérieusement trop petit pour lui, chantant à tue-tête :

– Mède – mède – mède – mède!

Brianna se réveilla en sursaut, clignant des yeux sous sa chevelure.

– Quoi? Quoi? Qu'est-ce qu'il y a?

Roger remit discrètement la couverture en place.

– Euh… rien, je me suis cogné.

Elle s'étira sur l'oreiller, grognant tout en écartant les cheveux de sa figure, puis elle saisit le bol sur la table de chevet et but une gorgée. Elle avait toujours soif au réveil.

Elle le balaya du regard, et un sourire illumina lentement son visage.

– Ah oui? Dis-moi… tu t'es fait une sacrée bosse! Tu veux que je te la masse?

Elle reposa le bol, roula gracieusement sur un coude et tendit la main vers lui.

– Tu es une vraie sadique, dit Roger en serrant les mâchoires. Tu dois tenir ça de ton père.

Elle se mit à rire, ôta sa main et se leva, enfilant sa chemise par-dessus sa tête. Quand elle souleva Jemmy hors de son berceau, celui-ci s'écria joyeusement :

– Maman! Mède! Maman!

– Petit rat! rit-elle. J'ai comme l'impression qu'à cet instant, tu portes un peu sur les nerfs de ton père. Il faut dire que ton sens de l'à-propos est plutôt merdique!

Elle renifla avant d'ajouter :

– D'ailleurs, il n'y a pas que ton sens de l'à-propos.

– Question de perspective, sans doute, déclara Roger. Je suppose que, de son point de vue, il est intervenu au bon moment.

Brianna lui lança un regard ironique.

– Ça explique son nouveau mot?

– Bah, ce n'est pas la première fois qu'il l'entend.

Il s'assit sur le bord du lit, se passa une main dans les cheveux, puis se frotta le visage.

Elle reposa Jemmy debout sur le plancher et s'agenouilla devant lui, lui déposant une bise sur le nez avant de dénouer son lange.

– Il ne nous reste plus qu'à trouver comment passer de l'abstrait au concret. Crois-tu que dix-huit mois, c'est trop tôt pour le mettre sur le pot?

– C'est à moi que tu le demandes, ou à lui?

– Beurk! À l'un ou à l'autre, au premier qui a un avis sur la question.

Ce n'était pas le cas de Jemmy. Pendant que sa mère nettoyait ses parties intimes avec un linge humide et froid, il resta stoïque et joyeux, absorbé par une nouvelle composition de son cru sur le thème «Beurk, beurk, mède, mède, beurk, BEURK!».

Brianna mit un terme à sa chanson en le balançant sous un bras et en s'asseyant avec lui dans le fauteuil, près de la cheminée. Elle dénuda un sein en lui demandant sur un ton engageant :

– Tu as faim?

– Oh que oui! soupira Roger derrière elle.

Elle éclata de rire et cala Jemmy confortablement sur ses genoux où il se mit rapidement à téter.

– Ne t'inquiète pas, tu es le prochain sur ma liste, assura-t-elle à Roger. Qu'est-ce que tu préfères pour ton petit-déjeuner, du porridge ou des galettes de maïs?

– Il n'y a pas autre chose sur la carte?

Zut, il avait été sur le point de pouvoir se lever. Le voilà de retour à la case départ.

– Si, bien sûr, du pain grillé avec de la confiture de fraises, du fromage, des œufs, mais tu devras aller les chercher toi-même dans le poulailler. Je n'en ai plus dans le garde-manger.

Il avait du mal à se concentrer sur la discussion, obnubilé par la vue de Brianna dans la lumière enfumée de la cabane, ses longues jambes écartées sous sa chemise de nuit, ses talons repliés sous le fauteuil. Elle sembla détecter son manque d'intérêt pour ces considérations alimentaires et releva la tête vers lui avec un sourire, son regard s'attardant sur sa nudité.

– Tu es beau comme ça, Roger, dit-elle d'une voix douce.

Elle posa inconsciemment sa main libre sur la courbe intérieure de sa cuisse. Ses longs doigts aux ongles ras décrivaient de petits cercles à peine perceptibles sur sa peau tendre.

– Toi aussi, tu es plus que belle.

Elle leva la main et tapota doucement le dos de Jemmy, lui demandant sans le regarder :

– Ça te dit d'aller voir tante Lizzie après le petit-déjeuner, mon chéri ?

Ses yeux étaient rivés sur ceux de Roger, ses lèvres esquissant un superbe sourire.

Il estima être en mesure d'attendre la fin du repas, mais il devait au moins la toucher. Elle avait étalé son châle en travers du lit. Il le ramassa et le noua autour de ses reins pour préserver sa dignité, puis se leva et alla s'agenouiller près de son fauteuil.

Un courant d'air souleva ses longues mèches rousses, et il aperçut la chair de poule sur sa peau. Il lui caressa les bras pour les réchauffer. Son propre dos nu était glacé, mais peu lui importait.

– Je t'aime, chuchota-t-il dans son oreille.

Il entrelaça ses doigts avec les siens sur sa cuisse.

Elle tourna la tête et l'embrassa, l'effleurant de ses lèvres suaves.

– Moi aussi, je t'aime.

Elle s'était rincé la bouche avec de l'eau et du vin, et sentait le raisin d'automne et le ruisseau frais. Il s'apprêtait à passer à des choses plus sérieuses quand on tambourina à la porte. La voix forte de son beau-père retentit au-dehors.

– Roger? Tu es là? Allez, debout!

– Qu'est-ce qu'il veut dire par « tu es là »? grommela Roger. Où veut-il que je sois?

– Chut.

Elle lui donna un baiser dans le cou et le lâcha à contrecœur. Puis, promenant ses yeux sur son anatomie d'un air appréciatif, elle cria :

– Il est déjà levé, papa!

– Si ça continue, ça deviendra mon état permanent, bougonna-t-il. J'arrive! Où sont encore passés mes habits?

– Sous le lit, là où tu les as laissés hier soir.

Brianna reposa Jemmy qui poussa des cris extatiques au son de la voix de son grand-père et courut marteler la porte verrouillée. S'étant enfin aventuré à marcher, il n'avait pas perdu de temps pour passer à la phase suivante, la déambulation permanente à une allure toujours croissante.

– Allez, on se dépêche là-dedans!

La peau devant la fenêtre s'écarta soudain, inondant la pièce d'une lumière vive et révélant le visage rayonnant de Jamie Fraser. Il arqua un sourcil en voyant Roger nu, qui protégeait sa vertu en plaquant une chemise devant son entrejambe.

– Allons, allons! Pressons! Ce n'est pas le moment de se promener les fesses à l'air. MacLeod dit qu'il y a des bêtes de l'autre côté de la crête.

Il souffla un baiser en direction de Jemmy.

– *A ghille ruaidh, a charaid! Ciamar a tha thu?*

Aussitôt, Roger en oublia ses envies lubriques et sa pudeur. Il passa la chemise par-dessus sa tête en demandant :

– Quel genre de bêtes? Des cerfs, des wapitis?

– Je ne sais pas, mais ça se mange.

La peau huilée retomba brusquement, replongeant la pièce dans la pénombre.

L'intrusion de Jamie avait laissé pénétrer un souffle froid, dissipant l'atmosphère chaude et enfumée. À présent, il flottait un air de temps de chasse, de vent frisquet et de feuilles mortes, de boue et de fumées fraîches, de laine humide et de cuir trempé, le tout épicé par l'âcreté de la poudre noire.

Avec un dernier regard chargé de désir vers sa femme, Roger saisit ses bas.

90

Les herbes assassines

Grognant et soufflant, les hommes pénétrèrent dans la région vert sombre de conifères, aux alentours de midi. Au sommet des crêtes rocheuses, entre les éboulis, des groupes de sapins baumiers et de pruches se pressaient contre les épicéas et les pins. Ils se dressaient fiers, sûrs de leur immortalité saisonnière, leurs aiguilles bruissantes se lamentant de la beauté éphémère des feuilles mortes en contrebas.

Dans la fraîcheur de l'ombre, Roger frissonna, se félicitant d'avoir pensé à enfiler son épaisse chemise de chasse en laine par-dessus celle en lin. Ils ne parlaient pas, même quand ils s'arrêtaient brièvement pour reprendre leur souffle. Le silence de la forêt rendait sacrilège toute conversation inutile.

La nature autour d'eux semblait calme, voire déserte. Ils arrivaient peut-être trop tard, et le gibier s'était déplacé. À moins que MacLeod ne se soit trompé. Roger ne maîtrisait pas encore l'art de la chasse, mais il avait passé suffisamment de temps seul avec le soleil, le vent et le silence pour avoir développé certains instincts de chasseur.

Ils émergèrent en plein soleil, de l'autre côté de la crête. En dépit du froid, Roger sentit les rayons transpercer son corps frigorifié et ferma les yeux dans un moment de béatitude. D'un commun accord, les hommes s'immobilisèrent à l'abri du vent pour goûter le soleil.

Jamie grimpa sur un promontoire rocheux, tournant la tête d'un côté puis de l'autre, scrutant les arbres plus bas. Roger vit ses narines palpiter et sourit. Après tout, peut-être pouvait-il vraiment flairer le gibier. Plus rien ne l'étonnait. Il huma l'air à son tour, mais ne sentit que l'odeur des feuilles en décomposition et, nettement plus puissante, la vieille transpiration dégagée par le corps de Kenny Lindsay.

Fraser secoua la tête, se tourna vers Fergus à qui il lança quelques mots brefs, puis il disparut dans le bois.

– On attend, traduisit laconiquement Fergus.

Il s'assit par terre et sortit de son sac deux grosses billes en pierre. Après les avoir fait rouler dans sa paume, il se concentra intensément, puis les fit courir le long de chaque doigt.

Le soleil d'automne s'étirait en longs faisceaux entre les branches nues, administrant ses derniers sacrements saisonniers, consolant et bénissant la terre mourante d'une ultime caresse. Les hommes discutaient tranquillement, puant sous l'astre solaire. Dans le froid de la forêt, Roger n'avait pas remarqué qu'une odeur âcre de nouvelle sueur couvrait les couches plus profondes de crasse et de sécrétions corporelles diverses et variées.

Il se dit alors que ce n'était peut-être pas l'odorat extrêmement développé des animaux, mais simplement l'horrible puanteur des hommes qui rendait le gibier si difficile à approcher. Il avait parfois vu les chasseurs mohawks se frotter avec des herbes pour déguiser leurs odeurs naturelles, mais même de l'essence de menthe poivrée ne pourrait cacher la pestilence de Kenny Lindsay.

Lui-même ne puait pas autant, quand même? Intrigué, il pencha la tête-au-dessus du col ouvert de sa chemise et inspira profondément. Un filet de transpiration coula dans sa nuque. Il l'écrasa en resserrant son col et se promit de se laver avant de rentrer à la cabane, même s'il devait casser la glace du ruisseau.

Les douches et les déodorants n'avaient pas qu'une importance esthétique. On s'habituait relativement vite à presque n'importe quelle mauvaise odeur, mais ce que son environnement moderne aseptisé ne lui avait jamais permis de constater, c'étaient les implications plus intimes de l'odorat. Parfois, il avait l'impression d'être un simple babouin, un effluve suffisant à déclencher chez lui des réactions des plus primitives.

En se souvenant d'un événement de la semaine précédente, le feu lui monta aux joues.

À la recherche de Claire, il était entré dans la laiterie et l'avait trouvée en compagnie de Jamie, tous deux entièrement vêtus, chacun dans son coin. Cependant, l'air était tellement chargé du musc du désir et de la semence mâle que Roger en était devenu cramoisi, tous les poils de son corps hérissés.

Sa première réaction avait été de tourner les talons, mais il n'avait aucune excuse. Il avait donc délivré son message à Claire, conscient du regard de Fraser sur lui. Conscient également de la communication silencieuse entre eux, un courant invisible dans l'air, comme deux perles sur un fil tendu.

Jamie avait attendu qu'il s'en aille pour sortir à son tour. À cet instant, Roger avait perçu du coin de l'œil un léger mouvement, un discret effleurement de sa main sur celle de Claire, geste qui, même avec le recul, lui nouait les entrailles.

Il souffla lentement pour soulager la sensation d'oppression sur sa poitrine, puis s'étira sur le sol, laissant le soleil chauffer ses paupières closes. Il entendit le ventre de Fergus gronder, puis des bruits de pas, tandis que le jeune Français s'éloignait rapidement. Il avait mangé des saucisses avariées la veille, et tout son voisinage ne pouvait plus l'ignorer.

Les pensées de Roger dérivèrent de nouveau sur l'incident gênant de la laiterie.

Loin d'être lubrique, ni même curieux, il se surprenait souvent à les épier. Il les voyait depuis la fenêtre de sa cabane, marchant côte à côte le soir, Jamie penchant la tête vers elle, les bras dans le dos. Claire parlait avec les mains, les agitant haut devant elle, comme si elle essayait d'attraper le futur et de lui donner forme, comme si elle voulait déposer ses pensées dans les mains de Jamie, lisses et polies, des morceaux d'air sculpté.

Après avoir pris conscience de son geste, Roger s'était mis à les observer délibérément, écartant tout sentiment de honte devant cette intrusion, au demeurant mineure. Sa curiosité était motivée par un objectif bien précis. Il devait absolument savoir quelque chose, au point de mettre en sourdine ses bonnes manières.

Comment un mariage fonctionnait-il?

Il avait été élevé dans la maison d'un célibataire. Son oncle, le révérend, et la vieille gouvernante de celui-ci lui avaient donné toute l'affection dont il avait eu besoin enfant, mais, parvenu à l'âge adulte, il ignorait tout des caresses et des paroles qui unissaient un couple marié de longue date. Pour le moment, il pouvait se fier à son instinct, mais...

Si un amour comme le leur pouvait s'apprendre...

Une tape contre son coude le fit sursauter. Il se retourna brusquement, projetant son bras pour se défendre. Jamie l'esquiva avec agilité, puis, souriant, lui indiqua la crête d'un geste du menton.

– Ça y est, je les ai trouvés.

* * *

Jamie leva une main, et Fergus se matérialisa à ses côtés. Sans pour autant avoir l'air d'un gringalet, le Français arrivait à peine au niveau de l'épaule du grand Écossais. Il mit une main en visière, scrutant le point signalé par Fraser.

Roger s'approcha d'eux, examinant le versant. Un éclat de lumière traversa une clairière plus bas, bondissant dans sa fuite. Un appel retentit dans la forêt, comme un rire haut perché. Il ne voyait rien d'autre. Toujours le même enchevêtrement inextricable de lauriers sauvages, de noyers blancs et de chênes. Tout en bas, une épaisse rangée d'arbres effeuillés révélait le lit d'un cours d'eau.

Jamie l'aperçut et lui montra quelque chose avec son index.

– Près du torrent, tu le vois?

Tout d'abord, Roger ne vit rien. Le torrent lui-même était invisible, mais il le devinait entre les sycomores et les saules. Puis il l'aperçut. Un buisson tout au fond de la pente bougeait, mais pas à cause du vent. De petits mouvements saccadés l'agitaient, quelque chose tirait dessus pour se nourrir.

– Mince, qu'est-ce que ça peut bien être?

Il venait d'entr'apercevoir une masse sombre grosse, très grosse.

– Je ne sais pas. C'est plus grand qu'un cerf. Peut-être un wapiti.

Jamie plissait des yeux pour se protéger du vent. Il semblait détendu, le mousquet pendant au bout du bras, mais Roger devinait son excitation.

– Un orignal? proposa Fergus. Je n'en ai encore jamais vu, mais il paraît que c'est énorme.

– Non, dit Roger. Je veux dire, si, c'est effectivement un animal très gros, mais j'en ai chassé avec les Mohawks, il ne se déplace pas du tout de cette façon.

Trop tard. Il vit les lèvres de Jamie se pincer, puis se détendre de nouveau. Ils avaient tacitement convenu de ne plus jamais faire allusion au séjour de Roger chez les Indiens. Fraser se contenta de faire un signe vers la forêt à leurs pieds.

– Non, ce n'est ni un cerf ni un orignal, mais... Regardez, ils sont plusieurs!

Roger fouilla vainement le bois du regard, puis remarquant Jamie en train de se balancer lentement d'un pied sur l'autre, il l'imita, laissant ses yeux errer sur le paysage.

De fait, quand il n'essayait pas de se concentrer sur un point précis, il parvenait à voir l'ensemble du panorama comme un patchwork de couleurs et de mouvements flous, telle une toile de Van Gogh. Puis il vit ce que voyait Jamie et se figea, oubliant l'art moderne.

Ici et là, entre les gris fanés, les bruns et les taches de vert, on distinguait une discontinuité, comme des nœuds dans la trame du paysage, des mouvements différents de ceux de la végétation. Chaque créature était invisible, mais les soubresauts des buissons voisins trahissaient sa présence. Bon sang, mais quelle taille pouvaient-elles bien avoir? Il en voyait une ici, une autre là… Il promena librement son regard et, à son tour, l'excitation lui serra la poitrine. Mince, il y en avait une bonne demi-douzaine, au moins!

– J'avais raison, j'avais raison! Pas vrai, *Mac Dubh*?

MacLeod exultait, son visage rond se tournant vers les uns et les autres, triomphal.

– Je vous avais bien dit que j'avais vu des bêtes, non?

– Seigneur, c'est une vraie harde! souffla Evan Lindsay en se tournant vers Jamie. Qu'est-ce qu'on fait, *Mac Dubh*?

Jamie continuait de fixer le fond de la vallée.

– Difficile à dire. Ils sont sur un terrain ouvert. Je ne vois rien contre quoi les acculer.

Il suça son index et le tendit dans le vent.

– Il souffle de l'ouest. On descendra jusqu'au fond de la vallée en longeant ce ruisseau. Puis Roger et moi, nous partirons sur la gauche, en passant derrière ce grand promontoire, là-bas. Vous le voyez?

Lindsay hocha lentement la tête, mordant sa lèvre inférieure avec son incisive tordue.

– Ils sont rassemblés près du torrent. Contournez-les jusqu'à ce grand cèdre. Puis éparpillez-vous, deux sur chaque rive. Evan étant le meilleur tireur, qu'il se tienne prêt avec son fusil. Roger et moi allons prendre le troupeau par-derrière et le rabattre sur vous.

Fergus acquiesça, examinant le terrain en contrebas.

– Je vois. S'ils nous repèrent, ils bifurqueront et s'engouffreront dans ce petit défilé pour se retrouver piégés. Parfait. *Allons-y*!*

Il fit signe aux autres, son crochet luisant au soleil. Puis il grimaça et posa la main sur son ventre, avant de lâcher un long pet sec qui résonna dans la forêt silencieuse. Jamie le regarda, songeur.

– Surtout, n'oublie pas de rester sous le vent.

* * *

Roger avait beau marcher comme sur des œufs, il lui était impossible de ne pas faire de bruit sur le tapis de feuilles mortes. Ayant aperçu Jamie charger et amorcer son fusil, il avait fait de même, l'odeur de la poudre suscitant chez lui un mélange d'excitation et de crainte. Compte tenu de la taille des bêtes qu'ils traquaient, il aurait peut-être la chance d'en toucher une.

Écartant ses doutes, il s'arrêta un instant pour tendre l'oreille. Seul le doux bruissement du vent dans les branches et le murmure lointain de l'eau troublaient le silence. Non loin, un léger craquement retentit, lui faisant tourner la tête. Apercevant un éclat de cheveux roux, il glissa la main sous la crosse de son fusil, le bois chaud et solide contre sa paume, appuya le canon contre son épaule et reprit sa marche.

En contournant avec précaution un buisson de sumac, il sentit soudain sa semelle s'enfoncer dans une matière molle, glissa en arrière et se rétablit de justesse. Il baissa les yeux pour voir la cause de son dérapage et, malgré sa déception, eut une forte envie de rire. Sans plus se soucier d'aucune discrétion, il appela :

– Jamie!

Le visage de son beau-père apparut derrière un écran de lauriers, un sourcil arqué. Roger lui fit signe de regarder à ses pieds.

---

* En français dans le texte. *(N.D.T.)*

– Je ne suis pas un grand traqueur, mais j'ai marché dedans suffisamment de fois pour savoir ce que c'est.

Il gratta sa semelle contre un tronc d'arbre couché, puis leva la jambe vers lui.

– À votre avis, après quoi courons-nous depuis ce matin?

Jamie s'approcha, puis s'accroupit devant la bouse d'un brun rougeâtre. Il y plongea l'index dedans, puis releva les yeux vers Roger, à la fois consterné et amusé.

– Fichtre!

Toujours assis sur ses talons, il balaya la forêt autour d'eux du regard.

– Mais que fichent-elles ici? murmura-t-il.

Il se releva et scruta les abords de la rivière.

– Ça n'a aucun sens. Il n'y a que trois vaches dans la région, et j'en ai trait deux ce matin. La troisième appartient à Bobby MacLeod. S'il avait aperçu la sienne sur la crête, il l'aurait reconnue, non? Et puis...

Il pivota sur un talon et examina le versant qu'ils avaient descendu.

Inutile d'en dire plus. À moins d'être équipée d'un parachute, aucune vache n'aurait pu venir par là.

– Il n'y en a pas qu'une, lui rappela Roger. C'est tout un troupeau. Vous l'avez vu vous-même.

Jamie le dévisagea d'un air perplexe.

– Oui, mais comment sont-elles arrivées jusqu'ici? Les Indiens n'en élèvent pas. Quand bien même, en cette saison, ils les auraient abattues et auraient fumé leur viande. En plus, il n'existe aucune ferme à cinquante kilomètres à la ronde.

– Si c'était un troupeau sauvage? Des bêtes qui se sont échappées, il y a longtemps, et qui errent dans la nature?

Une lueur d'espoir traversa le regard de Jamie, faisant écho au grondement optimiste dans le ventre de Roger.

– Dans ce cas, on devrait pouvoir les abattre facilement.

Un certain scepticisme tempérait sa voix, même s'il souriait. Il se pencha de nouveau et, saisissant un morceau de bouse entre ses doigts, il l'émietta.

– Tout frais. Elles ne sont plus très loin.

Après une autre demi-heure de marche, ils débouchèrent sur le torrent aperçu depuis la crête. Il était large et peu profond, des branches de saules traînant dans le courant. Rien ne bougeait, hormis les reflets du soleil dans l'eau, mais à l'évidence, les vaches étaient passées par là. Des empreintes fraîches marquaient la boue retournée de la berge. Dans un coin, l'herbe aplatie indiquait qu'une masse imposante s'y était couchée.

– J'aurais dû penser à apporter de la corde, grommela Jamie. La viande, c'est bien, mais du lait et du fromage toute l'année, ce serait encore mieux…

Ses ronchonnements se perdirent dans la végétation, tandis qu'il s'écartait du torrent, suivant une piste de branchages cassés.

Sans parler, les deux hommes se séparèrent, marchant lentement. Roger ouvrait grand tous ses sens, attentif aux bruits de la forêt. Même un œil aussi néophyte que le sien avait remarqué la fraîcheur des traces. Les vaches devaient être très proches. Pourtant, un silence automnal régnait, perturbé uniquement de temps à autre par le cri d'un corbeau. Bas dans le ciel, le soleil teintait la poussière de tons dorés. L'air devenait nettement plus frais. Traversant une zone d'ombre, Roger frissonna. Ils ne devraient pas trop tarder, avant de retrouver les autres et de monter le camp. En cette saison, le soir tombait vite. Un feu serait bienvenu, même si y cuire quelque chose dessus serait encore plus agréable.

Ils continuaient de descendre. Jamie le précédait à quelque distance, marchant d'un pas aussi résolu que le terrain accidenté le lui permettait. De toute évidence, malgré la végétation dense, il suivait toujours la piste.

Un troupeau de vaches ne pouvait quand même pas se volatiliser ainsi. À moins d'être des vaches fantômes. Malgré le calme surnaturel de la forêt, il n'était pas encore prêt à avaler des couleuvres.

– Roger.

Jamie avait parlé à voix basse, mais Roger, très attentif, localisa aussitôt son beau-père à quelques pas sur sa droite. Celui-ci lui montra quelque chose près de lui.

– Regarde.

Écartant un gros buisson de ronces, il dévoila le tronc d'un gros sycomore. Une partie de l'écorce avait été arrachée, et une substance blanchâtre suintait de la plaie.

Roger s'approcha et saisit une poignée de longs poils laineux, pris dans le bois entaillé.

– J'ignorais que les vaches se frottaient, elles aussi, contre les arbres.

Méditatif, Jamie observa la touffe dans la main de son gendre.

– Oui, elles font ça, parfois. Mais, je n'ai encore jamais vu une vache avec des poils pareils. Ma foi, on dirait bien…

Quelque chose remua près du coude de Roger. Se tournant juste à temps, il vit une monstrueuse tête sombre s'avancer par-dessus son épaule. Intrigué, un petit œil rouge sang le fixait. Il poussa un cri en reculant précipitamment et son fusil se déclencha dans une détonation assourdissante. Puis, il y eut un bruit sourd, et il se retrouva projeté contre un arbre, le souffle coupé, avec pour seul souvenir immédiat celui d'une masse sombre de poils d'une telle puissance qu'elle l'avait soulevé de terre comme un brin de paille.

Il se redressa, tentant d'aspirer de grandes goulées d'air, et aperçut Jamie à quatre pattes sur le sol, qui cherchait frénétiquement son fusil.

– Lève-toi ! cria-t-il. Debout, Roger ! Bon sang, c'est un bison !

Il se releva d'un bond et suivit Jamie. Il courait, encore étourdi, étonné de tenir son fusil entre ses mains, sa corne de poudre battant contre sa hanche.

Son beau-père bondissait comme un cerf entre les buissons, sa cape enroulée en balluchon cognant contre son dos. La forêt n'était plus silencieuse, mais résonnait d'un vacarme de craquements, de piétinements et de mugissements caverneux.

Il le rejoignit au pied d'une butte qu'ils gravirent en soufflant, leurs pieds dérapant sur les feuilles glissantes. Arrivés au sommet, ils se trouvèrent devant une longue pente parsemée de hauts sapins et de jeunes pruches.

Ils étaient là. Il y en avait huit ou neuf, énormes et velus, qui dévalaient la pente en groupe serré, se séparant occasionnellement pour éviter un tronc ou un taillis. Jamie posa un genou à terre, mit en joue et tira, sans succès. Ce n'était pas le moment de s'arrêter et de recharger. Ils ne devaient pas les perdre de vue. Un coude du torrent scintillait entre les arbres plus bas sur la droite. Roger s'élança dans cette direction, sa gamelle et sa boîte de munitions volant dans les airs, son cœur martelant sa poitrine aussi fort que les sabots des bisons. Il entendait Jamie hurler des exhortations en gaélique derrière lui.

Soudain, une exclamation au ton très différent le fit se retourner. Jamie s'était arrêté, les traits figés. Avant que Roger ne réagisse, l'expression de surprise de son beau-père se mua en fureur. Grimaçant, il saisit son fusil par le canon et donna un violent coup de crosse par terre. Puis il le souleva de nouveau et recommença, encore et encore, le visage rougi par l'effort.

Abandonnant la poursuite à contrecœur, Roger remonta la pente vers lui.

– Qu'est-ce que…

Il n'acheva pas sa phrase, les cheveux dressés sur sa tête. Des anneaux bruns s'agitaient entre les touffes d'herbes, épais et couverts d'écailles. Une extrémité du serpent était réduite en bouillie, son sang maculant la crosse du fusil de Jamie, mais le reste du corps sans tête se tortillait toujours sur place. Roger saisit le bras de son beau-père, mais celui-ci le repoussa et continua à pilonner le reptile.

– Arrêtez ! Vous voyez bien qu'il est mort ! Ça suffit !

Jamie s'arrêta enfin, tremblant violemment, appuyé sur son arme.

– Que s'est-il passé ? Il vous a mordu ?

– Oui, à la jambe. J'ai marché dessus.

Le visage de Jamie était blême. Il baissa de nouveau les yeux vers le cadavre encore agité de soubresauts, et un profond frisson le parcourut.

Roger se contrôla et saisit de nouveau le bras de Fraser.

– Venez vous asseoir. Laissez-moi regarder.

Jamie le suivit en boitant, puis s'affala sur un tronc couché. Avec des doigts tremblants, il chercha le haut de son bas. Roger écarta sa main et lui ôta lui-même son soulier et son bas droits. La marque des crocs était nettement visible : deux petits trous rouges dans le gras du mollet. La peau tout autour commençait à bleuir.

– C'est envenimé. Je dois l'entailler.

La gorge de Roger se noua, mais il était étrangement calme. Il sortit son couteau, songea brièvement à le stériliser, puis chassa cette idée de sa tête. Allumer un feu lui ferait perdre de précieuses minutes, et il devait agir au plus vite.

– Attends.

Jamie était toujours livide, mais il avait cessé de trembler. Il détacha sa flasque de sa ceinture et fit couler un filet de whisky sur la lame. Puis il esquissa une grimace qui se voulait encourageante.

– Claire fait toujours ça avant de charcuter quelqu'un, expliqua-t-il.

Agrippant fermement le tronc couvert de mousse, il se pencha en arrière et déclara :

– C'est bon, tu peux y aller.

Se mordant la lèvre, l'air concentré, Roger pressa la pointe de la lame juste au-dessus de la morsure. La peau était étonnamment résistante et souple. Le couteau s'enfonça, mais ne l'incisa pas. Fraser se redressa, posa ses deux mains autour de celles de Roger et poussa dessus d'un grand coup sec avec un grognement profond. La lame transperça la peau et pénétra de plusieurs centimètres. Le sang jaillit, et les bras de Jamie retombèrent le long de son corps.

– Encore. Plus fort. Fais vite!

Sa voix était ferme, mais son front dégoulinait de sueur. Roger rassembla ses forces, puis enfonça de nouveau son couteau d'un coup sec, faisant deux entailles en X au-dessus des marques de crocs, tout comme l'expliquait la méthode de secourisme. Le sang coulait en épaisses rigoles. Ce devait être bon signe. Il fallait creuser, aller chercher le venin plus profondément. Il déposa son couteau et colla sa bouche contre la plaie.

Il ne paniquait pas, mais était conscient de l'urgence de la situation. Avec quelle rapidité le venin se diffusait-il? Il n'avait que quelques minutes devant lui, peut-être moins. Il aspira aussi fort que possible, les poils de Fraser lui chatouillant les lèvres. Le sang remplit sa bouche avec un goût de métal chaud. Pendant que, concentré sur sa tâche, il suçait et recrachait le liquide sur les feuilles jaunes, une foule de pensées éphémères traversèrent son esprit avec ce détachement singulier qui accompagne les moments d'urgence.

Cette saleté était-elle vraiment morte?

À quel point était-il venimeux?

Les bisons s'étaient-ils échappés?

S'y prenait-il bien?

Brianna le tuerait s'il laissait mourir son père, Claire aussi.

Il avait une crampe atroce dans la cuisse droite.

Où étaient donc passés les autres? Fraser devrait les appeler… Ah! tiens! Il était justement en train de le faire, hurlant des mots que Roger, trop occupé, n'écoutait pas. La chair de la jambe qu'il tenait entre ses mains était devenue dure comme de la pierre, les muscles se bandant sous la pression de ses doigts.

Une main se plaqua sur sa nuque et lui tira les cheveux en arrière, l'obligeant à lâcher la plaie. Il releva les yeux, hors d'haleine.

– Ça suffit, lui dit calmement Jamie. Tu vas me vider de tout mon sang.

Avec prudence, il agita son pied nu et grimaça. Les entailles saignaient encore et, à cause de la succion, la peau tuméfiée tout autour était enflée.

Roger s'assit en arrière sur ses talons, en inspirant profondément.

– Je crois que j'ai fait encore plus de dégâts que le serpent.

Sa bouche se remplit de salive, puis il toussa et cracha. Fraser lui tendit la flasque de whisky. Roger se gargarisa, recracha, puis but une longue gorgée. Il s'essuya le menton du dos de la main et, d'un signe de tête, indiqua la jambe de son beau-père.

– Ça va aller?

Jamie sourit faiblement.

– Ça ira. Va voir si les autres sont dans les parages.

Ils n'étaient nulle part. Grimpé sur le promontoire, il ne voyait qu'un océan houleux de branches nues agitées par le vent. Si les bisons suivaient toujours le lit du torrent, on n'en distinguait aucune trace, pas plus que des chasseurs.

La voix rauque d'avoir appelé vainement leurs noms, il redescendit le versant. Jamie s'était déplacé, à l'abri de rochers, au pied d'un grand sapin baumier. Il s'était assis, adossé contre la pierre, les jambes étalées devant lui, un mouchoir noué au-dessus du mollet mordu.

– Aucun signe. Vous pouvez marcher?

Roger se pencha vers lui et remarqua avec angoisse qu'il avait le visage rouge et trempé de sueur en dépit de la fraîcheur.

– Je peux, mais pas longtemps.

La jambe avait encore considérablement enflé près de la morsure, et le bleu s'était propagé, formant de grandes ecchymoses de chaque côté du garrot. Le malaise de Roger s'agrandit. Il avait fait ce qu'il devait et savait faire, mais toutes les méthodes de premiers secours finissaient leur chapitre sur les morsures de serpent par « Immobilisez le membre atteint et conduisez le patient à l'hôpital le plus rapidement possible ». Les incisions et l'aspiration étaient censées avoir extrait le venin de la plaie, mais, apparemment, il en restait beaucoup qui se diffusait lentement dans l'organisme de Jamie. Quant à l'hôpital le plus proche, à savoir Claire et ses herbes, il se trouvait à une journée de marche.

Roger s'accroupit à ses côtés, se demandant ce qu'il devait faire. « Immobilisez le membre », c'était déjà fait, mais après ?

– Ça fait très mal ? demanda-t-il.

– Oui, dit Jamie en fermant les yeux.

Cette réponse ne l'avançait guère. Il s'assit sur le tapis d'aiguilles sèches pour réfléchir. Le jour baissait rapidement. La brève chaleur apportée par le soleil s'était dissipée, et les ombres sous les arbres se teintaient de bleu marine. Toutefois, il restait environ une heure avant la tombée de la nuit. De toute évidence, ils n'iraient nulle part ce soir. Même si Fraser arrivait à marcher, s'orienter la nuit dans les montagnes était pratiquement impossible. Si les autres avaient été là, ils auraient pu fabriquer un brancard pour le transporter, mais était-ce mieux que de le laisser sur place ? Tout en regrettant amèrement l'absence de Claire, il était conscient qu'elle ne pourrait pas faire grand-chose non plus, hormis réconforter Jamie s'il venait à mourir…

Cette pensée lui noua les entrailles. La repoussant fermement, il ouvrit sa bourse pour vérifier ses provisions. Il lui restait un peu de galette de maïs et, dans ces montagnes, l'eau était facile à trouver. Il entendait le gargouillis d'un ruisseau un peu plus bas. Cela dit, il ferait mieux de ramasser du bois pendant qu'il faisait encore jour.

– On ferait bien de préparer un feu, dit Jamie au même moment en le faisant sursauter.

Ayant rouvert les yeux, il examinait sa main, la tournant dans un sens puis dans l'autre, comme s'il la voyait pour la première fois.

– J'ai des picotements dans les doigts, observa-t-il d'un air intrigué.

Il se toucha le visage en ajoutant :

– Là aussi. Je ne sens plus mes lèvres. Tu crois que c'est normal?

– Je n'en sais rien. Peut-être, oui, si vous avez bu de votre whisky.

La plaisanterie était limite, mais, au moins, elle lui arracha un semblant de rire. Jamie toucha la flasque posée à ses côtés.

– Non, je n'en ai pas pris, mais il se peut que j'en aie besoin, plus tard.

Roger déglutit et se releva.

– À présent, vous devez éviter de bouger. Je vais chercher du bois. Les autres repéreront sans doute la lueur de notre feu.

Les autres ne seraient sans doute pas d'un grand secours, du moins pas avant le lendemain matin, mais ce serait toujours plus rassurant de ne pas être seuls.

– Ramasse le serpent au passage, lança Jamie derrière lui. Œil pour œil, dent pour dent. On en fera notre dîner!

Souriant en dépit de son inquiétude, Roger lui fit un signe de la main et s'éloigna.

Tout en se baissant pour attraper une épaisse branche de pin, Roger se demanda quelles étaient leurs chances. Fraser était un grand gaillard robuste, en parfaite santé. Il tiendrait sûrement le coup.

Pourtant, il n'était pas rare que des gens meurent d'une morsure de serpent. La semaine précédente, justement, il avait entendu parler d'une Allemande près de High Point qui, en se penchant pour prendre une bûche sur son tas de bois, s'était fait mordre à la gorge par un serpent caché sous la pile. Elle était morte en quelques minutes. Cette image lui revint en mémoire au moment où il glissait sa main sous un buisson pour saisir une branche morte, et il retira précipitamment son bras. Puis, maudissant sa stupidité, il retourna prudemment les feuilles mortes avec un bâton avant d'avancer de nouveau sa main. Il ne pouvait s'empêcher de se retourner presque toutes les minutes afin de surveiller son beau-père. S'il perdait connaissance pendant son absence?

Puis, se souvenant qu'il n'était pas censé mourir avant quelques années dans l'incendie de sa maison, il réussit à se détendre. Pour une fois, l'annonce d'une tragédie était rassurante. Il prit une grande inspiration et soupira avant de se préparer à aller chercher le serpent.

Cette fois, la chose était totalement inerte. Néanmoins, il dut faire un effort pour la toucher. Elle était presque aussi épaisse que son poignet et mesurait près d'un mètre vingt. Elle avait commencé à se rigidifier, si bien qu'il finit par la poser sur sa brassée de bois, telle une branche écailleuse. À la voir ainsi, il comprenait comment l'Allemande s'était laissée piéger. Les motifs subtils bruns et gris de ses anneaux rendaient le reptile pratiquement invisible.

Jamie le dépeça, pendant que Roger préparait le feu. En l'observant du coin de l'œil, il constata qu'il réduisait la bête en bouillie, ses doigts de plus en plus gourds essayant tant bien que mal d'enfiler les morceaux de chair pâle sur une fine branche mal écorcée. Sa tâche achevée, il tendit la brochette vers le feu et manqua de la laisser tomber. Roger la rattrapa de justesse et sentit un tremblement agiter le bras de son beau-père.

– Ça va?

Machinalement, il avança une main vers le front de Jamie qui, surpris et froissé, eut un mouvement de recul.

– Oui…

Puis, après un moment d'hésitation, il admit :

– Je me sens un peu bizarre.

– Pourquoi ne pas vous allonger? Essayez de dormir. Je vous réveillerai quand ce sera cuit.

Jamie ne discuta pas, ce qui acheva d'inquiéter Roger. Il se roula en chien de fusil sur son lit de feuilles, déplaçant sa jambe blessée avec un tel soin qu'il trahissait toute sa douleur.

La brochette grésillait au-dessus des flammes et, malgré son léger dégoût à l'idée de manger de la viande de serpent, Roger sentit son estomac gronder. Ça sentait le poulet grillé! Une fois de plus, il constata que la frontière entre l'appétit et l'inanition était ténue. Laissez le plus exigeant des gourmets sans nourriture un jour ou deux, et il ne fera pas la fine bouche devant des limaces et des lézards. Roger en avait fait son menu quotidien lors du retour de son expédition d'arpentage.

Il gardait un œil sur Jamie. Les yeux fermés, celui-ci ne bougeait pas, mais, de temps en temps, un tremblement l'agitait. Son visage était toujours aussi rouge, mais cela pouvait être le reflet du feu.

Le temps que la viande soit cuite, la nuit était tombée. Roger descendit à la rivière chercher de l'eau, puis jeta des brassées entières de feuilles sèches et de petit bois dans le feu, faisant monter les flammes haut au-dessus de sa tête. Si les chasseurs étaient quelque part, à un kilomètre à la ronde ils les repéreraient.

Fraser se redressa péniblement pour dîner. Il était clair qu'il n'avait pas d'appétit, mais il se força à mâcher et à déglutir, chaque bouchée lui demandant un effort tenace. Était-ce par pure opiniâtreté? s'interrogea Roger. Sa vengeance personnelle contre le serpent? Une superstition écossaise voulant que manger le reptile constitue un antidote à son venin?

Comme pour confirmer cette hypothèse, Jamie lui demanda soudain :

– Les Indiens ont-ils des remèdes contre les morsures de serpents?

– Oui, répondit Roger prudemment. Ils mélangent des racines et des herbes avec du crottin ou de la semoule de maïs chaude qu'ils appliquent ensuite en cataplasme.

– Ça marche ?

Un morceau de viande pendait au bout du poignet mou de Fraser, comme s'il était trop épuisé pour le porter à ses lèvres.

– Je ne les ai vus faire que deux fois. La première a parfaitement fonctionné. Aucun gonflement, aucune douleur. La petite fille était rétablie le soir même. La seconde fois… euh, ce fut moins probant.

Il avait vu le corps enveloppé dans un linceul en cuir lorsqu'ils l'avaient sorti de la cabane commune, mais n'avait pas assisté à l'agonie sordide de la victime. Apparemment, il allait bientôt en avoir l'occasion.

Fraser maugréa.

– Qu'est-ce qu'ils auraient fait à ton époque ?

– On vous aurait injecté un sérum antivenimeux.

– « Injecté » ? Un jour, Claire m'a injecté quelque chose. Je n'ai pas beaucoup aimé ça.

– Ça a marché ?

En guise de réponse, Jamie se contenta de grogner avant de déchirer un autre morceau de viande d'un coup de dents.

Malgré son angoisse, Roger ne fit qu'une bouchée de sa part de serpent, puis avala ce que Jamie avait laissé. Au-dessus d'eux, le ciel était dégagé et parsemé d'étoiles. Un vent froid agitait les arbres, glaçant leurs mains et leurs oreilles.

Il enfouit les restes du serpent (il ne manquait plus que la visite d'un gros carnivore attiré par l'odeur du sang pendant la nuit), puis entretint le feu tout en tendant l'oreille, guettant des appels. Il n'entendait rien d'autre que le gémissement du vent et le craquement des branches. Ils étaient seuls.

En dépit du froid, Fraser avait retiré sa chemise de chasse et, assis, les yeux fermés, se balançait doucement.

Roger s'accroupit près de lui et lui toucha le bras. Il était brûlant.

Fraser souleva les paupières et sourit faiblement. Il prit maladroitement la tasse d'eau que lui tendait Roger et le remercia d'un signe de tête. Sa jambe avait pratiquement doublé de volume à partir du genou. La peau était mouchetée de taches rouge sombre, comme si quelque succube était venu poser ses lèvres avides, ici et là, avant de repartir frustré.

De plus en plus inquiet, Roger se demanda s'il ne s'était pas trompé sur toute la ligne. Il avait toujours été convaincu que le passé ne pouvait être modifié. Pour lui, l'heure et la nature de la mort de Fraser étaient programmées pour dans quatre ans. Sans cette certitude, il aurait eu très peur pour son beau-père. Cela dit, à voir sa tête à présent… en était-il toujours vraiment sûr?

Jamie reposa la tasse et le fixa d'un regard calme.

– Tu as peut-être tort.

Roger sursauta. Avait-il pensé à voix haute sans s'en rendre compte?

– À quel propos?

– À propos du changement. Tu crois impossible de changer le cours de l'histoire. Si tu te trompais?

Roger se pencha et tritura les braises.

– Je ne me trompe pas, répondit-il d'un ton ferme. Regardez : Claire et vous avez tout fait pour arrêter Charles Édouard Stuart, pour défaire ce qu'il avait fait. Vous n'avez pas pu. Cela ne se peut pas.

Fraser se cala contre le tronc d'arbre, les yeux mi-clos.

– Ce n'est pas tout à fait exact.

– Comment ça?

– C'est vrai que nous n'avons pu l'empêcher d'organiser le Soulèvement, mais cela ne dépendait pas que de nous. Beaucoup d'autres personnes sont intervenues. Les chefs qui l'ont suivi, ces maudits Irlandais qui l'ont encouragé, même le roi de France s'y est mis, avec son or.

Il écarta cette idée d'un geste de la main et reprit :

– Là n'est pas la question. Tu dis que Claire et moi n'avons pas pu l'arrêter, c'est vrai. Nous n'avions rien pu faire contre les débuts du Soulèvement, mais nous aurions pu empêcher sa conclusion.

– Vous voulez dire… Culloden?

Roger regarda les flammes, se souvenant vaguement de ce jour lointain où Claire leur avait raconté pour la première fois, à Brianna et à lui, l'histoire des menhirs et de Jamie Fraser. Effectivement, elle avait parlé d'une dernière occasion… une dernière chance d'éviter le massacre des clans…

Il releva les yeux vers Fraser.

– En assassinant Charles Édouard?

– Oui. Sauf que ni elle ni moi n'avons pu nous y résoudre.

Ses yeux étaient presque fermés, mais il étirait le cou, visiblement mal à l'aise.

– Depuis, je me suis souvent demandé si c'était par sens de l'honneur… ou par lâcheté.

– Peut-être ni l'un ni l'autre, répondit Roger. Vous ne pouvez pas le savoir. Je parie que si Claire avait tenté de l'empoisonner, cela aurait mal tourné. Le plat aurait été renversé, un chien aurait avalé le poison, quelqu'un d'autre serait mort… cela n'aurait rien changé!

Fraser rouvrit brusquement les yeux et s'essuya les lèvres du revers de la main.

– Tu crois donc que tout est déjà écrit? L'homme n'a donc pas son libre arbitre? Quand tu as décidé de venir rejoindre Brianna, puis, plus tard, de revenir pour elle et le petit, ce n'était pas ton choix? Tu étais destiné à agir ainsi?

– Je…

Roger s'interrompit, les poings serrés sur les cuisses. L'odeur des fonds de cale du *Gloriana* remonta soudain et dissipa celle du feu de bois. Puis il se détendit et laissa échapper un petit rire gêné :

– On choisit bien notre moment pour discuter philosophie, non?

– Qu'est-ce que tu veux? dit Jamie doucement. Je n'aurai peut-être pas d'autre occasion.

Avant que Roger n'eût le temps de protester, il reprit :

– S'il n'y a pas de libre arbitre, alors il n'y a ni péché ni rédemption, n'est-ce pas?

Roger écarta sa mèche de devant ses yeux, marmonnant :

– Je suis parti à la chasse avec Monsieur-la-terreur-des-ours et me voici sous un arbre avec saint Augustin!

Jamie ne releva pas la pointe d'humour, poursuivant sa ligne de pensée :

– Claire et moi avons choisi. Nous n'avons pas voulu commettre un meurtre. Nous avons refusé de verser le sang d'un homme. Cela signifie-t-il que nous avons sur les mains le sang de ceux qui sont morts à Culloden? Nous n'avons pas voulu faire un péché, mais le péché nous a-t-il quand même trouvés?

– Bien sûr que non.

Énervé, Roger se releva et asticota le feu debout, en poursuivant :

– Ce qui est arrivé à Culloden n'était pas votre faute. Comment cela serait-il possible? Songez à tous ces hommes qui y ont pris part – Murray, Cumberland, les chefs de clan… –, ce n'était pas le fait d'un seul homme!

– Donc, selon toi, c'était prévu? Nous serions perdus ou sauvés dès la naissance, et on ne peut rien y changer? Dire que tu as été élevé par un pasteur!

Cynique, Fraser ricana.

Roger était gêné et plus agacé qu'il n'aurait dû l'être.

– C'est vrai, dit-il. Enfin, non, je ne pense pas ça. C'est juste que… si un événement s'est déjà produit d'une certaine manière, comment peut-il avoir lieu autrement?

– C'est simplement parce que tu crois à ta version de l'événement.

– Je ne le crois pas, j'en suis sûr !

– Mmphm. Parce que tu viens de l'autre côté, que c'est déjà passé, et donc que tu n'y peux plus rien. Mais moi, pour qui rien n'est encore arrivé, pourquoi ne pourrais-je pas avoir de l'influence ?

Roger se massa le visage des deux mains.

– Cela signifie…

Il hésita. Comment pouvait-il le dire d'une manière cohérente ? Pour lui, parfois, plus rien dans ce monde n'avait de sens.

– Peut-être, dit-il finalement. Dieu seul le sait, pas moi.

– D'un autre côté, je suppose qu'on le saura bientôt.

Le ton étrange dans sa voix fit tressaillir Roger.

– Qu'est-ce que vous voulez dire par là ?

– Tu crois savoir que je vais mourir dans quatre ans, dit calmement Jamie. Si je meurs ce soir, c'est que tu te seras trompé, non ?… Donc, le passé peut être modifié.

– Vous n'allez pas mourir ! rétorqua Roger.

Il fusilla son beau-père du regard, le défiant de le contredire.

– Je suis ravi de l'entendre, mais, pour le moment, je vais boire une gorgée de whisky. Ouvre-moi la flasque, veux-tu ? Je n'arrive pas à attraper le bouchon avec mes doigts.

Les propres mains de Roger étaient loin d'être agiles. Peut-être était-ce uniquement la peau brûlante de fièvre de Fraser contre la sienne qui lui donna l'impression d'être frigorifié. Il doutait que le whisky soit recommandé en cas de morsure de serpent, mais cela n'avait sans doute plus grande importance.

– Allongez-vous, dit-il une fois que Jamie eut fini de boire. Je vais chercher encore un peu de bois.

Il était incapable de rester en place. Après avoir rassemblé assez de branches, il continua longtemps à tourner dans le noir, juste à portée de vue du feu.

Il avait passé de nombreuses nuits comme celle-ci, seul sous un ciel si vaste qu'il ne pouvait lever les yeux sans en être étourdi, glacé jusqu'aux os, marchant en rond pour se réchauffer. Des nuits où il avait été tiraillé par un combat intérieur, ayant une décision à prendre, trop énervé pour s'allonger sur un lit de feuilles, trop torturé pour dormir.

Ses choix avaient été clairs, mais si difficiles à faire. D'un côté, Brianna et tout ce qui venait avec : l'amour et le danger, le doute et la peur. De l'autre, la sécurité. Il avait choisi. Bon sang, il avait choisi ! Rien ni personne ne lui avaient forcé la main. Si cela signifiait se reconstruire à partir de rien, alors il l'avait décidé aussi. Il avait également choisi d'embrasser Morag. À ce souvenir, sa bouche se tordit. Il avait encore moins deviné les conséquences de ce geste.

Une petite voix résonna dans son esprit, un vague écho remontant des ténèbres de sa mémoire.

« … Peu importe qui je suis et d'où je viens, tout ce qui compte est ce que je deviendrai. »

Qui avait écrit ça ? Montaigne ? Locke ? Un de ces foutus esprits du Siècle des lumières, avec leurs grandes idées sur le destin et l'individu ? Il aurait aimé connaître leurs opinions sur les voyages dans le temps ! Puis il se souvint, et un frisson lui parcourut l'échine.

« Ceci est le grimoire de la sorcière Geillis. J'ai adopté ce nom, parce que c'est un nom de sorcière. Peu importe qui je suis et d'où je viens, tout ce qui compte est ce que je deviendrai. »

– Exactement ! s'écria-t-il à voix haute. Pourtant, toi non plus, tu n'as rien pu changer, n'est-ce pas, grand-mère ?

Un bruit retentit derrière lui, dans la forêt, et les poils de sa nuque se hérissèrent. Puis il le reconnut. Ce n'était pas un rire de femme, comme il l'avait d'abord cru, mais le cri lointain d'un couguar.

Tout à coup, il se rendit compte qu'elle avait changé quelque chose. Certes, elle n'avait pas réussi à faire monter

Charles Édouard Stuart sur le trône, mais elle avait accompli un certain nombre d'autres prouesses. Maintenant qu'il y pensait… Claire et elles avaient toutes deux modifié le cours du temps : elles avaient eu un enfant avec un homme d'une autre époque. Brianna et William Buccleigh… et quand il songeait à l'incidence de ces deux-là sur sa propre existence, que dire des autres…

Cela transformait forcément l'avenir, non? Il s'assit sur un arbre couché, l'écorce mouillée et froide refroidissant ses fesses. Oui, forcément. Pour ne citer qu'un changement mineur : sa propre existence, conséquence directe de la prise en charge par Geilie Duncan de son propre destin. Si elle n'avait pas eu un enfant avec Dougal MacKenzie… sauf que bien sûr, elle ne l'avait pas fait exprès.

L'intention faisait-elle la différence? N'était-ce pas là l'argument clé de sa conversation avec Jamie Fraser?

Il se leva et contourna discrètement le feu, scrutant l'obscurité. Fraser était allongé, formant une masse dans les ténèbres, immobile.

Il s'approcha doucement, mais les aiguilles de pin craquaient sous ses semelles. Fraser ne bougea pas et garda les yeux fermés. Le teint moucheté s'était propagé à son visage. Roger lui trouva l'air congestionné, les paupières et les lèvres un peu enflées. Dans la lumière vacillante des flammes, il était impossible de dire s'il respirait.

Roger s'agenouilla et le secoua comme un prunier.

– Hé! Vous êtes encore là?

Il avait voulu parler sur le ton de la plaisanterie, mais la peur dans sa voix était criante, même à ses propres oreilles.

Fraser ne bougea pas, mais entrouvrit un œil.

– Oui, mais ce n'est pas une partie de plaisir.

Roger ne s'éloigna plus. Il essuya le visage de Jamie avec un linge mouillé, lui offrit encore un peu de whisky, dont il ne voulut pas, puis s'assit à ses côtés, guettant chaque nouvelle respiration rauque.

Malgré lui, il se surprit à faire des plans, passant d'une horrible présomption à une autre. S'il se produisait le pire? Il devait bien en admettre la possibilité. Il avait déjà vu plusieurs personnes moins mal en point que Fraser mourir.

Si le pire arrivait et que les autres ne réapparaissaient pas, il devrait enterrer Jamie. Il ne pouvait ni le porter ni l'abandonner là, pas avec des couguars ou autres charognards dans les parages.

Il balaya les alentours du regard. Tout lui paraissait étranger : les rochers, les arbres, les broussailles, les formes à demi dissimulées dans l'obscurité dont leurs contours oscillaient et changeaient dans les reflets des flammes, le vent ronronnant comme un félin.

Là-bas, peut-être… la forme oblique d'un arbre presque déraciné se dessinait dans le noir. Il pourrait gratter une fosse peu profonde à ses pieds, puis faire basculer le tronc sur la tombe provisoire pour la protéger.

Il pressa son front contre ses genoux.

– Non! murmura-t-il. Je vous en prie, non!

L'idée d'annoncer la nouvelle à Brianna et à Claire lui faisait mal physiquement, lui lacérant la poitrine et la gorge. Il y avait aussi tous les autres. Jemmy, Fergus et Marsali, Lizzie et son père, les Bug, les Lindsay, les autres familles de Fraser's Ridge. Tous ces gens qui comptaient sur Jamie pour les protéger et les guider.

Fraser bougea en gémissant. Roger posa une main sur son épaule, et il se calma.

Les mots non dits se bousculaient dans sa gorge, formant une boule dure.

« Ne partez pas. Restez avec nous. Restez avec moi. »

Il resta ainsi longtemps, sa main sur l'épaule de son beau-père avec l'impression absurde de le retenir, de l'ancrer à la terre. S'il le tenait jusqu'à l'aube, tout irait bien. S'il le lâchait, ce serait la fin.

Le feu s'était presque consumé, mais il repoussait sans cesse le moment d'aller l'entretenir, refusant de s'éloigner.

– MacKenzie?

Ce n'était qu'un murmure, mais Roger se pencha aussitôt vers lui.

– Oui, je suis là. De l'eau? Du whisky?

Tout en parlant, il tentait d'attraper la tasse. Dans son empressement, il en renversa la moitié. Fraser but deux petites gorgées, puis détourna la tête, signifiant qu'il en avait assez. Après quoi, il déclara d'une voix basse et rauque mais audible :

– J'ignore si tu as tort ou raison, mais si je suis en train de mourir, je dois te révéler plusieurs choses, Roger. Je ne veux pas attendre qu'il soit trop tard.

– Je suis là, répéta Roger, ne sachant pas quoi dire d'autre.

Fraser ferma les yeux, rassemblant ses forces, puis glissa ses mains sous lui et roula sur le côté, lourd et maladroit. Il grimaça et attendit quelques instants de retrouver son souffle avant de poursuivre :

– Bonnet. Tu dois savoir ce que j'ai mis en route.

– Oui?

Pour la première fois, Roger ressentit autre chose que de l'inquiétude pour le sort de son beau-père.

– Il existe un dénommé Lyon, et Duncan Innes sait où le trouver. Il travaille sur la côte, achetant aux contrebandiers qui dirigent les Outer Banks. Pendant le mariage, il est venu à River Run pour me proposer de faire affaire avec lui. Il veut distribuer mon whisky.

Le plan paraissait relativement simple. Jamie comptait faire savoir à ce Lyon – par l'entremise de qui, Roger l'ignorait – qu'il était disposé à traiter avec lui, à condition qu'il organise une rencontre avec Stephen Bonnet, sous prétexte de s'assurer que l'homme avait la réputation et les compétences nécessaires pour acheminer la marchandise le long de la côte.

– Pour ce qui est d'avoir une réputation, on ne peut pas faire mieux! marmonna Roger dans sa barbe.

– Lyon n'acceptera pas sans faire d'histoires. Il va marchander et poser ses conditions, mais il finira par dire oui. Dis-lui que tu as assez de stock pour que l'affaire soit rentable. Si nécessaire, donne-lui un baril de notre whisky de deux ans d'âge. Dès qu'il rencontrera des gens prêts à payer pour ça, il te mangera dans le creux de la main. Le lieu de la rencontre…

Il s'interrompit et prit plusieurs inspirations avant de pouvoir continuer :

– … J'avais pensé au débarcadère de Wylie, mais si c'est toi qui t'y rends, choisis un endroit à ta convenance. S'il accepte, emmène les Lindsay avec toi pour surveiller tes arrières. Sinon, trouve quelqu'un d'autre, mais n'y va pas tout seul. Et tiens-toi prêt à le tuer du premier coup.

Roger acquiesça, déglutissant péniblement. Sous les paupières enflées, les yeux de Jamie brillaient et reflétaient les flammes.

– Ne le laisse pas te défier et s'approcher trop près de toi. Tu as fait beaucoup de progrès à l'épée, mais tu ne feras pas le poids contre lui.

Roger ne put s'empêcher de demander :

– Mais vous, si?

Il crut que Fraser souriait, mais c'était difficile à dire.

– Oh! oui, répondit-il doucement. Si je vis.

Il toussa, puis, d'un geste de la main, chassa le sujet Stephen Bonnet.

– Pour le reste… surveille Sinclair. C'est un homme utile. Il sait tout ce qui se passe dans le comté, mais ne lui tourne jamais le dos.

Il marqua un temps d'arrêt, les sourcils froncés.

– Tu peux te fier à Duncan Innes et à Farquard Campbell. Ainsi qu'à Fergus, bien sûr. Il fera tout pour t'aider. Pour ce qui est des autres…

Il changea de nouveau de position et grimaça.

– Fais attention à Obadiah Henderson. Il te mettra à l'épreuve. Parmi les autres, beaucoup le feront également.

Laisse-les faire, mais pas Henderson. Écrase-le à la première occasion. Il ne te laissera pas une deuxième chance.

Lentement, en s'arrêtant fréquemment pour reprendre son souffle, il poursuivit sa liste des hommes de Fraser's Ridge, des habitants de Cross Creek, des personnages influents de la vallée de Cape Fear. Leur personnalité, leurs inclinations, leurs secrets, leurs obligations.

Roger ravala sa panique, s'efforçant d'écouter avec attention, de tout enregistrer dans sa mémoire, voulant rassurer Fraser, lui demander d'arrêter, de se reposer, lui dire que tout cela était inutile… tout en sachant que c'était indispensable. Une guerre approchait, pas besoin de venir du futur pour le savoir. Si l'avenir de Fraser's Ridge – de Brianna, de Jemmy et de Claire – devait reposer entre ses mains néophytes, il devait tenir compte des moindres informations de Fraser.

La voix de Jamie s'éteignit dans un râle. Avait-il perdu connaissance ? L'épaule sous sa main était molle. Il resta assis là, n'osant pas bouger.

Une peur sourde s'installa dans le creux de son ventre, une angoisse tenace pointant sous la douleur plus vive du chagrin. Cela ne suffirait pas. Il n'y arriverait jamais. Bon sang ! Il ne parvenait même pas à toucher une cible grosse comme une maison ! Comment se substituerait-il à Jamie Fraser ? Maintenir l'ordre à l'aide de ses poings et de ses méninges ? Nourrir les siens avec un fusil et un couteau, marcher sur le terrain miné de la politique, à cheval sur un baril de poudre, avec métayers et famille sur les épaules ? Remplacer celui qu'on appelait « Sa Seigneurie » ? Ce n'était pas demain la veille !

Soudain, la main de Fraser remua. Ses doigts à la peau étirée et luisante ressemblaient à des boudins. Roger posa sa main libre sur la sienne et sentit les doigts qui cherchaient à s'enrouler autour des siens.

– Dis à Brianna que je suis fier d'elle, murmura-t-il. Donne mon épée au petit.

Roger acquiesça d'un signe de tête, incapable de parler. Puis, prenant conscience que Fraser ne le voyait pas, il s'éclaircit la gorge.

– Je lui dirai.

Il attendit, mais Fraser ne prononça plus aucune parole. Les flammes basses étaient presque éteintes, mais la main dans la sienne brûlait plus fort que des braises. Une rafale de vent passa, rabattant des mèches de cheveux sur son visage, et fit s'envoler une pluie d'étincelles.

Il attendit aussi longtemps que possible, la nuit autour d'eux s'égrenant en minutes solitaires, puis il se pencha vers Fraser et chuchota à son oreille :

– Et Claire ? Voulez-vous que je lui dise quelque chose ?

Il crut avoir attendu trop longtemps. Pendant un bon moment, Fraser ne réagit pas. Puis la grande main bougea, pressant légèrement la sienne, un mouvement à peine perceptible.

– Dis-lui… que je le pensais sincèrement.

91

Les bonnes ménagères

– Je n'ai jamais rien vu de pareil. C'est… franchement bizarre.

Je me penchai plus près.

– Quand je pense que tu as passé la moitié de ta vie comme guérisseuse ! marmonna Jamie. Ne me dis pas que les serpents n'existaient pas à ton époque.

– Pour ne rien te cacher, ils ne grouillaient pas vraiment dans le centre de Boston. En outre, en cas de morsure, on ne faisait pas appel à un chirurgien. Ce que j'ai vu de plus analogue, c'est un gardien de zoo mordu par un cobra royal. Un ami médecin légiste m'avait invitée à assister à l'autopsie.

Je me gardai d'ajouter que le gardien en question avait eu bien meilleure mine que lui en ce moment.

Je palpai délicatement sa cheville. Enflée, chaude et sèche, la peau était brillante et rouge vif. Cette couleur s'étendait de son pied jusque sous sa cage thoracique, comme s'il avait trempé dans de l'eau bouillante.

Son visage, ses oreilles et son cou avaient également un teint de tomate mûre. Seule la peau pâle de sa poitrine avait été épargnée, mais elle était néanmoins parsemée de petits boutons. Outre leur couleur de langouste cuite, ses pieds et ses mains pelaient, formant des lambeaux qui pendaient comme de la barbe espagnole.

En examinant sa hanche avec attention, je distinguai une éruption plus grave. Une ligne de petits pois rouges se détachait nettement sur la crête de l'os iliaque. Je passai un doigt dessus, fascinée.

– On dirait qu'on t'a fait rôtir lentement à petit feu. C'est la première fois que je vois une telle réaction.

Les boutons ne saillaient pas. Je les percevais à l'œil nu, mais ne pouvais les sentir individuellement. C'étaient des pétéchies, des taches de la taille d'une tête d'épingle provoquées par une hémorragie sous-cutanée. Mais il y en avait tant!

– Je ne voudrais pas avoir l'air méchant, *Sassenach*, mais tu es mal placée pour me critiquer.

Trop faible pour me faire un signe de tête, il baissa les yeux vers mes doigts, couverts de taches jaunes et bleues.

– Merde!

Je me levai précipitamment, rabattis la couverture sur lui et courus vers la porte. Distraite par l'arrivée spectaculaire de Jamie, j'avais abandonné une cuve de teinture dans la cour. Elle contenait peu d'eau. Si celle-ci s'était évaporée, les vêtements étaient fichus...

Dès la porte franchie, une puanteur chaude d'urine et d'indigo me prit à la gorge. Toutefois, je fus soulagée en apercevant Marsali, le visage rougi par l'effort, hisser une masse dégoulinante hors de la cuve, au bout de la longue fourche en bois. Je me précipitai pour l'aider, saisissant les habits fumants un à un et les jetant sur les mûriers pour qu'ils sèchent.

Soufflant sur mes doigts ébouillantés, je souris à Marsali.

– Heureusement que tu es passée par là, j'ai bien failli tout faire brûler.

Elle se passa une main sur le visage, aplatissant les fines mèches blondes qui s'étaient échappées de son fichu.

– Ils seront sans doute un peu sombres. Mais si le temps reste beau, vous devriez les mettre au soleil pour faire passer la couleur. Tenez, aidez-moi à déplacer la cuve avant qu'elle soit irrécupérable.

Des croûtes d'indigo s'étaient déjà formées et commençaient à noircir dans le fond. Un nuage de fumée âcre s'éleva de la cuve quand nous la poussâmes hors du feu.

Marsali s'éventa en toussant.

– Ça ira, Claire. J'irai chercher de l'eau pour la faire tremper. Vous pouvez retourner auprès de père. Je suis venue dès que j'ai appris la nouvelle. Comment va-t-il?

J'étais submergée de gratitude. La dernière chose que j'avais envie de faire pour l'instant était d'aller puiser plusieurs seaux d'eau à la source. Refoulant mes propres angoisses, je répondis :

– Tu es un ange! Je pense qu'il va guérir. Il se sent terriblement mal. De toute ma vie, je n'ai jamais vu quelqu'un dans un tel état. Mais, si la plaie ne s'infecte pas…

Je croisai les doigts en guise de prophylaxie.

– Il s'en sortira, dit Marsali avec assurance. Fergus dit qu'ils l'ont cru mort quand ils l'ont retrouvé avec Roger, mais, le temps qu'ils franchissent le second pont, il faisait déjà des plaisanteries douteuses au sujet du serpent, si bien qu'ils ont cessé de s'inquiéter.

Après avoir vu sa jambe, je n'en étais pas aussi certaine, mais je hochai la tête malgré tout.

– Oui, tout ira bien. Je vais juste lui mettre un cataplasme et nettoyer sa plaie. Va le voir, si tu veux, pendant que je prépare les oignons.

Heureusement, il n'en manquait pas. Je les avais cueillis deux semaines plus tôt, dès le premier givre. Des dizaines de nattes pendaient dans le garde-manger, odorantes et bruissantes quand je les frôlais au passage. Je détachai six gros bulbes que j'emportai dans la cuisine. Je les hachai lentement, craignant de me couper. Mes doigts étaient encore douloureux et raides d'avoir manipulé le linge bouillant.

– Laissez-moi donc faire, *a leannan*.

Mme Bug me prit le couteau des mains et réduisit les oignons en bouillie en deux temps, trois mouvements.

– C'est pour un cataplasme? Comme vous avez raison! Un cataplasme aux oignons, ça vous guérit n'importe quoi!

Toutefois, elle ne pouvait s'empêcher de lancer des regards inquiets vers mon infirmerie.

– Je peux faire quelque chose, maman?

Brianna venait d'apparaître sur le seuil de la cuisine, l'air préoccupé.

– Papa fait peur à voir. Tu es sûre que ça va aller?

Jemmy surgit derrière sa mère, moins inquiet pour son grand-père qu'intéressé par le couteau de Mme Bug. Il poussa son petit tabouret vers elle, les traits déterminés sous sa frange cuivrée, criant :

– Moi! Moi!

J'écartai les cheveux de ma figure avec le dos de la main, les oignons me faisant larmoyer.

– Je crois que oui. Comment va Roger?

– Bien.

Il y avait une petite note de fierté dans sa voix. Jamie lui avait raconté que Roger lui avait sauvé la vie. C'était fort probable, mais encore fallait-il qu'il reste sauvé.

– Il dort, ajouta-t-elle.

Nos regards se croisèrent, et nous nous comprîmes parfaitement. Quand votre homme était dans son lit, au moins vous saviez où il était. À savoir en sécurité, pour l'instant.

– Jemmy! Laisse Mme Bug tranquille!

Elle cueillit son fils perché sur le tabouret, l'écartant de la planche à découper. Il se mit à battre des pieds en signe de protestation.

– Tu n'as besoin de rien, maman?

Je me passai un doigt entre les sourcils en réfléchissant.

– Si. Peux-tu essayer de me trouver des asticots? J'en ai besoin pour la jambe de Jamie. Le givre a dû tuer toutes les mouches, ça fait des jours que je n'en ai pas vu. Essaie quand même de regarder près du paddock. Elles pondent dans le fumier chaud.

Elle fit une brève grimace de dégoût, mais acquiesça, reposant Jemmy sur le sol.

– Allez, viens, mon grand. On va chercher des « beurks » pour grand-père.

– Beurk, beurk, beurk, beurk ! s'exclama-t-il, ravi.

Je plaçai les oignons hachés dans un bol creusé dans une calebasse séchée et y versai un peu d'eau chaude pour les faire macérer, puis revins à l'infirmerie. Une robuste table en pin massif occupait le centre de la pièce. Elle servait de table d'auscultation, de fauteuil de dentiste, de plan de travail pour fabriquer des médicaments ou de table de salle à manger auxiliaire, selon les exigences médicales du moment ou le nombre d'invités à dîner. Pour l'instant, elle accueillait la forme allongée de Jamie, à peine visible sous l'épaisse couche de plaids et de couvertures. Marsali se tenait à ses côtés, l'aidant à boire un peu d'eau. Elle osait à peine le toucher, mais une grande main s'éleva et lui caressa la joue.

– Fergus a fait du bon travail, tu sais, dit-il d'une voix éraillée d'épuisement. Il a rassemblé les hommes pour la nuit, nous a retrouvés, Roger et moi, au petit matin, puis a ramené tout le monde sain et sauf à travers la montagne. Il a un sacré sens de l'orientation, le petit !

Marsali esquissa un sourire.

– Je me tue à lui dire, mais il s'en veut d'avoir laisser les bêtes s'échapper. Il dit qu'elles étaient si grosses qu'une seule aurait suffi à nourrir tout Fraser's Ridge pendant l'hiver.

Jamie rit doucement.

– On se débrouillera.

Visiblement, parler lui coûtait, mais je n'essayai pas de renvoyer Marsali. Roger m'avait confié que Jamie avait vomi du sang pendant le voyage du retour. Je ne pouvais donc pas lui donner de l'eau-de-vie ni du whisky pour soulager la douleur et je n'avais pas de laudanum. La présence de Marsali le distrayait.

J'ouvris discrètement l'armoire et en sortis le grand bol fermé où je conservais mes sangsues. J'en avais une bonne douzaine, noires et bien grasses, qui somnolaient dans leur bouillon saumâtre d'eau et de racines de quenouille. J'en cueillis trois dans une louche et les déversai dans un bol plus petit, rempli d'eau propre, que je mis à réchauffer sur le brûle-parfum.

– Réveillez-vous, les filles! Il est temps d'aller au boulot.

Tout en suivant la conversation murmurée derrière moi – Germain, la petite Joan, un porc-épic dans les arbres près de la cabane de Marsali et de Fergus –, j'étalai devant moi tout ce dont j'allais avoir besoin : une gaze épaisse pour le cataplasme aux oignons, la bouteille bouchée, mélange d'alcool et d'eau stérilisée, mes jattes en grès contenant de l'hydraste du Canada séchée, de la rudbeckie et de la consoude, et le flacon de préparation à la pénicilline. Je jurai entre mes dents en vérifiant l'étiquette. Elle avait près d'un mois. Accaparée par notre chasse à l'ours fantôme et toutes les corvées de l'automne, je n'avais pas préparé de nouveau bouillon depuis des semaines.

Celui-ci devrait faire l'affaire. Pinçant les lèvres, je frottai les herbes entre mes paumes, les réduisant en poudre au-dessus d'une écuelle en hêtre. Avec à peine un soupçon de gêne, j'adressai en silence une prière à sainte Bride. J'avais besoin de toute l'aide possible.

– Et les branches de pins sur le sol avaient été coupées récemment?

Jamie semblait plus intéressé par le porc-épic que par la nouvelle dent de Joan.

– Oui, très vertes et toutes fraîches. Je sais qu'elle est là-haut, cette sale bête. Mais l'arbre est immense. Je n'ai jamais pu la surprendre à terre, et encore moins lui tirer dessus.

Marsali n'était pas franchement un as du tir, mais comme Fergus ne pouvait se servir d'un mousquet avec son crochet, c'était elle qui chassait pour la famille.

– Mmphm.

Jamie s'éclaircit péniblement la gorge, et elle se hâta de lui faire boire une autre gorgée.

– Prends un peu de couenne salée dans le garde-manger et frotte-la contre un morceau de bois. Pose celui-ci sur le sol au pied de ton arbre et demande à Fergus de monter la garde. Les porcs-épics adorent le sel et la graisse. Quand ils en sentent, ils s'aventurent à terre pendant la nuit. Ensuite, pas besoin de gaspiller une balle, il suffit de l'assommer. Fergus peut s'en charger.

J'ouvris mon coffre de médecine et inspectai le plateau sur lequel étaient disposés mes scalpels et mes scies. Je choisis une petite lame incurvée, le manche refroidissant ma main. J'allais devoir débrider la plaie, enlever les tissus morts, les lambeaux de peau et les fragments de feuilles, de fibres textiles et de terre. Les hommes avaient enduit la jambe de boue et l'avaient enveloppée dans un foulard crasseux. Puis j'aspergerais les surfaces exposées de solution à la pénicilline. J'espérais que cette intervention serait efficace.

– Ce serait parfait, dit Marsali. Je n'ai encore jamais tué ce genre de bête, mais Ian m'a dit que leur viande était très bonne, très grasse. Et puis les piques peuvent servir à la couture et à faire toutes sortes de choses.

Je me mordis la lèvre, tout en examinant mes autres instruments. Le plus gros était une scie pliable, conçue pour les amputations sur le terrain, avec une lame qui mesurait une vingtaine de centimètres. Je ne l'avais pas utilisée depuis Alamance. L'idée de m'en servir à présent me glaçait le sang, mais, après avoir vu sa jambe…

– C'est vrai que sa viande est grasse, disait Jamie. Ce qui est aussi…

Il s'interrompit brusquement en changeant de position, et poussa un gémissement étouffé au moment où il bougea sa jambe.

Je sentais les étapes d'une amputation se répercuter dans les muscles de mes mains et de mes avant-bras. La résistance souple au moment de l'incision et, en traversant les muscles, le grincement de la lame contre l'os, le claquement sec des tendons sectionnés, les vaisseaux glissants, caoutchouteux et crachant du sang, qui se rétractaient dans la chair tranchée comme... comme des serpents.

Je déglutis. Non, nous n'en viendrions sûrement pas là.

– De la viande grasse te fera du bien, reprit Jamie derrière moi. Tu es bien maigre, *a muirninn*. Trop maigre pour une femme enceinte.

Je me tournai, jurant de nouveau dans ma tête. Je m'en étais doutée, mais j'avais espéré me tromper. Trois bébés en quatre ans! Avec un mari qui avait juste une main, qui ne pouvait travailler la terre et refusait les «taches féminines» de garde d'enfants et de brassage du malt.

Marsali émit un petit bruit, à mi-chemin entre le rire et le sanglot.

– Comment le sais-tu? Je ne l'ai pas encore dit à Fergus.

– Tu devrais... même s'il le sait déjà.

– Il te l'a dit?

– Non, mais je me doutais bien que ce n'était pas une indigestion qui le préoccupait quand on est partis chasser. Maintenant que je te vois, je comprends ce qui lui pesait sur le ventre.

Je me mordis la langue. L'huile de tanaisie et la mixture au vinaigre que je lui avais données n'avaient donc pas marché? Et mes graines de carotte? À moins, comme je le soupçonnais fortement, qu'elle ne se soit pas donné la peine de les utiliser régulièrement? Quoi qu'il en soit, il était trop tard pour les questions et les reproches. Quand elle redressa la tête, je croisai son regard et m'efforçai de paraître optimiste.

– Oh! dit-elle faiblement. On se débrouillera.

Les sangsues commençaient à se réveiller, s'étirant lentement comme des élastiques vivants. J'écartai les couvertures de Jamie et les pressai doucement sur la peau près de la plaie. Marsali étouffa un cri à la vue des plaies. Je la rassurai :

– Ce n'est pas aussi terrible que ça en a l'air.

C'était vrai, mais, en soi, la réalité était déjà assez terrible. Les entailles faites au couteau étaient bordées de croûtes, mais toujours ouvertes. Au lieu de se refermer et de cicatriser, elles s'érodaient du pus suitant des tissus exposés. La chair environnante était très enflée, noire et striée de rouge.

J'ignorais quel type de serpent l'avait mordu, non pas que cela fasse une grande différence puisque nous n'avions pas de sérum, mais il sécrétait apparemment une puissante toxine hémolytique. De petits vaisseaux sanguins, ainsi que des plus gros près du point d'injection, avaient éclaté et saigné partout dans son corps, à l'intérieur comme à l'extérieur.

Le pied et la cheville du côté atteint étaient encore chauds, ce qui était bon signe. La circulation profonde était indemne. Le tout était d'améliorer celle près de la plaie et de prévenir une nécrose massive de tissus. Les stries rouges me préoccupaient particulièrement. Elles pouvaient n'être qu'une conséquence du processus hémorragique, mais, selon moi, elles étaient plutôt le signe avant-coureur d'une septicémie.

Roger ne m'avait pas raconté en détail leur nuit dans la montagne, mais il n'en avait pas eu besoin. J'avais déjà vu des hommes rester de longues heures dans le noir avec la mort pour seule compagne. Si Jamie était toujours en vie une nuit et un jour plus tard, il avait des chances de s'en sortir… si je parvenais à maîtriser l'infection dans son sang. Mais dans quel état?

Je n'avais encore jamais soigné des morsures de serpent, mais j'en avais déjà vu des illustrations dans des livres de médecine. Les tissus infectés mourraient et pourriraient. Jamie pouvait aisément perdre la plus grosse partie du muscle de son mollet, ce qui ferait de lui un handicapé. Pire encore, la plaie pouvait devenir gangreneuse.

Je le regardai discrètement. Il était si mal en point qu'il pouvait à peine bouger. Pourtant, les lignes de son corps étaient toujours empreintes de grâce et de vigueur. L'idée de l'estropier m'était intolérable, mais, s'il le fallait, je le ferais. Mutiler Jamie… cette pensée me noua le ventre et rendit moites mes paumes tachées d'indigo.

Était-ce sa volonté ?

Je saisis le bol d'eau à son chevet et le bus d'un trait. Je ne lui demanderais pas son avis. La décision lui revenait de droit, mais il m'appartenait, et j'avais déjà arrêté mon choix. Peu m'importait ce que je devrais faire pour le garder, je ne le laisserais pas m'abandonner.

– Tu es sûr que ça va, père ? demanda Marsali.

Elle m'avait observée. Son regard effrayé allait et venait entre Jamie et moi. Je fis de mon mieux pour afficher un air compétent et assuré.

Jamie m'avait observée, lui aussi. Un faible sourire apparut au coin de ses lèvres.

– Je le croyais, répondit-il, mais, maintenant, j'en suis moins persuadé.

– Que se passe-t-il ? demandai-je, inquiète. Tu as une nouvelle douleur quelque part ?

– Non, non, je me sens très bien, m'assura-t-il en mentant ouvertement. C'est juste que, quand je me blesse pas trop gravement, tu me traites de tous les noms. En revanche, quand ça va très mal, tu es tout miel. Or, depuis que je suis rentré, je n'ai pas eu droit à un seul nom d'oiseau, pas un seul mot de reproche ! Tu me crois donc à l'article de la mort, *Sassenach* ?

Malgré son ironie, je lisais une vraie inquiétude dans son regard. Il n'y avait pas de vipères en Écosse, il ne pouvait comprendre ce qui arrivait à sa jambe.

Je pris une grande inspiration et posai doucement les mains sur ses épaules.

– Espèce de grand échalas empoté ! Marcher sur un serpent, peuh ! Tu ne peux donc pas regarder où tu mets les pieds ?

– Pas quand je dévale une pente derrière cinq cents kilos de viande ! répliqua-t-il en souriant.

Je sentis ses muscles sous mes mains se détendre et réprimai mon envie de lui sourire en retour.

– Idiot, tu m'as flanqué une frousse bleue !

Au moins, je ne mentais pas.

– Parce que tu crois que je n'ai pas eu peur, moi ?

– Tu n'en as pas le droit. Un seul de nous deux a le droit de paniquer à la fois, et c'est mon tour.

Cela le fit rire, un rire qui dégénéra rapidement en quinte de toux et en violents frissons.

Je rabattis rapidement les couvertures sur lui et me tournai vers Marsali :

– Va me chercher une pierre chaude pour mettre sous ses pieds. Remplis la théière d'eau bouillante et apporte-la aussi.

Elle fila vers la cuisine. Je jetai un œil vers la fenêtre, me demandant si Brianna parviendrait à dénicher des asticots. Ils n'avaient pas leur pareil pour nettoyer les plaies purulentes sans abîmer les tissus sains voisins. Si je voulais sauver sa jambe, l'aide de sainte Bride ne suffirait pas.

Tout en me demandant si, par hasard, il y avait un saint patron pour les asticots, je soulevai un coin des couvertures pour surveiller le travail de mes autres assistants invertébrés. Parfait ! Les sangsues ne chômaient pas, elles gonflaient déjà, suçant tout le sang qui se déversait des vaisseaux capillaires sectionnés en inondant les tissus de sa jambe. Une fois cette pression supprimée, la circulation pouvait se rétablir sainement, à temps pour préserver la peau et les muscles.

Sa main était agrippée au bord de la table, et je sentais ses tremblements dans mes cuisses, là où elles étaient pressées contre le bois. Je pris sa tête entre mes mains, ses joues étaient brûlantes.

– Tu ne mourras pas ! sifflai-je. Pas question ! Je te l'interdis !

– Tout le monde me répète la même chose, marmonna-t-il les yeux fermés. J'ai mon mot à dire dans cette affaire ?

– Non ! Tiens, bois ça.

Je pressai le bol de bouillon à la pénicilline contre ses lèvres. Il fit la grimace, mais avala docilement.

Marsali revint avec la théière remplie d'eau bouillante. J'en versai aussitôt sur mon mélange d'herbes sèches et les laissai macérer pendant que je l'aidai à boire un peu d'eau fraîche pour faire passer le goût du bouillon.

Il déglutit, puis s'enfonça dans l'oreiller.

– Qu'est-ce que c'était ? demanda-t-il. Ça a un goût de fer.

– C'est de l'eau, répondis-je. Il est normal que tout ait un goût métallique, tes gencives saignent.

Je tendis une cruche vide à Marsali et lui demandai de me ramener encore de l'eau.

– Ajoutes-y du miel, précisai-je. Une part de miel pour quatre d'eau.

Avant de ressortir, elle marqua un temps d'arrêt. Elle regarda Jamie, le front plissé, puis déclara :

– Ce qui lui faudrait, c'est du bouillon de bœuf. Maman ne jurait que par ça, et sa mère avant elle. Quand un corps a perdu beaucoup de sang, rien de tel qu'un bon bouillon de bœuf.

Elle devait être sérieusement inquiète. Par diplomatie, elle ne faisait jamais allusion à sa mère en ma présence. Mais, pour une fois, cette garce de vampire de Laoghaire avait raison. Un bouillon de bœuf aurait été excellent, à condition d'avoir de la viande de bœuf fraîche, ce qui n'était pas le cas.

Je la chassai de la pièce.

– Eau et miel !

J'allai chercher des renforts dans le bol de sangsues et, en chemin, m'arrêtai devant la fenêtre pour voir où en était Brianna et ses asticots.

Elle se tenait près de l'enclos, pieds nus, la jupe retroussée jusqu'aux genoux, en train d'ôter du crottin de cheval de sur son talon. Bredouille pour le moment, donc. Elle m'aperçut et me fit signe de la main. Elle pointa un doigt vers la hache plantée non loin dans une souche, puis vers la forêt. Je hochai la tête. Elle aurait peut-être plus de chance dans un tronc d'arbre pourri.

Jemmy était assis non loin, attaché par une longe à un poteau de l'enclos. Maintenant qu'il n'avait plus besoin d'aide pour se lever et marcher, cela l'empêchait de disparaître quand sa mère était occupée. Il était en train de tirer sur la tige d'une coloquinte qui s'enroulait autour du poteau, poussant des cris ravis lorsqu'une pluie de feuilles et de vestiges de courges givrés lui retomba sur le crâne.

Un mouvement de l'autre côté attira mon regard. Marsali revenait de la source, chargée de seaux d'eau. Non, cela ne se voyait pas encore, mais Jamie avait raison, elle était trop maigre. Maintenant que je savais, je remarquai son teint pâle et les cernes sous ses yeux.

Un autre mouvement. Les longues jambes blanches de Brianna lançant des éclats sous sa jupe relevée, dans l'ombre bleue d'un épicéa. Et elle, utilisait-elle son huile de tanaisie, au moins? Elle allaitait toujours Jemmy, mais ce n'était pas une garantie, pas à son âge…

Un bruit derrière moi me fit me retourner. Jamie grimpait lentement sous son nid de couvertures, tel un grand paresseux cramoisi, ma scie d'amputation à la main.

– Mais qu'est-ce que tu fabriques!

Les traits crispés, il retomba sur le dos, pantelant, serrant l'instrument contre son torse.

Les mains sur mes hanches, je pris un air menaçant.

– Je répète : qu'est-ce que tu fab…

Il ouvrit un œil et me coupa d'un ton ferme.

– Non. Je sais à quoi tu penses, *Sassenach.* Il n'en est pas question.

J'essayai de contrôler ma voix.

– Tu ne sais pas ce qui pourrait arriv…

– Je sais mieux que toi ce qui est en train d'arriver à ma jambe…

Il s'interrompit pour reprendre son souffle et acheva :

– … mais ça ne change rien.

– Pour toi peut-être pas, mais pour moi, si !

– Je ne mourrai pas, annonça-t-il simplement. Et je ne veux pas vivre avec une moitié de jambe. Cette seule idée me fait horreur.

– Personnellement, ça ne m'emballe pas non plus, mais s'il s'agit de choisir entre ta jambe et ta vie ?

– Ce n'est pas le cas.

– Ça pourrait très bien le devenir !

– Ça ne le sera pas.

L'âge ne changeait rien. À deux ans ou à cinquante, un Fraser restait un Fraser. Un rocher n'aurait pu être plus têtu. Je me passai une main dans les cheveux.

– D'accord, dis-je en serrant les dents. Rends-moi cette foutue scie que je la range.

– Ta parole.

– Ma quoi ?

Je le regardai d'un œil torve. Il me le rendit au centuple.

– Donne-moi ta parole. Pris de fièvre, il se peut que je ne sois plus moi-même. Je ne veux pas que tu me prennes ma jambe, alors que je ne suis pas en état de te l'interdire.

– À ce moment-là, je n'aurais sans doute pas le choix.

– Toi, peut-être pas, mais moi si. Or, j'ai décidé. Ta parole, *Sassenach*.

– Espèce d'insupportable, d'exaspérant, de…

Son sourire, une ligne blanche au milieu d'un visage rouge vif, était toujours aussi surprenant.

– Si tu me traites d'Écossais, alors je vais sûrement vivre.

Un hurlement au-dehors m'empêcha de lui répondre. Je me précipitai vers la fenêtre juste à temps pour voir Marsali lâcher ses deux seaux. L'eau éclaboussa sa jupe et ses chaussures, mais elle n'y prêta guère attention. Je suivis son regard et poussai à mon tour un cri étranglé.

Il avait tranquillement traversé l'enclos, brisant les supports comme de vulgaires allumettes, et se tenait au milieu du carré de potirons, près de la maison, mâchonnant des tiges, énorme, sombre et laineux. Il se dressait à trois mètres de Jemmy, qui le contemplait avec des yeux ronds et la bouche grande ouverte.

Marsali cria de nouveau, communiquant sa terreur à Jemmy, qui se mit à appeler sa mère en pleurant. Comme si la scène se déroulait au ralenti autour de moi, je tournai sur mes talons, arrachai la scie des mains de Jamie, bondis hors de la pièce et me ruai vers la cour, tout en me disant que les bisons paraissaient nettement plus petits dans les zoos.

Au moment où je bondissais du perron – je dus sauter les marches, car je ne me souvins pas de les avoir descendues –, je vis Brianna surgir de la forêt. Elle courait silencieusement, la hache à la main, le visage calme et concentré. Elle atteignit la bête avant moi.

Tout en s'approchant, elle brandit l'outil haut derrière elle, puis, dans un arc puissant, l'abattit de toutes ses forces, juste en arrière des oreilles du bison. Un jet de sang éclaboussa les potirons. Il meugla et baissa la tête, comme pour charger.

Brianna bondit de côté, plongea vers Jemmy, se retrouva à genoux, tirant sur la longe qui le retenait à la clôture. Du coin de l'œil, j'aperçus Marsali qui, tout en récitant des prières et des imprécations en gaélique, attrapait un jupon teint sur un des mûriers.

Tout en courant, j'avais déplié ma scie. Je coupai la longe de Jemmy en deux mouvements, puis retraversai la cour à toute vitesse. Entre-temps, Marsali avait jeté le jupon sur la tête de l'animal, le désorientant complètement. Il secouait la tête en vacillant, et son sang imprégnait le tissu, formant une tache noire sur le jaune-vert de l'indigo.

Il m'arrivait à l'épaule et dégageait une drôle d'odeur, poussiéreuse et chaude, sauvage mais étrangement familière, avec des relents d'étable, comme une grosse vache. Il avança d'un pas, puis d'un autre. J'enfouis mes doigts dans la laine pour m'agripper. Ses spasmes se transmettaient à moi comme un tremblement de terre.

Ce n'était pourtant pas le cas, mais j'eus l'impression d'avoir toujours fait ça. Je glissai une main sous sa gueule baveuse, sentis son souffle chaud traverser ma manche. Son pouls battait dans l'angle de la mâchoire. J'imaginais le gros cœur musclé pompant du sang, chaud dans ma main, froid contre ma joue pressée contre le jupon imbibé.

Je sciai la gorge, enfonçant profondément la lame de métal. Mes mains et mes avant-bras rencontrèrent la résistance souple de la peau et des muscles, le grincement de l'os, le claquement sec des tendons, les vaisseaux glissants, caoutchouteux et crachant du sang, qui se rétractaient dans la chair.

Le monde trembla. Le bison trébucha, glissa et s'effondra dans un bruit sourd. Lorsque je revins à moi, j'étais assise au milieu de la cour, une main encore entortillée dans ses poils, une jambe ankylosée par le poids de sa tête, mes jupes plaquées contre mes cuisses, chaudes et puantes, trempées de liquide rougeâtre.

Quelqu'un parla, et je relevai la tête. Jamie était à quatre pattes sur le perron, bouche bée, nu comme un ver. Assise par terre, les jambes écartées devant elle, Marsali ouvrait et fermait la bouche sans émettre un son.

Brianna se tenait debout, près de moi, Jemmy dans les bras. Sa terreur oubliée, il se pencha, examinant le bison avec curiosité.

– Oooo ! fit-il.

– Oui, comme tu dis, convins-je.

– Tu n’as rien, maman?

Soudain, je me rendis compte qu’elle m’avait posé la question plusieurs fois. Elle plaça doucement sa main sur ma tête.

– Je ne sais pas, répondis-je. Non, je ne crois pas.

Je pris sa main, libérai péniblement ma jambe, puis m’accrochai à elle pour me hisser debout. Des tremblements identiques à ceux qui avaient agité le bison continuaient de la parcourir, tout comme moi, mais ils s’atténuaient. Elle baissa les yeux vers le corps massif. Couché sur le flanc, il lui arrivait presque à la taille. Marsali, qui nous avait rejointes, le contemplait en secouant la tête d’un air incrédule.

– Sainte Marie, mère de Dieu! Comment va-t-on dépecer une chose pareille!

– Oh, dis-je d’une voix faible, on se débrouillera.

92

Avoir de bons copains...

J'appuyai mon front contre la vitre fraîche de mon infirmerie, les yeux mi-clos devant la scène extérieure. Mon épuisement en accroissait le côté surréaliste... non qu'elle en eut besoin.

Le soleil s'était presque couché, nimbant d'or les dernières feuilles déchiquetées des marronniers. Les épicéas se détachaient en noir sur ce fond flamboyant, tout comme le gibet au centre de la cour et la dépouille monstrueuse qui s'y balançait. On avait allumé un feu près des mûriers, et des silhouettes s'activaient tout autour, à demi dissimulées par les flammes et les ombres. Certaines, armées de couteaux et de machettes, attaquaient la carcasse, d'autres traînaient des morceaux de chair fraîche et des seaux de graisse. Près du feu, des formes féminines s'affairaient en un ballet silencieux.

Je distinguais la haute silhouette pâle de Brianna dans la horde de démons qui dépeçaient le bison... elle surveillait les opérations, sans doute. Avant d'être ramené de force dans l'infirmerie, Jamie avait estimé le poids de la bête entre neuf cents kilos et une tonne. Après avoir confié Jemmy à Lizzie, Brianna avait hoché la tête et contourné lentement la dépouille, l'air songeur.

– Exact, avait-elle confirmé.

Dès que les premiers hommes étaient arrivés, à moitié vêtus, pas rasés et les yeux excités, elle avait donné l'ordre d'abattre des troncs et d'ériger un palan à poulie capable de hisser et de supporter une tonne de viande.

Dans un premier temps, les hommes, vexés de ne pas avoir tué la bête eux-mêmes, ne lui avaient pas prêté attention. Toutefois, Brianna était du genre têtu.

Alors que Geordie Chisholm et ses fils s'approchaient de la dépouille, le couteau à la main, elle s'était placée devant eux, en demandant :

– Qui a porté ce coup?

Elle indiqua l'entaille profonde derrière le crâne, puis leur montra sa manche tachée de sang.

– Et celui-ci?

Elle pointa délicatement le bout de son pied nu vers la gorge tranchée et la mare de sang dans la cour. Mes bas s'y trouvaient encore, là où je les avais ôtés, fripés et rouges de sang, mais distinctement féminins.

Depuis la fenêtre, j'avais vu les visages se tourner vers la maison, soudain conscients que Brianna était la fille de Sa Seigneurie… un détail qu'il valait mieux ne pas négliger.

Toutefois, ce fut Roger qui acheva de les convaincre, les frères Lindsay sur ses talons, chacun une hache à la main.

– C'est son bison, déclara-t-il de sa voix rauque. Faites ce qu'elle vous dit.

Bombant le torse, il dévisagea les hommes avec fermeté, sans aucune discussion possible. Fergus s'était alors penché vers la bête, l'avait saisi par la queue et, faisant mine de vouloir la traîner tout seul, avait demandé poliment :

– Où souhaitez-vous qu'on vous la livre, madame?

Tout le monde avait éclaté de rire, puis, penauds et résignés, les hommes avaient attendu les instructions de la grande rouquine.

Après un regard surpris puis reconnaissant à Roger, Brianna avait alors pris la tête des opérations, avec des résultats remarquables. La nuit commençait tout juste à tomber, et l'équarrissage était presque terminé, la viande répartie entre tous les foyers de Fraser's Ridge. Elle connaissait tout le monde, le nombre de bouches à nourrir dans chaque cabane, et distribuait les quartiers et les ris au fur et à mesure qu'ils étaient découpés. Même Jamie n'aurait pas fait mieux, pensai-je avec une pointe de fierté.

Je jetai un œil vers la table où il était emmitouflé dans les couvertures. J'avais voulu le coucher à l'étage dans notre chambre, mais il avait insisté pour rester au rez-de-chaussée où il pouvait entendre – à défaut de voir – ce qui se passait.

– Ils ont presque fini le dépeçage, l'informai-je. Brianna a fait des merveilles.

Ses yeux étaient entrouverts mais fiévreux, ce qui lui donnait un air rêveur. Au son de ma voix, il revint à la réalité et sourit faiblement.

– Ah oui ? C'est bien.

On avait tendu la peau du bison pour la sécher, découpé l'énorme foie en tranches puis cuit sur le feu, fait tremper les intestins pour les nettoyer, suspendu les cuisses dans le fumoir, découpé la viande en morceaux pour la sécher, mis de côté la graisse pour la transformer en suif et en savon. Une fois mis à nu, les os parfumeraient la soupe, puis seraient conservés pour fabriquer des boutons.

Murdo Lindsay avait apporté religieusement les précieux sabots et les cornes sanglantes sur mon plan de travail. Sans doute des trophées, pensai-je, une version XVIIIe siècle des oreilles et de la queue du taureau offertes au torero. J'avais aussi récupéré la vésicule biliaire, même si personne ne me l'aurait contestée. Il était communément admis que j'utilisais médicalement n'importe quelle matière organique. Masse verdâtre de la taille de mon poing, la vésicule suintait à présent tranquillement dans un bol, près des sabots boueux.

Tout le monde était accouru en apprenant la nouvelle. Même Ronnie Sinclair était monté de sa tonnellerie, au pied de la montagne. Par conséquent, il ne restait plus grand-chose du bison, hormis le squelette. Une vague odeur de viande grillée, de café et de fumée de bois de noyer remplissait l'air. J'ouvris grand la fenêtre pour laisser pénétrer ces effluves appétissants.

Des rires et le crépitement des flammes entrèrent, portés par le vent. Il faisait chaud dans l'infirmerie, et la bouffée d'air frais était bienvenue.

– Tu as faim, Jamie?

Pour ma part, j'aurais mangé un bison, même si je venais juste de m'en rendre compte en sentant la nourriture. Je fermai les yeux et respirai, revigorée par le parfum du foie sauté et des oignons.

– Non, dit-il d'une voix endormie. Je ne veux rien.

– Tu devrais manger un peu de soupe avant de dormir.

Je lissai les cheveux sur son front. Il me semblait moins rouge, mais c'était difficile à dire à la lueur du feu et de la bougie. Nous avions réussi à lui faire avaler beaucoup d'eau sucrée et de tisane pour lutter contre la déshydratation. Ses yeux n'étaient plus enfoncés dans leurs orbites, mais les os de ses pommettes et de sa mâchoire saillaient plus que jamais. Il n'avait rien mangé de consistant depuis plus de quarante-huit heures, et sa fièvre brûlait une immense quantité d'énergie, consumant ses tissus.

– Il vous faut encore un peu d'eau chaude, madame?

Lizzie venait d'apparaître sur le seuil, l'air encore plus échevelée que d'habitude, Jemmy dans ses bras. Elle avait perdu son fichu, et ses cheveux fins et blonds s'étaient échappés de son chignon. Jemmy, qui en avait attrapé une poignée, tirait vigoureusement dessus, faisant grimacer Lizzy chaque fois.

– Maman, maman-maman!

À sa plainte montante, il était évident qu'il récitait la même litanie depuis un certain temps déjà.

– Maman-MAMAN!

– Non, merci, Lizzie, j'ai tout ce qu'il me faut. Et toi, ça suffit! On ne tire pas les cheveux.

J'attrapai sa main potelée et écartai un à un ses doigts.

– D'ailleurs, que fais-tu encore debout à cette heure-ci?

– Il veut sa mère, expliqua Lizzie, au cas où cela m'aurait échappé. Je l'ai déjà couché une dizaine de fois, mais il escalade son berceau dès que j'ai le dos tourné. Je n'arrive pas à…

La porte d'entrée s'ouvrit, et un fort courant d'air s'engouffra, faisant luire les braises du brûle-parfum. J'entendis des pieds nus sur le parquet en chêne du couloir.

Brianna apparut, couverte de sang jusqu'aux sourcils qui, de la même couleur rouge, se fondaient dans son masque d'hémoglobine. Interdit, Jemmy la dévisagea, puis ses lèvres s'affaissèrent dans une expression de désarroi incrédule, au bord du hurlement.

– C'est moi, mon chéri, le rassura-t-elle.

Elle tendit une main vers lui, mais s'arrêta juste avant de le toucher. Il ne se mit pas à hurler, mais enfouit son visage dans l'épaule de Lizzie, rejetant la possibilité d'un rapport quelconque entre cette vision apocalyptique et cette mère qu'il avait réclamée à cor et à cri quelques instants plus tôt.

Brianna ne s'offusqua pas du rejet de son fils et ne semblait pas non plus se rendre compte qu'elle laissait des empreintes de sang et de boue sur le plancher.

Elle me tendit son poing fermé.

– Regarde!

Sa main était recouverte d'une croûte de sang séché, avec des croissants noirs sous les ongles. Elle écarta solennellement les doigts pour me montrer son trésor : une poignée de minuscules vers blancs qui gigotaient. Mon cœur se mit à battre plus fort.

– C'est la bonne espèce? demanda-t-elle.

– Je crois. Je vais vérifier.

Je pris rapidement une pincée d'herbes mouillées dans la tisanière et les plaçai sur une petite assiette pour offrir aux vers un refuge provisoire. Brianna les déposa délicatement sur les feuilles et transporta le tout sur le comptoir où se trouvait mon microscope, comme s'il s'agissait de poussière d'or.

Je ramassai un ver avec le bord d'un ongle et le déposai sur une lamelle où il se débattit tristement dans une vaine quête de nourriture. Je fis signe à Brianna de m'apporter une autre bougie.

Orientant le miroir pour capter la lumière, je marmonnai :

– Rien qu'une bouche et un ventre, ces petits gloutons!

Je retins mon souffle, l'œil collé à l'oculaire. Les larves des calliphorides ordinaires, ou mouches de la viande, n'avaient qu'une seule ligne visible sur le corps. Celles des lucilies bouchères en avaient deux. Ces lignes étaient invisibles à l'œil nu mais capitales. Si les asticots de calliphorides se nourrissaient exclusivement de charogne, de chair morte et en décomposition, les larves des lucilies, elles, creusaient des galeries dans la chair vivante, dévorant les muscles et le sang de leur hôte. Je ne voulais pas vraiment introduire ce genre d'invitées dans une plaie fraîche!

Je fermai un œil, laissant l'autre s'adapter aux ombres mouvantes dans la lentille. Le cylindre sombre du corps se tordait dans tous les sens. Je distinguais nettement une ligne. Y en avait-il une autre? Je scrutai jusqu'à ce que mon œil commence à larmoyer. Non, une seule. Je poussai un soupir de soulagement et me détendis.

Brianna s'approcha de Jamie.

– Félicitations, papa!

Il ouvrit un œil et contempla avec un manque flagrant d'enthousiasme sa fille couverte de sang séché des pieds à la tête.

– Pour quoi?

– Pour les asticots. Tu avais fait mouche!

Ouvrant l'autre main, elle montra un fragment de métal difforme, une balle de fusil aplatie.

– J'ai trouvé les asticots dans une plaie de l'arrière-train du bison. La balle y était aussi.

Je me mis à rire.

– Jamie ! Tu lui as tiré dans les fesses ?

Il esquissa un sourire.

– Je ne pensais pas l'avoir touché. J'ai juste essayé de dévier le troupeau en direction de Fergus.

Il tendit lentement la main et prit le morceau de métal, le faisant rouler entre ses doigts.

– Tu devrais la garder comme porte-bonheur, dit Brianna. Ou la mordre pendant que maman te triture la jambe.

Malgré son ton léger, je distinguai un froncement entre ses sourcils rouges.

– Trop tard, dit Jamie.

Elle aperçut alors la lanière en cuir posée près de sa tête, portant encore l'empreinte de ses dents. Elle se tourna vers moi, atterrée. Je haussai les épaules en signe d'impuissance. J'avais passé plus d'une heure à nettoyer sa plaie, ce qui n'avait pas été facile, ni pour lui ni pour moi.

– Ne t'en fais pas, ma fille, reprit-il. Je vais bien.

J'allais ajouter quelque chose, puis me ravisai en voyant l'expression de Brianna. Elle avait travaillé dur et devait encore s'occuper de Jemmy et de Roger. Elle n'avait pas besoin de s'inquiéter davantage pour son père... du moins pas encore.

Je mis les asticots dans une coupelle d'eau stérilisée, agitai le liquide un moment, puis les reversai sur leur lit de feuilles. Après quoi, je déclarai à Jamie, autant pour le rassurer que pour m'en convaincre moi-même :

– Ça ne fera pas mal.

– Très amusant ! J'ai l'impression d'avoir déjà entendu ça quelque part.

– Cette fois, elle a raison, dit une voix rauque derrière moi.

Roger s'était lavé. Ses cheveux noirs encore mouillés retombaient mollement sur ses épaules, et il portait des habits propres. Jemmy, à moitié endormi, suçait son pouce dans ses bras.

– Alors, comment ça va? demanda-t-il doucement en s'approchant de la table.

Jamie tourna la tête vers lui.

– On fait aller.

– Tant mieux.

À ma surprise, Roger posa une main sur l'épaule de son beau-père et la serra brièvement. Je ne l'avais jamais vu faire un tel geste et, une fois de plus, je me demandai ce qui s'était passé entre eux, sur la montagne. Puis Roger me regarda en fronçant les sourcils.

– Marsali est partie préparer du bouillon de bœuf, ou plutôt de bison. Vous devriez en prendre un peu aussi.

En m'asseyant, je pris conscience que j'étais debout depuis l'aube. Le moindre muscle de mon corps me faisait mal, même l'endroit où je m'étais cassé le tibia des années plus tôt. Toutefois, le devoir m'appelait.

– On ne doit pas faire attendre nos petits amis, dis-je en me relevant péniblement. Il vaut mieux en finir tout de suite.

Jamie grogna, s'étira puis se détendit, résigné. Il m'observa du coin de l'œil, tandis que j'allais chercher l'assiette d'asticots et mes forceps, puis il reprit la lanière en cuir à son chevet.

– Vous n'en aurez pas besoin, dit Roger.

Il prit un tabouret et vint s'asseoir à ses côtés avant d'ajouter :

– Vous pouvez la croire, ces petites bestioles ne vous feront pas mal. En revanche, elles chatouillent terriblement, mais il suffit de ne pas y penser. Concentrez-vous sur autre chose, et vous ne vous rendrez compte de rien.

Jamie lui lança un regard dubitatif.

– Merci pour le réconfort, MacKenzie.

– De rien. Tenez, je vous ai apporté un petit cadeau.

Il se pencha en avant et déposa sur lui son fils assoupi. Le garçon émit un cri de surprise, puis il se détendit, les bras de son grand-père autour de lui. Il leva une menotte potelée, la referma sur les cheveux de Jamie, puis après un soupir béat, il s'endormit sur la large poitrine chaude et fiévreuse.

Méfiant, Jamie plissa le front en me voyant saisir le forceps, puis il haussa les épaules, reposa sa joue contre le crâne de Jemmy et ferma les yeux. L'opération était un jeu d'enfant. Je soulevai simplement le cataplasme aux oignons et déposai un à un les asticots sur les entailles ulcérées de son mollet. Roger se tenait derrière moi et observait.

– Ça ressemble presque de nouveau à une jambe, dit-il, surpris. Je ne l'aurais pas cru possible.

Je souris tout en restant concentrée sur mon travail.

– Les sangsues sont très efficaces, expliquai-je. Cela dit, ton petit travail au couteau a sans doute aidé aussi. Tu as fait des trous assez gros pour que le pus et les sécrétions puissent s'écouler à l'extérieur.

Le membre était toujours chaud et rouge, mais son gonflement avait nettement diminué. La longue arête du tibia et la courbe délicate du talon et de la cheville étaient de nouveau visibles. Si je ne me faisais pas d'illusions sur les risques qui perduraient – la gangrène, l'infection, le décubitus aigu –, mon cœur était plus léger. Je reconnaissais la jambe de mon Jamie.

Je pinçai un autre asticot juste derrière la tête, veillant à ne pas l'écraser, soulevai la lèvre de la plaie avec la fine sonde que je tenais de l'autre main et déposai la larve gesticulante dans la poche ainsi créée. J'essayais de ne pas prêter attention à la texture spongieuse de la chair sous mes doigts, qui me rappelait très désagréablement le pied d'Aaron Beardsley.

– Voilà ! dis-je quelques instants plus tard.

Je remis le cataplasme en place. Les oignons et l'ail macérés, enveloppés dans la gaze et imbibés de bouillon à la pénicilline, garderaient les plaies humides et suintantes. Renouvelés toutes les heures, les cataplasmes chauds stimuleraient aussi la circulation. Ensuite, je lui appliquerais un bandage au miel pour éviter d'autres infections bactériennes.

La concentration avait empêché mes doigts de trembler. À présent, il n'y avait plus rien d'autre à faire qu'attendre. Je reposai l'assiette de feuilles humides sur le comptoir en la faisant cliqueter.

Je ne me souvenais pas d'avoir été, un jour, aussi fatiguée.

93

Choisir

Passant outre mes recommandations, Jamie insista pour que Roger et M. Bug le montent dans notre chambre.

– Je ne veux pas que tu dormes par terre dans l'infirmerie, *Sassenach*. Tu devrais être dans ton lit, mais le seul moyen pour que tu y sois, c'est que j'y sois aussi, pas vrai?

J'aurais pu essayer de le dissuader, mais, en vérité, j'étais tellement épuisée que je l'aurais suivi sur la terre battue de l'écurie pour dormir.

Cependant, une fois qu'il fut installé, mes doutes me reprirent. Tout en suspendant ma robe à une patère, je protestai :

– Je risque de t'écraser la jambe! Je vais dérouler une paillasse devant le feu et…

– Pas question, tu dormiras avec moi.

Il s'enfonça dans l'oreiller en fermant les yeux. Son teint avait pâli. Toutefois, s'il était moins rouge, les endroits où les hémorragies n'avaient pas formé de taches étaient d'une blancheur alarmante.

– Tu continuerais à donner des ordres même sur ton lit de mort! rétorquai-je. Tu n'es pas obligé de toujours tout diriger, tu sais? Tu pourrais rester tranquille et, pour une fois, laisser les autres faire leur travail. Tu crois que le monde va s'écrouler parce que tu…

Il ouvrit les yeux et me lança un regard noir.

– *Sassenach*.

– Quoi?
– Je voudrais que tu me touches... sans me faire mal. Rien qu'une fois avant que je m'endorme. Ça t'ennuierait?

Je me figeai, déconcertée. Il avait raison. Entre l'urgence de la situation et mon inquiétude, tout ce que je lui avais fait subir depuis ce matin était douloureux, gênant, ou les deux. Marsali, Brianna, Roger, Jemmy... ils l'avaient tous ému par leur gentillesse, lui offrant sympathie et réconfort.

Pour ma part, terrifiée par ce qui pouvait arriver, par la contrainte d'une possible opération, je n'avais pas pris le temps de lui témoigner ma tendresse. Je détournai le visage, cachant mes larmes. Une fois ressaisie, je m'approchai du lit, me penchai sur lui et l'embrassai, tout doucement.

Je coiffai ses cheveux en arrière, lui dégageant le front, puis lissai ses sourcils du pouce. Archie Bug l'avait rasé. La peau de ses joues était douce et chaude contre ma main, ses os durs sous ma paume... et, pourtant, il ne m'avait jamais paru aussi fragile. Fragile comme moi en ce moment.

– S'il te plaît, dors à côté de moi cette nuit, murmura-t-il.

Je lui souris, mes lèvres tremblant à peine.

– D'accord. Laisse-moi juste me brosser les cheveux.

En chemise, je m'assis devant la coiffeuse et pris une brosse. Il m'observait sans parler, en souriant faiblement. Il aimait me regarder faire. Peut-être cela l'apaisait-il autant que moi.

Au rez-de-chaussée couraient des bruits étouffés et lointains. Les volets étant entrouverts, les reflets du feu dans la cour dansaient sur la vitre, et je me demandai, en me dirigeant vers la fenêtre, s'il ne valait pas mieux les fermer.

– Laisse, *Sassenach*, murmura-t-il du lit. J'aime entendre les voix.

Le son des conversations au-dehors était en effet réconfortant, telle une berceuse entrecoupée d'éclats de rire.

Le frottement de la brosse doux et régulier, comme des vagues mourant sur le sable, arrachait mes angoisses et mes soucis comme autant de feuilles mortes et de débris végétaux. Les tensions de la journée s'en allaient doucement. Lorsque je m'arrêtai, Jamie avait les yeux fermés.

Je m'agenouillai pour remuer les braises, soufflai la chandelle puis me glissai doucement dans le lit, veillant à ne pas trop remuer le matelas.

Comme Jamie me tournait le dos, je me couchai sur le côté, épousant sa forme sans le toucher.

Je restai là, immobile. Tous les bruits de la maison avaient trouvé leur rythme nocturne : le crépitement des flammes et le sifflement du vent dans le conduit de cheminée, le craquement soudain d'une marche de l'escalier. J'entendais même les ronflements nasillards de M. Wemyss, transformés en bourdonnement apaisant par les portes en bois massif qui nous séparaient.

En raison de l'alcool et de l'heure tardive, les voix au-dehors étaient rendues traînantes et joviales, sans la moindre hostilité ni violence cachées. Cela dit, c'était le moindre de mes soucis. Ce soir, les habitants de Fraser's Ridge pouvaient bien s'étriper et danser sur les cadavres, moi, je concentrais toute mon attention sur Jamie.

Sa respiration était superficielle mais régulière, ses épaules détendues. Je ne voulais pas le déranger, car il avait avant tout besoin de repos, mais je mourais d'envie de le toucher pour me rassurer, en constatant qu'il était bien là, en vie.

Comment se sentait-il? Avait-il de la fièvre? L'infection dans sa jambe s'était-elle propagée en dépit de la pénicilline, diffusant son poison dans son sang?

J'approchai mon visage à quelques centimètres de son dos et inspirai, profondément et lentement. Sa chaleur se transmettait à mes joues, mais, à travers sa chemise, j'étais incapable de deviner sa température.

Il sentait vaguement la forêt mais surtout le sang. Les oignons du cataplasme et sa sueur lui donnaient une odeur amère.

J'inhalai encore. Pas d'odeur de pus. C'était trop tôt pour la puanteur de la gangrène, même si, invisible sous les bandages, le pourrissement avait débuté. En revanche, je décelai pour la première fois une étrange exhalaison de sa peau. La nécrose du tissu musculaire? Une sécrétion quelconque provoquée par le venin? Je soufflai par le nez, puis inspirai de nouveau fortement.

– Je pue à ce point?

– Argh! dis-je en me mordant la langue.

Il trembla un peu, riant sans doute.

– À me renifler ainsi le dos, tu me fais penser à une truie truffière, *Sassenach*.

– Ah vraiment?

Je touchai le bout de ma langue, avant d'ajouter :

– Puisque tu ne dors pas, puis-je savoir comment tu te sens?

– Comme un tas de tripes pourries.

– Très imagé! Tu peux être un peu plus précis?

Je posai doucement une main sur sa hanche et l'entendis expirer en gémissant.

– Comme un tas de tripes pourries… farcies d'asticots.

– Même sur ton lit de mort, tu chercherais encore à faire de l'humour, n'est-ce pas?

En disant cela, j'eus un pincement au cœur : c'était probablement vrai.

– J'essaierai, *Sassenach*. Mais je ne suis pas certain d'être au mieux de ma forme dans ce genre de circonstances.

Il murmurait d'une voix endormie.

– Tu as très mal?

– Non, je suis juste… fatigué.

Épuisé au point de ne pas trouver ses mots, il avait choisi celui-là, faute de mieux.

– Ça n'a rien d'étonnant. Je vais dormir ailleurs pour que tu puisses te reposer.

– Non ! Ne me laisse pas.

Son épaule s'affaissa vers moi et il tenta de soulever la tête. Mon malaise augmenta en constatant qu'il n'en avait même plus la force.

– Je ne t'abandonne pas, mais je devrais peut-être dormir dans le fauteuil. Je ne veux pas…

– J'ai froid, dit-il doucement. Très froid.

Appuyant mes doigts juste sous son sternum, je cherchai le pouls abdominal. Il était rapide, moins profond qu'il n'aurait dû. Il n'était pas du tout fiévreux, au contraire. Non seulement il avait froid, mais il était froid. Sa peau était fraîche et ses mains glacées. Son état devenait très alarmant.

Sans plus de précautions, je me blottis contre lui, mes seins s'écrasant contre son dos, ma joue se pressant contre son omoplate. Je me concentrai aussi fort que possible pour produire de la chaleur corporelle, lui transmettant la mienne à travers sa peau. Il m'avait si souvent accueillie et protégée dans le creux de son corps. J'aurais tant voulu être plus grande pour lui rendre à présent la pareille. En fait, je pouvais simplement m'accrocher à lui comme un petit cataplasme à la moutarde, en espérant être aussi efficace.

Tout doucement, je trouvai le rebord de sa chemise de nuit et la retroussai. Je posai mes mains à plat contre ses fesses qui se contractèrent de surprise, puis se détendirent.

Un bref instant, je me demandai pourquoi j'avais un tel besoin de le toucher, besoin que j'avais ressenti bien des fois. Je ne m'appesantis pas sur la question, ayant depuis longtemps cessé de m'inquiéter au sujet de ce comportement scientifiquement injustifié.

Je palpai la texture granulée de son éruption cutanée et, soudainement, songeai à une lamie. Une créature lisse et froide au toucher, capable de se métamorphoser, passionnément venimeuse et de nature infectieuse. Une seule morsure et son venin se diffusait, ralentissant le cœur de sa proie, glaçant son sang. J'imaginai des écailles minuscules se soulevant sous sa peau dans le noir.

– Claire, dit-il doucement. Touche-moi.

Son cœur battait et résonnait sourdement dans mon oreille collée contre l'oreiller.

Je glissai la main vers le bas de son ventre, puis descendis plus lentement. Mes doigts écartèrent les boucles frisées, pour prendre en coupe ses bourses rondes. Le peu de chaleur qui lui restait se trouvait là.

Comme je le caressais avec le pouce, il s'éveilla. Il poussa un long soupir, et son corps me parut alors plus lourd, s'enfonçant dans le matelas tandis qu'il se détendait. Sa chair, comme de la cire dans ma main, devenait lisse et soyeuse à mesure qu'elle se réchauffait.

Je me sentais bizarre. Je n'avais plus peur. Tous mes sens étaient étrangement affûtés et pourtant… en paix. Je n'entendais que le souffle de Jamie et les battements de son cœur. L'obscurité en était pleine. Je ne pensais plus mais agissais d'instinct, ma main descendant encore plus bas, dans ses profondeurs, cherchant le cœur de cette chaleur, au centre de son être.

Puis, je bougeai… nous bougeâmes ensemble. Une de mes mains était entre ses jambes, mes doigts posés juste en arrière de ses testicules, l'autre enserrait sa verge, allant et venant au même rythme que mes cuisses et mes reins, pendant que je me pressais contre lui.

J'aurais pu continuer ainsi pour l'éternité avec l'impression de n'avoir jamais fait autre chose. J'avais perdu toute notion du temps, baignant dans cette paix, ce rythme lancinant tandis que nous remuions tous deux dans le noir. À un moment donné, dans un lieu donné, une pulsation régulière, d'abord dans une main, puis dans les deux, se fondit dans les battements de nos cœurs.

Il poussa un soupir, long et lent, et l'air s'expulsa de mes propres poumons. Nous restâmes silencieux et sombrâmes doucement dans l'inconscience, ensemble.

* * *

Je me réveillai dans un état de sérénité totale. Immobile, dénuée de pensées, j'écoutai le sang tambouriner dans mes veines, regardant flotter les particules de poussière dans le rayon de soleil qui filtrait entre les volets entrouverts. Puis je me souvins et me redressai sur le lit, en écarquillant les yeux.

Ses paupières étaient baissées et sa peau avait la couleur du vieil ivoire. Sa tête était légèrement tournée de côté, mais je ne voyais pas son pouls dans son cou tendu. Il était encore chaud ou, du moins, les draps l'étaient. Je humai l'air. La chambre empestait l'oignon, le miel et la transpiration fiévreuse, mais pas la mort subite.

D'un geste sec, je le tapai au centre de la poitrine et il sursauta, ouvrant grand les yeux.

– Espèce de salaud! Tu as essayé de me fausser compagnie pendant la nuit, hein?

J'étais tellement soulagée de le voir respirer, que ma voix en tremblait.

Sa poitrine se soulevait et s'affaissait sous ma main. Mon propre cœur battait à tout rompre, comme si on m'avait retenue *in extremis* au bord d'un précipice.

Il cligna des yeux. Il avait encore le regard chargé, embué par la fièvre. Il ne chercha même pas à faire comme s'il ne m'avait pas compris.

– Ça ne m'a pas demandé beaucoup d'efforts, *Sassenach*. Ne pas mourir était plus dur.

À la lumière du jour, je compris clairement ce que, la veille, la fatigue et l'après-coup du choc m'avaient empêchée de saisir. L'insistance pour dormir dans son propre lit, pour garder les volets ouverts afin d'entendre sa famille et ses métayers dans la cour. Et moi à ses côtés. Très soigneusement, sans me prévenir, il avait décidé comment et où il voulait mourir.

– Quand tu as demandé de monter ici, tu pensais que tu ne passerais pas la nuit, n'est-ce pas?

J'étais plus estomaquée qu'accusatrice.

Il prit un moment pour répondre, même s'il ne semblait pas hésitant. Il cherchait plutôt les mots justes.

– Je n'en étais pas certain, dit-il enfin lentement. Même si je me sentais vraiment très mal.

Il ferma les yeux, trop exténué pour les garder ouverts.

– D'ailleurs, je ne vais pas franchement mieux. Mais tu n'as plus à t'inquiéter, j'ai fait mon choix.

– C'est-à-dire?

Je tâtonnai sous les couvertures et trouvai son poignet. Il était chaud, brûlant même, avec un pouls qui battait trop vite et pas assez fort. Toutefois, c'était si différent du frisson mortel de la veille que j'en fus d'abord soulagée.

Il inspira plusieurs fois à fond, puis tourna la tête vers moi et rouvrit les yeux.

– C'est-à-dire que j'aurais pu mourir la nuit dernière.

Effectivement, il aurait pu, mais il ne voulait pas dire cela. À l'entendre, son geste avait été délibéré...

– Que veux-tu dire par «J'ai fait mon choix»? Tu as décidé de ne plus mourir?

J'avais beau m'efforcer d'utiliser un ton léger, ce n'était guère efficace. Ce calme hors du temps dans lequel nous avions baigné nous enveloppait encore.

– C'était très étrange, dit-il, et en même temps, pas du tout.

Gardant un doigt sur son pouls, je déclarai :

– Tu ferais peut-être mieux de me dire exactement ce qui s'est passé.

Il sourit, plus avec son regard qu'avec ses lèvres sèches et gercées aux commissures. Je les touchai, tout en pensant que ce serait bien d'aller lui chercher un baume apaisant, de l'eau, un peu de tisane..., mais je repoussai cette idée à plus tard. Je voulais l'entendre.

– Je ne sais pas vraiment, *Sassenach*. Ou plutôt si, mais je ne sais pas comment le dire.

Ses yeux d'un éclat bleu vif fixaient mon visage, resplendissant dans la lumière matinale, avec une expression presque intriguée, comme s'il ne m'avait encore jamais vue.

– Tu es belle, dit-il doucement. Si belle, *mo chridhe*.

Mes mains étaient toujours tachées de bleu-jaune et des traînées du sang de bison, mes cheveux sales pendaient tristement en formant des nœuds dans mon cou. J'empestais l'odeur d'urine rance de la teinture à l'indigo et la sueur froide. Pourtant, son visage s'illuminait comme s'il contemplait une pleine lune par une nuit d'été, pure et ravissante.

Pendant qu'il parlait, son regard se promenait sur mes traits, les dessinant l'un après l'autre.

– Quand Archie et Roger m'ont amené ici, j'allais très mal. À chaque battement de cœur, ma jambe et mon crâne m'élançaient au point que je redoutais le suivant. J'attendais alors l'intervalle pour penser. Tu ne peux pas imaginer tout le temps qui s'écoule entre deux battements.

Pendant ces laps de temps, il s'était mis à espérer que la prochaine pulsation ne viendrait jamais. Peu à peu, il s'était rendu compte que son cœur ralentissait et que la douleur semblait plus lointaine, séparée de lui-même.

Sa peau s'était refroidie. La fièvre avait quitté à la fois son corps et son esprit, laissant ce dernier étrangement clair.

– C'est ça que je n'arrive pas vraiment à exprimer, *Sassenach*. Mais j'ai... vu.

Pris par l'intensité de son récit, il avait libéré son poignet et enroulé ses doigts autour des miens.

– Vu quoi?

Au moment même où je posai la question, je savais déjà qu'il ne pourrait me répondre. Comme tout médecin, j'avais vu des malades décider de mourir, et je connaissais ce regard qu'ils avaient, parfois. Les yeux grands ouverts fixant un point au loin.

Il hésita, cherchant ses mots. Je me souvins alors d'une histoire et vins à sa rescousse.

– Dans l'hôpital où je travaillais, une vieille dame est morte, de manière très paisible, avec tous ses grands enfants autour d'elle. J'avais moi-même constaté que son pouls ne battait plus, elle ne respirait plus. Tous ses proches rassemblés autour du lit pleuraient. Puis, soudain, elle a ouvert les yeux. Elle ne regardait personne en particulier, mais elle voyait clairement quelque chose. Elle a dit très distinctement « Oooooh ! », ravie, comme une petite fille devant une scène merveilleuse. Puis elle a refermé les yeux.

Les larmes m'étaient montées aux yeux. Il serra ma main plus fort.

– C'était comme ça ? lui demandai-je.

– À peu près.

Il s'était senti suspendu dans un lieu qu'il ne pouvait pas décrire, habité par une paix absolue.

– C'était comme s'il y avait… pas vraiment une porte, mais… une sorte de passage devant moi. Je pouvais le franchir, si je le souhaitais. Et j'en avais envie.

Il me jeta un coup d'œil en biais, en souriant timidement.

Il avait su aussi ce qui l'attendait plus loin et, dès cet instant, s'était rendu compte que le choix lui appartenait. Avancer ou rebrousser chemin.

– C'est à ce moment que tu m'as demandé de te toucher ?

– Tu étais la seule chose qui pouvait me faire revenir, dit-il simplement. Tout seul, je n'en avais pas la force.

J'avais la gorge nouée. Incapable de parler, je serrai sa main de toutes mes forces.

– Pourquoi ? demandai-je enfin. Pourquoi as-tu… choisi de rester ?

– Parce que tu as besoin de moi, dit-il dans un souffle.

– Pas parce que tu m'aimes ?

L'ombre d'un sourire se dessina sur ses lèvres.

– *Sassenach,* je t'aime maintenant et je t'aimerai toujours, que je sois mort ou que tu le sois, que nous soyons ensemble ou séparés. Tu le sais.

Il toucha son visage avant d'ajouter :

– Je sais que c'est vrai pour toi aussi.

Il baissa la tête, ses cheveux retombant le long de ses joues.

– Mais je ne parlais pas que pour toi, *Sassenach.* J'ai encore du travail à faire. J'ai d'abord pensé – pas longtemps, c'est vrai – que vous pourriez vous débrouiller, toi, Roger, le vieil Archie, Joseph et les Beardsley. Mais la guerre approche et… hélas pour moi… je suis un chef.

Il secoua lentement la tête d'un air résigné.

– Dieu m'a fait ce que je suis. Il m'a donné un devoir, et je dois m'en acquitter, quel qu'en soit le prix.

– Le prix, répétai-je, mal à l'aise.

Dans sa voix sonnait quelque chose de plus dur que de la résignation. Il me regarda, puis se tourna avec un détachement feint vers le pied du lit.

– L'état de ma jambe n'a pas empiré, *Sassenach*, mais il ne s'est pas amélioré non plus. Je crois que tu vas devoir me la couper.

* * *

Assise dans mon infirmerie, je regardais par la fenêtre, essayant de réfléchir à une solution. Il devait y avoir autre chose à faire. Il le fallait.

Il avait raison. Les stries rouges n'avaient pas progressé, mais elles étaient toujours aussi vilaines et menaçantes. La pénicilline que je lui avais fait boire et que j'avais appliquée localement avait agi sur l'infection, mais pas assez. Les asticots faisaient des merveilles sur les petits abcès, mais ils ne pouvaient atteindre la bactériémie sous-jacente qui empoisonnait son sang.

Je levai les yeux vers ma bouteille en verre fumé. Il ne restait qu'un tiers de la solution. Cela lui permettrait de tenir un moment, mais c'était insuffisant. En outre, il y avait peu de chance qu'administrée par voie orale, elle ait un effet assez puissant pour éradiquer la bactérie mortelle qui se multipliait dans son sang.

– « Dix mille pour dix millions de milligrammes », citai-je de mémoire.

C'était le dosage de pénicilline recommandé pour soigner une bactériémie ou une septicémie, selon le *Merk Manual*, ouvrage de référence du médecin. Je regardai le cahier de Daniel Rawlings, puis de nouveau la bouteille. Même sans en connaître la concentration, ma préparation de pénicilline serait sans doute plus efficace que le mélange d'aristoloche et d'ail préconisé par Rawlings, mais pas assez cependant pour faire une différence.

Depuis la veille, ma scie d'amputation était posée sur le comptoir. J'avais promis à Jamie de ne rien faire, et il me l'avait rendue.

Je serrai les poings, en proie à une insoutenable frustration, si puissante qu'elle submergeait presque mon désespoir. Pourquoi, pourquoi n'avais-je pas préparé davantage de pénicilline dès notre retour ? Comment avais-je pu être aussi irresponsable, aussi négligente, aussi… conne !

Pourquoi n'avais-je pas insisté pour aller à Charleston, voire à Wilmington, dans l'espoir de trouver un souffleur de verre capable de me fabriquer la pompe et le cylindre d'une seringue hypodermique ? J'aurais sûrement pu improviser pour faire l'aiguille. Après toutes les difficultés, après toutes mes expériences pour obtenir cette précieuse substance… Pourquoi maintenant, alors que j'en avais désespérément besoin…

Un grattement contre la porte ouverte me fit me retourner, m'efforçant de reprendre l'air normal. Il me faudrait annoncer rapidement la nouvelle à toute la maisonnée, mais je préférais attendre qu'ils soient tous là.

C'était un des Beardsley. Depuis que Lizzie leur avait soigneusement coupé les cheveux à la même longueur, on les différenciait plus difficilement, à moins d'être assez près pour voir leurs pouces. Dès qu'ils parlaient, cela devenait plus simple.

– Madame?

C'était Keziah.

– Oui?

Peu importait si mon ton était sec, il ne percevait pas les nuances.

Il portait un sac en toile. Quand il entra dans la pièce, je vis le tissu remuer et changer de forme. Mon air révulsé le fit sourire.

– C'est pour Sa Seigneurie, annonça-t-il de sa voix forte et terne. L'autre, le vieil Aaron, disait que ça marchait. Quand on se fait mordre par un serpent, faut trouver son petit frère, lui couper la tête et boire son sang.

Il me tendit son sac que je pris du bout des doigts, le tenant le plus loin possible de moi. Son contenu gigota en émettant un vague bruit de crécelle qui me donna la chair de poule.

– Merci, dis-je faiblement. Je vais… euh… en faire quelque chose. C'est très gentil.

Keziah m'adressa un sourire rayonnant et sortit en s'inclinant respectueusement, me laissant avec ce qui me semblait être un serpent à sonnette, petit mais de très mauvais poil. Je cherchai frénétiquement autour de moi un endroit où le mettre. Je n'osai pas le jeter par la fenêtre, car Jemmy jouait souvent dans la cour, près de la maison.

Finalement, de ma main libre, je poussai un grand bocal de sel sur le comptoir et le vidai sur la table. Je fis ensuite tomber le sac dans le bocal, refermai le couvercle, puis courus à l'autre bout de la pièce m'effondrer sur un tabouret, l'arrière des genoux rendu moite par la peur.

En théorie, je n'avais rien contre les serpents, mais dans la pratique…

Brianna passa la tête dans l'entrebâillement de la porte.

– Maman? Comment va papa ce matin?

– Pas terrible.

Elle dut lire la gravité de l'état de Jamie sur mon visage, car elle entra et vint s'asseoir à mes côtés.

– À ce point ? demanda-t-elle doucement.

Je hochai la tête, incapable de parler. Elle poussa un grand soupir.

– Je peux faire quelque chose ?

En signe d'impuissance, je haussai les épaules. Pourtant j'avais bien un début d'idée, ou plutôt une idée mise en sourdine depuis un certain temps refaisait surface.

– La seule solution que j'entrevois serait de lui ouvrir la jambe, en entaillant profondément les muscles, et de verser le peu de pénicilline qui me reste directement sur le foyer d'infection bactérienne. Naturellement, l'idéal serait de l'injecter. La pénicilline brute comme la mienne est très instable en milieu acide. Par voie orale, elle ne serait pas assez puissante pour traverser l'estomac.

– C'est plus ou moins ce que tante Jenny avait fait, non ? D'où la grande cicatrice sur sa cuisse.

J'acquiesçai, essuyant mes paumes sur mon tablier. D'ordinaire, j'avais les mains sèches, mais le souvenir de la scie à amputation dans mes doigts était encore très frais dans ma mémoire.

– Il faudrait pratiquer deux ou trois incisions profondes. Cela risque fort de le laisser handicapé à vie, mais cela pourrait réussir. Dans ton école d'ingénieurs, ne t'a-t-on pas appris, par hasard, à fabriquer une seringue hypodermique ?

– Pourquoi ne l'as-tu pas dit plus tôt ? Je ne sais pas si je peux te fabriquer une seringue, mais c'est bien le diable si je ne trouve pas un truc équivalent. Tu le veux pour quand ?

Je la regardai un instant, la bouche ouverte, puis me ressaisis.

– Dans quelques heures. Si les cataplasmes chauds n'apportent pas une amélioration, je vais devoir l'amputer d'ici ce soir.

Elle blêmit.

– L'amputer ! Tu ne peux pas faire ça !

– Ce n'est pas de gaieté de cœur, crois-moi, mais, s'il le faut, je le ferai.

Mes mains se recroquevillèrent, refusant cette perspective.

– Laisse-moi réfléchir. Oh!... où est Mme Bug? Je voulais lui laisser Jemmy, mais...

– Elle n'est pas là? Elle est peut-être simplement dans le poulailler.

– Non, j'y suis passée en venant. Je ne l'ai trouvée nulle part... et le feu de la cuisine est éteint.

Étrange. Mme Bug était montée à la maison comme d'habitude pour préparer le petit-déjeuner..., pourquoi était-elle repartie? J'espérais que le vieil Archie n'avait rien. Cela aurait été le comble.

Intriguée, je jetai un coup d'œil autour de nous.

– Qu'as-tu fait de Jemmy, alors?

Il ne s'éloignait jamais bien loin de sa mère, même si, comme tous les petits garçons, il commençait à se montrer aventureux.

– Lizzie l'a amené voir papa. Je lui demanderai de me le garder un moment.

– Bien. Oh, Brianna!

Elle se retourna sur le pas de la porte, haussant des sourcils interrogateurs.

J'agitai un doigt vers le bocal sur mon comptoir.

– Ça t'ennuierait de prendre ça et de le jeter dehors, ma chérie? Débarrasse-t'en quelque part.

– Bien sûr, mais qu'est-ce que c'est?

Le petit serpent à sonnette avait rampé hors de son sac et s'était enroulé en un nœud noir suspect. Au moment où elle tendit la main vers le bocal, il bondit, la faisant sursauter et pousser un cri.

– *Ifrinn!* lâcha-t-elle.

Je me mis à rire en dépit de mon état d'anxiété.

– D'où le sors-tu et pourquoi? demanda-t-elle.

S'étant remise de son choc initial, elle se pencha prudemment et tapota le verre. Le reptile, extrêmement irascible, se jeta de nouveau contre la paroi du bocal. Elle retira précipitamment sa main.

– Keziah me l'a apporté, expliquai-je. Jamie est censé boire son sang pour guérir.

Du bout de l'index, elle suivit la trajectoire de deux gouttes de liquide jaunâtre qui glissaient le long du bocal.

– Regarde-moi ça ! Il a essayé de me mordre à travers le verre, cet idiot ! À mon avis, il n'est pas du tout d'accord avec l'idée de Keziah.

De fait, il s'était enroulé et agitait sa sonnette avec une animosité frénétique.

– Ce n'est pas bien grave, dis-je en venant me placer derrière elle. Je ne pense pas que Jamie soit d'accord non plus. Je ne sais pas pourquoi, mais, ces temps-ci, il en a après les serpents.

– Mmphm.

Elle continuait à fixer le reptile, l'air songeur.

– Keziah t'a-t-il dit où il l'avait trouvé ?

– Je n'ai pas pensé à le lui demander. Pourquoi ?

– Il commence à faire froid dehors. Les serpents hibernent, non ?

– Euh... c'est du moins ce qu'affirme le docteur Brickell.

L'ouvrage du bon docteur, l'*Histoire naturelle de la Caroline du Nord*, était divertissante à lire, mais j'avais quelque doute quant à la véracité de ses observations, notamment celles ayant trait aux serpents et aux crocodiles dont les prouesses me semblaient pour le moins exagérées.

Elle hocha la tête sans quitter le bocal des yeux.

– Tous les vipéridés ont une anatomie exemplaire. Leurs mâchoires sont désarticulées pour leur permettre d'avaler des proies plus grosses qu'eux et, quand ils ne s'en servent pas, leurs crochets se rabattent contre leur palais.

Je lui répondis d'un ton impatient. Elle n'y prêta même pas attention.

– Et alors?

– Alors, leurs crochets sont creux. Ils sont reliés à une poche de venin située dans leur joue. Quand ils mordent, les muscles de la joue pressent contre la poche pour expulser le venin dans le crochet, puis dans la proie. Exactement comme…

– Bordel de merde!

Elle s'arracha enfin à la contemplation du crotale pour se tourner vers moi.

– J'ai d'abord pensé à une plume aiguisée, mais ce système fonctionnerait nettement mieux. Il est déjà conçu pour ça.

Un vague espoir renaissait en moi.

– Je vois, mais il te faudrait une sorte de réservoir…

– Avant tout, il me faut un serpent plus gros, dit-elle en se dirigeant vers la porte. Je vais chercher Josiah ou Keziah. Si cet animal vient d'un nid, il y en a sûrement d'autres.

Elle partit rapidement, me laissant seule. J'examinai ma solution avec un regain d'optimisme. Si je devais l'injecter, il me fallait filtrer et purifier le plus possible d'antibiotique.

J'aurais aimé faire bouillir la solution, mais je n'osais pas, de peur qu'une température trop forte ne détruise les principes actifs de ma pénicilline brute, si celle-ci en avait encore.

À quoi me servirait une seringue si je n'avais rien à injecter? Je tournai en rond dans mon infirmerie, prenant des objets ici, les déposant là, ne sachant quoi faire.

Je repris la scie à amputation et fermai les yeux, revivant délibérément les mouvements et les sensations, essayant de retrouver le détachement quasi surnaturel qui m'avait habitée à la mise à mort du bison.

Malheureusement, cette fois, c'était Jamie qui avait communiqué avec l'au-delà. «Sympa de votre part de lui avoir donné le choix! grognai-je cyniquement. Vous auriez pu, par la même occasion, lui rendre le retour plus doux!»

Mais il ne l'aurait jamais demandé. Je rouvris les yeux, étonnée, sans savoir si mon subconscient avait formulé la réponse ou si elle était venue d'ailleurs..., mais elle était très claire dans mon esprit, et je ne pouvais qu'admettre sa véracité.

Jamie avait l'habitude de prendre ses décisions seul, puis de s'y tenir, quel qu'en soit le prix. Il avait compris que vivre signifiait perdre sa jambe, avec tout ce que cela impliquait. Il l'avait accepté comme la conséquence logique de son choix.

– Oui, mais moi, je ne l'accepte pas ! m'écriai-je à voix haute en direction de la fenêtre.

Un jaseur des cèdres qui se balançait à l'extrémité d'une branche me regarda, surpris, derrière son masque noir de cambrioleur. Puis, décidant que j'étais folle mais inoffensive, il reprit ses activités.

J'ouvris la porte de l'armoire et le couvercle de mon coffre de médecine, puis allai chercher une feuille de papier, une plume et de l'encre dans le bureau de Jamie.

Bocal de baies rouges de gaulthérie séchées. Extraits de pyrole des ombelles. Essence d'orme rouge. Écorces de saule et de cerisier. Vergerette. Achillée millefeuille.

La pénicilline était de loin l'antibiotique le plus efficace, mais pas le seul. Les hommes faisaient la guerre aux microbes depuis des millénaires sans savoir contre quoi ils se battaient. J'avais un léger avantage : je savais.

Je dressai une liste de toutes mes herbes. Sous chaque nom, j'inscrivis toutes leurs propriétés médicinales et leur utilisation. Toute plante ayant servi à soigner un état septique était bonne à retenir, qu'elle permette de nettoyer des lacérations, de traiter des plaies buccales, la diarrhée ou la dysenterie... J'entendis des pas dans la cuisine et appelai Mme Bug pour lui demander de me faire bouillir de l'eau afin de faire tremper mes préparations au plus tôt.

Elle apparut sur le pas de la porte, les joues rosies par le froid, ses cheveux ébouriffés s'échappant de son bonnet, un grand panier dans les bras. Avant que j'aie pu ouvrir la bouche, elle le laissa tomber lourdement sur le comptoir devant moi. Son mari arriva derrière elle, portant un autre panier et un petit fût ouvert d'où s'échappait une forte odeur d'alcool. L'air autour d'eux était étrangement fétide, comme s'ils s'étaient roulés dans une benne à ordures.

Les yeux inquiets mais brillants, elle m'expliqua :

– Je vous ai entendu dire que vous étiez à court de moisissures. Alors j'ai dit à mon Archie : faisons le tour des maisons des environs pour voir ce qu'on peut récupérer. Car, après tout, le pain rancit si vite avec cette humidité, et même si le Seigneur m'est témoin que la mère Chisholm est une vraie souillon, il n'empêche qu'elle a du cœur. Cela dit, je n'ose même pas imaginer ce qui se passe dans cette porcherie qu'elle appelle une maison, mais…

Je ne l'écoutais déjà plus, m'étant plongée dans le butin du raid matinal que le couple avait fait sur les garde-manger et les dépotoirs de Fraser's Ridge. Croûtes de pain, vieux biscuits, courge à demi pourrie, tranche de tarte portant encore une empreinte de dents… c'était une vraie mixture de restes gluants et de fragments en décomposition, tous couverts de moisissures bleu velouté et vert lichen, entrelacées de grumeaux verruqueux roses et jaunes et de traînées de poussières blanchâtres. Le fût était à moitié rempli de maïs fermenté, formant un liquide opaque sur lequel flottaient des îlots de champignons bleus.

– Les porcs d'Evan Lindsay, résuma M. Bug dans un élan de loquacité inattendu.

Noir de crasse, le couple me dévisageait avec un grand sourire.

Ma gorge était nouée, pas seulement par les miasmes du maïs pourri.

– Merci, parvins-je à dire. Oh, merci !

* * *

Le soir venait de tomber quand je montai l'escalier, portant mon plateau de potions et d'instruments, en proie à un mélange d'excitation et d'énervement.

Jamie était assis dans le lit, adossé à une pile d'oreillers et entouré de visiteurs. Les gens avaient défilé toute la journée pour le voir et lui souhaiter un prompt rétablissement. Bon nombre d'entre eux étaient restés, si bien qu'une rangée de visages anxieux se tourna vers moi à mon arrivée.

Il avait les traits très tirés, et je me demandais si je n'aurais pas dû chasser ses visiteurs. Puis en voyant Murdo Lindsay lui prendre la main et la serrer, je me dis que la distraction et le soutien apportés par ses amis lui étaient probablement plus utiles qu'un repos que, de toute manière, il n'aurait pas pris.

Affectant un ton détaché, il déclara :

– Eh bien, je suppose que nous sommes prêts !

Il étira ses membres, fléchissant ses orteils sous la couverture. Compte tenu de l'état de sa jambe, cela devait lui faire un mal de chien, mais, il le savait, c'était peut-être sa dernière occasion de la remuer.

Je m'efforçai de prendre un air rassurant et sûr de moi.

– Nous sommes prêts à tenter quelque chose. Si quelqu'un veut faire une petite prière pour que ça marche, surtout qu'il ne se gêne pas.

La surprise qu'avait déclenchée mon arrivée céda la place à l'angoisse. Marsali, qui tenait Joan endormie dans ses bras, glissa rapidement une main dans la poche de son tablier à la recherche de son rosaire.

On se précipita pour débarrasser la table de chevet jonchée de livres, de papiers, de restes de chandelles, de diverses friandises apportées pour tenter Jamie, toutes restées intactes, ainsi que – allez savoir pourquoi ! – la caisse d'un tympanon et une peau de marmotte à moitié tannée. Je posai mon plateau, et Brianna, qui m'accompagnait, s'avança en tenant avec précaution son invention dans ses mains, tel un enfant de chœur présentant les hosties au prêtre.

Jamie regarda l'objet en fronçant les sourcils, puis se tourna vers moi :

– Nom d'un chien, qu'est-ce que c'est que ça?

– Une sorte de crotale démontable, expliqua Brianna.

Tout le monde tordait le cou pour voir, intrigué, mais l'objet de la curiosité générale changea rapidement lorsque j'écartai la couverture et dénudai la jambe. Des murmures choqués et des exclamations de compassion s'élevèrent.

Tout au long de la journée, Lizzie et Marsali avaient soigneusement renouvelé les cataplasmes chauds aux oignons et aux graines de lin. Quand je les soulevai pour les mettre de côté, des volutes de vapeur s'en dégagèrent. La chair de la jambe était rouge vif jusqu'au genou, du moins là où elle n'était pas noire ou suintante de pus. Nous avions extrait provisoirement les asticots, craignant que la chaleur ne les tue. À présent, ils se trouvaient dans une assiette, dans mon infirmerie, se régalant sur une des trouvailles les plus juteuses des Bug. Si je parvenais à sauver la jambe, ils m'aideraient plus tard à faire le ménage dans la plaie.

J'avais soigneusement passé au crible tous les détritus, examinant les moisissures bleues au microscope et plaçant dans une grande coupe tout ce que j'identifiais comme étant porteur de *penicillium*. Ensuite, j'avais versé la liqueur de maïs fermenté sur cet assortiment hétéroclite. Le tout avait macéré pendant la journée et, avec un peu de chance, dissous toute la pénicilline brute dans le liquide alcoolisé.

Pendant ce temps, j'avais préparé une sélection de plantes réputées pour avoir des vertus curatives sur les états purulents. Je les avais mises à tremper pendant plusieurs heures dans de l'eau bouillante.

Je tendis une tasse de cette décoction fortement aromatisée à Roger en détournant soigneusement le nez et lui ordonna :

– Fais-lui boire ça. Jusqu'à la dernière goutte!

Jamie huma la mixture, me lança un regard lourd de reproches, mais but docilement, faisant des grimaces exagérées pour amuser la galerie, qui gloussa de rire. L'atmosphère ainsi détendue, je passai au clou du spectacle, en me tournant pour prendre la seringue improvisée de Brianna.

Les jumeaux Beardsley, serrés l'un contre l'autre, jouèrent des coudes pour mieux voir, bombant le torse de fierté. Dès que Brianna leur avait expliqué ce qu'elle voulait, ils étaient partis ventre à terre et revinrent avec un beau crotale de près de un mètre de long, heureusement mort cette fois, presque coupé en deux en son milieu d'un coup de hache pour préserver la tête.

Avec précaution, j'avais extrait les glandes venimeuses, puis détaché les crochets, les confiant à Mme Bug avec l'ordre de les rincer plusieurs fois dans l'alcool pour éliminer toute trace de venin.

Brianna avait utilisé la soie huilée qui avait enveloppé l'astrolabe et en avait cousu une partie en forme de tube, dont une partie s'achevait en points noués, comme une suture de bourse. Ensuite, elle avait coupé un épais segment de penne de dinde, ramolli dans l'eau chaude, et s'en était servi pour relier le bout du tube au crochet. Elle avait soudé hermétiquement les jointures de la canule, de la plume et du crochet avec de la cire d'abeille et en avait aussi répandu sur les coutures pour éviter les fuites. C'était du beau travail. On aurait dit un petit serpent dodu avec un énorme crochet incurvé, ce qui souleva moult commentaires dans l'assistance.

Murdo Lindsay gardait toujours une des mains de Jamie dans la sienne. Lorsque je fis signe à Fergus de me tenir la chandelle, je vis Jamie tendre l'autre main vers Roger. Celui-ci parut momentanément déconcerté, puis il la prit fermement et s'agenouilla près du lit.

Je palpai la jambe avec délicatesse, choisis un bon endroit sans gros vaisseaux, le nettoyai avec de l'alcool pur, puis y plantai le crochet, le plus profondément possible. Les spectateurs retinrent leur souffle, et Jamie se raidit, mais ne bougea pas.

– Allons-y.

Je me retournai vers Brianna, debout derrière moi avec la bouteille d'alcool de maïs filtré. En se mordant la lèvre inférieure, elle versa avec soin le liquide dans l'instrument en soie que je tenais par le bord. Je repliai son couvercle et, avec le pouce et l'index, le pressai fermement vers le bas, expulsant la solution dans les tissus de la jambe.

Jamie émit un bruit étranglé, et Murdo et Roger se penchèrent instinctivement vers lui, leur épaule contre les siennes pour le maintenir.

Je n'osai aller trop vite de peur de faire sauter la cire par une pression excessive, même si nous avions une seringue de secours réalisée avec l'autre crochet. Je répétai l'opération tout le long du membre, Brianna remplissant le tube à chaque injection. Chaque fois que j'enlevais le crochet, du sang s'élevait du trou, coulant en filets rouges sur le côté de la jambe. Sans lui avoir demandé, Lizzie s'empara d'un linge humide et nettoya les traces, l'air concentré.

La chambre était silencieuse, tous retenant leur souffle à chaque nouvelle piqûre puis expirant quand elle prenait fin. Inconsciemment, ils se penchaient en avant, accompagnant mon mouvement quand je pressais l'alcool dans les tissus infectés. Les muscles des bras de Jamie saillaient, et il dégoulinait de transpiration, mais ni lui, ni Murdo, ni Roger n'émirent un son ni ne bougèrent.

Du coin de l'œil, je vis Joseph Wemyss lui lisser les cheveux en arrière, puis lui éponger le visage et le cou avec une serviette.

Cela ne dura pas longtemps. Une fois fini, j'étalai du miel sur les plaies ouvertes, puis lui massai le pied et la cheville avec de l'huile de gaulthérie.

– Maintenant que tu m'as bien badigeonné, je suis prêt pour le four, *Sassenach*?

Il agita les orteils, déclenchant une nouvelle vague de rires dans la chambre et soulageant la tension.

Tout le monde prit congé, lui donnant une tape sur l'épaule ou une bise sur la joue en lui souhaitant bonne chance. Il sourit et hocha la tête, agitant la main, échangeant des amabilités, faisant des plaisanteries.

Lorsque la porte se referma sur le dernier visiteur, il se renfonça dans son oreiller et ferma les yeux en poussant un long soupir. Je remis de l'ordre sur mon plateau, mettant la seringue à tremper dans l'alcool, rebouchant mes flacons et pliant les bandages. Puis, je m'assis sur le lit à ses côtés, et il tendit la main vers moi sans rouvrir les paupières.

Sa peau était chaude et sèche, sa main rougie par la poigne d'acier de Murdo. Je caressai ses articulations de mon pouce, écoutant les bruits de la maison plus bas, étouffés mais animés.

– Ça va marcher, murmurai-je au bout d'une minute. J'en suis sûre.

– Je sais.

Il inspira profondément et, enfin, se mit à pleurer.

94

Du sang neuf

Roger se réveilla soudain d'un sommeil noir et sans rêve. Il se sentait comme un poisson expulsé hors de l'eau, le souffle coupé, dans un milieu étranger et inimaginable, baignant dans une étrange lumière et où il n'y avait que des surfaces planes. Puis, son esprit enregistra le contact de la main de Brianna sur son bras, et il réintégra son corps… et son lit.

– Hein?

Il se redressa brusquement en position assise.

– Excuse-moi de te réveiller.

Brianna lui souriait, mais elle scrutait son visage, l'air préoccupé. Alors qu'elle lissait ses cheveux en arrière, il l'attrapa machinalement par les bras et retomba sur l'oreiller en l'entraînant avec lui.

– Hmmm…

L'enlacer était son ancrage dans le monde réel… sa chair solide et sa peau chaude, ses cheveux doux comme des rêves sur son visage.

– Ça y est? demanda-t-elle doucement.

Elle promena une main sur son torse nu, et son mamelon se durcit, les poils tout autour se hérissant.

– Ça y est.

Il soupira, puis déposa un baiser sur son front et se détendit en clignant des yeux. Sa gorge était sèche et râpeuse, sa bouche poisseuse, mais il parvenait de nouveau à former des pensées cohérentes.

– Quelle heure est-il?

Il était dans son propre lit et il faisait assez sombre dans la pièce pour que ce soit le soir, mais la pénombre était uniquement due à la porte fermée et aux fenêtres couvertes. Quelque chose d'illogique flottait dans la lumière et dans l'air.

Elle se libéra et se releva, rejetant ses cheveux en arrière.

– Midi passé. Je ne voulais pas te réveiller, mais il y a un homme dont je ne sais quoi faire.

Elle regarda en direction de la grande maison, puis baissa la voix, même si personne ne pouvait les entendre.

– Papa est profondément endormi, maman aussi. Je ne tiens pas à les réveiller. Même si je le voulais, j'ai peu de chance d'y arriver. Même un coup de canon n'y ferait probablement rien.

Elle esquissa un sourire ironique, puis saisit la cruche sur la table de chevet. Le bruit de l'eau dans la tasse résonna aux oreilles de Roger, comme de la pluie sur une terre calcinée. Il prit le récipient, le vida d'une traite et le lui tendit de nouveau.

– Il s'appelle Thomas Christie, reprit Brianna. Il est venu voir papa. Il dit avoir été à Ardsmuir.

– Ah oui?

Roger buvait plus lentement, en rassemblant ses pensées. Puis, posant les pieds sur le plancher, il attrapa sa chemise suspendue à une patère.

– Dis-lui que j'arrive dans une minute.

Elle l'embrassa brièvement et sortit, s'arrêtant juste le temps de décrocher la peau devant la fenêtre, permettant ainsi à un brillant rayon de lumière et à un courant d'air frisquet de pénétrer dans la pièce.

Il s'habilla, l'esprit encore agréablement brumeux. Quand il se pencha pour ramasser ses bas sous le lit, un objet dans leurs draps froissés attira son regard, juste sous le bord de l'oreiller. Intrigué, il le saisit. C'était le petit talisman de fécondité, sa vieille figurine en pierre rose, lisse dans le creux de sa main, mais d'une lourdeur inattendue.

– Ça alors! dit-il à voix haute.

Il le contempla un long moment, puis le remit à sa place.

* * *

Brianna avait installé le visiteur dans le bureau de Jamie, pièce que la plupart des métayers avaient baptisée «juste un mot, monsieur». Roger fit une halte dans le couloir afin de vérifier que toutes les parties de son corps répondaient à l'appel. Il n'avait pas eu le temps de se raser, mais il s'était coiffé. Compte tenu des circonstances, Christie ne pouvait pas trop en demander.

En entrant, il eut la surprise de voir trois visages se tourner vers lui. Brianna avait omis de le prévenir que leur visiteur était venu escorté. Cependant, le plus âgé, un monsieur aux épaules carrées, avec des cheveux courts et noirs striés de gris, était forcément Thomas Christie. Le plus jeune, un garçon brun qui n'avait pas plus de vingt ans, était indubitablement son fils.

Roger tendit la main au plus âgé.

– Monsieur Christie? Roger MacKenzie. Je suis le mari de la fille de Jamie Fraser... je crois que vous avez déjà rencontré ma femme.

Christie parut surpris, puis regarda par-dessus l'épaule de Roger comme s'il s'attendait à voir Jamie apparaître derrière lui. Roger s'éclaircit la gorge. Sa voix chargée de sommeil était encore plus rauque que d'habitude.

– Je crains que mon beau-père ne soit... indisponible pour le moment. Je peux peut-être vous être utile?

Christie l'examina, évaluant ses possibilités, puis il hocha la tête. Il prit enfin la main de Roger et la serra avec fermeté. À sa stupéfaction, ce dernier sentit quelque chose d'à la fois familier et de totalement inattendu : la pression très nette d'un salut maçonnique contre son articulation. Depuis des années, personne ne le lui avait fait, il répondit donc par ce qu'il espérait être la riposte appropriée. Apparemment, celle-ci donna satisfaction. L'expression sévère de Christie s'adoucit un tantinet, et il lâcha sa main.

– Peut-être bien, monsieur MacKenzie, peut-être bien. Je cherche une terre sur laquelle m'établir avec ma famille, et je me suis laissé dire que M. Fraser pourrait me proposer quelque chose.

– Ce n'est pas impossible, répondit prudemment Roger.

Qu'est-ce encore que cette histoire? Christie avait-il essayé son salut au hasard ou avait-il eu une bonne raison de penser qu'on le reconnaîtrait? Dans ce dernier cas, il présumait se trouver parmi des initiés. Pensait-il que Fraser et, par extension, son gendre, étaient francs-maçons? Cette idée n'était jamais venue à l'esprit de Roger, Jamie n'y ayant pas fait la moindre allusion.

– Je vous en prie, asseyez-vous.

La famille de Christie – son fils et une fille qui pouvait être la sienne, mais aussi sa bru – s'était levée en le voyant entrer, debout derrière le *pater familias* comme des domestiques en présence d'un dignitaire en visite.

Plutôt mal à l'aise, Roger prit place dans le fauteuil de Jamie. Il saisit une plume dans le pot émaillé bleu, espérant se donner un air plus professionnel. Mince, quel genre de questions pouvait-on bien poser à un candidat métayer?

Il afficha son plus beau sourire, conscient d'avoir les joues mal rasées.

– Ma femme m'a dit que vous avez fait la connaissance de mon beau-père en Écosse?

– À la prison d'Ardsmuir.

Christie le regarda de manière austère, comme s'il le défiait de contester cette déclaration.

Roger s'éclaircit de nouveau la gorge. Bien que cicatrisée, elle tendait à rester encrassée et râpeuse pendant un moment, après le réveil. Christie prit ce raclement comme un commentaire réprobateur et se raidit. Ses sourcils épais, ses yeux marron jaune, ainsi que ses cheveux courts duveteux et l'absence d'un cou visible lui donnaient l'apparence d'une grande chouette irascible.

– Jamie Fraser y était détenu lui aussi. Je ne vous apprends sûrement rien?

– Non, non, bien sûr, dit aimablement Roger. Plusieurs autres hommes établis à Fraser's Ridge viennent aussi d'Ardsmuir.

– Qui?

Le regard suspicieux de Christie renforça encore son allure d'oiseau nocturne.

Roger se frotta le front.

– Euh... il y a les Lindsay, c'est-à-dire Kenny, Murdo et Evan. Geordie Chisholm et Robert MacLeod. Je crois... non, je suis presque sûr qu'Alex MacNeill était à Ardsmuir, lui aussi.

Christie avait suivi l'énumération avec une grande attention, telle une effraie surveillant un mouvement dans la paille de sa grange préférée. Puis il se détendit, lissant ses plumes.

– Je les connais tous, dit-il d'un air satisfait. MacNeill pourra attester de mes bonnes mœurs, s'il le faut.

Son ton suggérait fortement qu'une vérification serait néanmoins un affront.

Roger n'avait jamais vu Fraser interroger des candidats à une métairie, mais il l'avait entendu en parler avec Claire. Il posa donc quelques questions à Christie sur son passé récent, essayant de combiner la courtoisie avec un air d'autorité. À son avis, il s'en sortait plutôt bien.

Christie avait été déporté aux colonies avec les autres prisonniers, mais il avait eu la chance de voir son contrat de servage racheté par un planteur de la Caroline du Sud. Ce dernier, découvrant sa connaissance des lettres, en avait fait le percepteur de ses six enfants, puis avait fait payer aux familles voisines le privilège d'envoyer leur progéniture se faire éduquer par Christie. Son contrat parvenu à terme, celui-ci avait accepté de rester en échange de gages.

– Vraiment?

L'intérêt de Roger pour le visiteur s'était considérablement accru. Un maître d'école! Voilà qui ferait un immense plaisir à Brianna qui ne demandait qu'à rendre son tablier de maîtresse. En outre, Christie semblait parfaitement capable de mater les élèves les plus rétifs.

– Qu'est-ce qui vous amène dans notre région, monsieur Christie? Nous sommes bien loin de la Caroline du Sud.

Christie haussa ses larges épaules. Il était fatigué par sa longue route, couvert de poussière, mais ses vêtements étaient taillés dans un drap de bonne qualité et il était bien chaussé.

– Ma femme a été emportée par la grippe, dit-il sur un ton bourru. Tout comme M. Everett, mon employeur. Son héritier n'avait pas besoin de mes services, et je n'ai pas voulu rester sur place sans un emploi stable. Vous avez dit que M. Fraser était indisponible. Savez-vous quand il reviendra?

– Je n'en ai aucune idée.

Hésitant, Roger se tapotait les dents avec le bout de sa plume. De fait, il était bien incapable de le dire. La veille au soir, Jamie lui avait paru tout juste vivant. Même s'il se remettait convenablement, il resterait alité un bon moment. Il ne voulait pas renvoyer Christie ni le faire attendre indéfiniment. La saison étant déjà bien avancée, s'il voulait l'installer avec sa famille avant l'hiver, il ne fallait pas perdre de temps.

Il observa Christie puis son fils. Tous deux étaient grands et costauds. Ni l'un ni l'autre n'avaient l'air d'un ivrogne ou d'un voyou, et leurs paumes calleuses attestaient qu'ils n'avaient pas peur du travail manuel. Ils avaient une femme pour s'occuper de leur foyer. En outre, toute fraternité maçonnique mise à part, Christie avait été l'un des hommes d'Ardsmuir et Jamie s'était toujours efforcé de trouver une place à ses anciens compagnons.

Prenant sa décision, Roger sortit une feuille de papier propre et déboucha l'encrier.

– Très bien, monsieur Christie. Je pense que nous pourrons trouver un... arrangement.

Au même moment, la porte s'ouvrit, et Brianna entra en portant des biscuits et de la bière. Elle battit modestement des cils en déposant son plateau sur le bureau, et il lut une lueur amusée dans son regard discret. Il pencha la tête en souriant et effleura son poignet quand elle lui tendit un verre. Il se demandait si elle était au courant d'éventuels liens de son père avec la franc-maçonnerie. Probablement pas, sinon elle lui en aurait parlé.

– Brianna, je te présente nos nouveaux métayers. Monsieur Thomas Christie et...

– Mon fils, Allan, dit Christie avec un signe de tête vers ce dernier. Et ma fille, Malva.

S'il avait les mêmes cheveux noirs et épais, le fils ne ressemblait en rien à son père. Il était nettement plus beau, avec un visage carré et fraîchement rasé. Il s'inclina sans rien dire, les yeux fixés sur les rafraîchissements.

La fille, les mains modestement posées sur les genoux, releva à peine le menton. Roger eut la vague impression qu'elle était assez grande et avait entre dix-sept et dix-huit ans. Elle portait une robe bleu nuit avec un châle blanc, ses boucles brunes encadrant l'ovale pâle de son visage. Encore un bon point pour Christie. Les filles à marier étaient rares dans la région, les jolies filles encore plus. Malva Christie recevrait probablement plusieurs demandes avant les semailles de printemps.

Brianna salua chacun d'entre eux d'un hochement de tête, observant la jeune fille du coin de l'œil avec un intérêt particulier. Puis un cri strident s'éleva de la cuisine, et elle partit en courant en marmonnant des excuses.

– Notre fils, expliqua sommairement Roger.

Il prit un verre de bière et l'offrit.

– Un rafraîchissement, monsieur Christie?

Les contrats de métairie étaient rangés dans le tiroir gauche du secrétaire. Il les avait déjà vus et en connaissait les termes généraux. La surface de départ était de vingt-cinq hectares, des terres supplémentaires pouvant être louées selon les besoins. Les modalités de paiement étaient décidées au cas par cas. Après une petite discussion agrémentée de bière et de biscuits, ils parvinrent à un accord satisfaisant pour tous.

Achevant la rédaction du contrat avec une élégante fioriture, Roger signa de son nom, en tant que représentant de James Fraser, puis poussa le papier vers Christie, de l'autre côté du bureau. Celui-ci acceptait de payer la moitié de son loyer en faisant office de maître d'école pendant cinq mois de l'année. Roger se dit avec une certaine autosatisfaction que Jamie lui-même n'aurait pu faire mieux.

Puis il se ressaisit. Non, Jamie serait allé un peu plus loin et aurait fait en sorte que les Christie reçoivent, outre l'hospitalité, un logement provisoire en attendant d'avoir leur propre toit. Pas dans la grande maison, certes, avec Jamie malade et Claire occupée à le soigner. Il réfléchit un moment, puis sortit dans le couloir et appela Lizzie. Lorsque celle-ci pointa son minois anxieux, il lui sourit et expliqua :

– Nous avons un nouveau métayer et sa famille, *a muirninn*. Voici monsieur Thomas Christie, son fils et sa fille. Peux-tu demander à ton père de les conduire chez Evan Lindsay? C'est près des terres où ils vont s'installer. Evan et sa femme auront peut-être la place pour les héberger, jusqu'à ce qu'ils construisent leur propre cabane.

– Oui, bien sûr, monsieur Roger.

Lizzie esquissa une brève révérence en direction de Christie, avant de demander à Roger :

– Monsieur Jamie est donc au courant?

Roger se sentit rougir, mais il parvint à conserver un visage serein.

– Je le lui dirai dès qu'il se sentira mieux.

– Monsieur Fraser est souffrant? Je suis navrée de l'entendre.

La voix douce et inconnue s'était élevée derrière lui, le prenant par surprise. Il se retourna pour découvrir Malva Christie qui le fixait d'un air interrogateur. Il ne lui avait pas vraiment prêté attention et fut frappé par la beauté de ses yeux en amande, d'un étrange gris lumineux, bordés d'épais cils noirs. Sans doute avant les semailles de printemps, rectifia-t-il mentalement en toussotant.

– Il a été mordu par un serpent, expliqua-t-il. Mais ne vous inquiétez pas, il se remet.

Il tendit la main vers Christie, prêt cette fois pour le salut secret.

– Bienvenue à Fraser's Ridge. J'espère que vous et votre famille y serez heureux.

* * *

Jamie était assis dans son lit, dorloté des pieds à la tête par une armée de femmes dévouées, ce qui paraissait l'alarmer plus qu'autre chose. Son visage se détendit en voyant apparaître un autre représentant de la gent masculine, et il écarta d'un geste Lizzie, Marsali et Mme Bug. Elles sortirent à contrecœur, mais Claire resta, s'affairant avec ses flacons et ses lames.

Roger prit place au pied du lit, mais Claire le chassa avec vigueur, lui indiquant un tabouret. Elle souleva alors un pan de couverture pour vérifier qu'il n'avait commis aucun dégât.

Elle tapota la gaze blanche d'un air rassuré. Apparemment, les asticots étaient de nouveau au travail, gagnant leur croûte. Elle se redressa et fit un signe de tête à Roger, tel le grand vizir accordant une audience avec le calife de Bagdad. Il regarda Jamie, qui leva les yeux au ciel puis le salua d'un sourire narquois.

– Comment ça va? demandèrent-ils à l'unisson.

Ils se mirent à rire, et Jamie haussa les épaules en déclarant :

– Je suis en vie, mais ça ne veut pas dire que tu avais raison.

Claire releva des yeux curieux.

– Raison à quel sujet?

– Oh! rien, un petit détail philosophique concernant les choix et le hasard, répondit Jamie.

Elle grogna, dédaigneuse.

– Je ne veux même pas en entendre parler!

– Ça tombe bien, je ne me sens pas d'attaque pour aborder ce genre de débat avec seulement du pain et du lait dans le ventre.

Il jeta un regard écœuré vers le bol rempli d'une sorte de bouillie à moitié mangée, puis se concentra de nouveau sur Roger :

– Au fait, as-tu soigné l'ulcère sur la patte de la mule?

– Je m'en suis chargée, dit Claire. Il cicatrise très bien. Roger était occupé à s'entretenir avec de nouveaux métayers.

– Ah oui?

Intéressé, Fraser arqua les sourcils.

Roger s'empressa d'intervenir avant d'être encore supplanté :

– Oui, un certain Thomas Christie et sa famille. Il dit avoir été à Ardsmuir avec vous.

Pendant une fraction de seconde, il eut l'impression que tout l'air de la chambre avait été aspiré. Fraser le dévisagea sans la moindre expression. Puis il hocha la tête, retrouva comme par magie son air bienveillant, et le temps reprit son cours.

– Oui, je me souviens très bien de Tom Christie. Où était-il passé ces vingt dernières années?

Roger lui répéta les paroles du maître d'école, puis lui expliqua leur arrangement. Jamie acquiesça, la mine satisfaite.

– C'est très bien. Dis-lui que pour ses classes, il peut utiliser tous les livres de ma bibliothèque. S'il en a besoin d'autres, qu'il dresse une liste. On la donnera à Fergus la prochaine fois qu'il ira à Cross Creek ou à Wilmington.

Ils discutèrent ensuite de certaines questions pratiques, puis, au bout de quelques minutes, Roger prit congé.

Tout semblait parfaitement normal, et pourtant il percevait un vague malaise. Ce devait être son imagination. En se tournant pour refermer la porte derrière lui, il vit Jamie, les mains croisées sur sa poitrine et les yeux fermés. S'il ne dormait pas encore, il n'avait clairement aucune envie de discuter. Incertaine, Claire l'observait, avec ses yeux de faucon plissés. Elle aussi avait perçu le trouble de Jamie.

Il n'avait rien imaginé. Que s'était-il donc passé avec ce Tom Christie?

95

Le soleil de minuit

Le lendemain, Roger ferma la porte derrière lui et se tint un moment sous le porche, inspirant l'air frais du matin. Il ne devait pas être plus de sept heures et demie. Le soleil avait atteint les arbres de la crête la plus haute de la montagne, son disque pâle auréolant les dernières feuilles jaunes.

Il lança un regard à la ronde, dressant mentalement la liste de ses corvées de la journée. Des poulets picoraient dans la cour, et il entendait un petit groupe de cochons grogner en retournant la terre sous les châtaigniers, non loin.

Il y avait des arbres à étayer et du foin à rentrer, pas dans les grands champs, mais dans les lopins en friche éparpillés sur les versants. Ceux-ci livreraient une brassée, ici et là, de quoi contenter une vache de plus pendant l'hiver.

Une branche d'arbre avait traversé le toit du fumoir en tombant. Il fallait reboucher le trou avec de nouveaux bardeaux et débiter la branche coupable. Il fallait creuser une nouvelle fosse d'aisance avant que le sol ne gèle ou ne se transforme en boue, faucher le lin, réparer les barrières de l'enclos, remettre en état le rouet de Lizzie…

Il était abruti, incapable de décider par quoi commencer. Il avait suffisamment dormi pour chasser l'épuisement de ces derniers jours, mais en débarquant juste après les mésaventures éprouvantes de Jamie, Thomas Christie et sa famille avaient drainé toute son énergie mentale.

Il leva le nez. Quelques nuages en queue de chat s'étiraient dans le ciel. Il ne pleuvrait pas avant un moment. Le toit du fumoir pouvait donc attendre. Il se gratta le crâne. D'abord le foin, ensuite l'étayage. Il fourra dans son sac une jatte en grès remplie de bière et les sandwichs préparés par Brianna, puis partit chercher sa faucille et sa hache.

La marche le ragaillardit. L'exercice réveilla et étira ses muscles et, lorsqu'il arriva dans les hauts prés, il se sentit de nouveau lui-même, solidement enchâssé dans le monde physique de la montagne et de la forêt. Il posa sa hache contre un arbre et commença à couper le foin.

Ce n'était pas la monotonie reposante et mécanique de la fenaison habituelle, où la grande faux déposait les hautes tiges grasses en faisceaux couchés, qu'il restait juste à ramasser. Ce travail-là était à la fois plus dur et plus facile. Il devait attraper des bouquets d'herbes sauvages, les couper près de la racine, puis les lancer par poignées entières dans son grand sac en toile.

Cela ne demandait pas une grande force physique mais de l'attention. Dans cette partie dégagée entre les arbres, les touffes étaient denses, mais elles s'immisçaient entre des affleurements de granit, des petits buissons, des racines en décomposition et des ronces.

Bientôt, tout en restant vigilant, il laissa divaguer son esprit vers les histoires que lui avait racontées Jamie, cette fameuse nuit dans les montagnes, sous les étoiles.

Il en connaissait déjà certaines : l'origine de la brouille entre Alex MacNeill et Nelson McIver, le fait qu'un des fils de Patrick Neary était sans doute un voleur et ce qu'il convenait de faire à son sujet. Il lui avait aussi rappelé quelles terres vendre, quand et à qui.

D'autres nouvelles l'avaient totalement pris de court, notamment celle concernant Stephen Bonnet. À ce souvenir, il serra les dents.

Et ce qu'il fallait faire au sujet de Claire.

Se réveillant soudain de sa stupeur fébrile, Jamie avait agrippé le bras de Roger avec une force surprenante, les yeux ardents.

– Si je meurs, elle doit partir. Renvoie-la. Force-la à repartir. Si le petit peut faire la traversée, vous devriez tous rentrer. Mais elle, elle doit absolument retraverser les pierres.

– Pourquoi? avait demandé Roger. La traversée peut être très dangereuse.

– C'est très dangereux ici aussi pour elle, sans moi.

Son regard s'était brusquement brouillé et ses traits s'étaient affaissés. Épuisé, il était retombé sur sa couche, puis, tout à coup, s'était de nouveau raidi :

– C'est une Ancienne, avait-il haleté. S'ils l'apprennent, ils la tueront.

Puis il avait fermé les yeux et n'avait plus dit un mot jusqu'à ce que les autres les retrouvent au petit matin.

À présent, dans la lumière limpide de cette belle journée d'automne, loin du vent gémissant et des flammes dansantes, Roger était raisonnablement sûr que Fraser avait été en proie à un délire, son inquiétude pour sa femme se mêlant aux fantômes distillés par le poison dans son sang. Depuis, cependant, cela n'avait cessé de le turlupiner.

« C'est une Ancienne. » Dommage que Fraser ne se soit pas exprimé en gaélique, le sens aurait été plus clair. S'il avait qualifié son épouse de *ban-sidhe*, Roger aurait tout de suite compris s'il la considérait comme appartenant au monde des fées ou uniquement comme une sage bien ancrée dans le monde des humains.

Il ne pouvait tout de même pas… quoique. À l'époque de Roger, la croyance en « l'Autre Peuple » demeurait encore forte dans les Highlands, même si on l'admettait moins ouvertement. Fraser ne cachait pas qu'il croyait aux fantômes, sans parler des saints et des anges. Dans l'esprit cyniquement presbytérien de Roger, il n'existait pas une grande différence entre allumer un cierge à sainte Geneviève et mettre un pot de lait devant sa porte pour les fées.

D'un autre côté, lui-même n'aurait jamais touché à du lait destiné aux Autres, ni déplacé un charme suspendu à l'entrée d'une étable ou à un linteau de porte, et ce, pas uniquement par respect pour la personne qui l'avait mis là.

Le travail lui avait donné chaud. Sa chemise collait à son dos, la transpiration coulant entre ses omoplates. Il fit une brève pause pour boire un peu d'eau de sa gourde et nouer un chiffon autour de son front.

Cependant, Fraser pouvait avoir mis le doigt sur quelque chose. L'idée que Brianna, et même Claire, soit une *sìdheanach* était risible, mais, bien sûr, il ne s'agissait pas que de cela. Elles «étaient» différentes. Tout le monde n'avait pas la faculté de voyager à travers les pierres. Et parmi ceux qui l'avaient, peu passaient à l'acte.

Il y en avait d'autres. Geillis Duncan. Le voyageur inconnu dont avait parlé Claire, l'homme dont elle avait trouvé la tête coupée dans la nature, avec ses plombages intacts. En dépit de la sueur, l'évocation de ce dernier lui fit froid dans le dos.

Jamie avait enterré la tête, avec le respect qui lui était dû et une brève prière, dans une clairière, sur une colline non loin de la maison. C'était le premier et le seul occupant du cimetière de Fraser's Ridge. Claire avait insisté pour qu'il marque la tombe d'une dalle en granit brut, sans inscription – qu'y avait-il à dire? –, mais marbré de veines de serpentine verte.

Fraser avait-il raison? «Si le petit peut faire la traversée, vous devriez tous rentrer.»

Sinon? Un jour peut-être, ils finiraient tous côte à côte dans la clairière ensoleillée, chacun sous sa dalle de granit. Sauf que la leur porterait un nom. Quelles dates de naissance graveraient-ils? Pour Jemmy, cela ne poserait pas de problème, mais pour les autres…

Là était le hic, ou l'un des hics. « Si le petit peut faire la traversée. » Si la théorie de Claire était exacte et que la faculté de traverser les pierres était génétique comme la couleur des yeux ou le rhésus sanguin, alors il avait cinquante pour cent de chances d'y arriver s'il était l'enfant de Stephen Bonnet, entre soixante-quinze et cent pour cent s'il était le sien.

Il tailla rageusement une touffe d'herbes sans se donner la peine de la tenir, et une pluie de graines lui tomba dans les cheveux. Puis il se souvint de la petite statuette rose sous l'oreiller et inspira profondément. Si elle était efficace, il y aurait un autre enfant, qui, cette fois, serait indubitablement de lui. Encore trois chances sur quatre de pouvoir traverser les pierres… ou une tombe de plus dans le cimetière familial.

Son sac était presque plein, et il avait presque tout coupé dans ce coin. Il récupéra sa hache et balança la besace par-dessus son épaule. Il s'apprêtait à prendre la direction du champ de blé situé dans les hauteurs, lorsqu'il aperçut la petite silhouette noueuse de Kenny Lindsay entre les arbres. Celui-ci était sans doute venu avec la même intention que Roger, car il agita sa faucille dans un salut cordial, en lançant :

– *Madain mhath a Smeòraich!* Eh, au fait, il paraît qu'il y a des nouveaux par ici?

Ne s'étonnant plus de la rapidité avec laquelle les informations circulaient dans les montagnes, Roger lui tendit sa jatte de bière et lui raconta ce qu'il savait sur la nouvelle famille.

– Ils s'appellent bien Christie, hein? demanda Kenny.

– Oui, Thomas Christie, son fils et sa fille. Vous devez le connaître, il était à Ardsmuir.

– Ah oui? Oh!

Le revoilà. Cet infime temps d'arrêt à l'évocation du nouveau venu.

– Ce Christie-là, répéta Kenny. Mmm…

Le bout de sa langue pointa entre ses lèvres, goûtant le nom.

De plus en plus mal à l'aise, Roger demanda de but en blanc :

– Qu'est-ce qui ne va pas avec ce Christie-là?

Kenny parut surpris.

– Mais rien… pourquoi? Il y a quelque chose qui ne va pas?

– Non, enfin… je ne sais pas, vous avez eu l'air pris de court en entendant son nom. Je me demandais s'il n'était pas connu pour être un voleur, un soûlard ou quelque chose du genre.

Le visage de Linsday s'illumina.

– Ah! Oui, je comprends ce que vous voulez dire. Mais non, pour autant que je sache, Christie est un homme respectable.

– Pour autant que vous sachiez? Vous n'étiez pas à Ardsmuir avec lui? C'est pourtant ce qu'il a dit.

– Oh si! il y était bien, lui aussi.

Toutefois, Lindsay ne semblait pas vraiment sûr de lui. Toutes les autres tentatives de Roger pour l'aiguillonner ne lui valurent que de vagues hochements de tête. Finalement, ils cessèrent de parler, marchant côte à côte sous le soleil.

Au bout d'un moment, Kenny demanda :

– Vous passerez bien par chez nous, *a Smeòraich*. On est tout à côté de la maison, là, à l'autre bout de ce pré. Ma femme est partie vendre son porc, mais nous avons du babeurre frais.

Roger opina du bonnet en souriant.

– Volontiers, Kenny. Merci.

Il accompagna Lindsay tandis qu'il s'occupait de ses bêtes, deux chèvres laitières et une truie. Kenny partit leur chercher de l'eau à une source voisine, pendant que Roger empilait son foin et en versait une fourchée dans la mangeoire des chèvres.

Puis, Kenny distribua du maïs concassé à sa truie, une énorme créature mouchetée avec une oreille pendante et un regard mauvais.

– Belle bête! dit Roger poliment.

– Mauvaise comme une teigne et plus rapide qu'une vipère! grommela Lindsay. Elle a bien failli m'arracher une main hier. Je voulais la conduire au verrat de *Mac Dubh* pour la faire saillir, mais elle n'était pas d'accord.

– Quand ces dames ne sont pas d'humeur, il vaut mieux ne pas insister, convint Roger.

Kenny dodelina de la tête en réfléchissant.

– Peut-être bien, mais il existe des moyens de les amadouer, non? Mon frère Evan m'a donné un tuyau.

Il lui adressa un grand sourire révélant quelques dents en moins et lui indiqua, d'un signe de tête, un tonneau dans un coin qui dégageait un fort parfum de maïs fermenté.

Roger se mit à rire et eut une vision éphémère de Kenny et de Rosamund, son imposante femme, au lit. En passant, il se demanda si l'alcool jouait un rôle important dans leur couple, en apparence si mal assorti.

– Ça marche, insista Kenny. Elle en raffole. Une vraie pocharde, celle-là! Le problème, c'est qu'après en avoir bu assez pour être dans de bonnes dispositions, elle ne marche plus droit. Il vaudra mieux amener le verrat jusqu'à elle, quand *Mac Dubh* sera d'attaque.

– Elle est en chaleur? Je vous l'amènerai demain, proposa Roger dans un élan courageux.

Kenny parut surpris, puis acquiesça, ravi.

– C'est vraiment gentil, *a Smeòraich.*

Il hésita un instant, puis déclara sur un ton détaché :

– J'espère que *Mac Dubh* sera bientôt sur pied. Il a quand même pu recevoir Tom Christie?

– Non, il ne l'a pas vu, mais je lui ai raconté.

– Ah? Alors, tout va pour le mieux, n'est-ce pas?

Roger le fixa, mais Kenny détourna le regard.

Pris d'une impulsion, Roger se pencha par-dessus la pile de foin et attrapa la main de Kenny, le faisant sursauter.

Il effectua le serrement de main particulier, avec la tape sur l'articulation, puis il le lâcha.

Interdit, Kenny le dévisagea, clignant des yeux dans le rayon de soleil qui filtrait par la porte ouverte. Puis il posa son seau vide, s'essuya la main sur son vieux kilt et la tendit solennellement à Roger.

Lorsqu'il le lâcha, ils étaient toujours bons amis, mais quelque chose de très subtil avait changé entre eux.

– Christie aussi, observa Roger.

Kenny hocha la tête.

– Oh oui ! Nous le sommes tous.

– Tous… ceux d'Ardsmuir ? Jamie aussi ?

Roger était estomaqué. Kenny acquiesça et ramassa son seau.

– Oui, c'est même *Mac Dubh* qui a commencé. Vous ne le saviez pas ?

Il fit non de la tête. Il était inutile de feindre. Kenny en parlerait sûrement avec Jamie quand il le verrait. Il fixa Lindsay dans le blanc des yeux.

– Alors, ce Christie, qu'est-ce qui ne va pas chez lui ?

Maintenant qu'il ne s'agissait plus de discuter d'un frère maçonnique avec un non-initié, les réticences antérieures de Lindsay disparurent.

– Ce n'est rien, vraiment. J'étais juste surpris de le savoir ici. Il ne s'entendait pas très bien avec *Mac Dubh*. J'imagine que s'il avait eu une autre possibilité, il n'aurait pas choisi de venir à Fraser's Ridge.

Roger fut momentanément surpris d'apprendre que tous les anciens d'Ardsmuir n'étaient pas convaincus que le soleil surgissait tous les matins du trou du cul de Jamie Fraser. Puis, en y réfléchissant bien, il ne voyait pas pourquoi. Dieu savait que son beau-père était aussi doué pour se faire des ennemis que des amis.

– Pourquoi ?

Sa question était pourtant simple, mais Kenny regarda autour de lui dans la bergerie, comme s'il cherchait une issue de secours. Heureusement, Roger se tenait entre lui et la porte. Ses épaules s'affaissèrent, et il capitula.

– Pour pas grand-chose. C'est que Christie est protestant, voyez-vous ?

– Oui, je vois. On l'a enfermé avec les prisonniers jacobites, ce qui n'a pas plu à ces derniers. C'est ce que vous essayez de me dire ?

Cela n'avait rien d'étonnant. Même à son époque, entre les catholiques et les austères descendants écossais de John Knox[1], ce n'était pas franchement la grande histoire d'amour. Les Écossais avaient toujours eu un penchant pour les guerres de religion et, finalement, la cause jacobite dans son ensemble n'avait pas été autre chose.

Prenez quelques ardents calvinistes convaincus que s'ils ne faisaient pas leur lit au carré, le pape descendrait par le conduit de cheminée pour leur mordre les orteils, enfermez-les dans une cellule avec une poignée d'hommes récitant des *Je vous salue Marie* à longueur de journée, et… oui, il voyait ça d'ici. À côté, les émeutes entre hooligans devaient être de la rigolade.

– Mais, dans ce cas, pourquoi Christie a-t-il été incarcéré à Ardsmuir ?

Kenny parut surpris.

– Oh ! il était jacobite, lui aussi… Arrêté avec les autres après Culloden, jugé et emprisonné.

– Un jacobite protestant ?

Ce n'était pas impossible, ni même tiré par les cheveux. La politique entraînait des paradoxes bien plus bizarres, même si cette combinaison restait inhabituelle.

Kenny soupira en regardant vers la ligne d'horizon. Le soleil descendait lentement entre les pins.

– Rentrons dans la maison, MacKenzie. Si Tom Christie s'établit à Fraser's Ridge, autant que vous connaissiez toute l'histoire. Si je me dépêche, vous serez rentré pour l'heure du dîner.

---

1. John Knox (1505 ou 1513 – 1572), réformateur écossais, fondateur du presbytérianisme. *(N.D.T.)*

Rosamund n'était pas à la maison, mais le babeurre était gardé bien au frais dans le puits, comme promis. Après avoir tiré deux tabourets et versé le babeurre dans des tasses, Kenny tint sa parole et commença son récit avec application. Christie était originaire des Lowlands, comme MacKenzie avait bien dû le deviner. Il venait d'Édimbourg. À l'époque du Soulèvement, il était marchand, à la tête d'une affaire prospère dont il venait d'hériter de son père, un homme qui avait travaillé dur toute sa vie. Loin d'être un feignant lui-même, Tom Christie était déterminé à devenir un vrai gentleman.

L'armée du prince Tearlach's occupant la ville, il avait enfilé ses meilleurs habits et avait demandé un entretien avec O'Sullivan, l'Irlandais chargé de l'intendance militaire.

– Personne ne sait ce qu'ils se sont dit, mais quand il est ressorti, Christie avait en poche un contrat pour ravitailler l'armée des Highlands et une invitation au bal donné à Holyrood ce soir-là.

Kenny but une grande gorgée de babeurre et reposa sa tasse, sa moustache bordée de blanc, en fixant Roger, d'un air complice.

– Vous avez sûrement entendu parler de ces fameux bals du palais, non ? *Mac Dubh* nous les a racontés, encore et encore. La Grande Galerie, avec les portraits de tous les rois d'Écosse, les cheminées en carreaux de faïence de Hollande, assez grandes pour y rôtir un bœuf. Le prince et tous ces grands seigneurs venus lui rendre hommage, tous vêtus de soie et de dentelles. Et la nourriture ! Seigneur, quand il nous décrivait tous ces plats !

Kenny ouvrit de grands yeux rêveurs, se souvenant de ses récits écoutés le ventre vide. Il sortit la langue et, inconsciemment, lécha la crème dans sa moustache.

Puis, il se secoua pour revenir dans le présent, reprenant comme si de rien n'était :

– Donc, quand l'armée a quitté Édimbourg, Christie l'a suivie. Je ne peux pas dire si c'était pour surveiller son investissement ou rester dans l'œil du prince.

Roger remarqua au passage que l'idée que Christie ait pu agir pour des motifs purement patriotiques ne figurait pas sur sa liste des possibilités. Mais que ce soit par prudence ou par ambition, Christie était resté... trop longtemps. Il avait quitté l'armée à Nairn, à la veille de la bataille de Culloden, reprenant la route d'Édimbourg aux rênes de l'une des carrioles de l'intendance.

– S'il avait laissé la charrette et était rentré à cheval, il s'en serait sans doute sorti, commenta cyniquement Kenny. Mais non! Il s'est retrouvé nez à nez avec une bande de Campbell. Des troupes du gouvernement, vous me suivez?

Roger acquiesça.

– J'ai entendu dire qu'il avait essayé de se faire passer pour un marchand ambulant, mais il avait chargé du blé dans une ferme sur cette même route, et le fermier avait juré sur la tête de sainte Bride qu'il l'avait vu trois jours plus tôt avec une cocarde blanche sur la poitrine. Il était cuit!

Christie avait d'abord été envoyé à la prison de Berwick, puis, de là, pour des raisons que seule la Couronne connaissait, avait été transféré à Ardsmuir, où il était arrivé un an avant Jamie Fraser.

– Je suis arrivé en même temps. C'était une vieille prison qui, par endroits, tombait en ruine. Ils ne l'utilisaient plus depuis des années. Quand la Couronne a décidé de la rouvrir, ils y ont amené des hommes d'un peu partout, environ cent cinquante, tout au plus. La plupart étaient des jacobites, plus quelques voleurs et un assassin ou deux.

Kenny n'était pas un grand conteur, mais il parlait avec des mots si simples et si sincères que Roger n'avait aucun mal à visualiser les pierres noires de suie et les détenus en guenilles. Des hommes venus des quatre coins d'Écosse, arrachés à leur foyer, privés de leurs parents et de leurs compagnons, jetés comme des détritus sur un tas de compost, où la crasse, la famine et la promiscuité généraient un pourrissement qui brisait la sensibilité et le civisme.

De petits groupes s'étaient formés, tant pour se protéger mutuellement que pour entretenir un semblant d'humanité. En conflit constant, ils s'entrechoquaient comme des galets balayés par les vagues, s'égratignant de temps à autre, écrasant l'individu isolé qui avait le malheur de rester coincé entre eux.

– Dans des endroits pareils, expliqua Kenny, tout ce qui compte, c'est manger et se tenir au chaud.

Parmi les groupes se trouvait un petit noyau de calvinistes endurcis avec, à sa tête, Thomas Christie. Ils restaient tranquillement dans leur coin, partageant la nourriture et les couvertures, se défendant les uns les autres et adoptant une attitude pharisaïque qui rendaient les catholiques fous de rage.

– Si l'un de nous avait pris feu – parce qu'il arrivait de temps en temps que quelqu'un soit poussé dans les flammes pendant son sommeil –, ils n'auraient pas pissé dessus pour le sauver. Ils ne volaient pas la nourriture des autres, c'est vrai, mais ils restaient à l'écart à prier à voix haute, déblatérant à longueur de journée contre les débauchés, les usuriers, les idolâtres et tout le tintouin, s'assurant que personne n'ignore à qui ils faisaient allusion! Puis *Mac Dubh* est arrivé.

Le soleil d'automne sombrait derrière la montagne. En dépit de la faible lumière, Roger vit les traits de Kenny durcis par ces sombres réminiscences se radoucir soudain.

– C'était quoi, le retour du Messie?

Il avait parlé entre ses dents et fut surpris d'entendre Lindsay rire.

– Uniquement dans la mesure où certains d'entre nous connaissaient déjà *Sheumais ruaidh!* Non, mon ami. Ils l'ont amené par bateau. Or, vous savez que Jamie Fraser n'a pas franchement le pied marin, non?

– J'en ai entendu parler, en effet.

– Croyez-le. Il est entré dans la cellule en titubant, vert comme une pomme pas mûre, et a vomi dans un coin. Puis il a rampé sous un banc et n'a plus bougé pendant un jour ou deux.

Après avoir refait surface, Fraser était resté discret un certain temps, observant qui était qui et qui faisait quoi. Mais il était né gentleman, avait été laird et vaillant guerrier. Les Highlanders avaient la plus haute estime pour lui. Les hommes s'inclinaient naturellement en sa présence, lui demandaient conseil, recherchaient son jugement. Les plus faibles se sentaient protégés.

– Autant vous dire qu'il était comme une épine dans le cul de Tom Christie, lui qui croyait être la plus grosse grenouille de la mare !

En guise d'illustration, Kenny rentra le menton, gonfla sa gorge et écarquilla les yeux, faisant rire Roger aux éclats.

– Oui, oui, je vois. Il n'appréciait pas beaucoup la concurrence. C'est tout ?

Kenny hocha la tête.

– Ça n'aurait pas été trop grave, sans doute, si sa bande de culs-bénits ne s'était pas mise à bâcler ses prières pour aller écouter *Mac Dubh* raconter ses histoires. Mais, le bouquet, ce fut le nouveau gouverneur.

Bogle, l'ancien gouverneur de la prison, avait été remplacé par le colonel Harry Quarry. Homme relativement jeune mais soldat aguerri, il s'était battu à Falkirk et à Culloden. Contrairement à son prédécesseur, il avait un certain respect pour ses prisonniers et il connaissait Jamie Fraser de réputation, le considérant comme un ennemi vaincu, certes, mais honorable.

– Peu après avoir pris son commandement à Ardsmuir, Quarry a convoqué *Mac Dubh*. Je ne sais ce qui s'est passé entre eux, mais c'est bientôt devenu une habitude. Une fois par semaine, les gardiens venaient chercher *Mac Dubh* pour l'emmener se faire raser et laver. Puis, il montait chez Quarry et lui parlait de nos besoins.

– J'imagine que ça n'a pas dû faire plaisir à Tom Christie, non plus.

Il se forgeait peu à peu une image plus détaillée du personnage : ambitieux, intelligent… et envieux. Compétent, mais n'ayant pas eu la chance de naître noble comme Fraser, ni d'avoir son talent de guerrier, des avantages qui auraient pu susciter une certaine rancœur chez un marchand autodidacte avec des aspirations sociales, bien avant la catastrophe de Culloden. Roger éprouvait même une sympathie sournoise pour Christie : Jamie Fraser n'était pas un concurrent facile pour un simple mortel.

Kenny inclina la cruche de babeurre vers la tasse de Roger, mais celui-ci avança une main.

– Non, non, merci. Mais la franc-maçonnerie… que vient-elle faire là-dedans? Vous avez dit qu'il existait un lien avec Christie.

La nuit était presque tombée. Il allait devoir rentrer chez lui dans le noir, mais peu lui importait. Curieux, il ne partirait pas avant de connaître le fin mot de l'histoire.

Kenny grogna et réajusta son kilt sur ses cuisses. Il n'avait rien contre l'hospitalité, mais des corvées l'attendaient. Néanmoins, son devoir de courtoisie prit le dessus. En outre, il avait toujours apprécié la Grive, indépendamment de son lien familial avec *Mac Dubh*. Résigné, il soupira et poursuivit.

– Non, Christie n'était pas du tout content que *Mac Dubh* ait prit la place qu'il estimait être la sienne, de droit. Je doute qu'il ait su combien coûtait la position de chef dans un endroit comme celui-là, enfin, pas à l'époque. Mais c'est une autre histoire.

D'un geste de la main, il écarta cette idée.

– Il faut dire que Christie était un chef, lui aussi, mais pas aussi bon que *Mac Dubh*. Pourtant, certains l'écoutaient, et pas seulement des grenouilles de bénitier.

Si Roger se sentait quelque peu insulté par cette caractérisation peu flatteuse de ses coreligionnaires, il était trop intéressé par la suite du récit pour protester.

– Et alors?

– Les heurts ont recommencé. Ce n'était que des altercations, mais la tension montait.

Des glissements et des frictions, des failles et des fractures, comme lorsque deux masses terrestres se rencontrent, pressant et poussant l'une contre l'autre jusqu'à ce que des montagnes se dressent entre elles, ou que l'une soit engloutie par l'autre dans un fracas de terre et de roches pulvérisées.

– On voyait bien que *Mac Dubh* réfléchissait à une solution, mais il n'est pas du genre à dire à tout le monde ce qu'il pense, pas vrai ? Puis, un soir, il est revenu dans la cellule, tard dans la nuit. Au lieu de se coucher, il nous a rassemblés, moi et mes frères, Gavin Hayes, Ronnie Sinclair… et Tom Christie.

Discrètement, Fraser avait réveillé les six hommes et les avait réunis sous l'une des rares fenêtres de la cellule. Harassés par une journée de travaux forcés, ils s'étaient demandé ce qu'il leur voulait. Depuis la dernière escarmouche – une bagarre entre deux prisonniers à cause d'une insulte sans importance –, Christie et Fraser n'avaient pas échangé une seule parole, s'évitant soigneusement.

C'était une nuit douce de printemps. L'air était froid, mais chargé des odeurs de la végétation renaissant sur la lande et des embruns salés de la mer lointaine. Une de ces nuits qui donnaient envie de courir libre sur la terre et de sentir le sang battre dans ses veines. Épuisés ou non, les hommes se ranimèrent, intrigués et alertes.

Christie était sur ses gardes. Pourquoi était-il convoqué par Fraser avec cinq de ses plus proches alliés ? Que mijotaient-ils ? Certes, une cinquantaine d'hommes étaient couchés dans la cellule, et certains viendraient à son secours s'il les appelait. Mais il pouvait aussi être frappé ou tué avant même de se savoir menacé.

En un premier temps, Fraser s'était contenté de sourire et de tendre la main vers Tom Christie. Suspicieux, celui-ci avait hésité, mais il n'avait guère eu le choix.

– À voir le choc qui a secoué Christie, on aurait cru que *Mac Dubh* tenait la foudre dans sa main.

La propre main de Kenny était ouverte entre eux sur la table, sa paume couverte de cals. Ses petits doigts trapus se refermèrent lentement.

– Je ne sais pas comment *Mac Dubh* a appris que Christie était franc-maçon, mais il était au courant. Vous auriez dû voir la figure de Tom quand il s'est rendu compte que Jamie Fraser était un frère!

Lisant la question sur le visage de Roger, il expliqua :

– C'est Quarry qui l'a initié. C'était un maître.

Un maître maçonnique, à la tête d'une petite loge militaire composée des officiers de sa garnison. L'un de leurs membres étant mort récemment, il leur fallait un remplaçant pour respecter le nombre requis de sept frères. Quarry avait longuement réfléchi à la question puis, après avoir sondé le terrain avec prudence, avait offert à Jamie de les rejoindre. Après tout, un gentleman était un gentleman, jacobite ou pas.

Roger soupçonnait le côté peu orthodoxe de la manœuvre, mais ce Quarry semblait du genre à adapter les règles selon ses besoins. Fraser aussi, d'ailleurs.

– Donc, Quarry l'a initié. D'apprenti, il est passé compagnon, puis, en un mois, a été élevé au grade de maître. C'est à ce moment qu'il a décidé de nous en parler. Et cette nuit-là, tous les sept, nous avons fondé une nouvelle loge, la Seconde Loge d'Ardsmuir.

Roger ne put cacher son amusement.

– Je vois. Vous six… et Christie.

Tom Christie, protestant guindé et honorable ayant prêté le serment maçonnique, n'avait pas eu d'autre choix que d'accepter Fraser et ses catholiques comme ses frères.

– Ce n'était qu'un début. Au bout de trois mois, tous les hommes de la cellule avaient été faits apprentis. Après ça, il y a eu nettement moins de grabuge.

Le principe d'égalité était une des bases de la franc-maçonnerie. Gentleman, fermier, pêcheur ou laird, ces distinctions n'avaient plus cours au sein d'une loge. La tolérance était un autre de ces principes. Pas de discussions politiques ou religieuses entre les frères, c'était la règle.

– Je suppose que l'appartenance de Jamie à la loge des officiers s'avérait plutôt utile, observa Roger.

– Oh ! répondit Kenny d'un air vague. Ça n'a pas fait de mal.

Il repoussa son tabouret pour se lever. L'histoire était terminée. La nuit était tombée, et il était temps d'allumer une chandelle. Il ne bougea pas pour attraper le bougeoir en argile posé sur le rebord de la cheminée, mais Roger, en jetant un coup d'œil vers le lit de braise, remarqua pour la première fois l'absence de toute odeur de cuisine.

– Il est temps que je rentre, dit-il en se levant. Vous venez dîner à la maison, bien sûr ?

Le visage de Kenny s'illumina.

– Ma foi, ce n'est pas de refus, merci ! Donnez-moi juste le temps de traire les chèvres, et je descends avec vous.

* * *

Lorsque je remontai dans la chambre après un délicieux petit-déjeuner à base d'omelette à la viande de bison hachée, aux petits oignons doux et aux champignons, je trouvai Jamie réveillé, quoique pas franchement frais et dispos.

Je déposai mon plateau et posai une main sur son front.

– Comment te sens-tu ce matin ?

Il était encore chaud mais non brûlant. La fièvre avait presque disparu.

– Je voudrais être mort pour qu'on cesse de me demander, à tout bout de champ, comment je vais.

Je pris son humeur grognon comme le signe que sa santé s'améliorait et ôtai ma main.

– Tu as utilisé le pot de chambre, ce matin ?

Il arqua un sourcil et me fusilla du regard.

– Et toi?

– Tu sais, tu es parfaitement insupportable quand tu es malade!

Je me hissai sur la pointe des pieds pour jeter un œil de l'autre côté du lit vers la bassine émaillée. Rien.

– Ne t'est-il jamais arrivé de penser que c'est toi, *Sassenach,* qui es infernale? Quand tu n'es pas en train de me gaver avec une substance infâme à base de cloportes bouillis et de rognures d'ongle, tu m'appuies sur le ventre ou tu poses des questions indiscrètes sur l'état de mes intestins. Aïe!

Je venais de rabattre les draps et d'appuyer sur son bas-ventre. Sa vessie n'était ni enflée ni distendue. Son cri était apparemment dû au fait qu'il était chatouilleux. Puis je palpai rapidement son foie, qui heureusement, n'était pas dur.

– Tu as mal dans le dos?

À titre préventif, il croisa les mains sur son entrejambe.

– Non, mais j'ai un mal de crâne qui empire à vue d'œil.

– Ne fais pas l'enfant. Je veux juste vérifier que le venin n'a pas atteint tes reins. Si tu n'arrives pas à pisser…

Il remonta précipitamment les draps jusque sous son menton.

– Je pisse très bien, merci! Si je pouvais simplement prendre mon petit-déjeuner en paix, je…

– Comment peux-tu le savoir, puisque tu n'as pas…

– J'ai.

Devant mon regard sceptique vers le pot de chambre, il poussa un soupir exaspéré et marmonna quelque chose qui se terminait par :

– … la fenêtre.

Interloquée, je me retournai et vis le châssis levé et les volets ouverts.

– Tu as fait quoi?

– Eh bien oui, quoi! se défendit-il. Puisque j'étais debout, c'était quand même plus simple.

– Qu'est-ce que tu faisais debout?

– J'avais envie de me lever.

Il battit des paupières, innocent comme un nouveau-né. Je n'insistai pas, passant aux questions plus sérieuses.

– Y avait-il du sang dans…

– Qu'est-ce que tu m'as apporté pour le petit-déjeuner?

N'écoutant pas mes questions, il roula sur le côté et souleva la serviette qui recouvrait le plateau. Il contempla le bol de pain trempé dans du lait, puis leva la tête vers moi, avec le regard d'un être profondément trahi.

Avant qu'il n'ait pu m'adresser d'autres récriminations, je m'assis rapidement sur le tabouret à son chevet et demandai :

– Qu'est-ce qui ne va pas avec Tom Christie?

Il tiqua, pris par surprise.

– Pourquoi, il y a quelque chose qui ne va pas? Comment le saurais-je? Je ne lui ai pas parlé.

Il prit la cuillère et tripota le pain et le lait d'un air suspicieux.

– Quant à moi, je ne l'ai pas vu depuis plus de vingt ans. Pour autant que je sache, il peut bien lui avoir poussé une deuxième tête.

– Ah bon? Tu as peut-être réussi à berner Roger – ce qui n'est pas dit – mais, avec moi, ça ne marche pas. Je te connais.

Il releva les yeux avec un sourire narquois.

– Me connais-tu assez pour savoir ce que je pense du pain trempé dans le lait?

Mon cœur vacilla devant ce sourire, mais je parvins à conserver ma dignité.

– Si tu comptes marchander pour que je t'apporte un steak, tu peux courir. Ce n'est pas grave, j'attendrai. Tôt ou tard, j'apprendrai tout ce que je veux savoir à propos de Tom Christie.

Je me levai et lissai mes jupes, puis me dirigeai vers la porte.

– Du porridge avec du miel, et je te dis tout.

Je fis volte-face et le découvris qui me regardait avec un grand sourire.

– Affaire conclue! dis-je en revenant m'asseoir.

Il hésita un moment, mais devinant qu'il ne savait par où commencer, je lui donnai un coup de pouce :

– Roger m'a déjà parlé de la loge maçonnique à Ardsmuir. Hier soir.

Il me regarda, sidéré.

– D'où le sait-il? C'est Christie qui lui a raconté?

– Non, Kenny Lindsay. Mais, apparemment, Christie a fait un salut maçonnique à Roger en arrivant. D'ailleurs, je croyais que les catholiques n'avaient pas le droit d'adhérer à la franc-maçonnerie?

Il esquissa une moue cynique.

– Peut-être, mais le pape n'était pas incarcéré à la prison d'Ardsmuir, alors que moi, si. En outre, je n'ai jamais entendu dire que c'était interdit. Alors, comme ça, notre petit Roger est franc-maçon, lui aussi?

– Il faut croire. Peut-être qu'aujourd'hui, c'est permis. Quoi qu'il en soit, revenons à nos moutons : il y a autre chose au sujet de Christie, n'est-ce pas?

Il hocha la tête et détourna le regard.

– Oui. Tu te souviens du sergent Murchison, *Sassenach*?

– Très bien.

Je ne l'avais rencontré qu'une seule fois, cela faisait plus de deux ans, à Cross Creek. Toutefois, ce nom me rappelait un autre contexte, plus récent. Puis je me souvins.

– Archie Hayes a fait allusion à lui, ou à eux, non? Ils étaient deux jumeaux. L'un d'eux a tiré sur Archie à Culloden, c'est bien ça?

Jamie acquiesça. À son regard voilé, je devinai qu'il revoyait ces jours sombres passés à Ardsmuir.

– Oui. Tirer froidement sur un enfant à bout portant leur ressemblait bien. J'espère ne plus jamais croiser deux êtres aussi vicieux.

Un coin de ses lèvres se redressa, mais sans aucun humour.

– La seule bonne action à porter au crédit de Stephen Bonnet est d'avoir abattu un de ces deux voyous.

– Et l'autre?

– C'est moi qui l'ai tué.

La chambre parut soudain très silencieuse, comme si nous étions à des années-lumière de Fraser's Ridge, seuls tous les deux, sa déclaration flottant dans l'espace entre nous. Il me fixait dans le blanc des yeux, méfiant, attendant ma réaction. Je déglutis, puis demandai d'une voix dont le calme me surprit :

– Pourquoi?

Il détourna enfin le regard, secouant la tête.

– Pour un tas de raisons, et aucune.

Il se frotta machinalement les poignets, sentant encore le poids des fers.

– Je pourrais te raconter mille histoires illustrant leur cruauté, toutes vraies. Ils vivaient sur le dos des faibles, volant, maltraitant... ils semaient le mal et s'en délectaient. On ne peut rien faire contre ce genre d'individus, pas dans une prison. Mais, je ne te dis pas ça pour me disculper, je n'ai aucune excuse.

Les prisonniers d'Ardsmuir étaient affectés aux travaux forcés dans les tourbières et les carrières. Ils travaillaient en petites équipes, chacune gardée par un soldat anglais armé d'un mousquet et d'un gourdin. Le mousquet, pour arrêter les tentatives d'évasion, le gourdin, pour faire régner l'ordre et imposer la soumission.

– C'était l'été. Tu connais les étés dans les Highlands, *Sassenach*. Tu te souviens de la lumière?

J'acquiesçai. Tout au nord, au moment du solstice d'été, le soleil se couchait à peine. Il disparaissait derrière l'horizon, mais, même à minuit, le ciel restait d'un blanc pâle et laiteux. L'air semblait rempli d'une brume irréelle.

De temps à autre, le gouverneur de la prison en profitait pour faire travailler les détenus tard dans la nuit.

– Ça ne nous ennuyait pas trop. Nous étions toujours mieux dehors qu'à l'intérieur. Pourtant, à la fin de la journée, ivres de fatigue, nous pouvions à peine poser un pied devant l'autre. Nous marchions comme dans un rêve.

Le travail terminé, les gardiens, aussi abrutis d'épuisement que leurs détenus, rassemblaient leurs équipes en colonne, et tous rentraient à la prison en file indienne, traînant la patte sur la lande.

– Une nuit, les premiers avaient commencé à rentrer. Nous devions encore charger la carriole avec les derniers blocs de pierre et nos outils de taille. Je me souviens... j'ai hissé une grosse pierre dans la carriole et j'ai reculé d'un pas, hors d'haleine. Au même instant, j'ai entendu un bruit derrière moi. C'était le sergent Murchison, Billy... même si je n'ai su son prénom que plus tard.

Le sergent formait une silhouette trapue dans la pénombre, ses traits invisibles se détachant sur un ciel couleur coquille d'huître.

– Aujourd'hui encore, je me demande si j'aurais agi ainsi si j'avais distingué son visage.

Le sergent avait levé son gourdin et donné un coup dans les côtes de Jamie, puis lui avait indiqué une masse oubliée sur le bas-côté. Là-dessus, il avait tourné les talons.

– Je n'ai même pas réfléchi. Je l'ai rejoint en deux enjambées et j'ai passé la chaîne de mes fers autour de son cou. Il n'a pas eu le temps d'émettre le moindre son.

La carriole n'était qu'à trois mètres du bord de la carrière. La paroi tombait à pic sur douze mètres. Au fond se trouvait un étang d'une trentaine de mètres de profondeur, noir et lisse comme une flaque d'huile sous le ciel blanc.

– Je l'ai attaché à un des blocs et l'ai balancé dans le vide. Puis je suis revenu à la carriole. Les deux autres détenus de mon équipe m'y attendaient, raides comme des statues, m'observant. Ils n'ont rien dit, et moi non plus. J'ai grimpé à bord et j'ai pris les rênes. Ils se sont installés à l'arrière et nous avons pris la direction de la prison. Nous avons rapidement rejoint la colonne des prisonniers et nous sommes tous rentrés ensemble. Personne ne s'est aperçu de la disparition de Murchison avant le lendemain soir, car on le croyait au village, en repos. Je ne crois pas qu'ils aient retrouvé son cadavre.

– Et les deux autres détenus? demandai-je doucement.

– Tom Christie et Duncan Innes.

Il poussa un long soupir et étira les bras, roulant les épaules comment s'il portait une chemise trop serrée. Puis, il leva une main et la tourna d'un côté puis de l'autre, examinant son poignet avec un froncement de sourcils.

– C'est étrange, dit-il, surpris.

– Quoi donc?

– Les marques… elles n'y sont plus.

– Les marques… des fers?

Il hocha la tête, regardant l'autre poignet avec la même perplexité. Sa peau était claire, dorée par le soleil mais lisse.

– Je les ai gardées pendant des années… à cause du frottement. Je ne m'étais même pas aperçu qu'elles s'étaient effacées.

Je posai une main sur son poignet, caressant doucement du pouce le pouls, là où son artère radiale chevauchait l'os.

– Tu ne les avais déjà plus lorsque je t'ai retrouvé à Édimbourg, Jamie. Elles ont disparu il y a belle lurette.

Il fixa ses bras en secouant la tête, comme s'il avait du mal à le croire.

– Celles de Tom Christie aussi, alors, dit-il doucement.

NEUVIÈME PARTIE

Un métier dangereux

96

Aurum

La maison était calme. M. Wemyss était parti au moulin, emmenant Lizzie et Mme Bug avec lui. Il était trop tard dans la journée pour qu'un des habitants de Fraser's Ridge vienne nous rendre visite. Ils étaient tous occupés à nourrir leurs bêtes et à les enfermer pour la nuit, à aller chercher de l'eau et du bois, à préparer le feu pour le dîner.

Ma propre bête était nourrie et couchée. Roulé en boule dans le dernier rayon de soleil sur le rebord de la fenêtre, Adso, repu, fermait les yeux, en pleine extase. Ma contribution au dîner, que Fergus qualifiait élégamment de *lapin aux chanterelles** – mais qui n'était qu'un vulgaire ragoût –, mitonnait doucement sur le feu depuis ce matin et ne requérait pas mon attention. Pour ce qui était de balayer le plancher, de laver les carreaux, d'épousseter et autres corvées du même genre… puisque, paraît-il, le travail d'une femme au foyer n'était jamais terminé, pourquoi se préoccuper de ce qui n'était pas encore commencé ?

Je sortis une plume et l'encrier de l'armoire, ainsi que le grand cahier noir de médecine, et m'installai près d'Adso pour partager son petit coin de soleil. Je rédigeai une description soignée de l'excroissance – qui devait être surveillée – sur l'oreille du petit Geordie Chisholm, puis

* En français dans le texte. *(N.D.T.)*

ajoutai mes dernières mesures de la main gauche de Tom Christie.

Celui-ci souffrait d'arthrite dans les deux mains, avec une légère tendance à l'atrophie des muscles interosseux, ce qui leur donnait l'aspect de griffes. Toutefois, l'ayant bien observé au cours du dîner, la veille, j'étais presque certaine que sa main droite n'était pas uniquement atteinte de rhumatismes, mais aussi de la maladie de Dupuytren, une étrange flexion de l'auriculaire et de l'annulaire vers la paume, due à un raccourcissement de l'aponévrose palmaire.

D'ordinaire, je n'aurais pas eu le moindre doute, mais, après toutes ces années de dur labeur, les mains de Christie étaient recouvertes de cals si épais que je n'arrivais pas à sentir le nodule caractéristique à la base de l'annulaire. Toutefois, ce doigt m'avait semblé bizarre dès que je l'avais vu de près, le jour où Christie était venu se faire recoudre une entaille, à la base du pouce. Depuis, je surveillais son évolution chaque fois que j'apercevais son propriétaire et que je parvenais à jeter un œil sur sa main, ce qui n'était pas fréquent.

En dépit des appréhensions de Jamie, les Christie s'avéraient jusque-là des métayers idéaux, vivant tranquillement chez eux, sauf quand Thomas exerçait ses obligations de maître d'école, ce qu'il semblait faire avec discipline et efficacité.

Je pris conscience d'une présence derrière moi, juste derrière ma tête. Le rayon de soleil s'était déplacé, Adso aussi.

– N'y pense même pas, monsieur le chat ! marmonnai-je.

Un ronronnement d'anticipation vibra près de mon oreille gauche et une grosse patte se posa délicatement sur le sommet de mon crâne.

– Bon, d'accord ! soupirai-je, résignée.

À vrai dire, je n'avais pas vraiment le choix, à moins d'aller écrire ailleurs. Adso était un fétichiste du cheveu.

Peu lui importait d'ailleurs qu'ils soient attachés à une tête ou pas. Heureusement, jusqu'à présent seul le major MacDonald avait été assez intrépide pour s'asseoir à portée de ses griffes, coiffé d'une perruque. Finalement, j'avais fini par la récupérer, après avoir rampé sous la maison où le chat s'était retranché avec son butin. Personne d'autre n'aurait osé le lui arracher. Le major MacDonald avait moyennement apprécié la plaisanterie et, s'il continuait de rendre visite à Jamie de temps à autre, il n'ôtait plus son chapeau et buvait sa chicorée chaude à la table de la cuisine avec son tricorne enfoncé sur le crâne, ne quittant pas Adso des yeux.

Je me détendis, pas au point de me mettre à ronronner à mon tour, mais assez pour être toute ramollie. Il était, ma foi, assez agréable de se faire masser le crâne avec un museau et brosser les cheveux à coups de patte. Il n'y avait aucun danger, à moins qu'Adso eût piétiné la cataire peu avant. Heureusement, l'herbe à chat était enfermée avec soin. Les yeux mi-clos, je réfléchis à l'exercice délicat de décrire la maladie de Dupuytren sans l'appeler ainsi, le baron éponyme n'étant pas encore né.

Finalement, une image valant mille mots, je fis un bref dessin des symptômes, tout en me demandant comment convaincre Thomas Christie de me laisser opérer sa main.

Cette intervention était relativement simple et rapide, mais, d'une part, nous n'avions pas d'anesthésique, de l'autre, en fervent presbytérien, Christie ne buvait pas une goutte d'alcool… Peut-être Jamie pourrait-il s'asseoir sur sa poitrine et Roger sur ses jambes. Et Brianna tiendrait fermement son poignet…

Je mis ce problème de côté, bâillant avec volupté. Je refermai précipitamment la bouche en apercevant une libellule jaune entrer par la fenêtre, vrombissant comme un hélicoptère. Adso s'élança dans les airs derrière elle, abandonnant mes cheveux dans un désordre sauvage, et mon ruban, longuement mâchouillé, pendant mollement derrière mon oreille. Je retirai l'objet trempé avec un léger dégoût et l'étalai sur le rebord de la fenêtre. Puis je revins en arrière dans mon cahier, admirant mes beaux dessins de la morsure de serpent de Jamie et de la seringue hypodermique de Brianna.

À ma grande stupéfaction, sa jambe avait cicatrisé proprement en dépit de la perte des tissus nécrotiques. Les asticots avaient si bien fait leur travail que les seules traces permanentes étaient les deux petites dépressions dans la peau où le serpent avait planté ses crochets et une fine ligne droite, là où j'avais pratiqué mon incision pour débrider la plaie et placer les larves. Jamie boitait encore un peu, mais cela disparaîtrait probablement avec le temps.

Fredonnant avec satisfaction, je feuilletai encore le cahier, m'arrêtant sur les dernières pages rédigées par Daniel Rawlings.

> *Josephus Howard... se plaint d'une fistule au rectum, négligée depuis si longtemps qu'elle s'est gravement abcédée, se compliquant d'un cas d'hémorroïdes aiguës. Traitée avec une décoction à base de lierre terrestre mélangé à de l'alun brûlé et de petites quantités de miel, le tout bouilli dans du jus de marguerite dorée.*

Une autre note sur la même page, datée d'un mois plus tard, rendait état de l'efficacité de ce traitement, avec des illustrations montrant l'avant et l'après. Rawlings n'était guère plus doué que moi en dessin, mais il était parvenu à capturer avec un réalisme saisissant l'inconfort extrême de l'état de son patient.

Je suçai le bout de ma plume un moment, puis ajoutai une note en marge, expliquant qu'avec ce remède, un régime riche en légumes fibreux permettrait de prévenir à la fois la constipation et ses complications plus sérieuses... Rien de tel qu'une petite leçon de choses !

Je reposai ma plume et tournai la page, me demandant si le lierre terrestre poussait dans la région. J'entendais Jamie s'affairer dans son bureau. J'irais le questionner plus tard.

Je faillis ne pas le voir. Ces mots étaient griffonnés au dos de la page sur laquelle était dessinée la fistule. Rawlings les avait apparemment rajoutés pour résumer ses activités de la journée.

Ai parlé avec M. Hector Cameron de River Run qui me supplie d'examiner les yeux de son épouse, dont la vue semble gravement réduite. Sa plantation se trouve à une distance considérable, mais il m'enverra un cheval.

L'atmosphère soporifique de l'après-midi s'envola d'un coup. Fascinée, je me redressai et poursuivit ma lecture, cherchant à savoir si le médecin avait fini par ausculter Jocasta ou pas. Un jour, j'avais persuadé cette dernière, non sans mal, de me laisser examiner ses yeux et j'étais curieuse de connaître les conclusions de Rawlings. Sans l'aide d'un ophtalmoscope, je n'avais aucun moyen d'être sûre de la cause de sa cécité, mais j'avais ma petite idée. Au moins, je pouvais écarter avec assez d'assurance des troubles tels que la cataracte ou le diabète. Peut-être Rawlings avait-il repéré quelque chose qui m'aurait échappé ou, qui sait, l'état de Jocasta avait beaucoup évolué depuis qu'il l'avait vue.

Ai saigné le forgeron d'un demi-litre de sang, purgé sa femme à l'huile de séné (10 minimum) et administré (3 minimum) de la même préparation au chat après avoir observé des vers dans ses selles.

Cela me fit sourire. Aussi rudimentaires que soient ses méthodes, Daniel Rawlings était un bon médecin. Souvent, je m'interrogeais sur ce qu'il était devenu. Aurais-je un jour la chance de le rencontrer? J'avais la triste intuition que non. Je ne pouvais imaginer qu'un médecin ne cherche pas à récupérer des instruments aussi beaux que les siens. Encore fallait-il être en état de le faire.

Jamie s'était renseigné pour moi, sans résultat. Daniel Rawlings était parti un beau jour pour la Virginie, abandonnant son coffre médical derrière lui, et plus personne n'avait jamais entendu parler de lui.

Une autre page, un autre patient. Des saignées, des purges, des furoncles à percer, des ongles infectés à extraire, un abcès dentaire à traiter, une femme avec une plaie persistante à la jambe à cautériser… Rawlings n'avait pas chômé en débarquant à Cross Creek. Mais était-il arrivé jusqu'à River Run?

Oui, une semaine plus tard et quelques pages plus loin.

Suis arrivé à River Run au terme d'un voyage éreintant, pluie diluvienne et vent à décorner les bœufs, la route complètement inondée par endroits. Si bien que j'ai dû couper à travers champs, fouetté par la grêle, de la boue jusqu'au cou. M'étais mis en route à l'aube avec le serviteur noir de M. Cameron, qui m'avait apporté un cheval. Ne suis parvenu à bon port qu'à la nuit tombée, épuisé et affamé. Ai été accueilli par M. Cameron avec un verre de cognac.

S'étant donné la peine d'aller chercher un médecin, Hector Cameron avait décidé d'en profiter au maximum, lui faisant ausculter tous ses esclaves et ses domestiques, ainsi que le maître de maison lui-même. Rawlings l'avait décrit comme suit :

Âgé de soixante-treize ans, de taille moyenne, de stature large mais légèrement voûtée, avec des mains si déformées par les rhumatismes qu'il lui est impossible de manipuler tout instrument plus complexe qu'une cuillère. À tous autres égards, bien préservé, très vigoureux pour son âge. Se plaint de se lever fréquemment pendant la nuit et de mictions douloureuses. Plutôt que des calculs ou une maladie chronique des parties intimes, je soupçonne une distension de la vessie, la plainte étant récurrente, chaque crise ne se prolongeant pas au-delà de deux semaines et s'accompagnant d'une sensation de brûlure dans la verge. Une faible fièvre, une sensibilité à la palpation du bas-abdomen et une coloration noirâtre des urines, puissamment malodorantes, me confortent dans cette idée.

La maison étant bien approvisionnée en canneberges séchées, j'en ai prescrit une décoction, une tasse de leur jus épaissi à boire deux fois par jour. Ai également recommandé des infusions de gaillet, à boire matin et soir, pour ses effets rafraîchissants et en cas de présence de gravelle dans la vessie, ce qui pourrait aggraver la condition du patient.

J'approuvai d'un hochement de tête. Je n'étais pas toujours d'accord avec les diagnostics et les traitements de Rawlings, mais, cette fois, il avait mis dans le mille. Mais, Jocasta?

Elle figurait à la page suivante.

Jocasta Cameron, soixante-quatre ans, multipare, bien nourrie, en bon état de santé générale, d'allure juvénile.

« Multipare » me paraissait un terme bien froid pour une femme qui avait élevé ses trois enfants, les conduisant au-delà des dangers de la prime enfance, pour les perdre ensuite tous simultanément, dans des circonstances aussi cruelles.

Aucun signe de maladie organique, aucune lésion externe des yeux. Le blanc est clair, les cils ne sont pas collés par des écoulements, il n'y a pas de tumeur visible. Les pupilles réagissent normalement lorsqu'on passe une lumière devant ou quand on la cache. En approchant une chandelle de côté, le corps vitré de l'œil s'illumine, mais ne présente aucun défaut. Ai toutefois observé un léger voile sur le cristallin de l'œil droit, indiquant un début de cataracte, mais qui ne suffit pas à justifier la perte progressive de la vision.

Là encore, Rawlings et moi étions d'accord. Il avait aussi noté la durée sur laquelle la perte de vue s'était étalée – environ deux ans – et la manière – un rétrécissement progressif du champ de vision.

Selon moi, cela avait pris plus de temps. Parfois, la baisse était si graduelle qu'on ne s'en rendait pas compte avant que la vue soit sérieusement menacée.

... des fragments de vision se sont effrités comme des pelures d'oignon. Même le peu de perception restant ne fonctionne que dans la pénombre, la patiente manifestant une profonde irritation et de la douleur lorsque ses yeux sont exposés à la lumière solaire.

J'ai déjà observé un état similaire deux fois, quoique moins avancé, toujours chez des sujets du même âge. J'ai fait part de mon opinion, selon laquelle la vision sera bientôt complètement effacée, sans rémission possible. Heureusement, M. Cameron a offert à son épouse un serviteur noir sachant lire, afin de l'accompagner et de la prévenir des obstacles, ainsi que pour lui faire la lecture et l'informer sur son environnement.

Son état s'était davantage aggravé. À présent, la lumière avait disparu et Jocasta était totalement aveugle. Ainsi donc, c'était une cécité progressive. Cela ne m'en disait pas beaucoup plus, car la plupart de ces pathologies l'étaient. Quand Rawlings l'avait-il examinée?

Il pouvait s'agir de plusieurs maladies : dégénérescence maculaire, tumeur du nerf optique, lésions parasitaires, rétinite pigmentaire, artérite temporale… probablement pas un décollement de la rétine, car cela serait arrivé abruptement, mais je pensais surtout à un glaucome. Je revoyais Phaedre essorant des linges imbibés de thé froid, déclarant que sa maîtresse souffrait «encore» de maux de tête, sur un ton signifiant que c'était habituel, et Duncan me demandant de fabriquer un oreiller à la lavande pour soulager les migraines de son épouse.

À l'époque, je n'avais pas posé de questions sur la nature de ce mal de crâne récurrent. Il pouvait n'avoir aucun rapport avec les yeux de Jocasta, être provoqué par sa tension nerveuse plutôt que par la pression exercée parfois, mais pas toujours, par un glaucome. Après tout, l'artérite aussi entraînait des maux de tête. Le problème du glaucome était qu'il ne s'accompagnait d'aucun symptôme prévisible, hormis la cécité finale. Il était dû à un mauvais écoulement de l'humeur contenue dans le globe oculaire, ce qui entraînait une augmentation de la pression. Cela finissait par affecter l'œil, sans signe avant-coureur pour le médecin et le patient. Mais il existait d'autres formes de cécité asymptomatique…

J'envisageai toutes les possibilités quand je vis d'autres notes ajoutées par Rawlings au dos de la feuille… en latin.

Je fus un peu surprise en constatant qu'il s'agissait d'une continuation du passage précédent. Dans l'écriture à la plume, des assombrissements et des éclaircissements correspondaient aux moments où l'auteur avait retrempé son outil dans l'encre. Chaque description de cas présentait des nuances différentes, en raison de l'utilisation d'encres variées. Dans ce cas, la remarque avait bien été écrite en même temps que le commentaire précédent.

Pourquoi être passé brusquement au latin? Rawlings ne s'en servait jamais dans ses comptes rendus, hormis pour un mot ou une expression, ici ou là, nécessaire à la description formelle d'un cas clinique. Or, j'avais sous les yeux une demi-page de latin, rédigée de manière appliquée et non à la hâte comme d'habitude, donnant l'impression qu'il avait soigneusement pesé chaque mot avant de le coucher sur le papier.

Je feuilletai rapidement le cahier et constatai qu'il avait utilisé le latin en différents endroits, mais pas souvent, et toujours à la suite d'un commentaire en anglais. Comme c'était étrange... Je revins au passage concernant River Run et tentai de le déchiffrer.

Au bout de deux phrases, je capitulai et allai trouver Jamie dans son bureau, où il écrivait des lettres, ou du moins essayait.

Son encrier, une petite coloquinte surmontée d'un bouchon de liège, était ouvert. Récemment rempli, il sentait l'odeur de la résine de chêne macérée avec de la limaille de fer. Une nouvelle penne de dindon, taillée avec un tel acharnement qu'elle ressemblait davantage à une dague qu'à une plume, et une feuille de papier étaient posées sur le buvard. Trois mots esseulés noircissaient le haut de la page. Un seul regard vers Jamie me suffit pour en deviner la teneur : *Ma chère sœur.*

Souriant d'un air ironique, il haussa les épaules.

– Que veux-tu que je lui dise?

– Je ne sais pas.

Je vins me placer derrière lui et posai une main sur son épaule, que je serrai brièvement. Il mit sa main sur la mienne, puis reprit sa plume.

– Je ne peux pas encore lui dire que je suis désolé!

Il fit doucement rouler la penne entre son pouce et son majeur, tout en poursuivant :

– Je le lui ai déjà écrit dans chacune de mes lettres. Si elle était disposée à me pardonner...

Si cela avait été le cas, Jenny aurait répondu à au moins une des lettres qu'il envoyait fidèlement à Lallybroch une fois par mois.

– Ian t'a pardonné. Les enfants aussi.

Les missives de son beau-frère nous parvenaient sporadiquement, mais elles arrivaient, ainsi que quelques mots occasionnels de son homonyme, le petit Jamie et, plus rares, de Maggie, de Kitty, de Michael ou de Janet. Mais le silence de Jenny était assez assourdissant pour étouffer les voix de tous les autres.

– Oui, ce serait encore pire si…

Il n'acheva pas sa phrase, fixant la feuille blanche devant lui. En fait, rien ne pouvait être pire que ce rejet. Personne au monde n'était plus proche, plus important pour lui que Jenny, à l'exception de moi, sans doute.

Je partageais son lit, sa vie, son amour, ses pensées. Elle avait partagé son cœur et son âme depuis le jour où il était né… jusqu'à celui où il lui avait égaré son fils chéri. Du moins, elle le jugeait ainsi.

Cela me fendait le cœur de le voir porter sur ses épaules la culpabilité de la disparition de Ian. J'en voulais aussi à Jenny. Je comprenais sa douleur de mère et compatissais, mais tout de même… Ian n'était pas mort, à ce qu'on sache. Elle seule pouvait absoudre Jamie, elle le savait sûrement.

Je tirai un tabouret et m'assis près de Jamie, oubliant mon cahier. Sur le bureau, une pile de papiers était noircie de son écriture laborieuse. Avec sa main handicapée, écrire lui demandait un effort considérable et, pourtant, il s'entêtait presque tous les soirs à raconter tous les événements de la journée. Les visiteurs à Fraser's Ridge, la santé des bêtes, l'avancée dans la construction de nouveaux bâtiments, les nouveaux colons, les nouvelles des comtés de l'est…, il écrivait tout, lentement, un mot après l'autre, puis il confiait les pages ainsi accumulées à un visiteur de passage pour leur faire franchir la première étape de leur long voyage périlleux jusqu'en Écosse. Toutes ses lettres n'arrivaient pas forcément à destination, mais certaines, si. La plupart de celles qu'on nous envoyait du vieux continent finissaient par nous parvenir, à condition qu'on veuille bien écrire.

Pendant un moment, j'avais voulu me convaincre que la lettre de Jenny s'était tout simplement égarée, mais cela faisait trop longtemps maintenant, et j'avais cessé d'espérer. Pas Jamie.

– Je pensais lui envoyer ceci.

Il fouilla dans la liasse de feuilles et en extirpa un morceau de papier jauni et taché, avec un bord dentelé, signe qu'il avait été déchiré dans un livre.

C'était un message de Ian, la seule preuve tangible qu'il était encore en vie et en bonne santé. Notre ami trappeur, John Quincy Myers, nous l'avait apporté lors du *gathering*.

Rédigé pour plaisanter dans un latin maladroit, le mot nous assurait qu'il était heureux. Il s'était marié avec une jeune fille «à la manière mohawk» – ce qui signifiait, présumais-je, qu'il avait décidé de partager sa maison, son lit et son feu et qu'elle avait bien voulu – et espérait être père «au printemps prochain». C'était tout. Le printemps était arrivé et reparti, sans un autre mot. Ian n'était pas mort, mais c'était tout comme. Nos chances de le revoir un jour étaient ténues, et Jamie le savait. La nature sauvage l'avait englouti.

Du bout de sa plume, Jamie caressa les lettres rondes et enfantines. Il avait déjà parlé du message à Jenny, mais ne le lui avait pas encore envoyé. Je savais pourquoi. Il était son seul lien physique avec Ian. S'en séparer revenait en quelque sorte à l'abandonner définitivement aux Mohawks. Le message disait :

Ave! Ian salutat avinculus Jacobus, «Ian salue son oncle James».

Jamie aimait tous les enfants de Jenny, mais Ian occupait une place à part dans son cœur. Il était plus qu'un neveu… une sorte de fils adoptif, comme Fergus, mais du même sang. En somme, il servait de substitut au fils qu'il avait perdu. Celui-ci n'était pas mort non plus, mais ne pourrait jamais être reconnu. Le monde semblait soudain rempli d'enfants perdus.

– Oui, dis-je doucement. Je crois que tu devrais le lui envoyer. Jenny devrait l'avoir, même si…

Je toussotai, me rappelant soudain le cahier. Je le repris, espérant lui changer les idées.

– Hum… parlant de latin… Je ne comprends pas un passage là-dedans. Tu veux bien y jeter un coup d'œil?

– Oui, bien sûr.

Il mit le mot de Ian de côté et me prit le cahier des mains, l'orientant de manière que le dernier rayon de soleil de l'après-midi l'éclaire. Il fronça les sourcils, suivant les lignes du bout d'un doigt.

– Nom de nom! Cet homme ne connaît pas plus sa grammaire latine que toi, *Sassenach*.

– Je te remercie. On ne peut pas tous être académiciens!

Je me rapprochai, lisant par-dessus son épaule. J'avais donc vu juste. Rawlings ne passait pas au latin simplement pour le plaisir, ni pour afficher son érudition.

Jamie traduisait lentement, déchiffrant au fur et à mesure.

– «Je suis éveillé…», non… je pense qu'il a voulu dire : «J'ai été réveillé par des bruits dans la chambre adjacente à la mienne. Je pense…» Non, «J'ai pensé que mon patient allait se soulager et je me suis levé pour le suivre…» En voilà une drôle d'idée! Pourquoi faire?

– Le patient – à propos, il s'agit d'Hector Cameron – avait un problème de vessie. Rawlings voulait sans doute le voir uriner pour vérifier ses symptômes : douleur, sang dans l'urine, ce genre de choses.

Jamie me jeta un regard en coin, un sourcil en accent circonflexe, puis se replongea dans son déchiffrage en marmonnant des remarques au sujet des manies bizarres des médecins.

– «*Homo prodeciente*…», «L'homme avance…». Pourquoi l'appelle-t-il «l'homme» et non par son nom?

– Parce qu'il essayait d'être secret, m'impatientai-je, curieuse de connaître la suite. C'est pourquoi il a écrit en latin. Si Cameron avait lu son nom dans le cahier, il aurait été intrigué, non?

– «L'homme avance hors…» Hors? Il veut dire hors de sa chambre, ou de la maison? Ce doit être au-dehors. «… et je le suis. Il marche d'un pas rapide et régulier…» Oui et alors ? Pourquoi pas? Oh, attends, voilà la réponse : «Je ne comprends pas. Je donne…» Non, «J'ai donné à l'homme douze grains de laudanum».

– Douze grains? Tu es sûr de ça?

Jamie me montra le passage du doigt. Effectivement, c'était écrit noir sur blanc.

– Mais c'est une dose de cheval!

– Peut-être, mais il a bel et bien écrit « … douze grains de laudanum pour aider son sommeil». Je comprends qu'il ait été surpris de le voir batifoler sur la pelouse en pleine nuit!

Je le poussai du coude.

– Continue!

– Mmphm. Il dit s'être rendu à la fosse d'aisances, sans doute pensant y retrouver Cameron, mais il n'y avait personne et ça ne sentait pas la… euh… bref, personne ne l'avait utilisée récemment.

– Tu n'as pas besoin d'être délicat avec moi, le rassurai-je.

– Je sais. Mais en dépit de ma longue association avec toi, *Sassenach*, ma propre sensibilité ne s'est pas encore émoussée. Aïe!

Il se frotta le bras, là où je l'avais pincé.

– Ne me fais pas rire avec ta sensibilité. Si tu en avais eu une, tu ne m'aurais pas épousée ! Maintenant, peut-on essayer de savoir où était passé Cameron ?

Il parcourut la page, ses lèvres articulant silencieusement des mots.

– Il n'en sait rien. Il a tourné en rond pendant un moment, jusqu'à ce que le majordome jaillisse hors de sa tanière, le prenant pour un maraudeur, et le menace avec une bouteille de whisky.

– Une arme redoutable ! observai-je.

Je souris en imaginant Ulysse en bonnet de nuit en train de pourchasser le docteur sur la pelouse.

– Comment traduit-on whisky en latin ?

– Il a utilisé l'expression la plus proche, *aqua vitæ*, mais ça ne peut être que du whisky. Il dit que le majordome lui en a donné un verre pour se remettre du choc.

– Alors, il n'a jamais retrouvé Cameron ?

– Si, après avoir quitté Ulysse. Il ronflait, sagement couché dans son lit. Le lendemain matin, quand il l'a interrogé, Cameron ne se souvenait pas s'être levé pendant la nuit.

Il tourna la page du bout du doigt en levant les yeux vers moi.

– Tu penses que le laudanum pourrait l'avoir empêché de se souvenir ?

– Possible. Mais c'est tout bonnement incroyable qu'un homme avec autant de laudanum dans le système ait pu tenir debout, à moins que…

Je plissai le front, me souvenant des remarques de Jocasta lors de notre conversation à River Run.

– Se pourrait-il que ton oncle Hector ait été un mangeur d'opium ou quelque chose du genre ? S'il consommait régulièrement beaucoup de laudanum, il a dû développer une accoutumance, ce qui expliquerait que la dose de Rawlings ne lui ait rien fait.

Ne s'étonnant jamais des soupçons de dépravation pesant sur les épaules de ses parents, Jamie réfléchit à la question, puis secoua la tête.

– Si c'était le cas, j'en aurais entendu parler. D'autre part, pourquoi me l'aurait-on rapporter?

Le fait était. Si Hector Cameron avait eu un faible pour les narcotiques importés, cela n'aurait regardé personne d'autre que lui. Propriétaire de l'une des plantations les plus prospères de la région, il avait largement les moyens financiers et pratiques de se les procurer. Bizarre quand même que personne n'en ait parlé.

Jamie, lui, suivait son idée.

– Pourquoi un homme sortirait-il en pleine nuit de chez lui pour aller pisser, *Sassenach?* Je sais qu'Hector Cameron avait un pot de chambre, je l'ai moi-même utilisé. Il porte son nom, et l'écusson des Cameron est peint sur le fond.

Je fixai la page d'écriture cryptique.

– Excellente question. Peut-être que, souffrant de terribles douleurs, dues à des calculs par exemple, il a préféré sortir pour éviter de réveiller toute la maisonnée.

Jamie fit une moue cynique.

– Je n'ai pas entendu dire qu'il mangeait de l'opium, et encore moins qu'il était particulièrement soucieux du confort de sa femme et de ses domestiques. À vrai dire, tous les témoignages concordent sur un point : mon oncle était une belle ordure.

Je me mis à rire.

– C'est sans doute pour cette raison que ta tante apprécie tant Duncan.

Adso entra dans le bureau, les vestiges de la libellule dans la gueule, et s'assit à mes pieds pour me faire admirer son trophée. Je lui donnai une petite tape sur la tête.

– C'est très bien, mais ne gâche pas ton appétit. Il y a encore plein de cafards dans l'office, et je compte sur toi pour faire le ménage.

L'air songeur, Jamie tapotait d'un doigt le cahier ouvert.

– *Ecce homo*, murmura-t-il. Tu crois qu'il voulait parler d'un *homo* français?

Je le regardai, interloquée.

– D'un quoi?

– As-tu pensé que, peut-être, ce n'était pas Hector Cameron que ton docteur a suivi, *Sassenach*?

– Euh... sincèrement? Non. Pourquoi, qu'est-ce qui te fait croire qu'il pourrait s'agir de quelqu'un d'autre, et plus particulièrement, d'un Français?

Jamie me montra le bord de la page où Rawlings avait fait de petits dessins. Je les avais pris pour des gribouillis. Celui sous son doigt représentait une fleur de lys.

– *Ecce homo*, répéta-t-il. Le docteur n'était pas certain de l'identité de l'homme qu'il suivait, voilà pourquoi il ne l'a pas précisée. Si Cameron était drogué, alors c'est quelqu'un d'autre qui est sorti cette nuit-là. Pourtant, il ne mentionne aucun étranger présent dans la maison.

– Il ne l'aurait sans doute pas mentionné, à moins de l'avoir examiné. Il lui arrive d'inscrire des notes personnelles, mais il s'agit avant tout d'un cahier de médecine : il y consigne les troubles de ses patients et les traitements administrés. Toutefois...

J'hésitai, examinant la page.

– La fleur de lys ne signifie peut-être rien, et encore moins qu'il y avait un Français présent à River Run.

Exception faite de Fergus, les Français n'étaient pas très fréquents en Caroline du Nord. Il existait bien une colonie de Français au sud de Savannah, mais elle se trouvait à des centaines de kilomètres de là.

La fleur de lys pouvait n'être qu'un gribouillis, et pourtant... Rawlings n'en avait fait nulle part ailleurs sur son cahier. S'il ajoutait des dessins, ceux-ci étaient appliqués et pertinents, destinés à se souvenir d'un cas particulier ou à éclairer un autre médecin après lui.

Au-dessus de la fleur de lys, un symbole ressemblait à un triangle avec un cercle au sommet et une basse incurvée. À la base, je lus une séquence de lettres : *Au* et *Aq*.

– A… u, dis-je lentement. *Aurum*.

Jamie me regarda, surpris.

– De l'or?

– Oui, c'est l'abréviation scientifique pour l'or. *Aurum et aqua*. «De l'or et de l'eau». Je suppose qu'il veut dire *goldwasser*. Des éclats d'or en suspens dans une solution aqueuse, un remède contre l'arthrite. Le plus étrange, c'est qu'il fonctionne, mais personne ne sait pourquoi.

– Plutôt coûteux comme traitement. D'un autre côté, Cameron pouvait se le permettre. Il a peut-être conservé quelques grammes de ses lingots!

– Avant, il a écrit que ton oncle souffrait d'arthrite. Peut-être comptait-il lui conseiller de la *goldwasser*, mais je ne vois pas le rapport avec la fleur de lys et cet autre truc… Je ne connais pas un tel symbole de médicament.

À ma surprise, Jamie se mit à rire.

– Ça ne m'étonne pas, *Sassenach*, c'est un compas maçonnique.

J'écarquillai les yeux.

– Ah bon? Cameron était franc-maçon?

Il haussa les épaules et se passa une main dans les cheveux. Même si maintenant j'étais au courant, il n'abordait jamais avec moi ses liens avec la franc-maçonnerie. Il avait été initié à Ardsmuir et, indépendamment du secret imposé aux frères, il parlait rarement de sa vie entre les murs suintants de la prison.

Néanmoins, il ne pouvait s'empêcher de formuler des conclusions logiques.

– Rawlings devait être aussi franc-maçon, dit-il, sinon, il n'aurait pas fait ce dessin.

Je ne savais plus quoi dire, mais n'eus pas besoin de me poser trop longtemps la question. Ayant recraché une paire d'ailes ambrées, Adso bondit sur le bureau en quête d'autres amuse-gueule. Jamie posa une main protectrice sur son encrier et saisit sa plume neuve de l'autre. Privé de proie, le chat longea le bord du meuble et alla se coucher sur la liasse de lettres, agitant nonchalamment la queue en faisant mine d'admirer la vue.

Jamie plissa des yeux devant tant d'insolence et le repoussa de la pointe de sa plume.

– Ôte ton derrière velu de ma correspondance, sale bête !

Les yeux verts du chat s'ouvrirent grand en fixant les mouvements de la longue penne, et ses omoplates se tendirent. Jamie agita son leurre sous son nez, et Adso tenta vainement de l'attraper d'un coup de patte.

Je le soulevai du bureau avant que la situation ne dégénère, tandis qu'il émettait un miaulement de protestation.

– Non, c'est son joujou, tentai-je de lui expliquer. Toi, tu viens avec moi. Il y a des cafards à qui tu dois régler leur compte.

J'allai reprendre mon cahier de ma main libre, quand Jamie m'arrêta d'un geste.

– Non, laisse-le-moi, *Sassenach*. Cette idée d'un franc-maçon français se promenant la nuit dans River Run m'intrigue. J'aimerais lire les autres passages en latin du docteur Rawlings.

– Comme tu voudras.

Je hissai Adso sur une épaule, en jetant un coup d'œil par la fenêtre. Le soleil ne formait plus qu'un halo flamboyant derrière les châtaigniers. J'entendais des voix de femmes et d'enfants dans la cuisine. Mme Bug commençait à mettre la table, assistée de Brianna et de Marsali.

– Le dîner sera bientôt servi, annonçai-je.

Je me penchai pour déposer un baiser sur le crâne de Jamie. Il sourit, porta ses doigts à ses lèvres puis vers moi. Le temps que j'atteigne la porte, il était déjà replongé dans l'examen des pages noircies du cahier. La feuille portant les trois mots isolés attendait sur le bord du bureau, oubliée… pour le moment.

97

Sang dessus dessous

Je surpris un éclat brun de l'autre côté de la porte, et Adso bondit comme si quelqu'un avait crié : « Poisson ! » C'était tout comme : Lizzie revenait de la laiterie avec un bol de crème fraîche dans une main, le beurrier rempli dans l'autre et une grosse cruche de lait écrasée contre son sein et maintenue par ses poignets croisés. Le chat s'enroula autour de ses chevilles comme une corde velue, sans doute dans l'espoir de la faire trébucher et lâcher son butin.

Je me précipitai pour récupérer la cruche.

Lizzie poussa un soupir de soulagement.

– Oh ! merci, madame ! C'est juste que je n'avais pas envie de faire deux voyages.

Elle renifla et tenta de s'essuyer le nez sur son avant-bras, mettant le beurre en péril. Je sortis un mouchoir de ma poche et lui pressa contre les narines, me retenant de justesse de formuler la parole maternelle : « Souffle ! »

– Merci, madame, répéta-t-elle.

– Tu te sens bien, Lizzie ?

Sans attendre sa réponse, je la pris par le bras et l'entraînai dans l'infirmerie où la grande fenêtre me donnait assez de lumière pour l'examiner.

– Mais, je vais très bien, madame, je vous assure !

Elle serrait la crème et le beurre contre elle pour se protéger.

Elle était pâlotte, mais je l'avais toujours connue ainsi, avec cet air de ne pas avoir un seul corpuscule en trop.

Toutefois, sa peau avait un teint maladif qui ne me disait rien qui vaille. Son dernier accès paludéen remontait à plus d'un an, et elle semblait généralement en bonne santé, mais…

– Viens par ici, j'en ai juste pour une minute.

Je la poussai doucement vers une paire de hauts tabourets. La mort dans l'âme mais n'osant pas protester, elle s'assit, ses plats en équilibre sur ses genoux. Après un coup d'œil vers le regard prédateur d'Adso, je les lui pris et les mis à l'abri dans l'armoire.

Son pouls était normal, c'est-à-dire normal pour Lizzie, à savoir rapide et faible. Sa respiration… bonne, sans à-coups ni sifflement. Je sentais ses ganglions lymphatiques sous sa mâchoire, mais cela n'avait rien d'extraordinaire. Le paludisme les avait laissés définitivement enflés, comme la courbe d'un œuf de caille sous sa peau délicate. Toutefois, je pouvais également palper ceux de son cou et, ça, c'était inhabituel.

Je soulevai une de ses paupières, examinant attentivement le globe gris pâle qui me fixait en retour d'un air anxieux. Rien, un peu rouge, peut-être. Là encore, quelque chose me chiffonnait dans ses yeux, sans que j'arrive à mettre le doigt dessus. Une vague nuance de jaune dans la sclérotique? Fronçant les sourcils, je plaçai une main sous son menton et lui fis tourner la tête de droite à gauche.

– Salut, tout le monde! Tout va comme vous voulez?

Roger se tenait sur le pas de la porte, un très gros oiseau, très mort, se balançant nonchalamment au bout de son bras.

Je m'efforçai de m'exclamer avec enthousiasme :

– Oh! Un dindon!

Non pas que je n'aimais pas ça, mais Jamie et Brianna nous en avaient déjà rapportés cinq la semaine précédente, ce qui rendait nos dîners quelque peu monotones ces derniers temps. Trois de ces énormes bestioles pendaient dans le fumoir. D'un autre côté, les dindons étaient des animaux roublards et particulièrement difficiles à chasser et, pour autant que je sache, Roger n'avait encore jamais réussi à en tuer un.

– Tu l'as abattu toi-même ?

Je m'approchai pour l'admirer consciencieusement. Il le tenait par les pattes, ses grandes ailes à demi déployées, les plumes de son poitrail reflétant le soleil en dessinant des motifs irisés vert noirâtre.

Roger avait le visage rouge d'excitation ou d'excès de soleil, ou bien des deux.

– Non, je l'ai battu à la course, dit-il fièrement. Je l'ai atteint à l'aile avec une pierre, puis je l'ai coursé et lui ai brisé le cou.

– Fantastique !

Cette fois, mon enthousiasme était plus sincère. Cela voulait dire que nous n'aurions pas besoin de chercher la balle en nettoyant la volaille, ni ne risquerions de nous casser une dent en la mangeant.

Lizzie était descendue de son tabouret pour admirer la prise.

– Quel bel oiseau, monsieur MacKenzie ! Qu'est-ce qu'il est gros ! Vous voulez que je vous le plume ?

– Pardon ? Oh non, merci Lizzie, je... euh... je m'en chargerai.

Il rougit encore un peu plus et je réprimai un sourire. Il tenait à montrer à Brianna son trophée dans toute sa splendeur. Il passa l'oiseau dans sa main gauche et tendit vers moi la droite, enveloppée dans un mouchoir sanglant.

– J'ai eu un petit accident dans mon corps à corps avec le dindon. Vous pensez qu'il serait possible de... ?

Je déroulai son bandage de fortune, grimaçant devant les plaies. Défendant chèrement sa vie, l'animal lui avait enfoncé ses serres dans le dos de la main, lui faisant trois profondes entailles en zigzag. Le sang avait en grande partie coagulé, mais des gouttes fraîches perlaient encore de l'une d'elles, coulant au bout de son doigt avant de s'écraser sur le sol.

– Non seulement c'est possible, mais c'est nécessaire. Viens t'asseoir que je te nettoie. Eh, Lizzie! Ne t'en va pas comme ça!

Pensant profiter de cette distraction pour s'éclipser, Lizzie s'arrêta net sur le pas de la porte, comme si je lui avais tiré dans le dos.

– Non, vraiment, madame, je vous jure, je vais très bien, m'implora-t-elle. Je me sens en pleine forme, je vous assure.

À vrai dire, je l'avais rappelée pour lui signaler qu'elle oubliait sa crème et son beurre. Pour le lait, c'était trop tard. Dressé sur ses pattes arrière, Adso avait déjà la tête tout entière à l'intérieur de la cruche, d'où nous parvenaient des lapements frénétiques. Le bruit faisait contrepoint à celui des gouttes de sang sur le plancher, ce qui me donna une idée.

– Viens te rasseoir, Lizzie. Ne t'inquiète pas, je veux juste te prendre un peu de sang.

Elle ressemblait à un campagnol relevant le nez de ses miettes pour découvrir qu'il se trouvait au beau milieu d'une réunion de chouettes. Toutefois, elle n'était pas du genre à désobéir à un ordre. Traînant le pas, elle grimpa de nouveau sur son tabouret, près de Roger. Intrigué, celui-ci demanda :

– Pourquoi voulez-vous du sang? Vous savez, vous pouvez avoir tout le mien, gratis!

Il me tendit sa main ensanglantée en souriant.

– C'est très généreux de ta part, mais tu n'as jamais eu le paludisme, n'est-ce pas?

J'étalai un linge propre et une poignée de lamelles en verre.

– Pas que je sache, répondit-il.

Il observait mes préparatifs avec un grand intérêt. Lizzie émit un petit rire gêné.

– Si vous l'aviez eu, vous le sauriez, monsieur.

– Vous avez raison, dit-il avec compassion. C'est très pénible, paraît-il.

– Tous les os font mal au point d'avoir l'impression qu'ils sont réduits en poudre à l'intérieur du corps. Les yeux brûlent comme des démons. Puis, la sueur ruisselle par tous les pores de la peau. Viennent ensuite les frissons, qui font claquer des dents si fort qu'elles manquent de se casser…

Au souvenir de ces douleurs, elle se recroquevilla, puis, soucieuse, regarda la lancette que je stérilisais au-dessus de la flamme de ma lampe à alcool, en ajoutant :

– Je croyais pourtant que c'était bel et bien terminé.

– Je l'espère, dis-je en fixant la fine lame.

Je pris un morceau de lin et ma bouteille bleue d'alcool distillé, et nettoyai le bout de son majeur avec soin.

– Certaines personnes subissent un seul accès de paludisme, puis plus rien. J'espère que c'est ton cas, Lizzie. Mais, chez la plupart des gens, les crises reviennent de temps en temps. J'essaie de savoir si c'est ce qui est en train d'arriver. Prête ?

Sans attendre sa réponse, je glissai la lancette sur son doigt, pressai celui-ci contre les trois lamelles, puis nouai le tissu autour. Je plaçai une lamelle propre sur chacune des trois taches, qui s'étalèrent entre les deux plaques de verre, puis les laissai sécher.

– C'est fini, Lizzie. Tu devras attendre un peu. Avant de les examiner, je dois d'abord les préparer. Je t'appellerai quand ce sera prêt, d'accord ?

Elle descendit de son tabouret, les yeux rivés sur les lamelles, l'air apeuré.

– Oh, ce n'est pas grave, madame ! Je n'ai pas besoin de voir.

Elle lissa son tablier et sortit si rapidement qu'elle en oublia encore le beurre et la crème.

– Désolé de te faire attendre, dis-je à Roger.

– Je vous en prie.

Il m'observa avec fascination, tandis que je débouchais trois petits pots en grès pour y glisser les trois plaques sèches. Puis, je me tournai enfin vers lui pour nettoyer et bander sa plaie, lavant les croûtes de sang séché sur ses articulations.

– C'est moins méchant que je ne le croyais, commentai-je. Tu as beaucoup saigné, ce qui est bien.

– Puisque vous le dites.

Il ne sourcilla pas, mais il évitait soigneusement de regarder ce que je faisais, gardant le visage tourné vers la fenêtre.

– Ça nettoie la plaie, expliquai-je.

Je tamponnai sa main avec de l'alcool. Il serra les dents, mais ne broncha pas. Puis, il indiqua d'un signe de tête les pots en grès.

– En parlant de sang, que comptez-vous faire avec celui de notre Mlle Souris ?

– Une expérience. Je ne sais pas si ça marchera, mais j'ai fabriqué plusieurs colorants expérimentaux à l'aide des plantes utilisées pour la teinture. Si l'un d'eux fonctionne avec le sang, je pourrai distinguer clairement les globules rouges au microscope… et ce qu'ils contiennent.

Je parlai avec un mélange d'espoir et d'excitation.

Dupliquer des colorants cellulaires avec les matériaux du bord n'était pas une mince affaire, mais c'était faisable. Je disposais des solvants ordinaires – l'alcool, l'eau, la térébenthine et ses distillats – ainsi que d'un large éventail de pigments végétaux, de l'indigo au cynorhodon, sans parler d'une longue expérience de leurs propriétés colorantes.

Je n'avais pas de violet de méthyle ni de fuchsine, mais j'avais réussi à obtenir un colorant rouge qui rendait les cellules épithéliales très visibles, ne serait-ce que provisoirement. Restait à vérifier que le même colorant fonctionnait sur les globules rouges et leurs inclusions, sinon il me faudrait procéder par colorations différentielles.

– À votre avis, que peuvent-ils bien contenir? demanda Roger.

– Du *plasmodium vivax*. Le protozoaire responsable du paludisme.

– Vous pouvez le voir? Je croyais que les microbes étaient beaucoup trop petits pour être décelés, même au microscope.

Je me mis à rire.

– Tu me rappelles Jamie. Il m'est impossible de lui faire rentrer le concept même du microbe dans la tête. Au fait, pendant qu'on y est, tu ne connaîtrais pas ton groupe sanguin, par hasard?

Il dut sentir que ma question était loin d'être innocente. Suspicieux, il arqua un sourcil et répondit lentement.

– Si. O positif.

Je remplaçai son premier carré de gaze par un propre et enroulai un bandage autour de sa main.

– Intéressant.

– Pourquoi?

Je ressortis les lamelles dégoulinantes des teintures rose et bleue. Je posai la première contre la cruche de lait pour la faire sécher, puis échangeai les deux autres, plaçant la lamelle rose dans le pot de teinture bleue, et inversement. Puis, je soufflai sur la troisième tout en expliquant :

– Il existe trois principaux groupes sanguins. En fait, il y en a plus, mais le grand public connaît surtout ces trois-là. On appelle ça le système ABO, chaque individu étant classé selon son appartenance au groupe A, B ou O. Or, comme pour tous nos traits, ce groupe est déterminé génétiquement, c'est-à-dire que chacun de nous hérite d'une moitié des gènes de son père et d'une moitié de ceux de sa mère.

– Oui, je me souviens vaguement avoir appris ça à l'école. Je revois encore tous ces graphiques généalogiques illustrant l'hémophilie de la famille royale, etc. Quel rapport avec moi?

La lamelle rose paraissant sèche, je l'installai sur la platine du microscope et me penchai sur l'oculaire pour le régler :

– Ces groupes sanguins sont liés aux antigènes – de petites choses aux formes bizarres vivant à la surface des globules rouges. Les gens qui appartiennent au groupe A ont une sorte d'antigène sur leurs cellules, ceux du type B en ont une autre, et ceux du groupe O n'en ont pas du tout.

Les globules rouges apparurent soudain, faiblement colorés, tels de petits spectres ronds et roses. Ici et là, une tache d'un rose plus soutenu indiquait ce qui pouvait être un débris cellulaire ou encore un gros globule blanc. Il n'y avait pas grand-chose d'autre à voir.

Je sortis les deux autres lamelles de leur bain tout en poursuivant :

– Si un des parents transmet à son enfant le gène du groupe O et que l'autre lui donne celui du type A, l'enfant appartiendra au groupe A, car ce sont ses antigènes que l'on détecte pour le classer. Toutefois, il aura quand même en lui le gène du type O.

J'agitai une lamelle pour accélérer son séchage.

– Par exemple, je suis du groupe A. Je sais que mon père était du groupe O. Pour cela, il faut qu'il ait reçu le gène du type O de ses deux parents. Donc, quel que soit le gène qu'il m'ait transmis, il était forcément du type O. Par conséquent, le gène A m'est venu de ma mère.

Voyant son regard perplexe, je reposai la lamelle en soupirant. Un peu plus tôt, Brianna était venue me dessiner des spores de pénicilline. Elle avait oublié son calepin et un morceau de fusain. Je le pris et l'ouvris à une page vierge, sur laquelle j'esquissai rapidement un tableau.

– Regarde, dis-je en le lui montrant.

Henry *Julia*
OO = Type OA *A ? = A ou AB*
Claire
OA = Type A

Je tapotai mon nom du bout de mon fusain.

– Tu comprends? Je ne suis pas sûre du groupe de ma mère, mais ce n'est pas important. Si je suis du type A, elle m'a forcément transmis le gène A, puisque mon père ne pouvait l'avoir.

La lamelle suivante était presque sèche. Reposant le fusain, je la mis en place et me penchai de nouveau sur l'oculaire.

– Vous pouvez voir ces groupes sanguins, ou ces antigènes, au microscope? demanda-t-il derrière moi.

– Non, répondis-je sans relever la tête. La résolution n'est pas assez bonne, mais on peut voir d'autres choses… j'espère.

Je tournai le bouton de quelques millimètres, et les cellules apparurent. Je laissai échapper mon souffle, un frisson d'excitation me parcourant tout le corps. Les voilà! Ils étaient là, à l'intérieur des cercles ronds et roses des globules rouges, formant des taches sombres, certaines rondes, d'autres ressemblant à des quilles miniatures. Je poussai un cri de ravissement.

– Viens voir.

Je m'écartai pour céder la place à Roger. Il observa, l'air grave.

– Qu'est-ce que je regarde exactement? demanda-t-il au bout d'un moment.

– *Plasmodium vivax*, répondis-je fièrement. Le paludisme. Ce sont les taches sombres à l'intérieur des cellules.

Les ronds étaient les protozoaires, les créatures unicellulaires transmises dans le sang par la piqûre d'un moustique. Ceux qui ressemblaient à des quilles étaient des protozoaires en train d'éclore, se préparant à se reproduire.

Reprenant mon observation, je poursuivis :

– Quand ils éclosent, ils se multiplient jusqu'à faire exploser la membrane de la cellule infestée, puis ils en envahissent une autre, et ainsi de suite… C'est au cours de cette phase que le patient souffre de l'attaque de paludisme, avec de la fièvre et des frissons. Quand les *plasmodium* sont dormants – à savoir qu'ils ne se multiplient pas –, le patient est normal.

– Mais qu'est-ce qui les incite à se multiplier?

– Personne ne le sait exactement. Toutefois, on peut vérifier s'ils sont ou non en phase de multiplication et administrer de la quinine. On ne peut pas en prendre à vie, ni même sur des périodes prolongées. Malheureusement, la pénicilline n'a aucun effet sur la plupart des protozoaires. En revanche, je peux vérifier le sang de Lizzie régulièrement. Si le nombre de *plasmodium* augmente brusquement, je lui donnerai aussitôt de la quinine. Avec un peu de chance, cela lui évitera un nouvel accès. En tout cas, ça vaut la peine d'essayer.

Il hocha la tête, contemplant le microscope et la lamelle bleue et rose.

– En effet, dit-il évasivement.

Préoccupé, il me regardait nettoyer les salissures occasionnées par mes manipulations. Lorsque je me penchai pour ramasser le mouchoir sanglant dans lequel il avait enveloppé sa main, il me demanda :

– Vous connaissez sûrement le groupe sanguin de Brianna?

– B, répondis-je. C'est assez rare, surtout chez une Blanche. On le trouve surtout dans de petites populations isolées, comme certaines tribus indiennes du sud-ouest américain, ou chez certains Noirs. Ces derniers descendent probablement tous d'une région spécifique d'Afrique, mais à l'époque où le système ABO a été inventé, leurs liens avec leurs ancêtres s'étaient déjà effacés.

– De petites populations isolées… Comme les Highlands écossaises, peut-être?

Je levai les yeux vers lui.

– Peut-être.

Il reprit le calepin et traça à son tour un tableau.

Claire *Jamie*
AO = type OB ? = B ou AB

Brianna
OB = Type B

Il releva vers moi des yeux interrogateurs.

– C'est ça, confirmai-je. Tu as tout compris.

Il m'adressa un sourire narquois, puis baissa de nouveau les yeux vers son croquis. Puis il continua sans me regarder :

– Alors, vous pouvez le savoir ou pas ? Avec certitude ?

Je fis tomber le mouchoir dans le panier de linge sale avec un petit soupir.

– Non, répondis-je. Ou plutôt, je ne peux pas dire avec certitude si Jemmy est de toi. En revanche, je peux « peut-être » savoir avec certitude s'il ne l'est pas.

– Comment ?

– Brianna est du type B, mais moi du A. Cela signifie qu'elle a le gène B et mon gène O. Elle peut avoir donné l'un ou l'autre à Jemmy. De ton côté, tu ne peux lui avoir transmis qu'un gène O, puisque tu n'en as pas d'autres.

Je lui montrai une rangée de tubes près de la fenêtre, le soleil de l'après-midi donnant des reflets dorés au sérum brun à l'intérieur.

– Si Brianna lui a donné son gène O, et toi, son père, un gène O également, Jemmy sera du groupe O, son sang n'aura pas d'anticorps et ne réagira pas au sérum de mon sang, à celui de Jamie ni à celui de Brianna. Si Brianna lui a donné son gène B, et toi ton O, il sera du type B – son sang réagira alors à mon sérum, mais pas à celui de Brianna. Dans un cas comme dans l'autre, tu pourrais être son père – mais tout comme n'importe quel homme du groupe O. Toutefois, si…

J'inspirai profondément et pris le fusain sur la table. Je continuai à parler tout en dessinant lentement, illustrant les possibilités.

Brianna	*Roger*
OB = Type B	*OO = Type O*

Jemmy
OB ou OO = Type B ou Type O

Je tapotai le bâtonnet de fusain contre le papier et repris :

– Mais… si Jemmy s'avère être du type A ou AB, c'est que son père n'est pas homozygote pour le type O, homozygote signifiant qu'il a deux gènes identiques, ce qui est ton cas.

J'écrivis la seconde possibilité à la gauche de la première :

X	*Brianna*	*Roger*
AO/AA/AB/BB/BO/OO	*BO = Type B*	*OO = Type O*

Jemmy	*Jemmy*
AB = Type AB	*BO = Type B*
AO = Type A	*OO = Type O*

OB/BO = Type B
BB = Type B
OO = Type O

Je vis le regard de Roger se poser sur le X et me demandai ce qui m'avait pris de l'écrire ainsi. Après tout, l'autre candidat à la paternité de Jemmy ne pouvait pas être n'importe qui. Néanmoins, je n'avais pu me résoudre à écrire « Bonnet ». Peut-être par simple superstition ou pour maintenir la plus grande distance possible entre cet individu et nous.

– N'oublie pas que le type O est très répandu, dis-je, contrite.

Roger grogna, examinant la feuille d'un air songeur.

– Donc, dit-il enfin, s'il est du type O ou B, il est peut-être de moi, mais pas s'il est du type A ou AB.

Je déglutis.

– C'est un test très rudimentaire, le prévins-je. Je ne peux pas… je veux dire… il y a toujours une marge d'erreur.

Avec un doigt, il frottait le bandage sur sa main blessée.

– Vous en avez déjà parlé à Brianna? demanda-t-il.

– Bien sûr. Elle a dit qu'elle ne voulait pas le savoir, mais que si tu le demandais, je devais faire le test.

Il porta une main à la cicatrice sur sa gorge, fixant les lattes du plancher, le regard lointain.

Je me détournai pour lui laisser un peu d'intimité et me penchai sur mon microscope. Plus tard, je ferais une grille de comptage pour évaluer la densité relative des cellules infestées par le *plasmodium*. Pour le moment, il faudrait se contenter d'un comptage à l'œil nu.

J'eus soudain une idée. Maintenant que j'avais trouvé un colorant qui fonctionnait, je devrais vérifier le sang des autres habitants de Fraser's Ridge, à commencer par ceux qui habitaient la maison. Les moustiques étaient beaucoup plus rares dans les montagnes que sur la côte, mais il y en avait quand même. Or, si Lizzie paraissait rétablie, elle restait un foyer d'infection potentiel.

– … quatre, cinq, six…

Je comptais les globules infectés dans ma barbe, m'efforçant d'oublier la présence de Roger, assis sur le tabouret voisin, et surtout le souvenir qui était remonté des tréfonds de ma mémoire au moment de la révélation du groupe sanguin de Brianna.

Elle avait été opérée des amygdales à l'âge de sept ans. Je revoyais encore la tête du médecin, fronçant les sourcils en examinant le graphique qui indiquait le groupe de l'enfant et celui de ses parents. Frank était du groupe A, comme moi. Or, deux parents de type A ne pouvaient en aucune façon donner naissance à un enfant de type B.

Le médecin avait relevé la tête, son regard embarrassé allant de Frank à moi et de moi à Frank. Puis, ses yeux revinrent sur moi avec une lueur froide de spéculation. J'aurais pu tout aussi bien porter, cousu sur mon sein, le « A » écarlate de la femme adultère, ou plutôt, compte tenu des circonstances, la lettre « B ».

Frank – le saint homme ! – avait surpris son regard et déclaré :

– Le père de la petite, le premier mari de ma femme, est mort. J'ai adopté Brianna lorsque nous nous sommes mariés.

Le médecin avait esquissé un sourire navré, tandis que Frank prenait ma main et la serrait fort dans les plis de ma jupe.

À cette réminiscence, mes doigts se contractèrent. Je fis accidentellement glisser la lamelle et me retrouvai en train de fixer un morceau de verre flou et vide.

Il y eut un bruit derrière moi. Roger s'était levé. Je pivotai vers lui, et il me sourit, ses yeux verts doux comme de la mousse.

– Le sang n'a pas d'importance, déclara-t-il calmement. C'est mon fils.

– Oui, je sais.

Il y eut un moment de silence, soudain brisé par un craquement sonore. Baissant les yeux, je vis un éventail de plumes de dindon me filer entre les jambes. Pris la main dans le sac, Adso se précipita hors de l'infirmerie, une énorme aile dans la gueule.

– Sale voleur ! m'écria-je.

98

Petit malin

– Tu as fini de travailler? demanda Brianna d'une voix endormie.

Il venait de se glisser dans leur lit après avoir passé une partie de la soirée et de la nuit à tenter de retranscrire, de mémoire, les dizaines de versets d'une ballade ancienne que Kimmie Clellan lui avait chantée de sa vieille voix rocailleuse.

– Oui, pour ce soir.

Elle roula sur le côté et pressa ses fesses contre lui. Il glissa les bras autour de sa taille et déposa un baiser derrière son oreille. Elle prit sa main glacée dans la sienne, la replia et la coinça douillettement sous son menton après l'avoir embrassée. Il s'étira, puis se détendit, ses muscles se décontractant. Il sentit les mouvements de leurs corps, tandis qu'ils s'imbriquaient, se fondant l'un dans l'autre. Un léger ronflement s'élevait du lit de Jemmy.

Le feu brûlait doucement, dégageant un parfum doux de bois de noyer. La chaleur l'envahit, étirant une couverture de sommeil jusque sous ses oreilles, débloquant tous les petits verrous de son esprit, laissant toutes ses pensées et ses impressions de la journée se déverser en tas colorés.

Résistant à l'inconscience encore quelques instants, il farfouilla parmi les trésors ainsi répandus dans l'espoir de retrouver un fragment oublié de la ballade de Clellan, un accord de *bodhran* qui ferait resurgir tout un pan de chanson, des vers estropiés. Toutefois, ce ne fut pas la voix éraillée du vieil Écossais qui retentit, mais une autre, une voix chaude de contralto, presque un rire, qui lui disait : « Petit malin ! »

Il tressaillit.

– Hein, qu'est-ce que tu as dit? marmonna Brianna.

Les mots résonnaient dans sa tête à mesure qu'ils se formaient dans sa mémoire.

– C'est ça… fais ton petit malin ! répéta-t-il lentement. C'est ce qu'elle me disait.

– Qui ça?

Brianna tourna sa tête échevelée vers lui.

– Ma mère.

Il posa sa main libre sur sa hanche, reprenant :

– Ce matin, quand Jemmy faisait le têtu, tu m'as demandé ce qu'on disait aux enfants en Écosse. Je t'ai répondu que je ne savais pas, mais une chose vient de me revenir. Ma mère me disait toujours : « C'est ça, fais ton petit malin ! » ou « Tu n'as pas fini de faire ton petit malin ? »

Brianna émit un bruit amusé. Ils restèrent silencieux un instant, puis elle reprit doucement, toute trace de sommeil ayant disparu de sa voix :

– Tu m'as déjà parlé de ton père de temps en temps, mais c'est la première fois que je t'entends faire allusion à ta mère.

Il haussa les épaules et fléchit les genoux, les pressant contre l'arrière de ses cuisses.

– Je ne me souviens pas de grand-chose à son sujet.

Elle posa une main sur la sienne.

– Quel âge avais-tu quand elle est morte?

– Oh, quatre ans, je crois, presque cinq.

– Mmmm.

Elle serra sa main et se tut, perdue dans ses pensées. Toutefois, il percevait une vague tension dans ses épaules.

– Quoi?

– Oh… rien.

Il libéra sa main, écarta la couverture et lui massa la nuque. Elle détourna la tête pour lui faciliter la tâche, enfouissant son visage dans l'oreiller. D'une voix étouffée, elle reprit :

– Je me disais simplement que… si je meurs maintenant, alors que Jemmy est si jeune… il ne se souviendra probablement pas du tout de moi.

– Bien sûr que si.

Il avait parlé machinalement, voulant la rassurer, tout en sachant qu'elle avait probablement raison.

– Toi, tu ne t'en souviens pas, pourtant tu étais plus vieux à sa mort.

Il enfonça lentement le gras du pouce à la base de son cou.

– Non, je m'en souviens, mais justes des bribes. Parfois, quand je rêve ou que je pense à autre chose, je l'entr'aperçois, ou j'entends comme un écho de sa voix. Un des rares détails dont je me rappelle clairement, c'est le médaillon qu'elle portait autour du cou, des pierres rouges formant ses initiales. Des grenats.

Ce bijou lui avait peut-être sauvé la vie lors de sa première tentative avortée pour traverser les pierres. De temps à autre, il regrettait encore sa disparition, comme une écharde juste sous la surface de sa peau, mais il parvenait à étouffer ce regret, se disant que c'était juste un petit bout de métal.

Quand même, il lui manquait.

– Oui, mais c'est un objet, Roger. Est-ce que tu te souviens d'elle ? Qu'est-ce que Jemmy saurait de moi – ou de toi – si tout ce qui lui restait de nous était…

Elle chercha dans la pièce un objet caractéristique.

– Disons… ton *bodhran* et mon canif.

– Il saurait que son père était musicien et sa mère, assoiffée de sang. Aïe !

Il tenta de parer un autre coup de coude en plaquant ses deux mains sur ses épaules.

– Non, sérieusement, reprit-il. Il saurait un tas de choses sur nous, et pas uniquement grâce à nos babioles.

– Comment?

– Eh bien… tu as fait un peu d'histoire à l'école, non? Tu sais tout ce qu'on peut reconstituer à partir des objets de la vie quotidienne, comme la vaisselle ou les jouets.

– Mmmm.

Malgré son air dubitatif, il devinait son besoin de se laisser convaincre.

– Grâce à tes dessins, Jemmy en connaîtrait bien plus sur toi.

« Et bien plus qu'un fils ne devrait en savoir sur sa mère s'il tombait sur ton cahier de rêves », pensa-t-il. Une impulsion soudaine de le dire à voix haute, d'avouer qu'il l'avait lu, trembla au bout de sa langue, mais il la ravala. Au-delà de la simple peur de sa réaction face à cette intrusion, il y en avait une autre, plus grande. Qu'elle cesse d'écrire et que lui perde ces plongées clandestines dans les profondeurs de son esprit.

– Je suppose que tu as raison, dit-elle, songeuse. Je me demande s'il dessinera lui aussi, ou s'il sera doué pour la musique.

« Ça dépend si Stephen Bonnet joue de la flûte », pensa-t-il cyniquement. Il refoula aussi cette pensée, reprenant plutôt son doux massage en déclarant :

– Il saura qui nous étions en se regardant lui-même.

– Mmmm?

– Pense à toi. Tous ceux qui te voient disent : « Vous devez être la fille de Jamie Fraser! » Pas juste à cause de tes cheveux roux. Ton aptitude au tir, non? Il y aussi la manière dont toi et ta mère, vous raffolez des tomates.

– Mmmm… Ne me parle pas de tomates! La semaine dernière, j'ai fini celles que nous avions séchées. Dire qu'il faut attendre six mois avant d'en revoir!

– Désolé.

Il déposa une bise dans son cou pour se faire pardonner.

Quelques instants plus tard, il reprit :
– Je me demande... quand tu as su à propos de Jamie Fraser... quand on a commencé à faire des recherches... tu as bien dû te demander à quoi il ressemblait, non? Puis, quand tu l'as retrouvé... était-il à la hauteur de ton imagination? Correspondait-il à tes espoirs construits sur ce que tu savais déjà de lui? Ou... sur ce que tu savais de toi-même?
Elle émit un petit rire, un peu ironique cette fois.
– Je n'en sais rien. Je n'aurais pas su le dire sur le moment, et je ne le sais toujours pas.
– Je ne comprends pas.
– Quand tu entends parler de quelqu'un avant de le rencontrer, la personne en chair et en os n'est jamais comme on te l'avait décrite, ni comme tu l'avais imaginée. Mais cette image que tu t'étais faite ne disparaît pas pour autant, elle fusionne avec celle de l'être que tu découvres. Inversement, quand tu apprends des choses sur une personne que tu connais déjà, cela affecte aussi la façon dont tu la vois, non?
– Sans doute. Tu penses à ton père... l'autre? Frank?
– Je crois, oui.
Elle changea de position, faisant retomber les mains de Roger. Elle n'avait pas envie de parler de Frank Randall, pas maintenant.
– Et tes parents? Tu crois que le révérend avait conservé toutes leurs affaires dans des cartons pour toi? Pour que tu puisses les examiner plus tard et te créer d'autres souvenirs, en plus de ceux que tu avais d'eux vivants?
– Oui, je suppose. Pourtant, je n'avais pas de vrais souvenirs de mon père. Il ne m'a vu qu'une seule fois, quand je n'avais pas encore un an.
– Mais tu te souviens de ta mère, n'est-ce pas? Au moins un peu?
Elle avait l'air anxieuse, tenant absolument à ce qu'il se rappelle son passé. Il hésita et se rendit compte avec

un serrement de cœur qu'il n'évoquait jamais sciemment sa mère. Il en eut soudain honte.

– Elle est morte pendant la guerre, n'est-ce pas?

Inversant les rôles, elle avait tendu une main en arrière et massait à présent le muscle de sa cuisse.

– Oui. Elle... pendant le blitz. Une bombe.

– En Écosse? Mais je croyais...

– Non, à Londres.

Il ne voulait pas en parler. Il n'en avait jamais parlé. Les rares occasions où sa mémoire dérivait dans cette direction, il virait de bord. Ce territoire se trouvait derrière une porte close sur laquelle était écrit «Défense d'entrer», un interdit qu'il n'avait jamais envisagé de transgresser. Pourtant, ce soir... Il percevait l'angoisse de Brianna à l'idée que son fils puisse l'oublier. Il entendait le même écho, comme une voix faible qui l'appelait, la voix de la femme enfermée de l'autre côté de cette porte. Mais était-elle vraiment verrouillée?

Avec une sensation de vide dans le cœur, un sentiment proche de la terreur, il posa une main sur la poignée... De quoi se souvenait-il exactement?

– Gran, ma grand-mère maternelle, était anglaise. Quand mon père est mort, nous sommes allés vivre chez elle à Londres.

Il n'avait pas pensé à Gran, pas plus qu'à sa mère, depuis des années. Le seul fait de prononcer son nom fit resurgir le parfum de la lotion à l'eau de rose et à la glycérine qu'elle se mettait sur les mains, la vague odeur de renfermé de son appartement dans le quartier de Tottenham Court Road, rempli de meubles trop grands, tapissés en crin de cheval, vestiges d'une vie antérieure où elle avait eu une maison, un mari, des enfants.

Il prit une grande inspiration. Brianna le sentit et l'encouragea en pressant son dos ferme contre sa poitrine. Il embrassa sa nuque. Par la porte à peine entrebâillée lui parvenait la lumière blême d'un après-midi d'hiver londonien. Elle éclairait un tas de vieux cubes en bois, sur un tapis élimé. Une main fine de femme les empilait en construisant une tour, un faible rayon de soleil faisant jaillir du diamant à son doigt un superbe arc-en-ciel.

– Maman était petite, comme Gran. Enfin, elles me paraissaient grandes, bien sûr, mais je me souviens qu'elle se dressait sur la pointe des pieds pour attraper des choses dans les placards.

Des choses… la boîte à thé, avec son sucrier en verre taillé, la bouilloire cabossée, les tasses dépareillées. La sienne était ornée d'un panda. Un paquet de biscuits, rouge vif, avec un dessin de perroquet… Mince, il n'avait plus jamais revu cette marque ! Les fabriquait-on encore ? Non, bien sûr, pas ici et maintenant…

Il chassa ces images de sa tête, remettant son esprit sur les bons rails.

– Je sais à quoi elle ressemblait, mais surtout grâce aux photos.

Pourtant, il avait des souvenirs… enfouis quelque part, qui lui nouaient le ventre. Il pensa « maman », et soudain les images devenaient réelles. Il voyait clairement la chaînette de ses lunettes, un rang de minuscules perles de métal frôlant la courbe douce d'un sein, une douceur chaude et agréable contre sa joue, une odeur de savon, le coton fleuri d'une blouse, des fleurs bleues, en forme de trompette, avec des entrelacs de lianes.

– Comment était-elle ? Tu lui ressembles ?

– Un peu. Elle était brune, comme moi.

Avec des cheveux bouclés et brillants. Volant dans le vent, saupoudrés de grains de sable blanc. Il les avait fait pleuvoir sur elle, et elle avait secoué la tête en riant. Une plage quelque part ?

– Le révérend avait accroché plusieurs photos dans son bureau. Sur l'une d'elles, j'étais assis sur ses genoux. Je ne sais pas ce que nous regardions, mais nous avions tous les deux l'air de nous retenir de rire. On se ressemble beaucoup. J'ai sa bouche, je crois. Peut-être aussi… la forme de ses sourcils.

Pendant longtemps, il n'avait pu regarder les photos de sa mère sans avoir la gorge nouée. Puis cela avait passé, les images avaient perdu leur sens, devenant des objets parmi tant d'autres dans le bric-à-brac habituel du presbytère. À présent, il les visualisait nettement, et le nœud dans sa gorge était revenu. Il déglutit pour tenter de le faire passer.

– Tu veux de l'eau?

Elle tendit la main vers la cruche sur la table de chevet, mais il arrêta son geste d'une main sur l'épaule.

– Ce n'est rien, dit-il d'une voix éraillée. Tu sais… la prochaine fois que tu vas chez ta grand-tante à River Run, tu devrais peindre un autoportrait.

– Moi?

Elle paraissait surprise, mais également, lui sembla-t-il, plutôt séduite par l'idée.

– Bien sûr, tu en es parfaitement capable. Et puis ce serait comme… un souvenir permanent.

«Pour que Jemmy se rappelle de ton visage si tu venais à disparaître.» Les mots non dits flottèrent un instant dans l'obscurité autour d'eux, les plongeant tous les deux dans un silence songeur. Zut! Dire qu'il avait voulu la rassurer!

Il effleura d'un doigt la courbe de sa joue et de sa tempe.

– J'aimerais avoir un portrait de toi. Pour qu'on le regarde ensemble quand on sera vieux et pour te dire que tu n'as pas changé.

Elle rit, puis roula sur le dos en s'étirant de tout son long, pointant les orteils jusqu'à faire craquer ses articulations. Puis, elle se détendit avec un soupir.

– J'y réfléchirai, dit-elle simplement.

Le doux crépitement du feu et les craquements étouffés du bois de la cabane étaient hypnotiques. Dehors, la nuit était froide mais calme. Le matin serait brumeux, il l'avait senti à l'humidité de la terre en sortant un peu plus tôt. Mais, à l'intérieur, il faisait bon et sec. Brianna se laissa entraîner doucement par le sommeil, qui venait le chercher lui aussi.

La tentation de s'y abandonner était forte, mais si les angoisses de Brianna s'étaient momentanément estompées, lui, il entendait toujours le murmure de l'autre côté de la porte : « Il ne se souviendra pas de moi. »

« Si, maman, je me souviens. » Cette fois, il poussa grand la porte.

– J'étais avec elle, commença-t-il doucement.

Il était sur le dos, fixant les poutres en sapin du plafond.

– Quoi ? Avec qui ?

– Avec ma mère. Et ma grand-mère. Quand… la bombe.

Il l'entendit se retourner brusquement vers lui, mais il ne bougea pas.

– Tu veux me raconter ?

Elle chercha sa main, puis enroula ses doigts autour, la serrant. Il n'était pas certain de le vouloir, mais il hocha la tête, pressant ses doigts à son tour.

Il soupira longuement, sentant les derniers effluves de beignets de maïs et d'oignons qui s'attardaient dans les recoins de la cabane. Cela réveilla dans son esprit des odeurs de chauffage à gaz, de porridge, de laine mouillée et de vapeurs d'essence de camions, autant de guides olfactifs et silencieux dans le labyrinthe de sa mémoire.

– C'était la nuit. J'ai entendu les sirènes annonçant un raid aérien. Je savais ce que c'était, mais, chaque fois, ça me flanquait une peur bleue. Nous n'avions pas le temps de nous habiller. Maman m'a tiré du lit et a jeté mon manteau par-dessus mon pyjama. Nous avons dévalé l'escalier. Il y avait trente-six marches, j'avais passé ma journée à les compter en rentrant des courses. Puis, nous avons couru vers l'abri le plus proche.

C'était la station de métro de l'autre côté de la rue. Un carrelage blanc sale, la lueur clignotante des ampoules fluorescentes, la bouffée d'air chaud venant des profondeurs, comme le souffle d'un dragon tapi dans une grotte souterraine.

– C'était excitant. Tout semblait vibrer : le sol, les murs, l'air lui-même.

Les gens se bousculaient. Les agents criaient pour se faire entendre au-dessus du brouhaha de la foule. Un tonnerre de pieds ébranlait les marches en bois, tandis que des flots de Londoniens se déversaient dans les entrailles de la terre, descendant un niveau après l'autre, creusant leur trou vers la sécurité. C'était la panique, mais une panique ordonnée.

– Les bombes pouvaient pénétrer jusqu'à une quinzaine de mètres en profondeur, mais les niveaux inférieurs étaient sûrs.

Ils avaient atteint le bas du premier escalier, puis couru avec une masse de gens dans une courte galerie carrelée de blanc qui débouchait sur l'escalier suivant. Le palier, à cet endroit, était plus large que la cage elle-même, et les fuyards s'y entassaient en une marée tourbillonnante, gonflée par la pression de ceux qui arrivaient derrière, l'escalier descendant ne laissant passer qu'un filet de personnes à la fois.

– Il y avait un mur autour de la bouche de l'escalier. J'entendais Gran s'inquiéter. Elle avait peur que je sois écrasé par la foule qui continuait d'affluer de la rue.

Les lampes d'urgence formaient des lignes ininterrompues le long des plafonds, baignant la foule qui grouillait en dessous dans une lumière crue. Il était tard la nuit. La plupart des gens étaient vêtus avec ce qui leur était tombé sous la main au déclenchement des sirènes. Il apercevait des fragments de chair nue et des vêtements extraordinaires. Une femme portait un chapeau extravagant, orné de plumes et de fruits, sur un vieux pardessus élimé.

Il l'observait avec fascination, tentant de voir s'il y avait vraiment un faisan entier sur la coiffe. Un préposé à la défense passive, portant un casque blanc avec un gros W noir dessus, s'époumonait, tentant désespérément de hâter le mouvement de la foule qui se pressait déjà, tentant de la canaliser vers le quai pour faire de la place au pied de l'escalier.

– On entendait des enfants pleurer, mais pas moi. Je n'avais pas peur, parce que maman me tenait par la main.

« Tant qu'elle était là, il ne pouvait rien arriver de mal. »

– Il y a eu un fracas sourd au loin, et les lumières ont vacillé. Puis un grand bruit de déchirure. Les gens ont levé les yeux, et tout le monde a hurlé.

La fissure dans le plafond voûté n'avait pas paru particulièrement menaçante, une simple ligne noire en zigzag suivant le contour des carreaux blancs. Puis, elle s'était écartée brusquement, s'ouvrant comme une gueule de dragon. La poussière et les débris de carrelage s'étaient mis à pleuvoir sur la foule.

Il s'était réchauffé depuis longtemps, pourtant chaque poil de son corps était hérissé. Son cœur se remit à tambouriner dans sa poitrine, et le nœud se resserra de nouveau autour de sa gorge.

– Elle m'a lâché, dit-il dans un murmure étranglé. Elle a lâché ma main.

Brianna serra fort la sienne, essayant de sauver l'enfant qu'il avait été.

– Elle y a été obligée, Roger. Elle ne t'aurait pas lâché, si elle avait pu faire autrement.

Il secoua violemment la tête.

– Non, ce n'est pas ça… Attends. Attends une minute.

Il ferma les yeux, essayant de ralentir sa respiration, de rassembler les fragments épars de cette nuit lointaine. La confusion, la panique, la douleur… Que s'était-il passé exactement? Il n'en avait conservé qu'une impression de chaos. Pourtant, il était là, il savait forcément ce qui était arrivé… si seulement il trouvait la force de revivre cet horrible événement.

Puis, il se laissa aller.

– Au début, je ne me souvenais de rien, dit-il lentement. Ou plutôt si, mais surtout de ce que les gens m'avaient raconté.

Il ne se rappelait pas d'avoir été transporté, inconscient, hors des galeries. Une fois remonté à l'air libre, sain et sauf, il avait passé plusieurs semaines, hagard et muet de terreur, bringuebalé entre les abris antiaériens et les familles d'accueil avec d'autres orphelins.

– Je connaissais mon nom et mon adresse, bien sûr, mais, vu les circonstances, ça ne servait pas à grand-chose. Mon père s'était écrasé avec son avion depuis longtemps, et il ne restait rien de l'immeuble de ma grand-mère. Puis, les gens de l'assistance sanitaire ont fini par localiser le frère de Gran, le révérend. Le temps qu'il vienne me chercher, ils avaient plus ou moins reconstitué le drame. Ils m'ont dit que c'était un miracle que je n'aie pas été tué avec les autres, dans l'escalier. Dans la panique, ma mère avait dû me lâcher, et la foule m'avait emporté jusqu'au niveau inférieur, là où le plafond ne s'était pas effondré.

– Mais, maintenant, tu t'en souviens ? demanda Brianna.

– Je me souvenais du moment où elle avait lâché ma main et je pensais que le reste de l'histoire était vrai, aussi. Mais, ça ne s'est pas passé tout à fait ainsi.

Il marqua un temps d'arrêt et déglutit. Puis, les mots se mirent à sortir plus facilement, le nœud dans sa gorge ayant disparu, le poids sur sa poitrine aussi.

– Elle a lâché ma main… et m'a soulevé de terre. Ce petit bout de femme m'a hissé à bout de bras et m'a lancé au pied de l'escalier, sur la foule qui courait vers le quai plus bas. J'ai été à moitié assommé par la chute, mais je me rappelle du rugissement quand le plafond a lâché. Personne, sur le palier, n'a survécu.

Elle pressa son visage contre son torse, et il la sentit prendre une longue inspiration tremblante. Il lui caressa les cheveux, les battements de son cœur commençant à ralentir. La lueur du feu formait une brume scintillante devant ses yeux humides.

– Ne t'inquiète pas, lui chuchota-t-il à l'oreille. Nous n'oublierons pas. Ni Jemmy. Ni moi. Quoi qu'il arrive. Nous n'oublierons pas.

Il voyait le visage de sa mère, se détachant clairement sur le fond étincelant. Elle lui sourit et ses lèvres articulèrent : « Petit malin ! »

99

Mon frère

La neige commençait à fondre. J'étais partagée entre le plaisir de voir la nature autour de nous se préparer à accueillir les premiers soubresauts du printemps, et l'inquiétude de voir dégeler la barrière de glace qui nous protégeait encore provisoirement du monde extérieur.

Jamie n'avait pas changé d'avis. Il avait passé toute une soirée à composer, avec des mots choisis, sa lettre à Milford Lyon. Il était désormais prêt, lui annonçait-il, à envisager la vente de ses biens – comprenez du whisky clandestin – et avait le plaisir de lui faire savoir qu'il en tenait une quantité non négligeable à sa disposition. Toutefois, soucieux qu'il n'arrive malheur à sa marchandise au cours de son acheminement – à savoir sa confiscation par les autorités douanières ou son détournement par des bandits de grand chemin –, il souhaitait s'assurer de sa prise en charge par un professionnel réputé pour son savoir-faire en la matière – entendez un contrebandier expérimenté connaissant bien la côte.

Son bon ami d'Edenton, M. Priestly – que naturellement, il ne connaissait ni d'Ève ni d'Adam –, et M. Samuel Cornell, avec lequel il avait eu l'honneur de participer au Conseil de guerre du gouverneur, l'avaient informé qu'un certain Stephen Bonnet était de loin la personne la plus compétente pour ce type d'opération, sa réputation surpassant de loin celle de tous ses concurrents. Si M. Lyon avait l'obligeance de lui organiser une rencontre avec ce

M. Bonnet afin qu'il puisse se former une opinion par lui-même et s'assurer de la viabilité de leur projet, alors...

– Tu crois qu'il va le faire? avais-je demandé.

– S'il connaît Stephen Bonnet ou sait où le trouver, oui. Priestly et Cornell sont des noms magiques.

– Et s'il trouve Bonnet...?

– J'irai le rencontrer.

Il avait pressé le cabochon de la bague de son père dans le sceau en cire, laissant une marque lisse entourée des minuscules feuilles de fraisier du blason des Fraser. Elles symbolisaient la constance. À mes yeux, certains jours, ce qualificatif me paraissait un simple euphémisme pour entêtement.

Fergus avait emporté la lettre de Lyon, et je tentais de la chasser de mon esprit. L'hiver n'était pas encore terminé. Avec un peu de chance, le navire de Bonnet serait pris dans une tempête et sombrerait, ce qui nous épargnerait à tous bien des soucis.

Toutefois, la question continuait de me turlupiner. En rentrant à la maison ce jour-là après avoir assisté un accouchement, je trouvai une pile de lettres sur le bureau de Jamie. Mon cœur ne fit qu'un bond.

Dieu merci, il n'y avait aucune réponse de Milton Lyon. Quand bien même il y en aurait eu une, un courrier bien plus important l'aurait éclipsé : une enveloppe au nom de Jamie avec l'écriture volontaire et caractéristique de sa sœur.

J'eus la plus grande peine à ne pas l'ouvrir sur-le-champ, afin, s'il s'agissait de reproches cinglants, de la jeter au feu avant que Jamie ne la lise. Toutefois, l'honneur l'emporta. Je parvins à contenir mon impatience jusqu'au retour du destinataire, parti faire une course à Salem, et qui rentra croûté de boue. Informé de l'arrivée de la lettre, il se débarbouilla et se lava les mains rapidement, puis il entra dans son bureau, refermant soigneusement la porte derrière lui avant de briser le sceau de l'enveloppe.

Son visage était de marbre, mais je le vis prendre une longue inspiration, comme s'il se préparait au pire. Je vins me placer derrière lui et posai une main sur son épaule pour lui donner du courage.

Jenny Fraser Murray avait une belle écriture appliquée, formant des lettres rondes et gracieuses, coulant sur la page en lignes droites et faciles à lire.

16 septembre 1771

Mon frère,

Voici qu'après avoir pris la plume et gratté ces deux mots ci-dessus, je suis assise ici depuis si longtemps à les regarder sans savoir quoi dire, que la chandelle s'est déjà consumée de plusieurs centimètres. Ce serait gaspiller de la bonne cire d'abeille que de continuer ainsi, pourtant, si je la mouche et monte me coucher, j'aurais gâché une bonne feuille de papier… Je dois donc continuer, par souci d'économie.

Je pourrais t'accabler de reproches. Cela occuperait un peu de place sur la page et préserverait, pour la postérité, ce que mon mari considère être les insultes les plus hideuses et ordurières qu'il ait jamais entendues de sa longue existence. Il faut dire que je me suis donné un mal considérable à les composer et que cela me désolerait de les voir se perdre. Toutefois, je crains de ne pas avoir assez de papier pour les consigner toutes.

Mais peut-être qu'après tout, je ne tiens pas à t'admonester ni à te condamner. Tu risquerais de l'interpréter comme un châtiment mérité, de soulager ta conscience en pensant avoir expié et en cessant de te fustiger toi-même. Ce serait une pénitence trop douce. Je préfère savoir que tu as tissé ta propre haire, que tu la portes chaque jour que Dieu fait et qu'elle écorche ton âme comme la perte de mon fils écorche la mienne.

Malgré cela, je suppose que je t'écris aujourd'hui pour te pardonner… Prendre la plume m'en a coûté, tu t'en doutes, et si le pardon me semble un exercice difficile pour le moment, je présume que sa pratique me paraîtra moins ardue avec le temps.

Les sourcils de Jamie se hissèrent presque jusqu'à la racine de ses cheveux, mais, fasciné, il poursuivit sa lecture à voix haute.

Tu dois te demander ce qui m'a incitée à commettre un tel geste, aussi laisse-moi t'expliquer.

Lundi dernier, je suis allée voir Maggie. Elle a eu un nouveau petit, ce qui fait que tu es oncle une fois de plus. C'est une jolie petite fille nommée Angelica, un nom idiot, à mon goût, mais elle est très blonde et porte une tache couleur fraise sur la poitrine, ce qui ne peut être que de bon augure. Je les ai quittées le soir venu et j'avais parcouru une bonne partie du chemin de retour quand ma mule a marché dans une taupinière et a fait une chute. Nous nous sommes relevées toutes deux fort contusionnées, et il m'est rapidement apparu que je ne pouvais ni remonter en selle, ni espérer rentrer à la maison à pied.

Je me trouvais sur la route d'Auldearn, juste de l'autre côté de la colline de Balriggan. En temps normal, je ne recherche pas la compagnie de Laoghaire MacKenzie (elle a repris son nom de jeune fille après que j'ai clairement fait savoir dans tout le comté ce que je pensais de son recours au nom « Fraser », sur lequel elle n'a aucun droit légitime), mais c'était le seul endroit où je trouverais un abri et de la nourriture, car la nuit tombait et la pluie menaçait.

J'ai donc dessellé la mule et l'ai laissée trouver son dîner sur le bord de la route pendant que j'allais chercher le mien en boitant.

Je suis arrivée derrière la maison, en passant par le potager et en longeant la charmille que tu as construite.

À présent, les plantes ont bien poussé et l'ont envahie entièrement, si bien que je ne pouvais pas voir à l'intérieur. Toutefois, il y avait des gens, car j'entendais des voix.

Entre-temps, la pluie s'était mise à tomber. Ce n'était encore qu'un clapotis, mais le bruit sur les feuilles devait couvrir ma voix, car j'avais beau appeler, personne ne me répondait. Je m'approchai, traînant la patte comme un escargot; je m'étais retournée la cheville droite et j'étais encore tout estourbie par ma chute. Je m'apprêtais à appeler encore, lorsque j'entendis les bruits d'un belutage d'une virulence rare de l'autre côté de la charmille.

– « Belutage » ?

Je lançai un regard interrogateur à Jamie.

– Fornication, répondit-il laconiquement.

– Ah !

Je me hissai sur la pointe des pieds pour lire par-dessus son épaule.

Naturellement, j'étais pétrifiée, ne sachant trop quoi faire. J'entendais bien que c'était Laoghaire qui se faisait ainsi hurtebiller, mais j'ignorais qui était son besogneux. Ma cheville avait enflé comme une vessie au point que je ne pouvais plus marcher, si bien que je fus obligée de rester là sous la pluie à écouter toute cette ribauderie.

Si elle avait été courtisée par un homme de la région, je l'aurais su. Or je n'avais pas entendu dire qu'elle était sensible aux propositions d'un galant. Non pas qu'elle n'en ait pas eu : après tout, elle possède Balriggan et mène un train de laird avec l'argent que tu lui envoies.

J'étais donc remplie d'outrage devant cet étalage de stupre, mais encore plus de stupeur devant ma propre réaction. Car, aussi irrationnelle ma fureur fut-elle, j'étais indignée pour toi. Je fus donc bien malgré moi contrainte de reconnaître que mes sentiments à ton égard ne s'étaient pas totalement éteints.

La lettre s'interrompait à cet endroit, Jenny ayant apparemment été appelée ailleurs. Elle reprenait ensuite sur la page suivante, deux jours plus tard.

18 septembre 1771

De temps en temps, je rêve de Petit Ian...

– Quoi ? m'exclamai-je. Que vient faire « Petit Ian » là-dedans ! Qui était avec Laoghaire ?
– J'aimerais bien le savoir aussi, marmonna Jamie.

De temps en temps, je rêve de Petit Ian. Ces rêves prennent le plus souvent la forme d'une scène de la vie quotidienne. Tantôt je le vois ici à Lallybroch, tantôt je le vois vivre parmi les sauvages... s'il vit encore (je tente de me persuader que, s'il en était autrement, mon cœur le saurait).

Je constate donc qu'au bout du compte, tout revient à ce simple mot, « frère ». Tu es mon frère comme Ian est mon fils, tous deux êtes ma chair et mon âme, vous le serez toujours. Si la perte de Ian hante mes nuits, la perte de mon Jamie hante mes jours.

Il cessa de lire un instant, la gorge nouée, puis reprit sa lecture d'une voix plus ferme :

J'ai passé toute la matinée à rédiger des lettres, me demandant si je devais finir celle-ci ou la jeter au feu. À présent, les comptes sont faits, j'ai écrit à tous ceux dont le nom me venait à l'esprit, les nuages se sont dispersés, le soleil illumine mon bureau à travers la fenêtre ouverte et les ombres des rosiers de maman se balancent sur moi.

Au fil des ans, j'ai souvent entendu la voix de notre mère me parler, me guider. Toutefois, je n'ai pas besoin de l'entendre maintenant pour savoir ce qu'elle dirait. Aussi, je ne jetterai pas cette lettre dans les flammes.

Tu te souviens du jour où j'ai cassé notre cruche à lait en voulant te la lancer à la figure parce que tu me faisais tourner en bourrique? Je sais que oui, car tu l'as raconté à Claire. Je n'osais pas avouer ma faute, alors tu t'es accusé à ma place. Père s'en est rendu compte et nous a punis tous les deux.

Aujourd'hui que je suis dix fois grand-mère et que mes cheveux sont gris, je rougis encore de honte quand je revois père nous ordonnant de nous agenouiller côte à côte et de nous pencher sur le banc pour recevoir nos coups de trique.

Tu as gémi et pleuré comme un chiot quand il t'a corrigé. J'osais à peine respirer et ne pouvais pas te regarder. Quand ce fut mon tour, j'étais tellement émue et mortifiée que j'ai à peine senti les coups. Je suis sûre qu'en lisant ces lignes, tu t'indignes en affirmant que père frappait moins fort parce que j'étais une fille. Peut-être. Je dois bien reconnaître que Ian est plus doux avec ses filles.

Jamie émit un grognement outré.

– Ce n'est pas que je le crois, j'en suis certain! bougonna-t-il.

Il se frotta le nez, puis reprit sa lecture en pianotant nerveusement sur le bureau.

Puis, père a dit qu'il devait te fouetter une seconde fois, cette fois pour avoir menti, car, après tout, « la vérité, c'est la vérité ». Je voulais me relever et m'enfuir, mais il m'a ordonné de ne pas bouger, me disant que, puisque tu allais payer pour ma lâcheté, il était juste que j'y assiste.

Sais-tu que la seconde fois, tu n'as pas pipé? J'espère que tu n'as pas senti la trique sur tes fesses, car chaque coup semblait s'abattre directement sur moi.

Ce jour-là, je me suis juré de ne plus jamais être lâche.

Pourtant, je me rends compte que c'est lâcheté de ma part que de continuer à t'en vouloir pour Petit Ian. J'ai toujours su ce que c'était qu'aimer un homme, qu'il soit époux ou frère, amant ou fils. C'est dangereux.

Les hommes vont où bon leur semble, ils font ce qu'ils croient devoir faire. La femme n'a pas pour devoir de les retenir, ni de leur reprocher d'être ce qu'ils sont... ou de ne pas revenir.

Je le savais déjà quand j'ai envoyé Ian en France avec une croix en bois de bouleau et une boucle de mes cheveux, priant qu'il me reviendrait un jour, corps et âme. Je le savais quand je t'ai offert un rosaire et t'ai vu partir pour Leoch, espérant que tu n'oublierais pas Lallybroch et ta grande sœur. Je le savais quand Petit Jamie a nagé jusqu'à l'île aux Phoques, quand Michael a embarqué pour Paris. J'aurais dû le savoir quand Petit Ian est parti avec toi.

Mais la vie a été généreuse avec moi. Mes hommes me sont toujours revenus, un peu abîmés parfois, estropiés, déguenillés, froissés, mais je les ai toujours récupérés. J'en suis venue à croire que c'était mon droit. J'avais tort.

J'ai vu tant de veuves depuis le Soulèvement. Je ne saurais dire pourquoi j'estimais que leur souffrance devait m'être épargnée, pourquoi je devais conserver tous mes hommes, n'ayant perdu qu'un seul bébé, ma petite Caitlin. Sans doute qu'après sa mort, j'ai chéri encore plus Petit Ian, sachant que c'était mon dernier.

Je le considérais encore comme mon bébé. J'aurais dû voir l'homme qu'il était devenu. Cela étant, je sais que, quand bien même tu aurais pu le retenir, tu t'en serais gardé. Car, toi aussi, tu es une de ces maudites créatures qu'on ne retient pas.

Maintenant que je suis presque arrivée en bas de cette page, il me semble qu'il serait extrêmement prodigue de ma part d'en gaspiller une autre.

Mère t'a toujours aimé, Jamie. Sur son lit de mort, elle m'a demandé de veiller sur toi et de toujours te chérir. Comme si je pouvais m'en empêcher !

Ta sœur qui t'aime,

Janet Flora Arabella Fraser Murray

Jamie tint la lettre entre ses mains encore un moment, puis la posa tout doucement sur le bureau. Il s'assit la tête penchée, le front posé sur le poing, si bien que je ne pouvais voir son visage. Ses doigts écartés dans ses cheveux massaient son crâne. J'entendais sa respiration, entrecoupée de hoquets de temps à autre.

Enfin, il laissa retomber sa main et redressa la tête vers moi, clignant des yeux. Il avait les joues rouges et des larmes aux yeux. Son expression était indescriptible, mélange de stupéfaction, de fureur et de rire.

Il renifla et s'essuya les yeux du revers de la main.

– Bon sang, je ne comprendrai jamais comment elle y arrive !

Je sortis mon mouchoir de mon corselet et le lui tendit.

– Arrive à faire quoi ?

– À me faire sentir comme si j'étais un gamin de huit ans. Et un idiot par-dessus le marché !

* * *

J'étais ravie de la lettre de Jenny et je sentais le cœur de Jamie beaucoup plus léger depuis son arrivée. Parallèlement, je demeurais très intriguée par l'incident qu'elle avait commencé à raconter… et Jamie l'était encore plus, même s'il se gardait de le dire.

Une semaine plus tard, une autre lettre nous parvint, adressée par son beau-frère Ian. Toutefois, elle contenait seulement les nouvelles habituelles de Lallybroch et de Broch Mordha, sans aucune mention des mésaventures de Jenny près de Balriggan ni de sa découverte dans la charmille.

Perchée sur la barrière de l'enclos, j'observais Jamie qui s'apprêtait à châtrer une portée de pourceaux. Je lui demandai avec tact :

– Je suppose que demander des éclaircissements à Jenny ou à Ian ne serait pas convenable?

– N'y compte pas, répondit-il d'un ton ferme. Après tout, ça ne me regarde pas. Si cette femme a déjà été mon épouse, il est sûr et certain qu'elle ne l'est plus. Si elle a décidé de prendre un amant, c'est son affaire.

Il écrasa du pied le soufflet à pédale, attisant le petit feu sur lequel chauffait le cautère, puis sortit les cisailles de sa ceinture.

– Quel côté veux-tu, *Sassenach*?

J'avais le choix entre la forte possibilité de me faire mordre en leur tenant la tête, et la certitude de me faire conchier en les attaquant par l'autre bout. La triste vérité était que Jamie était nettement plus fort que moi, et si, pour lui, castrer un animal ne présentait pas de difficulté majeure, je possédais un savoir-faire grâce à ma profession. Mon choix me fut donc dicté par le sens pratique plutôt que par l'héroïsme. Je m'étais préparée en m'équipant de mon épais tablier en toile, de mes sabots en bois et d'une vieille chemise ayant autrefois appartenue à Fergus et qui était condamnée au feu dès la fin de l'opération.

– Tu tiens, je coupe.

Je glissai à terre et pris les cisailles.

Il s'ensuivit un bref mais bruyant interlude, après lequel les cinq porcelets eurent droit à un repas de consolation, composé des restes de la cuisine, leur arrière-train ayant été badigeonné d'une mixture au goudron et à la térébenthine pour prévenir les risques d'infection.

Les voyant se goinfrer d'un air satisfait, je demandai à Jamie :

– Que préférerais-tu, si tu étais porc ? T'échiner à trouver ta propre nourriture et garder tes bijoux de famille, ou les céder et t'empiffrer à longueur de journée ?

Ceux-ci resteraient dans l'enclos où ils seraient soigneusement engraissés à la pâtée pour obtenir une viande tendre, alors que la plupart des autres porcs étaient lâchés dans les bois où ils devaient se nourrir tout seuls.

– J'imagine que ce qu'ils n'ont jamais connu ne peut pas leur manquer, répondit Jamie.

Il s'appuya contre la barrière quelques minutes, contemplant les porcelets agitant de plaisir leurs petites queues en tire-bouchon, leurs plaies apparemment déjà oubliées. Puis, il ajouta avec une moue cynique :

– En outre, une paire d'amourettes ne fait pas toujours le bonheur d'un homme…, même si je n'en ai jamais rencontré un qui soit prêt à s'en séparer.

– Ma foi, les prêtres les trouvent peut-être un peu encombrantes.

J'éloignai soigneusement la chemise souillée de mon corps avant de l'enlever par-dessus ma tête en râlant :

– Pouah ! Rien ne sent aussi mauvais que les excréments de porc ! Rien !

Il se mit à rire.

– Quoi ? Pas même un cadavre en décomposition ? Une plaie purulente ? Un bouc ?

– La crotte de porc les bat tous, haut la main.

Jamie me prit la chemise et la déchira en lambeaux. Il mit de côté les morceaux les moins sales pour nettoyer les outils ou boucher des trous et jeta le reste dans les flammes, reculant lorsqu'une brise souffla une odeur pestilentielle dans notre direction. Puis, il reprit le fil de la conversation.

– C'est vrai qu'il y avait Narsès. Un grand général, à ce qu'on dit, en dépit du fait qu'il était un eunuque.

– Peut-être le cerveau d'un homme fonctionne-t-il mieux quand il n'est pas distrait.

Il émit un petit rire narquois tout en jetant une pelletée de terre sur le feu. Je récupérai mon cautère et mon pot de goudron, puis nous rentrâmes à la maison, discutant de choses et d'autres.

Toutefois, sa remarque continua de me trotter dans la tête… « une paire d'amourettes ne fait pas toujours le bonheur d'un homme ». Avait-il voulu parler des hommes en général ? Ou y avait-il là une allusion à sa vie personnelle ?

Dans tout ce qu'il m'avait raconté sur son bref mariage avec Laoghaire MacKenzie – c'est-à-dire pas grand-chose, par consentement mutuel –, rien n'indiquait qu'elle l'ait attiré physiquement. D'un autre côté, je connaissais son corps presque aussi bien que le mien. S'il avait une grande capacité à endurer les privations, il avait une faculté au moins équivalente pour les épanchements passionnés. Il pouvait être ascète par nécessité, mais pas par prédisposition.

La plupart du temps, je parvenais à oublier qu'il avait partagé la couche de Laoghaire, même si cela n'avait pas duré longtemps et n'avait guère été – selon lui – gratifiant. Je n'oubliais pas qu'elle avait été, et était encore, une très jolie femme.

Pour cette raison, j'aurais préféré que Jenny Murray trouve une autre source d'inspiration pour justifier son changement d'attitude vis-à-vis de son frère.

* * *

Nous allâmes nous coucher tard, après une soirée bien arrosée au cours de laquelle Fergus avait régalé la compagnie en nous chantant la *Ballade de la prostituée*, chanson plutôt salace apprise lorsqu'il était encore un gamin pickpocket dans les rues de Paris.

Jamie s'enfonça dans l'oreiller, les mains croisées derrière la nuque, pouffant de rire en se remémorant des bribes de la chanson. Il faisait froid, la condensation de nos souffles embuant la vitre, mais il ne portait pas de chemise. Je l'admirai discrètement, tout en me brossant les cheveux.

Il s'était remis de la morsure de crotale mais était encore amaigri. La courbe gracieuse de ses clavicules était visible, et les longs muscles de ses bras étiraient sa peau. À l'échancrure de sa chemise, sa poitrine était couleur de bronze, mais la chair sous ses bras était d'un blanc laiteux parcouru d'un réseau de veines bleues. La lueur de la chandelle allongeait les ombres des os saillants de son visage et faisait scintiller ses cheveux, ambre et cannelle sur ses épaules, acajou et roux doré ailleurs.

– Cette lumière te va bien, *Sassenach*.

Ses yeux couleur d'un océan sans fond m'observaient aussi.

– Je pensais justement la même chose à ton sujet.

Je reposai ma brosse et me levai. Mes cheveux retombèrent en nuage sur mes épaules, propres, doux et brillants. Ils étaient parfumés au souci et au tournesol, tout comme ma peau. Prendre un bain et se shampouiner en hiver nécessitait une logistique complexe, mais j'avais été bien décidée à ne pas me coucher en empestant la merde de cochon.

Je me penchai pour souffler la bougie, mais il m'arrêta en me prenant le poignet.

– Laisse-la brûler. Viens te coucher et laisse-moi te regarder. J'aime voir la lumière danser dans tes yeux. Elle ressemble au whisky, quand tu le verses sur le haggis et que tu le fais flamber.

– Tu es un vrai poète, murmurai-je.

Il m'attira à lui et se poussa pour me faire de la place. Il dénoua le cordon de ma chemise et me l'ôta. L'air frais dans la chambre fit aussitôt se dresser mes mamelons, mais son torse était divinement chaud quand il me serra contre lui, soupirant d'aise.

– Ce doit être la chanson de Fergus qui m'inspire, dit-il.

Il plaça une main sous un de mes seins et le soupesa avec une moue approbatrice.

– Tu as les plus beaux seins que j'aie jamais vus. Tu te rappelles de ce couplet où le gars raconte que la dame a des mamelles si énormes qu'elle peut lui couvrir les oreilles avec ? Les tiens ne sont pas si gros, bien sûr, mais je pense que tu pourrais…

– Ils n'ont pas besoin d'être énormes pour faire ça ! l'assurai-je. Tiens, pousse-toi, je vais te montrer. En plus, je ne crois pas qu'il s'agisse de lui couvrir les oreilles, mais plutôt de les lui prendre en sandwich et de les frotter l'un contre l'autre. Or, les miens sont amplement assez généreux pour… tu vois ?

– Oh !

Il semblait profondément reconnaissant et un peu hors d'haleine.

– Oui… euh… je vois. Oh !… en tout cas, la vue d'ici est magnifique, *Sassenach*.

– C'est plutôt intéressant, d'ici aussi.

J'avais un mal fou à ne pas rire et à ne pas loucher.

– À ton avis, lequel de nous deux devrait aller et venir ? demandai-je.

– Moi, pour le moment. Je ne te fais pas mal, *Sassenach* ?

– En fait, si, ça gratte un peu. Attends un instant.

Je tendis la main vers la table de chevet, tâtonnant jusqu'à trouver le pot de crème au lait d'amandes pour mes mains. Je repoussai le couvercle et y plongeai un doigt.

– Oui, c'est nettement mieux, non ? demandai-je.

– Oh. Oh, oui !

– Et puis, tu te souviens de l'autre couplet ?

Je le lâchai un instant et glissai mon doigt enduit de crème dans la fente de ses fesses.

– … De ce que la prostituée fait à l'enfant de chœur…

– Oh, mon Dieu !

– Oui, c'est bien ce qu'il a dit, lui aussi. D'après la chanson.

* * *

Beaucoup plus tard, dans l'obscurité, je me réveillai en sentant ses mains de nouveau sur moi. Encore agréablement ballottée par mes rêves, je ne bougeai pas, le laissant faire ce qu'il voulait.

Mon esprit n'était que vaguement connecté à la réalité, et il me fallut un certain temps avant de me rendre compte que quelque chose ne tournait pas rond. J'en mis encore plus pour me concentrer et remonter à la surface de la conscience. Enfin, j'ouvris les yeux

Il était à demi accroupi au-dessus de moi, le visage éclairé par les dernières braises du feu. Les yeux fermés et le front plissé, il soufflait par ses lèvres entrouvertes, remuant presque mécaniquement. Perplexe et l'esprit encore embrumé, je me demandai comment il pouvait faire cela en dormant.

Un fin voile de transpiration faisait luire ses pommettes et les courbes de son corps nu.

Il me pétrissait d'une étrange manière, comme un automate, un travailleur à la chaîne. Ses doigts étaient plus qu'indiscrets, tout en étant impersonnels. J'aurais pu être n'importe qui, ou n'importe quoi.

Puis, les yeux toujours fermés, ses sourcils froncés lui donnant l'air concentré, il rejeta complètement la couverture et se glissa entre mes jambes. Il les ouvrit d'un geste brusque, ce qui ne lui ressemblait pas. Instinctivement, je tentai de les resserrer et de me dégager. Ses mains s'abattirent alors sur mes épaules, me plaquant contre le matelas, son genou m'écarta les cuisses et il me pénétra brutalement.

Je poussai un cri aigu de protestation, et il ouvrit les yeux. Hébété, il me dévisagea, son visage à quelques centimètres du mien, puis une lueur d'intelligence traversa son regard. Il se figea.

– Ça ne va pas, non? m'écriai-je. Tu me prends pour qui?

Il s'extirpa aussitôt et bondit hors du lit, nos draps et couvertures retombant en tas sur le plancher. Il décrocha ses vêtements de la patère et sortit de la chambre en deux enjambées, claquant la porte derrière lui.

Je me redressai, ahurie. Je récupérai les couvertures et les rabattis sur moi, furieuse… et n'en croyant toujours pas tout à fait mes yeux. Je me frottai le visage, essayant d'achever de me réveiller. Je n'avais quand même pas rêvé!

Non. Pas moi, mais lui, si. Il avait été à moitié, ou complètement, endormi. Dans son sommeil, il m'avait prise pour cette garce de Laoghaire! D'où cette manière de me posséder, avec ces gestes d'impatience douloureuse teintée de colère. Jamais il ne m'avait touchée ainsi.

Je me rallongeai, mais me rendormir m'était impossible. Après avoir fixé le plafond quelques minutes, je me levai et m'habillai.

Il était dans la grange.

Je m'appuyai contre le chambranle de la porte entrouverte, croisai les bras et le regardai aller et venir avec sa fourche, s'affairant au clair de lune pour calmer ses nerfs. Les miens étaient encore à vif, mais s'apaisèrent peu à peu, à mesure que je l'observais.

Le problème venait du fait que je comprenais, et trop bien. Je n'avais pas rencontré beaucoup de maîtresses de Frank. Il était discret. Cependant, de temps en temps, au cours d'une réception organisée par son université, ou au supermarché, je surprenais un regard. Chaque fois, une rage noire était montée en moi, suivie d'une grande confusion face à ma propre réaction.

La jalousie et la logique n'avaient rien à voir.

Laoghaire MacKenzie se trouvait à dix mille kilomètres. Il était fort probable que ni lui ni moi ne la reverrions jamais. Frank était encore plus loin, et il était certain que nous ne le croiserions pas dans ce monde-ci.

Non, décidément, la jalousie et la logique étaient incompatibles.

J'avais froid mais ne bougeais pas. Il savait que j'étais là, je le voyais à la manière dont il gardait la face tournée de l'autre côté en travaillant. Il transpirait. Enfin, il planta sa fourche dans une meule et s'assit sur un banc, taillé dans un demi-tronc d'arbre. Il prit sa tête entre ses mains, se frottant vigoureusement le crâne.

Puis, il releva les yeux vers moi, avec un air à la fois contrit et, malgré lui, amusé.

– Je ne sais pas ce qui m'a pris. Je ne comprends pas.

Je vins m'asseoir à ses côtés, recroquevillant mes pieds sous moi. Je pouvais sentir sa sueur, mêlée à la crème au lait d'amandes et aux effluves de nos ébats.

– Qu'est-ce que tu ne comprends pas?

– Tout. Rien.

Je lui passai une main dans le dos.

– Allez, ne dramatisons pas. Ce n'est pas si grave, non?

Il poussa un long soupir, s'ébrouant comme un cheval.

– Quand j'avais vingt-trois ans, je ne comprenais pas comment la simple vue d'une femme liquéfiait tous mes os tout en me donnant l'impression de pouvoir tordre une barre d'acier entre mes mains. Quand j'en ai eu vingt-cinq, je ne comprenais pas comment je pouvais à la fois chérir une femme et avoir envie de la posséder.

– N'importe quelle femme?

J'obtins ce que j'avais cherché : un sourire en coin et un regard qui m'allèrent droit au cœur.

– Une femme, répéta-t-il.

Il prit la main que j'avais posée sur son genou et la serra fort, de peur que je la lui retire.

– Une seule, dit-il encore d'une voix éraillée.

Le bois de la grange craquait dans l'air froid. Je me blottis contre lui. La lumière de la lune se déversait par la porte ouverte, se reflétant sur les tas de foin.

– Je t'aime, *a nighean donn*. Je t'ai aimée dès le moment où j'ai posé les yeux sur toi. Je t'aimerai jusqu'à la fin des temps, et tant que tu es à mes côtés, je suis en paix avec le monde.

Une douce chaleur m'envahit, mais, avant même que j'aie eu le temps de serrer sa main en guise de réponse, il poursuivit, l'air perplexe et si désespéré qu'il en était presque comique :

– Claire, il y a une chose que je ne comprends pas. Pourquoi, au nom du Christ et de tous les saints, j'ai envie d'embarquer sur le premier navire pour l'Écosse et d'aller botter le cul à un homme que je ne connais pas, tout simplement parce qu'il a forniqué avec une femme sur laquelle je n'ai aucun droit et que, de toute façon, je ne peux pas voir en peinture !

Il cogna sur le banc avec sa main libre, envoyant des vibrations qui me secouèrent les fesses.

– Je ne comprends pas !

Je me retins de rétorquer que moi non plus, me contentant de rester sagement assise et silencieuse, caressant doucement les articulations de sa main avec mon pouce.

Au bout d'un moment, il poussa un nouveau soupir et se leva.

– Je suis un idiot.

Je ne dis rien, mais comme il semblait attendre une sorte de confirmation, j'acquiesçai poliment.

– Oui, peut-être, dis-je enfin. Mais tu ne comptes pas vraiment partir pour l'Écosse ?

Au lieu de me répondre, il se mit à faire les cent pas devant moi, donnant des coups de pied dans des mottes de terre sèche qui explosaient en poussière. Non, il n'allait tout de même pas… c'était absurde de ma part. Je parvins à me taire, non sans mal, et attendis patiemment jusqu'à ce qu'il s'arrête devant moi. Puis, il dit sur le ton d'une déclaration de principe :

– Soit, j'ignore pourquoi le fait que Laoghaire recherche la compagnie d'un autre homme m'exaspère à ce point… Non, ce n'est pas vrai, n'est-ce pas ? Je sais pourquoi. Ce n'est pas de la jalousie. Ou... si, c'en est, mais pas uniquement.

Il me défia du regard, s'attendant à ce que je le contredise, mais je restai coite. Il souffla par le nez et baissa les yeux avant de reprendre :

– Pour être vraiment honnête...

Il pinça les lèvres.

– Pourquoi ? explosa-t-il de nouveau. Qu'est-ce qu'il a, ce rustre ?

– Quel rustre ? L'homme avec qui elle... ?

– Elle n'aimait pas ça, le lit ! J'ai sans doute une trop haute opinion de mes prouesses, à moins que ce soit toi qui me flattes, mais...

Il me jeta un œil, inquiet.

– Est-ce que je suis...

Je ne savais pas trop s'il voulait entendre « oui, tu es » ou « non, tu n'es pas ». Aussi esquissai-je un sourire qui signifiait les deux à la fois.

– C'est que... je ne pensais pas être le responsable. En outre, avant qu'on se marie, Laoghaire m'avait fait comprendre que je lui plaisais. J'ai cru qu'elle n'aimait pas les hommes en général, ou uniquement l'acte lui-même. De cette façon, ça me semblait moins grave..., même si je me disais que je devais faire quelque chose pour lui donner le goût de... enfin, tu vois. Mais peut-être me suis-je trompé, et c'était moi qui n'étais pas à la hauteur. C'est ça qui me reste en travers de la gorge.

Je ne savais vraiment pas quoi lui dire, mais il était clair que je devais lui répondre.

– À mon avis, ça venait d'elle. Pas de toi. Naturellement, je ne suis peut-être pas très objective. Elle a quand même essayé de m'assassiner, après tout.

Il pivota sur ses talons, bouche bée.

– Elle a fait quoi ?

– Tu ne le savais pas ? Oh !

J'essayais de me souvenir. Je ne le lui avais pas dit ? Peut-être pas. Entre une chose et une autre, cela ne m'avait pas paru indispensable à l'époque. Puis, plus tard... cela n'eut vraiment plus d'importance. Je lui résumai brièvement comment elle m'avait envoyée retrouver Geillie Duncan, ce jour-là, à Cranesmuir, sachant pertinemment que celle-ci allait être arrêtée pour sorcellerie et espérant que je subirais le même sort, ce qui avait été le cas.

Il était abasourdi.

– La petite garce ! Non, je l'ignorais, *Sassenach.* Bon sang, tu ne crois tout de même pas que je l'aurais épousée si j'avais su cela !

Compte tenu des circonstances, je pouvais me permettre d'être magnanime.

– Bah ! La pauvre, elle n'avait que seize ans. Elle ne se rendait peut-être pas compte que le tribunal nous condamnerait à être brûlées vives. Elle voulait une seule chose : qu'on m'accuse d'être une sorcière, pensant que tu te désintéresserais de moi.

La révélation de la vacherie de Laoghaire semblait, au moins, lui avoir changé les idées. Il grogna dans sa barbe et se remit à marcher de long en large, pieds nus. Il n'avait pas pris le temps de remettre ses bas et ses souliers, ce qui ne le gênait guère.

Enfin, il s'arrêta, posa une main sur le banc et sa tête contre mon épaule.

– Pardonne-moi, chuchota-t-il.

Je glissai mes bras autour de son cou et l'attirai à moi, le serrant de toutes mes forces. Je sentis ses épaules se détendre et le libérai. Il se redressa et m'aida à me relever.

Nous fermâmes la porte de la grange et marchâmes en silence vers la maison.

– Claire ? demanda-t-il soudain.

– Oui ?

Il paraissait embarrassé.

– Ce n'est pas pour chercher à me disculper... pas du tout, mais... je me demandais... tu penses parfois à Frank ? Je veux dire, quand nous...

Il s’éclaircit la gorge.

– Est-ce que l’ombre de l’Anglais traverse mon visage de temps en temps?

Aïe! Qu’allais-je pouvoir répondre à ça? Je ne pouvais pas lui mentir, mais comment lui dire la vérité, de sorte qu’il comprenne, sans le blesser?

J’observai mon souffle se condenser dans l’air froid, puis répondit sur un ton assuré.

– Je n’ai pas envie de faire l’amour à un fantôme, et je pense que toi non plus. Mais il arrive sans doute que, de temps en temps, les fantômes ne soient pas de cet avis.

Il rit doucement.

– Oui, je suppose. Je me demande si Laoghaire apprécierait le lit de l’Anglais, plus qu’elle a apprécié le mien.

– Si elle se contente d’un fantôme, ça la regarde. Mais si tu apprécies le mien, je te conseille de rentrer te coucher. On se les gèle dehors.

100

La baleine échouée

À la fin mars, les pistes à travers les montagnes devinrent de nouveau praticables. Milford Lyon n'avait toujours pas répondu, et, après avoir débattu un certain temps la question, il fut décidé que Jamie, Brianna, Roger, Marsali et moi irions à Wilmington, pendant que Fergus se rendrait à New Bern avec les relevés d'arpentage pour les faire officiellement enregistrer.

Les filles et moi devions réapprovisionner nos réserves mises à sec par l'hiver et acheter, entre autres, du sel, du sucre, du café, du thé et de l'opium. Pendant ce temps, Jamie et Fergus se renseigneraient discrètement sur Milton Lyon… et Stephen Bonnet. Fergus nous rejoindrait dès sa mission accomplie, profitant de ce qu'il longerait la côte pour mener sa propre enquête

Après quoi, en théorie, Jamie et Roger, ayant localisé M. Bonnet, débarqueraient sur son lieu d'activité professionnelle, l'abattraient d'un coup de pistolet ou d'épée, selon l'inspiration du moment, avant de reprendre la route des montagnes en se félicitant de leur travail, vite fait bien fait. Du moins, avais-je ainsi compris leur plan.

– « Les plans les mieux conçus des souris et des hommes ne se réalisent jamais », citai-je à Jamie.

Il me regarda d'un air neutre.

– Depuis quand les souris ont des plans ?

– Bonne question. Mais, c'est le principe qui compte. Tu ne peux pas savoir ce qui peut arriver.

– C'est vrai. Mais quoi qu'il arrive, je serai prêt.

Il tapota le coutelas à sa ceinture et se replongea dans sa liste de fournitures.

Le temps s'était considérablement réchauffé lorsque nous descendîmes de nos montagnes. À mesure que nous approchions de la côte, des nuées de mouettes et de corbeaux tournoyaient au-dessus des champs nouvellement semés, piaillant de joie dans le soleil printanier.

À Fraser's Ridge, les feuilles commençaient juste à apparaître, alors qu'à Wilmington, les jardins étaient déjà remplis de fleurs, les ancolies blanches et les pieds-d'alouette bleus se balançant au-dessus des clôtures impeccables de Beaufort Street. Nous trouvâmes à nous loger dans une petite taverne proprette, non loin des quais. Elle était assez bon marché et raisonnablement confortable, quoiqu'un peu sombre et bondée.

– Pourquoi ne construisent-ils pas des maisons avec plus de fenêtres ? grommela Brianna.

Elle venait de trébucher contre Germain, sur le palier.

– Quelqu'un va finir par mettre le feu en allumant une chandelle pour voir où il met les pieds. Les vitres ne coûtent pas si cher, tout de même !

– Tu oublies la taxe sur le verre, lui dit Roger.

Il saisit Germain par un pied et le balança au-dessus de la rampe d'escalier, pour le plus grand bonheur du garçon.

– Quoi, tu veux dire que la Couronne impose une taxe sur les fenêtres ?

– En effet. Apparemment, les gens fulminent contre celles sur les timbres et le thé, mais, pour leurs fenêtres, ils se sont fait une raison.

– Pas étonnant qu'ils soient sur le point de faire la révol… Oh, bonjour Mme Burns ! Le petit-déjeuner sent délicieusement bon !

Les filles, les enfants et moi avions passé plusieurs jours à faire des commissions de manière économe, pendant que Jamie et Roger associaient le travail et le plaisir dans divers tripots et tavernes. Ils avaient déjà fait la plupart de leurs achats, et Jamie avait trouvé une source de revenus supplémentaires modestes mais utiles en jouant aux cartes et en pariant aux courses de chevaux. Toutefois, tout ce qu'il avait appris sur Bonnet jusque-là était qu'on ne l'avait pas vu à Wilmington depuis plusieurs mois. J'en étais secrètement soulagée.

Plus tard dans la semaine, il plut tellement dru que nous fûmes contraints de rester enfermés pendant deux jours. Ce n'était plus de la pluie, mais une véritable tempête, avec des vents assez violents pour coucher les palmiers et tapisser les rues boueuses de feuilles et de branches arrachées. Marsali resta debout jusqu'à tard dans la nuit, écoutant le vent rugir ou jouant aux cartes avec Jamie pour se distraire, quand elle ne récitait pas son rosaire.

– Fergus a bien dit qu'il arriverait de New Bern à bord d'un gros bateau? L'*Octopus*, c'est bien ça? Père, ça sonne comme un navire costaud, non?

– Oui, cela dit, tous les bateaux-paquets qui transportent le courrier sont très sûrs aussi. Non, ne jette pas celle-ci, ma fille, débarrasse-toi plutôt de ton trois de pique.

– Comment sais-tu que j'ai le trois de pique? Et puis ce n'est pas vrai, cette histoire de bateau-paquet. Tu as vu comme moi l'épave au bout d'Elm Street, avant-hier.

– Je sais que tu as le trois de pique, parce que je ne l'ai pas et que tous les autres piques sont déjà retournés sur la table. En outre, rien ne dit que Fergus prendra le bateau. Il arrivera peut-être par la route.

Une rafale fouetta la maison, faisant trembler les volets.

– Une raison de plus pour ne pas avoir de fenêtres, observa Roger en regardant par-dessus l'épaule de Marsali. Non, il a raison, débarrasse-toi du trois de pique.

– Tiens, fais-le toi-même. Il faut que j'aille voir Joanie.

Elle lui mit son jeu entre les mains et se précipita dans la chambre voisine qu'elle occupait avec ses enfants. Je n'avais pas entendu la petite pleurer.

Un bruit sourd se fit entendre au-dessus de nos têtes, tandis qu'une branche atterrissait sur le toit. Tout le monde leva les yeux. Sous le sifflement strident du vent, on entendait le grondement de la mer déchaînée. Roger récita doucement :

– « Ceux qui sillonnent le grand large et sombrent corps et âme, ceux-là voient de près l'œuvre du Seigneur et les merveilles qu'il a créées pour les profondeurs. Car Il commande et soulève les vents de tempête qui hérissent les vagues… »

– Merci, tu es d'un grand secours ! dit Brianna sèchement.

Déjà sur les nerfs, son humeur ne s'était pas arrangée avec notre réclusion forcée. Jemmy, terrifié par le vacarme, était collé à elle comme une tique depuis deux jours. Mère et fils étaient moites, fatigués et particulièrement irascibles.

Roger lui sourit sans se laisser démonter. Il parvint non sans mal à arracher Jemmy de ses jupes et le plaça debout devant lui, lui tenant les mains en déclamant d'une manière théâtrale :

– « Ils avancent, ils reculent, ils chancellent tels des ivrognes. »

Jemmy gloussait de rire, pendant que son père le faisait aller et venir, illustrant le poème. Malgré elle, Brianna se mit à sourire.

– « Ils implorent le Seigneur, le supplient de mettre un terme à leurs tourments… »

Au mot « tourments », il souleva Jemmy, le projeta en l'air et le rattrapa sous les aisselles. Les cris de joie du petit étaient communicatifs.

– « Il les entend, ordonne à la tempête de se retirer et les vagues à nouveau s'étalent… »

Brianna applaudit avec une moue sarcastique. Jamie avait ramassé les cartes. Il les battit, puis tapota le jeu contre le bord de la table. Il s'arrêta, levant la tête. Surprise par son immobilité soudaine, je me tournai vers lui.

– Le vent est tombé. Tu entends ? Demain, on pourra enfin sortir, dit-il en souriant.

* * *

Le lendemain, le ciel s'était dégagé, et une brise fraîche soufflait de la mer. Dans le port, l'absence de mâts était déprimante. Aucun gros navire n'y était ancré, pas même un ketch ou un bateau-paquet. En revanche, il y avait une abondance de petites embarcations en tous genres, canots, radeaux, nacelles et même des *pirretas*, de petites barques à quatre rames qui fusaient sur l'eau comme des libellules.

Remarquant notre groupe qui se promenait tristement le long du quai, l'une d'elles s'approcha, ses rameurs nous demandant si nous avions besoin d'être transportés quelque part. Lorsque Roger se pencha poliment pour décliner leur offre, son chapeau s'envola, virevoltant au-dessus des eaux marron avant de s'y déposer comme une feuille morte.

L'embarcation s'empressa d'aller le récupérer. L'un des rameurs le cueillit adroitement du bout de sa rame et le hissa triomphalement, tout dégoulinant. Lorsque la *piretta* s'approcha de nouveau, la mine jubilatoire du sauveteur se transforma en stupéfaction.

– MacKenzie ! Que je sois sodomisé avec un cure-dents si ce n'est pas toi !

– Duff ! Duff ! Vieux bougre !

Roger récupéra son couvre-chef, puis tendit la main au rameur pour le hisser sur le quai. Duff, un petit Écossais trapu avec un très long nez, des joues creuses et une belle paire de favoris grisonnants qui lui donnaient l'air d'avoir été saupoudré de sucre glace, sauta agilement sur le quai et serra virilement Roger dans ses bras, à grand renfort de tapes dans le dos et d'exclamations grivoises. Ce dernier y répondit avec le même enthousiasme. Nous attendîmes poliment en retrait, pendant que Marsali essayait d'empêcher Germain de sauter dans l'eau du port.

Je me penchai vers Brianna, qui contemplait d'un air dubitatif le vieil ami de son mari.

– Tu le connais ?

– Je crois qu'un jour, ils ont été ensemble sur un bateau.

Duff lâcha enfin Roger et recula d'un pas, essuyant son nez sur sa manche et s'exclamant joyeusement :

– Non, mais, regardez-le ! Une veste de seigneur avec des boutons assortis ! Et ce chapeau ! Sacrebleu, mon garçon ! Tu es si récuré et bien mis qu'une crotte aurait honte de s'accrocher à toi !

Roger rit en frappant son chapeau contre sa cuisse pour faire tomber une algue, puis le pointa d'un air distrait vers Brianna qui examinait toujours M. Duff d'un œil soupçonneux.

– Mon épouse.

Puis, il l'agita vers nous.

– … et ma belle-famille. Monsieur James Fraser, madame Fraser, la belle-sœur de ma femme, également madame MacKenzie.

– À votre service, mesdames, monsieur.

Duff s'inclina vers Jamie et, en signe de respect, porta la main à la chose difforme qu'il portait sur la tête. Puis, il regarda Brianna avec un grand sourire.

– Alors, tu as fini par l'épouser, ta rouquine ! Je vois que vous n'avez pas chômé, non plus !

Il donna un coup de coude à Roger en chuchotant :

– Tu as payé son père pour l'avoir, ou c'est lui qui t'a payé pour l'en débarrasser ?

Jamie et Brianna le dévisagèrent avec le même regard torve, mais avant que Roger n'ait pu intervenir, Duff se tourna vers son compagnon, toujours dans l'embarcation, qui lui criait quelque chose d'incompréhensible.

– Oui, oui, j'arrive ! Rien ne presse, quand même ! Ah, ces marins !

– Ai-je bien compris ? Votre ami vient de parler d'une baleine ? demandai-je.

– Oui, bien sûr, la baleine! Vous n'êtes pas ici pour ça?

Tout le monde se regarda d'un air perplexe. Trop préoccupée par la vraie raison pour se soucier d'autre chose, et encore moins de baleine, Marsali s'avança.

– Non, monsieur. Nous sommes ici pour nous enquérir d'un navire appelé l'*Octopus*. Vous n'auriez rien entendu à ce sujet, par hasard?

– Non, ma petite dame. Mais, le temps est si traître depuis un mois…

Voyant Marsali pâlir, il ajouta précipitamment :

– La plupart des bateaux auront évité la région, voyez-vous. Ils auront dévié leur route vers d'autres ports ou attendent au large que le temps se calme suffisamment longtemps pour tenter d'accoster. MacKenzie, tu te souviens quand on était à bord du *Gloriana*?

– Oui, oui, c'est vrai, confirma Roger.

À la mention du *Gloriana*, il s'était raidi. Il jeta un coup d'œil vers Brianna, puis de nouveau vers Duff et demanda en baissant la voix :

– Au fait, je vois que tu as faussé compagnie au capitaine Bonnet?

Une petite décharge traversa la plante de mes pieds, comme si le quai avait été électrifié. Jamie et Brianna réagirent également, mais de manière diamétralement opposée. Jamie avança d'un pas, Brianna recula d'autant.

– Stephen Bonnet? lança Jamie. Vous connaissez ce monsieur?

Duff se signa.

– Je l'ai connu.

Jamie hocha lentement la tête.

– Je vois. Vous savez peut-être où je pourrais le trouver?

– Ouh là! Pour ça…

Duff l'examina attentivement des pieds à la tête, notant les détails de son costume et de son allure générale, se demandant apparemment combien cette information pourrait lui rapporter. Son partenaire dans l'embarcation s'impatientait. Marsali aussi.

– Où iraient-ils alors, s'ils devaient être détournés vers un autre port?

– Bonnet? insista Jamie en parvenant à avoir l'air à la fois encourageant et menaçant.

– Alors, ils vont la voir cette baleine ou quoi? hurla le second rameur.

Effaré, Duff clignait des yeux, ne sachant pas à qui répondre en premier. J'avançai d'un pas pour nous sortir de cette impasse.

– Qu'est-ce que c'est que cette histoire de baleine?

Contraint de se concentrer sur cette question directe, il parut soulagé.

– Mais la baleine morte, madame! Énorme, échouée sur l'île. Je pensais que vous étiez venus l'admirer.

Observant le port, je vis alors que la circulation des bateaux n'était pas si désordonnée que ça. Quelques gros canoës et barges se dirigeaient vers l'embouchure de Cape Fear, mais la plupart des embarcations plus modestes allaient vers un point, dans la brume lointaine, ou en revenaient, transportant de petits groupes de passagers. Des ombrelles en lin apparaissaient, ici et là, tels des champignons pastel. Des gens en tenue de ville attendaient sur le quai, scrutant l'autre côté du port.

– C'est deux shillings l'aller-retour, annonça Duff sur un ton enjôleur. Prix unique pour tout le groupe.

Roger, Brianna et Marsali semblaient intéressés. Sceptique, Jamie détaillait la *piretta*.

– Là-dedans?

Le partenaire de Duff, un homme d'âge et de langue maternelle indéterminés, parut vexé, mais Duff s'empressa de rassurer Jamie.

– La mer est d'huile, ce matin. Vous serez assis comme sur le banc d'une taverne. Convivial, non? Parfait pour faire la causette.

Il lui adressa un clin d'œil.

Jamie souffla entre ses dents. Malgré sa haine des bateaux, il ferait tout pour retrouver Stephen Bonnet. Toute la question était de savoir si M. Duff possédait vraiment des informations à ce sujet ou s'il cherchait seulement des clients. Jamie déglutit et redressa les épaules, rassemblant son courage.

Sans attendre, Duff en rajouta pour convaincre Marsali.

– Il y a un phare sur l'île, madame. De là-haut, on voit le grand large. On peut apercevoir les navires qui attendent.

Elle mit aussitôt la main à la poche, cherchant sa monnaie. Germain, derrière elle, était occupé à mettre une moule dans la bouche de Jemmy, comme une mère oiseau fourre dans la gueule de sa progéniture un gros ver bien juteux. J'intervins juste à temps et pris Jemmy dans mes bras.

– Non, mon chéri, on ne mange pas ces saletés. Tu ne préfères pas aller voir une jolie baleine morte?

Résigné, Jamie soupira et ouvrit son *sporran*.

– Vous feriez bien d'appeler un confrère à la rescousse, lança-t-il à Duff. On ne tiendra pas tous dans votre coquille de noix.

* * *

La promenade sur l'eau était délicieuse. Le soleil était masqué par une couche brumeuse de fins nuages, et une brise fraîche me fit ôter mon chapeau pour le plaisir de sentir le vent dans mes cheveux. Ce n'était pas vraiment le calme plat, mais le doux mouvement des vagues était reposant, pour ceux qui ne souffraient pas du mal de mer.

Je regardai vers le dos de Jamie, mais il avait la tête penchée, ses épaules roulant dans un rythme régulier tandis qu'il ramait.

Se résignant à l'inévitable, il avait pris la situation en main, faisant venir un second bateau dans lequel il avait placé Brianna, Marsali et les enfants. Après quoi, il avait dégrafé sa broche et annoncé que Roger et lui rameraient dans l'autre *piretta*, afin que Duff puisse se mettre à l'aise et ainsi accroître ses chances de se remémorer d'intéressants détails concernant Stephen Bonnet.

Me donnant son plaid et sa veste, il avait ajouté dans un grognement :

– Je risque moins de rendre mes tripes si je suis occupé.

Roger s'installa avec l'autre paire de rames, Duff et son associé Peter à l'avant, hilares à l'idée d'être payés pour une promenade dans leur propre bateau. On m'instruisit de m'asseoir en poupe, pour leur faire face, « histoire de surveiller la situation », me glissa Jamie. Me tendant ses vêtements roulés en boule, il resserra discrètement mes doigts autour de la crosse de son pistolet.

Assis juste devant moi, Roger ramait avec aise, les muscles de ses épaules nues se contractant en rythme, apparemment habitués à cet exercice. Sur le banc devant lui, Jamie manipulait ses rames avec grâce, mais avec moins d'assurance. Pour l'instant, néanmoins, l'effort détournait son attention de son estomac.

– C'est qu'on pourrait rapidement y prendre goût, pas vrai, Peter ?

Duff leva son long nez dans le vent, fermant les yeux et savourant la balade.

Issu d'un étrange mélange d'Indien et d'Africain, Peter s'étira avec volupté à ses côtés, également ravi. Il ne portait qu'une paire de culottes élimées, retenues à la taille par un bout de corde. Ses longs cheveux noirs retombaient sur une épaule, ornés de petites tresses sur lesquelles étaient enfilés des coquillages.

– Stephen Bonnet ? rappela Jamie.

– Ah, lui.

Duff semblait plutôt disposé à mettre définitivement ce sujet de côté, mais un regard vers Jamie lui fit comprendre qu'il ne s'en sortirait pas à si bon compte.

– Qu'est-ce que vous voulez savoir, au juste ? demanda-t-il d'un air las.

– Tout d'abord, où il se trouve.

Duff parut soulagé.

– Aucune idée.

– Dans ce cas, où vous l'avez vu pour la dernière fois.

Duff et Peter échangèrent un regard.

– Voyons… tergiversa Duff. Par « voir », vous entendez la dernière fois que j'ai posé les yeux sur lui ?

– À ton avis, nigaud ? intervint Roger.

Peter hocha la tête, nous accordant apparemment un point, puis donna un coup de coude dans les côtes de son ami.

– C'était dans une gargote à Roanoke, capitula Duff. Il était en train de manger une tourte de poisson. Cuite avec des huîtres par-dessus, arrosée d'une pinte de bière brune. Il a pris aussi un flan à la mélasse.

– Je vois que vous êtes un fin observateur. Votre notion du temps est-elle aussi affinée ?

– Hein ? Ah oui, je vois ce que vous voulez dire. C'était quand déjà… ? Il y a deux mois, environ.

– Pour distinguer aussi bien ce qu'il avait dans son assiette, vous deviez être assis à sa table, n'est-ce pas ? De quoi vous a-t-il parlé ?

Duff parut embarrassé. Il jeta un œil vers moi, puis vers une mouette qui tournait au-dessus de nos têtes.

– Surtout de la forme du popotin de la serveuse.

– Même si celle-ci était particulièrement bien en chair, ça n'a pas dû vous occuper pendant tout le repas, observa Roger.

– Tu serais surpris par tout ce qu'on peut trouver à dire sur le cul d'une femme. Celle-ci l'avait rond comme une pomme et lourd comme un pudding encore fumant. C'est qu'on se gelait les fesses, dans ce bistrot, et l'idée de mettre la main sur ce petit gigot bien chaud et dodu… sans vouloir vous offenser, m'dame, ajouta-t-il précipitamment.

– Mais, je vous en prie, lui répondis-je cordialement.

– Vous savez nager, monsieur Duff ? lui demanda Jamie.

– Quoi ? Ah… je… euh…

– Non, il ne sait pas, déclara joyeusement Roger. Il me l'a dit.

Duff lui adressa un regard outragé et meurtri.

– Tu parles d'un faux frère ! Quand je pense qu'on a été camarades de bord. Tu devrais avoir honte, traître !

Jamie sortit ses rames dégoulinantes de l'eau, imité par Roger. Nous étions à cinq cents mètres du rivage, et l'eau sous la coque était d'un vert sombre profond, suggérant une profondeur de plusieurs brasses.

– Bonnet, dit simplement Jamie.

Peter croisa les bras et ferma les yeux, indiquant clairement qu'il n'avait rien à voir dans cette histoire. Duff soupira en plissant des yeux vers Jamie.

– Bon, bon..., c'est vrai que je n'ai pas idée où il se trouve. Quand je l'ai vu à Roanoke, il prenait des dispositions pour faire rentrer des... marchandises.

– Quelles marchandises ? Pour les faire rentrer où ? Venant d'où ?

Jamie était accoudé aux rames, apparemment décontracté. Cependant, la tension dans ses épaules était visible et, malgré ses yeux fixés sur le visage de Duff, il voyait nécessairement la ligne d'horizon derrière lui, montant et descendant à un rythme lancinant, soulevant la barque puis l'abaissant. Encore et encore...

– En ce qui me concerne, j'ai déchargé pour lui des caisses de thé. Pour ce qui est du reste, je ne sais pas.

– Quel reste ?

– Enfin, l'ami ! Il n'y a pas un seul navire sur ces eaux qui n'ait pas un peu de micmac à son bord. Ne me dites pas que vous n'êtes pas au courant !

Les paupières de Peter s'étaient entrouvertes et examinaient Jamie avec un certain intérêt. Le vent avait légèrement tourné, et l'odeur de la baleine morte se faisait nettement sentir. Jamie prit plusieurs petites inspirations rapides, puis expira longuement.

– Soit. Vous avez déchargé du thé. D'où ? D'un navire ?

– Oui.

Duff observait lui aussi Jamie avec une fascination croissante. Je ne pouvais en être certaine en regardant sa nuque, mais je devinais qu'il avait commencé à verdir.

– Du *Sparrow*, poursuivit Duff. Il est resté ancré au large, et la marchandise a été débarquée par canots. On est passé par Joad's Inlet et on a accosté à Wylie's Landing. Là, on a livré la marchandise à un type qui nous y attendait.

– Quel… type?

En dépit du vent frais, je voyais la transpiration tacher la chemise de Jamie. Duff ne répondit pas immédiatement. Une lueur de spéculation traversa ses yeux enfoncés dans leurs orbites.

– Je serais toi, je n'y songerais même pas, Duff, dit Roger. D'ici, je peux t'atteindre avec ma rame.

– Oui, tu le pourrais, mais, même si tu sais nager et que M. Fraser peut flotter, je ne pense pas qu'on puisse en dire autant de la petite dame, hein? Avec ses jupes et ses jupons, je te parie qu'elle coulera à pic comme une pierre, hein?

Peter bougea à peine, ramenant ses pieds sous lui.

– Claire? dit Jamie.

Ses doigts se resserrèrent autour des rames, et la tension fit vibrer sa voix. Je poussai un soupir et sortis le pistolet caché sous la veste, sur mes genoux.

– Bon, sur lequel des deux dois-je tirer?

Peter ouvrit les yeux si grands que je vis le blanc tout autour de ses pupilles noires. Il regarda mon arme, Duff, puis Jamie.

– On a donné le thé à un dénommé Butah. Y travaille pour m'sieur Lyon.

Il se tourna de nouveau vers moi et pointa un doigt vers Duff, suggérant :

– Tirez sur lui.

La glace étant ainsi brisée, il fallut très peu de temps à nos deux passagers pour nous confier tout ce qu'ils savaient, s'interrompant seulement de temps en temps pour permettre à Jamie de vomir par-dessus bord.

Comme l'avait laissé entendre Duff, la contrebande était si répandue dans la région qu'elle était devenue une pratique courante. La plupart des marchands et tous les bateliers de Wilmington y avaient recours, comme presque tous leurs confrères de la côte des Carolines, afin d'éviter les taxes prohibitives sur les produits importés officiellement. Stephen Bonnet n'était pas seulement un des contrebandiers les plus prospères, mais également une sorte de spécialiste.

Tordant le cou pour pouvoir se gratter le dos à loisir, Duff expliqua :

– Il vous livre ce que vous voulez, en quantités.

– Quelles quantités exactement?

Les coudes sur les genoux, Jamie tenait sa tête entre ses mains. Cela semblait le soulager. Duff se pinça les lèvres, calculant mentalement.

– On était six à la gargote de Roanoke. Six équipés de canots. Compte tenu de leur taille, je dirais que ça faisait cinquante caisses en tout.

– Il apporte une nouvelle cargaison tous les combien? Tous les deux mois? demanda Roger.

– Oh, plus souvent que ça! Je ne sais pas exactement, mais on entend les collègues parler! D'après ce qu'ils disent, un nouveau chargement arrive toutes les deux semaines dans la bonne saison, quelque part entre la Virginie et Charleston.

Roger lâcha un grognement de surprise et Jamie redressa brièvement le front de ses mains en coupe.

– Et à la marine royale? Qui soudoie-t-il?

La question était pertinente. Si les petites embarcations pouvaient échapper à la vigilance de l'armée, les opérations de Bonnet impliquaient nécessairement de grandes quantités de marchandises acheminées par de gros vaisseaux. Un trafic de cette envergure passait difficilement inaperçu, et la réponse évidente était qu'il n'essayait même pas de le cacher.

Duff haussa les épaules.

– Je n'en sais rien.

– Vous n'avez pas travaillé pour Bonnet depuis le mois de février, intervins-je, pourquoi ?

Duff et Peter se regardèrent.

– On mange du diable de mer quand on a faim, me répondit Peter. On n'en mange pas si on a mieux à se mettre sous la dent.

– Pardon ?

– L'homme est dangereux, *Sassenach*, me traduisit Jamie. Ils ne travaillent pour lui que lorsqu'ils ne peuvent pas faire autrement.

– Bonnet n'est pas un gars antipathique, développa Duff,... tant que vos intérêts vont dans le même sens que les siens. Mais si, tout à coup, le vent tourne...

Peter glissa un doigt devant son cou noueux en guise d'illustration.

– Ça lui prend sans prévenir, poursuivit Duff. Une minute, il vous accueille avec whisky et cigares, l'instant suivant, il est à califourchon sur votre dos pour vous découper à la scie.

– Je vois. Monsieur est-il du genre soupe au lait ? demanda Jamie.

Duff, Peter et Roger secouèrent la tête à l'unisson.

– Il est froid comme un glaçon, dit Roger avec une certaine tension dans la voix.

– Il vous tranchera la gorge sans que ça lui défrise un seul poil du cul, l'assura Duff.

– Il vous crèvera comme la baleine, ajouta Peter.

Il agita la main vers l'île. Le courant nous avait considérablement rapprochés du rivage, et je pouvais désormais apercevoir le cétacé autant que le sentir. Un nuage de mouettes tournoyait en hurlant au-dessus de la carcasse, les oiseaux plongeant pour arracher des lambeaux de chair.

Un petit attroupement s'était formé non loin, les gens pressant des mouchoirs sur leur nez.

Au même moment, le vent tourna et une rafale fétide s'abattit sur nous. Je plaquai la chemise de Roger contre mon visage. Même Peter pâlit.

– Sainte Marie, mère de Dieu, ayez pitié de moi ! gémit Jamie. Oh ! Seigneur…

Il se pencha au-dessus du bord et vomit plusieurs fois de suite.

Je poussai les fesses de Roger du bout d'un orteil.

– Rame ! lui suggérai-je.

Il s'empressa d'obéir et, quelques minutes plus tard, la proue de la *piretta* toucha le sable. Duff et Peter sautèrent à terre et m'aidèrent galamment à descendre, ne me tenant apparemment pas rigueur d'avoir pointé une arme sur eux.

Jamie les paya, puis tituba un peu plus loin sur la plage et s'assit, très brusquement, au pied d'un pin *tæda*. Son teint avait la même couleur que la baleine morte, gris sale avec des taches blanches.

– Vous voulez qu'on rame pour le retour, monsieur ? demanda Duff.

Sa bourse à présent bien remplie, il se pencha vers lui avec bienveillance.

Jamie agita une main vers Roger et moi.

– Non, raccompagnez-les, répondit-il. Pour ma part… je crois que… je vais rentrer à la nage.

101

Des monstres et des héros

Les garçons, excités par la baleine, tiraient leurs mères derrière eux comme des cerfs-volants. Je les suivis, gardant toutefois une distance respectueuse avec l'énorme carcasse, laissant Jamie se remettre lentement sur la plage. Roger entraîna Duff à l'écart pour discuter, pendant que Peter faisait la sieste au fond de sa barque.

L'animal avait été rejeté sur le rivage récemment, même s'il était mort depuis un certain temps. Il fallait des jours pour atteindre ce degré de décomposition. En dépit de la puanteur, quelques visiteurs intrépides avaient escaladé la masse de chair et faisaient joyeusement signe de la main à leurs amis restés en bas. Un monsieur armé d'une hache découpait des tronçons de viande qu'il mettait dans un seau. Je reconnus le propriétaire d'un bouiboui d'Hawthorn Street et le rayai mentalement de la liste de nos adresses potentielles.

La carcasse grouillait de petits crustacés moins pinailleurs que moi. Plusieurs personnes équipées de récipients cueillaient les crabes les plus gros comme autant de fruits mûrs. Des millions de puces s'étaient aussi invitées à la fête, si bien que je battis rapidement en retraite en me grattant les chevilles.

Me tournant vers la plage, je constatai que Jamie s'était levé et participait à la conversation. Duff semblait de plus en plus nerveux, lançant des regards à la baleine et à son embarcation. Il était apparemment pressé de retourner à ses affaires, avant que l'attraction du jour ne se soit complètement désintégrée.

Il parvint enfin à s'échapper et repartit rapidement vers sa *piretta*, la mine tourmentée. Jamie et Roger me rejoignirent, mais les garçons n'étaient visiblement pas prêts à quitter la baleine. Brianna se porta volontaire pour les surveiller, pendant que Marsali grimpait au sommet du phare pour tenter d'apercevoir un signe de l'*Octopus*.

– Qu'avez-vous donc raconté à ce pauvre M. Duff? demandai-je à Jamie. Il avait l'air plutôt inquiet.

– Il sait où se trouve Lyon, expliqua Roger.

Lui-même paraissait à la fois troublé et excité.

– Or, M. Lyon sait où est Bonnet, poursuivit Jamie. Ou, s'il n'a pas son adresse précise, il connaît au moins la manière de le contacter. Si on allait un peu plus haut?

Il était encore pâle. Il essuya la transpiration sur ses tempes et nous indiqua du doigt l'escalier du phare.

Effectivement, l'air était nettement plus frais en haut de la tour, mais je n'avais guère l'esprit à admirer la vue.

– Alors? insistai-je.

À vrai dire, je n'étais pas certaine de vouloir entendre la réponse.

– J'ai demandé à Duff de porter un message à M. Lyon. Si tout se déroule comme prévu, nous devrions rencontrer M. Bonnet dans une semaine à Wylie's Landing.

Je fus prise d'un vertige qui n'avait rien à voir avec l'altitude. Je fermai les yeux, m'agrippant au garde-fou en bois qui entourait la petite plate-forme sur laquelle nous étions. Le vent soufflait fort, faisant craquer et gémir les planches du phare qui, soudain, avait l'air affreusement fragile.

J'entendis Jamie remuer à mes côtés et se rapprocher de Roger.

– Ce n'est qu'un homme, après tout, non? Pas un monstre.

En était-il certain? Pour moi, c'en était un, un monstre qui hantait Brianna et, vraisemblablement, son père. Le tuer le ramènerait-il à sa vraie dimension, faisant de lui juste un homme?

J'ouvris les yeux et vis l'océan s'ouvrir devant moi, telle une nappe de brume flottante. Il était vaste, beau... et désert. On pouvait voyager au bout du monde... et tomber dans le vide.

* * *

– Combien de temps as-tu navigué avec notre Stephen? demanda Jamie. Deux mois, trois?

– Presque trois, répondit Roger.

«Notre Stephen»? Que signifiait cette familiarité soudaine?

Jamie évitait soigneusement de remuer la tête, fixant un point haut au-dessus des vagues, la brise délogeant des mèches de son catogan et les faisant danser comme des flammèches dans la lumière pâle.

– Tu l'as donc connu suffisamment.

Roger se pencha sur le garde-fou. Il était solide mais mouillé et rendu glissant par les embruns projetés par les brisants en contrebas.

– Suffisamment, répéta-t-il. Ça dépend. Suffisamment pour quoi?

Jamie se tourna vers lui, les yeux plissés contre le vent mais le regard tranchant comme un rasoir.

– Pour savoir que ce n'est qu'un homme, rien de plus.

– Que voulez-vous qu'il soit d'autre? demanda Roger.

Jamie fixa le large, mettant sa main en visière pour admirer le soleil bas.

– Un monstre, dit-il à mi-voix. C'est-à-dire un peu moins qu'un homme... ou plus.

Roger ouvrit la bouche pour répondre, mais il ne trouva rien à dire, car c'était effectivement un monstre qui projetait l'ombre de la peur sur son cœur.

– Comment les marins le considéraient-ils ?

De l'autre côté de Jamie, je me penchai au-dessus de la balustrade pour regarder Roger.

– Sur le *Gloriana* ? Ils… le respectaient. Certains avaient peur de lui.

« Comme moi », eut-il envie d'ajouter.

– … Il avait la réputation d'être un capitaine dur mais compétent. Les hommes étaient disposés à embarquer avec lui, parce qu'il les ramenait à bon port et que ses voyages étaient toujours lucratifs.

– Était-il cruel ? demandai-je, encore le front soucieux.

– Tous les capitaines sont cruels à un moment ou un autre, *Sassenach*, dit Jamie avec une pointe d'impatience. Ils sont bien obligés.

Je levai les yeux vers lui, et son expression changea, le souvenir adoucissant son regard, une pensée narquoise soulevant un coin de ses lèvres. Je posai une main sur son bras et le serrai.

– Tu n'as fait que ton devoir, dis-je si bas que Roger l'entendit à peine.

Puis, haussai-je de nouveau le ton :

– Il y a une différence entre la cruauté et la nécessité.

– Oui, ajouta Jamie dans sa barbe. Mais la frontière est ténue entre le monstre et le héros.

102

La bataille de Wylie's Landing

Le détroit était calme et plat, sa surface à peine agitée par de minuscules vaguelettes poussées par le vent. C'était aussi bien. Roger surveillait son beau-père d'un œil. Celui-ci avait les yeux ouverts, fixés sur la berge avec une intensité désespérée, comme si la vue de la terre ferme, même hors d'atteinte, le réconfortait. Des gouttelettes de sueur luisaient sur sa lèvre inférieure, et son visage avait la même teinte nacrée que le ciel. Toutefois, il n'avait pas encore vomi.

Roger ne souffrait pas du mal de mer, mais il ne se sentait guère plus dans son assiette. Ni l'un ni l'autre n'avaient pu avaler un petit-déjeuner, mais il avait l'impression d'avoir dans l'estomac une énorme boule de porridge froid, généreusement hérissée de clous de tapissier.

– On y est.

Duff releva ses rames, leur indiquant le débarcadère un peu plus loin. Peter, affalé sur les siennes, était silencieux, son visage sombre figé dans une expression signifiant clairement qu'il n'avait aucune envie d'être là et que, plus tôt son chargement humain serait débarqué, mieux ce serait.

Wylie's Landing ressemblait à un mirage, flottant sur un nuage de brume, bordé de hautes touffes de joncs et de genêts. Tout autour s'étendaient des marais, de denses taillis de forêt côtière et de vastes étendues d'eau, sous un écrasant ciel gris pâle. Comparé aux vallées verdoyantes des montagnes, l'endroit était dangereusement exposé. D'un autre côté, il était totalement isolé, semblant à des kilomètres de toute habitation.

Roger savait que ce n'était qu'une illusion. La demeure de la plantation se trouvait à moins de deux kilomètres du débarcadère, mais cachée derrière un bois à l'allure décharnée qui surgissait du terrain marécageux comme une sorte de forêt de Sherwood rabougrie, remplie de lianes et de ronces.

Le débarcadère lui-même était composé d'un court quai en bois sur pilotis et d'une série de baraques délabrées dont les planches grises se fondaient dans le ciel bas. Une petite embarcation était tirée sur la berge, coque retournée. Une clôture en lisse formait un enclos derrière les hangars. Wylie devait envoyer ses bestiaux par bateau de temps à autre.

Jamie effleura la boîte de cartouches à sa ceinture, autant pour se rassurer que pour vérifier qu'elle n'avait pas pris l'eau. Il leva les yeux au ciel. Roger l'observa et se rendit compte que s'il se mettait à pleuvoir, leurs armes à feu ne seraient plus très fiables. L'humidité faisait s'agglutiner la poudre noire. Quelques gouttes d'eau, et le coup ne partait plus. S'il y avait une chose qu'il tenait à éviter, c'était bien de se retrouver face à Bonnet avec un pistolet inutilisable.

«Ce n'est qu'un homme», se répéta-t-il silencieusement. S'il laissait Bonnet prendre des proportions surhumaines, il était perdu. Il chercha dans sa tête une image rassurante et se raccrocha à un souvenir de Bonnet assis en proue du *Gloriana,* ses culottes en tas autour de ses pieds nus, sa mâchoire couverte de chaume blond pendant mollement dans la lumière du petit matin, ses yeux mi-clos par le plaisir d'une défécation paisible.

«Merde!» Quand il voyait Bonnet en monstre, il était bloqué, quand il le voyait en homme, c'était encore pire.

Il avait les paumes moites. Il les essuya sur ses culottes, n'essayant même pas de se cacher. Il portait un coutelas à sa ceinture, à côté de ses deux pistolets. Son épée était rangée dans son fourreau au fond du bateau. Il songea à la lettre de John Grey, puis aux yeux du capitaine Marsden, et un goût amer et métallique remplit l'arrière de sa gorge.

Suivant les instructions de Jamie, la *piretta* approcha lentement du ponton, tout le monde à bord guettant un signe de vie.

Jamie se pencha par-dessus l'épaule de Duff pour examiner les bâtiments et demanda à voix basse :

– Personne ne vit ici? Même pas des esclaves?

– Non. Wylie n'utilise pratiquement plus le débarcadère. Il a fait construire une piste qui part de sa maison et rejoint la grand-route d'Edenton.

Jamie lui lança un regard cynique.

– Mais si Wylie ne l'utilise pas, d'autres ne s'en privent pas, n'est-ce pas?

Effectivement, l'endroit était bien situé pour faire de la contrebande. Invisible depuis la terre ferme, mais facilement accessible par le détroit. Ce qu'il avait d'abord pris pour une île, sur sa droite, était en fait un dédale de bancs de sable séparant la voie d'eau menant aux pontons de Wylie du bras de mer principal. Il distinguait au moins quatre canaux menant aux battures, deux d'entre eux assez larges pour permettre à un ketch de taille non négligeable de passer.

Duff rit sous cape.

– L'allée qui mène à la maison est tapissée de coquillages concassés. Si quelqu'un arrive par là, on sera prévenus à temps.

Peter sortit momentanément de sa torpeur, indiquant les bancs de sable d'un signe de tête.

– Marée, marmonna-t-il.

Duff acquiesça.

– C'est vrai. Vous n'aurez pas longtemps à attendre, ou le contraire, tout dépend.

Il semblait trouver cela drôle. Pas Jamie.

– Pourquoi?

Duff cessa de ramer un instant, ôta sa casquette infâme et essuya son front dégarni. Puis, il agita son couvre-chef vers les bancs de sable où de petits échassiers pris de folie couraient dans tous les sens.

– La marée est montante. À marée basse, le canal n'est pas assez profond pour la quille d'un ketch. D'ici deux heures, peut-être un peu plus, ils pourront passer. S'ils attendent en ce moment même à l'entrée du canal, ils auront le temps d'entrer, de faire le boulot et de repartir, sinon, ils seront coincés jusqu'à la seconde marée montante, ce soir. Naviguer dans les canaux pendant la nuit est risqué..., mais Bonnet n'est pas du genre à avoir peur de l'obscurité. Cela dit, s'il n'est pas pressé, il peut aussi décider d'attendre jusqu'à demain matin. Oui, il faudra peut-être patienter un peu...

La *piretta* glissa le long du quai, et Duff coinça sa rame entre deux pilotis incrustés d'anatifes, arrêtant l'embarcation en douceur. Jamie fut le premier à sauter sur le ponton, pressé de retrouver la terre ferme. Roger lui tendit leurs épées et le sac qui contenait leurs provisions et leurs réserves de poudre, puis débarqua à son tour. Il s'agenouilla sur le quai, tous ses sens aux aguets, guettant un mouvement humain, mais il ne percevait que le chant fluide des merles noirs dans les marais et les cris des mouettes au-dessus du détroit.

Jamie fouilla dans sa besace et en sortit une bourse qu'il lança à Duff avec un signe de tête. Tout avait été convenu d'avance. C'était un acompte, il percevrait le reste lorsqu'il reviendrait les chercher, dans deux jours.

Jamie avait attendu la dernière minute pour prendre ses dispositions, voulant s'assurer que Bonnet ne pourrait être prévenu avant la rencontre – l'embuscade. Si celle-ci réussissait, il paierait le solde de la somme fixée. Dans le cas contraire, Claire s'en acquitterait.

Il eut une vision du visage de Claire, les traits pâles et tirés, hochant brièvement la tête, les lèvres pincées, quand il lui avait expliqué l'accord passé avec Duff. Ses yeux d'ambre s'étaient ensuite posés sur ce dernier avec la férocité d'un épervier prêt à éviscérer un rat. Duff avait eu un mouvement de recul devant la menace implicite. À ce souvenir, Jamie sourit. Si l'amitié et l'argent ne suffisaient pas à clouer le bec du marin, la peur de la Dame blanche s'en chargerait.

Ils se tinrent en silence sur le quai, observant la *piretta* s'éloigner lentement. Le nœud dans l'estomac de Roger se resserra. Il aurait bien prié, mais il ne pouvait quand même pas demander au ciel de l'aider pour ce qu'il s'apprêtait à faire... Il ne pouvait s'en remettre à Dieu ou à l'archange Michel, pas plus qu'au révérend ou à ses parents. Uniquement à Jamie Fraser.

Il se demandait parfois combien d'hommes son beau-père avait déjà tués, s'il les avait comptés, s'il le savait seulement. Naturellement, tuer un homme pendant une bataille en défendant sa peau était une chose, se tapir dans les broussailles pour commettre un meurtre de sang froid en était une autre. Même ainsi, il était sûr que ce serait plus facile pour Fraser.

Il jeta un coup d'œil vers lui. Ce dernier était parfaitement immobile. Il fixait un point au-delà de la barque, loin, plus loin que le ciel et l'eau. Il contemplait le mal, sans sourciller. Puis, il prit une profonde inspiration et déglutit. Non, ce ne serait pas plus facile pour Fraser.

Étrangement, Roger trouva cela réconfortant.

* * *

Ils inspectèrent rapidement tous les hangars, ne trouvant que des vestiges épars : des débris de caisses, des tas de paille moisie, quelques os rongés par des chiens ou des esclaves. Un ou deux des bâtiments avaient servi de logement mais pas récemment. Un animal avait construit un grand nid désordonné près d'un mur. Lorsque Jamie le poussa du bout du pied, une sorte de rongeur au pelage gris en jaillit et fila entre les jambes de Roger avant de plonger et de disparaître dans l'eau.

Ils s'installèrent dans la baraque la plus grande, construite directement sur le débarcadère, puis se préparèrent à l'attente.

Le plan était la simplicité même : tirer sur Bonnet dès l'instant où il apparaîtrait, sauf s'il pleuvait. Dans ce cas, ils devraient recourir aux épées et aux couteaux. Présentée ainsi, la procédure paraissait relativement simple, mais dans l'imagination de Roger, elle l'était nettement moins.

Après l'avoir observé en train de gigoter sur place pendant un bon quart d'heure, Jamie lui suggéra :

– Va donc faire un tour, si tu veux. On l'entendra venir.

Lui-même resta assis sans bouger, telle une grenouille sur son nénuphar, vérifiant méthodiquement l'assortiment d'armes étalé devant lui.

– Mmphm. S'il n'est pas seul?

Jamie haussa les épaules, examinant la pierre du pistolet dans sa main. Il la toucha du bout du doigt pour s'assurer qu'elle était bien calée, puis reposa l'arme.

– S'il y a des hommes avec lui, nous devrons le séparer d'eux. Je l'emmènerai dans un des hangars sous prétexte de vouloir discuter en privé et l'éliminerai. Tu empêcheras les autres de nous suivre. Ça ne prendra que quelques minutes.

– Ah oui? Ensuite, quand vous reviendrez tranquillement annoncer à ses hommes que vous venez de buter leur capitaine, que se passera-t-il?

Jamie se passa un doigt le long du nez, puis répondit :

– Il sera mort. Crois-tu qu'il est le genre d'homme à inspirer une telle loyauté qu'ils voudront le venger?

– Eh bien… peut-être pas.

Bonnet savait faire trimer ses hommes, mais il les tenait par la peur et l'appât du gain, pas par l'amour.

– J'en ai beaucoup appris sur M. Bonnet, observa Jamie. Il a plusieurs associés, mais pas d'amis. Il ne navigue pas toujours avec le même second et change souvent d'équipage, contrairement à la plupart des capitaines qui préfèrent s'entourer d'un groupe d'hommes de confiance. Bonnet choisit ses marins au petit bonheur, généralement pour leur force physique ou leur compétence particulière, mais pas parce qu'ils ont des atomes crochus. Je doute donc fort que ses coéquipiers aient beaucoup de sympathie pour lui.

Roger acquiesça devant la véracité de cette observation. Bonnet avait bien dirigé le *Gloriana,* mais il n'avait pas senti la moindre camaraderie à bord, pas même avec le lieutenant et le maître d'équipage. En outre, toutes les informations glanées jusque-là confirmaient que Bonnet recrutait ses acolytes selon ses besoins du moment. S'il venait accompagné, il ne s'agirait probablement pas d'un équipage dévoué, prêt à le défendre, mais de marins ramassés au hasard sur le port.

– Soit, mais si… quand on l'aura tué, ses hommes…

– Devront se chercher un nouvel employeur, l'interrompit Jamie. Tant que nous ne leur tirerons pas dessus et qu'ils ne se sentiront pas directement menacés, je doute fort qu'ils se préoccupent du sort de Bonnet. Néanmoins…

Il ramassa son épée, puis la fit aller et venir dans son fourreau pour s'assurer qu'elle glissait bien.

– … dans le cas contraire, nous faisons quand même comme j'ai dit. J'emmène Bonnet dans un hangar, et tu tentes de les retenir pendant une minute, le temps que je lui règle son compte, puis tu prétextes de venir voir ce qu'on fabrique. Sauf que tu ne t'arrêtes pas, tu continues tout droit vers les arbres. Je t'y rejoindrai.

Roger lui lança un regard sceptique. À l'entendre, ce plan ressemblait à celui d'une promenade dominicale. «On se retrouve au parc, j'apporte les sandwichs, tu te charges des boissons.»

Il s'éclaircit la gorge et prit un de ses pistolets. Son poids dans la main était rassurant.

– Oui, il y a juste un petit détail…, dit-il. C'est moi qui le tuerai.

Fraser sursauta et se tourna vers lui. Roger garda les yeux rivés droit devant, écoutant son pouls qui battait dans ses oreilles. Fraser ouvrit la bouche, puis se ravisa, l'observant d'un air méditatif. Roger pouvait entendre ses arguments aussi nettement que s'il les avait énoncés à voix haute.

« Tu n'as jamais tué un homme, jamais même participé à une bataille. Tu tires comme un pied, tu sais tout juste manier l'épée. Pire encore, tu as peur de lui. Si tu échoues… »

– Je sais, dit-il. Mais il est à moi. Je le veux. Brianna est peut-être votre fille, mais c'est ma femme.

Fraser détourna le regard. Il pianota sur son genou un moment, puis s'arrêta et poussa un long soupir. Il se releva lentement et fixa Roger.

– C'est ton droit. Un dernier conseil dans ce cas : n'hésite pas. Ne le défie pas, tue-le dès la première occasion.

Il s'interrompit un instant avant d'ajouter :

– Si tu échoues, sache que je te vengerai.

Roger sentit la masse de porridge cloutée lui remonter dans la gorge.

– Parfait, lança-t-il. Si vous échouez, ce sera moi qui vous vengerai. Marché conclu.

À cet instant, Roger comprit pourquoi des hommes étaient prêts à le suivre n'importe où, à faire n'importe quoi. Fraser ne rit pas. Il dévisagea longuement son gendre, puis hocha la tête.

– Un sacré marché, dit-il doucement. Merci.

Il dégaina son coutelas et commença à polir sa lame.

* * *

Ils n'avaient pas de montre, mais n'en avaient pas besoin. Même avec les nuages bas qui cachaient le soleil, ils sentaient les minutes s'égrener, le pivotement lent de la terre sous les pieds changeant les rythmes de la journée. Les oiseaux qui avaient chanté à l'aube s'étaient tus, ceux qui chassaient le matin s'égosillaient. Le clapotis des vagues contre les pilotis se modifiait à mesure que la marée montante réduisait la caisse de résonance sous le quai.

Puis, l'écho des vagues sonna de plus en plus creux à mesure que la marée se retirait. Le pouls de Roger ralentit et les nœuds dans ses tripes se desserrèrent.

Soudain, quelque chose percuta l'embarcadère, et les vibrations firent tressaillir le plancher du hangar.

Jamie fut debout en une fraction de seconde, deux pistolets dans sa ceinture, un troisième à la main. Il fit un signe de tête à Roger, puis disparut par la porte.

Roger glissa ses propres pistolets sous sa ceinture, effleura le manche de son coutelas pour se rassurer et lui emboîta le pas. Il aperçut le reflet du bateau, le bois sombre de sa lisse dépassant à peine du bord du ponton, et bondit dans le petit abri sur sa droite. Jamie, nulle part en vue, avait dû se glisser dans l'abri de gauche.

Il se plaqua contre le mur et regarda par la fente entre le chambranle et la porte. Pas encore amarrée, l'embarcation glissait le long du quai. Il n'entrevoyait qu'un bout de la poupe, le reste demeurant invisible. De toute manière, il devait attendre que Bonnet soit monté sur le débarcadère avant de lui tirer dessus.

Il essuya sa paume sur sa culotte et dégaina le meilleur de ses deux pistolets, vérifiant pour la énième fois l'amorce et la pierre. Le métal de l'arme sentait l'huile.

L'air était moite, ses vêtements adhéraient à sa peau. Si la poudre ne prenait pas? Il toucha son coutelas en se répétant les instructions de Fraser : « Une main sur son épaule, plonge la lame sous le sternum, un coup sec. Si tu le prends par-derrière, plante-la au niveau des reins, puis remonte. » Serait-il capable de le faire de face? Oui, il l'espérait, il voulait voir…

Il entendit le bruit sourd d'une corde tombant sur les lattes, puis quelqu'un sauter sur le quai pour amarrer. Un grognement d'effort, un bruissement d'étoffe, une pause… il ferma les yeux. Des pas, lents mais non furtifs. On approchait.

La porte était entrouverte. Il avança doucement vers l'ouverture, écoutant, attendant. Une ombre, fine dans la lumière brumeuse, s'avança sur le pas de la porte et entra.

Roger bondit et se jeta sur l'intrus, le projetant contre le mur avec un bruit creux. Son adversaire poussa un cri de surprise qui figea net Roger dans son élan. En même temps, il se rendit compte que le cou qu'il tenait entre ses mains n'avait rien de masculin.

– Merde ! Je veux dire… euh… je suis désolé, madame !

Elle était plaquée contre le mur, écrasée sous son poids. Le reste d'elle n'était franchement pas masculin, non plus. Il s'écarta, et elle s'ébroua comme un chien, massant l'arrière de son crâne, là où il avait heurté la paroi.

Il était à la fois choqué et atterré.

– Je suis vraiment désolé. Je ne voulais pas… je vous ai fait mal ?

Elle était aussi grande que Brianna mais plus solidement charpentée, avec une chevelure châtain foncé et un beau visage, des pommettes saillantes et des yeux profondément enfoncés dans leurs orbites. Elle lui sourit et prononça des paroles inintelligibles avec une haleine fortement chargée d'oignons. Elle l'inspecta des pieds à la tête d'un air effronté et apparemment appréciatif. Puis, elle plaça ses mains sous ses seins en les faisant remonter dans un geste sans équivoque, lui indiquant de la tête un coin du hangar où un tas de paille humide dégageait une odeur féconde de décomposition qui n'était pas vraiment désagréable.

– Ahhhh, euh… non, balbutia Roger. Je crains qu'il n'y ait un malentendu. Non, non, ne touchez pas à ça, s'il vous plaît. Non, *no*, *nein !*

Il tentait d'écarter ces mains déterminées à dénouer sa ceinture. Elle se remit à parler dans une langue étrange. Il ne comprenait pas les mots, mais leur sens était clair.

– Non, je suis un homme marié ! C'est fini, oui ?

Elle éclata de rire, puis lui décocha une œillade enjôleuse entre deux battements de cils, avant de repartir à l'assaut de ses culottes.

Il aurait été convaincu d'être en pleine hallucination, s'il n'y avait eu l'odeur. De si près, l'oignon n'était pas la pire senteur. Pourtant, elle n'avait pas l'air crasseuse. Puis, il reconnut l'exhalaison caractéristique des voyageurs venant de faire un long voyage en mer. À cela venait s'ajouter un indiscutable effluve de cochons qui se dégageait de ses jupes.

– *Excusez-moi, mademoiselle**.

La voix de Jamie, surpris, s'éleva derrière lui. La fille fut surprise, elle aussi, mais pas effrayée. Elle lâcha néanmoins les bourses de Roger, qui recula aussitôt prudemment de quelques pas.

Jamie tenait son pistolet, mais sans le pointer sur elle. Il arqua un sourcil interrogateur vers son gendre qui tentait de remettre un peu d'ordre dans sa tenue et ses idées.

– Qui est-ce ?

– Comment voulez-vous que je le sache ? Je l'ai prise pour Bonnet, mais, visiblement, ce n'est pas lui.

– Visiblement.

Apparemment, Fraser trouvait quelque chose de drôle à la situation, il avait du mal à se retenir de rire. Il se tourna vers la fille, lui demandant en français :

– *Qui êtes-vous, mademoiselle** ?

Elle fronça les sourcils, ne comprenant pas, puis prononça encore des paroles incompréhensibles.

– Qu'est-ce que cette langue ? demanda Roger.

– Aucune idée.

Avec un amusement teinté de méfiance, Jamie se dirigea vers la porte et brandit son arme.

---

* En français dans le texte. *(N.D.T.)*

– Surveille-la, elle n'est pas seule.

Effectivement, il y avait des voix sur le quai. Celles d'un homme et d'une autre femme. Roger et Jamie échangèrent un regard. Non, ce n'était ni Bonnet ni Lyon. Mais diable, que faisaient toutes ces bonnes femmes au milieu de nulle part?

Le bruit des conversations se rapprocha, et la fille appela soudain dans la langue. Cela ne ressemblait pas à une mise en garde, mais Jamie se plaqua néanmoins contre le mur, son arme braquée, l'autre main sur le manche de son coutelas.

La porte étroite s'obscurcit presque entièrement, et une grosse tête échevelée s'avança. Jamie fit un bond en avant et pressa la gueule de son arme sous le menton d'un homme très massif et très surpris. L'empoignant par le col, Jamie l'attira à l'intérieur du hangar.

L'homme était talonné par une femme, dont la taille, la carrure imposante ainsi que le beau visage indiquaient clairement qu'elle était la mère de la jeune femme. Elle était blonde, alors que l'homme – le père? – était aussi brun que l'ours auquel il ressemblait comme deux gouttes d'eau. Il était presque aussi grand que Jamie, et deux fois plus large, avec un poitrail et des épaules massives, et une énorme barbe touffue.

Ni l'un ni l'autre ne semblaient particulièrement alarmés. L'homme paraissait interloqué et la femme, offusquée. La jeune éclata de rire, montrant du doigt Jamie puis Roger.

– Ça commence à être un peu vexant, grommela Jamie.

Il abaissa son arme et recula d'un pas, demandant :

– *Wer seid Ihr?*

– Je ne crois pas qu'ils soient allemands, dit Roger. En tout cas, la demoiselle ne comprend pas le sens de *nein*! Pas plus que sa traduction en français.

À présent, la demoiselle examinait Jamie, l'air de se demander s'il ferait un bon candidat pour un match de catch dans le tas de paille.

Entendant le mot « français », le visage de l'homme s'illumina.

– *Coumain ça va*?* dit-il avec un accent à couper au couteau.

– *Vous parlez français*?* demanda Jamie toujours sur ses gardes.

Le géant sourit et rapprocha le pouce et l'index.

– *Une pô**.

Un tout petit peu, à vrai dire. Il connaissait une dizaine de mots, mais cela lui suffit pour se présenter. Il s'appelait Mikhail Chemodurow et était accompagné de son épouse Iva et de leur fille Karina.

– *Rooshki*, précisa-t-il en se donnant une tape sur le torse.

– Des Russes?

Roger les dévisagea, abasourdi. Jamie, lui, paraissait fasciné.

– C'est la première fois que je rencontre des Russes. Qu'est-ce qu'ils peuvent bien faire ici?

Non sans mal, ils parvinrent à lui traduire la question. Chemodurow leur adressa un large sourire et pointa un doigt massif vers le débarcadère.

– *Les cochons. Pour le monsieur Wylie**.

Il lança un regard interrogateur à Jamie, répétant :

– *Monsieur Wylie* ?*

Vu l'odeur qu'ils dégageaient tous les trois, l'allusion aux cochons n'avait rien de surprenant; en revanche, le lien entre des porchers russes et Phillip Wylie n'était pas évident. Toutefois, avant qu'ils n'aient le temps de l'étudier plus en détail, un bruit sourd et un grincement à l'extérieur, comme si un lourd objet en bois venait de percuter le ponton, furent suivis d'un concert tonitruant de cris, la plupart porcins, mais aussi quelques-uns humains… et féminins.

Chemodurow bondit avec une rapidité étonnante pour sa corpulence, talonné par Jamie et Roger.

---

* En français dans le texte. *(N.D.T.)*

Ce dernier eut tout juste le temps de voir deux embarcations amarrées au quai : la barge des Russes et un autre canot plus petit. Plusieurs hommes, armés de couteaux et de pistolets, étaient en train d'en descendre.

Jamie plongea aussitôt sur le côté, disparaissant derrière un des petits hangars. Roger dégaina son pistolet, mais hésita, ne sachant pas s'il devait fuir ou tirer. Il réfléchit une seconde de trop. Le canon d'un mousquet s'enfonça dans ses côtes, lui coupant le souffle. Des mains saisirent les armes à sa ceinture.

– Ne bouge pas, dit celui qui tenait le mousquet. Remue un sourcil, et je te fais ressortir le nombril par le trou du cul.

Il parlait sans hargne, mais avec une indéniable sincérité que Roger jugea préférable de ne pas mettre à l'épreuve. Il resta immobile, les mains à demi levées, et observa.

Chemodurow avait chargé dans le tas sans hésitation. Il avait déjà propulsé un homme dans l'eau et un autre se débattait au bout d'une main, grosse comme un jambon, qui l'étranglait avec une efficacité brutale. Le Russe ne prêtait pas attention aux cris, aux menaces et aux coups, tout entier concentré sur l'homme qu'il était en train de tuer.

Des cris perçants remplissaient l'air. Iva et Karina s'étaient précipitées vers leur bateau, où deux envahisseurs tenaient chacun une version miniature de Karina. L'un deux pointa un pistolet vers les femmes. Il appuya sur la gâchette. Roger vit une étincelle et un petit nuage de fumée, mais le coup ne partit pas. Les deux Russes fondirent sur lui en hurlant. Pris de panique, il lâcha son arme et la fille, et sauta à l'eau.

Un bruit sourd arracha Roger à la contemplation de l'arrière-scène et le ramena sur Chemodurow, qui, apparemment, venait de recevoir un coup de crosse sur le crâne. Il battit des paupières, dodelina de la tête, et sa main autour du cou de sa victime se relâcha légèrement. Son assaillant grimaça, prit son élan et lui asséna un second coup de toutes ses forces. Les yeux du Russe se révulsèrent, et il s'effondra comme une masse, faisant trembler le débarcadère.

Roger fouilla vainement la mêlée du regard en quête de Stephen Bonnet. L'ancien capitaine du *Gloriana* n'était pas sur le quai.

Que se passait-il? Bonnet n'était pas un lâche et adorait se battre. Il était inconcevable qu'il ait envoyé ses hommes en restant tranquillement en retrait. Roger compta les têtes, vérifiant de nouveau, mais, à mesure que le chaos se calmait, il dut se rendre à l'évidence. Stephen Bonnet n'était pas là.

Il n'eut pas le temps de se demander s'il était déçu ou soulagé. L'homme qui avait assommé Chemodurow se tourna vers lui, et il reconnut David Anstruther, le shérif du comté d'Orange. Anstruther le reconnut lui aussi, mais ne parut pas surpris de le voir ici.

Le combat se concluait. Les quatre femmes avaient été rassemblées et poussées dans le hangar le plus grand dans un chœur de cris et d'imprécations. Chemodurow, inconscient, y fut traîné à son tour, laissant une inquiétante trace de sang dans son sillage sur les planches.

C'est alors qu'une paire de mains soigneusement manucurées apparurent sur le bord du quai et qu'un homme grand et mince se hissa avec élégance sur le ponton. Même sans sa perruque et sa veste vert bouteille, Roger n'eut aucun mal à reconnaître M. Lillywhite, un des magistrats du comté d'Orange.

Pour l'occasion, M. Lillywhite avait revêtu une simple tenue noire, mais taillée dans un drap d'une qualité impeccable. Il portait une épée de gentilhomme à sa ceinture. Il traversa le quai sans se presser, faisant l'état des lieux en chemin. Roger le vit esquisser une moue dégoûtée à la vue de la traînée de sang.

Il fit un signe à l'homme qui tenait Roger, et la pression du canon contre ses reins cessa enfin, le laissant prendre une grande inspiration.

– Monsieur MacKenzie, si je ne m'abuse? demanda Lillywhite avec la plus grande courtoisie. Mais où est donc passé M. Fraser?

Roger s'était attendu à la question et s'efforça de répondre sur le même ton mondain.

– À Wilmington. Vous voici bien loin de vos pénates, monsieur, comment se fait-il?

Les narines de Lillywhite se pincèrent et, cette fois, pas à cause de l'odeur de porcherie.

– Ne plaisantez pas avec moi, monsieur, dit-il sèchement.

– Je n'y songerais même pas. Toutefois, puisque nous en sommes à ce genre de questions, où est donc passé Stephen Bonnet?

Lillywhite partit d'un bref éclat de rire, une lueur amusée brillant dans ses yeux gris.

– Mais… à Wilmington, monsieur!

Trapu et trempé de sueur, Anstruther réapparut à côté du magistrat. Avec un méchant sourire, il salua Roger d'un signe de tête.

– MacKenzie, ravi de vous revoir. Où est votre beau-père et, surtout, où est le whisky?

Lillywhite se tourna vers le shérif en fronçant les sourcils.

– Comment, vous ne l'avez pas trouvé? Vous avez bien fouillé toutes les baraques?

– Oui, on a bien regardé. Il n'y a rien, que des détritus.

Il se balança sur la pointe des pieds.

– Alors, MacKenzie, vous l'avez caché où?

– Je n'ai rien caché, répondit Roger sur le même ton. Il n'y a pas de whisky.

Il commençait à se sentir plus à l'aise. Où que soit Bonnet, il n'était pas avec eux. Découvrir que la contrebande de whisky avait été un leurre ne leur ferait certainement pas plaisir, mais…

Le shérif lui décocha un coup de poing dans le creux du ventre. Plié en deux, la vision obscurcie, il tenta vainement d'aspirer de l'air et lutta contre un accès de panique en revivant la scène de sa pendaison, le noir, l'asphyxie…

De petits points lumineux dansèrent en périphérie de son champ de vision, et l'air s'engouffra enfin dans ses poumons. Il était assis sur le quai, les jambes étalées devant lui, le shérif le tenant par les cheveux.

– Réfléchissez bien, siffla Anstruther en le secouant comme un prunier.

La douleur était plus irritante que déconcertante, et il projeta son poing vers le shérif, l'atteignant à la cuisse. L'autre poussa un cri et le lâcha, sautillant en arrière.

– Vous avez regardé dans l'autre bateau? demanda Lillywhite sans s'émouvoir de la douleur de son shérif.

Tout en acquiesçant, Anstruther fusilla Roger du regard.

– Il n'y avait que des porcs et des filles. J'aimerais bien savoir d'où ils sortent, ceux-là!

– De Russie? suggéra Roger.

Il toussa et se releva péniblement, pressant un bras contre son abdomen comme pour empêcher ses viscères de se déverser. Le shérif brandit les poings, se préparant à un pugilat, mais Lillywhite le calma d'un geste, puis il se tourna vers Roger d'un air incrédule.

– De Russie, vous dites? Mais quel est leur lien avec notre affaire?

– Aucun, pour autant que je sache. Ils sont arrivés peu après moi.

Le magistrat grogna, visiblement contrarié. Il plissa le front un moment, réfléchissant, puis tenta une autre approche.

– Fraser a conclu un accord avec Milton Lyon. J'ai accompli la partie qui incombait à M. Lyon. Il me semble donc tout à fait convenable que vous me délivriez le whisky.

– Entre-temps, M. Fraser a pris d'autres dispositions. Il m'a envoyé pour l'expliquer à M. Lyon.

Pris de court, Lillywhite pinça les lèvres et les tordit d'un côté puis de l'autre, tout en scrutant Roger, semblant évaluer sa sincérité. Celui-ci le regardait, l'air neutre, priant pour que Jamie ne réapparaisse pas inopinément.

– Comment êtes-vous arrivé jusqu'ici? Je ne vois pas votre bateau.

– Je suis arrivé par la terre ferme depuis Edenton. Une allée en coquillages concassés rejoint la grand-route.

Sceptiques, les deux hommes le dévisagèrent, mais il tint bon.

– Quelque chose ne sent pas très net, là-dessous, et ça ne vient pas du marécage.

Anstruther renifla bruyamment en guise d'illustration, puis cracha à ses pieds. Lillywhite n'y prêta pas attention, continuant d'observer Roger.

– Je crains de devoir vous importuner un petit moment encore, monsieur MacKenzie.

Il se tourna vers le shérif et ordonna :

– Mettez-le avec les Russes.

Anstruther accepta sa mission avec plaisir, poussant son prisonnier devant lui en lui enfonçant son fusil dans les fesses. Roger se laissa faire en serrant les dents, se demandant jusqu'où rebondirait ce nabot teigneux s'il le soulevait et le projetait de toutes ses forces sur les planches du débarcadère.

Les Russes étaient tous regroupés dans un coin du hangar, les femmes s'occupant avec sollicitude de leur père et mari blessé. Elles relevèrent néanmoins la tête quand Roger entra, l'accueillant avec un brouhaha de salutations et de questions inintelligibles. Il s'efforça de leur sourire, puis colla son oreille à la paroi pour entendre les machinations de Lillywhite et de ses acolytes.

Il avait espéré qu'ils goberaient son histoire et qu'ils repartiraient après avoir constaté l'absence de whisky. Toutefois, une autre possibilité le rendait de plus en plus nerveux.

À leur comportement, il était évident qu'ils avaient eu l'intention d'emporter le whisky de force. Et cette façon dont Lillywhite était apparu en dernier, restant caché… Ce n'était pas bon signe. Un magistrat de sa stature ne pouvait se permettre qu'on connaisse ses liens avec des contrebandiers et des pirates.

De fait, en l'absence de whisky, Roger ne pouvait l'accuser de rien. Il était illégal d'acheter des produits de contrebande, certes, mais cette pratique était si courante le long de la côte qu'une simple rumeur de ce genre ne pourrait ternir la réputation du magistrat dans son propre comté, à l'intérieur des terres. D'un autre côté, Roger était seul… ou, du moins, Lillywhite le croyait.

Manifestement, il existait un lien entre Lillywhite et Stephen Bonnet. Si Roger et Jamie Fraser se mettaient à poser des questions, tout portait à croire qu'ils finiraient tôt ou tard par le trouver. Restait à savoir si le trafic du magistrat était assez compromettant pour justifier la mort de Roger, l'empêchant ainsi de parler.

Celui-ci avait la sensation très désagréable que Lillywhite et Anstruther risquaient d'en arriver à cette même conclusion.

Il leur suffisait de l'emmener dans le marais, de le tuer, de submerger son corps, puis de revenir en disant à leurs compagnons que MacKenzie avait décidé de rentrer à Edenton. Même si quelqu'un retrouvait plus tard les membres de leur bande et parvenait à les faire parler – deux options très peu probables –, rien ne pourrait être prouvé.

À l'extérieur, les bruits sourds et les allées et venues lui indiquaient qu'ils continuaient à fouiller les lieux et à étendre leurs recherches au marais voisin.

Dès le début, Lillywhite et Anstruther avaient peut-être eu l'intention de les tuer, Fraser et lui, après avoir récupéré le whisky. Dans ce cas, ils avaient encore moins de raisons de se retenir. Mais les Russes, qu'allaient-ils leur faire?

Un léger crépitement sur le toit signala le début de la pluie. Tant mieux! Si leur poudre se mouillait, ils seraient obligés de l'égorger. Après avoir prié que Jamie ne revienne pas trop vite, il se mit à espérer qu'il ne réapparaisse pas trop tard. Quant à ce qu'il ferait une fois ici…

Les épées. Étaient-elles encore dans le coin du hangar? La pluie tombait trop fort à présent pour qu'il entende les conversations au-dehors. Il abandonna donc son poste pour aller vérifier.

Les Russes le regardèrent tous avec un mélange de méfiance et d'inquiétude. Il leur sourit et leur fit signe de s'écarter. Oui, les épées étaient bien là, c'était déjà ça.

Chemadurow avait repris connaissance. Il parla d'une voix traînante. Aussitôt, Karina se leva et s'approcha de Roger. Elle lui donna une petite tape sur le bras, puis lui prit une des épées. Elle la glissa hors de son fourreau avec un chuintement qui les fit tous sursauter, puis rire nerveusement. Elle serra la garde des deux mains et la bascula contre son épaule comme une batte de base-ball. Elle avança d'un pas martial près de la porte et se planta à côté d'elle, l'air féroce.

Roger lui adressa un grand sourire d'assentiment.

– Parfait. Si quelqu'un passe la tête à l'intérieur, tranchez-la-lui.

Il mima un mouvement de hachoir avec la tranche de la main. Tous les Russes émirent des grondements approbatifs et des bruits de soutien enthousiastes. L'une des filles plus jeunes tendit la main vers son autre épée, mais il lui fit signe qu'il la gardait.

À sa surprise, elle secoua vigoureusement la tête en déclarant quelque chose en russe. Impuissant, il haussa les sourcils. Elle lui prit le bras et lui fit signe de l'accompagner dans le fond du hangar.

Durant leur brève captivité, elles n'avaient pas chômé. Elles avaient écarté les détritus pour préparer une couche confortable pour le blessé et découvert, par la même occasion, une grande trappe dans le plancher. Les bateaux pouvaient y accéder à marée basse en passant sous le ponton et, ainsi, être directement déchargés dans l'entrepôt.

À présent, la marée descendait. La surface sombre de l'eau était à moins de deux mètres. Il se déshabilla, ne gardant que sa culotte, se suspendit au rebord du trou et se laissa tomber les pieds en avant, ne connaissant pas la profondeur sous l'embarcadère.

L'eau lui arrivait au-dessus de la tête. Il s'enfonça dans un nuage de bulles argentées, puis ses pieds touchèrent le fond sablonneux. Il donna alors une impulsion pour remonter à la surface. Il agita la main pour rassurer le cercle de visages russes qui l'observaient depuis la trappe, puis nagea jusqu'à l'autre bout du quai.

* * *

Lillywhite se détourna, caressant nerveusement la garde de son épée. Depuis son perchoir sur le toit de la baraque, Jamie étudia la manière dont le magistrat se déplaçait et tripotait son arme. Il avait une belle allonge et un bon port. Rapide, quoiqu'un peu saccadé. Porter une épée dans de telles circonstances indiquait qu'il était parfaitement à l'aise avec son arme et qu'en plus, il aimait s'en servir.

Il ne voyait pas Anstruther adossé au mur du hangar, sous l'avant-toit, mais le shérif l'inquiétait moins. Ce n'était qu'un bagarreur, avec le bras court.

– On n'a qu'à les tuer tous, pour être tranquilles.

Lillywhite émit un grognement dubitatif.

– Peut-être..., mais les hommes? Je ne tiens pas à remettre mon sort entre les mains de témoins capables de parler. Nous aurions pu nous charger discrètement de Fraser et de MacKenzie, mais, avec tout ce monde... Nous pourrions peut-être ne pas toucher à ces Russes? Ils sont étrangers et ne semblent pas parler un mot d'anglais.

– Oui, mais... comment sont-ils arrivés ici? Ils ne sont pas sortis de nulle part par accident. Quelqu'un connaît leur existence et viendra à leur recherche. Or, ce quelqu'un doit bien avoir un moyen de communiquer avec eux. Ils en ont déjà trop vu et si vous comptez continuer à utiliser cet endroit…

Jamie tourna la tête pour essuyer ses yeux contre son épaule. La pluie tombait sans interruption, mais pas encore trop fort. Il était couché à plat ventre, bras et jambes écartés pour ne pas glisser du toit incliné. Il n'osait pas bouger, pas pour l'instant. Si la pluie tombait un peu plus fort, elle couvrirait ses bruits. Ses pistolets, posés près de lui, étaient inutilisables. Son coutelas, sa seule arme valable pour le moment, était nettement plus adapté pour une attaque-surprise que pour une véritable confrontation.

– … renvoyer les hommes par bateau. Nous n'aurions qu'à rentrer par la route, après…

Ils continuaient de parler à voix basse, mais Jamie sentait que leur décision était déjà prise. Lillywhite devait simplement se convaincre qu'il ne pouvait faire autrement, et cela ne lui prendrait plus longtemps. Toutefois, ils devaient d'abord renvoyer les hommes. Le magistrat avait raison de craindre les témoins.

Il regarda vers le grand hangar où se trouvaient Roger et les Russes. Les bâtiments étaient très près les uns des autres, l'écart entre les toits en zinc ne dépassant pas un mètre vingt. Il n'y avait qu'une baraque entre la sienne et la grande.

Il profiterait du départ des hommes pour passer d'un toit à l'autre, comptant sur la pluie et la chance, souhaitant que Lillywhite et Anstruther ne lèvent pas les yeux. Il s'accroupirait au-dessus de la porte, puis, quand ils viendraient commettre leur méfait, attendrait qu'ils aient ouvert le battant pour sauter sur le magistrat. Il parviendrait peut-être à lui briser le cou ou, du moins, à l'amocher sérieusement. Il pouvait compter sur Roger pour se précipiter et l'aider à se débarrasser du shérif.

L'important, bien sûr, était de ne pas briser son propre cou en glissant ou en tombant. Ou une jambe. En fléchissant le genou gauche, il perçut une raideur dans les muscles de sa cheville. Elle était bien guérie, mais une légère faiblesse subsistait. S'il dégringolait et se blessait encore, il prierait que le shérif l'achève avant que Claire ne l'étripe.

L'idée le fit sourire, mais ce n'était pas le moment de penser à elle. Plus tard, quand ils s'en seraient sortis. Sa chemise trempée lui collait au dos. Cette fois, la pluie crépitait sur le zinc comme un concert de clochettes. Il rampa en arrière, se redressa à genoux, puis se leva prudemment, prêt à se plaquer sur le toit à la moindre alerte.

Non, il n'y avait personne sur le quai. Outre Lillywhite et Anstruther, ils étaient quatre, tous au sud du débarcadère, en train de patauger dans les herbes qui leur montaient jusqu'à la taille, cherchant quelque chose. Il se tourna lentement pour avancer. Au même moment, un mouvement attira son attention.

Bon sang! Des hommes sortaient du bois. L'espace d'un instant, il les prit pour des renforts de la bande de Lillywhite, puis il se rendit compte qu'ils étaient noirs.

– *Les cochons,* avait dit le Russe. *Pour le monsieur Wylie*. Or, M. Wylie précisément, venait avec ses esclaves chercher ses cochons.

Il se rallongea et rampa sur le métal trempé vers l'arrière du toit. Tout dépendait désormais de l'aide que Wylie serait disposé à lui offrir ou de son insistance à le passer lui-même par le fil de l'épée. D'un autre côté, le planteur tenait sans doute à ses Russes.

* * *

L'eau était froide mais pas au point de l'engourdir, et le courant de la marée n'était pas encore trop fort. Toutefois, depuis sa pendaison et l'incendie de la roselière, Roger manquait singulièrement de souffle et devait remonter à la surface pour respirer toutes les deux ou trois brasses.

Il s'était d'abord dirigé vers le sud du débarcadère, mais, en distinguant des voix juste au-dessus, avait rebroussé chemin.

Il se trouvait à présent au nord, caché par le bateau des Russes. L'odeur des porcs était étouffante, et il entendait grogner dans la cale, de l'autre côté de la cloison en bois.

Dans les parages, aucun bruit de conversation n'était perceptible. Il pleuvait fort sur le détroit, cela devrait couvrir ses bruits. Il avala une grande goulée d'air et s'élança. Il nagea comme un désespéré, s'attendant à prendre une balle entre les omoplates à tout instant. Il déboula entre les joncs, sentit les algues s'enrouler entre ses jambes, roula à moitié sur le côté, pantelant, le sel brûlant ses écorchures. Puis, il grimpa à quatre pattes sur la berge marécageuse, les roseaux s'agitant au-dessus de sa tête, la pluie ruisselant sur son dos, l'eau clapotant juste sous son menton.

Il s'arrêta enfin, hors d'haleine. Maintenant qu'il était sorti du hangar, il ne savait plus quoi faire. Retrouver Jamie paraissait une bonne idée, mais sans se faire reprendre.

Comme si cette seule pensée avait suffi à attirer l'attention sur lui, il entendit quelqu'un qui pataugeait dans l'eau non loin. Il se figea, tentant de respirer moins fort.

Merde, ils approchaient. À présent, les pas étaient tout près. Il porta la main à sa ceinture, mais il avait perdu son coutelas en nageant. Il fléchit un genou sous son menton, se tenant prêt à se redresser et à détaler.

Les hautes herbes devant s'écartèrent soudain, et il bondit juste à temps pour éviter la lance qui se ficha dans l'eau, juste là où il s'était tenu une seconde plus tôt. Elle vibra, à quelques centimètres de son visage. À l'autre bout du manche, un noir le regardait bouche bée, les yeux écarquillés. Il referma les mâchoires et déclara sur un ton accusateur :

– Vous êtes pas un opossum !

– Non, en effet.

Roger posa une main tremblante sur son cœur pour s'assurer qu'il était toujours dans sa poitrine, puis ajouta :

– Désolé.

* * *

Phillip Wylie n'avait pas du tout la même allure chez lui qu'en société. Vêtu pour la course aux cochons avec des culottes lâches et une veste de fermier, mouillé, sans l'ombre d'une perruque poudrée et d'une mouche, il demeurait élégamment svelte tout en ayant l'air plutôt normal, et raisonnablement compétent. Roger lui trouvait un visage plus intelligent, en dépit de sa bouche grande ouverte et du fait qu'il s'obstinait à entrecouper le récit de Jamie de :

– Lillywhite? Randal Lillywhite? Mais c'est impossible!

– Concentrez-vous un instant, s'il vous plaît! s'impatienta Jamie. Je vous ai déjà dit mille fois et je vous le répète : votre Lillywhite et son shérif s'apprêtent en ce moment même à découper vos Russes comme des jambons de Noël.

Wylie lança un regard suspicieux vers Roger, à moitié nu et dégoulinant de boue sanglante.

– Il a raison, renchérit ce dernier entre deux toux rauques. Il faut faire vite, il ne reste plus beaucoup de temps.

Wylie souffla bruyamment par le nez. Il regarda ses esclaves autour de lui comme s'il les comptait. Ils étaient une demi-douzaine, tous armés de gros bâtons, certains portant des couteaux à roseaux à la ceinture. Wylie hocha la tête.

– Soit, allons-y.

Pour éviter d'être entendus en marchant sur les coquillages concassés, ils avancèrent lentement à travers le marais.

À un moment, Roger entendit Jamie qui, intrigué, demandait à Wylie :

– Pourquoi des cochons?

– Pas des cochons, des sangliers russes, pour le sport.

Wylie parlait avec fierté, écartant les hautes herbes devant lui avec son bâton.

– Tout le monde dit que, de tous les gibiers, les sangliers russes sont les plus féroces et les plus rusés. J'ai l'intention d'en lâcher sur mes terres pour qu'ils s'y reproduisent.

– Vous comptez les chasser! s'étonna Jamie. Vous avez déjà chassé un sanglier?

Roger vit les épaules de Wylie se raidir.

– Non, pas encore. Et vous?

– Oui.

Jamie répondit sagement, évitant toute intonation suspecte.

Lorsqu'ils approchèrent du débarcadère, Roger aperçut un mouvement sur l'eau, un peu plus loin. Le canot s'éloignait.

– Ils ont cessé de nous chercher, le whisky et moi, observa Jamie. Ils ont renvoyé leurs hommes.

Il essuya son visage trempé de pluie et se tourna vers Wylie.

– Alors, qu'en dites-vous? Nous devons agir vite. Les Russes sont dans le grand hangar.

Une fois sa décision prise, Wylie n'était pas homme à se débiner. Il leva un bras, faisant signe à ses esclaves de le suivre, puis s'élança au trot. Toute la troupe rejoignit l'allée, fondant sur le débarcadère dans un tonnerre assourdissant. À lui seul, le bruit aurait dû suffire à pétrifier d'effroi Lillywhite et Anstruther. On aurait dit la charge d'une armée.

Pieds nus, Roger continua d'avancer sur le terrain marécageux, donc plus lentement que les autres. Il aperçut un visage interloqué pointer entre les baraques et disparaître rapidement.

Jamie le vit aussi et poussa un de ses cris de guerre de Highlander. Wylie fit une embardée, puis se joignit à lui en vociférant :

– Taïaut! Sortez de là, bande de mécréants!

Encouragés, les esclaves se mirent tous à hurler et à agiter leurs bâtons tout en courant vers le ponton.

Après un tel élan d'enthousiasme, ils furent plutôt déçus de le trouver désert, à part les Russes captifs qui manquèrent de peu de décapiter Wylie, celui-ci ayant eu l'imprudence de pousser la porte de l'entrepôt sans s'annoncer.

Une brève fouille du bateau des porchers et des marais environnants ne révéla aucune trace de Lillywhite et d'Anstruther.

– Ils ont dû filer à la nage, dit l'un des Noirs en revenant bredouille.

Il pointa sa lance vers les bancs de sable.

– On les traque?

Apparemment, l'homme qui avait pris Roger pour un opossum ne s'était pas encore remis de sa déception.

Wylie fit un geste vers la petite plage vide, près du ponton.

– Ils ne sont pas partis à la nage, ils ont pris mon canot.

D'un air dégoûté, il tourna les talons et commença à distribuer des ordres pour décharger et enfermer dans l'enclos les sangliers. On avait déjà emmené Chemodurow et sa famille dans la grande demeure de la plantation, les filles alternant les regards émerveillés vers les esclaves noirs et les œillades vers Roger, qui avait récupéré sa chemise et ses souliers, mais dont la culotte trempée et moulée sur son corps ne cachait rien de son anatomie.

L'un des esclaves sortit du hangar les bras chargés d'armes oubliées, rappelant temporairement à Wylie ses devoirs d'hôte.

Il esquissa une courbette un peu raide en direction de Jamie.

– Je vous suis très reconnaissant de m'avoir aidé à sauver mes biens. Permettez-moi de vous offrir l'hospitalité.

Roger remarqua que cela n'avait pas l'air de l'enchanter, mais, tout de même, il avait fait la proposition.

– Pour ma part, je vous suis reconnaissant de nous avoir aidés à sauver nos vies, répliqua Jamie avec la même affectation. Je vous remercie, mais nous…

– … serons ravis, l'interrompit Roger. Merci.

Il prit la main de Wylie et la secoua vigoureusement, le laissant interloqué. Puis, il attrapa le bras de Jamie et l'entraîna vers l'allée en coquillages avant qu'il n'ait pu protester. Il y avait un temps et un lieu pour monter sur ses grands chevaux, mais ce n'était ni l'endroit ni l'heure.

Tandis qu'ils se dirigeaient vers la forêt, Jamie ne cessait de marmonner dans sa barbe. Patient, Roger lui glissa :

– Écoutez, personne ne vous demande de lui baiser l'arrière-train. Attendez simplement que son majordome nous donne de quoi manger et nous sécher, puis nous repartirons pendant que Wylie est encore occupé avec ses sangliers. Je n'ai rien avalé depuis ce matin, et vous non plus. Si nous devons marcher jusqu'à Edenton, je préfère avoir quelque chose dans le ventre.

L'évocation de la nourriture sembla redonner un peu de sérénité à Jamie, et, le temps qu'ils atteignent les arbres, ils étaient tous les deux d'une gaieté enivrante. Roger se demanda si cet état de bonne humeur n'était pas identique à celui ressenti après une bataille : le soulagement de se retrouver toujours en vie et indemne donnait envie de rire et de faire le pitre, rien que pour se prouver que c'était encore possible.

– Des sangliers russes, on croit rêver ! ricana Jamie. Je parie que cet homme n'a jamais vu un sanglier de sa vie. On peut quand même trouver des moyens moins dispendieux d'en finir avec la vie !

– À votre avis, combien ça a pu lui coûter ? Plus d'argent qu'on n'en verra en dix ans, je suppose. Tout ça pour transporter un troupeau de cochons sur… je ne sais combien de milliers de kilomètres !

– Pour être honnête, c'est plus que des cochons. Tu ne les as pas vus ?

Roger ne les avait qu'entr'aperçus. Au moment où il sortit du hangar avec ses vêtements, les esclaves étaient en train d'en faire grimper un sur le quai. Il était haut sur pattes et velu, avec de longues défenses jaunes plutôt inquiétantes.

Le long voyage l'avait amaigri. Ses côtes saillaient, et les frottements avaient râpé la moitié de son pelage. N'ayant pas encore retrouvé l'habitude de la terre ferme, il titubait comme un ivrogne sur des sabots ridiculement petits, roulant des yeux, poussant des grognements paniqués, pendant que les esclaves criaient et le piquaient du bout de leurs bâtons. Roger avait eu de la peine pour la pauvre bête.

– Effectivement, ils sont assez grands, convint-il. Je suppose qu'une fois remplumés, ils seront impressionnants. Je me demande s'ils vont se plaire ici, après la Russie?

Il agita la main vers la forêt broussailleuse autour d'eux. L'air était chargé d'humidité, mais le dense feuillage au-dessus de leur tête bloquait le gros de la pluie, créant un sous-bois sombre de chênes rabougris et de sapins maigrelets où flottait une forte odeur de résine. Les brindilles et les glands, qui recouvraient la terre sablonneuse, craquaient agréablement sous leurs semelles.

– Ils trouveront une abondance de glands et de racines à manger, observa Jamie. Plus un esclave égaré de temps à autre.

Roger se mit à rire.

– Quoi, tu crois que je plaisante? dit Jamie avec un sourire. On voit bien que tu n'as jamais chassé le sanglier, toi non plus!

– Mmphm. Peut-être que M. Wylie nous invitera à une de ses…

L'arrière de son crâne explosa et tout s'effaça.

* * *

Quand il reprit connaissance, il perçut d'abord une douleur si vive que l'inconscience lui parut nettement préférable. Il sentit des cailloux et des feuilles contre son visage, puis entendit des bruits de combat tout à côté.

Il releva péniblement la tête, puis, serrant les dents, se redressa sur les coudes, attendant quelques instants que sa vision s'éclaircisse.

Il lui fallut un petit moment pour comprendre ce qui se passait. Ils étaient à quelques mètres de lui, mais des troncs d'arbres et des branches lui masquaient partiellement la vue. Il entendit une voix marmonner «*A Dhia!*» et sut que Jamie était toujours vivant.

Il se mit à genoux, oscillant dangereusement, sa vision toujours floue. Quand il se fut enfin stabilisé, il distingua son épée devant lui, à demi enfouie sous le sable et les feuilles. Un de ses pistolets gisait à côté, mais ce n'était même pas la peine d'y songer. Même avec de la poudre sèche, il aurait été incapable de viser quoi que ce soit.

Il avança à quatre pattes et, une fois la main glissée dans la corbeille, il alla un peu mieux. Il ne la lâcherait plus. Quelque chose d'humide lui coulait dans le cou. De la pluie, du sang? Peu importait. Il prit appui contre un tronc d'arbre, se releva, chancela, cligna des yeux plusieurs fois pour faire une mise au point, avança encore d'un pas.

Il marcha sur une masse molle qui s'affaissa sous lui, trébucha et tomba en avant, atterrissant lourdement sur un coude.

Il se retourna maladroitement, gêné par son épée, et constata qu'il avait marché sur la cuisse d'Anstruther. Le shérif gisait sur le dos, la bouche ouverte, l'air surpris. Une large entaille ouvrait son cou et une flaque de sang rouille s'était répandue autour de lui, imprégnant le sable.

Il eut un brusque mouvement de recul et se retrouva debout sans même s'en rendre compte. Lillywhite lui tournait le dos, le lin de sa chemise trempé. Il plongeait en avant, esquivait, portait un coup, parait…

Le visage de Jamie était figé dans un rictus d'effort, les lèvres retroussées, le regard suivant l'épée de son adversaire. Il avait toutefois vu Roger.

– Roger! s'écria-t-il hors d'haleine. Roger, *a charaid*!

Lillywhite ne se retourna pas, mais se projeta en avant, portant une nouvelle longe, puis une feinte, puis une parade de tierce…

– Pas… idiot, haleta-t-il.

Apparemment, Lillywhite croyait que Jamie bluffait pour distraire son attention. Roger fut pris d'un nouveau vertige, sa vue se brouillant. Il se rattrapa à un tronc d'arbre, s'agrippant fort à l'écorce gluante pour ne pas tomber. Il leva son épée, la pointe tremblante.

– Eh ! cria-t-il faute de mieux. Eh là !

Lillywhite recula d'un pas et fit volte-face, écarquillant les yeux. Roger projeta son bras en avant, sans viser, mais avec toute la force qui lui restait.

L'épée perça l'œil de Lillywhite dans un crissement qui se répercuta tout le long du bras de Roger, le métal brisant l'os et s'enfonçant dans une substance plus molle, où l'arme resta coincée. Il voulut la lâcher, mais sa main resta coincée dans la corbeille. Lillywhite se raidit, et Roger sentit sa vie s'échapper directement le long de sa lame, à travers sa main, puis son bras, fulgurant comme un courant électrique.

Dans un élan de panique, il tourna la lame d'un côté puis de l'autre pour tenter de la ressortir. Lillywhite fut pris de convulsions, puis ses genoux lâchèrent et il s'effondra en avant, s'agitant mollement comme un gros poisson mort, tandis que Roger tirait et tordait l'épée, tentant vainement de libérer sa main.

Puis, Jamie lui attrapa le poignet et le dégagea. Il passa ensuite un bras autour des épaules de son gendre, aveuglé de panique et de douleur, et l'entraîna un peu plus loin. Il lui tint la tête et lui frotta le dos en murmurant des paroles de réconfort en gaélique pendant qu'il rendait ses tripes. Il lui essuya le visage et le cou avec des poignées de feuilles mouillées, ainsi que la morve qui lui coulait du nez avec la manche de sa chemise.

– Vous n'avez rien ? demanda enfin Roger.

– Non, et toi, ça va mieux?

Il hocha la tête. Il tenait à peine debout et avait dépassé le stade de la douleur. Celle-ci semblait flotter au-dessus de lui, extérieure à son corps.

Lillywhite gisait sur le dos. Roger ferma les yeux et déglutit. Il entendit Jamie marmonner quelque chose dans sa barbe puis un bruit étouffé. Quand il les rouvrit, le magistrat était retourné sur le ventre, à demi recouvert de feuilles et de sable.

– Allez, viens, lui dit-il.

Il lui passa un bras sous l'aisselle pour le soutenir. Roger agita sa main libre vers les deux cadavres.

– Et eux? Qu'est-ce qu'on en fait?

– On les laisse aux cochons.

Le temps qu'ils sortent du bois, Roger pouvait de nouveau marcher seul, bien qu'il ait tendance à pencher d'un côté ou de l'autre. La maison de Wylie se dressa devant eux, une belle demeure en briques rouges. Ils traversèrent la pelouse, ne prêtant pas attention aux domestiques qui se pressaient aux fenêtres des étages, les observant et échangeant des commentaires.

Roger s'arrêta un instant pour faire tomber les feuilles de sa chemise.

– Pourquoi? demanda-t-il. Ils vous l'ont expliqué?

– Non.

Jamie sortit de sa manche un lambeau de tissu, auparavant un mouchoir, et le trempa dans la fontaine. Il s'essuya le visage avec, puis après avoir examiné les traces de crasse, le replongea dans l'eau.

– J'ai entendu un bruit sourd quand Anstruther t'a assommé et j'ai eu juste le temps de me retourner pour voir la lame arriver. Elle m'a éraflé les côtes, regarde-moi ça!

Il glissa ses doigts dans un grand accroc dans sa chemise, puis reprit :

– J'ai bondi derrière un arbre et dégainé mon épée. Tiens, essuie-toi avec ça, ta tête saigne encore.

Roger pressa le mouchoir mouillé contre sa nuque, grimaçant au contact de l'eau glacée contre sa plaie.

– Aïe ! Est-ce ma tête qui est fêlée ou rien de tout ça n'a de sens ? Pourquoi tenaient-ils tant à nous tuer ?

Jamie retroussa ses manches pour se laver les mains dans la fontaine, répliquant avec une logique imparable :

– Parce qu'ils voulaient notre mort. Ou quelqu'un d'autre la leur a réclamée.

– Stephen Bonnet ?

– Si j'étais joueur, je parierais là-dessus.

Roger ferma un œil pour tenter de corriger sa propension à voir deux Jamie.

– Mais vous êtes un joueur, je vous ai vu à l'œuvre.

– Puisque tu le dis !

Il se passa les mains dans les cheveux, les lissant en arrière, et se tourna vers la maison. Karina et ses sœurs étaient apparues derrière une fenêtre et leur faisaient des signes ravis.

– Ce que j'aimerais vraiment savoir, c'est où est passé Stephen Bonnet.

– À Wilmington.

Jamie fit volte-face.

– Quoi ?

– Wilmington, répéta Roger.

Il ouvrit prudemment le deuxième œil, mais tout semblait être rentré dans l'ordre. Il n'avait plus qu'un seul beau-père.

– C'est ce que ce Lillywhite a dit..., mais j'ai pensé qu'il plaisantait.

Jamie le dévisagea un long moment avant de dire :

– Je l'espère.

103

Les arbres à cire

Wilmington

Comparée à Fraser's Ridge, Wilmington était une métropole vertigineuse et, dans d'autres circonstances, les filles et moi, nous nous serions régalées. Toutefois, compte tenu de l'absence de Roger et de Jamie ainsi que de la nature de notre séjour, nous avions fort peu le cœur à nous distraire.

Ce n'était pas faute d'essayer, mais nos jours et nos nuits étaient hantés par des scénarios imaginaires pires que des cauchemars. Je regrettais amèrement que Brianna en ait vu autant lors de la bataille d'Alamance. Imaginer ce qui pouvait se passer en se basant uniquement sur son angoisse était déjà pénible, mais s'inspirer du souvenir encore frais de la chair meurtrie, des os fracassés et des regards fixes de la mort avait de quoi rendre fou.

Au réveil, hagardes parmi des piles de vêtements froissés et de linge sentant le rance, nous donnions à manger aux enfants, les habillions, puis sortions dans l'espoir de nous changer les idées avec les distractions existantes, comme les courses de chevaux, le lèche-vitrine ou les salons musicaux hebdomadaires organisés, deux soirs consécutifs, par les deux hôtesses concurrentes de la ville, Mmes Crawford et Dunning.

La soirée de cette dernière avait eu lieu le lendemain du départ de Jamie et Roger. Des œuvres à la harpe, au violon, au clavecin et à la flûte alternaient avec des récitations de poésie – du moins ce qui passait pour tel – et des «chansons comiques et tragiques» interprétées par M. Angus McCaskill, propriétaire courtois et courtisé du plus grand restaurant de la ville.

À vrai dire, les chansons tragiques étaient, de loin, les plus comiques, notamment à cause de M. McCaskill et de ses yeux révulsés et mélodramatiques lors des passages les plus sinistres, comme si les paroles étaient écrites dans son crâne. Me mordant l'intérieur de la joue, je parvins néanmoins à conserver un air compassé de circonstance.

Brianna, elle, n'avait pas besoin de se forcer. Elle resta pétrifiée durant toute la représentation, fixant les musiciens avec des yeux lugubres d'une telle intensité que certains commencèrent à se sentir mal à l'aise et s'abritèrent derrière leur instrument. Je savais bien que son attitude n'avait aucun rapport avec leurs performances. Elle revivait la dispute avec son père, la veille de son départ.

L'affrontement long et véhément avait eu lieu pendant que nous arpentions tous les quatre le quai, à la tombée du soir. Brianna avait été virulente, éloquente et féroce. Jamie avait été patient, froid et inébranlable. Je m'étais gardée d'intervenir, me montrant pour une fois la plus têtue de tous. Je ne pouvais, en mon âme et conscience, prendre la défense de ma fille. Je savais qui était Stephen Bonnet. Je ne pouvais non plus me ranger du côté de Jamie. Précisément pour la même raison.

Je savais aussi qui il était. Si l'idée qu'il affronte Bonnet me rendait physiquement malade, j'étais également consciente que peu d'hommes étaient aussi bien armés que lui pour cette tâche. Car ce n'était pas simplement une question de maîtrise des armes et de l'art d'occire son ennemi, mais avant tout une question de conscience.

Jamie était un Highlander. Le Seigneur pouvait bien clamer que le droit à la vengeance n'appartenait qu'à lui, je n'avais pas encore rencontré un Highlander pas convaincu que le Seigneur avait toujours besoin d'un coup de pouce. Dieu avait créé l'homme pour une bonne raison, à savoir protéger une famille et défendre son honneur... à n'importe quel prix.

Ce que Bonnet avait fait à Brianna n'était pas un crime que Jamie pourrait pardonner, encore moins oublier. Au-delà de la simple vengeance et de la menace permanente que ce monstre représentait toujours pour sa fille et son petit-fils, Jamie se sentait responsable, du moins en partie, du mal que Bonnet pouvait infliger au reste du monde – à notre famille et à d'autres. Il l'avait un jour aidé à échapper à la potence. Il ne trouverait pas le repos avant d'avoir réparé cette erreur. Ce qu'il ne manqua pas d'expliquer.

– Parfait! avait sifflé Brianna, les poings sur les hanches. Tu veux du repos? Grand bien te fasse! Tu as pensé à maman et à moi? Tu crois que nous connaîtrons le repos une fois Roger et toi morts?

– Tu préfères un comportement de lâche?

– Oui!

– Non! Tu le dis maintenant uniquement parce que tu as peur!

– Bien sûr que j'ai peur! Maman aussi, même si elle ne le dit pas, parce qu'elle sait que tu partiras quand même!

– Elle a raison. Elle me connaît depuis suffisamment longtemps.

Il m'avait regardée du coin de l'œil avec un petit sourire, mais j'avais tourné la tête, fixant les mâts des navires ancrés dans le port pendant qu'ils continuaient à se quereller.

Finalement, Roger était intervenu, profitant d'un moment d'accalmie. Brianna tentait de reprendre son souffle.

– Brianna, avait-il dit doucement. Je ne peux pas laisser cet homme vivre dans le même monde que celui de mes enfants et de ma femme. Partirons-nous avec ta bénédiction... ou sans elle?

Elle s'était mordu les lèvres et avait détourné ses yeux remplis de larmes.

Si elle lui avait donné sa bénédiction, ce devait être dans la nuit, au fond de leur lit. J'avais donné la mienne à Jamie dans cette même obscurité, sans prononcer un mot. J'en avais été incapable, sachant que, quoi que je dise, il partirait.

Cette nuit-là, ni lui ni moi n'avions dormi. Nous étions restés dans les bras l'un de l'autre, chacun écoutant le souffle de l'autre, attentif au moindre mouvement de son corps. Lorsque les premières lueurs de l'aube avaient filtré entre les fentes des volets, nous nous étions levés, lui pour faire ses préparatifs, moi parce que je ne pouvais rester couchée là à le regarder partir.

Sur le pas de la porte, je m'étais hissée sur la pointe des pieds pour lui chuchoter la seule chose qui comptait.

– Reviens.

Il avait souri, lissant une mèche derrière mon oreille.

– Tu te souviens de ce que je t'ai dit à Alamance, *Sassenach*? Ce n'est pas pour cette fois non plus. On reviendra tous les deux.

* * *

Le salon musical de Mme Crawford, qui se tint le lendemain soir, accueillait pratiquement les mêmes artistes que celui de Mme Dunning, mais présentait une nouveauté. Pour la première fois, je sentais des chandelles au cirier.

Au cours de l'entracte, je humai les petites bougies qui ornaient le clavecin et demandai à la maîtresse de maison :

– D'où vient ce parfum délicieux?

Les bougies étaient en cire d'abeille, mais dégageaient une odeur épicée et délicate, un peu comme des baies de laurier, mais en plus léger.

– Du cirier, répondit-elle, enchantée. Je ne m'en sers pas pour faire les chandelles au complet, même si c'est possible. Il faut une telle quantité de baies! Près de quatre kilos pour un kilo de cire, vous imaginez ! Il a fallu une semaine à la fille de cuisine pour les cueillir et ce qu'elle a rapporté n'a permis de fabriquer qu'une douzaine de chandelles. J'ai donc fait fondre le tout dans de la cire d'abeille normale, et je dois reconnaître que je suis assez satisfaite du résultat. Cela donne un arôme agréable, n'est-ce pas ?

Elle se pencha vers moi et ajouta dans un chuchotement complice :

– Je me suis laissé dire que le salon de Mme Dunning hier soir empestait la graisse brûlée !

Ce fut ainsi que, le troisième jour, confrontée à la perspective de passer une journée enfermée dans nos quartiers exigus avec trois enfants en bas âge ou une nouvelle visite à la dépouille très diminuée de la baleine, j'empruntai plusieurs seaux à notre logeuse, Mme Burns, commandai un panier de pique-nique et entraînai mes troupes dans une expédition de cueillette.

J'étais un peu inquiète pour Marsali, vu la taille de son ventre – elle en était à son septième mois –, mais elle insista, disant que l'exercice et le grand air lui feraient le plus grand bien.

Comme d'habitude avec des enfants, le départ fut plutôt laborieux. Joan vomit sa purée sur sa robe, Jemmy commit un écart de conduite sanitaire aux proportions catastrophiques et Germain profita de la confusion provoquée par ces mésaventures pour disparaître. Après une demi-heure de recherche intense à laquelle toute la rue fut conviée à participer, on le retrouva derrière les écuries publiques, occupé à lancer des poignées de crottin de cheval sur les voitures et les carrioles qui passaient par là.

Une fois tout ce petit monde de nouveau lavé, habillé et, dans le cas de Germain, menacé d'une mort atroce, nous redescendîmes l'escalier, pour découvrir que M. Burns nous avait déniché un chariot. En temps normal, une chèvre était censée le tirer, mais elle était occupée à manger des orties dans le jardin voisin et refusa obstinément de se faire atteler. Finalement, Brianna déclara qu'elle était prête à tirer le chariot plutôt que de continuer à courser la bique rétive.

Nous étions presque au bout de la rue, les enfants, les seaux et le panier de pique-nique dans le chariot, quand Mme Burns nous rattrapa au petit trot, une cruche de cidre dans une main et un vieux pistolet dans l'autre.

– Pour les serpents, m'expliqua-t-elle. La dernière fois qu'elle s'est promenée par là, ma petite Annie a vu au moins une dizaine de vipères.

Étant donné que le mot «vipère» pouvait désigner le plus redoutable des mocassins ou le plus inoffensif des orvets, et qu'Annie Burns avait un goût prononcé pour le mélodrame, je n'étais pas inquiète outre mesure. Je songeai à ranger l'arme dans le panier, mais, après un bref coup d'œil vers Germain et Jemmy, images même de l'innocence angélique, je le plaçai plutôt dans mon seau, à mon bras.

Le temps était nuageux et frais, avec une douce brise marine. L'air était humide, et tout portait à croire qu'il pleuvrait avant longtemps. Pour le moment, toutefois, la promenade était très agréable.

Suivant les instructions de Mme Crawford, nous longeâmes la plage, puis nous arrivâmes en lisière d'une dense forêt côtière où des pins déplumés côtoyaient des palétuviers et des palmiers dans un enchevêtrement de lianes. Je fermai les yeux et humai le mélange entêtant d'odeurs de vase, de sable mouillé, de résine et d'air marin, auxquelles venaient s'ajouter les derniers relents de la baleine morte et de ce que j'étais venue chercher : le parfum frais et acidulé du cirier.

– Par là!

Je pointai un doigt vers le mur de végétation. Celle-ci était trop dense pour le chariot, si bien que nous l'abandonnâmes sur place. Les garçons pourchassaient les crabes minuscules et les oiseaux aux couleurs vives, alors que nous nous enfoncions dans la forêt. Marsali portait Joan qui dormait, recroquevillée comme une musaraigne, dans les bras de sa mère, bercée par les bruits de l'océan et du vent.

En dépit des broussailles, il était plus agréable de marcher sous les arbres qu'au bord de la plage. Le haut toit de feuillage créait une agréable atmosphère d'intimité et de refuge, et le fin tapis de feuilles et d'aiguilles rendait nos pas moins hasardeux.

Fatigué de marcher, Jemmy tira sur ma jupe, levant les bras vers moi. Je glissai l'anse du seau sur mon poignet et le soulevai, faisant craquer mes vertèbres. Il enserra confortablement ma taille de ses petits pieds et appuya sa joue contre mon épaule avec un soupir de soulagement.

Nous arrivâmes bientôt dans un luxuriant taillis de ciriers et nous nous dispersâmes, nous perdant de vue dans les buissons pendant la cueillette, mais nous appelant souvent pour nous repérer.

J'avais reposé Jemmy et me demandais oisivement ce que je pourrais bien faire avec la pulpe des baies, après les avoir fait bouillir et dégorger leur cire, quand j'entendis des pas légers de l'autre côté du buisson que j'étais en train de piller.

– C'est toi, chérie? demandai-je en pensant qu'il s'agissait de Brianna. On devrait peut-être songer à déjeuner. J'ai l'impression qu'il ne tardera pas à pleuvoir.

– Je vous remercie pour l'invitation, madame, dit une voix mâle sur un ton amusé. Mais je viens juste de prendre mon petit-déjeuner.

Il sortit de derrière le buisson. Je restai pétrifiée, incapable d'émettre un son. Mon esprit, lui, n'était pas paralysé et fonctionnait à toute allure.

«Si Stephen Bonnet est ici, Jamie et Roger ne courent aucun danger, Dieu merci.»

«Où sont les enfants?»

«Où est Brianna?»

«Où est ce foutu pistolet, bordel de merde!»

– Qui c'est, *grand-mère**?

Germain apparut en tenant au bout d'une main ce qui ressemblait à un rat mort, puis il s'approcha prudemment, jetant un regard méfiant vers l'intrus.

Sans quitter Bonnet des yeux, je lui dis d'une voix cassée :

– Germain, va retrouver ta mère et reste avec elle.

Bonnet observa le garçon d'un air intéressé, inclinant la tête sur le côté.

– *Grand-mère*?* Tiens, tiens! Mais qui est donc la maman de ce charmant bambin?

– Qu'est-ce que ça peut vous faire? dis-je le plus fermement possible. Germain, fais ce que je te dis!

Je baissai les yeux vers mon seau, mais le pistolet n'y était pas. Nous avions emporté six seaux, et trois étaient dans le chariot. L'arme devait être dans l'un deux. Quelle guigne!

– Oh, ne t'en va pas si vite, mon bonhomme!

Bonnet avança vers Germain, mais celui-ci prit peur et recula précipitamment en lui lançant son rat qui l'atteignit au genou. La surprise qui fit hésiter Bonnet une demi-seconde permit au garçonnet de décamper entre les ciriers. J'entendis ses pas sur le sable et priai pour qu'il sache où était Marsali. Il ne manquait plus qu'il se perde.

«Non, rectifiai-je dans ma tête, il pouvait encore arriver pire : que Bonnet voit Jemmy», ce qui ne manqua pas de se produire quelques secondes plus tard, quand ce dernier surgit à son tour à quatre pattes, son tablier maculé de boue.

Il n'y avait pas de soleil, mais ses cheveux roux flamboyaient comme l'embrasement d'une allumette. Ma paralysie disparut aussitôt. Je l'attrapai et fis un pas en arrière, renversant mon seau à moitié rempli de baies.

* En français dans le texte. *(N.D.T.)*

Les yeux félins de Bonnet étaient vert pâle. Ils s'illuminèrent alors avec la fixité d'un chat venant de repérer une souris. Il avança vers moi.

– Mais qui est donc ce petit garnement?

– Mon fils, répondis-je instantanément.

Je serrai Jemmy contre moi en dépit de ses protestations. Avec cette perversité naturelle des petits-enfants, il semblait fasciné par l'accent irlandais de Bonnet et se tordait dans tous les sens pour essayer de le regarder.

– Je vois qu'il a hérité des cheveux de son père.

Des gouttes de sueur luisaient dans ses épais sourcils blonds. Il en lissa un du bout d'un doigt, puis l'autre, faisant couler la transpiration le long de ses tempes.

– ... tout comme sa ravissante sœur. Au fait, votre fille ne serait pas dans les parages? Ça me ferait tellement plaisir de la revoir. Si charmante, cette Brianna!

– Non, elle est chez elle, avec son mari.

J'insistai lourdement sur ce dernier mot, espérant me faire entendre par Brianna si elle était suffisamment près. Il n'eut pas l'air impressionné.

– Chez elle? Mais où est-ce au juste, chère maman?

Il ôta son chapeau et essuya son visage sur sa manche.

– Oh... dans l'arrière-pays. Sur nos terres.

J'agitai vaguement le bras vers ce que je pensais être l'ouest. Qu'est-ce que c'était que ça... une causerie mondaine? D'un autre côté, les options étaient assez limitées. Je pouvais tourner les talons et courir, dans ce cas, il me rattraperait en deux enjambées, encombrée comme je l'étais avec Jemmy. Je pouvais aussi rester sur place et attendre qu'il me dise ce qu'il voulait. Il n'était certainement pas venu pique-niquer parmi les ciriers.

– Vos terres..., répéta-t-il, songeur. Qu'est-ce qui vous amène donc si loin de chez vous, si je puis me permettre de vous le demander?

– Vous ne pouvez pas. Ou plutôt, vous n'aurez qu'à poser la question à mon mari. Il ne devrait plus tarder.

Tout en disant cela, je reculai encore d'un pas et il avança d'autant. Une lueur de panique dut traverser mon regard, car il parut amusé et fit encore un pas.

– J'en doute fort, madame Fraser. Voyez-vous, à l'heure actuelle, je crains qu'il ne soit mort.

Je serrai Jemmy si fort qu'il poussa un petit cri étranglé.

– Que voulez-vous dire ?

– J'ai conclu un marché, une sorte de répartition des taches, si l'on peut dire. Mon ami Lillywhite et ce brave shérif Anstruther s'occupaient de MM. Fraser et MacKenzie, pendant que le lieutenant Wolff réglait quelques comptes avec Mme Cameron. Pour ma part, cela me laissait l'agréable tâche de me rapprocher de mon fils et de sa mère.

Son regard se posa sur Jemmy, qui le fixait avec des yeux de chouette.

– Je ne comprends pas ce que vous voulez dire.

Il se mit à rire.

– Oh que si ! Vous êtes une piètre menteuse, madame. Ne le prenez pas mal, mais vous ne ferez jamais une bonne tricheuse aux cartes. Vous savez fort bien de quoi je parle. Vous m'avez vu cette nuit-là à River Run. Cela dit, je serais bien curieux de savoir pourquoi vous et votre mari charcutiez cette pauvre négresse que Wolff avait tuée. J'ai entendu dire que l'image d'un meurtrier était imprimée sur la rétine de sa victime, mais j'ignorais qu'on pouvait également lire son nom dans ses tripes. À quelle sorte de sorcellerie vous adonniez-vous, au juste ?

– Wolff ! Alors, c'était bien lui !

Pour le moment, je me souciais comme d'une guigne de savoir si le lieutenant avait assassiné la moitié des femmes de la Caroline, mais n'importe quel sujet susceptible de le distraire était pertinent.

– Oui, ce pauvre bougre est un vrai idiot, dit-il avec un air écœuré. Mais comme c'est lui qui a découvert l'existence de l'or, il a tenu à participer coûte que coûte aux opérations.

Où étaient donc passées Brianna et Marsali? Germain les avait-il trouvées? Je n'entendais rien d'autre que le bourdonnement des insectes et le grondement lointain de la mer. Comment auraient-elles pu ne pas nous entendre?

– De l'or? m'exclamai-je en haussant le ton. Quel or? Il n'y en a pas à River Run. Jocasta Cameron a dû vous le dire.

Il fit une moue incrédule.

– Je dois reconnaître que Mme Cameron sait mieux mentir que vous, ma chère, mais elle ne m'a pas dupé pour autant. C'est que, voyez-vous, le docteur l'a vu, cet or.

– Quel docteur?

Un cri aigu retentit au loin. Joan. Je toussotai, espérant couvrir le bruit, et répétai :

– De quel docteur voulez-vous parler?

– Rawls... ou Rawlings, je ne sais plus très bien. Je peux me tromper, n'ayant pas eu le plaisir de faire sa connaissance personnellement.

Bonnet me regardait tout en tournant de temps en temps la tête vers le détroit.

– Je suis navrée, mais je ne vois toujours pas de quoi vous voulez parler.

J'essayais simultanément de soutenir son regard et de chercher un objet sur le sol autour de moi qui puisse me servir d'arme. Bonnet avait un pistolet et un couteau à sa ceinture, mais ne semblait pas disposé à s'en servir. Pourquoi faire? Une femme seule avec un enfant de deux ans dans les bras ne représentait pas un grand danger.

– Ah non? Enfin, comme je vous le disais, tout est parti de Wolff. Il avait une dent à se faire extraire, ou je ne sais quoi, et a rencontré ce rebouteux à Cross Creek. Il l'a remercié en lui offrant un verre, et une chose en entraînant une autre, ils ont fini la soirée dans une taverne, ronds comme des queues de pelle. Comme vous l'avez sans doute remarqué, le lieutenant a un certain penchant pour la bouteille. Apparemment, ce Rawlings était assez pochard lui aussi. Toujours est-il qu'avant la fin de la nuit, il a confié à Wolff qu'il revenait de River Run où il avait vu une grande quantité d'or.

Après quoi, Rawlings avait soit sombré dans un coma éthylique, soit dessoûlé, mais il n'en avait pas dit plus. Cependant, sa révélation avait suffi à ranimer la détermination du lieutenant à s'emparer de la main – et de la propriété – de Jocasta Cameron.

– Malheureusement, la dame n'a pas voulu de lui, lui préférant un manchot. L'orgueil du lieutenant en a pris un sacré coup, croyez-moi !

Cela le fit rire, dévoilant l'absence d'une molaire sur le côté droit.

Furieux et humilié, Wolff était allé consulter son vieil ami, Randall Lillywhite.

– Quoi ? Alors…, c'est pour ça qu'il a arrêté le prêtre lors du *gathering* ? Pour l'empêcher de célébrer le mariage de Mme Cameron et de Duncan Innes ?

Bonnet acquiesça.

– En effet. Il s'agissait surtout de gagner du temps, afin de pouvoir mieux étudier l'affaire.

L'occasion s'était alors présentée à la fête organisée lors du mariage. Comme nous l'avions supposé, quelqu'un – le lieutenant Wolff – avait effectivement tenté de droguer Duncan Innes avec une coupe de punch au laudanum, dans le but de le rendre inconscient, puis de le noyer dans la rivière. Au cours du remue-ménage provoqué par sa disparition et, éventuellement, la découverte de sa mort accidentelle, Wolff aurait pu fouiller les lieux à la recherche de l'or et, après un temps de deuil réglementaire, refaire des avances à Jocasta.

– Mais cette conne de négresse a bu la coupe au lieu de la donner au manchot ! dit-il sur un ton de dédain. Pire encore, elle n'était pas morte ! Elle pouvait révéler l'identité de celui qui lui avait confié la boisson empoisonnée et de celui à qui elle était destinée. Wolff a donc mélangé du verre pilé dans le gruau qu'on lui faisait manger.

– Ce que j'aimerais savoir, c'est comment vous vous êtes retrouvé mêlé à cette histoire? Que faisiez-vous à River Run?

– Il se trouve que le lieutenant est un vieil ami à moi, ma chère dame. Il m'a demandé de l'aider à se débarrasser du manchot, afin de pouvoir être vu pendant la fête en train de s'amuser en toute innocence pendant que son rival était victime d'un terrible accident.

Il fronça les sourcils, tapotant la crosse de son pistolet.

– ... Quand j'ai vu que cette histoire de laudanum tournait au fiasco, j'aurais mieux fait de donner un bon coup sur le crâne de ce Innes et de le balancer à la flotte. Malheureusement, je n'ai jamais pu être seul avec lui. Il a passé la moitié de la journée dans les latrines, et il y avait toujours quelqu'un dans les parages.

Je n'apercevais rien autour de moi qui ressemble à une arme. Des brindilles, des feuilles, des fragments de coquillages, un rat mort – celui-ci avait bien marché pour Germain, mais Bonnet ne se laisserait pas surprendre deux fois de suite. N'ayant plus peur de l'inconnu, Jemmy gigotait pour descendre.

Je reculai un peu. Bonnet s'en rendit compte et sourit. Visiblement, il ne pensait pas que je pourrais lui échapper. En outre, il attendait quelque chose. Bien sûr... il me l'avait dit lui-même. Il attendait Brianna. Je compris alors qu'il nous avait suivies depuis la ville. Il savait donc que Marsali et Brianna étaient dans le coin. Il n'avait plus qu'à patienter jusqu'à ce qu'elles se manifestent.

En attendant, il continuait à vanter ses plans diaboliques.

– Mme Cameron, ou plutôt Mme Innes désormais, m'a paru plus que disposée à parler quand je lui ai laissé entendre que son nouveau mari risquait de perdre quelques autres parties précieuses de son anatomie. Mais, à ce qu'il me semble, cette vieille truite rusée a menti, elle aussi. Je me suis dit alors qu'elle me prendrait plus au sérieux si l'enjeu était son cher héritier.

Il baissa les yeux vers Jemmy, qui le fixa en retour d'un air soupçonneux.

– C'est pourquoi on va aller trouver ta grand-tante, mon garçon.

– Qui t'es ?

– Quoi, mon petit, tu ne reconnais donc pas ton papa ? Ta maman ne t'a pas dit qui j'étais ?

– Papa ?

Jemmy leva les yeux vers moi.

– Pas papa !

– Non, ce n'est pas ton papa, l'assurai-je. C'est un très vilain monsieur. On ne l'aime pas du tout.

Bonnet éclata de rire.

– Vous n'avez pas honte de lui mentir, ma chère ? Bien sûr, que c'est mon fils ! Votre fille me l'a dit en face.

– Foutaise !

J'étais parvenue à me glisser entre deux ciriers touffus. Je comptais le distraire encore un peu en entretenant la conversation, puis, à la première occasion, pivoter sur mes talons, poser Jemmy par terre et l'enjoindre de courir. Avec un peu de chance, je pourrais bloquer le passage assez longtemps pour empêcher Bonnet de le rattraper. Encore faudrait-il qu'il veuille bien courir !

– Lillywhite…, repris-je. Qu'entendiez-vous en disant que Lillywhite et le shérif allaient… s'occuper de mon mari et de M. MacKenzie ?

Le seul fait de mentionner cette possibilité me donnait la nausée.

– Oh, ça ? Exactement ce que j'ai dit, madame Fraser. Votre mari est mort.

Il regardait par-dessus mon épaule, ses yeux verts scrutant les buissons. Il pensait sûrement que Brianna allait apparaître d'un instant à l'autre.

– Ce qui s'est passé lors du mariage nous a démontré que nous ne pouvions laisser Mme Cameron aussi bien protégée. Si nous voulons faire une seconde tentative, elle ne doit pas pouvoir compter sur les hommes de sa famille, pour l'aider ou pour la venger. C'est pourquoi lorsque votre mari a écrit à M. Lyon en lui suggérant d'organiser une rencontre avec moi, j'ai pensé que c'était l'occasion rêvée de nous débarrasser de lui et de M. MacKenzie, de tuer deux oiseaux avec une même pierre, pour ainsi dire. J'ai décidé d'envoyer Lillywhite et ce gentil shérif s'occuper de cette besogne. Pour ma part, j'ai préféré venir chercher mon fils et sa mère, histoire d'être sûr que, cette fois, rien n'ira de travers. C'est que, voyez-vous…

Je fis volte-face, déposai Jemmy sur le sol de l'autre côté des buissons.

– Cours ! Jemmy, cours ! Cours !

Il partit droit devant lui en trottant, pleurant de peur, puis Bonnet me vola dans les plumes.

Il tenta de me repousser, mais je m'y étais préparée et plongeai la main vers le pistolet à sa ceinture. Il voulut reculer, mais j'avais déjà les doigts sur la crosse. Je libérai l'arme et la lançai haut derrière moi, avant de tomber à la renverse sous lui.

Il roula sur le côté et se redressa sur ses genoux, puis se figea.

– Ne bougez pas ou, par la Sainte Vierge, je vous fais exploser la tête !

Je me relevai hors d'haleine et vit Marsali, pâle comme un drap, pointer le vieux pistolet à pierre par-dessus son ventre rebondi.

– Tire, *maman** ! disait Germain. Tue-le comme le porc-épic !

Joan était quelque part derrière, dans les buissons. Elle se mit à pleurer en entendant la voix de sa mère, mais celle-ci ne quittait pas Bonnet des yeux. Elle avait même

* En français dans le texte. *(N.D.T.)*

pensé à armer et à amorcer l'arme. Je sentais l'odeur de la poudre noire.

– Tiens donc ! dit lentement Bonnet.

Je vis ses yeux évaluer la distance qui le séparait de Marsali, cinq mètres au moins, trop pour l'atteindre d'un bond. Il mit un pied au sol et commença à se relever. Il pouvait la rejoindre en trois enjambées.

– Ne le laisse pas se mettre debout ! criai-je.

Je me levai précipitamment et le poussai à l'épaule. Il tomba sur le côté, se rattrapa sur un bras, puis rebondit avec une vitesse que je n'avais pas prévue, m'attrapant à la taille et m'entraînant avec lui dans sa chute. Cette fois, j'étais sur lui.

Il y avait des cris derrière moi, mais je n'avais pas le temps de m'en occuper. Je tentai de lui enfoncer mes doigts dans les yeux, les manquant de peu quand il tourna la tête. Mes ongles ripèrent contre sa pommette, traçant des sillons dans sa peau. Nous roulâmes dans un fouillis de jupons et de jurons irlandais, moi cherchant à lui tordre les testicules, lui essayant de m'étrangler tout en protégeant ses parties.

Puis, il se tortilla et me retourna comme une crêpe, m'écrasant le cou sous son bras et me serrant contre lui. J'entendis un chuintement de métal puis sentis du froid sur ma jugulaire. Je cessai de me débattre et pris une grande inspiration.

Marsali ouvrait des yeux ronds comme des soucoupes, les lèvres pincées. Dieu soit loué, son regard était toujours fixé sur Bonnet, son arme également.

– Marsali, dis-je très posément. Tire-lui dessus. Tout de suite.

– On se calme et on abaisse son arme, ma jolie, dit Bonnet aussi calmement. Sinon, à trois, je lui tranche la gorge. Un…

– Tire !

– Deux…

– Attends !

La pression de la lame contre ma gorge se relâcha un peu. Brianna se tenait entre les ciriers, Jemmy dans ses jupes.

– Lâchez-la, dit-elle.

Marsali, qui avait retenu son souffle, laissa échapper un grand soupir.

– Il n'a aucune intention de me lâcher, et ça n'a aucune importance, dis-je fermement. Marsali, tue-le ! Maintenant !

Sa main se resserra sur l'arme. En vain. Elle n'arrivait pas à tirer. Elle jeta un bref coup d'œil à Brianna, puis revint vers nous. Tout son corps tremblait.

– Tue-le, maman, chuchota Germain.

Cette fois, il paraissait moins enthousiaste. Il était pâle lui aussi et se serrait contre sa mère.

– Tu vas venir avec moi, chérie, toi et le petit.

Je sentais la poitrine de Bonnet vibrer quand il parlait et devinais son demi-sourire, même si je ne pouvais pas le voir.

– Les autres pourront partir.

– Ne le crois pas ! dis-je à Brianna. Il ne nous laissera pas partir, tu le sais. Il nous tuera, Marsali et moi, quoi qu'il dise. La seule chose à faire est de le tuer. Si Marsali n'y arrive pas, fais-le.

Elle baissa des yeux hagards vers moi. Bonnet émit un grognement, mi-amusé, mi-agacé.

– Sacrifier sa mère ! Voyons, ce n'est pas le genre de fifille à faire une chose pareille, madame Fraser.

Je m'adressai de nouveau à Marsali, articulant le plus possible pour lui faire comprendre, la faire tirer.

– Marsali, il te tuera, et le bébé aussi. Germain et Joan vont mourir ici, tout seuls. Ce qui m'arrive ne compte pas, crois-moi. Pour l'amour de Dieu, tue-le maintenant !

Elle tira.

Il y eut une étincelle, un petit nuage de fumée blanche, et Bonnet sursauta. Puis elle abaissa la main. Le coton et la balle tombèrent sur le sable. Le coup n'était pas parti.

Marsali poussa un gémissement horrifié. Brianna bondit, attrapa au vol mon seau et l'abattit sur la tête de Bonnet. Il cria et se jeta sur le côté en me lâchant. Le seau percuta ma poitrine et je l'attrapai, me retrouvant le nez dedans. Il était humide à l'intérieur, quelques baies cireuses bleu gris adhérant encore aux parois.

Puis, Germain et Jemmy se mirent tous deux à brailler, Joan hurla de plus belle dans les bois. Je lâchai le seau et rampai à quatre pattes m'abriter sous un houx.

Bonnet s'était relevé, le visage rouge, le couteau à la main. Il était visiblement furieux, mais s'efforça de sourire à Brianna. Il dut hausser la voix pour se faire entendre par-dessus le vacarme des enfants.

– Enfin, ma chérie, je ne m'intéresse qu'à toi et à mon fils et n'ai aucune intention de vous faire du mal, ni à l'un ni à l'autre.

– Ce n'est pas votre fils et il ne le sera jamais, dit-elle d'une voix basse et sèche.

Il émit un grognement de dédain.

– Ah non? Ce n'est pas ce que ce tu m'as dit dans ce cachot à Cross Creek, mon cœur. Et puis, maintenant que je le vois… c'est bien mon fils. Il me ressemble, pas vrai, mon petit bonhomme?

Jemmy enfouit son visage dans les jupes de Brianna en vagissant.

Bonnet soupira, haussa les épaules, puis cessa de faire le gentil.

– Allez, ça suffit. On y va.

Il avança vers Brianna, visiblement dans l'intention de soulever Jemmy.

Elle leva la main d'entre les plis de sa jupe et pointa le pistolet que j'avais lancé un peu plus tôt. Bonnet paralysa, la bouche ouverte.

– À votre avis, Stephen, chuchota-t-elle, votre poudre est-elle suffisamment sèche?

Elle arma le pistolet en le tenant des deux mains, l'abaissa vers son entrejambe et tira.

C'était un rapide, il fallait au moins lui concéder ça. Il n'avait pas eu le temps de s'enfuir, mais il avait posé ses deux mains sur ses précieuses bourses avant qu'elle n'ait fini d'appuyer sur la gâchette. Il y eut une explosion de sang entre ses doigts, mais je ne pouvais dire si elle avait fait mouche.

Il chancela en arrière, se tenant les parties, lançant des regards affolés autour de lui comme s'il ne pouvait y croire, puis il s'effondra sur un genou. Il respirait bruyamment par saccades.

Nous restâmes toutes paralysées à le regarder gratter le sable d'une main, en y laissant des traînées sanglantes, puis se relever, plié en deux, l'autre main toujours pressée sur son bas-ventre. Il était blafard, ses yeux verts comme de l'eau morte.

Il tituba, tourna en rond, puis s'éloigna comme un insecte qui vient de se faire marcher dessus, en boitant et en sautillant. Il s'enfonça dans les broussailles dans un fracas de branches, puis disparut. Derrière un palmier, j'aperçus une ligne de pélicans volant en formation dans le ciel bas, à la fois gauches et incroyablement gracieux.

J'étais toujours au sol, sous le choc. Un liquide chaud coula le long de ma joue, une simple goutte de pluie.

Brianna s'accroupit à mes côtés, m'aidant à me relever.

– Il a dit vrai? Tu crois qu'il a dit vrai? Ils sont morts?

Elle était blême mais pas hystérique.

– Non.

Tout me semblait lointain, se déroulant au ralenti. Je me levai lentement, oscillant comme si j'avais oublié comment me tenir debout.

– Non, répétai-je.

Je n'avais pas peur, ne ressentais aucune panique au souvenir des paroles de Bonnet. Rien qu'une certitude dans ma poitrine, une petite masse réconfortante.

– Non, ils sont en vie.

Jamie me l'avait dit, le jour n'était pas encore venu où nous serions séparés.

Marsali avait disparu dans le bois pour récupérer Joan. Germain était penché sur les taches de sang dans le sable, fasciné. Je me demandai soudain à quel groupe elles appartenaient, puis chassai rapidement cette pensée de mon esprit.

« Il ne sera jamais votre fils », avait-elle dit.

Je donnai une petite tape dans le dos de Jemmy.

– Allons-y. Je crois que, pour le moment, on se passera de bougies parfumées.

* * *

Jamie et Roger réapparurent à l'aube, deux jours plus tard, réveillant tous les occupants de l'auberge en tambourinant contre la porte. Les gens des maisons voisines ouvrirent leurs volets et sortirent leurs têtes coiffées de bonnet de nuit pour voir d'où venait le raffut. J'étais sûre que Roger souffrait d'une légère commotion, mais il refusa de se coucher. Il accepta toutefois que Brianna lui prenne la tête sur les genoux et émit toutes sortes de bruits pour exprimer sa compassion et son choc face à la grosseur de sa bosse. Pendant ce temps, Jamie me fit un bref compte rendu de la bataille de Wylie's Landing et je lui fournis des explications plutôt confuses de nos aventures dans le bois de ciriers.

Roger rouvrit un œil.

– Alors, Bonnet n'est pas mort ?

– À vrai dire, je ne sais pas. Il s'est enfui, mais j'ignore la gravité de sa blessure. Il n'a pas perdu énormément de sang, mais s'il a été touché dans le bas-ventre, il a peu de chances de s'en sortir. La péritonite est une façon très lente et douloureuse de mourir.

– Tant mieux ! lâcha Marsali, vindicative.

– Tant mieux ! renchérit Germain en regardant fièrement sa mère. Tu sais, grand-père, maman a tiré sur le vilain type. Et tante aussi. Il était plein de trous. Il y avait du sang partout !

– Trous ! s'exclama Jemmy. Des trous partout !

– Oui, enfin… disons un trou, murmura Brianna.

Elle ne releva pas les yeux du linge humide avec lequel elle nettoyait doucement le sang séché sur le cuir chevelu de Roger.

– Mouais…, fit Jamie. Mais si tu ne lui as arraché qu'un doigt ou qu'une bourse, il peut survivre. Ça ne risque pas d'arranger son sale caractère.

Le même jour, Fergus arriva par le bateau-paquet de midi, apportant triomphalement les actes des deux concessions de terres dûment enregistrés, estampillés du sceau officiel, ajoutant ainsi la cerise sur le gâteau célébrant nos retrouvailles. La fête était néanmoins ternie par le fait qu'un élément de taille n'était pas réglé.

Après un débat houleux, il fut décidé – c'est-à-dire que Jamie décida seul et refusa obstinément d'entendre toutes opinions dissidentes – que nous nous rendrions directement à River Run, lui et moi. Les petites familles resteraient encore quelques jours à Wilmington pour boucler les dernières affaires et glaner toute information concernant un homme blessé ou mourant. Ils rentreraient ensuite à Fraser's Ridge, en évitant soigneusement de passer par Cross Creek et River Run.

– Le lieutenant Wolff ne peut se servir de toi ou du petit pour faire chanter ma tante, si vous n'êtes pas à sa portée, indiqua Jamie à Brianna.

Puis, il se tourna vers Roger et Fergus.

– Quant à vous, ne quittez jamais vos femmes et vos enfants des yeux. Dieu seul sait sur qui ils vont tirer la prochaine fois !

Après avoir refermé la porte sur eux, il se tourna vers moi, glissa un doigt sur l'éraflure dans mon cou, puis me serra avec force, à m'en briser les côtes. Je m'accrochai à lui, ne pensant ni à respirer ni à qui pourrait nous apercevoir, trop heureuse de le toucher.

Il murmura dans mes cheveux.

– Tu as bien fait, Claire, mais, pour l’amour de Dieu, ne le refais plus jamais.

C’est ainsi que, le lendemain à l’aube, nous partîmes tous les deux à cheval, seuls.

104

Rusés comme des renards

Nous arrivâmes à River Run au coucher du soleil, trois jours plus tard, nos chevaux en nage et couverts de boue, et nous, guère mieux. L'endroit semblait paisible. Les derniers feux de la lumière printanière illuminaient les pelouses vertes, faisant ressortir les statues de marbre blanc et le mausolée d'Hector contre les ifs sombres.

En lisière du parc, nous fîmes une brève halte pour examiner la situation avant d'approcher de la maison.

– Qu'en penses-tu? demandai-je.

Jamie se leva dans ses étriers, balayant le paysage du regard.

– Ma foi... personne n'a incendié la maison. Je ne vois pas de torrents de sang dégoulinant du grand escalier. Pourtant...

Il se rassit, fouilla dans sa sacoche et sortit un pistolet, qu'il arma par précaution. Il le glissa sous sa ceinture, rabattit les pans de sa veste par-dessus, et nous nous dirigeâmes lentement vers l'allée menant à la porte d'entrée.

Le temps que nous y arrivions, j'avais moi aussi senti que quelque chose n'allait pas. La maison était trop calme. Pas de domestiques courant par-ci par-là, pas de musique s'élevant du petit salon, aucune odeur de plats chauds apportés depuis la cuisine annexe, mais, surtout, Ulysse n'était pas là pour nous accueillir. Nous frappâmes pendant plusieurs minutes sans obtenir de réponse, puis on ouvrit enfin la porte. C'était Phaedre, la camériste de Jocasta.

Après la mort de sa mère, près d'un an plus tôt, je l'avais quittée en piteux état. Elle n'avait guère l'air mieux. Elle avait des cernes sous les yeux, les traits tirés, la peau couleur d'un fruit trop mûr. Toutefois, en nous reconnaissant, ses yeux s'illuminèrent et ses lèvres se détendirent.

– Oh, monsieur Jamie ! Depuis hier, je prie pour que quelqu'un vienne à notre aide ! J'étais sûre que ce serait M. Farquard, ce qui nous aurait donné encore plus de souci, vu que c'est un homme de loi et tout, même s'il est l'ami de votre tante…

Devant cette déclaration plutôt confuse, Jamie arqua un sourcil, perplexe, mais il lui adressa un sourire rassurant et lui serra la main.

– C'est la première fois que je suis la réponse à une prière, mais ça me fait bien plaisir. Ma tante va… bien ?

– Oh oui ! monsieur. Elle, elle a pas de problème.

S'effaçant avant que nous puissions lui poser plus de questions, elle nous fit signe de la suivre à l'étage.

Jocasta était en train de tricoter dans son boudoir. Alerte, elle releva la tête en entendant des pas et, avant même qu'il ait ouvert la bouche, demanda :

– Jamie ?

Même de loin, je vis qu'elle avait manqué des mailles et que tous ses rangs n'étaient pas fermés, ce qui ne ressemblait pas à ses habitudes, ses travaux d'aiguille étant en général méticuleusement exécutés.

– Oui, c'est moi, ma tante. Avec Claire. Que se passe-t-il ?

Il traversa la chambre en deux enjambées et lui prit la main. À l'instar de Phaedre quelques instants plus tôt, le visage de la vieille dame s'affaissa de soulagement. Elle se ressaisit aussitôt et se tourna vers moi.

– Claire ? Que Dieu bénisse sainte Bride ! Vous ne pouviez pas mieux tomber, Duncan est au plus mal.

Il était couché dans la chambre voisine, sous une pile d'édredons. Sur le coup, je crus qu'il était mort, puis il remua en entendant la voix de Jocasta.

Il redressa la tête de sous sa montagne de couvertures, plissant des yeux dans la pénombre, et demanda, surpris :

– *Mac Dubh ?* Qu'est-ce qui t'amène ici ?

– Le lieutenant Wolff, répondit Jamie sur un ton acerbe. Ce nom te dit quelque chose, je suppose ?

– Tu peux le dire.

Son ton de voix était étrange, mais je n'y prêtai pas attention, allumant des bougies et écartant les draps pour voir de quoi il retournait.

Je m'étais attendue à des plaies causées par une balle ou un coup de poignard, mais, au premier examen, je ne trouvai rien. Il me fallut quelques minutes pour rassembler mes idées et diagnostiquer une jambe cassée. C'était une simple fracture dans la partie inférieure du tibia, horriblement douloureuse, certes, mais ne mettant pas ses jours en danger.

J'envoyai Phaedre chercher de quoi lui poser une attelle, pendant que Jamie, rassuré sur le sort de son ami, s'asseyait à son chevet pour éclaircir cette affaire.

– Il est venu ici ? Le lieutenant Wolff ? demanda-t-il.

– Oui… oui.

Là encore, cette légère hésitation.

– Il est reparti ?

– Oh oui !

Il frissonna.

– Je vous fais mal ? demandai-je.

– Non, non, madame Claire. C'est juste que… eh bien…

– Tu ferais mieux de lâcher le morceau tout de suite, dit Jamie un peu exaspéré. Je doute que ce soit le genre d'histoire qui s'améliore quand on la garde pour soi. Si c'est ce que je crois, j'en aurai une à te raconter, moi aussi.

Duncan lui lança un regard torve, puis il capitula en soupirant et se renfonça dans son oreiller.

Le lieutenant était apparu deux jours plus tôt à River Run, mais, contrairement à son habitude, n'était pas passé par la grande porte pour se faire annoncer. Il avait entravé sa monture dans un champ à un kilomètre de la maison, puis s'était approché en douce.

– Nous ne l'avons su que plus tard, quand nous avons retrouvé son cheval. Après le dîner, quand je suis sorti pour aller à la fosse, il a surgi de l'obscurité. Mon cœur a failli lâcher! Puis, il m'a tiré dessus et, si j'avais encore eu un bras de ce côté-ci, il l'aurait sûrement touché.

Malgré son handicap, Duncan s'était défendu sauvagement, donnant un coup de tête au lieutenant, puis le poussant violemment en arrière.

– Il est parti à la renverse en trébuchant, puis a basculé par-dessus le muret en briques. Sa tête a touché le sol en faisant un bruit affreux. Comme un melon fendu en deux par une hache.

– Je vois, dit Jamie vivement intéressé. Alors, il est mort sur le coup?

– Eh bien… non.

Duncan, dont la langue s'était déliée à mesure qu'il nous racontait son histoire, parut de nouveau mal à l'aise.

– C'est que, tu vois, *Mac Dubh*, après l'avoir percuté, j'ai continué dans mon élan, j'ai mis le pied dans le caniveau de la fosse d'aisances, et ma jambe a fait crac! J'étais là, à gémir dans l'allée, quand Ulysse m'a enfin entendu et est venu à mon aide, Jo sur ses talons.

Duncan avait expliqué la situation à sa femme, pendant qu'Ulysse partait chercher des palefreniers pour l'aider à le transporter. Entre la douleur de sa jambe et l'habitude de laisser au majordome le soin de régler les affaires courantes, il en avait oublié le lieutenant.

– C'est de ma faute, *Mac Dubh.* J'aurais dû donner des ordres. Quoique, même après y avoir amplement pensé, je ne vois pas ce que j'aurais pu dire.

Une fois Duncan couché, Jocasta et Ulysse avaient examiné la situation et conclu que le lieutenant avait franchement dépassé les bornes et qu'il constituait une menace permanente. Cela étant…

– Ulysse l'a achevé.

Duncan déglutit péniblement, l'air misérable, encore atterré.

– Jo dit que c'est elle qui le lui a ordonné, et Dieu sait qu'elle en est capable, *Mac Dubh* ! Ce n'est pas le genre de femme à tolérer qu'on lui cherche des noises sans réagir, encore moins qu'on assassine ses domestiques, qu'on la menace ou qu'on agresse son mari.

Toutefois, à son hésitation, je devinais qu'il avait quelques doutes sur le rôle exact joué par Jocasta. Jamie avait déjà compris ce qui le troublait.

– Fichtre ! Si ça se sait, Ulysse sera pendu, ou pire. Que ma tante en ait donné l'ordre ou pas.

– Je sais, dit Duncan. Je ne peux pas le laisser aller à la potence, mais que puis-je faire ? Comme il s'agit du lieutenant, la marine va s'en mêler, sans parler des shérifs et des magistrats.

Une grande partie de la prospérité de River Run reposait sur ses contrats avec la marine royale qu'elle approvisionnait en bois et en goudron. Le lieutenant Wolff avait justement servi d'agent de liaison. L'armée de Sa Majesté ne verrait sans doute pas d'un très bon œil qu'un fournisseur assassine son représentant, quelle qu'en soit l'excuse. La loi, elle, incarnée par le shérif et les magistrats du comté, se montrerait sans doute moins regardante, sauf sur l'identité du meurtrier.

Un esclave qui versait le sang d'un Blanc était automatiquement condamné, indépendamment des circonstances de son geste. Peu importait comment cela s'était passé et même si des dizaines de témoins attestaient que Wolff avait agressé Duncan, Ulysse n'aurait aucune chance si quelqu'un découvrait le pot aux roses. Je comprenais l'atmosphère de désolation de River Run. Les autres esclaves étaient aussi très conscients des risques.

Jamie se gratta le menton.

– Pourquoi ne pas dire simplement que tu l'as tué, Duncan ? Après tout, c'était de l'autodéfense. Je peux prouver que cet homme est venu dans l'intention de t'assassiner. Il était prêt ensuite à épouser ma tante de force ou à la prendre en otage et à la menacer jusqu'à lui faire avouer où était l'or.

– L'or? Mais il n'est pas là. Je pensais qu'on avait réglé ça l'année dernière.

– Le lieutenant et ses associés étaient persuadés du contraire, l'informai-je. Qu'est-il arrivé à Wolff, exactement?

– Ulysse lui a tranché la gorge. Je ne demande pas mieux de dire que c'était moi, sauf que...

Outre la difficulté d'égorger quelqu'un d'une seule main, il était clair que la gorge du lieutenant avait été tranchée de la main gauche... celle qui, justement, manquait à Duncan.

Je me souvins tout à coup que Jocasta était gauchère – comme son neveu –, mais trouvai inopportun de le mentionner maintenant. Je lançai un regard à Jamie, qui me répondit en haussant ses sourcils interrogateurs.

«Aurait-elle pu?» demandai-je en silence.

«Une MacKenzie de Leoch?» me répondit son regard cynique.

– Où est Ulysse? demandai-je.

– Dans les écuries, sans doute. S'il n'a pas déjà pris la fuite vers l'ouest.

Sachant que son majordome serait condamné si on apprenait la vérité sur la mort du lieutenant, Jocasta l'avait envoyé seller un cheval, lui donnant l'ordre de s'enfuir dans les montagnes si quelqu'un arrivait.

Jamie prit une grande inspiration et se passa une main dans les cheveux.

– Je dirais que, pour le moment, le principal est de faire disparaître le lieutenant. Où l'avez-vous mis?

Duncan esquissa un semblant de sourire.

– Sous une bâche dans la fosse à barbecue, sur une pile de bûches de noyer, déguisé en carcasse de porc.

Jamie hocha la tête.

– Bien. Laisse-moi faire.

Je donnai des instructions pour qu'on serve à Duncan de l'eau avec du miel ainsi qu'une infusion d'eupatoire et d'écorce de cerisier, puis je suivis Jamie dehors pour réfléchir à un moyen de se débarrasser du corps.

– Le plus simple serait de l'enterrer, non ?

– Mmphm, fit Jamie, peu convaincu.

Il leva sa torche en pin, observant la bâche en toile dans la fosse. Je n'avais pas été une admiratrice du lieutenant de son vivant, mais, là, il était un peu pitoyable.

– Le problème, c'est que tous les esclaves sont au courant. Si on l'enterre, ils le sauront aussi. Ils ne parleront pas, mais il risque de revenir hanter les lieux.

Son ton détaché me fit froid dans le dos. Je resserrai mon châle autour de mon cou.

– « Hanter les lieux » ?

– Oui, bien sûr. Une victime d'un meurtre, assassinée ici, enterrée ici, sans avoir été vengée ?

– Tu parles sérieusement ou tu imagines seulement ce que les esclaves risquent de croire ?

Il haussa les épaules.

– Ça revient au même, non ? Ils éviteront comme la peste l'endroit où il aura été enterré, une femme apercevra son fantôme pendant la nuit, des rumeurs se répandront et, tôt ou tard, un esclave de Green River dira quelque chose, un membre de la famille de Farquard l'entendra, et on enverra un enquêteur pour poser des questions. De son côté, la marine ne tardera pas à lancer des recherches… Que dirais-tu plutôt de lui attacher une grosse pierre et de le jeter dans la rivière ? Après tout, il avait prévu de le faire à Duncan.

– Ce n'est pas une mauvaise idée, mais il tenait à ce qu'on retrouve le corps de Duncan. Beaucoup de monde circule sur la rivière et, par ici, elle n'est pas très profonde. Même en lestant bien le corps, il risque de remonter à la surface ou d'être accroché avec une perche. D'un autre côté, est-ce que ce serait si grave? Il n'y aurait aucun lien apparent entre le cadavre et River Run.

Il hocha lentement la tête, écartant la torche dont les étincelles retombaient sur sa manche. Une douce brise s'était levée et chuchotait dans les ormes qui bordaient la fosse.

– C'est vrai. Mais s'ils le trouvent, il y aura une enquête. La marine voudra élucider l'affaire, et on viendra ici poser tout un tas de questions. Je ne sais pas si les esclaves tiendront le coup.

Le fait était. Vu l'état de leurs nerfs, une investigation en ferait paniquer plus d'un. Harcelés, ils finiraient par parler.

Jamie resta longtemps immobile, fixant la forme sous la toile d'un air méditatif. Une vague odeur de sang putréfié me remplit les narines.

– Et si… on le brûlait? suggérai-je. Après tout, il est déjà dans la fosse.

Un coin de ses lèvres se souleva dans un petit sourire.

– C'est une bonne idée, *Sassenach*, mais je viens d'en avoir une meilleure.

Il se tourna vers la maison. Quelques fenêtres seulement étaient allumées, mais ils étaient tous à l'intérieur, se terrant. Puis, il se mit en marche d'un pas décidé.

– Viens, il me semble avoir aperçu une masse dans les écuries.

* * *

Le mausolée était entouré d'une grille ornementale en fer forgé, équipée d'une énorme serrure ornée de roses jacobites à seize pétales. J'avais toujours considéré cela comme un caprice décoratif de Jocasta, les pilleurs de tombes ne représentant pas une grande menace dans un coin aussi perdu. Lorsque Jamie l'ouvrit et la poussa, les gonds ne grincèrent même pas. Comme tout à River Run, les lieux étaient impeccablement entretenus.

– C'est mieux que de l'enterrer ou de le brûler, tu es sûr? demandai-je.

Même si nous étions seuls, je ne pouvais m'empêcher de chuchoter.

– Oui. Ce vieil Hector veillera sur lui et à ce qu'il ne nuise plus à personne. En outre, c'est une terre consacrée, pour ainsi dire. Son âme n'ira pas se balader dans la nature à faire des bêtises.

J'acquiesçai, sceptique. Il avait sans doute raison. Pour ce qui était des croyances, il comprenait les esclaves bien mieux que moi. De fait, je le soupçonnais un peu d'être lui-même convaincu qu'Hector Cameron était capable de régler *ex post facto* cette menace sur sa femme et sa plantation.

Je levai haut la torche pour l'aider à voir ce qu'il faisait, me mordant les lèvres.

Pour ne pas écailler les blocs de marbre, il avait enveloppé la masse dans des chiffons. Les premiers, juste derrière la grille, cédèrent rapidement, s'enfonçant de plusieurs centimètres. Quelques coups plus tard, un trou noir apparut, dévoilant l'espace à l'intérieur du mausolée.

Jamie s'interrompit pour s'essuyer le front et marmonna quelque chose dans sa barbe.

– Qu'est-ce que tu as dit?

– J'ai dit : ça pue!

– C'est étonnant, non? Ton oncle est mort depuis combien de temps, quatre ans?

– Oui, mais ce n'est pas…

– Qu'est-ce que vous faites?!

La voix de Jocasta Cameron avait jailli derrière moi, me faisant sursauter et lâcher la torche.

La flamme crachota, mais ne s'éteignit pas. Je la ramassai, l'agitant pour qu'elle reprenne vie. Elle s'étira et se stabilisa, projetant une lueur rouge sur Jocasta qui se tenait dans l'allée derrière nous, spectrale dans sa chemise de nuit blanche. Phaedre était blottie derrière sa maîtresse, ses petits yeux apeurés allant de Jamie au trou dans le mur.

Celui-ci, aussi effrayé que moi par l'apparition de sa tante, parut assez agacé.

– Ce que je fais? Je me débarrasse du corps du lieutenant, quoi d'autre? Laissez-moi faire, ma tante. Ne vous inquiétez de rien.

– Tu ne peux… tu ne dois pas ouvrir la tombe d'Hector!

Son long nez se fronça, percevant sans doute l'odeur faible mais reconnaissable de décomposition.

– Ne vous inquiétez donc pas, ma tante. Remontez vous coucher. Je m'en occupe. Tout ira bien.

Elle avança dans l'allée, agitant les mains devant elle.

– Non, Jamie! Tu ne dois pas! Referme ça! Referme-la, pour l'amour de Dieu!

Perplexe, Jamie fronça des sourcils devant son ton paniqué. Il regarda vers le trou, dans la façade du mausolée. Puis, soudain, son visage changea. Sans écouter les cris de protestations de sa tante, il reprit sa masse et fit tomber plusieurs autres blocs.

– Approche la torche, *Sassenach*.

Je m'exécutai avec un sentiment d'horreur croissant. Nous nous penchâmes côte à côte devant le trou. Il y avait deux cercueils en bois poli posés sur de hauts socles en marbre et, entre les deux…

Jamie se retourna vers sa tante et demanda d'une voix calme :

– Qui est-ce?

Elle semblait pétrifiée. Le vent enroulait la mousseline de sa chemise de nuit autour de ses jambes, tirait des mèches blanches de sous son bonnet. Ses traits étaient figés, mais ses yeux aveugles allaient et venaient d'un côté et de l'autre, cherchant une issue.

– *Co a th'ann?* grogna-t-il. Qui est-ce? Qui?

Elle remua les lèvres, essayant de former des mots. Enfin, elle articula péniblement.

– Il s'appelait… il s'appelait Rawlings.

Un poids en plomb me tomba sur la poitrine. Je dus tressaillir, car Jamie me prit la main et la serra, sans quitter Jocasta des yeux.

– Comment est-ce arrivé ?

Elle ferma les yeux et soupira, ses épaules s'affaissant brusquement.

– Hector l'a tué.

Jamie lança un regard cynique vers les cercueils à l'intérieur du mausolée, puis à la masse gisant sur le sol.

– Vraiment ? Je ne savais pas que c'était possible. Mon oncle était décidément très doué.

– C'était avant… Ce Rawlings était médecin. Il était venu un jour examiner mes yeux. Quand Hector est tombé malade, il l'a fait revenir. Je ne sais pas exactement ce qui s'est passé, mais il l'a surpris en train de mettre son nez là où il n'aurait pas dû et il lui a fracassé le crâne. Hector s'emportait facilement.

– Je veux bien le croire !

Il jeta encore un coup d'œil vers le corps du docteur Rawlings.

– Comment s'est-il retrouvé là-dedans ?

– Nous… il… a caché le cadavre, pensant l'enterrer plus tard dans les bois. Mais, ensuite… son état s'est brusquement aggravé et il n'a plus quitté son lit. Le lendemain, il était mort. Puis…

Elle leva une main vers le courant d'air humide qui s'échappait de la tombe ouverte.

– Les grands esprits se rencontrent, murmurai-je.

Jamie m'adressa un regard noir et lâcha ma main. Il se tourna vers le trou, l'air songeur.

– À qui est le second cercueil ? demanda-t-il.

– À moi.

Jocasta commençait à retrouver son aplomb. Elle se redressa, le menton haut.

Jamie fit claquer ses lèvres. Je n'avais aucun mal à croire sa tante capable de laisser pourrir un mort sur place plutôt que de le mettre dans son précieux cercueil… Pourtant, cela augmentait considérablement le risque qu'il soit découvert.

Personne n'aurait ouvert la bière de Jocasta avant sa mort. Jusque-là, le cadavre du docteur Rawlings aurait été à l'abri, personne n'aurait pu le découvrir en cas d'ouverture du mausolée pour une raison ou pour une autre. Jocasta Cameron était égoïste, mais certainement pas stupide.

– Tu n'as qu'à mettre Wolff à côté de l'autre, puisqu'il le faut, déclara-t-elle.

Jamie la dévisagea fixement.

– Pourquoi pas dans ton cercueil, ma tante ?

Elle avait commencé à se détourner, mais fit volte-face, rouge de colère.

– Non ! Ce n'était qu'une immondice, qu'il pourrisse à même le sol !

Jamie ne répondit rien. Il lui tourna le dos et fit tomber les autres blocs. Jocasta s'agita de nouveau.

– Qu'est-ce que tu fais ?

Jamie se glissa dans l'ouverture et entra.

– Éclaire-moi, *Sassenach*.

Sa voix résonnait dans la petite chambre mortuaire. Je le suivis, le souffle court. Dehors, Phaedre se mit à geindre dans la nuit. On aurait dit les cris d'une *ban-sidhe* annonçant l'approche de la mort, sauf que celle-ci était déjà passée.

Les cercueils portaient chacun une plaque en cuivre, légèrement vert-de-grisée par l'humidité mais nettement lisible. Sur l'une était écrit « Hector Alexander Robert Cameron » et sur l'autre, « Jocasta Isobeail MacKenzie Cameron ». Sans hésiter, Jamie agrippa le bord du couvercle du second et le souleva.

Il n'était pas cloué. Il était lourd, mais glissa facilement.

– Oh ! fit Jamie dans un souffle.

L'or ne se ternit jamais, même dans l'environnement le plus humide. Il peut rester des siècles au fond d'un océan pour émerger un jour dans le filet d'un pêcheur, éclatant comme au premier jour. Il étincelle dans sa matrice rocheuse, comme un chant de sirène attirant les hommes dans les profondeurs de la terre depuis des millénaires.

Les lingots étaient soigneusement rangés au fond du cercueil. Il y en avait assez pour remplir deux petits coffres, chacun lourd au point de devoir être porté par deux hommes… ou par un homme et une femme forte. Chacun était estampillé d'une fleur de lys. Un tiers de l'or du Français.

Aveuglée par le reflet, je détournai les yeux. Au sol, je distinguai la masse noire du docteur Rawlings qui avait mis « son nez là où il n'aurait pas dû ». Qu'avait vu Daniel Rawlings, pour qu'il dessine une fleur de lys en marge de son cahier, avec la mention discrète *Aurum* ?

Hector Cameron était encore vivant alors. Le mausolée n'avait pas encore été scellé. Peut-être que, lorsque Rawlings l'avait suivi cette nuit-là, il l'avait conduit ici sans le savoir, alors qu'il venait admirer son butin. Peut-être. Ni Cameron ni Rawlings ne pourraient jamais nous dire comment cela s'était passé.

Mon cœur se serra pour l'homme dont les ossements gisaient à mes pieds, l'ami et le collègue dont j'avais hérité des instruments, dont l'ombre se penchait parfois par-dessus mon épaule, me donnant du courage quand je posais les mains sur les malades pour essayer de les guérir.

– Quel gâchis, murmurai-je.

Jamie rabaissa doucement le couvercle, comme si l'occupant du cercueil pouvait être perturbé dans son sommeil.

Jocasta était toujours dehors, un bras autour des épaules de Phaedre qui avait cessé de sangloter. On avait du mal à comprendre qui soutenait qui. Sa tante nous avait certainement entendus ressortir, mais elle ne bougea pas, face à la rivière, le regard fixe.

– Que fait-on alors ? demandai-je à Jamie.

Il se tourna vers la tombe et haussa les épaules.

– On laisse le lieutenant avec Hector, comme prévu. Quant au docteur…

Son regard se posa sur les os minces, disposés en éventail, pâles et immobiles dans la lueur de la torche. Cette main avait été, autrefois, celle d'un médecin et d'un chirurgien.

– … je crois qu'on va l'emmener avec nous, à Fraser's Ridge. Il sera entre amis.

Il passa près des deux femmes en les frôlant, sans un mot d'excuses, et partit chercher le lieutenant Wolff.

105

Le rêve d'une grive

Fraser's Ridge, mai 1772

L'air de la nuit était frais. C'était encore trop tôt dans l'année pour les mouches et les moustiques. Seuls quelques papillons de nuit entraient parfois par la fenêtre ouverte pour voleter autour des braises mourantes comme des bouts de papiers calcinés, frôlant leurs membres nus.

Elle gisait telle qu'elle était retombée, à moitié couchée sur lui, respirant profondément. De là où elle se trouvait, elle voyait dehors la ligne déchiquetée des arbres, de l'autre côté de la cour, et, au-delà, une portion du ciel rempli d'étoiles.

– Tu ne m'en veux pas ? chuchota-t-il.

– Non. Je ne t'ai jamais demandé de ne pas le lire.

Il effleura son épaule du bout des doigts, et elle recroquevilla les orteils de plaisir. Était-elle gênée ? Non. Malgré la mise à nu de ses pensées et de ses rêves intimes, elle lui faisait entièrement confiance. Il ne s'en servirait jamais contre elle.

En outre, une fois couchés sur le papier, ses rêves ne faisaient plus vraiment partie d'elle-même. Un peu comme ses dessins : c'était le reflet d'une facette de son esprit, de quelque chose qu'elle avait vu, pensé, ressenti à un moment donné, mais ni l'esprit ni le cœur ne les avaient conçus.

Elle posa son menton dans le creux de son épaule. Il sentait bon, dégageant une odeur amère et musquée de désir assouvi.

– Pour être quittes, à toi de me raconter un de tes rêves.

Il se mit à rire.

– Un seul?

– Oui, mais il doit être important, pas un de ces rêves de rien du tout, ni un de ces cauchemars où tu es poursuivi par un monstre ou où tu te retrouves tout nu dans la cour de récréation. Pas un rêve comme tout le monde en a, un que toi seul peut faire.

Elle grattait doucement les petits poils frisés sur sa poitrine. Son autre main était sous l'oreiller. Si elle la bougeait un peu, elle pouvait attraper la figurine de pierre. Elle imagina son ventre gonfler, devenir rond et dur. Elle sentait encore des spasmes doux dans son bas-ventre, la continuation de leurs ébats. Serait-ce pour cette fois?

Il tourna la tête sur l'oreiller, tout en réfléchissant, puis glissa les doigts le long de sa colonne vertébrale, faisant naître la chair de poule dans leur sillage.

– Je pourrais être romantique, chuchota-t-il. Dire que c'est là mon rêve, toi et moi, ici ensemble… nous deux avec nos enfants.

Il regarda vers le petit lit où Jemmy était endormi.

– Tu pourrais, en effet, dit-elle. Mais c'est un rêve éveillé, pas un vrai rêve. Tu sais ce que je veux dire.

– Oui, je sais.

Il resta silencieux une minute, sa main immobile, large et chaude dans le creux de ses reins.

– Parfois…, reprit-il enfin, parfois, je rêve que je chante et, à mon réveil, la gorge me pique.

Il ne pouvait voir le visage de Brianna, ni ses yeux embués de larmes.

– Qu'est-ce que tu chantes? murmura-t-elle.

– Pas une chanson que j'ai déjà entendue ou que je connais. En revanche, je sais que je la chante pour toi.

106

Le cahier du médecin II

27 juillet 1772

Ai reçu Rosamund Lindsay en fin d'après-midi, grièvement blessée à la main gauche d'un coup de hache lors de l'étayage d'un arbre. Large lacération, ayant presque sectionné le pouce. L'entaille s'étendait de la base de l'index au processus styloïde du radius, qui n'était que superficiellement endommagé. La plaie, vieille d'environ trois jours, avait été enduite de graisse de porc et grossièrement bandée. Elle présentait une putréfaction avancée, avec suppuration, gonflement considérable de la main et de l'avant-bras. Pouce noirci, gangrène apparente. Odeur âcre caractéristique. Stries rouges sous-cutanées, indiquant une septicémie allant de la plaie à la région cubitale antérieure.

La patiente présentait une forte fièvre, des symptômes de déshydratation, une légère désorientation. Tachycardie patente.

Devant la gravité de son état, ai recommandé l'amputation immédiate du membre au niveau du coude. Refus catégorique de la patiente, qui préférait recourir à un «cataplasme au pigeon», à savoir l'application d'un demi-pigeon fraîchement tué (le mari de la patiente avait apporté le pigeon en question, il venait juste de lui tordre le cou). Ai coupé le pouce à la base du métacarpe, ligaturé les vestiges d'artère radiale (écrasée lors d'accident), débridé et drainé l'entaille, appliqué localement environ 15 g de poudre de pénicilline brute (source : écorce de melon Casaba pourri, lot 23, préparation du 4/15/71), suivi d'ail cru réduit en bouilli (trois gousses), d'un onguent à la sauge... et, sur l'insistance du mari, d'un cataplasme au pigeon par-dessus le bandage. Ai administré par voie orale les liquides suivants : mixture fébrifuge à base de centaurée rouge, de sanguinaire du Canada et de houblon ; eau à volonté. Ai injecté solution de pénicilline liquide (lot 23), IV, dosage 1/14cl en suspension dans l'eau stérilisée.

L'état de la patiente s'est rapidement détérioré, avec des symptômes croissants de confusion et de délire, forte fièvre. Urticaire extensive sur le torse et le bras. Ai tenté de faire baisser la fièvre par des applications répétées d'eau froide. Sans succès. La patiente étant incohérente, ai demandé à son mari l'autorisation d'amputer. Refusée sous prétexte que, la mort semblant imminente, la patiente « ne voudrait pas être enterrée en morceaux ».

Ai répété les injections de pénicilline. La patiente a sombré dans l'inconscience peu après et a expiré juste avant l'aube.

* * *

Je replongeai ma plume dans l'encrier puis hésitai. Que pouvais-je dire de plus?

Mon esprit méticuleux de scientifique m'incitait à décrire ce qui s'était passé le plus précisément possible. Parallèlement, j'hésitais à écrire noir sur blanc ce qui revenait à un aveu d'homicide. Ce n'était pas un meurtre, m'assurai-je, même si mon sentiment de culpabilité ne faisait pas cette distinction.

Je ne pensais pas que Rosamund Lindsay était morte d'une septicémie, mais d'une réaction aiguë à la solution de pénicilline non purifiée. En d'autres termes, au remède que je lui avais administré. Toutefois, elle aurait certainement été emportée par la septicémie si elle n'avait pas été traitée.

En vérité, je ne pouvais savoir quels seraient les effets de la pénicilline…, mais n'était-ce pas là le but de l'opération? M'assurer que quelqu'un d'autre les trouverait?

J'avais consigné avec soin toutes mes expériences : la culture des bouillons à l'aide de pain rance, de papaye mâchée et d'écorce de melon pourrie, les descriptions minutieuses des moisissures examinées au microscope, les effets – jusque-là très limités – de mes applications.

Oui, bien sûr, je devais inclure une description des effets. La question était… à qui destinais-je ces archives?

Pour mon propre usage, je ne me serais pas donné autant de peine. J'aurais simplement enregistré les symptômes, la chronologie, les effets, sans expliciter la cause de la mort. Je ne risquais pas d'en oublier les circonstances. Mais si ce journal devait un jour être utile à quelqu'un… quelqu'un avec une notion des bienfaits et des dangers d'un antibiotique…

L'encre commençait à sécher au bout de ma plume.

Âge : 44, écrivis-je lentement. À cette époque, on achevait souvent la description d'un cas médical par un résumé pieux des derniers moments du défunt, empreints – soi-disant – d'une résignation dévote pour les purs, d'un repentir sincère pour les pécheurs. Cela n'avait pas vraiment été le cas de Rosamund Lindsay.

Je jetai un œil vers son cercueil, posé sur des tréteaux devant la fenêtre battue par la pluie.

Rosamund était une ancienne prostituée de Boston. Étant devenue trop grosse et trop vieille pour gagner confortablement sa vie, elle avait dérivé vers le sud, à la recherche d'un mari. Peu après son arrivée à Fraser's Ridge, elle m'avait confié :

– Je n'aurais pas pu supporter encore un de ces hivers, ni encore un de ces pêcheurs empestant le poisson.

Elle avait trouvé refuge auprès de Kenny Lindsay, qui cherchait justement une femme pour partager le travail à la ferme. N'étant pas un couple basé sur une attraction physique mutuelle – ils avaient peut-être six bonnes dents à eux deux – ni sur une compatibilité affective, ils n'en avaient pas moins su vivre tous les deux en bonne intelligence.

Sous le choc plutôt qu'effondré de chagrin, Kenny avait été pris en charge par Jamie qui le soignait au whisky, un traitement plus efficace que le mien. Du moins, je ne pensais pas que sa mixture soit mortelle.

Cause du décès… je marquai une nouvelle pause. Les derniers instants de Rosamund n'avaient sans doute pas été adoucis par la prière ni par la philosophie. Elle était morte le visage bleui, congestionnée, les yeux exorbités, incapable de parler ni de respirer à travers les muqueuses enflées de sa gorge. Certes, mourir étouffée était plus rapide que mourir d'une septicémie, mais ce n'était pas franchement plus agréable. Il existait aussi une autre possibilité : qu'elle ait succombé à une embolie pulmonaire, un caillot dans un poumon. Cela pouvait être une complication de la septicémie, les symptômes correspondaient.

Hélas, ce n'était sans doute qu'un vœu pieux. La voix de l'expérience autant que celle de la conscience m'ordonnèrent d'écrire «anaphylaxie», avant de pouvoir changer d'avis.

Connaissait-on déjà le terme «anaphylaxie»? Je ne l'avais vu nulle part dans le cahier de Rawlings, mais je n'avais pas tout lu. Toutefois, si le choc mortel à une réaction allergique n'était pas inconnu à cette époque, il était peu courant. Il valait peut-être mieux que je le décrive en détail pour le lecteur de ce cahier.

Mais qui le lirait?

Il existait encore peu de facultés de médecine, et celles-ci se trouvaient principalement en Europe. La plupart des médecins apprenaient leur métier en servant comme apprentis, puis sur le tas. Rawlings, par exemple, n'avait pas suivi d'école et bon nombre de ses techniques étaient d'autant plus choquantes. Je pinçai les lèvres rien qu'en songeant à certains de ses traitements consignés dans le cahier : infusions au mercure liquide contre la syphilis, application de ventouse et de vésicatoires en cas de crises d'épilepsie, saignées à tire-larigot pour toutes sortes de troubles, de l'indigestion à l'impuissance.

Pourtant Rawlings était un vrai médecin. En lisant ses rapports, je sentais son amour pour ses patients, sa curiosité pour les mystères du corps.

Mue par une impulsion, je revins à ses notes, ressentant le besoin d'une communication, aussi éloignée soit-elle, avec un autre médecin, quelqu'un comme moi.

«Quelqu'un comme moi». Je fixai la page, avec son écriture appliquée, ses illustrations soignées, ne voyant pas les détails. Y avait-il quelqu'un d'autre comme moi?

Personne. Jusqu'à présent, je n'y avais que vaguement réfléchi. Pour autant que je sache, dans toute la colonie de Caroline du Nord, il existait un seul «médecin» officiel, Fentiman. Peuh! Je préférais encore Murray MacLeod et ses remèdes de bonne femme. Au moins, ils étaient inoffensifs.

Il me fallait regarder la vérité en face. Je ne vivrais pas éternellement. Je devais trouver une personne à qui transmettre au moins les rudiments. Brianna?

Non, pas elle. Elle semblait pourtant le choix logique. Elle savait au moins ce qu'était la médecine moderne. Elle n'aurait pas à surmonter son ignorance et ses superstitions, n'avait pas besoin d'être convaincue des vertus des antiseptiques et des dangers des microbes. Cependant, elle n'avait pas la vocation, pas l'instinct pour soigner. Le sang ne lui faisait pas peur, elle m'avait souvent aidée pour des accouchements et des interventions chirurgicales mineures, mais il lui manquait ce mélange particulier d'empathie et de dureté indispensable à un médecin.

D'une certaine manière, elle était plus la fille de Jamie que la mienne. Elle avait son courage, sa grande tendresse, mais c'était un courage de guerrier, une tendresse brutale qui pouvait vous broyer si elle le décidait. Je n'étais pas parvenue à lui transmettre mon don, la connaissance du sang et des os, les chemins secrets menant aux ventricules du cœur.

107

Zugunruhe

Septembre 1772

Je m'étais réveillée trempée de sueur, ma chemise me collant à la peau. Incapable de me rendormir, j'avais écarté la moustiquaire en gaze de notre lit et m'étais levée sans bruit, étourdie et désincarnée. Pour éviter de réveiller Jamie, j'étais sortie dans le couloir, puis m'étais installée dans le débarras, en face de notre chambre. C'était une petite pièce, mais sa grande fenêtre donnait sur la montagne. Je me tenais là depuis un long moment, laissant l'air frais de la nuit caresser mes jambes nues quand je m'aperçus de la présence de Jamie derrière moi.

Il n'avait fait aucun bruit, mais sa présence, chaude, comme un épaississement de l'air, était palpable.

– Tout va bien, *Sassenach*? demanda-t-il doucement depuis le pas de la porte.

– Oui. J'avais juste besoin d'un peu d'air frais. Je ne voulais pas te réveiller.

Je chuchotai, car Lizzie et son père dormaient dans la chambre d'à côté.

Il se rapprocha, tel un grand fantôme nu, sentant le sommeil.

– Je me réveille toujours quand tu te réveilles, *Sassenach*. Je dors mal quand tu n'es pas à côté de moi.

Il toucha brièvement mon front.

– J’ai cru que tu avais un peu de fièvre. Ta place dans le lit était moite. Tu es sûre que tu te sens bien?

– J’avais chaud. Je n’arrivais pas à dormir. Mais oui, ça va. Et toi?

Il avança près de moi devant la fenêtre, regardant la nuit de cette fin d’été. La pleine lune énervait les oiseaux. Tout près de nous, j’entendais le gazouillis occasionnel d’un pinson, nichant en retard, et plus loin, le cri perçant d’une nyctale d’Acadie en train de chasser.

– Tu te souviens de Laurence Sterne? demanda-t-il soudain.

Les bruits d’animaux l’avait probablement fait penser au naturaliste.

– Je doute fort que quiconque puisse l’oublier après une première rencontre. Son sac d’araignées séchées m’a marquée à vie. Sans parler de son odeur.

Sterne était toujours entouré d’un parfum très personnel, un mélange d’exhalation naturelle du corps et d’eau de Cologne luxueuse qui n’arrivait pas à masquer l’acidité des différents conservateurs, tels que le camphre et l’alcool, ainsi que les effluves de décomposition des divers spécimens qu’il collectionnait.

Jamie émit un petit rire.

– C’est vrai qu’il empestait encore plus que toi.

– Je ne pue pas!

– Mmphm.

Il prit ma main et la renifla délicatement.

– Oignons… ail… quelque chose d’épicé… grains de poivre… Ah oui! clous de girofle, sang d’écureuil, jus de viande…

Il darda une langue de serpent, touchant le dessus de mes doigts.

– Amidon?… Pommes de terre… et quelque chose venu des bois… oui, amanite tue-mouche.

– Tu triches! Tu sais très bien ce qu’on a mangé ce soir. Et puis ce n’étaient pas des amanites tue-mouche, mais des cèpes.

– Ah oui?

Il retourna ma main et huma ma paume, puis mon poignet, puis mon bras.

– Vinaigre et ciboulette. Tu as préparé des pickles aux concombres? Miam, tant mieux! Mmmm… je sens du lait caillé, là, dans tes petits poils. Tu as baratté du beurre ou écrémé du lait?

– Tu n'as qu'à le deviner, puisque tu es si fort.

– Beurre.

– Merde!

J'essayai de récupérer ma main, mais uniquement parce que les poils de sa barbe me chatouillaient la peau. Il poursuivit son enquête olfactive jusque dans le creux de mon épaule, me faisant rire tandis que ses cheveux me titillaient le cou. Il souleva légèrement mon bras, effleura le duvet moite sous mon aisselle, puis porta ses doigts à ses narines.

– *Eau de femme**, murmura-t-il avec un rire dans la voix.

– Et dire que je me suis baignée!

– Oui, avec du savon au tournesol.

Il reprit l'inspection de ma clavicule. Comme je poussais, un petit cri haut perché, il posa une main sur mes lèvres. Lui sentait la poudre, le foin et le fumier, mais, bâillonnée par sa paume, je ne pouvais le lui dire.

Il se redressa, se pencha sur moi, et je sentis la douceur de ses lèvres contre ma tempe, puis la caresse de sa langue sur ma peau.

– Et du sel. Tu as du sel sur le visage et tes cils sont mouillés, *Sassenach*. Tu as pleuré?

J'eus soudain une envie irrationnelle de sangloter, mais répondis :

– Non, c'est la transpiration… j'avais chaud.

Ce n'était plus le cas, ma peau était fraîche. Froide comme la brise nocturne dans mon dos.

* En français dans le texte. *(N.D.T.)*

– Ah! mais ici, en revanche… mmmm.

Il s'était agenouillé, un bras autour de ma taille pour me tenir, son nez enfoui entre mes seins.

D'ordinaire, je n'utilisais pas de parfum, mais j'avais une huile spéciale, envoyée des Antilles, fabriquée avec des fleurs d'oranger, du jasmin, des gousses de vanille et de la cannelle. Je n'en possédais qu'un petit flacon et ne m'en mettais qu'une goutte de temps en temps, pour des occasions que je présumais spéciales.

– Tu me voulais, dit-il tristement. Et je me suis endormi sans même te toucher! Je suis désolé, *Sassenach*. Tu aurais dû me le dire.

– Tu étais fatigué.

Sa main avait quitté ma bouche. Je caressai ses cheveux, lissant les longues mèches derrière ses oreilles. Il se mit à rire, et je sentis son souffle chaud sur mon ventre.

– Tu aurais pu me sortir de ma tombe, *Sassenach*. Je n'aurais pas dit non.

Il se releva, face à moi. Même dans l'obscurité, je constatai que je n'aurais pas besoin d'en arriver à des mesures aussi draconiennes.

– Il fait chaud, dis-je. Je transpire.

– Et moi donc!

Ses mains enserrèrent ma taille, et il me souleva, me posant sur le rebord de la fenêtre. Le contact froid du bois me fit frissonner, tandis que je m'accrochai par réflexe aux montants de la fenêtre.

– Qu'est-ce que tu fabriques?

Il ne répondit pas. De toute manière, ma question avait été purement rhétorique.

– *Eau de femme, Parfum d'amour**, murmura-t-il encore.

Ses cheveux caressèrent mes cuisses quand il s'agenouilla de nouveau. Les lattes du plancher craquèrent sous son poids. Il tenait fermement la courbe de mes hanches.

* En français dans le texte. *(N.D.T.)*

Je ne risquais pas de chuter et pourtant je sentais le vide derrière moi, la nuit claire et infinie, avec son ciel parsemé d'astres brillants parmi lesquels je pouvais tomber et tomber encore, minuscule étincelle de vie, devenant de plus en plus brûlante dans la friction du néant, pour exploser enfin dans l'incandescence d'une étoile… filante.

– Chut, murmura Jamie dans le lointain.

Il s'était redressé, ses mains me tenant toujours. Le gémissement sourd avait pu être celui du vent… ou le mien. Ses doigts caressèrent mes lèvres. On aurait dit des allumettes s'embrasant au contact de ma peau. La chaleur dansait sur moi, sur mon ventre et sur mes seins. Brûlant devant, froid derrière, tel saint Laurent sur son gril.

Je l'enveloppai de mes cuisses, les talons enfoncés dans ses fessiers, la force solide de ses hanches entre mes jambes formant mon seul point d'ancrage.

– Lâche-toi, chuchota-t-il dans mon oreille. Je te tiens.

Je partis en arrière, la tête dans le vide, ne craignant rien entre ses mains.

* * *

Beaucoup plus tard, je demandai d'une voix endormie :

– Tout à l'heure, tu avais commencé à me dire quelque chose au sujet de Lawrence Sterne.

– C'est vrai.

Jamie s'étira et se cala confortablement, une main sous ma fesse. Mes doigts tripotaient les poils de ses cuisses. Il faisait trop chaud pour se coller l'un contre l'autre, mais nous ne voulions pas, non plus, être séparés.

– On parlait d'oiseaux, et comme c'en était un drôle… Un jour, je lui ai demandé pourquoi, à la fin de l'été, les oiseaux chantent la nuit. Les nuits sont plus courtes, et on pourrait croire qu'ils ont besoin de dormir. Mais non, on les entend sautiller, gazouiller et faire toutes sortes de choses dans les arbres et les haies.

– Vraiment? Je n'avais jamais remarqué.

– Parce que tu n'as pas l'habitude de dormir la nuit dans la forêt, *Sassenach*, dit-il avec indulgence. Moi si, tout comme Sterne. Il a remarqué le même phénomène et s'est demandé pourquoi.

– Il a trouvé une réponse ?

– Pas vraiment une réponse, mais une théorie.

– Oh ! c'est encore mieux.

Il roula sur le côté et se gratta la poitrine.

– Il a capturé un certain nombre d'oiseaux et les a enfermés dans des cages tapissées de papier buvard.

Cette explication m'extirpa momentanément de ma torpeur.

– Quoi ? Mais pour quoi faire ?

– Enfin, pas tapissées entièrement, juste le plancher, expliqua-t-il. Il a posé dessus une assiette remplie d'encre avec, au milieu, une soucoupe avec des graines, si bien qu'ils ne pouvaient pas se nourrir sans se tacher les pattes.

– Mmmm… et qu'est-ce que cela a donné ? À part un papier buvard plein d'empreintes noires ?

Attirés par le musc de nos corps échauffés, les insectes commençaient à se montrer. Un *zzzz* près de mon oreille me fit claquer vainement dans mes mains. Je rabattis la moustiquaire que Jamie avait laissée ouverte, en venant à ma recherche.

– En effet, il y avait beaucoup de petites empreintes, *Sassenach*, mais la plupart étaient d'un seul côté de la cage. Dans toutes les cages.

– Vraiment ? Quelle a été la déduction de Sterne ?

– Ayant eu la brillante idée de placer une boussole près des cages, il a découvert que, toute la nuit, les oiseaux se sont agités en direction du sud-est, soit celle vers laquelle ils migrent à l'automne.

Je tordis mes cheveux dans ma nuque et l'éventai.

– Très intéressant, mais la fin de l'été n'est pas la période des grandes migrations. En outre, ils ne volent pas la nuit, même quand ils migrent, non ?

– C'est vrai, mais ils ont agi comme s'ils sentaient l'approche du départ, son attraction, et cela a perturbé leur sommeil. Mais le plus étrange, c'est que la plupart des oiseaux étaient des jeunes, qui n'avaient encore jamais fait le voyage. Ils n'avaient même jamais vu l'endroit où ils devaient aller. On aurait dit comme un appel qui les extirpait de leur sommeil.

Je bougeai à peine et il souleva sa main de ma cuisse.

– *Zugunruhe*, dit-il doucement.

Du bout de son index, il retraça l'empreinte moite qu'il avait laissée sur ma peau.

– Qu'est-ce que c'est?

– C'est le nom que Sterne a donné au phénomène, à cet état de veille des oiseaux sur le départ.

– Ça a un sens?

– Oui, *ruhe*, c'est le calme, le repos. Et *zug*, c'est une sorte de voyage. Ça signifie donc une agitation… une excitation avant un long voyage.

Je roulai vers lui, poussant affectueusement son épaule avec mon front. J'inhalai profondément, mimant un amateur qui hume l'arôme délicat d'un cigare.

– Mmmm… comment dirais-je… *Eau d'homme* ?*

Il releva la tête, se renifla d'un air suspicieux, fronçant les narines.

– Je dirais plutôt *Eau de chèvre* !*

Les oiseaux chantèrent toute la nuit.

* En français dans le texte. *(N.D.T.)*

108

Tulach Ard

Octobre 1772

En souriant, Jamie indiqua quelqu'un du menton.

– Je vois qu'on a du renfort aujourd'hui !

Roger se retourna et aperçut Jemmy qui trottait maladroitement derrière eux, le front plissé par la concentration, serrant des deux mains contre sa poitrine une pierre de la taille d'un poing. Roger réprima son envie de rire et s'accroupit en attendant qu'il les rejoigne.

– C'est pour le nouvel enclos des cochons, *'ghille ruadh* ?

Jemmy acquiesça solennellement, ses joues rougies par l'effort en dépit de la fraîcheur matinale. Roger tendit la main, gardant un air sérieux.

– Merci. Tu veux que je la prenne ?

Jemmy secoua vigoureusement la tête.

– Moi qui fais !

– C'est une longue route *'ghille ruadh*, dit Jamie. Tu vas manquer à ta mère.

– Grand-père a raison, *a bhalaich*, maman a besoin de toi. Tiens, laisse-moi te…

– Nan !

Jemmy se recroquevilla d'un air protecteur sur sa pierre.

– Mais tu ne peux pas…, commença Jamie.

– Moi viens !

– Non, j'ai dit que tu devais…, poursuivit Roger.

– MOI VIENS!

– Écoute, mon garçon…, dirent les deux hommes à l'unisson.

Ils s'interrompirent et éclatèrent de rire. Puis, Roger tenta une nouvelle approche.

– Où est maman, dis? Elle doit s'inquiéter de ne pas te voir, non?

La petite tête rousse fit non.

Jamie s'accroupit à côté de Roger.

– Claire a dit que les femmes devaient confectionner de nouveaux édredons aujourd'hui. Marsali a apporté un patron. Elles ont dû commencer le matelassage.

Il regarda son petit-fils dans les yeux.

– Tu t'es échappé pendant que ta mère avait le dos tourné, n'est-ce pas?

La petite bouche rose, jusque-là pincée dans une moue entêtée, s'entrouvrit pour laisser filtrer un gloussement de rire.

– C'est bien ce qui me semblait, soupira Roger. Allez, viens que je te ramène à la maison.

Il se releva et souleva le garçonnet et sa pierre.

– Non, non, NON! Moi viens! Moi viens!

Essayant de se faire entendre sans hurler par-dessus les braillements de son fils tout en l'empêchant de tomber à la renverse, Roger n'entendit pas tout de suite les cris en provenance de la maison. Toutefois, lorsqu'il se résolut enfin à plaquer une main sur la bouche grande ouverte du rejeton, les appels féminins étaient clairement audibles entre les arbres.

– Jeeeemmmyyyyyy!

– Tu vois, Mlle Lizzie te cherche! annonça Jamie à son petit-fils.

D'autres voix de femmes résonnaient, sur un ton de plus en plus agacé.

– Il n'y a pas que Lizzie, dit Roger. Maman, grand-mère Claire, grand-mère Bug, tante Marsali…, elles sont toutes à ta recherche et elles n'ont pas l'air très contentes.

– On ferait mieux de le ramener, suggéra Jamie.

Il regarda son petit-fils avec une pointe de compassion.

– À mon avis, tu vas avoir une fessée. En général, les femmes supportent mal qu'on les abandonne.

Devant cette perspective menaçante, Jemmy lâcha sa pierre et s'accrocha au cou de son père.

– Veux aller avec toi, papa!

– Mais maman...

– PAS MAMAN! Veux papa!

Roger lui tapota le dos. Il était partagé. C'était la première fois que Jemmy exprimait aussi directement son envie d'être avec lui plutôt qu'avec Brianna, et il n'était pas peu flatté. Même si la partialité de son fils était surtout motivée par le désir d'échapper à une punition, il était tout de même venu vers lui spontanément.

Il se tourna vers Jamie, lui parlant par-dessus la tête du petit, à présent niché dans son épaule.

– On peut peut-être l'emmener? Juste pour la matinée. Je le ramènerai à midi.

Jamie sourit à son petit-fils, ramassa la pierre et la lui rendit.

– Bien sûr. Construire un enclos pour les cochons est un vrai travail d'homme. Ça te changera de toutes ces minauderies et de ces jacasseries de bonne femme, pas vrai?

Roger leva le menton en direction de la maison où les JEEEEEMMMYYYY! se teintaient nettement d'irritation.

– En parlant de jacasseries, on ferait bien d'aller les prévenir qu'il est avec nous.

Jamie mit à terre son sac à dos et s'adressa au garçonnet.

– J'y vais, mais c'est à charge de revanche, mon petit gars. Quand les femmes sont énervées, elles s'en prennent au premier homme qui leur tombe sous la main, qu'il soit responsable ou pas. Si bien que c'est moi qui vais me faire botter les fesses à ta place.

Il leva les yeux au ciel, puis sourit à Jemmy avant de repartir vers la maison au pas de course.

Jemmy pouffa de rire.

– Grand-papa, pan! pan!

– Chut, tu n'as pas honte! dit Roger.

Il lui donna une petite tape sur les fesses et se rendit compte qu'il portait des culottes courtes sous sa robe, mais pas de lange en dessous. Il le reposa sur le sol.

– Tu as besoin d'aller au petit coin?

Jemmy fit non de la tête tout en tirant sur son entrejambe, un signe avant-coureur que Roger ne connaissait que trop. Il le prit par la main et l'entraîna fermement vers un buisson voisin.

– Viens. Faisons un essai en attendant le retour de grand-père.

* * *

Jamie mit un certain temps à réapparaître, alors que les appels des femmes s'étaient tus depuis longtemps. S'il s'était fait botter les fesses, cela n'avait pas dû lui déplaire. Quand il revint enfin, les pommettes rouges, il affichait un air plutôt satisfait de lui.

Tout devint clair lorsqu'il sortit une serviette de sa poche, l'ouvrit et en sortit une demi-douzaine de biscuits frais, encore chauds, dégoulinant de beurre fondu et de miel. Distribuant son butin, il expliqua :

– Je crois que Mme Bug les destinait au cercle des couseuses d'édredons, mais il en restait plein dans le bol et je suis sûr qu'elles ne s'en apercevront même pas.

– Si elles disent quelque chose, je vous dénoncerai, promit Roger.

Il rattrapa du bout de la langue une coulée de miel sur son poignet, puis se lécha les doigts, fermant les yeux, extatique.

– Quoi, tu me livrerais à l'Inquisition? Après que j'ai partagé le fruit de ma rapine avec toi, quelle ingratitude!

– Votre réputation tiendra le choc. Depuis la semaine dernière et la mésaventure du cake aux épices, grand-mère Bug nous a déclarés *persona non grata*, Jemmy et moi. Mais Sa Seigneurie peut tout se permettre avec elle. Elle vous laisserait dévaliser son garde-manger sans battre un cil.

Jamie essuya le coin de ses lèvres avec le sourire complaisant d'un homme assuré de jouir des bonnes grâces de Mme Bug.

– C'est possible, mais si tu comptes vraiment me faire porter le chapeau, tu ferais bien d'effacer les preuves sur le petit avant de rentrer.

Jemmy s'était attaqué à son en-cas avec une grande concentration, si bien que son visage tout entier était barbouillé de beurre. Des traînées de miel coulaient en filets ambrés sur son tablier et des grumeaux de biscuits à moitié mâchés étaient collés dans ses cheveux.

– Comment as-tu pu te mettre dans un tel état aussi vite? demanda Roger, sidéré. Regarde ce que tu as fait à ta chemise! Ta mère va nous tuer!

Il prit la serviette pour faire une tentative de toilette, mais ne parvint qu'à étaler les dégâts.

– Ne t'inquiète pas, dit Jamie avec indulgence. Il sera tellement crotté des pieds à la tête avant la fin de la journée que sa mère ne remarquera pas quelques miettes de plus ou de moins. Eh, attention, mon bonhomme!

D'un geste rapide, il parvint à attraper au vol une moitié du biscuit que l'enfant essayait de fourrer entier dans sa bouche. Il mordit dedans d'un air songeur tout en poursuivant :

– Cela dit, on le trempera un peu dans le ruisseau en passant. Il vaut mieux pas que les porcs sentent le miel sur lui.

Roger ressentit un léger malaise, car Jamie ne plaisantait pas au sujet des cochons. Il n'était pas rare d'en voir ou d'en entendre dans le coin, retournant la terre au pied des chênes et des peupliers, ou grognant de béatitude devant une manne de châtaignes. En cette saison, la nourriture était abondante et ils ne constituaient pas une menace pour les hommes adultes. En revanche, un petit garçon à l'odeur sucrée… On imaginait toujours les cochons se nourrissant de racines et de glands, mais Roger avait encore en tête l'image de la grosse truie blanche, aperçue quelques jours plus tôt seulement, la queue nue et sanglante d'un opossum tombant hors de sa gueule, tandis qu'elle mâchonnait d'un air placide.

Il avait l'impression d'avoir un morceau de biscuit coincé dans la gorge. Il saisit Jemmy tout poisseux et riant, et le cala fermement sous un bras, ses bras et ses jambes pendant mollement.

– En route vers le ruisseau ! lança-t-il, résigné. Maman sera très fâchée si tu te fais dévorer par un cochon.

* * *

Les poteaux étaient empilés près du pilier en pierre. Roger fouilla jusqu'à ce qu'il en ait trouvé un de suffisamment court, puis s'en servit pour faire levier et soulever un bloc de granit, juste assez pour glisser ses mains dessous. S'accroupissant, il parvint à le hisser sur ses cuisses, puis se leva très lentement, son dos se redressant une vertèbre après l'autre, ses doigts s'enfonçant dans les mottes de lichens. Malgré le chiffon noué autour de son front, la transpiration ruisselait sur son visage. Il secoua la tête pour chasser la sueur qui lui coulait dans les yeux.

– Papa ! Papa !

Roger sentit qu'on tirait sur ses culottes. Il écarta les jambes, plantant fermement les deux pieds dans le sol pour maintenir son équilibre et ne pas lâcher la pierre, puis baissa les yeux, agacé.

– Quoi, Jemmy ?

L'enfant serrait le tissu des deux mains, regardant vers la forêt.

– Cochon papa ! Gros cochon !

Roger suivit son regard et se figea.

Un énorme cochon sauvage noir se tenait là, à cinq mètres environ. Il devait faire près d'un mètre au garrot et peser plus de cent kilos, avec des défenses jaunes recourbées de la taille des avant-bras de Jemmy. La tête haute, son groin humide humant l'air, il flairait la nourriture ou le danger.

– Merde, lâcha Roger.

Jemmy, qui, en temps normal, aurait sauté sur l'occasion pour claironner le juron *ad libitum*, se contenta de s'accrocher à la jambe de son père. Les pensées se bousculèrent dans la tête de Roger, comme des autos tamponneuses. S'il bougeait, l'animal risquait-il d'attaquer ? Il le fallait pourtant, les muscles de ses bras se mettaient à trembler. Il avait aspergé Jemmy d'eau. Sentait-il encore le miel ou ressemblait-il à un aliment figurant au menu du cochon ?

– Jemmy, dit-il très calmement. Viens te mettre derrière moi. Maintenant.

Le cochon tourna la tête dans leur direction. Il les regardait, Roger le devinait à la manière dont ses petits yeux allaient de l'un à l'autre. Il avança de quelques pas. Ses petits sabots semblaient d'une délicatesse absurde comparée à la masse menaçante de son corps. Il avait l'air sur ses gardes, mais pas effrayé.

– Jemmy, tu vois grand-père ?

Des décharges de feu brûlaient ses biceps, et il avait l'impression que ses coudes étaient écrasés dans un étau.

– Non, chuchota Jemmy.

L'enfant se blottissait contre son père, se pressant contre ses jambes.

– Retourne-toi lentement. Il est allé au ruisseau. Il va revenir dans cette direction. Retourne-toi et regarde.

– Grand-père ! hurla soudain Jemmy.

Au bruit, les soies du cochon se hérissèrent en formant une crête drue. Il abaissa la tête, bandant ses muscles.

– Cours, Jemmy. Cours rejoindre grand-père !

Une décharge d'adrénaline fusa en lui et, soudain, la pierre ne pesa pas plus qu'une plume. Il la lança sur l'animal qui chargeait, l'atteignant à l'épaule. Le porc poussa un grognement de surprise, fit une embardée, puis rugit et fonça sur lui, ses défenses fendant l'air, tandis qu'il donnait des coups de tête. Il ne pouvait l'esquiver et le laisser passer, car Jemmy était encore trop près. De toutes ses forces, il envoya son pied dans la mâchoire de l'animal, puis se jeta sur lui, essayant de trouver une prise autour de son cou.

Ses doigts glissaient, ne pouvant se raccrocher à rien dans les soies raides, dérapant sur la masse dure des muscles. C'était comme de lutter avec un sac de béton ! Quelque chose de chaud et humide coula sous sa main, et il la retira précipitamment. Avait-il pris un coup de corne ? Il ne ressentait aucune douleur. Peut-être était-ce uniquement de la bave, ou le sang d'une plaie trop profonde pour qu'il la sente déjà. Il n'avait pas le temps de vérifier. Il continua à tâtonner, parvint à agripper une patte velue et tira.

En roulant sur le flanc, le cochon le désarçonna. Il atterrit sur les mains, et son genou heurta une pierre. Une douleur fulgurante le traversa de la cheville à l'aine, et il se recroquevilla par réflexe, momentanément paralysé par le choc.

Le porc s'était redressé et s'ébrouait, lui tournant le dos. Un nuage de poussière s'éleva de son pelage, et il distingua la queue en tire-bouchon. Encore une seconde, et la bête ferait volte-face, le pourfendrait de part en part, puis piétinerait les morceaux. Il chercha une pierre autour de lui, mais sa main ne rencontra que des mottes de terre sèches se désintégrant entre ses doigts.

Un bruit de course résonna sur sa gauche, puis il entendit un cri :

– *Tulach Ard ! Tulach Ard !*

Le porc se retourna. La gueule ouverte et les yeux rouges de rage, il se prépara à affronter son nouvel ennemi.

Son coutelas au poing, Jamie se baissa, fendit l'air devant lui, tailladant l'animal, puis bondissant de côté quand celui-ci chargea.

Combattre cette créature avec un couteau? Il devait être tombé sur la tête.

– Non, pas du tout, répondit Jamie.

Roger ne s'était pas rendu compte qu'il avait pensé à voix haute.

Jamie s'accroupit en équilibre sur la pointe des pieds et tendit sa main libre vers Roger sans quitter le cochon des yeux. Celui-ci s'était arrêté, grattant le sol de ses sabots et grinçant des dents, balançant la tête vers un homme puis vers l'autre, évaluant les possibilités.

– *Bioran!* dit Jamie. Le bâton, le pieu, donne-le-moi!

Le pieu… il voulait parler du poteau. La jambe de Roger refusait toujours de fonctionner, mais il pouvait bouger. Il se jeta sur le côté, attrapa le morceau de bois et parvint à s'asseoir. Il le plaça devant lui comme une lance, le bout pointu orienté vers l'ennemi.

– *Tulach Ard!* tonna-t-il. Amène-toi, gros lard!

Distrait, le porc se tourna vers lui. Jamie en profita pour se ruer sur lui, visant, avec sa lame, un point entre les omoplates. Il y eut un cri perçant, et la bête pivota sur elle-même, une profonde entaille dans son épaule projetant une giclée de sang. Jamie bondit de côté, dérapa, s'étala de tout son long, roula sur lui-même, son coutelas tombant de sa main.

Plongeant en avant, Roger planta sa lance improvisée sous la queue du cochon. Celui-ci hurla et sembla s'élever dans les airs. Le pieu trembla dans ses mains, l'écorce lui arrachant la peau. Il parvint à tenir bon, tandis que la bête s'affalait sur le flanc en se débattant furieusement, rugissant, se trémoussant, lançant du sang et de la boue noire dans toutes les directions.

Jamie s'était relevé, couvert de terre et hurlant. Il s'empara d'un autre poteau et l'abattit sur la tête de l'animal qui se relevait. Le bois sur l'os émit un craquement sinistre. Sonné, le porc s'assit dans un grognement.

Un cri aigu provenant de l'autre côté fit se retourner Roger. Tenant le coutelas de son grand-père au-dessus de sa tête, Jemmy courait en titubant vers le cochon, son visage cramoisi de concentration.

– Jemmy ! Va-t'en de là !

Le porc grogna, et Jamie cria quelque chose. Roger s'élança vers son fils, mais un mouvement dans le bois derrière celui-ci lui fit relever les yeux. Un éclat gris fusa au ras du sol, si vite qu'il n'eut qu'une brève impression.

Cela lui suffit pour savoir ce que c'était.

– Des loups ! hurla-t-il à Jamie.

Tout en se disant que des loups plus des cochons sauvages, c'était vraiment trop injuste, il rejoignit Jemmy, lui arracha le coutelas et se jeta sur lui.

Il se pressa contre le sol, sentant l'enfant gesticuler frénétiquement sous lui, et attendit, soudain étrangement calme. Serait-ce un coup de défense ou de crocs ?

– Ce n'est rien, Jemmy. Calme-toi, tout va bien. Papa est là.

Son front était collé contre la terre, la tête de l'enfant coincée dans le creux de son épaule. D'un bras, il le protégeait. Dans l'autre main, il tenait le coutelas. Il voûta le dos. Sa nuque nue était vulnérable, mais il n'y pouvait rien.

Il entendait le loup, hurlant et appelant sa meute. Le cochon émettait un long cri continu, irréel. Jamie, lui, continuait à débiter toutes sortes d'imprécations plus ou moins cohérentes en gaélique.

Tout à coup, un étrange sifflement traversa l'air, suivi d'un bruit sourd et creux. Puis il y eut un silence instantané et total.

Surpris, Roger releva la tête de quelques centimètres. Le porc se trouvait à un mètre de lui, la mâchoire grande ouverte dans une expression de stupéfaction. Jamie se tenait derrière lui, couvert de sang et de boue des pieds à la tête, et l'air aussi interdit.

Puis, les pattes avant de la bête lâchèrent et, le regard vitreux, elle s'effondra sur le côté, la tige d'une flèche, apparemment fine et inoffensive, pointant dans sa gorge.

Roger se redressa lentement sans lâcher Jemmy qui gesticulait et pleurait. Il remarqua vaguement que ses mains tremblaient, mais il se sentait curieusement vide d'émotions. Il frotta le dos de l'enfant pour le réconforter, puis, se tournant vers la forêt, il aperçut l'Indien, son arc à la main.

Il chercha le loup des yeux. Il était là, tout à côté de lui, reniflant la carcasse du porc, à deux pas de Jamie qui ne semblait pas non plus lui prêter attention. Lui aussi fixait l'Indien. Puis, Roger vit une joie incrédule illuminer lentement ses traits sous les traînées de boue et de sang.

– Ian, murmura-t-il. Oh, mon Dieu ! C'est Ian.

109

La voix du temps

Lizzie n'ayant pas eu de mère pour l'aider à faire son trousseau, les femmes de Fraser's Ridge s'étaient réunies pour fournir des jupons, des chemises de nuit et des bas tricotés. Les plus douées les assemblaient en carrés de patchwork, qui serviraient, ensuite, à fabriquer un grand édredon. Une fois le nombre de pièces nécessaires réuni, tout le monde se retrouva dans la grande maison pour le piquage et le rembourrage laborieux du dessus, du dessous et du molleton, celui-ci étant constitué de tout ce qui nous tombait sous la main – couvertures élimées, chiffons ou déchets de laine.

Je n'avais ni talent ni patience pour la couture, mais j'avais la dextérité nécessaire pour faire les points les plus petits et minutieux. Surtout, j'avais une grande cuisine bien éclairée, et suffisamment de place pour tendre le tissu sur un cadre. Enfin, j'avais Mme Bug qui approvisionnait les couseuses en tasses de thé et en une suite ininterrompue de petits pains aux pommes.

Nous étions en train de piquer le nouveau carré de Mme Evan Lindsay, composé en tons crème et bleus, quand Jamie apparut sur le seuil du couloir. Absorbées dans une conversation sur les ronflements de leurs maris respectifs, la plupart des femmes ne le remarquèrent pas, mais je me trouvais face à la porte. Il n'entra pas, cherchant uniquement à attirer mon attention sans se faire remarquer.

Lorsque je levai les yeux vers lui, il m'adressa un signe urgent de la tête et disparut.

Je jetai un œil vers Brianna. Elle l'avait vu aussi. Elle arqua un sourcil perplexe, puis haussa les épaules. Je terminai mon point en nouant le fil, plantai mon aiguille dans le tissu, puis me levai en marmonnant une excuse.

Mme Chisholm, qui était penchée vers sa voisine Mme Aberfeldy, lui conseilla :

– Donnez-lui donc de la bière avec son dîner. Beaucoup, et diluée dans de l'eau. Comme ça, il se lèvera toutes les demi-heures pour aller pisser et il n'aura pas le temps de faire trembler toute la maison avec ses grognements de goret.

– J'ai déjà essayé, objecta Mme Aberfeldy. Mais chaque fois qu'il revient se coucher, il a envie de… mmphm. Si bien que je dors encore moins que lorsqu'il ronfle.

Jamie attendait dans le couloir. Dès que j'apparus, il me prit le bras et m'entraîna vers la porte d'entrée.

– Mais qu'est-ce que…

Je m'interrompis en voyant le grand Indien assis sur le bord du perron.

– Qu'est-ce que…, repris-je.

Puis, il se leva et se tourna vers moi avec un sourire.

– Ian !

Je me jetai dans ses bras. Il était mince et dur comme du cuir séché au soleil. Ses vêtements sentaient l'humidité des bois et la terre, avec de vagues effluves de fumée. Je reculai d'un pas en m'essuyant les yeux pour le regarder, et un museau froid poussa ma main, me faisant sursauter.

– Toi ! lançai-je à Rollo. Je ne pensais jamais te revoir !

Submergée par l'émotion, je lui frottai frénétiquement les oreilles. Il aboya et se coucha sur ses pattes avant, agitant une queue tout aussi frénétique.

– Chien ! Chien ! Chien !

Jemmy venait de faire irruption de sa propre cabane, courant aussi vite que ses petites jambes le lui permettaient, ses cheveux mouillés dressés sur sa tête et le visage rayonnant. Rollo bondit vers lui, le rejoignant à mi-chemin et le renversant dans un concert de cris aigus.

Ma première crainte fut que Rollo – après tout, il était moitié loup – considère Jemmy comme une proie, mais il devint aussitôt évident qu'ils ne faisaient que jouer, avec autant d'enthousiasme l'un que l'autre. Le sonar maternel de Brianna ayant capté les cris de son petit, elle jaillit hors de la maison.

– Qu'est-ce que…, commença-t-elle.

Ian avança vers elle, la prit dans ses bras et l'embrassa. Elle se mit à pousser des cris de joie, qui ne tardèrent pas à attirer tout le cercle des couseuses sous le porche dans un tourbillon d'exclamations, de questions et de petits cris accessoires, histoire de contribuer à l'excitation générale.

Au beau milieu de ce chaos, je remarquai soudain la matérialisation de Roger, issu de nulle part, avec une nouvelle écorchure sur le front, un œil au beurre noir et une chemise propre. Je me tournai vers Jamie, à côté de moi, qui observait le remue-ménage avec un sourire béat. Lui, en revanche, il portait une chemise non seulement crasseuse, mais complètement déchirée sur le devant, avec un énorme accroc à la manche. Elle était maculée de boue et de sang séché. Je ne voyais pas de sang frais. Tout cela ajouté aux cheveux et à la chemise propres de Jemmy – qui ne l'étaient déjà plus – me parut hautement suspect.

– Qu'est-ce que vous avez encore fabriqué? demandai-je à Jamie en grondant.

Il secoua la tête sans se départir de son sourire béat.

– Rien de bien méchant, *Sassenach*. Au fait, j'ai un cochon tout frais pour toi à dépecer… quand tu auras le temps.

J'écartai une mèche de devant ma figure avec un soupir amusé.

– Qu'est-ce que cette histoire? On tue le veau gras pour célébrer le retour du fils prodigue?

Sur le perron, Ian était à présent totalement submergé par une marée de femmes. Lizzie était accrochée à son bras, l'excitation faisant rayonner son visage pâle. J'eus un petit serrement de cœur en la voyant soudain si heureuse, puis repoussai cette considération pour plus tard.

– Ian a amené des amis ? Ou… sa famille, peut-être ?

Il nous avait dit que sa femme attendait un bébé, mais cela faisait près de deux ans. L'enfant – si tout s'était bien passé – devait déjà marcher.

Le sourire de Jamie se ternit légèrement.

– Non, il est venu seul. Avec le chien, naturellement.

Celui-ci était à présent couché sur le dos, les pattes en l'air, se tortillant joyeusement sous les assauts de Jemmy.

– Ah !

Je remis de l'ordre dans ma coiffure, renouai mon ruban, me demandant quoi faire des couseuses et du cochon. Nous devions fêter ce grand événement par un dîner à sa hauteur, mais, pour ça, je pouvais faire confiance à Mme Bug.

– T'a-t-il dit combien de temps il comptait rester avec nous ?

Jamie prit une grande inspiration et posa une main dans mon dos.

– Il ne repartira pas.

Sa voix remplie de joie contenait aussi une note de tristesse qui me fit lever des yeux surpris vers lui.

– Il est rentré à la maison.

* * *

Lorsque l'équarrissage de la bête, la confection de l'édredon et le dîner furent terminés et les invités repartis, il était très tard. L'air résonnait encore de bavardages, pourtant il restait encore beaucoup à dire. Ian s'était montré charmant avec tout le monde, mais s'était peu épanché sur son voyage depuis le nord… et pas du tout sur les raisons de son retour.

Trouvant Jamie seul dans son bureau juste avant le dîner, je lui avais demandé :

– Ian t'a dit quelque chose?

– Trois fois rien. Uniquement qu'il revenait pour de bon.

– Tu penses qu'il est arrivé malheur à sa femme? au bébé?

Mon cœur se serra en songeant à la jolie et menue squaw Wakyo'teyehsnonhsa, «travaille avec ses mains». Ian l'avait appelée Emily. Mourir en couches n'avait rien d'exceptionnel, même chez les Indiennes.

Indécis, Jamie fit la moue :

– Je n'en sais rien, mais je crains que ce soit quelque chose de ce genre. Il n'a pas dit un mot à leur sujet… et son regard est nettement plus vieux que lui-même.

Au même moment, Lizzie avait passé la tête dans l'entrebâillement de la porte avec un message urgent de la part de Mme Bug concernant le dîner, et j'avais dû partir. En suivant la jeune fille dans le couloir, je n'avais pu m'empêcher de me demander ce que le retour de Ian signifiait pour elle… notamment si nos supputations concernant l'épouse mohawk de Ian étaient justes.

Lizzie avait été un peu amoureuse de Ian avant son départ. Lorsqu'il avait décidé de rester avec les Kahnyen'kehakas, elle avait mis plusieurs mois à s'en remettre, se laissant dépérir. Mais c'était il y avait deux ans, et deux ans dans la vie de jeunes gens pouvaient être très longs.

Je comprenais les paroles de Jamie au sujet du regard de Ian. Il ne faisait aucun doute que le gamin impulsif et joyeux que nous avions laissé avec les Mohawks n'existait plus. D'un autre côté, Lizzie n'était plus tout à fait la petite souris timide au regard adorateur qu'elle avait été.

Elle était surtout la fiancée de Manfred McGillivray. Je me réjouissais qu'Ute McGillivray ni aucune de ses filles n'aient fait partie du cercle de couseuses de l'après-midi.

Avec de la chance, l'aura dorée du retour de Ian s'estomperait en peu de temps.

– Tu es sûr que tu seras confortable ici?

Je contemplai Ian d'un air dubitatif. J'avais étalé plusieurs couvertures matelassées sur la table de mon infirmerie, après qu'il avait décliné l'offre de M. Wemyss de lui prêter son lit et celle de Mme Bug de lui préparer une couche confortable devant la cheminée de la cuisine.

– Oh oui! ma tante. Vous n'imaginez pas les lieux où nous avons dormi, Rollo et moi!

Il s'étira en bâillant.

– Seigneur! Ça doit faire plus d'un mois que je n'ai pas veillé après le coucher du soleil!

– Ni dormi plus tard que l'aube, je suppose. Tu seras tranquille ici. Personne ne te dérangera si tu veux faire la grasse matinée.

Il se mit à rire.

– Pour ça, j'ai intérêt à laisser la fenêtre ouverte pour que Rollo puisse entrer et sortir à sa guise. Quoiqu'il semble avoir déjà trouvé des proies à chasser à l'intérieur.

Assis au milieu de la pièce, Rollo fixait de ses yeux jaunes la porte supérieure de mon armoire. Un grondement sourd, comme de l'eau bouillonnant dans une casserole, vibrait à l'intérieur.

– Personnellement, je mise sur le chat, déclara Jamie.

Il était entré derrière moi.

– ... Ce petit Adso a une très haute opinion de lui-même. La semaine dernière, je l'ai vu pourchasser un renard.

– Le fait que tu te trouvais derrière lui avec un fusil n'avait rien à voir avec la fuite du renard, je présume? objectai-je.

– Pas de l'avis de ton *cheetie* en tout cas.

– *Cheetie*, répéta doucement Ian. Ça fait du bien d'entendre de nouveau parler écossais, mon oncle.

Jamie lui effleura le bras.

– Je veux bien te croire, *a mhic a pheathar*. Tu as dû oublier ton gaélique, non?

– *'S beag 'tha fhios aig fear a bhaile mar 'tha fear na mara bèo*, répondit Ian sans hésiter.

C'était un vieux dicton : «Le paysan ignore comment vit le marin.»

Jamie éclata de rire, surpris et ravi à la fois. Ian sourit en retour. Sur son visage halé, les pointillés de son tatouage mohawk formaient des croissants entre son nez et ses pommettes. Toutefois, l'espace d'un instant, je vis la lueur espiègle dans ses yeux et retrouvai l'adolescent que nous avions connu.

– Je me répétais des mots dans ma tête, expliqua-t-il. Je regardais quelque chose et disais son nom dans ma tête. «*Avbhar*», «*Coire*», «*Skirlie*».

Il regarda timidement son oncle.

– Tu m'avais recommandé de ne pas oublier.

– C'est vrai, Ian, murmura Jamie. Je m'en félicite.

Il lui serra doucement l'épaule, puis tout à coup, ils tombèrent dans les bras l'un de l'autre, s'étreignant, se frottant mutuellement le dos.

Le temps que je me sois essuyé les yeux et mouché, ils s'étaient séparés et avaient retrouvé leur nonchalance habituelle, feignant de ne pas avoir remarqué mon accès de sentimentalisme féminin.

– J'ai conservé mon écossais et mon gaélique, mon oncle. En revanche, j'ai eu plus de mal avec mon latin.

– J'imagine que tu n'as pas eu souvent l'occasion de le pratiquer, à moins de croiser un jésuite par hasard.

Ian lui lança un regard surpris. Puis, il jeta un coup d'œil vers la porte de l'infirmerie comme pour s'assurer, avant de répondre, que personne n'arrivait.

– En fait, ça ne s'est pas vraiment passé ainsi.

Il vérifia encore que personne ne venait, puis il prit le petit sac en cuir, qu'il avait porté noué à la taille, et qui contenait tous ses biens matériels, à l'exception de son couteau, de son carquois et de son arc. Il fouilla dedans et en extirpa un livre relié de cuir noir. Il le tendit à Jamie qui l'examina d'un air perplexe.

– Juste avant de quitter Snaketown, la vieille femme, Tewaktenyonh, m'a donné ce livre. Je l'avais déjà vu. Emily…

Il s'interrompit, s'éclaircit la gorge, puis reprit :

– Un jour, Emily en avait arraché une page pour moi, afin que je t'envoie un message pour te dire que j'allais bien. Vous l'avez reçu ?

– Oui, le rassurai-je. Jamie l'a envoyé ensuite à ta mère.

Son visage s'illumina.

– Ah oui ? Tant mieux. J'espère qu'elle sera contente d'apprendre mon retour.

– Je crois en effet qu'on peut compter là-dessus, dit Jamie.

Il lui montra le livre.

– Qu'est-ce que c'est, au juste ? On dirait un bréviaire.

Ian gratta une piqûre de moustique sur le bout de son nez.

– Oui, mais ce n'en est pas un. Regarde-le bien.

Je me rapprochai de Jamie et examinai le livre par-dessus son épaule. La tranche était déchirée, là où la page de garde avait été arrachée. Il n'y avait pas de page de titre non plus, ni de caractères d'imprimerie. Cela ressemblait plutôt à un journal. Les feuilles étaient couvertes d'une écriture à l'encre noire.

Deux mots se détachaient, seuls en haut de la première page, écrits en grandes lettres tremblotantes.

Ego sum. « Je suis. »

Plus bas, l'écriture reprenait, mais dans une calligraphie plus petite et plus contrôlée, même si la manière dont les lettres étaient formées me paraissait bizarre.

Prima cogitatio est…

– « C'est la première chose qui me vienne à l'esprit… », traduisit Jamie.

Je suis. J'existe toujours. Existais-je vraiment dans ce lieu entre deux? Sans doute, puisque je m'en souviens. Je tenterai plus loin de le décrire. Pour le moment, je ne trouve pas les mots. Je me sens trop mal.

Les lettres étaient petites et rondes, toutes séparées. Elles semblaient avoir été tracées avec minutie, pourtant elles titubaient sur la page, formant une ligne penchée. Effectivement, il n'avait pas dû être dans son assiette à ce moment-là.

Lorsque le texte reprenait sur la page suivante, les lignes avaient retrouvé leur aplomb, tout comme leur auteur.

Ibi denim locus...

C'est le bon endroit. Forcément, je le savais. Mais c'est également la bonne époque, je le sens. Les arbres, les buissons sont différents. Il y avait une clairière à l'ouest. À présent, elle est complètement envahie par les lauriers. Je regardais un grand magnolia au moment d'entrer dans le cercle. Il n'est plus là, il y a un jeune chêne à sa place. Le bruit aussi est différent. On n'entend plus la grand-route et sa circulation au loin. Uniquement des oiseaux. Chantant très fort. Le vent.

Je suis encore étourdi. Mes jambes sont molles. Je ne tiens pas encore debout. Je me suis réveillé sous le mur où le serpent se mord la queue, mais à quelque distance de la dépression où nous avions tracé notre cercle. J'ai dû ramper. Mes mains sont écorchées et mes vêtements pleins de terre. Après mon réveil, je suis resté longtemps allongé sans bouger, trop mal en point pour me lever. Je me sens mieux à présent. Encore affaibli mais fou de joie. Ça a marché. Nous avons réussi.

– «Nous»?

Je levai des yeux interrogateurs vers Jamie. Il haussa les épaules et tourna la page.

La pierre a disparu. Il n'en reste qu'une traînée de suie au fond de ma poche. Raymond avait donc raison. C'était un petit saphir brut. Il faut que je me souvienne de tout noter dorénavant, pour ceux qui pourraient venir après moi.

Un frisson glacé remonta le long de ma colonne vertébrale, picotant mon cuir chevelu et faisant se dresser mes cheveux sur ma tête. Ceux qui pourraient venir après moi. Sans le vouloir, je tendis la main pour toucher le livre. Une impulsion irrésistible. Il fallait que je le touche, que je rentre en contact avec celui qui avait écrit ces mots.

Jamie me regarda, surpris. Je retirai ma main, recroquevillant les doigts. Il hésita un instant, puis reposa ses yeux sur la page qui semblait l'hypnotiser autant que moi.

Je savais à présent ce qui m'avait chiffonné dans ces petites lettres nettes. Elles n'avaient pas été tracées à la plume. L'écriture à la plume, même la plus soignée, présentait des variations d'intensité à mesure qu'on retrempait la pointe dans l'encrier. Ici, une fine ligne régulière d'encre noire, qui entaillait à peine les fibres du papier, dessinait chaque mot. Les plumes ne faisaient jamais ça.

– Un feutre, murmurai-je. Il a écrit au feutre. Mon Dieu!

Jamie leva les yeux vers moi. Je devais être pâle, car il voulut refermer le livre. Je lui fis signe de continuer à lire. Gardant un œil sur moi, il se pencha vers le bureau. Puis, son attention fut entièrement absorbée par le journal. En lisant la page suivante, il fronça les sourcils.

– Regarde.

Il me montra une ligne en latin où étaient insérés des mots écrits dans une langue inconnue. Il se tourna vers Ian.

– Ce ne serait pas du mohawk? On dirait une langue indienne. Sans doute algonquine, non?

– « Pleut Fort », lut Ian. C'est du kahnyen'kehaka, la langue mohawk. Il n'y a pas d'alphabet, mais il a retranscrit les noms phonétiquement. « Pleut fort », c'est le nom de quelqu'un. Les autres aussi : « Bon Marcheur », « Six Tortues » et « Parle avec les Esprits ». C'est du mohawk, j'en suis sûr.

Jamie le dévisagea un long moment, puis reprit sa traduction :

J'avais l'un des saphirs, Pleut Fort avait l'autre. Parle avec les Esprits avait le rubis, Bon Marcheur, le diamant, et Six Tortues, l'émeraude. Nous n'étions pas sûrs du diagramme – s'il fallait quatre points, pour les points cardinaux, ou cinq, pour former un pentacle. Comme nous étions cinq à avoir prêté le serment du sang, nous avons dessiné un cercle avec cinq points.

Il y avait un petit espace entre cette dernière phrase et la suivante. Puis l'écriture changeait, devenant plus ferme et régulière, comme si l'auteur s'était arrêté et avait repris son récit à une date ultérieure.

Je suis retourné voir. Il n'y a aucune trace du cercle, mais, après tout, pourquoi y en aurait-il ? J'ai dû rester inconscient un long moment. Nous avions dessiné le cercle juste à l'entrée de la crevasse, mais je n'ai rien trouvé m'indiquant comment j'avais rampé ou roulé jusqu'à l'endroit où je me suis réveillé, pourtant il y avait des traces dans la terre, faites par la pluie. Mes vêtements étaient humides, mais je ne saurais dire si c'était à cause de la pluie, de la rosée du matin ou de ma transpiration, après être resté exposé en plein soleil. Je suis revenu à moi aux environs de midi. Le soleil était au zénith et il faisait une chaleur étouffante. Ai-je rampé depuis la crevasse avant de m'évanouir ? À moins que j'aie été projeté à une certaine distance par la puissance de la transition ?

Ces mots résonnaient à l'intérieur de ma tête avec un étrange écho. Je ne les avais jamais entendus, mais ils m'étaient terriblement familiers. Relevant la tête, je croisai le regard de Ian qui, apparemment, me fixait depuis un certain temps, ses yeux doux chargés de spéculation.

– Oui, répondis-je simplement. Moi aussi. Tout comme Brianna et Roger.

Jamie releva les yeux à son tour et surprit le regard de son neveu. Sa main se posa automatiquement sur la mienne comme pour me protéger.

– Tu as déjà réussi à déchiffrer ce journal ? lui demanda-t-il.

– En grande partie, répondit Ian sans me quitter des yeux. Je n'ai pas tout saisi, bien sûr, certaines subtilités grammaticales m'ont sûrement échappé..., mais, oui, je crois avoir compris l'essentiel.

Jamie et moi échangeâmes un regard hésitant, puis Ian me sourit, son visage s'illuminant, empreint de profonde satisfaction.

– Mmphm... ne faites donc pas cette tête, tante Claire. Je me suis toujours douté que vous n'étiez pas une fée !

* * *

Incapable de rester éveillé plus longtemps, Ian s'était couché, résistant juste le temps de retenir Rollo par la peau du cou, pendant que j'extirpais Adso de l'armoire, sifflant comme un serpent. Son poil hérissé l'avait fait doubler de volume. Le tenant à bout de bras pour éviter d'être éviscérée moi-même, je le transportai dans notre chambre où je le jetai sur notre lit. Puis, aussitôt, j'interrogeai Jamie.

– Alors, que s'est-il passé ensuite ?

Il allumait déjà une nouvelle bougie. Déboutonnant sa chemise d'une main, tenant le livre ouvert de l'autre, il se laissa tomber sur le bord du lit, absorbé par sa lecture.

– Il n’a retrouvé aucun de ses amis. Il a fouillé les environs pendant deux jours, en les appelant. Pas une trace. Il était désemparé, mais, en même temps, il ne pouvait pas rester indéfiniment sur place. Il n’avait rien à manger et juste un couteau et un peu de sel. Il devait chasser ou trouver des gens.

Ian avait raconté que Tewaktenyonh lui avait donné le livre. Celui-ci avait appartenu à un homme nommé Dent de Loutre. Un membre de ma famille, avait-elle spécifié.

C’était moi-même qui le lui avais décrit ainsi, ne sachant pas comment qualifier autrement ce lien entre les voyageurs dans le temps. Je n’avais jamais rencontré Dent de Loutre, du moins pas de son vivant, mais s’il était bien celui que je pensais, alors sa tête était enterrée dans notre petit cimetière, avec ses plombages.

Peut-être allais-je enfin apprendre qui il avait été… et comment il avait connu une fin aussi radicale.

– Ce n’était pas un grand chasseur, dit Jamie en arquant un sourcil critique. Il n’arrivait même pas à prendre un écureuil au collet, en plein milieu de l’été !

Heureusement pour Dent de Loutre, il connaissait quelques plantes comestibles et semblait particulièrement fier de pouvoir distinguer une papaye d’un kaki.

– Il n’y a vraiment pas de quoi ! m’exclamai-je. Les kakis ressemblent à des balles de base-ball orange !

– Oui, et ils ont un goût de résidu de pot de chambre, ajouta Jamie qui n’en était pas un grand amateur. Toutefois, comme il avait très faim, il ne pouvait être trop difficile…

Il avait erré dans la nature un certain temps, même si «errer» n’était pas le mot exact. Il avait choisi une direction spécifique, se guidant sur les étoiles et le soleil. C’était étrange… que cherchait-il donc ?

Il avait fini par tomber sur un village, notant qu’il ne parlait pas la langue de ses habitants…

– Qu’est-ce qui lui fait croire qu’il aurait dû la comprendre ? s’étonna Jamie.

… et avait été extraordinairement bouleversé – d'après ce qu'il écrivait – de constater que les femmes cuisinaient dans des casseroles en fer.

– Oui, Tewaktenyonh m'en a parlé ! m'exclamai-je. Elle m'a parlé de cet homme qui n'arrêtait pas de faire toute une histoire au sujet de leurs marmites, de leurs couteaux et de leurs fusils. Il répétait que les Indiens… comment disait-elle déjà ? …. Ah oui, qu'ils devaient « retrouver les us de leurs ancêtres », ou que l'homme blanc les dévorerait tout cru.

– Un excité, avec un certain penchant pour la rhétorique, marmonna Jamie.

Toujours rivé à son livre, il lut :

J'ai échoué. Je suis arrivé trop tard.

Il se redressa contre la tête du lit, me lança un regard, puis poursuivit :

Je ne sais pas exactement à quelle époque je suis et ne peux le déterminer. Les gens d'ici n'utilisent aucun système chronologique que je comprenne, et cela ne changerait rien si je connaissais suffisamment leur langue pour le leur demander. Mais je sais que je suis arrivé trop tard.

Si j'étais arrivé à l'époque escomptée, avant 1650, il n'y aurait pas eu de fer dans un village situé si loin dans les terres. Son usage courant dans la vie domestique prouve que j'ai au moins cinquante ans de retard… peut-être plus.

Cette découverte plongea Dent de Loutre dans un profond désespoir pendant plusieurs jours. Puis, il se ressaisit, décidant qu'il n'avait pas d'autre choix que de continuer. Il avait donc repris la route seul, avec quelques provisions offertes par les villageois, marchant vers le nord.

– J'ignore où il pensait aller, observa Jamie, mais il ne manquait pas de cran. Ses amis sont morts ou disparus. Il n'a rien avec lui, ne sait même pas où il est et, pourtant, il poursuit sa route.

– Que pouvait-il faire d'autre?

Je me rappelai les premiers jours après mon propre passage à travers les pierres. Cependant, il y avait une différence : cet homme avait choisi de venir. Nous en ignorions encore le pourquoi et le comment.

Marchant dans la nature, avec son petit livre noir pour seule compagnie, Dent de Loutre avait décidé d'occuper son esprit à coucher par écrit le récit de son voyage, y compris ses motivations et ses objectifs.

Peut-être échouerai-je dans ma tentative... notre tentative. De fait, tout porte à croire que je finirai ici, seul au milieu de nulle part. Mais si tel est le cas, l'idée que perdure une trace de notre noble entreprise demeure ma seule consolation... C'est là le seul monument que je peux ériger à la mémoire de ceux qui ont été mes frères, mes compagnons dans cette aventure.

Jamie s'interrompit et se frotta les yeux. La chandelle était presque consumée, et, à force de bâiller, mes propres yeux larmoyaient tellement que je distinguais à peine les pages dans la lumière vacillante.

– Arrêtons là, proposai-je. Je n'arrive plus à me concentrer. Et puis, Brianna et Roger devraient probablement entendre cette histoire, eux aussi.

Jamie s'ébroua, clignant des paupières.

– Tu as raison, *Sassenach.*

Il referma le livre et le déposa sur la table de chevet. Je ne pris même pas la peine de faire ma toilette. Je me débarrassai tant bien que mal de mes vêtements et me glissai en chemise dans le lit, délogeant Adso qui se retrancha à nos pieds, en rechignant. Quelques instants plus tard, il ronronnait, en rythme avec le doux ronflement régulier de Jamie.

Je trouvais leurs deux présences apaisantes. La plupart du temps, j'étais bien chez moi, ancrée dans le petit trou que je m'étais fait dans ce monde, heureuse d'être avec Jamie, quelles que soient les circonstances. Toutefois, de temps à autre, je me rendais compte de l'ampleur du gouffre que j'avais franchi, de la perte du monde dans lequel j'étais née… je me sentais alors complètement seule. Et effrayée.

Le fait d'entendre les mots de cet homme, sa panique, son désespoir, avait ravivé en moi le souvenir de mes traversées.

Je me blottis contre mon époux endormi, réchauffée et enracinée, et entendis les paroles de Dent de Loutre comme s'il les chuchotait dans mon oreille. Son cri de désolation se réverbérait et traversait les barrières du temps et du langage.

Au bas d'une page, l'écriture s'était faite de plus en plus hâtive, certaines lettres à peine comme des points d'encre, les terminaisons avalées dans une danse arachnéenne frénétique, le latin de l'auteur se dissolvant dans le désespoir.

Mon Dieu, mon Dieu…
Où sont-ils ?

* * *

Il fallut attendre le lendemain après-midi avant de parvenir à rassembler Brianna, Roger et Ian afin de se retirer discrètement dans le bureau de Jamie, sans attirer l'attention. La veille au soir, en raison du retour de Ian et de la fatigue, tout m'avait paru raisonnable. Mais, à mesure que je vaquais à mes tâches à la lueur du jour, j'avais de plus en plus de mal à me convaincre que le journal existait vraiment et que je ne l'avais pas tout simplement rêvé.

Pourtant, quand je les rejoignis dans le bureau, il était bien là, solide, sur la table. Jamie et Ian avaient passé la matinée à le traduire. À la manière dont les cheveux de Jamie étaient dressés sur sa tête, je devinais qu'il avait trouvé la lecture soit profondément captivante, soit très dérangeante, soit les deux.

– Je leur ai déjà expliqué, me déclara-t-il sans préambule avec un signe de tête vers Roger et Brianna.

Ils étaient assis côte à côte sur des tabourets, l'air solennel. Jemmy était sous la table, jouant avec un collier de perles en bois. Je pris place sur la dernière chaise disponible.

– Vous avez tout lu? demandai-je.

Jamie hocha la tête en regardant Ian qui se tenait devant la fenêtre, trop énervé pour rester assis, presque aussi échevelé que son oncle.

– Nous n'allons pas vous lire tout le texte à voix haute, mais je voulais commencer par l'extrait où il raconte comment tout a débuté pour lui.

Il avait marqué l'endroit avec la bande en cuir qu'il utilisait habituellement comme signet.

Le nom qui m'a été donné à ma naissance est Robert Springer. Je le rejette, avec tout ce qu'il représente, car c'est le fruit amer de siècles de meurtres et d'injustice, le symbole du pillage, de l'esclavage et de l'oppression...

Jamie releva les yeux.

– Vous comprenez pourquoi je n'ai pas voulu tout vous lire, il y en a des tartines entières dans cette même veine.

Suivant sa ligne du bout de l'index, il reprit :

– « Dans l'année de notre Seigneur... leur Seigneur, ce Christ au nom duquel ils violent et pillent et... » patati et patata, je passe, mais, en bref, l'année en question est mille neuf cent soixante-huit. Vous devriez donc être au courant de ces meurtres et pillages dont il parle, non?

Il haussa les sourcils vers Brianna et Roger.

Brianna se redressa brusquement, agrippant le bras de Roger.

– Je connais ce nom ! Robert Springer, je le connais !

– Tu le connaissais ? m'exclamai-je, stupéfaite.

– Non, pas lui personnellement, son nom. Je l'ai lu dans les journaux. Pas toi ?

Elle se tourna vers Roger qui fit non de la tête.

– C'est sans doute normal, habitant en Écosse, reprit-elle. Mais chez nous, à Boston, il a beaucoup fait parler de lui. Je crois me souvenir qu'il faisait partie des Cinq de Montauk.

– Des cinq quoi ? demanda Jamie.

– C'était juste un nom pour attirer l'attention. Ce n'est pas important. C'étaient des militants d'AIM, du moins ils ont commencé à l'AIM, mais ils étaient trop extrémistes, même pour le mouvement.

Voyant l'air perplexe de son père et de son cousin, elle leur dressa un bref et triste tableau des conditions de vie déprimantes des Indiens au XXe siècle.

Jamie pianota sur le rebord de la table, l'air concentré.

– Si je comprends bien, ce Robert Springer était un Indien. Voilà qui correspond bien avec son récit. Lui et ses amis n'avaient pas grande estime pour le comportement de ceux qu'ils appelaient « les Blancs ». Je suppose qu'ils voulaient parler des Anglais. Ou des Européens ?

– Euh… oui, sauf qu'en mille neuf cent soixante-huit, ce n'étaient plus des Européens mais des Américains… Le problème, c'est que les premiers Américains étaient les Indiens, alors on les a appelés des Amérindiens et…

Roger lui tapota discrètement le genou.

– On pourra peut-être revenir sur la partie historique plus tard. Qu'as-tu lu au juste sur Robert Springer ?

Arrêtée dans son élan, elle fronça les sourcils, cherchant à se souvenir.

– Oh… euh… Ils ont disparu … Oui, c'est ça, Ils ont disparu, les Cinq de Montauk. Ils étaient recherchés par le gouvernement pour avoir fait sauter quelque chose… ou avoir menacé de le faire, je ne sais plus. Ils ont été arrêtés, puis libérés sous caution en attente de leur procès et… c'est là qu'ils ont disparu.

Ian lança un regard vers le journal.

– Maintenant, on sait où, murmura-t-il.

– Ça a fait la une de tous les journaux pendant une semaine. Les autres militants accusaient le gouvernement de s'être débarrassé d'eux, de peur qu'ils ne révèlent des informations compromettantes au cours de leur procès et, bien sûr, le gouvernement démentait. Il y a eu une grande enquête. Il me semble qu'ils ont fini par découvrir le corps de l'un d'eux… dans les bois, quelque part dans le New Hampshire ou le Vermont…, mais sans jamais expliquer les circonstances de sa mort. On n'a jamais retrouvé la trace des autres.

Mes poils se hérissèrent dans ma nuque.

– *Où sont-ils ?* citai-je dans un murmure. *Mon Dieu, où sont-ils ?*

Jamie hocha sobrement la tête.

– Oui, je crois bien que ce Springer est notre homme.

Il effleura la page devant lui avec une sorte de respect.

– Lui et ses compagnons ont rejeté tout lien avec le monde blanc, prenant de nouveaux noms dans leur vraie culture… c'est ce qu'il raconte.

– Ils ont fait ce qu'ils devaient faire, dit Ian.

Il avait répondu avec un calme nouveau, qui me rappela soudain qu'il avait été un Mohawk au cours de ces deux dernières années, purifié de son sang blanc, rebaptisé Frère du Loup, devenu l'un des Kahnyen'kehakas, les gardiens de la porte de l'ouest.

Jamie tourna lentement les pages du journal tout en nous résumant leur contenu.

Robert Springer – ou Ta'wineonawira – « Dent de Loutre », comme il choisit lui-même de se nommer, entretenait de nombreux liens avec le monde clandestin de l'extrémisme politique et avec l'univers encore plus souterrain de ce qu'il appelait le chamanisme amérindien. J'ignorais si ce qu'il faisait se rapprochait vraiment des croyances originales des Iroquois, mais Dent de Loutre pensait descendre des Mohawks et avait fait siens les vestiges de traditions qu'il avait pu glaner… ou inventer.

C'est au cours d'une cérémonie de baptême que j'ai rencontré Raymond.

Je me redressai brusquement. Il avait déjà mentionné ce Raymond au début, mais je n'y avais pas fait attention.
– Décrit-il ce Raymond? demandai-je.
– Pas physiquement, répondit Jamie. Il dit uniquement que c'était un grand chaman capable de se métamorphoser en oiseau ou en mammifère… et qui pouvait marcher à travers le temps.
Il me lança un regard interrogateur.
– Je ne sais pas, dis-je. J'y ai songé un moment, mais à présent… je ne sais pas.
Perplexes, les yeux de Brianna allaient de Jamie à moi.
– Quoi? s'impatienta-t-elle.
– Rien. J'ai connu un Raymond à Paris et j'ai pensé que…, mais que fabriquerait-il aux États-Unis en mille neuf cent soixante-huit?
– Tu y étais bien, toi, observa Jamie. Mais, laissons ça de côté pour l'instant…
Il reprit sa traduction du texte. Intrigué par le fameux Raymond, Dent de Loutre l'avait rencontré à plusieurs reprises et lui avait présenté certains de ses proches amis. Peu à peu s'était dessiné leur projet – *un plan audacieux, magnifique, d'une conception époustouflante!*
– Modeste avec ça! marmonna Roger.

Il y avait une épreuve. Nombreux sont ceux qui échouèrent mais pas moi. Nous étions cinq à l'avoir passée avec succès, à avoir entendu la voix du temps ; cinq d'entre nous à prêter serment, sur notre sang et avec notre sang, d'entreprendre cette grande aventure, de sauver notre peuple de la catastrophe. Cinq à nous engager à réécrire son histoire et à redresser ses torts, à...

Roger gémit.

– On croit rêver ! Que comptaient-ils faire, assassiner Christophe Colomb ?

– Pas tout à fait, intervins-je. Il voulait arriver avant 1600. Que s'est-il passé autour de cette date ?

Jamie se gratta le sommet du crâne.

– Je ne sais pas, mais je devine ce qu'il avait projeté de faire : aller trouver la Ligue iroquoise et l'inciter à se soulever contre les colons blancs. Ces derniers étant encore peu nombreux, les Indiens les auraient facilement éliminés, à condition que les Iroquois ouvrent la voie.

– Il a peut-être raison, dit Ian. J'ai entendu des anciens raconter des histoires. Lorsque les premiers O'seronni sont arrivés, ils ont été bien accueillis et ont apporté des produits à échanger. Il y a cent ans, les O'seronni n'étaient pas nombreux... les Kahnyen'kehaka étaient alors les maîtres, les meneurs des Nations. Oui, à l'époque, ils auraient réussi, s'ils l'avaient voulu.

– Oui, mais il n'aurait jamais pu arrêter l'afflux des Européens, objecta Brianna. Il y en avait bien trop. Il ne comptait pas convaincre les Mohawks d'envahir l'Europe tout de même ?

À cette idée, un large sourire s'afficha sur le visage de Jamie.

– J'aurais bien voulu voir ça. Les Mohawks auraient sûrement donné une belle raclée aux *Sassenach*s. Mais non, hélas, notre ami Robert Springer n'était pas ambitieux à ce point.

Cela dit, le projet de Dent de Loutre et de ses compagnons ne manquait pas d'envergure et aurait peut-être

– juste peut-être – pu marcher. Ils n'étaient pas fous au point de vouloir empêcher toute colonisation des Blancs, conscients que cette idée était utopique. Ils voulaient simplement mettre les Indiens en garde contre les envahisseurs, afin qu'ils négocient avec eux selon leurs propres règles, qu'ils définissent les termes du commerce en assumant d'emblée une position de supériorité.

Au lieu de les laisser s'implanter en grand nombre, ils les auraient cantonnés dans de petites villes. Au lieu de les laisser construire des fortifications, ils auraient pu exiger des armes. L'idée était de toujours rester plus nombreux, plus armés que les Blancs et d'obliger les Européens à transmettre leur maîtrise et leur connaissance des métaux.

– *Prometheus redux*, dis-je.

Roger hocha la tête d'un air admiratif.

– C'est un peu tiré par les cheveux, mais il faut quand même saluer leur culot. Ça aurait effectivement pu marcher... S'ils parvenaient à convaincre les Iroquois. Si ces derniers agissaient au bon moment, avant que la balance des pouvoirs ne bascule du côté des Européens. Mais tout est allé de travers, n'est-ce pas? D'abord, il débarque à la mauvaise époque – beaucoup trop tard –, puis il se rend compte qu'aucun de ses copains n'a réussi la traversée.

Je vis soudain la chair de poule sur les bras de Brianna, tandis qu'elle imaginait ce que signifiait d'arriver ailleurs, pas dans son époque... seul. Nos regards se croisèrent, le sien chargé de compassion et de compréhension.

– En effet, reprit Jamie. Il dit lui-même avoir failli devenir fou de désespoir quand il a compris l'échec de leur plan. Il a envisagé de rebrousser chemin, mais il n'avait plus de gemme. Or, d'après le dénommé Raymond, il lui en fallait absolument une, pour sa protection.

– Il a fini par en trouver une, dis-je.

Je me levai et allai chercher la grosse opale brute sur la plus haute étagère du bureau.

Tewaktenyonh, une vieille mohawk, chef du Conseil des mères, me l'avait donnée, lorsque je m'étais rendue dans le village de Snaketown pour y délivrer Roger retenu captif. Elle m'avait également raconté l'histoire de Dent de Loutre.

La grosse pierre lisse était chaude dans ma main. Je passai doucement mon pouce sur la spirale incisée. «Le serpent qui se mord la queue», avait-il dit.

– Il n'en parle pas dans son journal, dit Jamie. Celui-ci s'arrête alors que, comprenant qu'il n'y a rien à faire, il décide de suivre le plan prévu, quelle que soit l'année, qu'il soit seul ou pas.

Tout le monde resta silencieux un moment, réfléchissant à l'énormité – et à la futilité – d'un tel projet.

– Il ne pensait pas sérieusement y arriver, dit Roger.

Jamie toucha doucement la page ouverte devant lui.

– Non, il le dit en conclusion… les siens sont morts par milliers pour leur liberté et des milliers d'autres mourront dans les années à venir. Il préfère marcher sur leurs pas, pour l'honneur de son sang. Un guerrier mohawk ne peut rêver mieux que de mourir en combattant.

J'entendis Ian soupirer derrière moi. Brianna pencha la tête, si bien que ses cheveux cachaient son visage. Roger était tourné vers elle, le profil grave. Mais aucun d'eux ne voyait ce que, moi, je voyais : un homme au visage peint du masque de la mort, marchant dans une forêt ruisselante de pluie, brandissant une torche brûlant d'un feu terne.

Roger se redressa brusquement et, montrant le livre, demanda :

– Ce qui m'étonne, c'est pourquoi a-t-il tenu son journal en latin?

– Il l'explique, répondit Jamie. Il avait appris le latin à l'école, peut-être déteste-t-il les Européens pour ça…

Il fit un clin d'œil à Ian, qui grimaça.

– … Il a pensé que s'il écrivait en latin, ceux qui tomberaient dessus par hasard penseraient avoir trouvé un bréviaire de prêtre et n'y prêteraient pas attention.

– Les Kahnyen'kehakas pensaient exactement cela, déclara Ian. Cependant, la vieille Tewaktenyonh le conservait. Quand je suis parti, elle me l'a confié en me disant que je devais l'emporter et vous le donner, tante Claire.

– À moi?

J'osais à peine le toucher, mais je tendis quand même la main et caressai les pages ouvertes. Vers la fin, l'encre avait commencé à sécher, certaines lettres n'étant plus que de petits traits sur le papier. Avait-il jeté le feutre une fois vide? Ou l'avait-il gardé comme un souvenir de son futur évanoui?

Le visage de Ian était impassible, mais une lueur troublait le fond de ses yeux noisette.

– Tu crois qu'elle en connaissait le contenu? lui demandai-je.

– Je ne sais pas. Elle était au courant de quelque chose, mais j'ignore quoi. Elle ne m'a rien dit, sinon que je devais vous l'apporter.

Il hésita, son regard passant de moi à Brianna et à Roger.

– C'est vrai ce que tu as raconté, cousine? Au sujet de ce qui va arriver aux Indiens?

Elle releva les yeux et acquiesça.

– Malheureusement, oui. Je suis désolée, Ian.

Il se frotta l'arête du nez d'un doigt songeur. Il n'avait pas oublié les siens, mais, désormais, les Kahnyen'kehakas faisaient aussi partie de lui. Indépendamment de ce qui l'avait poussé à partir.

J'allais enfin me résoudre à lui demander ce qui était arrivé à sa femme, quand Jemmy attira mon attention. Pendant que nous parlions, il avait pris l'opale et l'avait emportée sous la table. Il était engagé dans une conversation animée – et inintelligible – avec elle depuis plusieurs minutes, lorsque son ton changea.

– Chaud, déclara-t-il. Maman, c'est CHAUD!

Brianna avait déjà bondi de son tabouret, l'air inquiet, quand j'entendis le bruit, comme le chant d'un verre en cristal. Alarmé, Roger se leva.

Brianna se pencha, extirpa Jemmy de sous la table et se redressa avec lui. Il y eut alors un «pop!» soudain, comme un coup de feu. Le chant lancinant cessa aussitôt.

– Mon Dieu! souffla Jamie.

Des éclats de feu rebondirent contre les étagères, les livres, les murs, les plis profonds de la jupe de Brianna. L'un d'eux passa en sifflant près de la tête de Roger, éraflant son oreille. Une petite goutte de sang perla, mais il ne parut pas s'en rendre compte.

Une traînée de minuscules étoiles brillaient sur la table, là où une pluie d'échardes projetées du sol avait traversé le bois. Ian poussa une exclamation et se pencha pour ôter un éclat pris dans le gras de son mollet. Jemmy se mit à pleurer. Dehors, Rollo aboyait furieusement.

L'opale avait explosé.

* * *

Il faisait encore jour. La flamme de la bougie était presque invisible dans la lumière de fin d'après-midi qui filtrait par la fenêtre. Jamie souffla sur la mèche dont il s'était servi pour l'allumer, puis il se rassit derrière son bureau.

– Tu n'as rien senti d'inhabituel quand tu as touché la pierre tout à l'heure, *Sassenach*?

J'étais encore sous le choc de l'explosion, l'écho de ce bruit étrange résonnant encore dans mes oreilles.

– Non, elle était chaude, mais comme tout dans la pièce. Et elle n'émettait pas ce bruit…

– Quel bruit? Tu veux dire la détonation?

– Non, avant. Tu ne l'as pas entendu?

Il fit non de la tête. Je regardai les autres. Brianna et Roger, tous deux livides, firent signe que oui. Ian paraissait intrigué mais perplexe.

– Je n'ai rien entendu. À quoi ça ressemblait?

Brianna ouvrit la bouche pour répondre, mais Jamie l'arrêta d'un geste.

– Un instant, *a nighean*. Jemmy, *a ruradh*, tu as entendu un bruit avant le grand bang?

L'enfant s'était remis de sa frayeur, mais était encore blotti dans les bras de sa mère, suçant son pouce. Il dévisagea son grand-père de ses yeux bleus, de plus en plus en forme d'amande, et hocha lentement la tête.

– Et la pierre de grand-mère, elle était chaude?

Il me jeta un regard accusateur et acquiesça de nouveau. Je frémis en songeant à ce qui aurait pu lui arriver si Brianna ne l'avait pas soulevé à temps.

Nous avions ramassé presque tous les éclats fichés dans le bois. Ils formaient à présent un tas sur le bureau. L'un d'eux m'avait éraflé un doigt. Je le portai à ma bouche, goûtant mon sang.

– Mince, ces petits éclats sont aussi tranchants que du verre.

– Mais c'est du verre! répliqua Brianna.

– Du verre? s'étonna Roger. Ce n'était pas une vraie opale?

– Si, bien sûr, mais les opales sont du verre. Du verre volcanique très dur. Les gemmes sont jolies parce qu'elles ont une structure cristalline. Celle de l'opale est particulièrement friable. Je savais qu'on pouvait en briser une en la frappant avec un marteau, mais je n'avais jamais entendu dire qu'elles pouvaient éclater toutes seules comme ça!

Jamie saisit un gros éclat sur la table et me le tendit.

– Garde-le dans la main, *Sassenach*. Est-ce qu'il te paraît chaud?

Je le pris délicatement. Il ne pesait presque rien. Il était translucide, avec des reflets vifs, bleus et orange.

– Oui. Il n'est pas brûlant, mais… je dirais… à la température de ma peau.

– Pour moi, il était frais, dit Jamie. Donne-le à Ian.

Celui-ci le prit à son tour dans le creux de sa main, le touchant avec précaution du bout d'un doigt, comme s'il s'agissait d'un petit animal qu'il valait mieux ne pas contrarier.

– Il est frais. Comme un morceau de verre.

La suite du tour de table révéla que la pierre semblait chaude, mais pas exagérément, à Brianna, à Roger et à moi, mais pas à Ian et à Jamie. Entre-temps, la bougie avait assez fondu pour que Jamie puisse récupérer les pierres qui y étaient cachées. Il essuya la cire chaude avec un mouchoir, puis aligna les gemmes sur le bord du bureau pour les faire refroidir.

Jemmy observait avec un grand intérêt, sa mésaventure apparemment oubliée.

– Elles te plaisent, *an ghille ruaidh*? lui demanda Jamie.

L'enfant hocha vigoureusement la tête.

Jamie saisit l'émeraude, une pierre grossièrement taillée de la grosseur de son pouce.

– Tends la main, *a bailach*.

Brianna parut réticente, mais elle se mordit la lèvre et encouragea son fils à obéir à son grand-père. L'enfant prit la pierre d'un air suspicieux, puis sourit.

– C'est chaud? demanda Brianna.

– Oui, chaud, répondit-il en la serrant contre son ventre.

– Laisse maman voir.

Elle parvint non sans mal à la toucher, sans pour autant réussir à la lui faire lâcher.

– Oui, elle est chaude, confirma-t-elle. Comme le fragment d'opale.

Elle se pencha vers Jemmy.

– Si ça devient trop chaud, tu jettes le caillou, promis?

Roger avait suivi la scène, fasciné.

– Vous aviez dit moitié-moitié ou trois chances sur quatre, n'est-ce pas? me chuchota-t-il.

Jamie se tourna vers lui, puis vers moi, arquant un sourcil interrogateur.

– Pardon?

– Je crois qu'il peut… voyager, dis-je le ventre noué. Tu te souviens, Dent de Loutre a dit qu'ils avaient dû subir une épreuve pour vérifier s'ils pouvaient entendre «la voix du temps». Nous savons que tout le monde ne peut pas… faire ça.

Je me sentais étrangement gênée d'en parler devant Ian.

– D'après lui, repris-je, ils avaient un moyen de savoir à l'avance qui pouvait ou non, sans avoir à franchir le pas.

Jemmy ne prêtait plus attention à la conversation des adultes. Il se balançait d'avant en arrière, fredonnant un air à la pierre qu'il gardait contre lui.

Roger se pencha et lui prit le bras.

– Jemmy, tu peux entendre la pierre? Est-ce qu'elle te chante quelque chose?

Surpris, Jemmy releva les yeux.

– Non, dit-il sur un ton incertain.

Puis :

– Oui.

Il pressa l'émeraude contre son oreille, fronçant les sourcils, puis la tendit vers Roger.

– Papa chante!

Celui-ci la prit et la porta à son tour à son oreille. Il écouta attentivement, plissant le front, puis haussa les épaules.

– Ce n'est pas… je ne peux pas… je ne peux pas dire que j'entends quelque chose, mais il y a comme un… Tiens, essaie pour voir.

Il tendit la pierre à Brianna, puis elle me la donna. Aucun de nous trois n'avait entendu de son particulier, et pourtant il m'avait semblé percevoir un son. Pas vraiment un bruit. Plutôt une vibration très, très lointaine.

Ian avait suivi l'expérience, captivé.

– Qu'est-ce que c'est? Aucun de vous trois n'est *sìdheanach*. Alors, comment se fait-il que vous puissiez… faire ce que vous faites, mais pas oncle Jamie ni moi?

Pris d'un doute soudain, il se tourna vers son oncle.

– Tu ne peux pas, toi non plus, n'est-ce pas?

– Non, Dieu soit loué!

– C'est génétique, non? demanda Brianna. Je ne vois pas d'autre explication.

Ce terme barbare intrigua Jamie et Ian.

– Génétique?

– Pourquoi pas? répondis-je à Brianna. Tout le reste l'est. Le groupe sanguin, la couleur des yeux…

– Mais tout le monde a des yeux et du sang, *Sassenach,* objecta Jamie. Mais ça…

Il montra les gemmes sur le bureau.

Je poussai un soupir d'impatience.

– Oui, mais beaucoup d'autres choses sont génétiques. À vrai dire, tout! Regarde…

Je lui tirai la langue. Il écarquilla les yeux. Brianna pouffa de rire en voyant sa tête.

Je rentrai la langue, puis la ressortis, cette fois ses bords enroulés en forme de cylindre.

– Alors? dis-je. Tu sais faire ça?

Jamie parut amusé.

– Bien sûr que je le peux!

Il tira à son tour une langue enroulée, l'agita, puis la rentra.

– Tout le monde peut le faire. N'est-ce pas, Ian?

Ian nous en fit aussitôt la démonstration.

– Rien de plus facile! Tout le monde sait faire ça!

– Pas moi, dit Brianna.

Jamie la regarda, interloqué.

– Comment ça?

– Blaaah!

Elle sortit une langue désespérément plate et l'agita de droite à gauche.

– Mais si, tu peux! déclara Jamie. Attends, je vais te montrer…

Il sortit de nouveau la langue, l'enroulant et la déroulant comme un fourmilier paternel anxieux encourageant sa progéniture à savourer une appétissante masse d'insectes. Puis, il jeta un œil vers Roger. Celui-ci haussa des épaules navrées.

– Eh non ! Moi non plus. Blaaah !

Une langue plate.

– Tu vois ? m'exclamai-je, triomphante. Il y en a qui peuvent enrouler leur langue et d'autres pas. Ça ne s'apprend pas. Tu nais avec ou sans.

Jamie lança un regard soupçonneux en direction de Brianna et de Roger, puis se tourna vers moi.

– Admettons un instant que tu aies raison… Pourquoi notre fille ne peut pas, alors que toi et moi, nous le pouvons ? Tu m'as bien assuré que c'était ma fille, non ?

– Oui, c'est bien ta fille. Avec des yeux pareils, n'importe qui pourra te le confirmer.

– Soit, je veux bien te croire sur parole, *Sassenach*. Mais cette histoire de langue, alors ?

– Eh bien… tu sais d'où viennent les bébés, commençai-je. L'ovule et…

– Oui, je sais, me coupa-t-il.

– Eh bien, l'enfant prend une part de sa mère et une part de son père. Parfois, l'influence du père est plus visible que celle de la mère et inversement, mais les deux sont là, présentes. On les appelle des gènes… les bébés héritent de ceux de leurs deux parents et ils affectent leur apparence et leurs facultés.

Jamie observa Jemmy qui s'était remis à fredonner en tentant d'empiler les gemmes, le soleil brillant dans ses cheveux cuivrés. Il surprit le regard de Roger sur lui et revint rapidement vers moi.

– Oui, et alors ?

– Les gènes n'affectent pas uniquement la couleur des cheveux ou des yeux, repris-je, emportée dans mon élan professoral. Chaque personne possède deux gènes pour chaque trait, un de son père et un de sa mère. Lorsque les… euh… gamètes se forment dans les ovaires et les testicules…

– Tu pourrais peut-être m'expliquer tout ça plus tard, *Sassenach*, m'interrompit-il.

Il jeta un regard en biais à Brianna, estimant visiblement que des mots tels que testicules n'étaient pas faits pour les oreilles de sa fille. Les siennes étaient en feu.

– C'est bon, papa, dit-elle en souriant. Figure-toi que je sais comment on fait les bébés.

J'en profitai pour reprendre les rênes de la conversation.

– Je disais donc, on a une paire de gènes par trait, un de son père et un de sa mère, mais, lorsqu'on fait un enfant, on ne lui transmet qu'un des membres de sa paire, l'enfant obtenant l'autre de son autre parent, tu me suis?

Fascinés, Jamie et Roger acquiescèrent dans un même mouvement.

– ... certains gènes sont dits dominants et d'autres récessifs. Quand une personne a un gène dominant, c'est celui qui s'exprime, à savoir, qui se voit. Elle peut avoir un autre gène, récessif qu'on ne verra pas, mais qui peut quand même être transmis à son enfant.

– On ne t'a pas enseigné ça à l'école, Roger? demanda Brianna, amusée.

– Si, mais je ne devais pas écouter. Après tout, à l'époque, je ne pensais pas en avoir besoin un jour!

– Donc..., poursuivis-je, toi et moi, Jamie, nous avons tous les deux le gène dominant qui permet de rouler sa langue. Mais...!

Je brandis un doigt.

– ... Nous avons sûrement aussi un gène récessif qui nous empêche de rouler la langue. Apparemment, nous l'avons tous les deux légué à Brianna. Même chose pour Roger. Il doit avoir deux gènes récessifs qui ne lui permettent pas de rouler sa langue, car, s'il n'avait qu'un seul des gènes dominants, il pourrait la rouler. C.Q.F.D.

– C'est quoi «tessicule»? demanda une petite voix.

Jemmy avait abandonné ses pierres et m'observait avec un profond intérêt.

– Euh…

Je lançai un regard à la ronde, appelant à l'aide.

– C'est un mot savant pour tes roupettes, mon bonhomme, dit Roger avec un sourire.

– Roupettes ? J'ai des roupettes ? Où ça ?

– Euh…, fit à son tour Roger.

Il regarda Jamie qui se mit à fixer le plafond.

– Après tout, tu es le seul en kilt ici, mon oncle, lança Ian, hilare.

Jamie lui lança un regard noir, mais, avant qu'il n'ait pu lui répondre, Roger se pencha et mit une main en coupe sous l'entrejambe de son fils.

– Ici, *a bhalaich*.

Jemmy se tripota un instant, puis releva les yeux vers lui.

– C'est pas une roupette, ça ! C'est un zizi !

Jamie poussa un profond soupir et se leva. Il fit un petit signe de tête à Roger, puis se pencha et prit Jemmy par la main.

– Allez, viens avec moi dehors, mon grand. Ton papa et moi, on va te montrer.

Brianna était aussi rouge que ses cheveux et avait de plus en plus de mal à contenir son envie de rire. Sur le pas de la porte, cédant à une impulsion, Jamie regarda son petit-fils et lui tira une langue en cylindre.

– Tu peux faire ça, *a ruadh* ?

Brianna émit un bruit de canard qu'on étrangle. Roger se figea, fixant Jemmy comme s'il était un explosif, prêt à éclater comme l'opale.

Une seconde trop tard, Jamie comprit son erreur et pâlit.

– Foutre ! lâcha-t-il entre ses dents.

Jemmy roula des yeux réprobateurs.

– Vilain, grand-père ! Vilain mot ! Hein, maman ?

– Tu as raison, dit Brianna en fusillant son père du regard. On lavera la bouche de grand-père avec du savon.

Il avait déjà l'air d'en avoir avalé un pain entier, et au suif par-dessus le marché.

– Oui, c'était très mal de ma part, Jeremiah. Je demande pardon à ces dames.

Il s'inclina formellement devant moi, puis devant Brianna, déclarant dans son meilleur français :

– *Je suis navré, mesdames**.

Puis, il ajouta à l'attention de Roger :

– *Toutes mes excuses, monsieur**.

Aussitôt, comme chaque fois qu'on prononçait un mot en français devant lui, le visage de Jemmy revêtit cet air de ravissement béat et, visiblement, selon le souhait de Jamie, proposa immédiatement sa propre contribution à la langue de l'art courtois et de la chevalerie, en entonnant :

– *Frère Jacques, Frère Jacques**...

Roger regarda Brianna, et un fluide sembla circuler dans l'air, entre eux. Il se pencha pour prendre l'autre main de Jemmy, interrompant sa chanson.

– *A bhalach*, regarde grand-père, tu sais tirer la langue comme lui ?

Il fit signe à Jamie qui prit une grande inspiration et sortit de nouveau sa langue en cylindre.

Jemmy éclata de rire.

– Blaaah !

Une langue plate.

Un soupir de soulagement collectif traversa la pièce. Soutenu à chaque main, Jemmy leva les pieds et se balança entre les deux hommes. Puis, il se souvint de la question initiale.

Grand-papa a des roupettes ?

Oui, mon garçon, j'en ai. Mais celles de ton père sont plus grosses. Allez, viens.

Les deux hommes sortirent dans le couloir, le soutenant entre eux comme un gibbon suspendu, les genoux relevés sous le menton.

---

* En français dans le texte. *(N.D.T.)*

110

L'homme de sang

J'effritai des feuilles de sauge sèches entre mes paumes au-dessus des braises, libérant une pluie de miettes gris-vert. Le soleil bas rejoignait la crête des châtaigniers et le petit cimetière était déjà plongé dans l'ombre. *Comme nous étions cinq, nous avons dessiné un cercle avec cinq points*. Nous avions convenu que la cérémonie n'était pas uniquement pour l'homme aux plombages dentaires, mais également pour ses quatre compagnons, ainsi que pour Daniel Rawlings dont la nouvelle et dernière demeure se trouvait non loin, sous un grand sorbier.

La fumée s'éleva de la petite marmite, pâle et odorante. J'avais apporté d'autres herbes, mais je savais que, pour les Tuscaroras, les Cherokees et les Mohawks, la sauge était sacrée et sa fumée purificatrice.

Je jetai des aiguilles de genièvre dans les flammes, suivies de rue, qu'ils appelaient l'herbe de grâce, et de romarin, symbole de mémoire.

La brise fit bruisser doucement les feuilles des arbres voisins et le crépuscule illumina la volute de fumée. Celle-ci devenait dorée à mesure qu'elle s'élevait vers les cieux où l'attendaient les premières étoiles pâles.

Jamie leva la tête et se tourna vers l'ouest, vers le lieu où s'envolent les âmes des défunts. Il parla doucement, en gaélique, mais nous en savions tous assez pour le comprendre.

Tu pars ce soir rejoindre ta demeure hivernale,
Ta demeure automnale, printanière et estivale ;
Tu retrouveras ce soir ta maison perpétuelle,
Ton lit infini, ton sommeil éternel.

Que le repos des sept lumières soit à toi, Ô frère,
Que le repos des sept joies soit à toi, Ô frère,
Que le repos des sept sommeils soit à toi, Ô frère,
Dans les bras du Jésus des bénédictions, du Christ de la grâce.

L'ombre de la mort recouvre ton visage, mon bien-aimé,
Mais le Jésus de la grâce t'étreint ;
Près de la Trinité, dis adieu à tes peines,
Le Christ se tient devant toi et son esprit n'est que paix.

Ian se tenait à ses côtés. Les derniers feux du jour effleuraient son visage, faisant rougeoyer ses cicatrices. Il parla d'abord en mohawk, puis en anglais pour nous.

Que la chasse soit fructueuse,
Que tes ennemis soient détruits sous tes yeux,
Que ton cœur soit toujours rempli de joie sous le toit de tes frères.

– On est censé le répéter encore et encore, ajouta-t-il d'un air contrit. Avec les tambours et tout. Mais j'ai pensé qu'une fois suffirait pour le moment, non?

– Oui, je pense que ça ira comme ça, l'assura Jamie.

Il se tourna vers Roger qui toussota, s'éclaircit la gorge, puis récita d'une voix aussi transparente et pénétrante que la fumée :

Seigneur, dis-moi quelle sera ma fin,
Donne-moi le compte de mes jours,
Que je sache combien je suis frêle.

Hélas, je ne suis qu'un feu de paille,
Mes années ne sont rien devant toi.
Entends ma prière, Ô Seigneur, écoute ma supplique,
Ne retiens pas ta grâce devant mes larmes,
Car je ne suis qu'un étranger pour toi,
Un être de passage, comme mes pères avant moi.

Nous nous tînmes un moment en silence, tandis que la nuit s'étalait doucement autour de nous. Lorsque la lumière eut disparu et que les feuilles eurent perdu de leur brillance, Brianna saisit la cruche et versa l'eau sur les braises. La fumée et la vapeur s'élevèrent en un nuage spectral, et le parfum du souvenir se répandit à travers les arbres.

* * *

Il faisait pratiquement nuit quand nous redescendîmes l'étroit sentier qui menait à la maison. Je devinais à peine Brianna qui ouvrait la voie devant moi. Les hommes étaient juste derrière. Une multitude de lucioles voletaient entre les arbres, éclairant les herbes à nos pieds. L'une d'elles se posa un bref instant et clignota sur les cheveux de Brianna.

À la tombée de la nuit, la forêt imposait le silence, même aux battements du cœur, incitant à marcher sur la pointe des pieds.

– Alors, tu as réfléchi, *a cliamhuinn*?

La voix de Jamie derrière moi était basse, son ton amical…, mais il était clair que sa question n'avait rien d'anodin.

– À quoi? demanda Roger.

– À ce que tu vas faire… toi et ta famille. Maintenant que tu sais que le petit et toi vous pouvez voyager à travers les pierres… et ce qui peut arriver, si vous restez.

Ce qui pouvait nous arriver à tous. Je retins mon souffle, mal à l'aise. La guerre. Les combats. L'incertitude... hormis pour la certitude du danger. Le risque de maladies ou d'accidents pour Brianna et Jemmy. Le risque de mourir en couches si Brianna tombait de nouveau enceinte. Pour Roger, celui de perdre son corps et son âme. Sa tête était guérie, mais je voyais encore cette lueur sombre au fond de ses yeux, chaque fois qu'il pensait à Randall Lillywhite.

– Oh oui ! j'ai réfléchi, dit-il. J'ai réfléchi et je continue de réfléchir... *m'athair-cèile*.

Je souris en l'entendant appeler Jamie « beau-père », mais le ton de sa voix était grave.

– Voulez-vous savoir ce que je pense ? Ensuite, vous me donnerez votre opinion.

– Oui, mais tu as encore le temps, tu sais.

– Ces derniers temps, je songe souvent à Hermon Husband.

– Le quaker ?

Jamie était surpris. Husband avait quitté la colonie avec sa famille après la bataille d'Alamance. Il me semblait avoir entendu dire qu'ils s'étaient établis dans le Maryland.

– Oui, lui. À votre avis, que se serait-il passé s'il n'avait pas été quaker ? Il aurait poursuivi le combat et conduit les Régulateurs à la guerre ?

Jamie poussa un grognement méditatif.

– Je n'en sais rien, répondit-il finalement sur un ton intrigué. Tu veux dire qu'ils auraient peut-être réussi s'ils avaient eu un bon meneur ?

– Oui, ou peut-être pas. Ils n'avaient pas d'armes, après tout. Mais ils s'en seraient certainement mieux sortis. Et, dans ce cas...

Nous arrivions en vue de la maison. Il y avait de la lumière aux fenêtres, le feu était attisé dans les cheminées pour la soirée, les chandelles allumées pour le dîner.

– Si la Régulation avait été mieux dirigée, ce qui va se passer d'ici trois ans dans le Massachusetts aurait déjà commencé, ici et maintenant.

– Et?

– Je sais très bien ce qui se passe en Angleterre en ce moment. Ils ne sont pas prêts, ils n'ont aucune idée de ce qui les attend ici. Si la guerre éclatait maintenant, sans prévenir – si elle avait éclaté à Alamance – elle se propagerait comme une traînée de poudre. Elle se serait sans doute terminée avant que les Anglais aient compris quoi que ce soit. Cela aurait pu éviter des années de combat et épargner des milliers de vies.

– Ou pas, rétorqua Jamie.

Roger se mit à rire.

– Ou pas, convint-il. Mais il n'empêche. Je crois qu'il y a un temps pour les hommes de paix… et un temps pour les hommes de sang.

Brianna était arrivée à la maison. Elle se retourna sur le perron et nous attendit. Elle aussi, elle avait suivi la conversation.

Roger s'arrêta près d'elle et leva les yeux. Des étincelles s'envolèrent du conduit de cheminée en une gerbe scintillante et retombèrent en pluie sur lui.

– Vous m'avez appelé lors du *gathering*, poursuivit-il sans baisser les yeux.

– *Seas vi mo lâmh, Roger an t'oranaiche, mac Jeremiah mac Choinnich*, récita doucement Jamie. Oui, c'est vrai. «Tiens-toi à mes côtés, Roger le chanteur, fils de Jeremiah.»

– *Seas vi mo lâmh, a mhic mo thaighe,* répondit Roger. «Tiens-toi à mes côtés, fils de ma maison.» Vous étiez sincère?

– Tu sais bien que oui.

– Alors, moi aussi.

Il posa une main sur l'épaule de Jamie. Je vis les articulations de ses doigts blêmir tandis qu'il la serrait.

– Je me tiendrai à vos côtés. Nous resterons.

Près de moi, Brianna libéra son souffle, son soupir se confondant avec celui du vent.

111

Nonobstant, nous allons à sa rencontre

La grosse bougie s'était encore consumée, mais il restait de nombreux anneaux noirs indiquant les heures. Jamie laissa retomber les pierres dans la flaque de cire qui bordait la mèche, un, deux, trois, puis la moucha. La quatrième pierre, une grosse topaze, était enchâssée dans une petite boîte en bois, enveloppée dans une toile huilée et cousue. Elle partirait pour Édimbourg, adressée au mari de la cousine de Mme Bug, qui, grâce à ses relations dans les milieux bancaires, se chargerait de vendre la gemme, et, après avoir déduit sa commission, transmettrait les fonds ainsi recueillis à Ned Gowan.

La lettre qui l'accompagnait, cachetée et glissée dans la boîte, chargeait l'avocat de déterminer si une certaine Laoghaire MacKenzie habitait avec un homme dans des conditions matrimoniales. Le cas échéant, il devait déclarer caduc le contrat unissant Laoghaire MacKenzie et James Fraser et déposer les fonds dans une banque, réservant ceux-ci à la dot de Mlle Joan MacKenzie Fraser, à lui remettre le jour de son mariage.

– Tu es sûr de ne pas vouloir savoir qui est l'homme en question?

Il secoua vigoureusement la tête.

– S'il décide de me le dire, tant mieux. S'il préfère ne rien dévoiler, tant mieux aussi.

Il releva les yeux vers moi avec un sourire narquois. De toute évidence, la curiosité frustrée serait sa pénitence.

Dans le couloir, j'entendis Brianna discuter avec Mme Bug tout en admonestant Jemmy. Puis la voix de Roger l'interrompit, suivie des cris du garçonnet quand il le souleva dans les airs.

– Tu penses que Roger a fait le bon choix? demandai-je.

Sa décision me comblait de joie, et il en allait de même pour Jamie. Mais, en dépit de la perspective particulière que Brianna, Roger et moi avions sur les événements futurs, je savais que Jamie avait une bien meilleure idée que nous de l'avenir. Si le passage à travers les pierres avait ses dangers, la guerre également.

Il réfléchit, puis saisit sur une des étagères un volume très usé avec une reliure bon marché en tissu. C'était une édition de l'*Histoire de la guerre du Péloponnèse* de Thucydide. Il l'avait acheté dans l'espoir assez fou que Germain et Jemmy apprendraient un jour suffisamment de grec pour pouvoir le lire.

Il l'ouvrit délicatement pour ne pas faire tomber les pages. Les lettres en grec n'évoquaient en moi rien d'autre que les errements d'un vers qui aurait pris un bain d'encre, mais il trouva sans peine le passage qu'il cherchait.

– «Les plus braves sont certainement ceux qui ont la vision la plus claire de ce qui s'étend devant eux, gloire ou danger, et, nonobstant, vont à sa rencontre pour l'affronter.»

Les mots étaient étalés sur la page, mais je n'avais pas l'impression qu'il les lisait. Il récitait de mémoire, dans le livre ouvert de son cœur.

Une porte claqua, et j'entendis Roger crier au-dehors, appelant Jemmy. Son rire chaud retentit, à demi étranglé, tandis que Brianna lui parlait. Sa voix était trop lointaine pour que je distingue les paroles.

Puis ils s'éloignèrent, et le silence retomba.

– «Les plus braves sont ceux qui ont la vision la plus claire.» Tu en sais quelque chose, non?

Je posai une main sur son épaule, juste là où naissait son cou, et caressai du pouce les ligaments puissants de sa nuque, regardant les gesticulations du vers sur la page. Oui, il savait, tout comme moi, car sa vision était celle que je lui avais montrée.

Il inclina la tête sur le côté, si bien que ses cheveux épais retombèrent sur mon poignet, doux et chauds.

– Non, pas moi, murmura-t-il. On ne peut être brave que quand on a le choix, pas vrai?

Je me mis à rire et essuyai mes yeux de ma main libre.

– Pourquoi, tu crois que tu n'as pas le choix?

Il ne répondit pas tout de suite, mais ferma le livre, le serrant entre ses paumes.

– Non, dit-il enfin sur un ton étrange. Je ne l'ai plus.

Il se tourna vers la fenêtre. On ne voyait rien que le gros épicéa rouge de l'autre côté de la clairière et l'ombre profonde de la chênaie qui s'étendait derrière dans un enchevêtrement de mûriers. L'endroit noirci où s'était dressé la croix de feu avait de nouveau été envahi par la végétation, enfoui sous l'orge sauvage.

Il y eut un courant d'air, et je me rendis compte que le monde autour de nous n'était pas si silencieux. Les bruits de la montagne étaient partout, dans les chants des oiseaux, dans le gargouillis d'un cours d'eau… Il y avait des voix aussi, le murmure constant des activités humaines, un mot près de l'enclos aux cochons, un appel près des latrines. Par-dessus et par-dessous tout, les bruits d'enfants, les cris et les rires portés par le vent.

– Tu as sans doute raison, dis-je à mon tour.

Il n'y avait plus à choisir. Je trouvai soudain cette constatation apaisante. Ce qui devait arriver arriverait. Nous l'affronterions de notre mieux et espérions y survivre. Quoi d'autre? Si nous ne survivions pas, peut-être eux survivraient-ils. J'enroulai une mèche de ses cheveux autour de mon index et m'y raccrochai comme à une ancre.

– Mais tes autres choix? Tous ceux qui t'ont conduit jusqu'ici? Ils étaient bien réels… et, si tu veux mon avis, sacrément courageux!

Il pivota sur sa chaise pour me faire face, souriant faiblement. Sa main trouva la mienne et ses doigts s'entrecroisèrent avec les miens.

– Oui, on en sait quelque chose, pas vrai, *Sassenach*?

Je m'assis près de lui, ma main sur sa cuisse, la sienne sur la mienne. Nous restâmes ainsi un moment, observant les nuages chargés de pluie s'amonceler au loin au-dessus de la rivière, telle la menace d'une guerre lointaine. Je compris alors que, choix ou pas, cela reviendrait probablement au même.

La main de Jamie se resserra sur la mienne, et je levai les yeux vers lui. Il avait le regard fixé quelque part, au-delà de la cour, au-delà des montagnes et de l'orage lointain. La pression s'accentua encore, et je sentis les bords de mon alliance s'enfoncer dans ma chair.

Puis, il se tourna vers moi et me dit doucement :

– Quand le jour viendra où nous devrons nous séparer, si mes dernières paroles ne sont pas «je t'aime»… ce sera parce que je n'aurai pas eu le temps de les prononcer.

Remerciements

L'auteur adresse ses profonds remerciements à…

… mon éditrice, Jackie Cantor, comme toujours la plus ardente avocate de mon livre.

… mon agent, Russ Galen, toujours à mes côtés avec son bouclier et sa lance.

… Stacey Sakal, Tom Leddy et tous les autres merveilleux membres de la Production, qui ont sacrifié leur temps, leur talent et leur santé mentale pour la réalisation de ce livre.

… Kathy Lord, créature rare et exquise, excellente correctrice de surcroît.

… Virginia Norey (alias la Déesse du livre), graphiste, qui, comme par magie, est parvenue à faire tenir le tout entre deux morceaux de carton et, en plus, lui a donné très belle allure.

… Irwyn Applebaum et Nita Taublib, éditeur et éditrice adjointe, qui sont venus à la fête et y ont apporté leur contribution.

… Rob Hunter et Rosemary Tolman, pour leurs informations inédites sur la Guerre de la Régulation et leurs ancêtres très pittoresques et intéressants, James Hunter et Hermon Husband (non je n'invente pas tous ces personnages, quelques-uns seulement)

… Beth et Matthew Shope, ainsi que Liz Gaspar, pour leurs informations sur l'histoire et les croyances des Quakers en Caroline du Nord (on notera par pur souci historique que, techniquement, Hermon Husband n'était pas un Quaker à strictement parler au moment du récit, ayant été expulsé de son mouvement pour son discours jugé trop enflammé).

... Bev LaFlamme, Carol Krenz et leurs maris respectivement aux Français et canadien (rancophone (qui se demandent sans doute quel genre d'amie fréquentent leurs femmes), pour leur avis d'expertes sur le transit intestinal des Français et leur aide pour des expressions françaises très colorées.

... Julie Giroux, pour la musique de Roger et la merveilleuse Symphonie de Culloden.

... Roger H. P. Coleman, R. W. Odlin, Ron Parker, Ann Chapman, Dick Lodge, Olan Watkins et de nombreux membres du Compuserve Masonic Forum pour leur informations sur la franc-maçonnerie et les loges irrégulières, vers 1755 (soit bien avant l'établissement du Rite Ecossais, alors inutile ne m'écrire à ce sujet, compris ?).

... Karen Watson et Ron Parker, pour leurs conseils sur les stations de métro londoniennes pendant la Seconde Guerre Mondiale... au sujet desquelles je me suis permis quelques libertés techniques.

... Steven Lopata, Hall Elliott, Arnold Wagner, R. G. Schmidt et Mike Jones, tous d'honorables guerriers, pour leurs discussions utiles sur la manière dont les hommes pensent et se comportent avant, pendant et après la bataille.

... R. G. Schmidt et plusieurs autres charmantes personnes dont j'ai malheureusement oublié de noter le nom, qui m'ont transmis beaucoup d'informations utiles sur les croyances, la langue et les coutumes cherokees. (L'incantation pour la chasse à l'ours s'achevant sur « Yoho ! » est historique. Il y a beaucoup de choses que, même avec l'imagination la plus folle, je n'aurais pas pu inventer toute seule).

... la famille Chemodurow, pour m'avoir généreusement permis de prendre des libertés avec leurs personnalités, les dépeignant comme des porchers russes aux XVIIIe siècle, des sangliers russes ont réellement été importés en Caroline du Nord pour la chasse. Cela a peut-être un rapport avec la popularité du barbecue dans le Sud).

… Laura Bailey, pour ses conseils et commentaires précieux sur les costumes et les coutumes du XVIIIe siècle, dont j'ai en grande partie tenu compte.

… Susan Martin, Beth Shope et Margaret Campbell, pour leurs opinions d'expertes sur la faune, la flore, la géographie, le climat et l'ambiance psychologique de la Caroline du Nord (et qui tiennent toutes à préciser que seul un barbare mettrait des tomates dans la sauce barbecue). Toute aberration dans ces aspects de l'histoire résulte de l'inadvertance, de la licence poétique et/ou de l'entêtement de l'auteur.

… Janet McConnaughey, Varda Amir-Orrell, Kim Laird, Eise Skidmore, Bill Williams, Arlene MacRae, Lynne Sears Willimas, Babs Whelton, Joyce McGowan et les dizaines d'autres bonnes âmes du Compuserve Writers Forum, toujours prêtes à répondre à une question idiote en un tour de main, notamment si elle a trait à la mutilation, au meurtre, à la maladie, au point piqué ou au sexe.

… Le docteur Ellen Mandell, pour ses conseils techniques sur la manière de pendre un homme puis de l'égorger sans le tuer. Toute erreur dans l'exécution de cet avis est de mon fait.

… Piper Fahrney, pour ses excellentes descriptions de ce que l'on ressent lors de l'apprentissage du combat à l'épée.

… David Cheifetz, tueur de dragons.

… Iain MacKinnon, pour son aide très précieuse dans les traductions du gaélique et ses charmantes suggestions pour le discours de Jamie lors du gathering.

… Karl Hagen, pour ses conseils en grammaire latine, et Barbara Schnell, pour ses conseils en latin et allemand, sans parler de ses magnifiques traductions de mes romans en allemand.

… Julie Weathers, mon regretté beau-père, Max Watkins et Lucas, pour leur aide au sujet des chevaux.

… Les Dames de Lallybroch, pour leur soutien moral enthousiaste et continu, y compris leur approvisionnement attentionné en papier hygiénique international.

… Les plusieurs centaines de personnes qui ont eu la gentillesse de m'offrir spontanément des informations tout azimut, du développement et des usages de la pénicilline, aux bodhrans, à la distribution de l'épinette rouge et au goût de la viande d'opossum (il paraît que c'est gras, pour ceux que ça intéresse).

… et mon mari, Doug Watkins, pour la dernière réplique du roman.

Diana GABALDON

transcontinental
IMPRESSION
IMPRIMERIE GAGNÉ

IMPRIMÉ AU CANADA